JIATING BIBEI

RANG SHENG HUO

ZOU XIANG JIAN KANG

YU WAN MEI

JIATING BIBEI BAIKE

新编

偏方秘方大全

让生活走向健康与完美

中医古籍出版社

健康是第一财富。 ——爱默生

食物之于人好像油之于灯，油很多，灯就会亮。油太少，灯就会熄灭。然而一盏灯却往往因油太多而熄灭。

——弗来明

睡眠真是一种灵丹妙药！它不仅能恢复人的体力，而且在一定程度上也能恢复人的心灵，使它返璞归真。

——屠格涅夫

一种美好的心情，比十副良药更能解除生理上的疲惫和痛楚。

——马克思

JIA TING BI BEI BAI KE

新编偏方秘方大全

主　编：张湖德

副主编：张青松　邵德彬　闫兴丽　王　玲

王忠凯　乔占兵　尹　婷

编　委：马亚宽　王春利　王玥琦　车延平

何　军　李　岩　刘福奇　张彩红

张粤军　杨凤珍　杨世昌　周　俭

高延培　侯晓珍　侯晓杰　樊　镒

XHPFMFDQ

中医古籍出版社

责任编辑：朱定华
封面设计：金明工作室

图书在版编目（CIP）数据

新编偏方秘方大全/张湖德编．—北京：中医古籍出版社，2003.1
ISBN 7-80174-109-9/R·109
Ⅰ．新…　Ⅱ．张…　Ⅲ．①土方-汇编②秘方-汇编　Ⅳ．R289.2
中国版本图书馆 CIP 数据核字（2002）第 081165 号

新编偏方秘方大全
中医古籍出版社出版发行
（北京东直门内北新仓 18 号　100700）
全国各地新华书店经销
北京市朝阳展望印刷厂
787mm×1092mm　16 开　45.25 印张　700 千字
2003 年 1 月第 1 版　2007 年 1 月第 2 次印刷
印数：3001～6000 册
ISBN　7-80174-109-9/R·109
定价：48.00 元

序

毛主席说：“中国医药学是一个伟大的宝库，应当努力发掘，加以提高。”数千年来，在中医浩如烟海的典籍中，蕴藏着非常丰富的治疗疑难病症的偏方、验方、单方、秘方，真可谓“偏方治大病”、“单方一味，气煞名医”。

所谓偏方，是指药味不多，却对某些病症又具有独特疗效的方剂，为中华民族之繁衍和人类的健康作出了重大的贡献，其功实不可没。但这些偏方不便寻觅，有鉴于此，中医专家张湖德先生特汇集古今医论之精华，参照临证实践之心得，著成《新编偏方秘方大全》。这对进一步发展我国传统的医药学，防病治病，无疑是一大贡献。

北京中医药大学教授、博士生导师

中药研究所名誉所长　颜正华

2002.12.12

前　言

自从1992年，我参加编写了《中医老年病学》后，1998年我又主编了《疾病与防治》，本书《新编偏方秘方大全》是我主编的第四部临床专著。

尽管近十几年来，我一直主要从事传统医学的养生保健与美容，但因为毕业于北京中医药大学医疗专业，又要经常带学生去基层医院临床见习或实习，故也要经常研究和学习对于诸多疾病的防治问题。如何用单方、偏方、验方、秘方治疗疾病，亦是我关心的一个重要课题。经中国青年出版社王斌俊主任的推荐，李鸿涛同志决定由我主编一本用偏方、秘方治病的书，现经过我和编委的艰苦努力，终于编写完这本临床专著。不当之处，敬请同志们批评指正。此外，在编写本书的过程中，还得到中国中医研究院北京望京医院专家会诊中心的大力支持，特表示衷心的感谢。

中央人民广播电台医学顾问　张湖德

2002.12.9于北京中医药大学

目录

第十六章 中药的科学服用

内科病

NEI KE BING

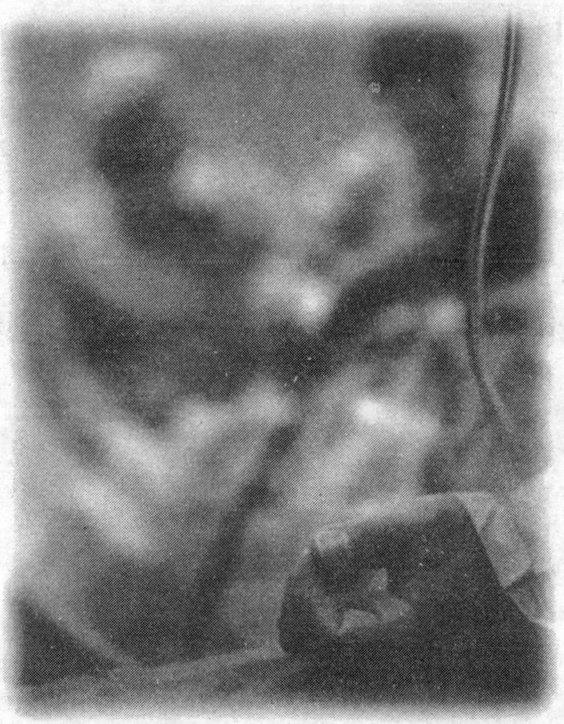

第一节

『心绞痛』

本病是一种由冠状动脉供血不足，心肌急剧和暂时的缺血与缺氧而致阵发性前胸压榨感或疼痛为特点的临床证候。

本病的发作多在劳累、激动、受寒、饱食、吸烟时。发作时心电图有心肌缺血等表现，即可进行诊断。

【方一】

栀子、桃仁各 12 克，炼蜜 30 克。将二药研末，加蜜调成糊状。把糊状药摊敷在心前区，纱布敷盖，第一周每 3 日换药 1 次，以后每周换药 1 次，6 次为 1 疗程。

【方二】

瓜蒌、薤白各 12 克，白酒适量；将 3 药慢火同煎服；1 日 2 次，饭后服用。

【方三】

老榕树根 30 克，蒿草根 15 克，余甘根 30 克。上药共入锅煎水。饭后服，每周服药 6 天，连服 4 周为 1 疗程。

【方四】

七成熟的青柿子 1 000 克，蜂蜜 2 000克；将柿子洗净去柿蒂，切碎捣烂，用消毒纱布绞汁，再将汁放入砂锅内，先用大火后改小火煎至浓稠时，加蜂蜜，再熬至黏稠，停火，冷却，装瓶。开水冲饮，每次 1 汤匙，日 3 次。

【方五】

玉竹、山楂各 500 克，糖粉、白糊精各适量。山楂水煎 2 次，每次 15 分钟；玉竹水煎 2 次，每次 30 分钟。合并 2 药，沉淀，取上清液，浓缩成浸膏，入 3 倍量的糖水、1 倍量的白糊精，搅匀，制颗粒，干燥，过筛。每服 22 克，开水冲服，日 3 次。

【方六】

丹参 30 克，白酒 500 克。浸泡。每次饭前饮服 10 毫升，每日 2～3 次。

【方七】

白果叶、瓜蒌、丹参各 15 克，薤白 12 克，郁金 10 克，甘草 5 克。水煎服，每日早晚各 1 次。

【方八】

红参 6 克，麦冬 6 克，黄芪 6 克，陈皮 5 克。水煎服，每日 1 剂，秋末服用，至第二年春为止。

【方九】

芭蕉花 250 克，猪心 1 个。将上二物放于砂锅内，加水适量，共炖 2 小时。喝汤食心，每日 1 剂，连服数日。

【方十】

生山栀15克，三七粉3克。用沸水浸泡半小时。代茶饮，每日1剂，连服数日。

【方十一】

桃枝1把，酒500毫升。将桃枝切成小细条，加入酒，煎取半毫升，顿服。

【方十二】

大麦根须适量。将根须打粉制成片剂，每片50毫克。每次服2～4片，每日3次。

【方十三】

鲜葛根适量，粳米100克。葛根切片磨碎，加水搅拌，沉淀取粉，取葛根粉30克，与粳米同煮粥。每日早晚服食。

【方十四】

肘子肉250克，榨菜250克。将肉去皮、脂，加水煨炖至肉烂，撕碎，入榨菜丝煮开。加味精服食。

【方十五】

丹参30克，糯米50克，红枣3枚，红糖少许。丹参加水煎汤，去渣后入糯米、红枣、红糖煮粥。温热食，日2次，10天为1疗程，隔3天再服。

【方十六】

核桃1个，枣子1枚。去核，纸包煨熟。以生姜汤下，细嚼。

【方十七】

西洋参、川三七10克，鸡内金、琥珀、珍珠粉各10克，麝香0.3克。上药共研细末，调匀。每次服2克，日服2～3次。

本方为福建中医学院盛国荣教授经验方。

【方十八】

延胡索、五灵脂、草果、没药。等份为末。每服6～9克。

【方十九】

黄芪30克，当归、白芍各12克，川芎9克，生地15克，炙甘草6克。

水煎服，每日1剂，日服2次。

本方为刘玉瑛老中医治心绞痛秘方。

【方二十】

香蕉50克，蜂蜜少许。将香蕉去皮研碎，加入等量的茶水中，加蜜调匀当茶饮。每日频繁饮之。

【方二十一】

马齿苋、韭菜等份，葱、姜、猪油、酱油、盐、鸡蛋各适量。将马齿苋、韭菜分别洗净，阴干2小时，切碎末，将鸡蛋炒熟弄碎，然后将马齿苋、韭菜、鸡蛋拌在一起，加上精盐、酱油、猪油、味精、葱、姜末为馅，和面制成包子，蒸熟食用。根据食量食用。

【方二十二】

三七粉3克，肉桂粉1.5克，当归30克。用当归煎汤冲服三七粉、肉桂粉。1日分3次服。

【方二十三】

银杏叶5克。将上药洗净，切碎，开水焖泡半小时。每日1次，代茶而饮。

【方二十四】

鸡蛋25个，朱砂3克，珍珠粉3克。将鸡蛋煮熟，取出蛋黄，放锅内用文火炒，至出黑烟为度。然后放在双层纱布里榨取蛋黄油；榨后再炒，至第二次为止；再将朱砂、珍珠粉加入蛋黄内搅匀。每日服1剂，连服

10剂。

【方二十五】

干冬菇20个，红枣8个，料酒、精盐、味精、姜片、花生油适量。选优质干冬菇20个，用冷水洗净泥沙；红枣洗净待用。用有盖炖锅1个，加进清水、冬菇、红枣、精盐、味精、料酒、姜片、熟花生油少许，用牛皮纸封好后，急火炖1小时左右，出笼起锅即可。

冬菇含较高的碳水化合物、蛋白质、微量元素和多种有机酸，并含有抗癌物质，能提高机体抑制癌瘤的能力，加强人体抗癌作用，常用于各种癌症的辅助治疗；并能抑制血清及肝中胆固醇的升高，可防治心血管疾病。其中所含的麦角甾醇，在日光紫外线照射下，可转变为维生素D_2，防止佝偻病。而含的精氨酸又能防止肝脏系统及胃肠道的溃疡。中医认为：冬菇性味甘、平，有益气、开胃的作用。常食可治疗各种虚证、食少，以及高血压、冠心病和癌症及胃、十二指肠溃疡等症。

【方二十六】

当归10克，赤芍12克，丹参15克，红花10克，桃仁10克，山楂30克，广郁金15克，绛香9克，川芎12克。痛甚，加失笑散、延胡索，酌用乳香、没药；舌有瘀点、瘀斑加莪术、三棱，酌用水蛭；胸闷较剧，加檀香、香附、片姜黄、苏罗子；胸胁胀满，时时太息，加柴胡、白芍、枳壳、川楝、合欢皮；胸脘胀痛、嗳气，加枳壳、厚朴、法半夏、苏梗、陈皮、砂仁。

水煎服，日1剂，分2次服。

本方理气活血，通络止痛，用于心胶痛所见症状：心胸刺痛、绞痛频作，或在夜间发作，痛处固定，常引及左肩臂内侧，痛甚则肢冷汗出，面白唇青，或心胸满闷如有物压。舌有紫气或瘀点、瘀斑，脉弦或涩或有歇止。

【方二十七】

瓜蒌30克，薤白12克，法半夏10克，白蔻仁9克，枳壳6克，石菖蒲9克，桂枝9克，红花10克，川芎10克，广郁金10克。

水煎服，日1剂，分2次服。

本方豁痰止呕，通络益痹，适用于心绞痛。症状：胸闷如窒而胀，或隐痛阵作，呕恶、脘痞。舌苔白腻或浊腻、舌质黯紫，脉弦滑或沉滑。

【方二十八】

薤白15克，桂枝10克，荜茇10克，良姜9克，细辛6克，香附9克，血竭9克，乳香10克，没药9克。

水煎服，日1剂，分2次服。

本方温通散寒，活络止痛，适用心绞痛。症状：心胸绞痛，紧缩不舒，受寒易作，或胸痛彻背，畏冷面青，手足不温。苔白或滑腻，舌淡紫，脉沉迟。

【方二十九】

黄芪15克，党参10克，炙甘草6克，川芎10克，当归9克，赤白芍各10克，红花10克，广郁金10克。便溏，加怀山药、白术、茯苓、莲肉；舌红、口干、失眠、自汗，合生脉散，酌加麦冬、生地、玉竹、丹参、五味子、酸枣仁；胸痛、胸闷、太息，加枳壳、片姜黄、香橼皮、佛手片、失笑散，或间服三七粉；胸闷、苔腻，加苍术、川朴、法半夏、瓜蒌皮、石菖蒲。

水煎服，日1剂，分2次服。

本方益气通脉，理气活络，适用

于心绞痛。症状：胸闷气短，或伴胸痛，劳累易作，静息则止，头晕心悸，神疲乏力。苔薄、舌质偏黯或有紫气，脉细弱。

【方三十】

生熟地各15克，麦冬12克，枸杞子12克，制首乌10克，山萸肉9克，当归、白芍、丹参各10克，郁金12克。短气，加太子参、黄精；心悸失眠，加玉竹、酸枣仁、五味子、磁石；腰酸腿软，加炙女贞、旱莲草、桑寄生；眩晕、面部烘热、肢麻，酌加天麻、钩藤、白蒺藜、菊花、豨莶草、丹皮、龟板、珍珠母；心胸烦闷、灼痛、口干、口苦，加黄连、瓜蒌、葛根、赤芍、丹皮。水煎服，日1剂，分2次服。

本方滋肾养心，活血通络，适用于心绞痛。症状：间有心胸刺痛或胸闷，头晕耳鸣，心悸失眠，腰酸，口干，手足心热。舌质红或暗，或有瘀点、瘀斑。苔少或无苔，脉细数或细弦。

【方三十一】

黄芪、党参各10克，仙灵脾9克，巴戟天9克，杜仲8克，熟地8克，枸杞子10克，桂枝12克，炙甘草6克，川芎10克，片姜黄9克。若下肢冷、夜尿多，加附片、鹿角片、仙茅；食少、纳呆、便溏，加干姜、白术；脉迟或结代，加人参、细辛，酌用麻黄；舌红、口干，加麦冬、生地、五味子、丹参；胸闷痛明显，加荜茇、良姜；下肢浮肿、气喘，加附片、白术、赤芍、益母草、葶苈子。

水煎服，日1剂，分2次服。

本方温肾益气，活血通脉，适用于阳虚血滞的心绞痛。本病在临床上出现的主要症状：胸闷时作，或有胸痛，心悸气短，动则气喘，自汗，乏力，腰膝酸软，畏寒肢冷，夜尿频多，唇黯。舌淡紫而胖，脉沉细或结代。

【方三十二】

鲜活鲤鱼或青鱼250克，豌豆10克，瘦猪肉30克，料酒5克，猪肉汤或鸡汤250克，火腿8克，鸡蛋清10克，酱油0.8克，姜末1克，精盐2克，干冬笋3克，干团粉0.5克，味精0.3克。把火腿蒸熟后切成细丝；冬笋也切成细丝；豌豆择好；姜剁成细末，瘦猪肉剁成细泥；团粉加1倍的水调成湿团粉。把活鱼预处完毕，剔去骨刺，片成小长方形鱼片；在猪肉里加入酱油、半个鸡蛋清和三分之一的料酒及三分之一的精盐、一半味精、一半湿团粉、姜末，拌成肉馅；把余下的鸡蛋清与湿团粉调成糊状，把鱼片平放在菜墩上，先抹上一层糊，再放上肉馅，把鱼片卷起来，当卷到鱼片另一端时，再涂上少许糊把鱼卷粘住，勿使散开；将鸡汤于旺火烧开，改为小火，将卷好的鱼卷放在汤里氽一下，去掉浮沫，使汤清亮。待鱼卷熟后，再在汤里加入剩下的佐料和切好的火腿丝、冬笋丝，把汤再烧至开时，放入豌豆即成。

内含有蛋白质30.7克，脂肪29.4克，糖2克，热量395千卡，钙66毫克，磷314毫克，铁4.1毫克，胡萝卜素0.16毫克，硫胺素0.18毫克，核黄素0.22毫克，尼克酸6.1毫克，维生素C 3毫克。

对于高血压、冠心病、脑血管病、慢性肾炎、消化不良等患者尤为适宜。

第二节

『心肌梗塞』

本病是由于持久而严重的心肌急性缺血所引起的部分心肌梗塞坏死。一般均伴有心室功能不同程度损害；临床上可以见到严重胸痛和组织坏死的一些全身反应。常常伴有急性循环衰竭及严重的心律失常。

【方一】

生蒲黄、丹参、薤白、瓜蒌各15克，桂枝、半夏、桃仁、红花、五灵脂各9克，三七、琥珀各3克。

水煎服，日2次，饭后服。

【方二】

鸡腿肉150克，人参15克，麦冬25克。将洗好去皮的鸡腿肉和适量冷水同时入锅，在文火中煨开10分钟后，下入洁净的药物，直煨至肉烂，加入少量盐、味精，食用。

本方适用于因心肌梗塞引起的休克。具有复苏、抗应激、抗休克作用。

【方三】

柠檬1个，马蹄10个。上2味水煎，可食可饮，常服有效。

【方四】

兔肉500克，山楂5枚，食盐8克，姜、葱、料酒各10克，糖色5克，味精3克。

将兔肉洗净切块，放入砂锅内与山楂同煮烂。入食盐、姜、葱、料酒、糖、味精调味服用。

此菜色泽红亮，醇香扑鼻，肉鲜味香，酒饭均宜。功用：补脾胃，益气血。适用于年老体弱、久病无力、气怯食少之人，以老年人食之最宜。此外，山楂有较持久的扩张血管和降压、强心作用，并能增加胃酶素和脂肪分解酶，故最适用于患心脏血管疾病的老人食用。

【方五】

黑木耳15克，猪腿肉50克，豆腐2块，植物油、细盐、黄酒、酱油、米醋、蒜泥、豆瓣辣酱、花椒、辣油、味精适量。先将黑木耳用温水浸泡1小时；发胀后，除去杂质，洗净，再入冷水中浸泡，备用；猪肉洗净，切成肉碎，加细盐、黄酒、酱油拌匀，备用；豆腐切成小方丁块；起油锅，放植物油2匙，中火烧热油后，倒入肉碎、蒜泥，炒香，再下木耳、豆瓣辣酱，翻炒3分钟后，加淡肉汤或清汤一碗，倒入豆腐，然后加细盐少许；再焖烧10分钟，加淀粉糊、米醋、花椒粉、辣油、味精，拌和成羹；小沸后装碗，佐膳食。

本方调中益气，滋肾益胃，活血散血，祛除寒湿。近年来证明，此菜有良好的抗血凝块作用，对血管栓塞、心肌梗塞有一定的防治效果。

【方六】

人参、附片各 6 克，桂枝 12 克，五灵脂、蒲黄各 10 克，细辛 6 克，元胡、丹参各 10 克，罂粟壳 12 克。

舌红少苔去附片，加麦冬 10 克；怕冷加良姜 10 克、荜茇 12 克；中成药兼服苏合香丸或冠心苏合丸、麝香保心丸、速效救心丸等，静脉滴注用丹参或复方丹参注射液。

水煎服，日 1 剂。本方温阳益气，活血宣痹，适用于心肌梗塞。症见心胸剧痛，闷塞如窒，神烦不安，自汗，肢冷，面苍，唇舌淡紫，脉沉细弦。

【方七】

黄芪、党参各 10 克，黄精 12 克，炙甘草 6 克，丹参 9 克，赤芍、红花各 6 克。若胸痛明显，加桂枝、附片，党参改人参；舌红少津，加玉竹、生地、麦冬。

水煎服，日 1 剂，分 2 次服。

本方益气养心，活血通络，适用于气虚血瘀所致的心肌梗塞。病症为神疲，气短，头晕，胸闷或胸痛，心悸，自汗，面白少华，苔薄白，舌质紫暗，脉虚无力，或有歇止。

【方八】

瓜蒌 10 克，薤白 12 克，半夏、枳壳各 9 克，川朴 6 克，砂仁、茯苓各 10 克，丹参 9 克，郁金 12 克，山楂 10 克。

水煎服，日 1 剂，分 2 次服。

若神疲气短，加人参或太子参；呕恶加藿香、生姜汁；口干、口苦，苔黄腻，身热加黄连、黄芩、竹茹，或加柴胡、青蒿；腹胀、大便秘结，重用全瓜蒌，酌加番泻叶、芒硝或大黄；神志欠清，加石菖蒲、天竺黄、矾水郁金，兼服苏合香丸。

本方化痰止呕，活血通络，适用于痰瘀互结所致的心肌梗塞。临床主要症状是胸闷脘痞，或胸腹疼痛，呕恶，纳呆，口黏，四肢困倦，苔浊腻，舌紫，脉滑。

【方九】

人参 9 克，麦冬 10 克，生地 12 克，王竹、赤芍、丹参、当归各 9 克。

若舌光剥无苔，加龟板、鳖甲、石斛、西洋参；大便于结，加玄参、大麻仁、瓜蒌仁，酌用番泻叶；身热，加丹皮、地骨皮、青蒿、鳖甲。

水煎服，日 1 剂，分 2 次服。

本方益气养阴，活血通络，适用于气阴两虚所致的心肌梗塞。症见神疲无力、胸闷、气短、自汗、盗汗、口干、潮热、面红、唇舌暗红或光红无苔、脉细数无力等。

【方十】

嫩公鸡 250 克，料酒 10 克，芹菜 75 克，酱油、冬笋各 10 克，精盐适量，辣椒 20 克，味精少许，瘦肉汤 30 克，生姜 0.5 克，白糖 0.4 克，醋 0.3 克，豆瓣酱 0.25 克，团粉 0.30 克，植物油 20 克。将辣椒剁碎，芹菜切成段，姜剁成细末，冬笋切成细条；将团粉加水 12 毫克，兑成湿团粉；把鸡肉切成小方块，和一半湿团粉、酱油、料酒、盐等在碗里拌匀；另一半湿团粉、白糖、味精、高汤及部分酱油调和成团粉块；用热油锅，先煸鸡块，煸到鸡肉变白色，水分将干时，放进冬笋、豆瓣酱、姜等，用快火急炒，然后加放切好的芹菜，略炒一会，倒入调好的粉块，随炒随搅，等粉块熟时即成。

含蛋白质 54 克，脂肪 54.4 克，糖 12 克，热量 754 千卡，钙 193 毫克，磷 493 毫克，铁 12.6 毫克，胡萝卜素 0.4 毫克，硫胺素 0.08 毫克，核黄素

0.25 毫克，尼克酸 16.8 毫克，维生素 13 克。

这份家常鸡，适应于高血压、冠心病、营养不良、贫血、术后恢复期等患者。

第三节

『高血压』

本病是以动脉血压升高为主要表现，并伴有脑、心、肾功能障碍和病理改变的全身性疾病。此病是当前威胁人类健康的重要疾病，它是脑卒中和冠心病的主要危险因素。在早期和中期，症状往往不明显，而为人们所忽视，而一旦出现心脑血管并发症，则变成难以控制的医疗保健问题，因而被称为“无声的杀手”。

当收缩期血压达到 18.6kPa，即 140mmHg，舒张期血压达到 12kPa，即 90mmHg 时，称为临界高血压。

【方一】

白菜 200 克，童鸡脯肉 50 克，酱油 10 克，香油、精盐各 3 克，味精少许。先把白菜洗净，切成细丝，盛入盘中，待用，把童鸡脯肉用手撕成细丝，倒在白菜上面，加入上述佐料，拌匀，随食量食用。

【方二】

海带 30 克，草决明 15 克。

将海带洗净去盐，浸泡 2 小时，连汤放入砂锅，再加草决明煎 1 小时以上，饮汤，海带可吃，血压不太高者，1 日 1 剂；病重者，可 1 日 2 剂。

【方三】

生芹菜 1 000 克，蜂蜜适量。将生芹菜去根洗净，捣烂，榨取汁液，在汁液中加入等量蜂蜜，调匀即成，每次服 40 毫升，每日服 3 次。

【方四】

昆布、苡仁各 30 个，鸡蛋 3 个，盐、猪油、味精及胡椒粉适量。海带洗净，切条状，苡仁洗净，加水共放入高压锅内将海带、苡仁炖至极烂，连汤备用；将锅置旺火上，放猪油适量，将打匀的鸡蛋炒熟，随即将海带、苡仁连汤倒入，加盐、胡椒粉适量，临起锅时加味精，随食量食用，1 日 1 次。

【方五】

白木耳、黑木耳各 10 克，冰糖 30 克。双耳用温水泡发，摘除蒂柄，除去杂质，与冰糖及适量清水同置碗内，上笼蒸约 1 小时，至木耳熟烂，食木耳饮汤，日 2 次。

【方六】

燕麦片 100 克，玉竹 15 克，蜂蜜适量。玉竹用冷水泡发，煮沸 20 分钟后取汁，再加清水煮沸20分钟取汁，合并2次药汁，加入麦片煮开，用文火熬煮成稠粥，加蜂蜜食用，1日2次，饭前、饭后服均可。

【方七】

夏枯草30克，黑豆50克，白糖1匙。夏枯草除去杂质，快速洗净，滤干；黑豆除去杂质，洗净，用水浸泡半小时；将夏枯草、黑豆倒入小钢精锅内，加水3大碗，用小火烧煮1小时后，捞除夏枯草，加白糖，继续煮半小时，至黑豆酥烂，豆汁约剩下1小碗时，离火当点心吃，汤豆同食。每日1～2次，每次1小碗，天冷时可加倍配制，2天内食完，1个月为1疗程。

【方八】

钩藤500克。拣去老梗及杂质，洗净，晒干备用，每次30克，日2次，沸水冲泡，代茶徐徐饮之。

【方九】

臭梧桐1 000克。将上药制成药片，制作时不宜加温，以免影响药效，每日3次，每次服4片。

【方十】

夏枯草、茺蔚子各18克，草决明30克，生石膏60克，黄芩、桑叶、槐角、钩藤各15克。上药共煎，去渣取汁，加蜜收成膏，1日分3次服，开水送下。

【方十一】

锦鸡儿（土黄芪）鲜用或干用均可。取根洗净，去外皮，切片，每日24～30克，加白糖适量，分3次服。

【方十二】

鲜茼蒿菜一握。洗、切，捣烂取汁，每次1酒杯，温开水和服，1日2次。

【方十三】

茵陈蒿、大蓟根各15克。水煎，1日2次，饭后服。

【方十四】

白木耳或黑木耳3克；冰糖1克。清水浸泡1夜，于饭锅上蒸1～2小时，加入冰糖，于睡前服。

【方十五】

鲜棕榈花30～60克。水煎服，1日2次，饭后服。

【方十六】

夏枯草10克，龙胆草3克，益母草、白芍各10克，甘草6克。水煎服，每日1剂，日服2次。

此方为北京中医药大学名老中医刘渡舟临床治疗高血压效方。

【方十七】

茯苓、清半夏各9克，白术、白芍、附片各6克，生龙骨、生牡蛎各12克，生姜4.5克。水煎服，每日1剂，日服2次。

本方为中国中医研究院著名老中医蒲辅周的治疗高血压效方。

【方十八】

食醋100毫升，冰糖500克。将冰糖放入醋中溶化，每顿饭后饮1汤匙。

【方十九】

柠檬1个，荸荠10个。水煎，可食可饮，常服有效。

【方二十】

松花蛋1个，淡菜50克，大米50克。将松花蛋去皮，淡菜浸泡洗净，同大米共煮作粥，可加少许盐调味，食蛋菜饮粥，每早空腹用。

【方二十一】

玉米须60克。将玉米须晒干，洗净，加水煎，每日饮3次。

【方二十二】

鹅蛋1个，花椒1粒。在鹅蛋顶端打1小孔，将花椒装入，面糊密口蒸熟，每日吃1个蛋，连吃7天。

【方二十三】

莲心（莲子中的胚芽）2～3克。以开水沏代茶饮用。

【方二十四】

鲜西红柿2个。将西红柿洗净，蘸白糖，每早空腹吃。

【方二十五】

海参、冰糖各50克。海参洗净，加水同冰糖煮烂，每日晨空腹服，吃参肉饮汤。

【方二十六】

黄芩、山栀、制军、白芍、甘草、生地、钩藤、怀牛膝各50克。水煎服，每日1剂。

【方二十七】

地骨皮60克。上药加水3碗，煎至1碗，煎好后加少量白糖或加猪肉煎服。隔日1剂，第二天复查，服5剂为1疗程，必要时加服第2、3疗程。

【方二十八】

青木香适量。研成细末，装入胶囊内服，1日3次。开始每次剂量可用0.4～0.8克，以后再逐步增加至1～2克。饭后服，3个月为1疗程。

【方二十九】

柿饼3个，冰糖少许。将柿饼洗净，加少量清水及冰糖、石花菜，放锅中隔水蒸至柿饼绵软后服食。

【方三十】

葫芦瓜500克，冰糖少许。将瓜洗净，连皮切块，加水适量煲汤，用冰糖调味，饮汤，瓜可吃可不吃。

【方三十一】

珍珠母、龙胆草、怀牛膝、槐米、夏枯草、生地黄各500克。以珍珠母、生地黄、夏枯草、怀牛膝煎煮浓缩成膏；配以龙胆草、槐米，部分夏枯草及部分珍珠母的原粉制成浓缩丸，每100粒干重12克，日服2次，每服6克，温开水送下。

【方三十二】

枸杞根、珍珠母、车前子各500克，夏天无、利血平各100克，硫酸双肼肽嗪、硬脂酸镁各50克，生绿豆粉、淀粉各100克。将枸杞根、珍珠母、车前子提取较精制的浸膏，夏天无、生绿豆制成生药原粉，共制颗粒，然后加入利血平及双肼肽嗪原粉及其他辅料，压制成片，日服3次，每服3片。

【方三十三】

天麻600克，酒少许。将天麻酒润切片，焙干为末，每次5～10克，开水冲服，每日1～2次。

【方三十四】

吴茱萸100克，醋少许。将吴茱萸用醋调，贴脚心涌泉穴处，每日调换1次。

【方三十五】

生菜子（莴苣子）20克，蜂蜜适量。将菜子打粉后水煎浓缩，加入蜂蜜，空腹分2次服，每日1剂。

【方三十六】

鲜山楂、苹果各30克，鲜芹菜3根，冰糖10克。把苹果、山楂、芹菜切碎加水，隔水蒸30分钟，加入冰糖，渣汤同食，每日1剂。

【方三十七】

向日葵花托1个，红枣20枚。以

清水3碗，煎至1碗，饮汤食红枣。

【方三十八】

黑芝麻、胡桃肉各20克，冬桑叶10克。水煎，去桑叶，分2～3次渣汤同服，每日1剂。

【方三十九】

醋50克，鸡蛋1只。一起煎煮，晨间空腹服，连服1周。

【方四十】

鲜菠菜200克，麻油少许。将菠菜放沸水中略烫数分钟，以麻油拌食，1日2次。

【方四十一】

菱角、旱芹菜各30克。煎服，1日3次，饭前服。

【方四十二】

香瓜藤、黄瓜藤、西瓜藤各15克（干品），水500毫升。用水将上述各物煎至100毫升，日服1～2次，1个月为1疗程。

【方四十三】

中国大果山楂干品。将山楂干品通过蒸气夹层锅加热水提制成糖浆，使每毫升糖浆含山楂干品0.65克，并加适量防腐剂，每日服3次，每次20毫升，饭后服。

【方四十四】

桑枝、桑叶、茺蔚子各15克，水1 000毫升。将上述各药水煎至600毫升，睡前洗脚30～40分钟，洗完睡觉。

【方四十五】

生向日葵子1把，芹菜根汁1杯。

剥壳吃向日葵子，配饮芹菜根汁，每日吃1把瓜子，服1杯芹菜汁。

【方四十六】

臭牡丹根皮若干克。将牡丹根皮晒干，去净泥土，磨成细粉，以水做成绿豆大的小丸，每次服9克，日服3次，空腹服下，连续服用6个月。

【方四十七】

生花生壳120克。水煎2次，混合后分成3份，每份约1玻璃茶杯，每次温服1杯，日服3次。

【方四十八】

青木香若干克。将木香晒干，去净泥土，研成细粉，有条件的可装入胶囊内，每次服0.4～0.8克，1日3次，饭后服用。如服后较适应，可每次剂量逐渐增加到1～2克，1日量为3～6克，3个月为1疗程。

【方四十九】

黄羊角100克。将羊角研成细粉，每次服3～6克，日服3次。

【方五十】

黄羊角800克，桑叶300克，生地500克，钩藤200克，白芍300克，甘草80克。将以上药物共研细面，炼蜜为丸，每丸重15克，每次服1丸，日服2次。

【方五十一】

草决明15克，钩藤12克，山楂10克，茶叶6克，甘草3克，白糖少许。上药共研粗末，为1包量，每次1包，日服1～2包。服前，先用开水冲泡10分钟，加适量白糖调味，可当茶饮。

【方五十二】

菊花1 000克，川芎400克，丹皮、白芷各200克。用洁净布缝枕袋，装入上药当枕头，供睡眠时枕用。

【方五十三】

胆汁制吴茱萸500克，龙胆草醇提取物6克，硫黄50克，醋制白矾50克，朱砂50克，环戊甲噻嗪175毫克。

将上药混合后研极细粉备用。用药前，先将患者肚脐内部用温水洗擦干净，每次用药粉200毫克（将四环素药片研碎，量略少一些）左右，倒入脐内，敷盖棉球，外用胶布固定。每周更换1次，本方对一、二期高血压的疗效较好，一般从第一到第二周即可见效。

【方五十四】

吴茱萸若干克，醋少许。把吴茱萸研成极细粉，用醋调成糊状，外敷于两足心处（敷药面积较四环素药片稍大一些），用大片胶布固定，临睡前用，次日起床后去掉，每日1次。

本方降压及改善临床症状疗效较满意。

【方五十五】

雁1只，瘦猪肉200克，木耳15克，另有精盐、料酒、胡椒粉、葱、姜、鸡清汤、鸡油、猪油适量。将雁去毛，去内脏，斩去脚爪洗净，放入沸水锅中氽一会儿，捞出后切块。烧热锅放入猪油、葱、姜煸香，放入雁肉块煸炒，捞出洗净；再把猪肉洗净，放沸水锅中焯一下，捞出切片，发好木耳一切为二；最后在锅中放雁肉、猪肉、葱、姜、料酒、盐、胡椒粉，注入鸡汤，烧煮至肉熟烂，拣去葱、姜，放入木耳，烧开，淋上鸡油即可装入汤盆食用。

本方滋养脏腑，壮筋骨，润肌肤，轻身强志，适用于高血压、血管硬化、顽麻风痹症。

【方五十六】

鲜鲤鱼1条（150克左右），天麻60克，川芎、茯苓各10克，另有葱、生姜、水豆粉、清汤、白糖、食盐、味精、胡椒面、香油各适量。将鲤鱼去鳞、鳃、内脏，洗净；把川芎、茯苓切成片，用第二次米泔水泡，再把天麻放入泡过川芎、茯苓的米泔水中浸泡4～6小时，捞出天麻置米饭上蒸透，切成片待用；将天麻片放入鱼头和鱼腹内，置盆内，然后放入葱、生姜，加入适量清水后，上笼蒸约30分钟，将鱼蒸好后，拣去葱和生姜，另用小豆粉、清汤、白糖、食盐、味精、胡椒面、香油烧开勾芡，浇在天麻鱼上即成。

本方平肝熄风，定惊止痛，适用于高血压病。

【方五十七】

汉防已15～30克，生黄芪15～30克，熟地、怀山药各12克，山萸肉10克，泽泻12克，白茯苓15克，丹皮12克，丹参15克，卫矛15克。每服1剂，分2次服。凡肾气不足，下焦阳虚、形寒肢冷者加熟附块9～15克（先煎），肉桂3～5克（后下）以温补肾阳；若脾肾阳虚水肿甚者，加炒白术12克、川牛膝15克、车前子15～30克（包煎）、天仙藤15克以加强健脾利水和降压之功；阴虚火旺、小溲涩痛者加知母12克、黄柏12克以滋阴降火；肝阳偏亢、头晕痛剧者，加生石决明30克（先煎）、珍珠母30克（先煎）。

本方为江苏著名老中医陈孝伯验方，功能益气养阴，化瘀利湿，适用于肾实质性高血压。

【方五十八】

钩藤12克，白蒺藜15克，明天麻、罗布麻叶、珍珠母、石决明、黄芩各10克，生地、怀牛膝各12克。

水煎服，日1剂，分2次服。

若是在临床上常出现肝火偏盛而目赤，加龙胆草、山栀、夏枯草、丹皮；大便秘结，重用决明子，或加大黄，或兼服当归龙荟丸；眩晕发作急剧，唇、舌、肢、指发麻，甚则手足震颤、筋惕肉瞤者，加山羊角、豨莶草、臭梧桐、白僵蚕、龙骨、牡蛎，必要时用羚羊角粉吞服；面赤、头胀头痛、青筋跃起，加丹皮、玄参、青苗子、小蓟、槐花；心烦失眠梦多、舌尖红，酌加黄连（或莲心）、山栀、龙齿；情志不畅、胸胁窜痛，加柴胡、川楝子、青木香；腰膝酸软、舌红少苔、脉弦细数，加枸杞子、白芍、女贞子、桑寄生。

本方适用于肝阳上亢所致的高血压病，功能熄风潜阳，其在临床上出现的主要症状如下：头目眩晕，头胀头痛，巅顶制痛，面赤升火，烦躁易怒，夜寐不安，口干口苦，苔深黄，舌红，脉弦。

【方五十九】

竹沥半夏12克，陈胆星10克，夏枯草9克，山栀12克，白僵蚕10克，广地龙15克，昆布20克，牡蛎30克，泽泻12克。

水煎服，日1剂，分2次服。

若常心烦梦多，酌加黄连（或莲心）、炙远志；言謇多涎、嗜睡或神情异常，加矾水、郁金、天竺黄、石菖蒲，兼服竹沥水；痰多、便秘，加全瓜蒌、风化硝；若痰浊偏重而口黏、苔白腻，可用半夏天麻白术汤加减，药如法半夏、明天麻、焦白术、茯苓、泽泻、白僵蚕、白蒺藜等。

本方清火化痰，适用于痰火化风所致的高血压病，其临床出现的主要症状如：头晕重痛，咯吐黏痰，胸闷，神烦善惊，身重肢麻，口干苦而黏，形体肥胖。舌尖红、苔黄腻，脉弦滑数。

【方六十】

生地12克，当归10克，赤白芍、丹参各15克，红花12克，丹皮、小蓟各10克，茺蔚子12克，广地龙10克。

水煎服，日1剂，分2次服。

若项强，加葛根；胸痹、心痛，加广郁金、片姜黄、瓜蒌皮；痛甚，加失笑散、参三七；肢麻不利，加天仙藤、鸡血藤，伴浮肿再加玉米须；肢体不遂、言语謇涩，加全虫、石菖蒲。

本方活血通络，适用于血络痹阻的高血压病，临床出现的主要症状如：头痛头胀，痛如针刺，项强不舒，胸闷疼痛，肢麻不仁，或肢体活动不利，言语謇涩，面色暗红，时有烘热。舌质偏暗或有紫气瘀斑、苔薄，脉弦或细涩或结代。

【方六十一】

生地12克，枸杞子、制首乌、女贞子、桑寄生、菊花、苦丁菜各10克，磁石30克，牡蛎30克。

水煎服，日1剂，分2次服。

若临床上常出现眩晕、易怒，加钩藤、潼白蒺藜、明天麻、山栀；面色潮红，加龟板、鳖甲；五心烦热，加知母、黄柏、丹皮、玄参；失眠多梦，加酸枣仁、丹参；心悸气短，加太子参、麦冬；面色少华，加熟地、当归；肌肤麻木，加白芍、黑芝麻、桑叶。

本方适用于阴虚阳亢所致的高血压病，且滋阴潜阳，临床出现的症状如：头晕头痛，目涩视糊，耳鸣，烦劳则面赤升火，肢麻，腰酸腿软，口干，舌红、少苔，脉细弱或细数。

【方六十二】

仙灵脾12克，巴戟天、淡苁蓉、炒杜仲各10克，当归15克，黄柏10克，磁石30克。

水煎服，日1剂，分2次服。

若神疲、气短，加黄芪、党参；若面色皖白、头晕沉重再酌加葛根、柴胡；倦怠乏力、大便不实，加白术、怀山药；怯寒、足肿，加附子；面红足冷，酌加之肉桂；头晕目涩、舌质偏红，加生地、杞子、潼蒺藜。

本方调补阴阳，适用于阴阳两虚阶段的高血压病，其临床出现的主要症状如：头昏目花，视物模糊，面白少华，间有烘热，腰膝酸软，四肢不温，夜尿频多，舌质淡红或淡白而胖，脉沉细。

第四节

『低血压』

血压低于正常即称低血压，一般以常规检测之血压低于 100 /60mmHg 为准。亦有认为，老年人的标准有时须分别增加 10mmHg。老年人由仰卧位转为站立位，其收缩压下降超过 20mmHg，舒张压下降超过 5mmHg，或长时间站立而发生低血压者，称作老年体位性低血压，或直立性低血压；原发性低血压，又称体质性低血压，女多于男，有家族倾向，多见于体弱与长期卧床的老人。继发性低血压的原因很多，如凡可导致心排血量或循环血量减少的心血管病、甲状腺或肾上腺及垂体前叶功能减退等内分泌病和恶性肿瘤后期、重症糖尿病等慢性消耗性疾病等，均可继发；而体位性低血压可因植物神经功能失调，或压力感受器功能失调引起。

祖国医学认为，本病的发生与肾精不足、心脾两虚、气血不足以及痰阻气机有关。常用治疗本病的秘方、偏方如下：

【方一】

人参、麦冬、五味子各 5 克，糯米 10 克。先将上述 3 药水煎服，取煎液；再把鱼刮鳞去肚杂，与糯米用上述煎液煮粥。食粥，每周 2 次，连服 9 周。

本方对于低血压症属气阴两虚者效果较好。

【方二】

人参末 3 克（或党参末 15 克），冰糖适量，粳米 100 克。将人参、冰糖、粳米同入砂锅，加水煮粥，食粥，早晚分食。

【方三】

当归、生姜各 75 克，羊瘦肉1 000 克，大料与桂皮少许。将上述各物加水适量，文火焖至肉烂熟，去药渣，食肉喝汤，每次适量，每日 2 次。

【方四】

天麻 10 克，猪脑 1 个。放瓦盆内，加清水适量，隔水炖熟服食，每日或隔日 1 次。

【方五】

附片15克，干姜20克，大葱3颗。水煎，分2～3次服，每日1剂。

本方适用于低血压病。

【方六】

制附片10克，肉桂、仙灵脾各9克，补骨脂12克，熟地、山萸肉各10克，枸杞子9克，黄精12克。

水煎服，日1剂，分2次服。

肢冷加巴戟天、鹿角片、紫河车；舌红、口干，加生地、麦冬；气短神疲，头晕欲倒，加人参；脉律缓慢、怕冷，加干姜、细辛，酌用麻黄；舌质偏黯或紫气，加川芎、当归、红花。

本方温肾填精，适用于肾精亏损所致低血压。临床出现的主要症状如：头晕耳鸣，健忘，腰酸腿软，神疲嗜睡，怯寒，手足不温，夜多小便。舌质淡胖、苔薄白，脉沉细。

【方七】

黄芪10克，党参9克，白术10克，炙甘草9克，当归12克，熟地9克，陈皮10克，葛根9克。

水煎服，日1剂，分2次服。

若失眠加枣仁、龙眼肉；心悸，自汗，舌尖红，加麦冬、五味子；气短不能接续，加升麻、柴胡；胸闷、脘痞、呕恶，加法半夏、茯苓、明天麻。

本方补益心脾，适用于心脾两虚所致的低血压，其临床症状主要如：神疲气短，肢体倦怠，动则头晕目眩，心悸，自汗，食少，面黄少华，苔薄。舌质淡，脉细弱。

【方八】

西洋参切片6克，茯苓片12克，麦冬15克，五味子6克，生姜3片，精瘦肉100～150克。先将药物放入砂锅内，加冷水浸泡20分钟后，武火煮沸入瘦肉，文火炖煮25～30分钟即可，加精盐和味精适量。日1剂，分2次喝汤食肉，连进5～7剂。

第五节

『高脂血症』

本病是指血浆脂质一种或多种成分的浓度高于正常。一般成人的血脂正常值是：胆固醇不超过250%毫克，甘油三脂不超过150%毫克。

本病的发生首先是膳食因素，因为饮食是血脂的主要来源，事实证明，凡食用过多的动物脂肪，血中β-脂蛋白的含量升高最明显，在餐后3小时达高峰，胆固醇也升高，但不如β-脂蛋白。其次是精神因素，原因是紧张的脑力劳动会使血中胆固醇升高。中年人，尤其是担负重任的中年知识分子，其高脂血症的发生大多与此有关。再次是内分泌因素，因为垂体激素、肾上腺皮质激素、甲状腺素、性激素等均能影响脂肪代谢。

如甲状腺功能减退或性激素分泌减少，内分泌功能失调时皆可引起血脂升高，还有是体力劳动因素，因为增加体力劳动或与体力相应的体育锻炼，可以增加热量的消耗，加速过高的血脂成分在体内的消耗。常用的有效治疗高脂血症的秘方、偏方如下：

【方一】

干荷叶 60 克，生山楂、生薏米各 10 克，花生叶 15 克，橘皮 5 克，茶叶 60 克。上药共为细末，用沸水冲泡代茶饮。

【方二】

荷叶 60 克，生山楂、生苡仁各 10 克，橘皮 5 克。鲜嫩洁净荷叶晒干。上药共切细末，混合，早上放置小瓶内用沸水冲泡，代茶饮，当天如喝空，加开水再泡。日 1 剂，连续使用 100 天。

【方三】

乌龙茶 3 克，槐角 18 克，何首乌 30 克，冬瓜皮 18 克，山楂肉 15 克。将槐角、何首乌、冬瓜皮、山楂肉等 4 味，共加清水煎汤，冲乌龙茶，代茶饮。

【方四】

决明子 10～15 克，白菊花 10 克，粳米 100 克，冰糖适量。先将决明子放入锅内，炒至微有香气时取出，待冷却后与白菊花同煮取汁去渣，放入淘洗干净的粳米煮粥，将熟时加入冰糖，煮沸即可。每日服食 1 次，5～7 次为 1 疗程。

【方五】

玉米粉、粳米各适量。将玉米粉加适量冷水调和，粳米粥煮沸后加入玉米粉，同煮为粥。每日 1 次，以晚饭时吃为好。

【方六】

茶叶不拘量。锅内放水，上火加热，水微沸时下茶叶，煎煮片刻，取下，倒入瓷杯中温浸。或茶叶放入瓷杯中，开水冲泡，温浸 5～10 分钟后饮服。

茶叶，古称茗，为山茶科植物茶的芽叶。它禀天地至清之气，得春露以培育，气味清香，苦中带甜，饮后回味无穷，深受人们的喜爱，是我国传统的饮料。其味苦甘，性微寒，长于清热利尿、化痰消食。据唐代陈藏器的《本草拾遗》记载，茶叶“久食，令人瘦”。这一观点已为现代研究所证实。

茶叶中含有 300 多种化学成分，其中所含的蛋白质、脂肪、碳水化合物、各种维生素和矿物质等都是人体所需的营养物质。另外，茶叶中还具有多种功能的药效成分，诸如茶多酚、咖啡碱等。

据日本学者研究，绿茶可抑制高脂饲料动物的血清和肝组织中胆固醇、甘油三酯和β-蛋白水平升高，减慢体重增长速度，提示绿茶有抗高脂血症、预防肥胖的作用。我国一些科研工作者发现，铁观音茶可以加速人体血脂降解，从而降脂减肥。这些均表明，茶叶的瘦人效果，绝不仅仅是水分的丢失，更重要的是通过“去人脂”途径而进行的。

茶叶还具有清除自由基、抑制脂质过氧化的作用，经常饮茶，可去脂减肥，轻身延年。

在制茶饮时需注意，粗老的茶叶应先煎后泡；细嫩的茶叶则宜开水冲泡。

茶叶中的咖啡碱有兴奋中枢神经的作用，失眠者睡前不宜饮用。

【方七】

绿豆，50克。将其淘干净，加水煮熟烂，澄滤取汁，每日2次；或连豆服食。

绿豆，又称青小豆，为豆科植物绿豆的种子，内含植物蛋白、碳水化合物较丰富，脂肪甚少，此外还含有多种矿物质和维生素。据实验与临床研究，表明绿豆有降血脂的作用，其机理可能与绿豆中的植物胆固醇有关。植物性胆固醇竞争性抑制外源性胆固醇的吸收，增加胆固醇的排泄，从而降低血脂水平。

中医认为，绿豆味甘性寒，可清热解毒、消暑利湿，且益气、厚肠胃、通经脉，尤宜在炎热的夏季饮用，不仅暑热得解，还能保持身体健美，不妨经常饮用。

脾胃虚寒者慎用。

【方八】

鲜荷叶30克。荷叶洗净，撕成碎片，入瓷杯中，沸水冲泡，温浸15分钟后即可饮服。如无鲜品，可以干品10克代之，制法如上，代茶饮。

荷叶为睡莲科植物莲的叶子。质脆易碎，略有清香气，味苦涩，性平和，以叶大、完整、色绿、无斑点者为佳。擅长清暑利湿、升阳散瘀。戴原礼在原书云："荷叶服之，令人瘦劣，单服可以消阳水浮肿之气。"

据临床报道，荷叶煎剂或浸膏，有降血胆固醇、甘油三酯、β-脂蛋白的作用。有关医院将荷叶中提出的生物碱和黄酮制成浸膏片，用于肥胖症效果良好。

【方九】

熟地黄9～30克，巴戟天9～15克，太子参6～15克，蜜黄芪9～15克，山茱萸3～9克，旱莲草9～15克，车前子3～9克，赤小豆9～30克，紫丹参6～15克，生山楂9～15克，鸡内金3～9克。1日1剂，根据年龄酌情用量。

本方为辽宁著名中医李谦验方，功能固本调肾，行气宽中，利水消肿，临床用来主治肾病综合征等所致之肺、脾、肾三脏水液代谢失调，低血浆蛋白，大量蛋白尿，高胆固醇血症，重度水肿。

胆固醇顽固不消加用泽泻，可利水而不伤阴；尿蛋白不消改用生黄芪；胸水、腹水、阴囊水肿可加用大腹皮，它能行气宽中、利水消肿；上腹饱满、嗳气、厌食加用莱菔子、枳实、肉桂；大便秘结加用柏子仁、大黄。

【方十】

嫩鸭1只（1 500克左右），虫草20克，绍酒10克，葱6克，姜2克，盐2克，肉汤1 250克，味精少许。杀鸭去毛、去内脏，洗尽血水捞出，用竹筷在鸭胸腹戳小孔，每孔插人洗净去根虫草1条，仰放碗内，加佐料及肉汤，上笼蒸3小时，拣去姜、葱，加精盐、味精即成。肉嫩叶鲜，营养丰富。

虫草即冬虫夏草，性甘温，为低等植物菌类寄生在动物绿蝙蝠蛾幼虫体内形成，实际是带真菌座的干燥虫壳。虫草含植物蛋白质25%，以及冬虫草酸、冬虫草素、维生素B_{12}等，可补老人蛋白缺乏。虫草素有镇静降压作用，虫草酸抑制结核杆菌、葡萄球菌及链球菌，补充维生素B_{12}及抗贫血等。中医认为：虫草能补肾益精、补虚损，有祛病延年、抗衰老的作用。

鸭肉性甘、咸、凉，含动物蛋白16.5%，脂肪7.5%，以及维生素B_1、维生素B_2、菸酸等。

虫草鸭子有镇静降压、降低血胆固醇、促进细胞代谢等作用。

【方十一】

紫茄子500克，河蟹肉150克，料酒、精盐、味精、白糖、胡椒粉、葱、姜、蒜茸、猪油、鸡汤。茄子洗净切成6厘米长的条块，下油锅炸熟后捞出。锅中放猪油，将葱、蒜、姜、蟹肉下锅煸炒，烹入料酒，投入茄子，加入鸡汤、糖、盐、味精、胡椒粉焖烧片刻，后用水淀粉勾芡，装盆即成。

茄子性味甘寒，具有散血止痛、去瘀、利尿、消肿、宽肠之功效。其味似酥酪。含有蛋白质、脂肪、糖、钙、磷、铁以及维生素（A、B、C）等。紫色茄子还含有较为丰富的维生素PP。维生素PP具有提高微血管抵抗力和防止小血管出血等作用。纤维中所含的皂苷，具有降低血液胆固醇的效能。故茄子是心血管患者的佳蔬。常吃茄子可使血液中胆固醇不致升高，因而不易患黄疸病、肝脏肿大、痛风以及动脉硬化等症。

【方十二】

鲜活河虾250克，鸡蛋清5克，猪油50克（实际耗用8克），干团粉0.30克，精盐、葱各0.10克，酱油3克，姜0.10克。先将干团粉加水调成湿团粉；葱、姜洗干净后切成细末；把虾去皮，拣净，剥成虾仁，放入鸡蛋清和湿团粉、盐拌匀，浸泡约半小时；把油锅烧热，放进腌浸过的虾仁，随炸随用筷子拨弄，炸至虾皮呈浅红色时捞出，滤去油，随即倒入酱油、料酒、葱、姜等佐料即为成品。

内含有蛋白质17克，脂肪9.3克，糖6克，热量176千卡，钙104毫克，磷206毫克，铁1.5毫克，维生素A 260国际单位，硫胺素0.01毫克，核黄素0.08毫克，尼克酸1.9毫克。

此份干烹虾仁所含胆固醇特少，故对高血压病、冠心病患者尤其合适，可以经常食用。

第六节

『心力衰竭』

本病是由于慢性心脏病变和长期心室负荷过重，以致心肌收缩力减损，因心血液排出困难，静脉系统瘀血，而动脉系统搏出量减少，不能满足组织代谢需要的一种心脏疾病。

本病临床又分左心衰、右心衰和合心衰三种。多数右心衰乃左心衰影响到右心所致。其主要临床症状是心胸绞痛，紧缩不舒，或心胸憋闷如有物压，或胸闷气短、心悸、舌质偏黯、脉弦滑，常用的秘方、偏方如下：

【方一】

葶苈子10～20克，大枣5～10枚。水煎，1日分2～3次服，每日1剂。

本方尤适用于心急气喘，咯吐痰涎者。

【方二】

人参、三七、檀香若干克。将3药等份为末，每次2～3克，温开水送服，每日2～3次。

本方适用于气虚血滞所致的心力衰竭。

【方三】

黄芪20克，人参10克，麦冬、五味子各10克，丹参12克。水煎，分2～3次服，每日1剂。

【方四】

赤小豆90克、鲤鱼300～500克。煲炖，熟烂后服食，1日数次。

【方五】

黄芪30～60克，粳米100克，红糖少量，陈皮末1克。先将黄芪浓煎取汁，再入粳米、红糖同煮，待粥成时调入陈皮末少许，稍沸即可，早晚温热分服。

【方六】

党参（或人参）10克，炙甘草9克，麦冬、玉竹各10克，五味子、白芍各9克，丹参、赤芍各10克。水煎服，日1剂，分2次服。

气短，加黄芪；咯血，加生地、玄参、阿胶、丹皮，另服三七粉；心慌、自汗，加酸枣仁、柏子仁、龙骨、牡蛎；汗出、怕冷、脉结代，加桂枝、干姜；下肢浮肿、尿少，加车前子、玉米须、罗布麻根；舌有紫气、胸痛，加当归、川芎、益母草、鸡血藤；眩晕、面赤，加制首乌、枸杞、菊花、钩藤；咳嗽、咯痰黄稠，加沙参、贝母、桑皮、龙葵、穿山龙。

本方益气养阴，适用于气阴两虚所致心力衰竭，临床主症如：心悸、胸闷、气喘，于活动后加重，或夜间发作咳嗽气喘，头晕，少寐，自汗盗汗，口干，神疲倦怠，面颧暗红。舌质红、苔薄，脉细数无力或有歇止。

【方七】

党参（或人参）10克，黄芪12克，白术10克，茯苓12克，陈皮6克，当归12克，川芎10克，鸡血藤12克，五味子9克。水煎服，日1剂，分2次服。

腹胀、便溏，加干姜、苍术、砂仁；夜尿多、下肢欠温，加仙灵脾、桂枝；胸闷、胸痛，加广郁金、红花、元胡；咳嗽、气喘、难以平卧，加葶苈子、苏子、莱菔子；肢体关节疼痛，加防风、防己、桂枝、北五加皮；尿少、肢肿，加桂枝、生姜皮、泽泻。

本方益气养血，适用于气血两虚所致的心力衰竭，其临床主要见症如：气短，活动后气喘，或平卧时胸闷气促，神疲乏力，食少，下肢轻度浮肿。舌质红、苔薄白，脉虚数或结代。

【方八】

附片10克，白术12克，干姜10克，桂枝12克，赤芍10克，益母草15克，北五加12克，茯苓、万年青根各10克。

水煎服，日1剂，分2次服。

气短加人参、黄芪；脘痞、食少、恶心，加砂仁、川椒、姜半夏、生姜；腹胀有水、苔白腻，加木香、大腹皮、草果；胁下痞块，加桃仁、红花、泽兰、丹参；咳嗽、痰多清稀，加炙麻黄、细辛、法半夏、五味子。

本方温阳利水，适用于阳虚水肿所致的心力衰竭，其主要临床症状如：

心悸，胸闷气喘，难以平卧，脘痞腹胀，或伴腹水、胸水，下肢浮肿，尿少，畏寒肢冷，颈静脉怒张，胁下痞块，唇甲青紫。舌质紫暗、苔薄白而滑，脉沉细而数或促。

【方九】

人参9克，制附片6克，肉桂6克，仙灵脾9克，熟地、山萸肉、葶苈子、五味子各10克。水煎服，日1剂，分2次服。

喘剧，加胡桃肉、坎脐、沉香；舌红，加麦冬、玉竹；下肢浮肿，加牛膝、车前子；咳嗽、咯吐泡沫样痰，加白芥子、苏子、橘红、半夏；若喘促不宁，喉中痰响，额汗不止，四肢逆冷，爪甲青紫，神昧不清，脉微细欲绝，或细数不清者，为肾不纳气、心阳欲脱、浊饮上逆、肺气闭绝的危候，急以回阳救逆，用参附汤送服蛤蚧粉或吞服黑锡丹，同时中西医结合救治。

本方温阳益气，适用于阳气虚衰所致的心力衰竭，其临床主要症状如：气短，动则尤甚，端坐呼吸，不能平卧，心悸怔忡，或有肢肿，苔润、舌淡胖、紫暗，脉微细而数。

第七节

『心律失常』

本病是指心律起源部位、心搏频率与节律、以及冲动传导方面的任何一项异常。心律失常自己可以发现，方法很简单，用手指摸腕部脉搏，可发现跳的次数是否过快过慢，跳的间隔是否相等、是否规律，这样就可以初步发现心律失常。

祖国医学认为，若久患胸痹、心痛、脘闷、咳喘、心痹等病，皆可致阳气亏虚、心脉失于温运，阴血不足、心脉失去络荣而为病，从而导致出现迟、数、促、结、代，甚至更严重的绝脉等病脉，这些脉象均可反映出心律失常，常用的秘方、偏方如下：

【方一】

酸枣仁30～45克，粳米100克。把枣仁捣碎，浓煎取汁，再用粳米加水适量同煮，待米半生半熟时，兑入枣仁汁再煮为粥。晚餐时温热服食。

【方二】

乌豆50克，桂圆肉15克，大枣50克。加清水3碗煎至2碗，早晚分服。

【方三】

当归、生姜各75克，羊瘦肉1 000克，大料、桂皮少许。文火焖至肉烂熟，去药渣，食肉服汤，每次适量。

对于心动过缓、病窦、传导阻滞

者效果好。

【方四】

人参末3克，冰糖少量，粳米100克。同入砂锅煮粥，早晚空腹分服。

适用于各种心律失常。

【方五】

柏子仁10～15克，猪心1个。纳柏子仁入于猪心内，隔水炖熟，中午饭服食。

【方六】

党参10克，制附子6克，干姜10克，补骨脂9克，仙灵脾10克，当归9克，桂技6克。

水煎服，日1剂，2次服。

若心律明显减慢，加麻黄、细辛、红参；肾阳虚、腰膝酸冷、怯寒，酌加仙茅、巴戟天、肉苁蓉、鹿角片、肉桂；舌红、口干，配黄精、玉竹、麦冬、生熟地、枸杞；食少、便溏，加白术、砂仁；胸闷痛、舌紫，加川芎、桃仁、红花、鸡血藤；胸闷、苔腻，加甘松、炒枳壳、陈皮、法半夏、苍术；水饮泛溢、下肢浮肿、尿少，加白术、茯苓、北五加、鹿衔草；晕厥，用大剂人参、四逆汤或合生脉散，并可酌情使用人参、参附、参麦、附子1号等注射液。

本方温阳益气宁心，适用于阳气亏虚所致心律失常，主要症状如：心悸头晕，活动后明显，甚则晕厥、气短胸闷、神疲、四末不温、小便清长、面色苍白、苔薄、舌淡白或淡紫而胖、脉微细沉迟或结代。

【方七】

黄芪10克，党参12克，白术9克，炙甘草6克，当归、熟地、丹参各10克，酸枣仁6克，茯苓9克，茯神、五味子各6克。水煎服，.日1剂，分2次服。

若心烦少寐、口干，加麦冬、生地、玉竹；心脉不畅、脉结代、心动悸者，用炙甘草汤；善惊易恐，加石菖蒲、炙远志、合欢花、龙齿；胸闷、胸痛，加广郁金、参三七、红花。

本方益气养血安神，适用于由于气血两虚所致的心律失常，主要症状如：心悸，头晕，失眠，气短，肢倦，食少，面色皖白，苔薄白，舌质淡，脉细无力并结代。

【方八】

生地10克，麦冬12克，沙参9克，百合12克，山萸肉9克，酸枣仁10克，丹参、苦参、川连、茶树根各9克。水煎服，日1剂，分2次服。

神疲气短，合生脉散；耳鸣、腰酸腿软，加熟地、制首乌、枸杞、桑寄生；面赤烦热、手足心热、盗汗，加知母、黄柏、丹皮、玄参、龟板；失眠、头痛、目眩、脉细弦促，加白芍、钩藤、炙僵虫、蝉衣、明天麻、龙骨、牡蛎；舌质暗红，加红花、益母草、赤芍。

本方滋肾养心宁神，适用于因心肾阴虚所致的心律失常，其主要症状如：心悸，头晕，视物模糊，口干，口苦，心烦失眠，舌红、少苔，脉促而细。

【方九】

竹沥半夏12克，胆南星6克，天竺黄9克，竹茹、川连各10克，山豆根12克，石菖蒲、朱茯神、炙远志各9克。水煎服，日1剂，分2次服。

若气短，加太子参；舌红少津，加沙参、麦冬、生地；痰多，酌加常山；尿量少，加茵陈。

本方清热化痰宁心，适用于痰多扰心所致的心律失常，主要症状如：

心悸时作，受惊易发，胸闷，痰多稠黏，梦多纷纭，口干、口苦，苔黄腻，脉弦滑有歇止或促。

【方十】

当归、赤芍各10克，红花、丹参、琥珀、广郁金、檀香、川芎各9克。水煎服，日1剂，分2次服。

若口黏、苔浊腻，加法半夏、苍术、白术、甘松、石菖蒲；胸痛明显，加失笑散、延胡索；情志不舒、胸胁闷痛，加柴胡、枳壳、香附、白芍。

本方理气、活血、调脉，适用于气滞血瘀所致的心律失常，其临床症状主要如：心悸，胸闷，或阵发心胸疼痛，唇暗，舌有紫气、瘀斑，脉涩或结代。

【方十一】

人参3～5克。水煎饮汤食参，亦可用人参片适量嚼服，每日1～2次。

本方适用于各种心律失常。

【方十二】

人参3～5克（或党参15克），麦冬10克。水煎，饮汤食参，每日2剂。

本方适用于各种心律失常。

【方十三】

灵芝末1.5～3克。开水送服，每日2～3次。

本方适用于早搏、房颤、房室传导阻滞。

【方十四】

太子参、丹参、桑寄生、甘松各10～20克。

水煎，分2次服，每日1剂。

本方适用于早搏。

【方十五】

苦参、鹿衔草、炙甘草各10～15克。水煎，分2次服，每日1剂。

本方用于早搏。

第八节

『肺源性心脏病』

本病是指由肺组织或肺动脉及其分支的原发性病变，引起肺循环阻力增加，因而产生肺动脉高压，致使左心室扩大和衰竭的一组疾病。

中医学认为，六淫之邪侵袭，使肺失宣降，痰气交阻，壅塞气道，可致咳嗽、咯痰、喘促。咳喘日久，则伤肺气，久成肺胀，成为本病的发病基础。肺气虚衰，累及脾、肾；脾肾俱病则水湿泛溢，出现水肿、心悸、气短，病情更重。常用的临床偏方、效方如下：

【方一】

咖啡豆适量。将咖啡炒过，每日用10克，浓煎，饮服。

【方二】

猫服草（泽漆）茎叶30～60克，鸡蛋2个。把猫眼草洗净切碎，加水

500毫升，再加鸡蛋同煮，蛋熟去壳并刺小孔数个，续放入药锅中煮数沸，去渣。先食鸡蛋，后服药汤，每日1剂。

【方三】

炙白芥子、元胡各21克，甘遂、细辛各12克，洋金花、干姜、樟脑、非那根。将白芥子、元胡、甘遂、细辛，共研细末，再和洋金花、干姜、樟脑及非那根，制成胶膏剂，选甲、乙两组穴位交替贴治。甲组穴为心俞（双）、肺俞（双）、膈俞（双）；乙组穴为天突、膻中、大椎、灵台、膏肓（双）。贴前以手摩擦穴位，使皮肤发红，或在穴位上拔罐。每次贴治4～6小时，每周1～2次，6次为1疗程。亦可在夏季，每1副贴1次，共贴3次，连续贴3个夏季。

【方四】

梨1个，杏仁9克。将梨切盖挖洞去核，将杏仁捣烂塞入洞内，以原盖封口，水煮，每日1次，晚上服。

【方五】

猪胰脏3具，大枣100枚，酒3～5克。浸泡数日，绞去渣，每次服20毫升，每日2～3次。

【方六】

鱼腥草60克，银花6克，蒿草20克，丹参8克。将上述各药制成注射液，每支30毫升，加入5%～10%葡萄糖注射液中，静脉滴注。成人每日1次，10～15天为1疗程。

【方七】

太子参9克，黄芪15克，玉竹9克，附片6克，补骨脂9克，淫羊藿15克，丹参、赤芍各9克，红花6克，虎杖15克。制成糖衣片，每次0.3克，每次6片，每日3次。3个月为1疗程，连服2个疗程。

【方八】

党参9克，当归24克，丹参、生乳香、百部各15克，琥珀9克，肉苁蓉15克，紫河车9克，鼠妇虫24克。共研细末，分成90包，每日3次，每次1包，温开水送服，30天为1疗程。

本方适用于慢性肺源性心脏病缓解期。

【方九】

冬花、杏仁、百部、甘草、麦冬、紫菀、桔梗各10克，地龙12克，黄芩15克，丹参、赤芍各12克，蒲公英15克，知母15克，瓜蒌20克。水煎服，每日2次，每15～20天为1疗程。

【方十】

南沙参50克，黄精、苏子、赤芍各30克，木蝴蝶10克，地龙12克，制南星、葶苈子各15克，黄芩30克，甘草15克，沉香6克（为末，分6次冲服）。

水煎服。第一次加水适量，煎沸15分钟后取汁；再加水适量煎沸20分钟取汁；再加水适量煎沸25分钟取汁。3煎药汁合在一容器内振摇后分6次服。病重者日3夜1服，病轻者日3服。药汁混合后趁温服1/6，余汁置冰箱内，分5次煎煮后温服。

本方为四川著名中医李孔定验方。功能养阴益气，清热止痰，降气活血，纳气归肾。适用于由于喘咳反复发作，日久不愈，以致五脏功能失调，气血津液运行输布障碍，喘、咳、痰三症常见，甚则饮溢皮下形成水肿者。中医之肺胀，现代医学所称之肺气肿、肺源性心脏病之不兼外感者均适用本方。

病减勿停服，只在方中去葶苈子，减苏子、地龙、黄芩、赤芍；甘草量之半，另加白术15克、女贞子10克，增强肺、脾、肾功能，抗御外邪，减少复发。心悸气短较甚者，南沙参加至100克，葶苈子加至30克；痰多咳嗽不爽者，制南星加至30克；长期应用激素的病例，甘草可用至30克，酌减或停服激素，并逐减甘草量；痰瘀阻碍肺气，瘀滞心肺而见唇甲紫绀、胁下痞块等症者加桃仁、五加皮；阳虚水泛而见面浮胫肿者减甘草量，加茯苓、附片；心阳欲脱者加人参或合生脉散再加附片、龙骨；痰蒙清窍、神志恍惚，时清时乱者加石菖蒲、远志。

第九节

『风湿性心脏病』

本病由风湿性心脏病后引起的慢性心脏瓣膜病变，使瓣膜狭窄或关闭不全，致使影响正常血液的输送，形成有关心室和心房的扩大，最后超过心脏的代偿能力，从而导致心律失常和心力衰竭，临床症状可见呼吸困难、咯血、心悸、咳嗽、心绞痛等现象。

本病病因与溶血性链球菌的感染有关，主要是全身性变态反应。病变主要影响关节、心脏瓣膜及心肌。常用的治疗风湿性心脏病的秘方、偏方如下：

【方一】

炙甘草、阿胶各10克，党参15克，生地20～30克，桂枝9克，麦冬10克，柴胡9克，五加皮10克，丹参10～15克，生姜、大枣为引。水煎服，每日1剂，1日2次。

【方二】

汉防己15克，玉竹9克，黄芪18克，白术9克，白茯苓30～45克。上药混合置砂锅内，加水500毫升，煎至100毫升，过滤取液，余渣再加水400毫升，煎至80毫升，过滤取液，与头煎混合，共180毫升，分3次温服。

【方三】

炙附子7.5克，白术、茯苓各25克，白芍15克，生芪、五加皮各25克，细辛5克，桂枝7.5克，五味子、甘草各10克，生姜15克。先将药加水浸泡半小时，水煎煮。首煎沸后慢火煎30分钟，二煎沸后慢火煎20分钟，两煎混合一起。分2次服，每次100毫升，早晚餐后1小时左右服用。

此方为辽宁省老中医查正明治疗风心病验方。

【方四】

山药960克，黑芝麻、赤小豆各360克，鸡内金30克，炒枣仁480克，柏子仁 360 克。共研细末，每天早晚饭前服 30 克，以开水调为糊状服之。

【方五】

食油、味精、盐、海带、苡仁、鸡蛋、胡椒粉适量。将海带洗净，切条，苡仁洗净，共放入高压锅内，加水将海带、苡仁炖至极烂，铁锅置旺火上，放入食油，将打匀的鸡蛋炒熟，即将海带、苡仁连汤倒入，加盐、胡椒粉适量，炖煮片刻，起锅时加味精，即可服食。

强心、利尿、活血、软坚，适于高血压、冠心病、风湿性心脏病患者食用。

第十节

『心　悸』

本病症指的是自觉心跳或心慌，并伴有左胸部心前区非常不适的感觉。比较轻的心悸，可能影响不大，或者只限制病人参加重体力劳动；比较重的心悸，病人还会伴有其他不舒服的症状，可能会使病人丧失劳动能力。

引起本病症的原因较多，如发热、甲状腺机能亢进、贫血、出血、更年期证候群等，这些皆为心脏以外的因素。此外，心肌、心内膜、心脏的瓣膜、心包，或是供应心脏血液的冠状动脉的某一部分发生疾病，都会影响到心脏的功能。心脏在本身有病的情况下，必须加快收缩才能完成任务，以致产生心悸。比较有效的治疗心悸的秘方、偏方如下：

【方一】

茯苓细粉、米粉、白糖各等份。

加水适量，调成糊，以微火在平锅里摊烙成极薄的煎饼，早晚分作主食吃。

【方二】

桑椹 15 克。用桑椹煮水，代茶饮。

【方三】

龙眼肉、炒枣仁各 10 克，芡实 12 克，山萸肉 10 克，白糖少许。将枣仁、芡实洗净，与龙眼肉、山萸肉同放入铝锅内，加水适量；将铝锅置武火上烧沸，用文火煎熬 20 分钟，滤去药渣，放入白糖，搅匀，装入茶壶内。吃龙眼肉饮药液。

【方四】

茉莉花、石菖蒲各 6 克，清茶 10 克。共研粗末，每日 1 剂，沸水冲泡，随意饮用。

【方五】

猪心 1 个，大枣 15 克。猪心带血破开，放入大枣，置碗内加水，蒸熟，每日中午食之。

【方六】

猪腰500克，山药20克，当归10克，党参20克，油、盐、酱油、醋、葱、姜各适量。将猪腰对半剖开，去掉网膜及导管，洗净，加入山药等3味中药清炖至熟，将猪腰取出晾凉，切成腰花装盘，浇上各调料即成。当菜肴食之。

【方七】

酸枣仁15克，粳米100克。将枣仁炒黄研末，备用；将粳米洗净加水煮作粥，临熟，下酸枣仁末，再煮，空腹食之。

【方八】

猪心1个，党参15克，丹参、北芪各10克。将党参等3味药用纱布包好，加水与猪心共炖熟，吃肉饮汤，日服1次。

【方九】

百合60～100克，糖适量。用百合加糖煎水，每日1次。

【方十】

新鲜生蛇（肉）150克，猪瘦肉150克。2味加水适量煲汤，用食盐调味，佐膳。

【方十一】

莲子肉9克，龙眼肉15克，百合12克，五味子9克。水煎服，每日1剂。

本方尤适用于心虚所致的心悸。

【方十二】

黄鳝1条，瘦猪肉100克，黄芪15克。将黄鳝去内脏后与猪肉、黄芪共煮熟，去药食用，佐餐。

本方尤适用于气血虚所致的体倦无力、心悸、气短。

【方十三】

龙眼肉50克，枸杞子24克，桑椹18克，白糖适量。将以上3药水煎，再加入白糖服用，1日2次。

【方十四】

小麦50克，甘草9克，百合15克，生地18克，大枣10枚，生龙骨18克。将生龙骨先煎后再与其他药一起煎，每日1剂，1日2次。

本方尤适用于心肝阴虚血少所致的心悸。

【方十五】

白木耳9克，太子参15克，冰糖适量。水煎饮用。

本方适用于气阴不足所致心悸。

【方十六】

人参10克，怀山药30克，朱砂6克，鸡蛋1个。将人参、山药研成细面，与朱砂拌匀备用。每次用6克混合药末，与鸡蛋在碗内调搅均匀，放蒸锅上蒸熟即成。每日晨起一碗蒸蛋，连服半月以上。

本方补气养血，适用于心脾不足所致的心悸。

【方十七】

生地黄汁30毫升，生姜汁、白蜜各10毫升，粳米100克，淡竹沥40毫升。将粳米煮粥，临熟，下地黄汁、姜汁，煮至粥熟，然后下白蜜、竹沥，搅匀，食后服之，或临卧服1碗。

本方滋阴清热，适用于阴虚火旺所致的心悸。

【方十八】

朱砂2克，猪心1具。

将猪心去掉脂膜，洗净，用竹刀剖开，再把朱砂填入猪心中，将填好的猪心蒸至烂熟即成。1日分多次服食，1个猪心可分2日服完，连服10日为1疗程。

本方补心安神、滋阴降火，适用

于心阴虚、心火亢之心悸。

【方十九】

人参6克，五味子、麦冬各9克。将人参与五味子、麦冬共用文火煨煎，反复熬3次，将药液混合，频繁当茶饮。熬过的人参，捞出嚼服。

本方气阴双补，适用于气阴两虚所致心悸。

【方二十】

荜茇5克，鲜鲤鱼1 000克，川椒10克，生姜15克，香菜30克，葱白15克，料酒10克，味精1克，醋适量。将鲤鱼去鳞鳃、内脏，洗净，切成3厘米的小块，把葱、姜拍破，再把荜茇、鲤鱼、葱、姜放入锅内，加水适量，置武火烧沸，在文火上炖熬约40分钟。加入上述调料后，即可服食。

本方温阳利水，适用于心阳不振之心悸。

【方二十一】

龙胆草10克，莲子心9克，竹茹15克。将龙胆草切细，与竹茹、莲子心放入大茶缸内，冲入鲜开水，浸泡5分钟，随饮随加水，直到味淡色清为止。每日1剂，连服3～7日。

本方清热降痰火，适用于痰火扰心所致的心悸。

【方二十二】

茯苓30克，桂枝12克，甘草6克，白术12克，泽泻15克，薏苡仁20克。水煎服，1日1剂，分2次服。

本方温阳化水，适用于水气凌心所致的心悸。

【方二十三】

麻黄、桂枝、白芍各9克，细辛、干姜、五味子各6克，半夏9克，生石膏30克，甘草6克。水煎服，1日1剂，早晚服。

本方温散水饮，适用于心肺停饮所致的心悸。

【方二十四】

炒苏子、橘红、半夏、前胡各9克，肉桂3克，沉香面3克（分冲），厚朴、麻仁、生姜各9克，大枣5枚。水煎服，每日1剂，分2次服。

本方补肾纳气，适用于肾不纳气所致的心悸。

【方二十五】

吉林参6克，党参9克，麦冬15克，茯神、柏子仁、丹皮各9克，丹参6克，半夏、莲子心各3克，生枣仁9克。水煎服，1日1剂，分早晚服。

本方为福建名老中医俞介庵方，功能养心安神，适用于心悸。

【方二十六】

石斛、寸冬、花粉、玄参、焦栀、丹皮、龙胆草、枯芩、连翘、知母各10克，薄荷6克，甘草3克。

水煎服，1日1剂，分2次服。

本方为著名老中医李斯炽治疗心悸的验方，本方尤适用于心肝阴亏阳亢型。

【方二十七】

太子参、南沙参、紫丹参、苦参片各9克。水煎服，1日1剂，分2次服完。

本方为胡国庆医生方。功能益气养阴，通络定惊，适用于心脾两虚、气阴不足，兼夹湿邪之本虚标实心悸者。

【方二十八】

苦参30克，茵陈25克，黄芪、山楂、川芎各20克，桑寄生、半夏各10克，丹参30克，炒枣仁15克。水煎服，1日1剂，早晚服。

本方为李桂君医生方，适用于室性早搏所致的心悸。

第十一节

『发　　热』

此病症可出现在许多疾病之中，是临床上最常见的症状之一。当体温超过正常时即可称为“发热”，其中37.5～38℃为低热；38～39℃为中等发热；39～41℃为高热；41℃以上为过高热。本病的病因非常复杂，有外感六淫之邪、内脏阴阳失调、食积、痰郁、情志等诸多原因。临床上常用的有效的单方验方主要如下：

【方一】

大白菜根3个，菊花15克，白糖适量。将菜根洗净切片，与菊花共煎汤加白糖趁热服，盖被出汗，每天1剂，连服3～4天。

本方清暑退热，适用于暑湿伤表之发热。

【方二】

金银花15克，大青叶10克，蜂蜜50克。将金银花、大青叶放入锅内，加水煮沸，3分钟后将药液澄出，放进蜂蜜，搅拌和匀，即可饮用。发热重，服1剂不退者，1日内可连续饮3剂以上。

本方疏散风热，适用于外感风热发热重者。

【方三】

荆芥、苏叶各10克，茶叶6克，生姜10克，红糖30克。将荆芥、苏叶、生姜切成粗末，与茶叶一同放入瓷缸内，用开水冲泡，盖严，将红糖放入另盅或碗内；用开水浸泡的药液，趁热倒入，与红糖拌和，置大火上煮沸，即可趁热饮下。饮后覆被而卧，取微汗出，即可退热，剩下的药液煮热当茶饮。

本方发汗解表，散寒退热，适用于风寒所致的发热。

【方四】

菊花10克，玄参、麦冬15克，桔梗3克，蜂蜜30克。将菊花、玄参、麦冬、桔梗共煎，取药汁，将药汁澄出，放入蜂蜜，搅匀，即可饮用。不分次数，频频代茶饮。

本方疏风，润燥，退热，适用于秋天感受风燥热邪后所致发热。

【方五】

竹叶、生石膏各20克，法半夏5克，麦冬30克，沙参15克，甘草6克，粳米100克。先煮药物，滤去渣，取药液2 000毫升，备用。以药液同粳米煮成稀粥，共5次以上服食完。

本方清余热，复胃津，适用于温热病后，高热虽退，余热未尽，仍见低热。

【方六】

鸡子黄2枚，黄连12克，黄芩3克，阿胶9克，白芍3克。先煮黄连、黄芩、白芍。加水8杯，浓煎至3杯，去渣后，加阿胶烊化，再加入鸡子黄，搅拌均匀，分3次服。

本方清热育阴，适用于热邪入营，耗伤营阴心液，发热不止。

【方七】

西瓜（最好用白皮、白瓤、白子的三白西瓜）。将西瓜取瓤，去子，用洁净纱布绞挤汁液，随量代水大量饮用。

本方清暑利尿，降火除烦，可辅助治疗感染性高热、口渴、尿少等症。

【方八】

生地黄汁约80毫升（或用干地黄60克），粳米100克，枣仁10克，生姜2片。将地黄洗净后切段，每次搅取其汁50毫升，用粳米加水煮粥，煮沸后加入地黄汁、枣仁和生姜，煮成稀粥食用。

本方疏阴清热，适用于阴虚发热。

【方九】

人参6克，鸡脯肉200克，冬笋、黄瓜各25克，鸡蛋清1个，食盐2克，料酒15克，葱白3茎，生姜、香菜梗各6克，鸡汤适量，芝麻油适量，猪油适量。将人参切成0.66厘米厚的薄片，冬笋、黄瓜切成骨排片，姜葱切成丝，香菜梗切成长段；再将鸡脯肉切成3厘米长，1.5厘米宽，0.3厘米厚的鸡片，加盐、味精拌匀，再拌鸡蛋清和水豆粉；在勺内放猪油，油五成热时，下入鸡片，用铁筷划开，热时捞出。用盐、味精、鸡汤、料酒兑成汁水，在勺内放底油，油六成热时，下入葱丝、生姜丝、笋片、人参片煸炒，再下黄瓜片、香菜梗、鸡片，烹上汁水，颠翻几下，淋上明油即成，可分餐佐食。

本方培补正气，适用于气虚所致的发热。

【方十】

熟地8克，怀山药、白茯苓各30克，制附片、肉桂各15克，鸡骨架、猪肘各500克，雪豆200克，生姜块25克，葱结30克，花椒18粒，胡椒粉1克，精盐12克，味精1克。将猪肘去尽残毛，置火上烧焦肉皮，入淘米水中浸泡约30分钟，用刀刮洗成黄色，雪豆洗净发胀，鸡骨架洗净砍成数块；姜、葱洗净，再将锅置旺火上，加清水，入鸡骨、雪豆、附片、猪肘烧沸后，捞去血泡，加姜、葱、花椒、醪糟汁，改用中火煮约60分钟，再移至小火上，加熟地、淮山药、白茯苓、胡椒、精盐缓缓煨炖至猪肘烂熟、汁浓，拣去鸡骨架、姜、葱、花椒，再加味精调味即成。

本方温阳，引火归源，适用于阳虚所致发热。

【方十一】

枸橼15克，粳米50克，冰糖少许。先将枸橼洗净，煎水，去渣，取汁约500毫升。以枸橼煎汁煮粳米，待粥熟时，加入冰糖，搅匀即成。每日早晚空腹服食，5～7日为1个疗程。

本方理气解郁清热，适用于气郁之发热。

【方十二】

丹参30克，葱白2茎，粳米80克。将丹参放入砂罐中煎水，取药液约500毫升，去渣，把葱白切丝，备用。用丹参煎液同粳米煮粥，待粥熟时，加入葱白丝，早晚当饭吃，可长期服食。

本方活血化瘀，适用于瘀血所致发热。

【方十三】

鸡矢藤、苦荞头、隔山撬、焦山栀各200克，鸡内金100克，麦芽、谷芽各200克，白萝卜1 000克，莱菔子100克，面粉适量，白糖适量。将上药（除萝卜）炒后，研成极细粉末；再把生萝卜绞压取汁；把面粉与药末混合，加适量小苏打粉，加入萝卜汁，拌和擀成饼，外撒白糖，或将白糖和入面中；在炉上烘烤熟，每于饭前后食1个小饼。

本方消食化积祛热，适用于食积发热。

【方十四】

油面筋半斤，青葱、肉汤各100克，素油、酱油、黄酒、淀粉、盐、糖、味精适量。每个面筋剖成两半，葱切3.3厘米长段，油烧热，下入酱油、酒、糖、盐，肉汤烧开，投入面筋，青葱翻炒片刻，加味精、水淀粉勾芡即可。

本方有解热、除烦、止渴功效。

【方十五】

葱白15～20根，粳米2两。

将新鲜连根葱白，洗净切断；先以粳米煮粥，待米半生半熟时，加入葱白，同煮为粥。

本方发汗散寒，温中止痛，适用于伤风感冒、发热、恶寒、头痛、鼻塞流涕、腹痛泻痢等。

【方十六】

一枝黄花500克。切碎，水煎2次，每次2小时，过滤取汁，浓缩成浸膏，加适量糊精，喷入糖精钠水溶液，拌匀，干燥。磨成细粉，取细粉加水制颗粒，干燥；每次6克，开水冲服，日2次。

本方疏风清热，解毒，适用于体内有热。

【方十七】

绿豆50克，绿茶5克，冰糖15克。绿豆洗净，捣碎，放入砂锅加水三碗煮至一碗半，再加入茶叶煮5分钟，纳入冰糖拌化，待温分2次服食。每日1料，连服3日。

本方清热祛火，适用于春季里有积热。

【方十八】

雪花梨1个，鲜藕1节，甘蔗1段，荸荠15个，水萝卜1个。

把甘庶、荸荠、萝卜均去皮，连同梨、藕各自切碎，捣汁后混合，冷饮。

本方清泻内火，适用于里热证。

【方十九】

生石膏50克，粳米100克，葱白2茎，豆豉10克。先煎石膏、豆豉，去渣取汁，入米煮粥，入葱白，更煮片刻，空腹食。

本方清热，除烦，适用于春季内热，症见烦渴、口干舌焦、心烦者。

【方二十】

紫苏叶30克，生姜9克。

加水适量，煎汤服。

本方解表散寒，适用于风寒外感的发热，加红糖，效果更佳。

【方二十一】

鳗鲡鱼500克，黄酒250毫升，食盐、食醋适量。鳗鲡鱼去腮及内脏，剁去头、尾，放入开水中捋掉滑液；切成段，放入锅中，加黄酒、清水，旺火烧沸，改用小火炖至熟烂即成，佐醋进食。

本方有补虚劳、退虚热功效，适

用于虚劳骨蒸、形体消瘦、大便下血。

本方出自《圣惠方》，方名为后补。原方用于“骨蒸劳瘦及肠风下虫”。为治疗虚劳骨蒸方，痨病日久，阴液耗损，阴虚火旺，则见虚劳骨蒸，法宜补虚劳、退虚热。方中以鳗鲡鱼为主，补虚劳，退虚热以除劳热骨蒸；以黄酒为辅佐，助行药势，兼以调味。合用而成补虚劳、退虚热之方。

【方二十二】

鲜香椿叶 250 克，白面适量，食油、盐各适量。将香椿叶洗净，切碎，白面加水调成稀糊状，放入盐和香椿叶拌匀。将食油锅烧热，用小勺把糊料慢慢一勺勺放入锅内炸，呈焦黄后捞出，即可食用。

本方清热，理气，对泌尿系感染症患者，有辅助治疗作用。

【方二十三】

防风 12 克，葱白 3 根，粳米 60 克。将防风去净灰渣，葱白洗净。将防风放入砂锅内，加清水，置中火上烧开，改用文火慢煎，取两次药汁、澄清去沉渣待用。粳米淘洗干净，入锅加适量清水煮开。待粳米煮透心时，加入药汁、葱白同煮 10 分钟拣出葱白，趁热服用。

有祛风解表、散寒止痛之功，又兼养脾胃，祛邪而不伤正气。可治疗外感风寒所致发热、怕冷、恶风、头痛、身痛、风寒痹痛等症。

第十二节

『感　冒』

本病以鼻塞、流涕、喷嚏、头痛、咳嗽、发热、怕冷为主要症状。中医学认为，本病是一种外感性疾病，病在肌表，属于表证；其发生原因是由于人体腠理不密，抵抗力弱，再遇气候骤起变化，寒暖失常，稍不加注意，就会为外邪所乘，发生感冒。西医认为此病主要是病毒，也可因细菌引起，炎症的主要部位在鼻和咽部。临床常用的一些秘方、验方主要如下：

【方一】

香菜 30 克，黄豆 10 克，食盐少许。将香菜洗净，黄豆洗净。先把黄豆放入锅内，加水适量，煎煮 15 分钟后，再加入香菜同煮 15 分钟，去渣喝汤，1 次或分次服完。服时加少量食盐调味，每天 1 剂，1 日 2 次。

本方发散风寒，适用于风寒感冒。

【方二】

豆腐 2 块，豆豉 6 克，葱白 3 根。先将豆腐、豆豉用水一碗煎至半碗，再入葱白，煎沸后趁热服用。

本方疏散风寒，适用于风寒感冒。

【方三】

生姜3片，红糖15克。将生姜洗净切丝，放在瓷杯内，以沸水冲泡，盖上盖温浸5分钟。再调入红糖，趁热顿饮，服后睡卧盖被取汗。

本方驱寒发汗，适用于风寒感冒。

【方四】

荆芥5～10克，薄荷3～5克，淡豆豉5～10克，粳米50～100克。先将荆芥、薄荷、淡豆豉煎沸后5分钟，取汁，去渣。另将粳米煮粥，待粥将熟时，加入药汁，同煮为稀粥。一般以2～3天为1疗程，每日分2次，温热服食。

本方适用于一切感冒。

【方五】

荆芥、防风各10克，桑叶9克，豆豉12克，羌独活各10克，前胡、陈皮各6克，薄荷6克（后下），鲜姜2片，杏仁10克，苏叶9克，焦枳壳6克。水煎服，每日1剂，日服2次。

本方为施闻鸡方，适用于外感风寒所致的风寒感冒。

【方六】

红茶叶10克，核桃仁7枚，生姜10克。将红茶叶炒焦，加入核桃仁、生姜，加水适量，煎服，1日1剂。

本方适用于风寒感冒。

【方七】

桑叶、菊花各6克，淡竹叶、白茅根各30克，薄荷3克。上述各药用沸水冲泡10分钟，频频饮，或放冷作饮料大量饮，连服2～3天。

本方疏散风热，适用于外感风热所致的感冒。

【方八】

霜桑叶500克。桑叶洗净，切碎，加水煮，蒸馏、收集饱和芳香水，每服30毫升，日2次。

本方祛风清热，适用于风热感冒。

【方九】

山楂10克，银花30克，蜂蜜250克。将山楂、银花放入砂锅内，加水适量置大火上烧沸，3分钟后将药液滤入碗内，将药渣加水再煎1次，滤出药液，两次将药液合并后，放入蜂蜜，搅拌均匀即可。此药可随时饮用。

本方对风热感冒有一定疗效。

【方十】

淡豆鼓15～20克，荆芥3～6克，麻黄1～2克，葱根20～30克，山栀3克，生石膏末60～90克，生姜3片，葱白2茎，粳米100克。先将上述各药同入砂锅煎汁，时间不宜过长，沸后再煎5～10分钟即可，去渣，入粳米，同煮为稀薄粥，若服后汗出热退即停服。

本方适用于风热感冒之高热不退，肺热喘息者。

【方十一】

取一些去子的西瓜瓤，备用，再取一些番茄，洗干净，用滚水泡一下，去掉皮和子。将西瓜瓤和番茄肉分别用干净纱布包起来，绞挤汁液，然后将等量的西瓜汁和番茄汁混合在一起，当开水喝，适量为度。

本方清热利湿，适用于夏季感受暑热夹湿的感冒。

【方十二】

香薷10克，厚朴5克，用剪刀剪碎，白扁豆5克炒黄捣碎。将上述各物放入保温杯中，以沸水冲泡，盖严温浸1小时，代茶频饮，每日2次。本方解暑化湿和胃，适用于夏季感受暑湿之邪。

【方十三】

紫苏叶、薄荷、佩兰叶、藿香各1 000克，淀粉200克，糖精适量。将上药共研碎，过60目筛，用温开水100毫升，将糖精溶化，和入淀粉。再用冷开水200毫升，将淀粉搅拌成浆状，再冲入开水2 000毫升，加速搅拌成糊状，加药粉拌匀，用模压成茶块，晒干或烘干，每块重10克，沸水冲泡，代茶饮。每次1～2块，日2～3次。

本方适用于中暑感冒。

【方十四】

藿香10克，生姜5克，红糖适量。前2味水煎取汁，调入红糖。日1剂，分2～3次饮。

本方化湿和中，解表散寒，适用于感受暑湿之邪，但以湿为主者。

【方十五】

浮萍30克，蜂蜜24克。将浮萍研为细末，与蜂蜜调匀，制丸。每日次6克，口服2次。

本方用于一般感冒。

【方十六】

谷子30克。炒黄，煎汤顿服，盖被取微汗。

本方适于产后感冒。

【方十七】

荔枝肉30克，黄酒适量。用酒将荔枝肉温煮，趁热顿服。

本方适用于气虚感冒。

【方十八】

麻黄、甘草、胖大海各3个。

将以上各药用开水冲泡，取汁，每日服2次。

本方适用于感冒失音。

【方十九】

板蓝根、生地各50克，寸冬、知母、桑叶各20克，桔梗、蝉蜕各15克。水煎服，每日1剂，口服3次。

本方养阴清热，适用于阴虚外感。

【方二十】

金银花、连翘、菊花各30克，桑叶20克，薄荷15克，柴胡10克，芦根20克，生石膏、滑石各20～30克，甘草、黄芩、蝉蜕各15克。先煎生石膏20～30分钟，然后煎群药，水煎服，早晚各服1次。

本方为辽宁著名中医刘绍勋验方，功能清热解毒，辛凉透表，用于流行性感冒，病毒性感冒、高热、低热，均可服用。

【方二十一】

麻黄、紫苏叶、葛根、防风、白芷、桂枝、桔梗、杏仁、陈皮、生姜各100克。制成冲剂，每袋8克，口服。成人每次1袋，每日3次，小儿酌减，开水冲服用。

本方为辽宁本溪第三制药厂治疗风寒感冒方。

【方二十二】

葱根12克，苏子、杏仁、芍药、川芎各3克，干姜、甘草各2克。加水煎煮2次，将荷叶混匀，分为1日3次饮服。

本方出自《大众方》，适用于流行性感冒初期。

【方二十三】

白玉兰叶500克。加水1 000克，经2次蒸馏取回蒸馏液250克即成，每服20毫升，顿服，10天为1疗程。

本方出自《新医学通讯》，适用于感冒患者。

【方二十四】

薄荷30克，白砂糖500克，水适量。白砂糖放在铝锅中，加水少许，以小火煎熬至较稠厚时，加入薄荷细粉，调匀，再继续煎熬至用铲挑起即成丝状，而不粘手时，停火。将糖倒在表面涂过食用油的大搪瓷盘中，待稍冷，将糖分割成条，再分割约100块即可。

经常含化食用，有疏解风热、清咽利喉功效，可治疗感冒风热、头痛、目赤、咽喉肿痛等症。

本方出自《简便单方》，原方用于"风热"，为治疗风热诸症的常用方。风热客肺，皮毛疏泄，故发热恶风；咽为肺之通道，肺热伤津，故口渴咽痛，法宜疏风清热；此方中薄荷解表疏风，散热发汗，白糖清热利咽，合用而成疏风热、利咽喉之方。薄荷少量应用尚有疏解肝郁之功效。如逍遥散中用薄荷不足3克即是此意。故薄荷糖用于肝郁气滞证也颇为相宜。

本方意在疏解风热，性质偏凉，风寒外感者不宜食用。

【方二十五】

干姜30克，淡豆豉15克，饴糖250克，水适量。干姜、淡豆豉，共放不锈钢锅内，加水适量，煎煮。每30分钟取煎液1次，加水再煎。共取煎液2次，合并煎液，再以小火煎煮浓缩，至煎液稠厚时加入饴糖，调匀，再煎至糖液不粘手时，停火。趁热搅拌，使糖变成乳白色，倒在涂油的石板或搪瓷盘上，待稍冷。将糖切搓成条，再切成小块，即可。

本方有发表透邪、温肺化饮功效。经常食用，可治疗外感性或肺寒性之发热、恶寒、咳嗽、多清稀痰饮、胸闷、烦躁等症。

本方出自《补缺肘后方》，品名为后加。原方用于"卒得咳嗽"为治疗咳嗽的常用方。寒袭肺脏，肺失肃降，则咳嗽不已。方中淡豆豉辛温透散，解表除烦；干姜温肺化饮；饴糖温中补虚；三料相配，共奏外可透邪除烦，内可温中化饮、补虚扶正之效。对于外感风寒或肺寒咳嗽者尤为适宜。

本方对外感风热或肺热咳喘者不宜食用。

【方二十六】

川芎100克，荆芥穗200克。上药共研粗末，加水共煮，蒸馏，收集饱和芳香水1 000毫升即成。每服20毫升，1日3次。

本方出自《中药制剂汇编》，适用于风寒感冒。

【方二十七】

白胡椒末、葱白适量。煮热汤面条1碗，加入葱白及胡椒面拌匀，趁热吃下，盖被而卧，汗出即愈。

本方辛温解表，消痰解毒，适用于伤风感冒。

【方二十八】

白菜根（疙瘩）1个，白糖15克。将白菜根洗净，切片加水1碗煎好，后加白糖，日服2次。

本方清热解毒,适用于流行性感冒。

【方二十九】

路边荆50克，鸡蛋2枚。同煮至鸡蛋熟，去渣连汤服。

本方清热散风，扶正养阴，适用于风热感冒。

【方三十】

芒硝3克，米酒60毫升，鸡蛋3枚。将鸡蛋打碎，与芒硝、米酒调和，待芒硝化尽即成，顿服。

本方除郁热，解温邪，适用于流行性感冒者。

【方三十一】

六一散10克，薄荷3克。先煎六

一散，取汁1杯，临成前加薄荷，再煎数沸，去渣饮用。

本方适用于暑湿之邪所致感冒。

第十三节

『咳　　嗽』

咳嗽为肺部疾患的主要症状，可见于多种疾病中。正如《黄帝内经》里说："五脏六腑皆令人咳，非独肺也。"也就是说，咳嗽虽然主要是肺经的病，但与其他脏腑都有关系。临床上常用治疗咳嗽的较为有效偏方、秘方主要如下：

【方一】

紫苏、杏仁、生姜、红糖各10克。将紫苏与杏仁捣成泥，生姜切片共煎，取汁去渣，调入红糖再稍煮片刻，令其溶化，日分2～3次饮用。

本方散风寒，止咳嗽，对外感风寒引起的咳嗽有效。

【方二】

苦杏仁6～10克，生姜3片，白萝卜100克。上药打碎后加水400毫升，文火煎至100毫升，可加少量白糖调味，每日1剂，分次服完。

本方散寒化痰止咳，适用于外感风寒咳嗽。

【方三】

橘红60克，生姜30克，蜂蜜250克。先将橘红、生姜2味用水煎煮，15分钟取煎液1次，加水再煎，共取煎液3次，合并煎液，以小火煎熬浓缩，至稠黏时，兑入蜂蜜，至沸停火，装瓶备用。每日服3次，每次3汤匙。

本方散寒温肺，化痰止咳，适用于风寒咳嗽。

【方四】

生姜10克，饴糖适量。将生姜洗净，切丝，放入瓷杯内，用滚开水冲泡，加盖温浸10分钟，再加入饴糖适量，代茶频频饮服，不拘时间和次数，无须出汗。

本方适用于风寒咳嗽。

【方五】

葱白5～10节，淡豆豉10克，苏梗或陈皮3克，红糖适量。将葱洗净，取葱白，与淡豆鼓、陈皮等入砂锅共煎取汁，再调入红糖。日服数次，酌量饮用。

本方适用于风寒咳嗽。

【方六】

鲜橄榄4枚，冰糖15克。将橄揽洗净，劈开加入冰糖和适量的水，煎到出味，一次或分次温服。

本方清热止咳，适用于风热咳嗽。

【方七】

金银花20克，薄荷5克，蜜糖少

量。先煎银花，取汁约2小碗，药成前，下薄荷约煎3分钟，贮瓶内，分次与蜜糖冲匀饮用。

本方适用于风热所致咳嗽。

【方八】

洁净丝瓜花10克，蜂蜜适量。将丝瓜花放入瓷杯内，以沸水冲泡，盖上盖温浸10分钟，再调入蜂蜜，趁热顿服，每日3次。

本方适用于风热咳嗽。

【方九】

蛤蚧数只，蜂蜜30克，鲜萝卜适量。将蛤蚧焙干研末，每次取蛤蚧粉6克，用蜂蜜、萝卜煎水冲服。

本方养阴清肺，适用于火燥伤阴的干咳。

【方十】

百合（鲜良者）、枇杷（去核）、鲜藕（洗净，切片）各30克。

将百合、枇杷和藕片合煮汁，调入适量白糖，若冰糖更好，代茶频频饮。

本方适用于燥热伤肺所致的咳嗽。

【方十一】

黄梨适量，饴糖若干。将黄梨去核，捣汁，与饴糖合并煎膏，每服2汤匙，日3次。

本方清肺化痰，润肺止咳，适用于肺燥咳嗽。

【方十二】

川贝母6～12克（如用浙贝母，则用3～6克），蜜糖约15～30克。将川贝母打碎，与蜜糖同置炖盅内，隔水炖服，1次服完。

本方适用于肺燥咳嗽。

【方十三】

橘皮15～20克（鲜者30克），粳米50～100克。

先把橘皮煎取药汁，去渣，然后加入粳米煮粥；或将橘皮晒干，研为细末，每次用3～5克调入已煮沸的稀粥中，再同煮为粥。

本方顺气，化痰，适用于痰湿犯肺之咳嗽。

【方十四】

小排骨500克，白果30克，调料适量。将小排骨洗净，加黄酒、姜片、水适量，文火焖1.5小时。白果去壳及红衣，加入汤内，加盐调味再煮15分钟，加味精调匀，并撒上青葱末。

本方止咳平喘，适用于痰多咳嗽气喘。

【方十五】

广柑、白糖各500克。将广柑去皮核，放小锅中，加白糖250克，腌渍1日，至广柑肉浸透糖，加清水适量，文火蒸至汁稠，停火；再将每瓣广柑肉压成饼，加白糖250克，拌匀倒盘内，通风阴干，瓶装，每服5～8瓣。日3次。

本方理气燥湿化痰，适用于痰多咳嗽之犯肺证。

【方十六】

黄芩、鲜生地各30克，粳米50克。

将2药加水适量煎煮1小时，捞去药渣，再加淘清的大米适量，煮烂成粥，1日内分顿连续食用。

本方清火补阴，适用于肝火犯肺之咳嗽。

【方十七】

山栀子9克，杏仁10克，桑白皮12克，猪肺200克。先将猪肺切成片状，挤洗去猪肺气管中的泡沫，与山栀、杏仁、桑白皮一起放入瓦煲内加水煲煮，饮汤食肺。

本方清肝火，补肺阴，可用于肝火犯肺之咳嗽。

【方十八】

法半夏、旋复花、海蛤壳、淡竹茹、陈皮、代赭石、川黄连、桑叶、茯苓、海石粉、炙草各60克。水煎服，1日1剂，分2次。

本方取自清代老中医张千里医案，功能泻肝平肺，降气化痰，适用于肝火犯肺之咳嗽。

【方十九】

柴胡、半夏、人参、生姜、鳖甲、桔梗、枳实、槟榔、吴萸各150克。水煎服，1日1剂，分2次服。

本方出自《浙江中医学院学报》，功能疏肝解郁，下气止咳，适用于肝郁所致之咳喘。

【方二十】

玄参、麦冬各60克，乌梅24克，桔梗30克，甘草15克。上药拣去杂质，干研后共研碎，混匀，分装，每袋18克，开水冲泡，代茶饮。每服1袋，日2次。

本方清肺化痰，适用于燥咳痰少。

【方二十一】

梨、生姜、白蜜各适量。梨、姜分别取汁后混合，加白蜜调服。本方润肺清热，适用于肺燥咳嗽。

【方二十二】

猪肺1具，猪肚1个，肥公鸭1只，北沙参、白术、冬虫夏草各30克，肉桂3克，生姜60克。将猪肺、猪肚冲洗干净，公鸭去毛及内脏，洗净；诸药调匀，分别塞入猪肚、猪肺管和鸭腹内，三物同时下锅，加水，烧沸，文火炖4个小时，至烂熟将3味分别盛入碗内，慢慢食用。

本方适用于脾肺俱虚之咳嗽。

【方二十三】

红萝卜200克，红枣12克，加水3碗，煮取1碗，1日1剂，随意饮用。

本方理脾肺之气而止咳。

【方二十四】

落花生45克（不去红衣），淮山药30克，粳米100克，冰糖适量。将花生、山药捣碎，后与粳米相和煮粥，候熟，入冰糖调匀，佐餐食。

本方适用于脾肺皆虚之久咳。

【方二十五】

甜杏仁100粒，核桃肉、猪板油、饴糖、蜂蜜、生姜汁各120克，鲜梨汁250克。

前2味共研细末，猪板油切块，下锅炸油，去渣留油，下杏仁、核桃肉末炸炒，至油被吸尽，放入梨汁、姜汁，炒匀，入饴糖、蜂蜜，炒至水汽沫全尽，起糖泡，香气四溢。每服1汤匙，日1次，白开水调下温服。

本方益肾补肺，适用于肺肾双虚之咳。

【方二十六】

杏仁、胡桃肉各15克，粳米50克。先捣杏仁，水磨滤汁，取汁和胡桃肉、粳米同煮粥。

本方补肾舒肺，适用于肺肾不足的咳喘气喘。

【方二十七】

桂枝、附子、熟地黄、山茱萸、山药、茯苓、丹皮、泽泻、人参、胡桃肉、生姜。水煎服，每日1剂，分2次服。

本方益肺补肾，纳气止咳，适用于肺肾气虚所致咳嗽。

【方二十八】

黄芪、党参、白术、炙甘草、当归、陈皮、升麻、柴胡各70克。

水煎服，每日1剂，分2次服。

本方为《脾胃论》补中益气汤，功能健脾补肺，理气化痰，适用于脾肺俱虚所致之咳嗽。

【方二十九】

沙参、麦冬、玉竹、桑叶、甘草、天花粉、生扁豆各40克。水煎服，1日1剂，分2次服。

本方为《温病条辨》中的沙参麦冬汤，功能养阴清肺，化痰止咳，适用于肺阴亏耗所致的咳嗽。

【方三十】

黄芩、山栀、桔梗、麦冬、桑白皮、贝母、知母、瓜蒌仁、橘红、茯苓、甘草各60克。水煎服，1日1剂，分2次服。

本方清肝泻火，润肺化痰，适用于肝火犯肺之咳嗽。

【方三十一】

清炙麻黄6～9克，生石膏20～30克，杏仁、甘草、黄芩、浙贝各6～9克，鱼腥草20～30克，细辛、肉桂(后入)、紫菀、款冬花、炙杷叶各6～9克。先用净水浸湿，水高于药面3.3厘米，1小时后煎药。石膏先煎半小时，后入群药，肉桂最后放入，5分钟后即停煎，取药汁1碗，温服。隔6小时再煎，亦取药汁1碗温服。药量可根据患者年龄、体质酌情加减。每日1剂。

本方为上海著名中医顾铭浩验方，功能宣肺化痰止咳。

用于外感初起，邪入肺经，痰阻气道，清肃失灵，咳嗽剧发，痰稠色黄，早晚发作更甚，看似痰热阻肺，实则寒气内伏之证。

【方三十二】

干丝瓜花10克，蜂蜜适量。丝瓜花放入瓷杯中，以沸水冲泡，温浸10分钟，再调入蜂蜜。趁热顿服，每日3次。

适合用治肺热咽痛、咳吐黄痰、喘息、胸痛等症。

丝瓜花甘苦寒，清肺热为长，兼清热解毒。临床适用于急慢性咽炎、鼻窦炎、支气管炎和肺炎等症。

【方三十三】

四角蛤500克，火腿肉片、清水笋片各50克，盐、酒、麻油、肉汤。四角蛤洗净后，置面盆内，以开水冲过，剥壳取肉，去杂洗净。将蛤肉、火腿、笋片同时入油锅中煸炒几下，烹入料酒，注入肉汤，加盐，煮至蛤肉熟烂，淋上麻油即成。

此汤以咸寒滋阴、利尿、化痰、软坚散结的蛤肉配竹笋调制而成。竹笋，《本草纲目》称之有“消渴、利水、益气、化热、消痰、爽胃”的功效。故此汤常可作为瘰疬（淋巴结核）、瘿瘤、消渴、痰咳以及肺结核等病的食疗菜谱。

第十四节

『慢性支气管炎』

此病是以长期反复发作性咳嗽、咯痰，或伴有喘息为主要临床表现的呼吸系统常见病。大致可分为两种类型：以咳嗽、咯痰为主的，叫作单纯性支气管炎；除痰咳外，又伴有哮喘者，称为喘息支气管炎。如咳嗽频繁，有黄脓痰或白稠黏痰并伴有发热现象，应考虑继发感染；而兼有气喘、气短的患者，应考虑合并有肺气肿。究其原因，多由饮食起居等多方面的原因，逐渐引起肺、脾、肾虚弱而致，临床上常用的秘方、偏方主要如下：

【方一】

苏子、白芥子、萝卜子各6克。先将上3药用小火约炒3～5分钟，后用干净的白纱布包好，用白线扎牢，再打碎，然后倒入瓦罐中，加冷水1小碗，小火煎10分钟，约剩下半小碗药汁时，滤出头汁；再加水大半碗，约煎至半碗药液时，滤出二汁，弃渣。每日2次，每次半小碗，饭后饮服。

本方降气化痰，畅膈宽胸，适用于慢性气管炎。

【方二】

经秋后霜打过的茄秧，在地里干枯后，茎叶呈棕色者采取500克。放入锅中，加水至将药浸过为度，煮沸1小时，收取煎液，反复煎煮3次，收取3次煎液，再熬浓缩为500毫升。每日100～150毫升，分两次饭后服。

本方消炎止咳，适用于慢性气管炎。

【方三】

白萝卜300克，海浮石20克，甜杏仁15克，川贝母5克，蜂蜜4匙，黄酒1匙。萝卜洗净，切丁粒；海浮石、甜杏仁、川贝洗净，打碎，加黄酒湿润，与萝卜粒同倒入瓷盘内，加入蜂蜜，旺火隔水蒸2小时，离火，冷却后，纱布过滤，绞取汤液。将汤液再蒸半小时，冷却，装瓶，密封。早晚各1次，每次1匙，开水送服。

本方清热化痰，宽肺通气，适用于咳痰黄稠、肺火重的慢性支气管炎。

【方四】

银杏20粒，石韦30克，冰糖15克。将银杏去壳、衣，捣破，与石韦同放瓦锅中，加水2碗，者至1碗，去药渣入冰糖，待溶化后饮服。

本方化痰定喘，适用于喘促型慢性气管炎。

【方五】

麻黄9克，白芍6克，五味子10

克，干姜9克，甘草、细辛各6克，桂枝9克，半夏10克。水煎服，每日1剂，早晚服。

本方温肺化饮，适用于外寒内饮引起的慢性支气管炎。

【方六】

白果15克，麻黄10克，款冬花、半夏各9克，桑白皮12克，苏子、黄芩各9克，杏仁10克，甘草6克。水煎服，1日1剂，分2次服。

本方宽肺清热，适用于外寒内热所致的慢性支气管炎。

【方七】

麻黄10克，石膏30克，甘草9克，半夏、大枣各6克，生姜3片。水煎服，每日1剂，分2次服。

本方清热化痰，适用于痰热壅肺引起的慢性支气管炎。

【方八】

苏子10克，橘红9克，半夏6克，当归8克，前胡15克，肉桂6克，厚朴9克，甘草6克，生姜3片，大枣3枚。水煎服，1日1剂，早晚服。

本方降气止喘，适用于痰气交阻所致的慢性支气管炎。

【方九】

人参6克，白术10克，茯苓12克，炙甘草9克，半夏、陈皮各9克。水煎服，每日1剂，2次服完。

本方健脾益气，适用于脾肺气虚所致的慢性支气管炎。

【方十】

当归12克，人参6克，熟地9克，白术12克，茯苓10克，陈皮、半夏、炙甘草各9克。水煎服，1日1剂，分2次服。

本方脾肾双补，适用于脾肾虚弱引起的慢性支气管炎。

【方十一】

板蓝根20克，黄芩、浙贝、橘红各10克，天竺黄15克，元参12克，炒杏仁10克，白前10克，鱼腥草15克，茅根20克，炙紫菀12克，甘草10克。水煎服，轻者，日1剂，2次服；重者，每日2剂，日服4～6次。

本方为郭幌方，功能清热化痰，适用于温邪犯肺所致的慢性支气管炎。

【方十二】

黄芪15克，桔梗9克，沙参24克，杏仁、紫菀各9克，茯苓10克，百合、半夏各12克，甘草9克。水煎服，每日1剂，日服2次。

本方为李绍南方，功能补气平喘，止咳化痰，适用于慢性支气管炎。

【方十三】

冬瓜仁20～30克，薏苡仁15～20克，粳米100克。先将冬瓜仁用清水汤洗净，煎取汁，去渣，再与粳米、苡仁（淘洗净）同煮为稀粥，日服2～3次。

本方健脾，利湿，化痰，适用于慢性支气管炎属痰湿阻肺证。

【方十四】

带皮苦杏仁、冰糖各适量。

捣碎，混匀，制成杏仁糖，早晚各服9克，10天为1疗程。

本方祛痰止咳，适用于老年慢性支气管炎、咳嗽、痰喘等症。

【方十五】

罗汉果20克，水500毫升。将罗汉果放杯中，加水、盖，浸泡30分钟，温服。

本方止咳化痰，适用于慢性支气管炎。

【方十六】

猪肺250克，北杏仁10克，姜汁

1～2 汤匙。将猪肺切块，挤洗干净，加北杏仁及清水煲汤，汤将好时冲入姜汁，食盐少许调味，饮汤食猪肺。

本方补肺润燥，化痰止咳，适用于慢性支管炎。

【方十七】

苏子 15～20 克，粳米 50～100 克，冰糖适量。将苏子捣烂如泥，同水煎取浓汁，去渣，入粳米、冰糖，同煮为稀粥。

本方止咳平喘，养胃润肠，适用于急慢性气管炎、咳嗽多痰、胸闷气喘、大便干结。

【方十八】

净兔肉 350 克，陈皮 5 克，鲜汤 100 克，白糖 10 克，菜油 170 克，麻油 6 克，酱油 10 克，食盐 2 克，葱、姜适量，味精少许。兔肉洗净切丁入碗中加盐 1 克，菜油 15 克，葱、姜拌匀，静放 30 分钟，陈皮温水泡 10 分钟，切成小方块。炒锅旺火下油炒兔肉至发白，加陈皮、佐料，继续炒肉丁至干酥，烹汁和醋少许，加麻油出锅，外酥内嫩，色泽棕红。陈皮即橘皮，性苦、辛、温，含挥发油、右旋柠檬烯、枸橼醛，有健胃理气、燥湿化痰的作用。兔肉甘、凉，含优质动物蛋白 21.5%、脂肪 0.4%、低胆固醇，并富含卵磷脂，有抑制血小板聚集、保护血管壁、阻止血栓形成作用。

本方主治：食欲不振、慢性支气管炎、糖尿病、高血压、动脉硬化等老年病人，既有丰富营养，又能健胃祛痰、预防血栓性疾病。

第十五节

『哮　喘』

本病是一种以发作性的哮鸣气促、呼气延长为特征的肺系疾患。此病以春秋二季的发病率较高，常反复发作，每因气候骤变而诱发，以夜间和清晨居多，往往迁延难愈。病程越长，对患者机体的影响则越大。临床常用的偏方、验方主要如下：

【方一】

罗汉果半个，柿饼 2～3 个，冰糖少许。将罗汉果洗净，与柿饼一起加清水二碗半煎至一碗半，加冰糖少许调味，去渣。1 日分 3 次饮用。

本方清热，去痰火，止咳喘。

【方二】

川贝母、生石膏、橘红各 30 克，杏仁 20 克，前胡 15 克，生甘草 10 克，雪梨 6 个，冬瓜条 100 克，冰糖 150 克，白矾适量。先将石膏、杏仁、前胡、甘草共煎取汁一小碗，待用；将冬瓜条切成黄豆大颗粒，贝母打碎，橘红研成粉，雪梨削皮捣烂调入白矾水，入冬瓜粒、冰糖、贝母、橘红粉，再倒入药汁，共盛一大碗内和匀。置于蒸锅中隔水蒸约 50 分钟，合成黏稠膏状即成，分次酌量食用。

本方清热，止咳，平喘，适用于热性哮喘者。

【方三】

蚯蚓 100 克，桑白皮 150 克。将蚯蚓炒成焦黄色，共研成末，每服 5 克，日服 2 次，忌食辛辣食物。

本方适用于痰黄而黏的哮喘者。

【方四】

薄荷 15 克，橘皮、紫苏各 10 克。一起煎汤服，1 日 2 次。

本方适用于外感风寒引起的咳嗽气喘。

【方五】

杏仁、旋复花、款冬花各 10 克，粳米 50 克。

前 3 味煎水去渣，入米煮粥，空腹食。

【方六】

干姜 30 克，淡豆豉 15 克，饴糖 250 克，植物油少许。干姜、淡豆豉同放锅内，加水适量，文火煎煮，每 30 分钟取汁 1 次，取 2 次后合并，文火煎煮至浓，加饴糖调匀，继续煎熬至挑起糖浆成丝时停火，倒入涂有植物油之搪瓷盘内，摊平，稍凉后划成小块。每服 3 块，日 3 次。

本方适用于肺寒咳喘。

【方七】

椒目若干。研粉，每次 3 克，装入胶囊，内服，每日 3 次。

本方除痰平喘，适用于哮喘。

【方八】

炙麻黄 9 克，钩藤 15 克，葶苈子 9 克，乌梅 6 克，蝉衣 9 克，石韦 30 克，甘草 3～15 克。水煎服，每日分 2 次服。

本方为江苏省中医研究所朱秀峰方，适用于哮喘。

【方九】

糯米 100 克，冰糖少许。洗净糯米焖饭，或上笼蒸熟，另将冰糖整熬，浇在饭上，每日午餐温热脍食，不可过量。

本方适用于肺气虚弱所致急喘。

【方十】

水发白果 150 克，白糖 100 克，生粉 25 克。白果砸去外壳，放锅内加清水、碱适量；烧沸后，用竹帚刷去皮，挖去白果心，再放入碗内，加清水，上笼蒸熟，取出，锅内放白糖、白果、清水 250 克，武火烧沸；去浮汁，用生粉勾芡，倒入盘中，单食或佐餐。

本方适用于肺气虚之喘证。

【方十一】

萝卜 1 000 克，半夏、茯苓、陈皮、白术各 10 克，白糖适量。萝卜洗净，刮细丝，与四药同入锅中，加水煎煮半小时，滤出汤汁，另置小火煎熬至较稠时入白糖，待成膏状停火置冷，每次 1～2 匙，日 3 次沸水冲服。

本方适用于中焦痰湿，食少，咳喘。

【方十二】

意苡仁 30 克，杏仁 10 克，冰糖少许。将薏苡仁煮粥，待半熟时，加入杏仁，文火煮至熟，加冰糖，早晚食用。

本方适用于咳嗽痰多之喘症。

【方十三】

核桃肉 500 克，姜末 0.5 克，白糖 120 克，熟植物油 1 000 克（实耗 100

克），甜面酱100克，碱25克。将核桃肉用碱水浸泡半小时后，浸水漂净，捞出沥干，置火烧至七成熟的油锅内不断炒动，至金黄色，浮出油面上捞出；锅底留油25克，加白糖70克，至熔化后，加入甜面酱，姜末翻炒，加水200克拌匀，倒入核桃肉，略炒离火，不断翻炒至冷却，入熟油翻炒，使汁浓缩，裹住核桃肉，佐餐服食，或作点心用。

本方补肾纳气，适用于久喘，久嗽。

【方十四】

粳米100克，灵芝、核桃仁各20克，精盐2克。将灵芝洗净切成3块，米洗净，核桃仁用开水泡10分钟，剥去种衣；砂锅置火上，注入清水1 000毫升，下米、灵芝、核桃仁，烧开后，小火煮至米汤烂稠，表面浮有粥油时，放入精盐调味。

本方适用于肺肾虚之咳喘。

【方十五】

墨鱼骨（海螵硝）150克，红糖少许。将黑鱼骨晒干，用小刀刮成粉末，每次15克，用红糖拌吃，早晚各1次。

本方适用于哮喘、气促证。

【方十六】

鲤鱼1条，糯米200克。将鲤鱼去鳞，纸裹炮熟，去刺研末，同糯米煮粥，空腹食之。

本方适用于咳嗽气喘。

【方十七】

炙麻黄、杏仁各10克，化橘红12克，半夏10克，茯苓15克，炒苏子、莱菔子各10克，白芥子、茶叶、诃子各6克，甘草5克。水煎服，每日1剂，日服2次，病情较重者，每日1.5剂，日服3次。

本方为著名老中医焦树德治疗哮喘经验方，适用于肺脾两虚所致哮喘。

【方十八】

麻黄、桂枝、半夏各9克，细辛6克，五味子9克，干姜6克，白芍9克，甘草6克，生石膏30克。水煎服，1日1剂，分2次服。

本方适用于喘息不能平卧者。

【方十九】

射干、麻黄、半夏、紫菀各9克，细辛3克，生姜9克。

水煎服，1剂1天内分2次服完。

本方散寒平喘，适用于喉间哮鸣音重，但咳嗽痰不甚多而痰出不爽的。

【方二十】

蜜麻黄6克，苦杏仁9克，炙甘草3克，紫苏子10克，白芥子、葶苈子（布包）、蜜款冬各6克，蜜橘红5克，茯苓10克，清半夏6克。水煎服，每日1剂，分2次服。

本方名为止咳定喘汤，为著名中医俞慎初方，适用于风寒哮喘。

【方二十一】

熟地30克，淫羊藿20克，当归10克，麻黄6克，紫石英30克，肉桂3克，白芥子6克，鹿角片20克，五味子4克，桃仁10克，皂角3克。日1剂，水煎分温2服。

本方为阳和平喘汤，为胡翘武主任医师方。

【方二十二】

（1）咳喘饮：冬瓜仁、苇茎各15克，杏仁10克，炙麻黄9克，甘草6克，前胡、百部、浙贝各10克，瓜蒌15克，炙杷叶10克，金银花12克，蒲公英15克。

（2）咳喘膏：细辛3克，白芥子5克，麻黄9克，杏仁10克，沉香5克，胆南星6克，川贝、白前各10克，白果9克，金银花12克，连翘10克，仙鹤草12克，紫菀、苏子、五味子各10克等，共研细末，用生姜汁调成软膏，贴肺俞、心俞、膈俞3对穴位，每天贴1次，每次8～10小时。

咳喘饮水煎温服，每天1剂，头煎与二煎共取药汁300毫升，和匀，分2～3次温服。咳喘膏贴用法详见前述。

本方为江苏著名中医陈鼎祺验方。功能宣肺，清热，止咳，化痰，平喘。临床上用来主治：咳嗽，如急性气管炎、支气管炎、慢性支气管炎；痰多，呈白稀或黏及黄黏痰，含肺部感染；哮喘，如支气管哮喘、喘息性支气管炎；支气管扩张，含咳血痰；肺痈，即肺脓肿；肺痿，病久咳喘，由肺气不宣，影响至肾，而肾不纳气；肺气肿、早期肺心病等咳喘症。

若发热、痰黄者，加鱼腥草30克、黄芩10克、大青叶15克、连翘10克、胆南星6克；若口渴痰黏者，有阴虚证候，直加玉竹、天花粉各15克，天麦冬各10克；喘重者加沉香粉3克（冲服），白果9克，苏子、莱菔子、五味子各10克；咽喉红肿者，加射干、牛蒡子、黄芩各10克，板蓝根15克，山豆根9克；若恶寒，遇冷咳喘加重，咯白稀寒痰者，加细辛3克、桂枝9克、干姜6克、姜半夏10克；若咳血或痰中带血丝者，加仙鹤草、茅根、生侧柏各15克，三七粉3克（冲服）。

【方二十三】

苏子、地龙、前胡各15克，麻黄5克，川芎15克，射干、黄芩各10克，苦参5克，白鲜皮、刘寄奴各10克。两日1剂，水煎2次，煎出液总量约300毫升（5岁量），分6次温服。每日3次，每次50毫升。

本方为辽宁著名中医王烈验方。功能止哮平喘，活血化瘀，可用治哮喘。

本方性偏凉，用于小儿哮喘发作期的热哮。包括小儿哮喘性支气管炎、支气管哮喘、毛细支气管炎等。症见咳嗽气促、喉间哮鸣显著，甚则呼吸困难、喘憋、烦躁不得卧、双肺满布哮鸣音、咽红、舌红、苔黄、溲赤、便秘。

喘甚者重用苏子加马兜铃；哮重者重用地龙；痰盛者加瓜蒌、葶苈子、胆南星祛痰平喘；久哮多瘀重用桃仁；喘憋伴便秘，轻者用莱菔子以降气豁痰、消导通便，稍重者加枳实，干结者加番泻叶以盛者下之，清大肠而泻肺止喘。

【方二十四】

生鸡脯肉150克，发好的净海蜇头丝300克，鸡蛋清半个，香菜梗15克，精盐、味精、醋、胡椒粉、麻油、花椒水、葱、姜、蒜、生油、水淀粉若干。

把鸡脯肉切成细丝，放入碗内，加鸡蛋清、水淀粉，用手抓匀；香菜梗切成段，葱、姜切成细丝，蒜切成片。锅内放入生油，烧到四五成热时放入鸡丝，用筷子划开，熟时出锅。海蜇用热水烫一下沥干水。锅内放入少量生油，烧热时用蒜炸锅，烹入醋，添鸡汤，把鸡丝、蜇头放入锅内，加上精盐、味精、花椒水、胡椒粉、葱丝、姜丝、香菜梗，汤开时撇去浮沫，点上麻油，出锅盛碗即成。本菜肴在正餐时用，每天1次。

海蜇性味咸平，具有清热化痰、软坚消积、润肠通便的作用。配以甘温、补气益中的鸡肉，其作用特点在于“宣气、化痰、消积、行食而不伤正，补虚扶正又不碍祛邪”，有攻补兼施的疗效，可治疗哮喘、慢性支气管炎，或高血压、痰饮、带下等症。

第十六节

『支气管哮喘』

其诊断要点是：突然起病，呈发作性呼吸困难伴哮鸣声；所诊两肺布满哮鸣声，以呼气期延长为特点，发作时表现为呼气困难的气急，多被迫采取坐位，两手前撑，两肩耸起，额部冷汗，每次发作轻重不一，可历时半小时到数小时，甚至数日，才逐渐缓解。

【方一】

金瓜 1 500 克，饴糖 1 500 克，生姜汁 60 克。将金瓜洗净，切小块，煮透去渣留汁，浓缩后加入饴糖，再熬 10 分钟，最后将姜汁倾入搅拌即成。最好在哮喘发作前连服 2 月，每日 2 次，早晚各服 15 克，开水冲服。

本方能有效地预防支气管哮喘发作。

【方二】

圆叶鼠李根皮（冻绿刺根皮）240 克，斑鸠石、海金沙各 60 克，鸡蛋 9 枚。用前 3 药与鸡蛋加水适量，文火共煮，蛋熟即可；分 3 个早晨食完，每次服药汁 1 小杯。

本方下气，祛痰，平喘，补虚，主治哮喘。

预防发作：由于本病多属于过敏的原因所引起，因此，应首先避免进食可引起过敏反应的食物。例如：油菜花、黄花菜、虾皮、虾米、螃蟹、新鲜稻米，放置时间过久的陈菜、臭菜和咸菜，腐败和发霉的食品等。能够预防哮喘发作的有效的偏方、验方主要如下：

【方三】

胡桃肉 600 克，补骨脂 300 克，蜜适量。胡桃肉捣烂，补骨脂酒蒸，研末，蜜调如饴。

本方补肾固精，温肺定喘，适用于阳气衰绝，虚寒喘嗽。

【方四】

梨 1 颗，小黑豆适量。梨剜空，纳小黑豆令满，留盖合住，系定，糠火煨熟，捣作饼，每日食之。

本方生津润燥，清热化痰，适用于痰喘气急。

【方五】

柚子皮 60 克，猪心 1 个，猪肺 1 具。

将猪心、猪肺洗净，加水适量，与柚子皮共炖，以熟透为宜，淡食之，每食适量。

本方补肺养心，化痰，适用于哮喘。

【方六】

猪胰1具，苦酒300毫升。以苦酒煮猪胰，猪胰熟即止；食令尽，不过2服。

本方益肺补脾，解毒，止嗽，主治久咳喘嗽。

【方七】

佛耳草、碧桃干、老鹳草各15克，旋复花、全瓜蒌、姜半夏、防风各10克，五味子6克。日1剂，水煎服。

本方为著名老中医姜春华方，适用于咳嗽痰多，气逆喘促（支气管哮喘）。

【方八】

炙麻黄、杏仁、桂枝、陈皮、半夏、苏子各9克，炙甘草6克。每日1剂水煎，2次分服，以喘平为期。

本方为河南著名中医邵经明方，功能理气降逆，化痰平喘，适用于支气管哮喘。

【方九】

黄花鱼胆1个，虎耳草25克，山楂根、茶树根各50克，大枣5枚。共煎服，每日1剂。

本方润肺健脾，适用于支气管哮喘。

第十七节

『肺结核』

本病是在人体抵抗力降低的情况下，因感染结核杆菌而发病。中医认为，本病外因即“痨虫”传染，是致病的条件；内因指机体气血虚弱，阴精亏损，正气不足。临床常用的有效的偏、验方主要如下：

【方一】

党参、白术、茯苓各9克，甘草8克，沙参9克，陈皮5克，百部、杏仁各9克。水煎服，日1剂，2次服。

本方健脾益肺，适用于肺脾两虚所致的肺结核，常见于肺结核的早期。

【方二】

百合、生地、人参、熟地、麦冬各9克，白芍、贝母各10克，百部9克，桔梗1克。水煎服，日1剂，2次服。

本方滋阴润肺，适用于肺肾阴虚所致的肺结核。

【方三】

秦艽、银柴胡各9克，地骨皮6克，炙鳖甲15克，党参9克，当归、紫菀各6克，百部、阿胶珠各9克，知母、贝母各6克。

水煎服，日1剂，分2次服。

本方滋阴清火，潜阳保肺，适用

于阴虚火旺所致的肺结核。

【方四】

鳖甲75克，天冬50克，秦艽、地骨皮、柴胡各35克，生地50克，桑皮、半夏、知母、紫菀、黄芪、赤芍、甘草各30克，党参50克，茯苓、桔梗各20克。共为细末，每服2克，1日2次，温开水送下。

本方为肺痨病方，对肺结核的恢复有效。

【方五】

活甲鱼1只（500克左右），冬虫夏草10克，大枣20克，葱白、生姜、蒜、食盐、味精、鸡汤、料酒各适量。将甲鱼背朝下，待头伸出时用刀剁下，等血流尽后，放入锅中，加水适量煮，煮至甲鱼盖边能撬起时，捞出放入凉水中，挖出内脏，洗净后把甲鱼剁成六块，再放入清水中煮至六成熟时捞出，放凉水中浸漂10分钟。冬虫夏草用清水洗净，红枣用开水浸泡。将甲鱼放在汤碗中，上放冬虫夏草、红枣、料酒、盐、葱段、姜片、蒜瓣、味精和鸡汤，盖上圆盘上蒸笼蒸（或隔水蒸）2个小时，取出后拣去葱、姜、蒜即可食用。

本方功效：滋阴退热，益气生津，补肾固精。可辅治腰膝酸软，遗精，早泄，阳痿，乏力，肺痨，子宫脱垂，月经不调，白带过多，虚烦。

【方六】

乌龟1只，葱白、花椒、酱油、食盐、素油各适量。乌龟去头，沸水浸烫后去除龟板，剥去外皮，冲洗干净，切成小块备用，素油倒入炒锅，烧热。放入龟肉煎炸，愈透愈好，再加葱、花椒、酱油、食盐、清水，小火烧半小时即成。

本品有滋阴降火功效。适用于虚劳骨蒸，久咳咯血，大便下血。

本方出自《便民食疗》，方名为后补，原方用于“虚劳失血咯血，咳嗽寒热，补阴降火”，为滋阴降火常用方。痨病日久，阴液暗耗，阴虚火旺，血热妄行，则见骨蒸和出血。法宜滋阴降火，本方重用乌龟一味，能大补阴血，清降虚火，故适用于虚劳骨蒸诸证。本品滋阴降火，故还可用于一般阴虚内热病证。

此外，本方加猪蹄红烧进食，为民间食谱，则滋补之力增强。

【方七】

水发海参500克，鸡肉、火腿、鲜笋各60克，肉丸子数个，蛋饺数个，香菇少许，食油60克，盐、料酒、湿淀粉少许。

海参洗净切片，鸡肉去皮切片，火腿、鲜笋也切成片，锅内加水250克，待水开后，再放入海参及少许盐和料酒，略煮几分钟后捞出。把锅内原来的水倒掉，锅内重新添水250克，加料酒、盐少许，煮几分钟后停火备用。用少许湿淀粉把鸡肉、火腿拌一下，锅内放油烧热，把火腿、鸡肉倒入锅中，滑开，略变色即出锅。将鲜笋、肉丸子、蛋饺、盐等放入海参汤中同烩，最后放入已炒好的火腿、鸡肉即可出锅。

本方补肾壮阳，益胃助食。可用于脾胃虚弱之食少、乏力，肾虚之腰膝酸软、肺结核。

【方八】

鲥鱼250克，火腿片5克，冬笋片10克，香菇3克，料酒、白糖、盐、虾子、鸡汤、胡椒粉、味精、猪油、葱、姜各适量。把带鳞的鲥鱼肉，除去血水，用清水洗净，擦去水分，在开水中烫一下，去腥味和污物，再用清水漂洗干净，有血鳞那面朝上，平放在盘里，将火腿片、笋片、盐、虾子、鸡汤放在鱼身上，再在猪油上面放上葱、姜丝，放在旺火上蒸熟。倒出鱼汁，加上味精、胡椒粉，搅拌均匀后，浇在鱼身上即成。在正餐时食用，每天1次。补益气血。主要辅治贫血、营养不良、结核病、脑血管病、胃肠炎。

【方九】

鹿角胶25克，煅牡蛎12克，桑螵蛸10克，人参25克，黄芪10克，当归30克，白芍、香附各25克，天冬12克，甘草6克，鳖甲、生地黄、熟地黄各50克，川芎12克，银柴胡5克，丹参、山药各25克，芡实12克，鹿角霜10克，乌贼1 000克，乌鸡肉15公斤，姜、葱、料酒、精盐、味精。人参润软，切片，烘脆碾成细末备用，其余药用纱布袋装好。乌贼用温水洗净，同鸡爪、翅膀和药一起下锅，注入清水烧沸后煮1小时备用。鸡肉洗净，沸水焯后再洗净，切成条块，摆在100个碗内，加上葱段、姜块、盐、料酒、药汁适量，上笼蒸烂。鸡出笼后，拣去葱姜，鸡肉扣入碗中，原汤倒入锅中，再加适量汤调入料酒、盐、味精烧开，撇去浮沫，浇鸡碗中即成。本汤以《兰室秘藏》圣愈汤为基础发展而来。圣愈汤具有补气血、调补肝肾、活血调经之功效。加入鳖甲、生地、天冬、银柴胡等养阴退虚热；芡实、山药、桑螵蛸、鹿角霜、牡蛎等补脾肾、止带下；香附行气止漏；丹参活血调经；鹿角胶补肾阳，益阴血。以上诸药合用，加上养血滋阴之墨鱼，补肝肾。益气血，治虚痨之乌鸡，药食同用，则具补气益血、调经止带之功效。此汤菜适于血虚、阴亏气弱之人食用。对于妇女月经不调及神经衰弱、肺结核病人有治疗效果。

【方十】

鸭梨、白萝卜各1 000克，生姜、炼乳、蜂蜜各250克。

鸭梨、白萝卜和生姜洗净，切碎，分别以洁净的纱布绞汁，取梨汁、萝卜汁放入锅中，先以大火，后以小火煎熬浓缩如膏状时，加入姜汁、炼乳和蜂蜜，搅匀，继续加热至沸，停火，待冷装瓶备用。每次一汤匙，以沸水冲化，或加黄酒少许，顿饮，每日2次。适用于虚劳、肺结核低热、久咳不止等症。

本方出自《经验广集》，品名为后加。原方用于治疗噎膈。鸭梨、白萝卜、炼乳、蜂蜜均为甘味，有补益作用。梨又可养阴清热，润肺止咳；萝卜有止咳化痰作用，对感冒、流感、脑膜炎、白喉等传染病有一定的预防作用；生姜性味辛、微温，可以发汗解表，温肺止咳；炼乳对于大病后不足、万病虚劳有良好的疗效；蜂蜜补中润燥。所以，制成蜜膏可治疗慢性虚弱性疾病。

本方对于脾虚便溏者忌服。

【方十一】

枸杞子15～30克，南枣6～8个，鸡蛋2只。将三者同煮，鸡蛋熟后去壳取蛋再煮片刻吃蛋饮汤，一般3次左右即可见效，每天或隔天服1次。

本方适用于肺结核，它具有补虚劳、益气血、健脾胃、养肝肾等作用。

【方十二】

白茅根、蒿草根各10克，大葱、侧柏叶各6克。

各药烧灰，研极细末，用纸包好放地上，过一夜，去火毒。用时将白藕捣汁或用萝卜捣汁调服15克。

本方出自《简易中医疗法》，适用于肺结核咯血。

【方十三】

白及、百部、牡蛎、炮山甲等份。

研粉，如病灶有活动，百部加倍。每服3～5克，1日服2～3次。

本方为南京中医学院附方，适用于肺结核者。

【方十四】

五倍子粉2～3克，飞辰砂1～1.5克。将上药加水调成糊状，涂在塑料薄膜上敷于脐窝，用胶布固定，24小时为1次。

本方出自《浙江中医学院学报》1989年13期，适用于肺结核盗汗。

【方十五】

健猪肺1个，生白及30克，百部、麦冬、川贝母、黄芪、甜杏仁各15克。将药研为末，以蜜调成稀糊灌入猪肺内，将肺气管扎住，煮熟食之。加少许食盐，分2次服完，日食2次。

本方出自《偏方妙用》，适用于肺结核各期。

【方十六】

银耳5克，鸡蛋1个，冰糖60克，猪油适量。将银耳放入盆内，加入温水适量，浸泡约30分钟，待其发透后，摘去蒂头，择净杂质，用手将银耳分成片状，然后倒入洁净的铝锅内，加水适量，置武火上烧沸后，移文火上继续煎熬2～3小时，待银耳熟烂为止。将冰糖置另一锅中，加适量水，放文火上溶化成汁，用纱布过滤；将鸡蛋打破取蛋清，兑入清水少许，搅匀后，倒入锅中搅拌，待烧沸后，捞去浮沫，将糖汁倾入银耳锅内，起锅时，加少许猪油即成。每日酌量食用。

本方出自《大众药膳》，功能滋阴润肺，止血杀虫，适用于肺结核。

【方十七】

干怀山药粉100～150克，白面粉100克，天门冬10克，百合15克，白人参10克，大枣5枚。先将天门冬、百合、白参、红枣入瓦罐共煎，去渣取汁，调怀山药白面粉中，煮成粥糊。将熟时可加少量红糖，稍煮一二沸即成。温热服食，每日1～2次。

本方滋阴，润肺，健脾，适用于阴虚脾弱所致的肺结核。

【方十八】

核桃仁200克，荸荠150克，老鸭1只，鸡肉泥100克，油菜末、葱、生姜、食盐、味精、料酒、湿玉米粉、花生油各适量。将老鸭宰后去毛，去内脏，洗净。用开水氽一遍，装入盆内。加入葱、生姜、食盐、料酒少许。上蒸笼蒸熟透，取出晾凉后，将老鸭去骨，切成两块。另用鸡肉泥、鸡蛋清、湿玉米粉、味精、料酒、盐调成糊；再把核桃仁、荸荠剁碎，加入糊内，淋在鸭子内膛肉上。将鸭子放入锅内，用干净温油炸酥，捞出沥去余油。用刀切成长条块，摆在盘内，四周撒些油菜末即可。正餐时食用，每天1次。本方出自《百病饮食治疗》，适用于肺肾阴虚所致的肺结核。

【方十九】

取活大鳗鱼数条，清水洗涤，先于锅中煮沸清水，再将活鳗投入，加盖煮2～3小时，鳗鱼浮于水面，捞取之，加食盐少许，每服半匙，1日2次，饭后服。

本方养肺阴，适用于肺阴亏损的肺结核，主症为干咳、无痰，或痰中带血，潮热盗汗，颧红口干，舌红少苔，脉细数。

【方二十】

白果汁、秋梨汁、鲜藕汁、甘蔗汁、怀山药汁、霜柿饼、生核桃仁、蜂蜜各120克。先将需取汁的各药取足量汁水，再将霜柿饼捣如膏，生核桃仁捣如泥，将蜂蜜溶化稀释，与柿饼膏、核桃泥、山药汁一起搅匀，微微加热，融合后，离火稍凉，趁温（勿过热）将其余四汁加入，用力搅匀，用瓷罐收贮。每次服2茶匙，1日3～4次。

本方清虚热，止咳止血，适用于肺结核属肺阴虚型。

【方二十一】

羊腿肉1 000克，白萝卜60克，干橘皮2只，生姜3片，植物油、细盐、黄酒适量。先将羊肉洗净，切片，放油锅内爆炒5分钟，入生姜片、黄酒，加冷水半碗，烧沸10分钟，与萝卜、橘皮一同倒入砂锅内，加冷水浸没，煮开。加黄酒1匙，细盐适量，改小火慢煨至羊肉、萝卜酥烂，佐餐食。

本方补脾益肺，适用于肺脾气虚所致肺结核，其主要症状为咳嗽，咯痰不多，或痰中带血丝，神疲气短，颧红面白，自汗，盗汗，咽干口燥，胃纳不佳，舌红苦白或剥，脉细数，无力等。

【方二十二】

五味子500克，新鲜鸡蛋20只，白糖少许。五味子快速洗净，加冷水浸泡2小时，连水煎成浓汁，取渣再煮汁，合并两次煎液，冷却后泡入洗净的鸡蛋使其浸没，7～10日蛋壳变软后捞出加水、白糖，小火煮熟，每次服1～2只，早晨空腹服食。

本方补气养阴，适用于气阴两虚所致的肺结核。

【方二十三】

龟1只。

将龟用绳缚紧，黄泥封固，在火上煅焦后，去掉泥，全部研细，每次服6克，每日服2次。

本方养阴血，治结核。主治肺结核空洞、骨关节结核。肺结核空洞的特点是：痰成脓性而多，或痰中带血，胸部隐痛有时发生。

【方二十四】

天冬、麦冬、生地、熟地、阿胶（化冲）、贝母、百部、甜杏仁各9克。水煎服，每日1剂，2次服完。

本方为著名中医印会河治疗肺结核的经验方，功能养阴润肺，适用于肺结核属气阴两亏者。

【方二十五】

秦艽9克，鳖甲30克（先煎），银柴胡9克，地骨皮15克，百部、青蒿、阿胶、乌梅各9克。水煎服，每日1剂，早晚服。

本方适用于阴虚火旺所致的肺结核。

【方二十六】

功劳叶、律草各50克。水煎服，每日1剂。

本方适用于肺结核潮热。

【方二十七】

侧柏叶、夏枯草各100克。水煎服，每日1剂。

本方对肺结核有效。

【方二十八】

玉竹30～50克，老鸭半只至一只。将鸭去毛和肠脏洗净，放入瓦煲内加水文火焖煮1小时以上，调味后，饮汤吃鸭。

本方养阴润燥，适用于肺结核干咳症。

【方二十九】

黄精 30～60 克，冰糖 30～50 克。加清水一碗，放炖盅内隔水炖 2 小时，佐餐用。

本方适用于肺结核咳嗽痰中带血之症。

第十八节

『肺脓肿』

本病是肺部化脓性炎症，临床表现主要为高热、胸痛、咯腥臭痰或咳吐脓血等。常用的临床验方、偏方主要如下：

【方一】

猪胰 1 具，薏苡仁 10～15 克。将猪胰切片、煮熟，薏苡仁研末，将猪胰片蘸薏苡仁末食，1 日 2 次。

本方清肺止咳，祛痰排脓，适用于肺脓肿。

【方二】

老鸭 1 只，白及粉 30 克。将鸭洗净，去内脏，将白及粉入鸭腹内，蒸极熟。食鸭及白及，喝汤，每次适量。

本方补气血，止血生肌，适用于肺脓肿。

【方三】

薏苡仁 90 克，百合、葶苈子、大枣、鱼腥草各 30 克，糯米 90 克。先将葶苈子、鱼腥草水煎；去渣取液，入薏苡仁、百合、大枣、糯米同煮成粥。分 4 次，1 日内服完，连服 1 周。

本方清肺解毒，疗痈补虚，适用于肺痈咳吐大量黄脓痰。

【方四】

猪肺 1 具，青萝卜 2 个。将猪肺切去气管，与青萝卜同煮，煮熟即成。吃萝卜、肺，喝汤，一日吃完。连续服数日。

本方清热排脓，适用于肺脓肿。

【方五】

薄荷 9 克，鲜芦根 75 克，连翘 15 克，忍冬花 50 克，鱼腥草 50 克，杏仁 12 克。水煎服，日 1 剂，2 次服。

本方祛外邪，清瘀热，适用于肺脓肿之早期。

【方六】

鲜芦根 75 克，连翘 18 克，鱼腥草 50 克，蒲公英 18 克，败酱草 15 克，薏苡仁、冬瓜仁各 50 克，桔梗 9 克。水煎服，日 1 剂，2 次服。

本方清热解毒，祛痰排脓，适用于肺脓肿之成痈期。

【方七】

鱼腥草 50 克，连翘 18 克，薏苡仁 50 克，桔梗 15 克，合欢皮 12 克，远志 6 克，白菜根 24 克，南沙参 9 克，天花粉 15 克。水煎服，1 日 2 次，共服 1 剂。

本方解毒排脓，适用于肺脓肿之

清脓期者。

【方八】

鱼腥草30克，桔梗15克，黄连5克，金银花30克，甘草5克，象贝母、黄芩各10克，冬瓜仁30克，桃仁10克。水煎服，每日1剂。

本方为著名中医（上海市）叶景华验方，功能清热解毒，祛痰排脓，适用于肺脓肿之咳嗽、胸痛、咯脓痰，发热不退。

邪盛而壮热不退者，另用黄连6克研末装胶囊分4次吞服。病在发展阶段，1日服药2剂，每隔3小时1次；咳血者加白及10克、黛蛤散30克；气急痰塞者加桑白皮15克；胸痛甚者加广郁金、丝瓜络各10克；大便秘结者加生大黄10克；日久或年老患者，正气虚弱，加生黄芪30克，北沙参、党参各15克。

第十九节

『肺 气 肿』

肺气肿是指肺脏充气过度，终末细支气管远端部分（包括呼吸性细支气管、肺泡管、肺泡囊和肺泡）膨胀或破裂，以致肺功能减退而引起的一种阻塞性肺疾患，常继发于慢性支气管炎、支气管哮喘和肺纤维化。

肺气肿发病缓慢，常以咳嗽、咯痰开始，逐渐出现气急，呼长吸短，且进行性加重，甚至丧失劳动力。常用的有效的临床验方、偏方主要如下：

【方一】

橘红10克，米粉500克，白糖200克。橘红研细末，与白糖和匀为馅；米粉以水少许湿润，放蒸锅屉布上蒸熟；冷后压实，切为夹心方块米糕，不拘时酌量食用。

本方燥湿化痰，理气健脾，适用于痰浊阻肺所致的肺气肿。此种肺气肿喘而胸满闷窒，甚则胸盈仰息，咳嗽痰黏腻、色白，咯吐不利，兼有呕恶，纳呆，口黏不渴，苔白厚腻，脉滑。

【方二】

生石膏30克，杏仁泥10克，冬瓜仁20克，鲜竹叶10克，竹沥20～30克。将生石膏、杏仁泥、冬瓜仁、鲜竹叶（洗净）共入砂锅煎汁，去渣，再分数次调入竹沥水，日分2～3次饮用。

本方宣泄肺热，化痰降逆，适用于痰热结肺所致的肺气肿。此种肺气肿的特点为喘咳气涌，胸部胀痛，痰黏稠，色黄或夹血色，胸中烦热，身热有汗，渴喜冷饮，面红咽干，尿赤，苔黄或腻，脉滑数。

【方三】

黄芪30克，白术20克，茯苓30克，乳鸽1只。将乳鸽（未换毛的幼鸽）浸入水中淹死，去毛和内脏，放入炖盅内，加适量水，再入黄芪、白术、茯苓（洗净），置于蒸锅内，隔水炖熟，加少许食盐、味精。在正餐时食用，每天1次。

本方益肺止喘，适用于肺虚所致肺气肿。此种肺气肿的特点为喘促，气短不足以息，语气乏力，苔白滑或腻，脉细软。

【方四】

党参10克，黄芪9克，白术12克，茯苓10克，甘草、半夏各6克，陈皮12克，苏子、莱菔子各9克，白芥子12克，大枣10枚。将大枣、陈皮除外，其余各药熬汤，除药渣，将其汤煮大枣和陈皮，开锅10分钟后，吃大枣，喝汤，去陈皮。

本方健脾益气，化痰平喘，适用于脾虚所致肺气肿。此种肺气肿的主要特点为喘促，气短不足以息，语言无力，痰多质稀，四肢倦怠，食少腹胀，大便稀溏，舌淡、苔白滑或薄腻，脉细软。

【方五】

核桃仁50克，萝卜子（研粉）、冰糖各10克。

将冰糖先熬化，再加入上药拌匀，制成糖块，每日时时含化。

本方补肾平喘，适用于肾虚久喘。此种肺气肿为咳喘日久，短气息促而难以接续，动则大甚，伴有腰膝酸软，脉微细。

【方六】

黑苏子、陈皮、半夏、当归、厚朴各9克，沉香末（冲）、肉桂各2.5克，前胡、杏仁各9克。水煎服，每日1剂，分2次服。

本方除痰降气，适用于肺气肿。

【方七】

黄芩、瓜蒌仁、半夏、胆星、橘皮、杏仁泥、枳实、姜竹茹各9克。

水煎服，1日1剂，早晚服。

本方清肺化痰，运用于痰热所致的肺气肿者。

【方八】

沙参12克，麦冬、五味子、杏仁、玉竹、贝母各9克。水煎服，每日1剂，分2次服。

本方补气生津，适用于气津两伤所致的肺气肿。

【方九】

熟地、山萸肉、五味子各9克，肉桂2.5克，补骨脂、胡桃肉各9克。水煎服，日1剂，2次服。

本方补肾纳气，适用于肾衰所致的肺气肿者。

【方十】

苏子10克，白芥子9克，莱菔子10克，山药60克，人参30克。水煎服，每日1剂，日服2次。

本方扶正祛邪，降气化痰，适用于痰涎壅盛所致的肺气肿。

【方十一】

莱菔子适量，粳米100克。将莱菔子炒熟后研末，每次取10～15克，同粳米煮粥。

本方化痰平喘，行气消食。适用于咳嗽多痰，胸闷气喘，不思饮食，嗳气腹胀之肺气肿。

【方十二】

粳米60克，川贝5～10克，砂糖适量。先以粳米60克，砂糖适量煮粥，待粥将成时，调入川贝母极细粉末5～10克，再煮二三沸即可。温热服食。

润肺养胃，化痰止咳。适用于老年慢性气管炎、肺气肿、咳嗽气喘等症。

【方十三】

射干10克，麻黄、白芥子、莱菔子各9克，苏子10克，皂荚12克，旋复花、紫菀、款冬花各10克，半夏、杏仁各9克。若外感风寒，痰从寒化，寒重于饮而咳重于喘者，加桂枝、细辛、干姜、五味子、白芍、甘草；饮重于寒并兼有郁热而喘重于咳者，加厚朴、石膏、细辛、干姜、五味子；饮寒并重而喘咳并重者，加生姜、细辛、五味子、大枣；外感风热，痰从热化，热重于饮者，加石膏、生姜、大枣、甘草；饮重于热者，加细辛、干姜、五味子、白芍、石膏；饮热并重者，加厚朴、石膏。水煎服，日1剂，分2次服。

本方降气化痰，止咳平喘，适用于痰浊阻肺所致的肺气肿，其临床主要症状如：喘而胸满闷窒，甚则胸盈仰息，咳嗽痰黏腻，色白，咯吐不利，兼有呕恶、纳呆、口黏不渴、苔白厚腻、脉滑。

【方十四】

黄芩、桑白皮、金荞麦各10克，杏仁、半夏各9克，款冬12克，苏子、贝母、黄连、山栀各9克。若痰多而黏稠，加瓜蒌、射干、海蛤粉；痰涌便秘、喘不能卧，加大黄、风化硝、葶苈子；身热甚加生石膏、知母；口渴咽干，加天花粉、麦冬；咯痰气腥，配鱼腥草、冬瓜子。水煎服，日1剂，分2次服。

本方清泻痰热，降气而喘；适用于痰热结肺所致的肺气肿，其主要临床症状如：喘咳气涌，胸部胀痛，痰黏稠、色黄或夹血色，胸中烦热，身热有汗，渴喜冷饮，面红咽干，尿赤，苔黄或腻，脉滑数。

【方十五】

党参9克，黄芪10克，沙参、麦冬各9克，熟地10克，五味子、桑白皮、紫菀各12克。若短气喘促明显，加冬虫夏草、钟乳石、甘草；喘逆、咳痰稀薄，去桑白皮，加款冬、钟乳石；恶风自汗明显，加白术、防风；动则喘甚，加山萸肉、胡桃肉；食少便溏、腹中气坠，加升麻、柴胡，同时重用黄芪、党参；呛咳烦热、苔少舌红，加玉竹、百合、石斛、诃子。水煎服，日1剂，分2次服。

本方益气养阴，舒肺止喘，适用于肺虚所致的肺气肿，其主要临床表现如：喘促短气，气怯声低，咳声低弱，痰稀色白，自汗畏风，经常感冒，舌质淡红，脉细弱。

【方十六】

党参10克，黄芪、白术各9克，茯苓12克，甘草、陈皮各9克，半夏6克。若痰多质黏且咯吐不爽、脘痞、苔腻，加川朴、苍术；大便易溏，加怀山药、薏苡仁、煨木香、砂仁，或平时常服香砂六君子丸、健脾丸、理中丸等；四肢逆冷，形寒踡卧，加附子、肉桂、胡桃肉、紫河车，亦可服金匮肾气丸。水煎服，日1剂，分2次服。

本方健脾益气，化痰平喘，适用于脾虚所致的肺气肿，其主要临床症状如：咳喘日久，短气息促而难以接续，动则尤甚，痰吐起沫，头晕耳鸣，腰膝酸软，伴形寒肢冷、自汗、面青唇紫，舌苔淡白或黑润，脉微细或沉弱；或面红烦躁，口咽干燥，汗出粘手，舌红苔少，脉细数。

【方十七】

熟地 10 克，山萸肉 12 克，山药 15 克，紫河车 6 克，胡桃肉、补骨脂各 9 克，鹿角片 6 克，肉桂 9 克，附子 6 克，五味子 9 克。呼多吸少者，加紫石英、沉香、磁石、五味子、冬虫夏草；喘甚加服参蛤散；咳吐黏痰者，加苏子、半夏、茯苓、橘红；喘咳眩悸、肢体浮肿、小便不利，加茯苓、白术、白芍；面赤如妆、虚烦，加龙骨、牡蛎，平时常服紫河车粉、金匮肾气丸或六味地黄丸；面红烦躁，舌红苔少，加麦冬、当归、龟板胶。水煎服，日 1 剂，分 2 次服。

本方补肾纳气平喘，运用于肾虚所致的肺气肿，其临床主要症状如：咳逆短气、痰多、面足浮肿、形体消瘦、脉细弱、舌质淡。

【方十八】

五味子 250 克，鸡蛋 10 个。将五味子水煎半小时，冷却，放入鸡蛋，浸泡 10 天后，每晨取 1 个，糖水或热黄酒冲服。

本方适用于肺气肿症。

第二十节

『中　暑』

中暑是人体感受暑热后引起的疾病。暑为夏病之首，中暑的“中”字，形容暑热侵犯人体，来势凶猛，有如箭头石块猛烈击中人体一样。当环境气温超过 32℃时，就可能有中暑发生。本病的发生除与高温、高湿、通风不良等有关外，还与每个人的身体健康状况密切相关。临床常用的主治中暑的偏方如下：

【方一】

野菊花、荷花各 10 克，茉莉花 3 克。将上述三花洗净后以沸水冲泡，加盖稍冷后当茶饮。

本方清暑解热，芳香开窍，可去心胸烦热。

【方二】

绿豆 100 克，黄豆、白扁豆各 30 克。将三豆加水煮烂后，取浓汁加入白糖或其他调料饮用。

本方防暑，清热解毒，和中健胃。

【方三】

金银花 10 克，土茯苓 20 克，生蚕豆 30 克。加水煎煮，以蚕豆煮熟为度，饮汁食豆。

本方消暑健身，清热解毒，尤宜于暑天好生痱子、疮者。

【方四】

鲜西瓜皮、冬瓜皮、丝瓜皮各 50 克。将三皮水煎 15 分钟，取汁加适量的糖，温服当茶。

本方清热，祛暑，利尿。

【方五】

藿香叶、香薷叶、薄荷叶各10克。加水淹没药物为度，煎开即可，煎时加盖。

本方消暑清神，健脾醒脑，对已中暑者尤为适用。

【方六】

绿豆、赤豆、黑豆各10克。

三豆加水600毫升，小火煎成200毫升，连豆带汤喝下即可。

本方健脾，消暑，防痱。

【方七】

桃叶50克，水500毫升。将桃叶放入水中，煎熬到只剩一半，小量即可。代茶饮。本方由于桃叶中含有丹宁成分，可使因痱子而变红的血管收敛，因此能起到解毒、消炎、止痛、止痒的作用。

【方八】

绿豆30克，粳米100克。将淘净后温水浸泡2小时的绿豆与洗净的粳米同入砂锅，加水1 000毫升，煮成稀粥。每日吃2～3次，亦可作饮料服用。

本方祛暑消烦，生津止渴，解毒利水。

【方九】

藿香15克，粳米50克。将藿香加水150～200毫升；应煮2～3分钟，过滤去渣；再把粳米淘净熬粥，将熟时加入藿香汁再煮沸2～3分钟即可。每日2次，温食。

本方解表邪，化里湿，对中暑高热、消化不良、感冒胸闷、吐泻等症，有较好防治作用。

【方十】

银花30克，粳米50克。将银花水煎去渣，取浓汁约150毫升，再加水300毫升与粳米煮成稀粥。早晚2次温服，夏秋季服用尤为适宜。

本方清热，消暑，除烦，可防治中暑、风热感冒、头痛目赤诸症。

【方十一】

鲜荷叶、鲜银花、鲜扁豆花、丝瓜皮、竹叶、琼脂各15克，白糖200克，银耳20克。将上述各味中药洗净后，药入锅，加水煎成药汁，澄清去沉渣。把锅洗净，加入药汁，琼脂、银耳、白糖溶化后，放入冰箱凝成冻，取出划块即成。1天2次，餐前用。

本方清凉爽口，消热解暑，滋阴润肺，适用于暑热耗伤气阴所致身热口渴、头昏眩微胀等症。

【方十二】

金银花、菊花各250克，山楂100克，白糖500克，香精适量。将银花、菊花择洗干净，一同放入锅中，放清水适量，烧开水后小火煎半小时，倒出药汁，再把药汁、白糖、香精充分拌匀，入冰箱冷冻划块即成。1天2次，餐前服用。

本方清热解毒，散风清肝，适用于夏天泻痢，流感，疮疖，痱毒，也适用于高血压患者食用。

【方十三】

乌梅4只，白糖20克。将乌梅加入1公斤的水中，煮沸20分钟，再加入白糖，冷却后饮用。

本方多生津开胃，降温除烦。

【方十四】

大西瓜1个，大番茄4～5个，白糖40克。将西瓜剖开，取瓤，用洁净纱布绞取汁，再把番茄用开水冲烫片刻，以便剩去外皮，然后切开去子，亦用纱布绞取汁。两汁和匀，加入白糖饮用。

本方清热，生津，健胃，可治疗夏季感冒发热、心烦口渴、小便赤黄、不思饮食等症。

【方十五】

紫菜15克（用水发过），冬菇50克（小发），芦笋100克，味精、料酒适量。将冬菇、芦笋切丝，与紫菜一同入沸水，加香油、味精、料酒调味。正餐时食用，1天1次。

本方清暑热，补身体，常食能防止动脉硬化和血压升高。

【方十六】

鲜猪皮250克，番茄200克。将猪皮切块加水炖煮成浓汤，再放入切成片的番茄，撒上葱花及香油。

本方解暑止渴，滋阴凉血。

【方十七】

绿豆粉100克，海米少许，胡萝卜500克，黄瓜100克，香菜少许，精盐、麻酱、芥茉、酱油、米醋、蒜、葱、干辣椒、味精适量。将粉皮洗净捞出沥水，切成三分左右宽的长条，拌以香油。将胡萝卜洗净去皮切丝焯一下，黄瓜洗净切丝，海米洗净加沸水泡发，干辣椒洗净去子剪成段再用香油炸焦，香菜洗净切小段，蒜去皮捣成泥，葱切末，麻酱用凉开水搅稀。芥茉加沸水调成稀糊，盖后在温热处焖发，再加凉开水调成稀汁，泌渣后加麻酱、精盐、米醋、酱油、蒜泥、葱末、味精、辣椒油制成卤汁。将粉皮摆在盘中，上码胡萝卜丝、黄瓜丝、海米、香菜段，再浇卤汁即可。

清热解暑，芳香开胃。可辅治中暑、纳食不香。

【方十八】

鲜嫩扁豆300克，精盐、味精、胡椒粉、香油、葱适量。将扁豆洗净去老筋放入水中焯透，捞出撒少许盐沥水，散热，将葱切末放入香油中炒，滤去葱取香油置凉。将扁豆切好加胡椒粉、味精、盐、葱油拌匀。

和中下气、清暑健胃。可辅治呕吐、急性胃肠炎、中暑等。

此外，清心同志曾在《保健与生活杂志》上发表过一篇“夏季常用药菜”，现摘录于下以供人们参考。

两芽茶　谷芽、大麦芽各3克。将两芽炒三成焦，筛去屑，入有盖茶具内，开水浸泡一会儿，代茶饮服，连泡连服，直至药味清淡再更换。

本茶具有润渴开胃、健胃行气消食的功能。

青蒿佩兰茶　鲜青蒿、鲜佩兰各5克。药料入茶具内，倒入开水浸泡，代茶饮服。

本茶具有清暑热、除虚热的功能，是防暑饮料。

藿香茶　藿香3克。入茶具内，倒入开水浸泡即可饮服。

本茶具有解毒祛暑避浊，化湿和中的功效，为夏令解毒祛暑之佳品。

菊花龙井茶　菊花10克，龙井茶5克。将两味放入茶杯内，冲入开水，盖泡10分钟后服。

本茶具有疏风散热、清肝明目的功效。

决明子茶　决明子15克，夏枯草10克。将决明子炒至稍鼓起，微有香气后放凉打碎，将夏枯草切细末，两药冲开水泡10分钟当茶饮。

本茶具有清肝明目、通便功能。

枇杷竹叶茶　枇杷叶、鲜竹叶、芦根各20克。将三药洗净切粗末，放

入砂锅内加 500 毫升水煎煮 15 分钟，去渣滤清，趁热放入少许白糖和食盐。

本茶可清热生津，止咳平喘，为清暑之佳品。

蔷薇茶 野蔷薇 3 克。将药放入杯内，冲入开水，代茶饮服。

本茶具有清暑、退热、解毒之效，也是防暑解毒佳品。

金银花 金银花 2 克。入茶杯内，开水浸泡一会儿，代茶饮服。

本茶具有养血止渴，散热解毒的功效，老少皆宜。

薄荷茶 鲜薄荷 15 克，或薄荷干品、党参各 10 克，生石膏 30 克。将药切细，煎取药汁，加入适量冰糖。

本茶具有清热解暑功能，可作为盛夏防暑解热之饮料。

荷叶茶 鲜荷叶 1 张，切成 5 块洗净，绿豆 100 克，清水 1 000 毫升。旺火煮，煮出香味微火温，饮前将荷叶捞出，下白糖调味即可饮用。

木茶具有解暑热、散瘀血、清热毒、利小便之功效，适用于夏季头昏脑胀、胸闷烦渴、小便短赤者。

绿豆酸梅茶 取绿豆 100 克，酸梅 50 克，白糖适量。小煎待凉代茶饮。

本茶具有清凉解暑、生津止渴功用。

苦瓜茶 鲜苦瓜截断取瓤，纳入茶叶，悬挂通风处阴干。将外部洗净擦干连同茶叶切碎，混匀，每次取 10 克放入保温杯内，沸水冲泡，代茶频饮。

本茶有清暑、明目、解毒之功效。

金花牡荆茶 取王叶金花藤、牡荆叶各 20～30 克，制成粗末，加薄荷少许。沸水冲泡代茶饮。

本茶具有清热解暑作用。

二子茶 枸杞子 10 克，五味子 3 克。沸水冲泡代茶饮。

本茶具有生津止渴、益气补阴的作用。

百部茶 取百部 60 克。制成粗末，煎水代茶频饮。

本茶能清热解毒，生津止渴。

第二十一节

『胃　　疼』

胃疼是指以上腹胃脘部近心窝处经常发生疼痛。其发病原因是由于饮食不调，情志刺激，脾阳素虚，感受外寒，胃火和降所致。临床常用有效的偏方、验方主要如下：

【方一】

高良姜 30 克，粳米 50 克。先用高良姜加适量的水，在砂罐内煎取药汁；再用药汁和粳米煮粥，空腹食之。1 日 1 次，连服 3～7 天。

本方适用于胃寒性胃疼。

【方二】

陈皮20克，葱白10茎，香附子15克，生姜6克，鸡肉60克。将鸡肉切成1厘米见方的丁，备用，再将陈皮洗净，香附醋炒，放入砂锅中煎取药汁200毫升，把生姜切成粒，葱切成丝，再把鸡肉、药汁同放入铁锅闷煮。以先武火烧沸，酌加料酒、味精、酱油炒拌即成。吃时，以沸米酒50毫升，边饮酒，边吃鸡丁。须开怀食饮。

本方适用于肝气郁滞之胃疼。

【方三】

甘蔗500克，高粱米30克。将甘蔗榨取汁，同高粱米一起煮粥，佐餐用。

本方适用于胃热疼痛。

【方四】

丁香1.5克，肉桂1克，红糖适量。丁香、肉桂用温水浸透，武火煮沸，文火煮20分钟，取汁，调入红糖，每服5～10毫升，日3次。本方温胃散寒，适用于感寒腹痛。

【方五】

小茴香10克，胡椒12克。两者共为细面，酒糊为丸，每服3～6克，温酒送下。

本方散寒理气止痛，适用于胃寒疼痛。

【方六】

猪肚（狗肚更佳）1具，粳米100～150克，丁香、肉桂、茴香各适量。将前述各味一齐放入锅中，再加入一些调料，如姜、葱、盐、酒、酱，文火炖至极烂，粳米煮粥兑入，空腹服，日3次。

本方健脾温中，适用于胃部疼痛。

【方七】

鲫鱼250克，生姜30克，橘皮20克，胡椒3克。鲫鱼去鳞、鳃、内脏，洗净；生姜洗净，切片，与橘皮、胡椒同包扎在纱布袋中，填入鱼肚，置锅内，加水适量，小火煨熟，加盐少许，空腹饮汤食鱼，日2次。

本方适用于感寒后之胃部疼痛。

【方八】

丹参30克，三七15克，老母鸡1只。将丹参、三七切片，填入宰杀去毛及内脏的鸡腹内，放入砂锅，加适量的水；先用武火煮沸，后用文火煨炖至鸡烂熟，捞去药渣，吃肉喝汤，每次1小碗，1日2次，不可多饮。

本方活血止痛，适用于血瘀胃痛。

【方九】

胡椒15克，肉桂9克，白术、葱头各15克，猪肚1个，食盐适量。将猪肚洗净，再把药料拌适量盐，填入猪胃中，放入砂锅，加适量的水，先用武火煮沸，再用文火炖至猪肚烂熟，空腹吃猪肚，饮汤，每次1小碗，1日2～3次。

本方温中健脾，适用于虚寒所致的胃疼。

【方十】

炒麦芽、炒谷芽、焦山楂各10克，白糖30克。前3味水煎15分钟取汁，用纱布过滤调入白糖，趁热服，日2～3次。

本方消食化滞，适用于食积停滞所致腹痛。

【方十一】

槟榔200克，陈皮20克，丁香、豆蔻、砂仁各10克，盐100克。诸味同置锅内，加水适量，文火煎熬至药液干涸，停火待冷将槟榔用刀剥成黄豆大小的碎块，饭后口含少许。

本方适用于食积胃疼。

【方十二】

鸡内金、白糖各适量。将鸡内金焙干研末，与白糖调服，日3次，每次1～2克。

本方消食健脾，适用于胃脘部胀满疼痛。

【方十三】

人参、青皮、陈皮、丁香各7克，白术5克，炮附子、苹果仁、炮干姜各4克，姜制厚朴、炙甘草各2克，生姜3片，红枣2枚。水煎服，1日1剂，分2次服。

本方温中祛寒，适用于胃院胀满疼痛。

【方十四】

代赭石、橘红、白茯苓、炒竹茹、旋夏花、瓜蒌、左金丸、金铃子、法半夏、炒薤白、生姜、金石斛各50克。水煎服，1日1剂，分2次服。

本方为杭州名医王香岩方，适用于胃脘疼痛又呕吐酸水。

【方十五】

百合、丹参各30克，乌药、高良姜、制香附各9克，檀香10克，砂仁3克。水煎服，每日1剂，1日1次。

本方为著名中医焦树德方，功能理气散寒，温中和胃，适用于胃脘痛。

【方十六】

胡椒15克，肉桂9克，白术、葱头各15克，猪肚1个，食盐适量。

将猪肚洗净，再把药料拌适量盐，填入猪胃中，放入砂锅，加适量的水，先用武火煮沸，再用文火至猪肚烂熟，空腹时吃猪肚，饮汤。每次1小碗，1日2～3次。

本方适用于虚寒性胃痛。

【方十七】

鲜豌豆400克，泡青菜150克，猪瘦肉100克，胡椒面1.5克，精盐5克，味精1克，鲜汤1 000克。将泡青菜切成细丝，猪瘦肉亦切成丝，再用清水150克浸泡在碗内，鲜嫩豌豆入沸水锅内焯至软熟，再将炒锅置旺火上，放入鲜汤、泡青菜、豌豆、精盐烧沸，捞于汤碗内，最后把肉丝连同清水一起倒入锅内烧沸，摘净浮沫后，加入酱油、胡椒面、味精，倒在碗内即成。每于饭前后饮此汤1小碗。

本方适用于胃阴不足所致的胃脘痛。

【方十八】

草果5个，羊肉1 500克，大麦仁500克，食盐适量。将淘净的大麦仁放铝锅内，加水煮粥倒出备用；再把洗净的羊肉、草果放锅内加水煎熬至肉熟；捞出羊肉、草果，倒入麦仁粥，合匀，文火炖熟至沸，加入切成小块的羊肉，调入食盐，温热食。

本方暖胃除胀，适用于脾胃虚寒之胃胀痛症。

【方十九】

白芍12克，桂枝6克，甘草3克，生姜10克，大枣4枚，饴糖30克。前5味水煎取汁，入饴糖，文火溶匀，日2～3次温服。

本方适用于虚寒性腹痛。

【方二十】

附片30克，羊肉2 000克，生姜、葱段各50克，胡椒6克，食盐10克。将附片装入纱布代，扎口；羊肉洗净，入沸水锅内，加姜、葱各25克，焯至淡红色，捞出，剔去骨，将肉切成2.5厘米见方的块，再放清水中漂去白水，骨头拍破，余姜洗净拍破，葱洗净捆缠成束；另将砂锅注入清水，置于火上，下姜、葱、糊椒、羊肉、羊骨、附片，烧沸30分钟后，文火炖至羊肉熟烂（约2～3小时），取出附片，分盛碗内，再分别盛入羊肉，倾入汤佐餐食。

本方温胃壮阳，适用于脾胃阳虚所致的脘腹冷痛。

【方二十一】

桃仁1枚，生地黄30克，桂心10克，粳米100克，生姜1克。将桃仁去皮尖，桂心研成末，用地黄、桃仁、生姜，以适量的酒绞取汁。先用水煮粳米作粥，沸后下桃仁等汁，继续煮至熟，再调入桂心末，空腹食。

本方活血行气，对瘀血所致胃痛有效。

【方二十二】

丹参15克，檀香9克，炙甘草3克，蜂蜜30克。将丹参、檀香、炙甘草加水煎煮后，去渣取汁，调入蜂蜜，再煎之沸，顿饮。

本方适用于因气滞血瘀所致胃疼。

【方二十三】

竹柴胡12克，生白芍15克，枳壳、厚朴各12克，炒香附15克，佛手12克，炒建曲15克，甘草4克。上药每剂煎3次，每日早、中、晚分服，日1剂。

本方为重庆著名中医陈枢燮验方，功能疏肝和胃，行滞镇痛，在临床可用来主治肝胃不和所致胃脘疼痛，包括胃炎、胃及十二指肠球部溃疡、胆囊炎；胃肠功能紊乱所引起的上腹疼痛。

脘腹胀满或胀、呃气者加广木香10克，青皮、陈皮各12克，加强行气之功；痛如针刺或疼痛较剧者加赤芍、延胡索各12克，用以活血化瘀止痛；疼痛有灼热感或口苦咽干者加炒川楝子、焦栀各12克，用以清泄肝火；口干口苦、苔黄者加黄芩15克、黄连6克，用以清泻郁热；食后痛甚或暖腐者力口鸡内金15克、炒二芽各30克，用以增强消食导滞之力；泛酸时加煅瓦楞子30克，海螵蛸15克，用以和胃制酸；腹痛有冷感者加法罗海12克，以温散行滞。

【方二十四】

南、北沙参各30克，白术15克，茯苓30克，陈皮、厚朴各12克，炒香附15克，佛手12克，白芍、炒建曲各15克，甘草4克。日1剂，分2次服。

本方扶土抑木，行滞定痛，适用于脾胃虚损、肝郁气滞所致的胃脘痛。若肝胃不和诸症突出，可用肝胃两和镇痛饮治疗以从其变；标实势衰，即用本方。气虚甚者可加党参、山药各30克，甚则加人参6克，以增强益气之力；若短气、头昏者加黄芪30克、荷叶15克，以益脾升清；失眠多梦者加枣仁、合欢皮各20克，夜交藤30克，以养心安神。

【方二十五】

蒲公英30克，生白芍10克，生甘草6克，红花8克，徐长卿12克，陈皮8克，大贝母12克。日1剂，水煎服，分2次服。

本方为江苏著名中医袁正刚验方。功能安胃，止痛，散结，适用于胃脘痛、滞胀纳呆属气滞络阻者。

【方二十六】

山药、云茯苓、薏米、山楂、扁豆、陈皮、神曲、芡实各10克，莲子6克，砂仁5克，黄连2克，麦牙20克，炒米250克。上药共焙干，研细末，每餐饭前服1匙（约10克）。

本方为安徽老中医王正雨验方。功能健脾和胃，祛湿止泻，安神定惊，可用来治疗小儿肠炎、疳积、脾胃不和型胃痛。

【方二十七】

鸭子1只（约重1 000克），丁香、肉桂、草豆蔻各5克，葱、姜、盐、冰糖、味精、香油、卤汁各适量。将鸭子宰杀后，去毛及内脏，洗净。将丁香、肉桂、草豆蔻放入锅中，加水适量，煎熬两次，每次待水沸后再熬20分钟，滗出药汁，两次共约3 000克。生姜、葱拍破待用。将药汁放入锅中，加鸭子、姜、葱，用小火煮至六成熟后捞起晾凉待用。将卤汁放入锅中，再入鸭子，用文火卤熟后捞出，揩净浮沫。将卤汁倒入锅中，取出冰糖、食盐、味精搅匀，再放入鸭子，置文火上，边滚动鸭子边浇卤汁，直至卤汁均匀地沾在鸭子上，色红亮时捞出，再在鸭身上均匀地涂上香油即成。

本方和中暖胃，散寒，止呕，止痛，适用于脾胃虚弱之脘腹冷痛，呕吐，泄泻。

第二十二节

『急性胃肠炎』

急性胃肠炎以起病急，呕吐，腹泻，腹痛为主症，多发生于夏秋季，其发病原因多由暴饮暴食，过食生冷，饮食不洁或食用不易消化的食物引起。临床上常用的有效偏方主要如下：

【方一】

马齿苋、野荠菜各50克，白萝卜干20克，生姜3片。水煎服，每日1～2次。

本方清热利湿，适用于温热型急性胃肠炎。此病症的特点是呕、泻频繁，吐物酸腐，大便臭秽，腹痛剧烈，或有发热舌红，苔黄腻，脉弦数。

【方二】

连根韭菜适量。洗净捣烂取汁约100毫升，温开水冲服，每日2～3次，连服3～5天。

本方温阳祛寒，适用于虚寒所致的急性胃肠炎。此病症的特点是呕吐腹泻，腹痛喜暖，口不渴，尿清长，四肢欠温，脉沉细。

【方三】

艾叶9克，生姜2片，红茶叶6克。将前药一并煎水服用，1日2～3次。或将茶叶等量研成细末，用生姜煮水送服，每次6克，1日3次。

本方散寒利湿，适用于寒湿型急性胃肠炎。本症的特点是暴起上吐下泻，便稀如水，腹痛肠鸣，脘腹胀满，身重肢冷，苔白或腻，脉濡缓。

【方四】

新鲜马齿苋120克（干者30克），绿豆30～60克。煎汤服食，每日1次，连服3～4次。

本方清热，解毒，适用于急性胃

肠炎者。

【方五】

木棉花 30～50 克，白砂糖适量。用清水两碗半煎至一碗，去渣饮用。

本方利湿清热，适用于急性胃肠炎。

【方六】

鲜火炭母 60 克（小儿减半），猪血 150～200 克。清水适量煲汤，用食盐少许调味，饮汤食猪肉，但要注意肠炎腹泻者只饮汤，不吃猪血。

本方清热解毒，消胀满，利大肠，适用于急性胃肠炎。

【方七】

鲜鸡矢藤叶 60 克，大米 30 克。先用清水泡软大米，然后与鸡矢藤叶一起放入砂锅内捣烂，加水和红糖适量煮成糊服食。

本方解暑除湿，祛风解毒，健脾导滞，适用于急性胃肠炎。

【方八】

紫皮大蒜 2 头，大米 100 克，白糖适量。把大蒜与大米，一同煮成粥，以白糖调服。

本方杀菌消炎，止咳，止痢，降血压；主治肺结核、百日咳、痢疾、肠炎，也可作为高血压患者的食疗。

第二十三节

『慢性胃炎』

慢性胃炎指临床上常表现胃脘胀满、疼痛、呃逆及消化不良等主要症状者。常由饮食不节所引起，并且发病率很高，临床上常用的有效偏、验方主要如下：

【方一】

云豆 500 克，红枣 250 克，红砂糖 150 克，糖桂花适量。将云豆以水泡发后，放在锅内加水适量，煮至烂，待冷却后包在洁净的布里揉搓成泥，备用；把红枣用水洗后除核，煮烂，趁热加红砂糖 150 克，糖桂花适量，拌压成泥冷却后备用；再把云豆泥摊在案板上，用菜刀背抹成等厚的长片，上面再摊拌一层枣泥，纵向卷起，垂直方向切成“回”形卷块，即可食用。

本方补脾益胃，适用于脾胃虚弱所致的慢性胃炎。

【方二】

粳米 100 克，生姜 9 克。将粳米用水浸泡后，用麻纸 5～6 层包好，烧成炭，研成细末；用生姜煎水，冲服粳米炭粉末 6～9 克，早晚各 1 次。服药后 1 周内以流食为主，忌吃生冷油腻等食物。

本方补中和胃，适用于慢性胃炎。

【方三】

莲子、糯米各50克，红糖1匙。

将莲子开水泡胀，剥皮去心，入锅内加水煮30分钟后加粳米煮沸，慢火炖至米烂莲子酥，早餐服食。

本方温胃祛寒，适用于虚寒所致的慢性胃炎。

【方四】

党参10克，白术9克，茯苓12克，炙甘草6克，陈皮9克，广木香5克，砂仁4克。水煎服，日1剂，分2次服。

本方健脾和胃，适用于慢性胃炎。

【方五】

柴胡10克，香附6克，绿梅花9克，佛手15克，枳壳、陈皮各6克，白芍10克，甘草6克。水煎服，日1剂，2次服。

本方疏肝和胃，适用于肝胃不和所致的慢性胃炎。

【方六】

沙参10克，麦冬15克，玉竹12克，石斛、百合各10克，山药、扁豆各12克，白芍9克，川楝子12克。水煎服，日1剂，2次服。

本方益胃养阴，适用于胃阴不足所致的慢性胃炎。

【方七】

陈皮10克，青皮9克，川楝子6克，丹皮9克，栀子6克，黄连5克，蒲公英、白芍各9克，延胡索10克；水煎服，每日1剂，日服3次。

本方清胃疏肝，适用于肝胃郁热所致的慢性胃炎。

【方八】

丹参10克，赤芍9克，五灵脂6克，生蒲黄9克，檀香、砂仁、香附各6克，川楝子9克。水煎服，日1剂，分2次服。

本方活血行气，适用于气滞血瘀所致的慢性胃炎。

【方九】

竹茹12克，芦根30克，蒲公英15克，枳壳、石斛各10克，麦冬15克，薄荷6克，白芍12克，甘草6克。水煎300毫升，早晚分2次饭前温服，每周服5剂。

本方为山东老中医姚子扬方。功能理气止痛，轻清凉润，适用于慢性浅表性胃炎。

【方十】

麦芽、谷芽各30克，鸡内金、山药各15克，党参10克，甘草8克。前药加清水超过药面3.3厘米（指一般药罐）浸泡1小时，然后置火上煎熬一沸后，继沸5分钟即可，不宜久煎。每日1剂，1日2次，饭前1小时服。

本方为福建名老中医赵棻经验方。对慢性胃炎有较好疗效。

【方十一】

柴胡6克，炒黄芩、炒白术、香扁豆、炒白芍各9克，炙甘草3克，苏梗6克，制香附、炙延胡各9克，八月札15克，炒六曲、香谷芽各6克。水煎，分2次，饭后1小时温服。

本方为上海名老中医张镜人方，功能调肝和胃，健脾安中，适用于慢性胃炎。

【方十二】

党参、炒白术各10克，炮姜、黄连、木香各5克，秦皮10克，乌梅5克，炙甘草3克。水煎，分3次服。亦可按比例作丸剂，每次5～10克，日服3次。

本方为四川中医彭澍验方。功能

第二十五节

『胃下垂』

现代医学认为，胃下垂是由于胃壁及腹部肌肉松弛的结果。中医学则认为：胃下垂是由于思虑伤脾，气虚下陷所致。常用的临床验方、偏方主要如下：

【方一】

新鲜荷叶蒂4个，莲子60克，白糖适量。将荷叶蒂洗净，对半切两刀，备用。莲子洗净，用开水浸泡1小时后，剥衣去心。把上二者倒入小钢精锅内，加冷水两大碗，小火慢炖2小时，加白糖1匙，再炖片刻，离火，当点心吃。

本方补心益脾，健胃消食，对脾虚气陷、胃弱食滞的胃下垂患者有一定效果。

【方二】

子母鸡1只，干姜、砂仁、公丁香各3克。

将子母鸡（童鸡）宰杀后，去毛洗净，保留心、肝、肺。将鸡切成小块，放入砂锅中，用文火炖至烂熟，再把干姜、公丁香、砂仁研成细末，吃时加入鸡肉汤中。每3天吃1只鸡，1日分2次食用。一般吃1～5只鸡即能生效。

本方补中益气举陷，适用于胃下垂。

【方三】

核桃肉100～150克，蚕蛹50克（略炒过）。隔水炖服，佐餐服。

本方适用于中气不足所致的胃下垂症。

【方四】

柴胡、炙升麻、炙甘草各3克，枳壳20克，白芍、玄胡、炒川楝、白术、炒神曲、山楂、党参、黄芪、鸡内金各10克。每剂煎2次，首次加水约500毫升，煎至200毫升，同法再煎1次，将2次药液混合，分3次饭后服用。

本方为湖北中医王荫龙方。功能疏肝益气，对胃下垂有较好疗效。

【方五】

沙参、麦冬各15克，生地黄12克，玉竹、白芍、枳壳、党参各10克，红花6克，桃仁、当归各10克，炙甘草6克。水煎服，日1剂，分2次服。

本方为湖南中医陈勇方，功能益胃养阴活血，适用于胃下垂。

【方六】

炙黄芪120克，防风3克，炒白术9克，炒枳实15克，煨葛根12克，山茱萸15克。

水煎服，日1剂，分2次服。

本方为山东中医袁大仲方。功能益气举陷升阳，适用于中气下陷、脾胃虚火型之胃下垂。

【方七】

人参、砂仁各30克，苍术60克，陈皮20克，九香虫30克。共研细末装入胶囊，每次2克，日服3次。

本方出自《山东中医杂志》1989年8期，适用于胃下垂。

【方八】

柴胡9克，白术、白芍、茯苓各12克，枳实、党参各15克，山药、黄芪各30克，生麦芽20克，炒葛根15克，桂枝、炙甘草各6克。水煎服。

本方为山东潍坊五井煤矿职工医院许永顺方，对胃下垂有效。

【方九】

牛肚1 000克，新鲜荷叶2张，茴香、桂皮、生姜、胡椒各适量。把茶叶置于砂锅底，加入牛肚，入水浸没，旺火烧沸后，改用中火烧半小时，取出，切成条块或小块，再倒入砂锅内，加黄酒3匙，茴香、桂皮少许。小火慢煨2小时。然后加细盐1匙，生姜、胡椒粉少量，再煨2～3小时，至牛肚酥烂为佳。牛肚汤每日2次，每次1小碗，牛肚可蘸酱油、醋佐膳食。

本方出自《常见慢性病食物疗养法》，适用于胃下垂。

【方十】

黄芪15克，焦白术、党参各9克，升麻6克，炒山药15克，炒莱菔子、砂仁各10克，干姜3克，枳壳9克。水煎服，日1剂。分早晚服。

本方出自《偏方妙用》，对胃下垂，兼有脘腹胀痛者有效。

第二十六节

『泄　泻』

泄泻指大便次数增多，便下稀薄或如水样或下泻完谷为主要特征。本病主要由外感六淫、内伤乳食、脾胃虚弱、脾肾阳虚等所引起。临床常用的有效偏方、验方主要如下：

【方一】

炒芡实、炒扁豆、炒玉米、炒黄豆各等份，焙鸡内金1/4份。上药共研极细末，和匀，置干燥处，贮藏备用。每服15～30克，温开水送服，日2次，可连服1～2个月。

本方消食导滞，适用于伤食所致的泄泻。

【方二】

黄酒50毫升，红糖10克。前者同置小锅内，以小火煮沸，待糖溶化后，停火，趁热顿服。

本方散寒温胃，适用于外感寒邪所致的泄泻。

【方三】

竹叶鲜品30～45克，生石膏45～60克，扁豆15克，荷蒂1个，粳米100克，砂糖少许。

先将竹叶、扁豆、荷蒂洗净，同石膏加水煎汁，去渣，与粳米同煮成稀粥，日分2～3顿服。

本方清热利湿，适用于外感湿热邪气所致泄泻。

【方四】

山楂、神曲各15克。水煎取汁，日1剂，分2次服。

本方适用于食积所致泄泻。

【方五】

玉米500克，石榴皮125克。将前两味共炒黄，研成细末，每服5～10克，日3次。

本方消食止泻，适用于消化不良之泄泻。

【方六】

薏米、大麦芽各15克。前两味炒焦后水煎，日分2～3次服用。

本方温肠止泻，适用于少食腹泻。

【方七】

大黄、木香、豆蔻、陈皮、檀香、厚朴、藿香、紫菜叶、香薷、薄荷、木瓜、枳壳、羌活、前胡、泽泻、白术、明党参、肉桂、丁香、山楂、肉豆蔻、小茴香、茯苓、砂仁、槟榔、甘草、白扁豆、桔梗、猪苓、香附、白芷、法半夏、苍术各80克，茶叶120克。开水浸泡，或煎煮取汁，去渣，日1次，每服12克。小儿酌减，代茶徐徐饮之。

本方疏风散表，适用于外感风寒，呕吐泄泻。

【方八】

红茶、干姜丝各3克。二者放瓷杯中，以滚水100毫升冲泡加盖10分钟，代茶随意服，饮完可再冲。

本方适用于感受寒邪所致腹泻。

【方九】

蕨菜若干。将其研末，每服3～6克，米汤送下。

本方清热利湿解毒，适用于湿热所致泄泻。

【方十】

藿香15克，糊米30克。水煎、澄清，代茶频饮。

本方适用于夏季暑湿泄泻。

【方十一】

翻白草（根或全身），车前草各60克。洗净，水煎服。

本方适用于湿热泄泻。

【方十二】

白粳米100克。炒焦，煮粥，任意食用。

本方适用于脾虚所致泄泻。

【方十三】

番石榴2～3个，蜂蜜少许。将番石榴去外壳，取果肉，加水一碗半，煎至大半碗，去渣，加蜜糖少许调味，1天内分2～3次饮用。

本方适用于消化不良所致腹泻。

【方十四】

锅焦（炒黄）150克，神曲（炒）、山楂（蒸）、莲肉（去心，蒸）各12克，砂仁（炒）6克，鸡内金（炒）3克，粳米（炒熟）适量，白糖500克。除白糖外，诸药共为细面；白糖加水熬浓汁，与上面和匀，用模具压榨，切成方块，随意服食。

本方为健脾消食糕，适用于脾虚

所致泄泻。

【方十五】

山楂30克，苍术10克，木香5克，粳米或山药适量。上述各药共为细末，每次6～10克，以粳米或山药煮汁送服，日3次。

本方适用于食积气滞所致的泄泻。

【方十六】

鲜山药500克，羊肉、糯米各250克。将羊肉去筋膜，洗净，切碎，与山药同煮烂，研泥，下糯米，共煮为粥，早晚餐温热服食。

本方适用于脾肾阳虚所致的慢性腹泻。

【方十七】

芡实10克，潼蒺藜5克，莲肉20克，莲须10克，煅龙骨、煅牡蛎各8克，糯米粉250克，金钩15克，猪肥瘦肉200克，味精3克，精盐、姜汁各5克。

将芡实、潼蒺藜、莲肉、莲须、龙骨、牡蛎去净灰渣，加工研制成末。猪肥瘦肉洗净，剁成细粒，加金钩、味精、盐、姜汁、药末拌成馅心，包成40个汤圆，入开水煮沸，每碗4个汤圆。在正餐时食用，1日1次。

本方适用于脾肾阳虚之泄泻。

【方十八】

骨碎补6克，猪腰1个。先将猪腰洗净切开，剔去中间筋膜，再把骨碎补研细纳入猪腰内，用线扎紧，加水煮熟，饮汤食肉。

本方补肾强腰，适用于肾虚久泻。

【方十九】

补骨脂12克，肉豆蔻、五味子各10克，砂仁9克，仙灵脾、苍术各15克，肉桂10克，甘草8克。水煎服，1日1剂，分2次服。

本方健脾温胃，适用于脾胃阳虚所致之泄泻。

【方二十】

陈皮、半夏各10克，党参15克，白术、茯苓、苍术各10克，砂仁8克(研末，冲入药汤内服)，木香7克，扁豆10克，山药12克，甘草7克。水煎服，1剂分2次服。

本方健脾益胃，补气，适用于脾胃气虚所致泄泻。

【方二十一】

柿子皮9克，升麻6克，冬瓜皮30克，干姜6克。水煎服，1日1剂，早晚服。

本方适用于寒湿泄泻。

【方二十二】

凤梨叶30克。水煎服，1次服完。

本方适用于夏季伤暑腹泻。

【方二十三】

苍术、车前子、红茶各30克。研成细末，每次用开水冲泡10克饮用。

本方适用于湿泻。

【方二十四】

白术10克，防风7克，甘草3克。水煎服，1日1剂，1次服完。

本方祛风胜湿，为《医宗金鉴》中方，适用于脾泻肠风。

【方二十五】

熟地、山药、山萸肉、炮姜、白术、五味子、肉豆蔻、补骨脂各若干。水煎服，1日1剂，早晚分服。

本方温阳补肾，健脾暖胃，适用于脾肾两虚之久泻。

【方二十六】

白术、白芍、陈皮、防风若干。水煎服，1日1剂，分2次服完。

本方为上海中医药大学名老中医

黄文东经验方，功能柔肝补脾，适用于慢性结肠炎所致之泄泻。

【方二十七】

黄芩15克，黄连10克，赤白芍各15克，丹皮、桃仁各10克，生薏仁、冬瓜仁各30克，柴胡10克，败酱草、马齿苋各30克，苍术10克。水煎服，1日1剂，分早晚服。

本方为中日友好医院印会河老中医治疗泄泻的经验方，尤适用于鸡鸣泻。

【方二十八】

炒白术5克，辰茯苓6克，陈皮、炒荠菜各5克，焦曲9克，焦楂炭6克，玉蝴蝶2克，川朴花5克，煨木香2克，藿香5克，扁豆衣9克，扁豆花6克。日1剂，分2次服。

本方为浙江著名中医詹起荪验方。功能健脾分运，疏肝行气，临床上常主治婴儿惊泻，症见大便泻下色青，黏稠不化，有沫，水分较多，每天少则四五次，多则十余次，胆怯易惊，寐时多汗，精神尚可，胃纳欠佳，常伴发湿疹，舌苔薄白或薄腻，指纹淡紫。若见外感鼻塞不通酌加苏梗、蝉衣；痰滞咳嗽不爽去陈皮加浙贝、化橘红；咳甚加竹沥、半夏；小便量少酌加灯心草；泄泻日久，面色萎黄，舌质偏淡为脾虚较甚，酌加党参。

本方特点有三：一为选用质轻味薄之品，如荠菜花、玉蝴蝶、扁豆衣、扁豆花等，轻灵之品可鼓舞脾胃之气，质轻味薄煎成汤剂，药汁清淡，易于入口。二为用药量轻，轻者2克，重者9克，常用量为4～6克，服药以少量频服为宜，缓缓振奋中土，促进药液吸收，加速泄泻痊愈。三为善用行气药，如木香为三焦气分之药，能升降诸气，生用行气导滞，煨用实大肠止泻；玉蝴蝶轻清行气，疏肝理脾而不伤气；川朴取花之轻扬，行气燥湿而不耗气。它们行而不守，在惊泻中配伍运用既可鼓舞脾胃斡旋之机以复升降出入之常，又使全方补而不滞，轻灵活泼，以适应小儿“生机蓬勃”、“脏气清灵”、“随拨随应”之特性。

【方二十九】

赤小豆适量，粳米100克。将赤小豆浸泡半日后，用粳米煮粥。

本方健脾益胃，利水消肿。适用于大便稀薄、水肿病、脚湿气、肥胖病。

【方三十】

砂仁细末3～5克，粳米100克。先将粳米煮粥，待粥煮成后，调入砂仁末，再煮一二沸即可。

本方暖脾胃，助消化，调中气，适用于消化不良，脘腹胀满，食欲不振，气逆呕吐，脾胃虚寒性腹痛泻痢。

【方三十一】

莲肉、粳米各100克，茯苓50克，白糖适量。莲肉、粳米炒后研末备用，茯苓研末备用。莲肉、粳米、茯苓放入盆中，加白糖清水拌匀。笼屉上铺纱布一块，纱布上放一方框，倒入拌匀的莲肉粉，上面盖一纱布，隔水蒸熟，取出晾干，随时供食。

本方有健脾益胃功效，适用于脾胃虚弱、饮食减少、久泻虚痢。

本方出自《士材三书》，原方用于“病后胃弱，不消水谷”。为健脾益胃常用方。脾虚胃弱，运化无力，则见食少便溏，法宜健脾益胃，方中以莲肉为主，补脾止泻；以茯苓、粳米、白糖为辅佐，茯苓健脾利湿，粳米健脾益胃，白糖补中，兼以调味，诸料合用，则健脾益胃之力更强。本品与山药面均能补气健脾，但前者补脾止泻之力较强，主要用于脾虚久泻久痢；后者补气之力较强，主要用于中气虚弱。

本方补脾止泻，对大便燥结者不宜食用。

【方三十二】

小麦麸、面粉各 100 克，食盐适量。小麦麸、面粉放入盆中，加盐水合面，作饼食。作正餐用，1 日 1 次。

本方有调中清热功效。适用于泄泻。

本方出自《本草拾遗》，原方用于“止泻利，调中去热，健人”。为和中清热方，脾胃不和，热滞肠胃，传化功能失常，则见泻利，法宜调中清热，方中以小麦麸为主，寒凉调中清热以止泻利；以面粉、食盐为辅佐，面粉除热止利，食盐咸寒清热，合用而成调中清热之方，本品性寒清热，对热泻热利尤为适宜。

本方可用于糖尿病。

本方性属寒凉，对寒泻、寒利者不宜食用。

【方三十三】

白术 30 克，干姜 6 克，鸡内金 15 克，熟枣肉 250 克，面粉适量。白术、干姜、鸡内金研粉，加枣肉，制成枣泥，再加面粉、清水，合面作薄饼，烙熟进食。

本方有补气健脾，消食止泻功效，适用于脾虚食滞，消化不良，大便泄泻，完谷不化。

本方出自《医学衷中参西录》，原方用于“脾胃湿寒，饮食减少，长作泄泻，完谷不化”，为治疗脾虚食滞常用方。脾胃虚弱，运化无力，饮食停滞，则见食少便泻、完谷不化，法宜健脾助运，消食止泻。方中以白术为主，补气健脾，并能燥湿止泻；以干姜、鸡内金、枣肉为辅佐，干姜温中补脾，鸡内金运脾消食，枣肉补益脾胃，诸料合用，共成补气健脾，消食止泻之方。本品健脾消食，并能温中燥湿，故还可用于脾胃寒湿泄泻。

本方用于脾虚泄泻，可去鸡内金制饼食。

本品偏温，中焦有热者不宜食用。

【方三十四】

银耳 5 克，鲜莲子 30 克，料酒、精盐、味精、白糖、鸡汤适量。把发好的银耳放入一大碗内，加鸡汤蒸透取出。鲜莲子剥去青皮和一层嫩白皮，切去两头，摘去心，用沸水氽透后，用开水泡起。烧开鸡汤，加入料酒、盐、白糖、味精，将银耳、莲子装在碗内，注入鸡汤即成。

莲子有补益脾胃、止泻、养心、宁神益肾的作用。《本草纲目》认为有“交心肾、厚肠胃、固精气、强筋骨、补虚损、利耳目、除寒湿”等功效。配上滋阴补肾、清肺益气的银耳，常可治疗男子遗精、滑精，妇女月经过多以及身体虚弱的泄泻或夜寐多梦、淋浊带下。此汤菜亦可治疗神经衰弱、肺结核低热干咳，或作为滋养强壮食谱使用。

【方三十五】

山楂 39 克，神曲 15 克，粳米 100 克，红糖适量。将山楂、神曲洗净去渣后捣碎，入砂锅煎取药汁，将粳米淘洗干净，入砂锅加清水煎煮。待水煮开后，再倒入药汁煮至米烂，加红糖，趁温热食用。

此粥酸甜可口，化酒谷陈腐积滞效果甚佳，有健脾胃、消食积、散瘀血之功，可治疗消化不良、腹痛、腹泻等症。

第二十七节

『便　秘』

便秘指大便干结、排出困难、排便间隔时间延长，通常两三天不大便，或有便意，但排便困难者。本病发生原因常有燥热内结、气虚传送无力，或阴虚血少等。临床常用的有效的偏方主要如下：

【方一】

麻仁、杏仁、瓜蒌各等份，白蜜适量。三味共为细末，白蜜炼为丸如枣大，日服2～3丸，温开水送下。

本方清热润肠，适用于热结所致的便秘。

【方二】

香蕉1～2个，冰糖适量。将香蕉去皮，加冰糖适量，隔水炖服，日1～2次，连服数日。

本方适用于津枯肠燥之便秘。

【方三】

锁阳、桑椹各15克，蜂蜜30克。将锁阳切片与桑椹水煎取汁，入蜂蜜搅匀，分2次服。

本方适用于气虚之便秘。

【方四】

蜜糖30克，金银花15克。先将金银花煎水，去渣放凉，分次加入蜜糖溶化后饮用。煎时不要太浓，一般煎成两碗银花汁，瓶贮分冲，冲蜜糖服。

本方清热通便，适用于热结所致的便秘。

【方五】

马铃薯不拘量。将其洗净，压碎，挤汁，纱布过滤。每早空腹及午饭前各服半杯。

本方适用于各种原因引起的便秘。

【方六】

生军4克，白糖适量。沸水冲泡，代茶频饮。

本方适用于热结之便秘。

【方七】

麻仁、杏仁、芝麻各等份。3味共为细末，白蜜炼为丸如枣大，日服2～3丸，温开水送下。

本方清热润肠，适用于大便干结。

【方八】

沙参、玉竹各50克，老雄鸭1只，调料适量。将鸭去毛及内脏，洗净，与沙参、玉竹同入砂锅内，加葱、姜、水、烧沸，文火闷煮1小时，至鸭肉烂熟，入盐、味精随意食。

本方适用于肺虚久咳，胃阴亏损之肠燥便秘。

【方九】

猪脊瘦肉、粳米各100克，茴香、食盐、香油、川椒粉各少许。先将脊肉切成小块，在香油中稍炒，后入粳米煮粥，将熟，入茴香、川椒、食盐等，再煮1～2沸，早晚空腹食。

本方适用于热病伤津之便秘。

【方十】

菠菜200克，粳米30克。先煮粳米粥，将熟，入菠菜见沸即熟，任意食。

本方和中通便，适用于体弱、久病大便涩滞不通。

【方十一】

栗子粉、玉米粉各30克，芝麻仁、大麻仁、红糖各适量。将芝麻仁淘净，沥去水分，炒香；大麻仁研为末，两味放入盆内拌匀，再加入栗子粉、玉米粉、红糖，用水和匀，做成糕坯，上笼武火蒸15～20分钟，日1次，早晨食。

本方补肾，润肠，适用于气虚便秘。

【方十二】

发菜3克，蚝豉（即牡蛎肉）、瘦猪肉各60克，大米适量。将发菜、蚝豉洗净，瘦猪肉剁烂制成肉丸，用砂锅加适量清水煮沸，加入大米，放进发菜、牡蛎肉，同煲至大米开花为度，再放入肉丸同煮熟，吃肉食粥。

本方来自《中国食品》，适用于老年性便秘。

【方十三】

郁李仁15克，白米50克。将郁李仁捣烂，置水中搅匀，滤去渣取其汁，亦可将郁李仁加500毫升水煎煮取汁，以药汁同淘洗净的白米煮粥，每日早晚温热服食。

本方润燥滑肠，适用于老人便秘。

【方十四】

芋头250克，大米50克，盐适量。将芋头去皮切块与大米加水煮粥，用油、盐调味服食。

本方适用于大便干燥硬结。

【方十五】

鲜空心菜200～250克，马蹄10个（去皮）。将鲜空心菜、马蹄煮汤，1日分2～3次服食。

本方适用于热结便秘。

【方十六】

松仁15克，粳米30克。先煮粥，后将松仁和水作糊状，入菠菜于粥内，待2～3沸，空腹服用。

本方适用于气血不足所致便秘。

【方十七】

人参9克，白术、茯苓各12克，黄芪15克，黄精、当归各10克，柏子仁10克（冲），松子仁10克（冲），甘草7克。水煎服，1日1剂，分2次服。

本方适用于气虚便秘。

【方十八】

当归12克，川芎、白芍各10克，地黄、炙首乌各12克，大麻仁20克（冲），黄芪15克，檀香7克（研末后放入汤药内冲服），山药15克。水煎服，1日1剂，早晚分服。

本方适用于血虚便秘。

【方十九】

大黄6克，槟榔10克，枳实、木香各7克，乌药9克，沉香7克（研末冲服），陈皮9克，茯神、半夏、杏仁各10克。水煎服，1日1剂，分2次服。

本方适用于气滞之便秘。

【方二十】

牛乳250毫升，蜂蜜100毫升，葱汁少许。

每日早晨煮热吃。

本方滑肠通便，适用于习惯性便秘。

【方二十一】

鲜桃花瓣 4 克，粳米 100 克。

前两味共煮成稀粥服用，隔日 1 次。

本方滑肠通便，适用于便秘。

【方二十二】

黑芝麻 25 克，粳米 50 克。黑芝麻炒后研细末备用，粳米淘洗干净备用，黑芝麻与粳米放入锅内，加清水，旺火烧沸后，再改用小火煮至粥成。

本方有补益肝肾、滋养五脏功效，适用于肝肾不足，虚风眩晕，肠燥便秘，病后虚羸，干咳无痰，须发早白，产后乳少等症。

本方出自《本草纲目》、《调疾饮食辨》等，原方名“芝麻粥”。用于“五脏虚损，益气力，坚筋骨”，以及“大肠风闭，干咳无痰”。为滋补肝肾常用方。肝肾不足，不能上充于脑，则见眩晕；肺失滋润，则见干咳；津枯肠燥，则见便秘；发失荣养，则见须发早白；乳汁化源不足，则见产后乳少；五脏失于滋养，则见虚弱羸瘦。法宜补益肝肾，滋养五脏。方中以黑芝麻为主，补益肝肾，滋养五脏；以粳米为辅佐，养脾胃，益虚损，以助滋补功效。两者合用而成补益肝肾，滋补五脏之方。本方重在滋补，尤宜于阴精不足，血虚津亏者。方中黑芝麻并能抗衰老，故又宜于老年体衰者选用。

本方加蜂蜜调食，则滋补润燥之力更强。

本方滋补之力较强，故痰湿内盛及大便溏泻者不宜食用。

【方二十三】

狗肉、红薯各 250 克。料酒 1 匙，精盐少许。红薯去皮切块，备用。狗肉洗净切成小块，入锅中加入料酒 1 匙，清水适量，精盐少许，上火煮沸，撇去浮沫，炖约 1 小时后入红薯，至烂为度。

本方补中益气，温肾壮阳，宽肠通便。适用于夜多小便及习惯性便秘等症。

因菜中有红薯，多食易吐酸，故胃溃疡和胃酸过多者不宜。

第二十八节

『便　　血』

便血指大便中带血，大便色黑，或带有鲜血，日常伴有大便不畅，干结难解。现代医学中的肠道疾病、痔疮或癌肿等常可见便血。中医学认为，便血有肠风、脏毒之分。大便色黄或状如柏油者为脏毒，出血部位多在胃、十二指肠；而便色鲜红者为肠风，出血部位多在直肠、肛门。临床常用的治疗便血的偏、验方如下：

【方一】

鲜荷蒂（即荷叶中心部分）去茎5个。将其洗净，煎碎，加水适量，煎煮1小时，取汤，酌加冰糖少许，温饮，每日2～3次。

本方适用于湿热蕴结所致便血。

【方二】

花椒若干，冬瓜皮少量。将花椒炒黄，与冬瓜皮共研末，每服1～2克，1日3次。

本方对便血有效。

【方三】

人参、三七各3克，云南白药0.5克。前两味研为细末，同云南白药同服，日服3次。

本方适用于便血量多者。

【方四】

豆腐渣、红糖各适量，食油少许。用热油将豆腐渣翻炒至焦脆，晾干，研末。每服15克，每日2次，用红糖水送下。

本方适用于长期便血，久治不愈者。

【方五】

苍术15克，熟地12克，五味子、干姜各3克。

水煎服，1日1剂，分2次服。

本方适用于腹中隐痛之便血者。

【方六】

槐花15克，神曲30克，白酒50克。前两味加入白酒炒黑，然后水煎，每日服2次。

本方适用于便血量多者。

【方七】

旱莲草6克。焙干研末，米汤送服。

本方适用于先便血后大便者。

【方八】

黄芩炭、旱莲草各5克。共研细末，开水送服。

本方适用于便血鲜红者。

【方九】

西瓜子100克。加水煎汤，每次饮1碗。

本方清热降火，适用于便血。

【方十】

金针菜50克，木耳15克，头发灰10克。将前两味加水两碗，煮至一碗，冲入头发灰于碗内，食菜饮汤。

本方清热解毒，适用于大便出血。

【方十一】

猪蹄1只，茜草50克，大枣10枚。先煮猪蹄至八成熟，下茜草及枣共煮，日饮汤2次。

本方补气养血，适用于便血。

【方十二】

伏龙肝50克，炮附子、炮姜各5克，熟地、阿胶各10克，人参5克，甘草10克。水煎服，每日2次。

本方适用于便血色黑者。

【方十三】

酸枣树根50克。水煎后分为早晚口服。

本方适用于年久便血者。

【方十四】

黑芝麻适量。蒸熟，每天吃50克，早晚2次，空腹时服用。

本方适用于大便出血。

【方十五】

蜂蜜、木瓜各6克。先用开水将蜂蜜溶解，再入木瓜粉调服，早晚各1次，连续服有效。

本方适用于大便下血。

【方十六】

荔枝、核桃仁、大枣肉各6个，黑茶叶、椿根白皮各9克。水煎代茶饮用。

本方运用于非痔性大便下血。

【方十七】

龙眼肉150克。

用锅蒸熟，日分2次食用。

本方适用于大便出血。

【方十八】

出稔子干15克。水煎服，日1次，连服数次。

本方治疗便血。

【方十九】

白马粪若干。将其绞汁服或水煮服。

本方主治大便下血。

【方二十】

乌药30克，香附（醋炒）120克，炙甘草60克。将药共为末，每服6克，酒下。

本方主治气逆便血不止。

【方二十一】

三七末5克，藕汁1小杯，鸡蛋1个，食盐、素油各适量。鸡蛋打入小碗中，加清水、三七末、藕汁、食盐、素油调匀，蒸作蛋羹食。

本方有止血功效。适用于各种出血症。

本方出自《同寿录》，方名为后补。原方用于“吐血”，为治疗出血症代表方。络脉损伤，血不循径，可见多种出血症，法宜止血为先。本品以三七、藕汁为主。三七末能化瘀止血，藕汁止血散瘀；以鸡蛋为辅佐，止血兼以养血。诸料合用，共成止血之方。本品止血，并能活血化瘀，具有止血不留瘀的特点，对出血兼有瘀滞者尤为适宜。

本方可用于胃出血。

本品对孕妇不宜食用。

【方二十二】

猪大肠1副，芫荽100克，酱油、黄酒、食盐、素油、葱白、生姜、白糟、湿淀粉各适量。猪大肠反复擦洗干净备用，芫荽摘洗干净，装入猪大肠内，用针线缝合，放入锅中。加清水，煮至熟透后捞出。去除肠内芫荽残渣。刀切成小段备用，炒锅上火，倒入素油，烧至七成熟时，加葱、姜、猪大肠，调以酱油、食盐、白糖、黄酒，再兑入煮猪大肠芫荽的原汤；小火烧至汤收将尽时，湿淀粉勾芡，略烧即成。

本品有厚肠止血功效，适用于便血、血痢、痔血。

本品出自《救急方》，方名为后补，原方用于“肠风脏毒”，为治疗便血常用方。肠道络脉损伤，血不循经，则见便血，法宜厚肠止血。方中以猪大肠为主，厚肠止血，以肠治肠；以芫荽为辅佐，宣通利肠，通导肠腑。两者合用，补中兼泻，共成厚肠止血之方。本品止血，并能宣通熄风，对风肠脏毒者尤为适宜。

此外，《奇效良方》以本品去芫荽，加槐花。名“猪脏丸”。则具凉血止血之效，主要用于血热便血。“痔瘘下血”；《随息居饮食谱》还用于“肠风脏毒，血痢不已，脱肛出血”。

【方二十三】

韭菜200克，胡桃肉50克，香油、精盐各少许。将韭菜洗净，切段备用。胡桃肉洗净后用香油炸黄，然后加入韭菜翻炒，酌加精盐少许，炒熟后停火出锅。

本方温肾壮阳，强腰通便。可辅

治阳痿早泄，腰膝酸冷，身体虚弱，大便秘结等肾阳虚弱之症。

本方减去韭菜，加入炒香的黑芝麻50克、赤砂糖60克，将糖稍加水煎熬起丝后，放入炸好的核桃仁和黑芝麻，搅匀盛起，压平冷却，刀切小块作糖食用。有补虚、固精之功，对老年肾虚尤佳。并治尿血、尿结石。

第二十九节

『痢　疾』

痢疾是指以腹痛、里急后重、泻下赤白黏冻为特征的一种疾病。它是由于感受外邪和饮食内伤，大肠气血壅滞，血络损伤，传导功能失司所致。常用于临床治疗的有效偏方、验方主要如下：

【方一】

马齿苋120克，绿豆30克。煎汤服食，每日1次，连服3～4次。

本方清热，解毒，止痢，用于湿热痢。所谓湿热痢，其主要的症状特点是起病急，恶寒发热，腹痛，腹泻，里急后重，大便次数多，一天数次至数十次。大便初呈水样，继则便血相兼，可尽为脓血；肛门灼热，兼见恶心、呕吐、口渴，小便短赤，苔微黄或黄而微腻，脉象濡数。

【方二】

将苋菜500克洗净，切段，食油煸炒，调以盐、醋、大蒜（拍碎或切细），佐餐食。

本方解毒治痢，适用于湿泻痢。

【方三】

乌梅3个，陈茶叶、净苏叶、老生姜、白糖各9克。用水适量，煎取400毫克。白痢即时服，赤痢将煎液露一宿温服，无不应。

本方温脾，利湿，补虚，止痢，适用于赤白痢疾。

【方四】

细菜6克，核桃仁30克，生姜、红糖各9克。上方用水共煎40分钟，取液400毫升，分2次空腹热服。

本方温中健脾、补肾、止痢，适用于寒湿痢。

【方五】

诃子肉15克，生姜10克，粳米100克。先煎前两味，去渣取汁，入米煮粥，随意食。

本方涩肠止泻，适用于久泻久痢不止，滑泻不固。

【方六】

羊骨1 000克，粳米或糯米60克，葱、姜、盐等适量。新鲜羊骨洗净锤碎，加水煎汤取汁，以汁煮粳米成粥，加葱、姜、盐再煮2～3沸。早晚餐服用。

本方补肾气，强脾胃，适用于虚

寒痢。所谓虚寒痢，它的主要症状特点是下痢赤白，或偶夹黏液脓血，时发时止；或持续泄泻，日久难愈；腹痛绵绵，喜暖喜摸；口淡纳差，痢久脾虚下陷，导致食少神疲、怕冷、脱肛等，舌淡，苔薄白。

【方七】

阿胶 20 克，生地 15 克，干姜 6 克，糯米 60 克。先煎生地、干姜，取药液熬糯米；阿胶捣末，粥熟时加入阿胶末，搅匀即可。早晚空腹为食，连服数日。

本方清热养阴止痢，适用于阴虚痢。所谓阴虚痢，其症状的主要特点是痢下赤白，量少，黏稠，里急后重，心烦口干，午后低热，神疲乏力，舌红苔少，脉象细数。

【方八】

白头翁 50 克，银花、木槿花、白糖各 30 克。前 3 味煎取浓汁 200 毫升，入白糖溶后温服，日 3 次。

本方清热解毒，凉血止痢，适用于疫毒痢。所谓疫毒痢，其主要的症状特点是发病急，在腹痛、腹泻前便见高热、头痛、烦躁、口渴，甚至神态不清，反复惊厥；大便可为稀便，也可为血水或脓血，舌红绛，苔黄燥。

【方九】

白芍 15 克，当归 9 克，黄芩 12 克，地榆 15 克，木香、槟榔各 9 克，银花 15 克，甘草 6 克。水煎服，每日 1 剂，分 2 次服。

本方清热利湿，调气和血，适用于暑热湿毒蕴结于肠中所致的湿热痢。

【方十】

葛根、黄连、黄芩各 9 克，地榆 15 克，秦皮 9 克，连翘、钩藤各 15 克，全蝎 3 克，菖蒲 6 克，紫雪散 5 克。入煎剂中鼻饲。

本方清热解毒，熄风开窍，适用于疫毒痢。

【方十一】

附子、党参、白术各 9 克，干姜、炙甘草各 6 克，罂粟壳 9 克，肉豆蔻 6 克，诃子肉 9 克，木香 6 克。煎服，每日 1 剂，日分 2 次服。

本方温补脾肾，辅以收涩，适用于休息痢。

【方十二】

铁苋菜（鲜）250 克或用干品 500～1 000 克。水煎服，1 日 2 次。如用散剂，每服 3 克，1 日 3 次。

本方适用于急性菌痢。

【方十三】

铁苋菜 50%，地榆 15%，马齿苋 20%，仙鹤草 15%。前 2 味共研细末，后 2 味煎取药液，共搅拌，再以药液酒制成丸，如绿豆大。每服 9 克，每日 3～4 次，小儿酌减。

本方对急慢性菌痢均有一定疗效。

【方十四】

黄柏 15 克，黄芩、白芍、厚朴、槟榔各 9 克。将厚朴与黄柏用 60% 酒精浸泡 1 天，将浸出液与另 3 味药的浓煎液（比重为 1:1）混合；喷雾干燥为结晶状粉，加赋形剂淀粉少许，压成片，外包糖衣。每次 6 片，每次服 3～4 片。

本方对痢疾有较好疗效。

【方十五】

老枣树皮若干。将树皮除去泥垢，研成细粉。每次冲服细粉 3～5 分，儿童用量酌减。

【方十六】

鲜蛏子肉、刺瓜（黄瓜）各 150 克，生姜、黄酒、食盐各适量。

鲜蛏子肉冲洗干净，切段备用，刺瓜冲洗干净，切片备用。蛏子肉、刺瓜放入锅中，加清水、黄酒、生姜、食盐旺火烧沸后，再略煮即成。在正餐时用，1日1次。

本方有清热止痢功效，适用于热痢、下痢脓血。

本方出自《泉州本草》，原方用于“中暑血痢”，为清热止痢方。热滞肠腑，血络损伤，大肠传导功能失司，通降不利，则见血痢，法宜清热止痢。方中以蛏肉为主，清热止痢；以黄瓜为辅佐，清热以助止痢，合用而成清热止痢之方。本方寒凉，清热之力较强，治疗以热证血痢为主。

本品寒凉，对寒湿冷痢者不宜食用。

【方十七】

鸡蛋2枚，醋100克。鸡蛋放入砂锅中，加清水略煮，打碎蛋壳，再加醋，小火煮至熟透，剥壳蘸醋食之。

本方有滋阴止痢功效，适用于阴虚久痢。

本方出自《日华子本草》，方名为后补，原方用于“久痢”，为治疗阴虚久痢方。痢下日久，阴液暗耗，则转为阴虚下痢，法宜滋阴止痢。方中以鸡蛋为主，滋阴养血，润燥止痢；以醋为辅佐，收敛止痢，两者合用，共成滋阴止痢之方。

本方对痢疾初起者不宜食用。

【方十八】

薤白50克，粳米100克，食盐适量。薤白冲洗干净，切成碎粒备用。粳米淘洗干净，放入锅中，加清水，略煮后加薤白、食盐，再煮至粥成。

本方有行气导滞、通阳止痢功效。适用于奔豚气痛，赤白冷痢，里急后重。

本方出自《食医心镜》、《调疾饮食辨》、《随息居饮食谱》等，原方用于“赤白痢下”，“主奔豚冷气，胃寒吐逆，胸胁胀痛，老人冷痢”，以及“赤白痢，产后痢，小儿疳痢”，为导滞止痢常用方。寒滞肠腑，通降不利，气血壅滞，络脉损伤，大肠传导功能失司，则见痢下赤白，里急后重，腹中疼痛，法宜行气导滞，通阳止痢。方中以薤白为主，行气导滞，通阳散寒；以粳米为辅佐，健脾止痢。两者合用，共成行气导滞，通阳止痢之方。本品辛温能散阴寒之凝结以通阳，用治奔豚气涌和痢疾，以冷痛冷痢为宜。

《寿亲养老新书》以本方加葱白，调以五味椒姜，空腹进食，用于“老人肠胃虚冷，泻痢水谷不分”。

本方可用于菌痢和慢性肠炎。

本方辛散温热，故气虚及阴虚内热者不宜食用。

【方十九】

马齿苋150克，粳米100克。马齿苋择洗干净，切成碎段备用，粳米淘洗干净备用。马齿苋与粳米放入锅中，加清水，旺火烧沸后，再改用小火煮至粥成。不加盐、醋，空腹淡食。

本品有清热解毒、凉血止痢功效，适用于热痢脓血。

本方出自《圣惠方》、《饮膳正要》等，原方名“马齿粥”、“马齿菜粥”，用于“血痢”、“脚气头面水肿，心腹胀满，小便淋涩”，为治疗热痢脓血的代表方。热毒内盛，络脉损伤，大肠传导功能失司，则见痢下脓血，法宜清热解毒，凉血止痢。本品以马齿苋为主，清热解毒，凉血止痢；以粳米为辅佐，健脾止痢，合用而成清热解毒，凉血止痢之方。本方清热解毒，凉血止痢之力较强，用治热毒血痢疗效显著。《经效产宝》还以马齿苋取汁煮沸，蜂蜜调服，用于“产后血痢，小便不通，脐腹痛”。

本方可用于肠炎和菌痢。

本方性寒滑利，对脾胃虚寒、肠滑便泻者不宜食用。

【方二十】

橘饼120克，桂圆肉100克，白糖500克。橘饼、桂圆肉切碎，将白糖放铝锅中加适量水文火熬稠，将碎橘饼、桂圆放入糖水调匀直至糖成丝时离火，将一个盘表面涂一层麻油，将做好的橘饼桂圆糖放入，置凉，再切成块即可食用。

本方补脾益胃，可治食滞泻痢，久泻久痢。

【方二十一】

活鳝鱼1 000克，火腿10克，香菇25克，玉兰片40克，猪板油10克，葱白和豌豆苗适量，料酒、精盐、味精、淀粉、高汤各适量。将鳝鱼处死，去头、骨及内脏，用清水洗去污血，放入沸水锅中烫一下儿，用清水漂洗干净，切成二寸长段，背面剞十字花刀，摆在盘中，将葱白切段，火腿、玉兰片、香菇均切成片，猪板油切成小丁，都撒布在鳝鱼上。加入高汤、精盐、料酒、味精上蒸锅蒸15分钟，将原汤滗入锅中，加高汤煮沸勾芡浇在鱼身上。撒豌豆苗作点缀即可食用。味鲜、色洁白。

本方滋补壮阳，养血通络，可辅治体虚，久痢，痔出血，肝肾虚损，腰肢酸痛。

【方二十二】

鳜鱼肉500克，甜瓜100克，冬笋150克，鸡蛋2个，料酒、精盐、味精、白糖、香油、花生油、汤、淀粉、葱白、姜各适量。鳜鱼肉去皮，切成厚片，排成梯形再切成粗丝。甜瓜切成丝用温水泡上，冬笋、姜、葱均切成丝，鸡蛋去黄留清。鱼丝用鸡蛋清、盐、水淀粉调匀浆好。用小碗放料酒、盐、白糖、水淀粉、味精调匀成白汁。锅烧热，用油滑锅，再放入油，油热时把鱼丝放入滑散滑透，倒入漏勺，原锅上火，放少许油，把甜瓜、姜、冬笋丝下锅略炒几下，放入鱼丝，随即把兑好的汁和葱丝放下去，翻炒均匀，淋上香油装盘即成。鱼丝鲜嫩，有甜瓜香味。

本方养脾胃，益气血，补虚损，可辅治虚劳瘦弱、食欲不振、贫血、血痢。

【方二十三】

鲥鱼1条（1 500克），料酒、精盐、酱油、味精、香油、奶汤、米醋、胡椒粉各适量。鲥鱼去腮、内脏后洗净切成段，用精盐、味精、胡椒粉、料酒腌上味，放入烤盘里，将葱切段，姜切片和大蒜一起撒在鱼的周围，加入奶汤、酱油、香油调合成汁，倒入烤盘里。将盛鲥鱼的烤盘放入烤箱内烤约15分钟，待鳞片翘起，肉呈金黄色时，取出装盘，食用时，配1小碗用姜末和米醋调成的汁。在正餐时用，1天1次。

本方温中益气，补虚损，防衰老，主要辅治食欲不振、贫血、术后恢复期、产妇体弱、伤寒、痢疾。

第三十节

『黄　　疸』

黄疸指以目黄、身黄、小便黄为主要表现的病症。凡色泽鲜明，如橘子色的为阳黄；色泽晦暗的称阴黄。阳黄者多因湿热蕴蒸所致，临床表现以邪实为主；而阴黄多因寒湿阻遏所引起。临床上常用的治疗黄疸的偏方、验方主要如下：

【方一】

绵茵陈 30 克，粳米 50 克，白糖适量。先将茵陈洗净，煎水，去渣，留汁液；再以茵陈药液同粳米煮粥，待粥将熟时，加入适量的白糖煮 1～2 沸即成。每日分 2～3 次服食，连服 7～10 天。

本方清肝胆，利湿热，适用于阳黄。

【方二】

茵陈 15 克，干姜、桂枝各 10 克，粳米 50 克。

将茵陈、桂枝、干姜煎水取汁，去渣，再用药汁煮粳米成粥，早晚分用。

本方温通肝胆，适用于阴黄证。

【方三】

栀子仁 30 克，粳米 100 克。将栀子仁研为末，分为 4 份，以淘洗净的粳米加适量清水煮粥，待粥汁稠黏时，加入栀子末 1 份，搅匀后服食。喜食甜者可加白糖服食。

本方出自《寿亲养老新书》，功能清热，泻火，适用于黄疸。

【方四】

白茯苓粉 20 克，赤小豆 50 克，薏米仁 100 克。先将赤小豆浸泡半天，与薏米仁共煮粥，赤小豆煮烂后，加茯苓粉再煮成粥，加白糖少许，每日数次，随意服食。

本方健脾祛湿，适用于黄疸。

【方五】

土大黄 9 克，茵陈 15 克。水煎服，1 次服用。

本方出自《岭南草药志》，适用于黄疸。

【方六】

赤小豆、苦丁香、麻雀各 3 克。共焙干，研为末，用鼻子闻味。

本方适用于黄疸。

【方七】

田螺 10 个。水漂去泥，捣烂，露一宿，五更取清汁服。

本方适用于阳黄病后，身面俱黄，吐血，诸药不效者。如黄不退，照前服。

【方八】

积雪草、冰糖各 30 克。水煎服，

1日1剂。

本方适用于湿热黄疸。

【方九】

梅花草15克，小白蒿、秦艽、黄柏、红花各6克，五灵脂、广木香各3克。共研细末，每服3～4.5克，每日3次，白糖水送服。

本方适用于黄疸型肝炎。

【方十】

鲜车前草10株，天青地白草、馥浆草、绵茵陈、白花蛇舌草、大青叶、板蓝根、郁金各20克。水煎，日1剂，分3次服。

本方为贵阳中医学院季昌源教授方，功能清热解毒，退黄除湿，适用于黄疸症之阳黄。

【方十一】

茵陈30克，栀子9克，黄柏15克，大黄9克，大青叶30克，川金钱草60克。水煎，日1剂，早晚服。

本方为邱会河老中医经验方，适用于阳黄初起，大便干燥者，退黄效果甚好。

【方十二】

茵陈30克，茯苓15克，猪苓、白术各9克，泽泻15克，川金钱草60克，藿香9克。水煎服，日1剂，分2次服。

本方利湿退黄，适用于身面俱黄，但湿邪较重者。

【方十三】

茵陈30克，干姜6克，熟附片、白术各9克，茯苓、泽泻各12克，焦三仙各9克，熟苡仁30克。水煎服，每日1剂，分3次服完。

本方温化寒湿，适用于皮肤黄染晦暗，如烟熏或如尘土，即寒湿阴黄证。

【方十四】

柴胡、当归各9克，赤芍15克，白术、茯苓各9克，茵陈30克，郁金9克，薄荷3克。水煎服，日1剂，早晚服。

本方疏肝理血，适用于肝脾不和所致的黄疸证。

【方十五】

生首乌、连翘、丹皮、大青叶、板蓝根、半枝莲、茜草、丹参各15克，柴胡12克，茵陈、白茅根各30克，甘草6克。前者冷水浸泡连煎2次，加水高出药面3.3～6.7厘米。用砂锅煎煮沸后约30分钟，滤出药液再加水煮。两次药液加在一起，1日分3次服完。每日1剂，连服50～60剂。

本方为河南著名中医翟明义验方，功能清热解毒，清肝利胆，除湿热，退黄疸。

主治：湿热蕴结型黄疸（阳黄）。对急性乙型黄疸型肝炎乙肝血清标志物抗原三项阳性及转氨酶、总胆红质、黄疸指数升高者有效，以发热或不发热，身黄、目黄、尿黄三大主症为特征。

加减运用：大便干加大黄10克；关节痛加忍冬藤30克；皮肤瘙痒加荆芥15克；阴黄去连翘、大青叶、板蓝根、半枝莲，加黄芪30克、仙灵脾15克、焦白术10克，生首乌改为蒸首乌，丹参加至30克；热重者加黄连10克；湿重者加苍术、佩兰各15克。

本方对湿热蕴结患者，特别是黄疸、转氨酶升高、乙肝标志物阳性患者疗效较好。据50例患者统计HBsAg、抗HBc、HBeAg三阳转阴者30例；转氨酶、黄疸转正常者47例。但本方对慢性迁延性乙肝抗原三项阳性者疗效欠佳。

【方十六】

水发香菇 60 克，豆腐皮 3 张，冬笋、荸荠各 150 克，面粉、苏打粉各 10 克，花生油 300 克，五香粉 0.3 克，嫩姜 10 克，味精、酱油、芫荽各适量。将香菇去蒂，洗净，切成条；冬笋剥壳，也切成条，面粉置碗中，加水 150 克，酱油、味精、苏打粉适量搅匀成面糊。用花生油炒香菇，片刻再加入冬笋、荸荠，炒透加酱油、五香粉、味精。将豆腐皮切成适当大小的皮，放上香菇、冬笋、荸荠、嫩姜条卷起，用面粉糊黏合，再将整个卷子放入面粉糊中蘸匀。将若干个卷子，放在烧热的花生油中炸至酥脆，取出配香菜即成。

本方清热，化痰，消积，适用于温病口渴、黄疸、热淋、痞积。

第三十一节

『慢性肝炎』

慢性肝炎指急性肝炎在经过 6 个月后，仍有临床症状和肝功能障碍者，主要表现为食欲不振、疲乏无力，或上腹不适，严重者消瘦、面色灰暗、黄疸等，肝功能明显异常，特别是体内转氨酶升高。中医学认为，急性肝炎迁延不愈，湿热留变，肝病传脾，气滞血瘀成为慢性肝炎，临床上常用治疗本病的有效偏方主要如下：

【方一】

垂盆草、阴行草各 500 克，矮地茶 250 克。上述各药加工成棕褐色颗粒，每袋重 13 克；开水送服，每次 1 袋，日 3 次，代茶饮。

本方用于慢性肝炎有良效。

【方二】

虎杖根 500 克，北五味子 250 克，蜂蜜 1 000 克。将虎杖、五味子洗净，用砂锅加水浸泡半小时，水量以浸没药物为度，中火煎沸后，改用小火煎半小时，等剩下 1 大碗药液时，滤出头汁；再加水 2 大碗，煎二汁，约剩下 1 大碗药液时，滤出，弃渣；最后将头、二汁及蜂蜜一起倒入大砂锅内，小火煎沸 5 分钟后，离火，冷却，装瓶，盖紧，每日 3 次，每次 1 匙，饭后开水冲服，两个月为 1 疗程。

本方柔肝解毒，去疹止痛，利湿，适用于慢性肝炎。

【方三】

米醋 1 000 毫升，鲜猪骨 500 克，红、白糖各 120 克。共煮，不加水，沸后 30 分钟取出过滤，成人每服 30～40 毫升。

本方可用于治疗急、慢性传染性肝炎。

【方四】

淮山、桂圆肉各15～25克，水鱼1只（即甲鱼）。先用热水烫水鱼，使其排尿后切开洗净去肠腔，然后将水鱼肉与壳一起连同淮山、桂圆肉放炖盅内，加水适量，隔水炖熟服用。

本方养阴补阳，适用于慢性肝炎之症见气血不足者。

【方五】

淡附片30～120克，龙胆草、莱菔子、白蒺藜各9克，石决明30克，女贞子、广郁金、当归身、炒白术各9克，干姜6克，粉丹皮9克，生甘草6克。先煎淡附片、干姜、生甘草、石决明2～3小时，然后纳入诸药再煎1小时，1日1剂，分早晚服。

本方为中医陆震治疗慢性迁延性肝炎的经验方，功能温阳益阴，培土荣土。

【方六】

巴戟天15克，仙灵脾15～30克，菟丝子、桑寄生、丹参各30克，陈皮6克，虎杖15～30克，黄芩15～20克。水煎服，日1剂，分2次服。

本方为上海市王英仑治疗乙型慢性肝炎方，功能温肾健脾，化湿活血。

【方七】

当归、白术、柴胡各10克，茯苓、虎杖各15克，茵陈20克，白花蛇舌草30克，甘草6克。水煎服，每日1剂，1个月为1疗程。

本方为湖北中医钟磊治疗乙型慢性病毒性肝炎方，功能清热解毒，活血调肝。

【方八】

柴胡、枳壳、川芎、香附各12克，郁金、太子参、茯苓各15克，陈皮、半夏各12克，白术、黄芩各15克。水煎服，日1剂，早晚服。

本方为上海中医王育群治疗慢性迁延性肝炎方，功能疏肝理气，健脾和胃。

【方九】

金钱草、车前子（包）、泽泻、薏苡仁各12克，草决明15克，山楂12克，丹皮10克，丹参15克，白花蛇舌草15克，草河车12克，桑枝30克，大黄炭10克，生地15克，桃仁10克，黄精15克，生黄芪5克，何首乌12克。水煎服，每日1剂，分2次服。

本方为北京中医陈增潭治疗慢性乙型肝炎方，功能清除里邪，扶正补虚，调理气血。

【方十】

柏子仁、酸枣仁各12克，天冬10克，麦冬、当归各12克，五味子9克，生地黄14克，党参12克，玄参10克，丹参16克，远志8克，茯苓12克，桔梗10克。水煎服，日1剂，分2次服。

本方养心安神，治阴柔肝，对慢性迁延性肝炎有效，是空军衡阳医院中医科奚彩的经验方。

【方十一】

黄芪、党参各15克，薏苡仁30克，蚤休、白芍各10克，丹参15克，贯众10克，茵陈30克，女贞子、蚕沙各15克，白术、川楝子各10克，柴胡6克，枳实10克，生草6克，菟丝子30克。水煎服，30日为1疗程，3～4个疗程有效，见效后本方改为蜜丸以巩固疗效。

本方为湖北中医刘宇富方，功能益气补中，疏肝活血，适用于慢性乙型肝炎。

【方十二】

南沙参30克，全当归、杭麦冬、

甘枸杞、熟地黄、杭白芍、制鳖甲、鸡内金、霍山石斛各10克，北五味5克，广郁金、青陈皮各10克。水煎服，日1剂，分2次服。

本方为湖北著名中医杜健民验方，功能滋阴养肝，可用以主治慢性肝炎，肝肾阴虚型，症见两胁隐痛，口苦咽干，手足心热，头昏耳鸣，失眠多梦，腰膝酸软，舌质红、少苔或苔薄黄，脉弦细。

口苦甚者加酒炒黄连以清热；失眠者加酸枣仁、琥珀以安神定志；腹胀纳差者加炒三仙以助运化；慢性肝炎、早期肝硬化者加桃仁、红花、三七以活血通络。

禁忌：肝胆湿热及脾胃虚寒者忌服。

【方十三】

柴胡9克，茵陈20克，板蓝根15克，当归9克，丹参20克，莪术、党参、炒白术各9克，黄芪、女贞子各20克，五味子15克，茯苓9克。水煎服，每日1剂。头煎、二煎药液相混，早、中、晚分3次服。亦可共碾为末炼蜜为丸，每丸重9克，日服3丸。

本方为甘肃著名中医周信有验方，功能舒肝解郁，活血化瘀，清解祛邪，培补脾肾，可主治慢性、病毒性肝炎，早期肝硬化，肝脾肿大，肝功能异常等。

有湿热证候或瘀胆现象的，方中茵陈可重用40～60克，以利于清利湿热，再加赤芍、栀子，是出于祛瘀利胆的目的。虚羸不足严重的，偏于阳虚酌加淫羊藿、仙茅、肉桂以温补肾阳，偏于阴虚酌加生地、枸杞等以滋补肾阴。对于肝硬化代偿失调，血脉瘀滞，阳虚不化所出现的腹水，根据“去瘀生新、温阳利水”的治则，在重用补益脾肾和活血祛瘀之品的基础上，尚须酌加理气利水之品，如大腹皮、茯苓皮、泽泻、白茅根等，如此标本兼治，有利于腹水消除，恢复肝脏代偿功能。

【方十四】

黄芪、党参、白术、茯苓各15克，甘草6克，黄精、沙参各15克，麦冬10克，枸杞子、白芍各15克。上药共煎，每次煎得药汁100～150毫升。早晚各服1次。

本方为上海著名中医王翘楚验方，功能健脾，益气，生津，养肝，适用于急性病毒性肝炎恢复期，慢性病毒性肝炎由于肝病日久、脾虚失运、肝阴受损、缠绵不易恢复者。

黄疸尚未退净，GPT仍不正常，湿热余邪未清者，加金钱草、车前草、大黄，以清泻湿热、利胆退黄；有肝郁气滞证候者，加柴胡、郁金、枳壳，以舒肝理气；肝区疼痛甚者，加金铃子、延胡索以止痛；有肝阳扰心者，心情急躁易怒，夜寐不安，心慌，梦多，则加龙骨、牡蛎、珍珠母、五味子、酸枣仁、夜交藤等，以平肝、宁心、安神。

【方十五】

猪肉、鲜平菇各500克，料酒、精盐、葱段、姜片、生油适量。将猪肉洗净，下沸水锅焯一会儿，捞出洗净切成块，平菇用水洗净。坐锅加入生油，油热后加入姜、葱煸香，放入肉块，烹入料酒，煸炒至水干，加入清水、精盐，用武火烧沸，文火炖至肉熟，倒入平菇炖至平菇熟透入味即成。

平菇内含较高的碳水化合物及人体所需的多种氨基酸，不仅味鲜美，而且治疗作用较好。对肝炎、胃溃疡、十二指肠溃疡、慢性胃炎、软骨病和高血压等病均有很好的疗效，能调节妇女更年期综合征；改善人体新陈代谢，增强体质，并含有某些抗癌的物质，所以又能作为预防癌症的保健食品。配以温补之品猪肉，能提高平菇的滋补保健疗效。

【方十六】

泥鳅500克，豆腐250克，食盐适量。泥鳅去腮及内脏，冲洗干净，放入锅中，加清水，煮至半熟，再加豆腐、食盐，炖至熟烂即成。

本方有清利湿热功效，适用于湿热黄疸、小便不利及传染性肝炎。

本方出自《泉州本草》，方名为后补，原方用于“黄疸湿热小便不利”。为治疗湿热黄疸方。湿热熏蒸，胆液外泄，则见黄疸，法宜清利湿热。方中以泥鳅为主，清利小便以除湿热，尤宜于黄疸；以豆腐为辅佐，清热解毒以助清利湿热，合用而成清利湿热之方。

【方十七】

活鲤鱼250克，白糖40克，植物油500克（实际耗用50克），葱、姜、蒜各10克，面粉40克，干团粉5克，荸荠数个，笋尖8克，干木耳0.15克，酱油15克，醋、料酒各10克，清汤60克，清盐5克。

把干木耳用开水发好，葱、姜、蒜切成细丝，荸荠、笋切成薄片，团粉加上一倍以上的水调成湿团粉；将活鲤鱼杀死，去鳞挖鳃，取出内脏，洗干净，抹干，再将鱼的两面用刀划成5.6厘米的刀口，先将精盐撒进刀口处，稍腌，再把干面粉向各刀口撒匀，然后把整条鱼的两面都沾满面粉，并且要沾得均匀；把油锅烧至滚时，将鱼放入油锅，鱼身上的刀口立即张开，鱼尾翘起，用刀铲不断地铲动锅底，以防粘锅。这时，可将鱼尾推向锅边，使鱼身稍弯，翻过来再炸，然后把鱼身压平，并把鱼头按进油里，让它炸透，等呈金黄色时，取出，滤去油之后，放进盘里；再取少量植物油，放上葱、姜、蒜丝，加入醋，同时，加进木耳及笋片、荸荠片、清汤、料酒、白糖、湿团粉等，烧成浓汁，快速浇在已炸好的鱼身上即成。在正餐时食用，1日1次。

内含有蛋白质31.2克，脂肪58.6克，糖76克，热量956千卡，钙434毫克，磷397毫克，铁5.7毫克，硫胺素0.18毫克，核黄素0.19毫克，尼克酸6.2毫克。

本品适用于冠心病、高血压、脑血管病、营养不良、消化不良以及肝脏病患者食用。

【方十八】

山药50克，蛋黄2个，粳米150克。将鸡蛋打破，去白留黄，用筷子将蛋黄打散，山药洗净，切片；粳米淘洗干净。将山药、粳米一道放入锅内，加水适量。将锅置武火上烧开，改用文火熬煮至熟。起锅前，将鸡蛋黄倒入粥内，再拌匀烧开即成。

本方有滋阴润燥、养血熄风之功，是中老年人体质虚弱者春季最佳的饭食，可辅治心烦不得眠、热病痉厥、虚劳吐血、呕逆、下痢、胎漏下血、烫伤、肝炎、小儿消化不良等症。

第三十二节

『肝硬化』

肝硬化是慢性弥漫性肝脏病变，可由多种疾病引起。由于种种原因，肝细胞破坏后，得不到修复，形成脂肪浸润和纤维组织增生，造成肝硬变。早期表现与慢性肝炎相似，此时若不注意治疗调养，可发展到肝脾肿大、腹水，甚或呕血、昏迷等。常用的有效的临床偏方、验方主要如下：

【方一】

北五味子 250 克，新鲜青壳鸭蛋 12 个，白糖 4 匙。五味子洗净后，倒入砂锅中，加冷水两大碗半，先浸泡 1 小时，再用小火煎 1 小时。约剩下浓汁半碗时，滤出汁水，弃渣，将五味子浓汁，倒入小砂锅内，加白糖 4 匙，小火烧沸 1 分钟，至白糖溶化时，离火，置入碗中，备用。鸭蛋洗净，连壳煮至半熟，大的烧沸后 3 分钟，离火（即蛋白已结成固体，蛋黄的一小部分开始凝结，大部分尚处于流汁状态）；鸭蛋冷却后，用粗筷子或剪刀头打一洞口流出大部分蛋黄（蛋黄烧熟，可给健康人或儿童食用）。然后注入五味甜浓汁。灌满后，用两层纸糊封洞口，全蛋再用黄泥糊糊上一层。最后将处理过的鸭蛋放入蒸笼内；蛋的洞口朝上，隔水蒸 1 小时，离火。每日 2 次，每次 1 个，当点心吃。食时，洗净黄泥，撕去封口纸，用嘴吸饮药汁，然后剥壳吃蛋白。

本方养五脏，除虚热，补肝气，生津解毒，为民间治肝硬化的食疗秘方。本方并有降低转氨酶的作用，常食此方，能使受损的肝细胞逐渐得到修复。

【方二】

牛肉 200 克，白萝卜 1 000 克，黄酒 4 匙，葱段若干。将牛肉、萝卜切块，先用植物油煸炒牛肉 5 分钟，再加黄酒焖烧 10 分钟后倒入砂锅，加水以旺火煮开，再加葱段、黄酒，改小火炖 3 小时左右，倒入萝卜块，加细盐 1 匙再炖 1 小时，至牛肉、萝卜均已煮烂，饭前空腹服食，或佐膳食。

本方舒肝补脾，适用于肝硬化症见肝郁脾虚者，主症面色晦黄，胸闷腹胀，神疲无力，纳呆便溏，苔白腻，脉沉细。

【方三】

泥鳅 500 克，豆腐 250 克。首先要把泥鳅去鳃及内脏，洗净，加食盐少许（腹水明显者不加），加水适量，清炖至五成熟，加入豆腐，再炖至鱼熟烂即可。吃鱼、豆腐，喝汤，分顿食用之。

本方补中益气，清利湿热，适用于伴有黄疸和腹水的肝硬化患者。

【方四】

活甲鱼1个，酱油9克，白糖0.6克，猪肉24克，料酒3克，葱6克，姜2.4克，蒜6克，干淀粉3克，好肉汤30克，味精0.6克。将干淀粉调湿，姜、蒜切成片，葱切成段。将活甲鱼仰放在菜墩上，等甲鱼头伸出来要翻身时，立刻用钳子钳着头部，剁下头及颈。沥干血液后，用清水洗净，放进锅里，倒上开水，盖上盖，在旺火上煮，开锅后，立即离开火口。焖30分钟后取出。用刀刮去附在甲鱼肚上和四周软肉上的原膜，揭开甲鱼的硬盖，去五脏，剥下指甲和尾巴，用清水洗净，然后剁成小块。再在开水锅中氽一下，冲洗一次，以去腥味，最后把甲鱼块放入肉汤锅中在旺火上煮开后，移开火口，放进葱、姜、蒜、料酒、酱油等佐料，在微火上慢慢炖烂，待快好时，放进白糖，味精及湿淀粉等，略搅几下，附上猪油即成。正餐时食用，1日1次。

本方益气补虚，滋阴养血，化瘀破结，适用于肝硬化见肝脾肿大者。

【方五】

柴胡15克，甘草10克，杭芍15克，枳壳10克，川芎15克，香附、青皮各10克，苍术15克，厚朴10克。水煎服，日1剂，分2次服。

本方舒肝理气，消满除胀，适用于气滞肝郁型之肝硬化。

【方六】

当归、白芍各9～15克，丹参14～30克，郁金9～15克，败酱草15～30克，栀子、丹皮各6～12克，鳖甲15～30克，生地9～15克，白术6～12克，茯苓9～15克，黄花15～30克，山栀、茵陈各9～30克。水煎服，1日1剂，分2次服。

本方疏肝祛湿，软坚化瘀，适用于肝郁热蕴型肝硬化。

【方七】

当归6～12克，白芍9～15克，丹参、黄芪各15～30克，党参、苍术、茯苓各9～15克，山药15～30克，黄精9～15克，肉豆蔻6～9克，炙鳖甲9～15克，木香、茵陈各6～12克。水煎服，每日1剂，分2次服。

本方活血化瘀，健脾燥湿，适用于脾虚、气虚之肝硬化。

【方八】

当归、赤芍各9～15克，丹参15～30克，郁金9～15克，小蓟15～30克，太子参、生地各9～15克，鸡白花、鳖甲各15～30克，炮山甲、丹皮各6～12克，桃仁、砂仁各3～9克，茵陈9～15克。水煎服，日1剂，分2次服。

本方活血化瘀，适用于血瘀所致的肝硬化。

第三十三节

『胰腺炎』

急性胰腺炎的症状常常是人们在饱食高脂食物或饮酒之后，突感上腹剧痛，恶心呕吐，严重时可突然休克或并发腹膜炎；而慢性胰腺炎常为反复急性发作，日久可出现胰腺机能不足征象：如腹胀、脂肪泻和继发性糖尿病等。常用有效的临床偏方主要如下：

【方一】

柴胡、黄芩、半夏各9克，白芍15克，枳实、大黄各10克，芒硝12克，甘遂3克。水煎服，1日1剂，分2次服。

本方为福建中医游开泓方，功能和胃通下，清热逐水，适用于急性胰腺炎。

【方二】

茵陈20克，黄芩10克，银花15克，香附、川楝子、枳实各10克，白芍20克，法半夏、柴胡各10克，大黄（后下）15克，黄连6克，蒲公英15克，甘草6克。水煎服，日1剂，分2次服。

本方为湖南中医唐群光之方，功能清热利湿解毒，适用于急性胰腺炎。

【方三】

柴胡、生白芍、金铃子各15克，黄芩、黄连、木香各10克，元明粉（冲）10克，延胡索12克。上药用冷水浸半小时，煎二汁。生大黄则另用温开水浸半小时以上，并不时用筷子拌动，以加快有效成分的浸出。药汁可顿服或分两次服，服药前30分钟，用阿托品0.5毫克分别对两侧足三里穴进行封闭，或侧两足三里穴加脉冲电针20分钟。

本方为浙江中医翁国荣方，功能泻热，通腑，理气止痛，适用于急性胰腺炎。

【方四】

山楂30克，荷叶12克。加清水2碗，煎至1碗，去渣分服。

本方解热清头目，消积滞，化瘀结，适用于慢性胰腺炎。

【方五】

海带20克，草决明10克。加清水2碗，煎至1碗，顿服。

本方清肝明目，利水泻热，软坚化痰，适用于胰腺炎。

第三十四节

『糖尿病』

糖尿病是一种常见的有遗传倾向的内分泌代谢病，是由于胰岛素分泌绝对或相对不足而引起的碳水化合物、蛋白质、脂肪代谢紊乱的一种慢性病。但它目前已成为继癌症、冠心病之后的第三种严重危及人们健康和生命的疾病，尤其是糖尿病的并发症很多，与非糖尿病病人相比，糖尿病病人的高血压高 1.7 倍，缺血性心脏病与脑卒中高 3 倍，下肢坏疽高 5 倍，肾功能衰竭高 17 倍，双目失明高 25 倍。

本病的发生除遗传因素之外，精神损伤、五志过激是其主要诱因；此外，与饮食所伤、体育运动缺乏、性欲不节、肾虚精耗等原因也有一定关系，且病程长，病势缠绵，严重损害患者的身体健康，常用的秘方、偏方如下：

【方一】

猪胰 1 条，淡菜 45～80 克。先将淡菜（干品）洗净后用清水浸泡约 20 分钟，然后放入煲煲汤，待煮开 10 分钟后加入猪胰同煲。熟透后调味进服，亦可佐餐。

本方为糖尿病病人的辅助治疗食品。

【方二】

糯稻秆 10 克。将其切碎炒煲，沸水泡，代茶饮。

本方适用于糖尿病口渴。

【方三】

菠菜梗 100 克，玉米须 50 克。水煎，去渣，取汁，代茶常服。

【方四】

木耳、扁豆各 60 克。将黑木耳、扁豆共研成细面粉，每服 9 克，1 日 2～3 次。

【方五】

猪胰脏 1 具，菠菜 60 克，鸡蛋 3 个。先将猪胰切片煮熟，再将鸡蛋打入，加菠菜再煮 1 沸。连汤食之，每日 1 次。

【方六】

山药 60 克，猪胰 1 条，食盐少许。前两味洗净切片，共炖熟，食盐调味。日 1 剂，饮汤食猪胰、山药。

【方七】

猪脊骨 500 克，土茯苓 50～100 克。猪骨打碎，加水煎汤约 2 小时，去骨及浮油，剩下 3 大碗，入土茯苓，再煎至 2 碗，去渣。日 1 剂，分 2 次服。

【方八】

怀山药 30 克，黄连 6 克，天花粉

15克。水煎，取汤温服，日1剂。

本方尤适用于糖尿病以食多、饮多、尿多为主症者。

【方九】

白果种仁8～12粒，苡米60克。加水适量煮透后，放入冰糖或白砂糖调味进服。

本方不仅对糖尿病有效，亦可抗肿瘤。

【方十】

芡实100～120克，老鸭1只。将鸭子去毛和肠脏，洗净，把芡实放入鸭腹中，置瓦锅内，加清水适量，文火煮2小时左右。加食盐少许，调味服食。

【方十一】

土炒黄芪、浮小麦各15克，土炒党参12克，灶心土30克。先以水煎灶心土，滤取汁，煮诸药，须慢火久煮，煮3次，分2次于食前服用。

【方十二】

天花粉、干地黄各60克，干葛根、麦门冬、五味子各3克，甘草1.5克，粳米10克。以上各药和粳米共煮作粥，日服1剂。

【方十三】

公鸡1只（约重1 000克），芡实、白扁豆、益智仁、薏苡仁各30克。药填入鸡腔内，炖汤服食。每2天1剂，服3～5次后，改每10天1剂。

本方尤适用于老人糖尿病。

【方十四】

玉米500克。分4次煮粥，日服2次，或只饮其煎液，不吃玉米。

【方十五】

炒苍术20～40克，炒白术15～30克，怀山药30～50克，生地黄20～40克，熟地黄15～30克，太子参15～30克，北沙参30～40克，玉竹20～40克，五味子15～25克，桑螵蛸10～15克。水煎服，1日2次，每天1剂。

本方为安徽中医张孟村治疗脾气虚弱、胃腑有热的糖尿病的临床效方。

【方十六】

人参5克，知母10克，生石膏30克，黄连、阿胶各9克，白芍15克，天花粉9克，山药、黄精、蒸首乌各15克，麦门冬、地骨皮各9克，鸡子黄2枚。水煎服，每日1剂，分2次服。

【方十七】

猪脊骨500克，土茯苓30～50克。先将猪脊骨加水适量煎成3碗，去猪骨和上层浮油，加入土茯苓，煎至2碗。分2次饮，1日饮完。

【方十八】

韭菜（用韭黄效果更好）100～150克，蛤蜊肉150～200克。将二者加水适量煮熟，调味服食，亦可佐膳。

【方十九】

黄芪400克，生地黄30克，天花粉25克，黄精、生石膏各30克。水煎服，每日1剂，分2次服。

【方二十】

石膏5克，知母2克，生地、党参各0.6克，炙甘草、玄参各1克，天花粉0.2克，黄连0.3克，粳米少许。制成粉剂，放阴凉处保存备用。每次取粉250毫克，加盐酸二甲双胍40毫克，混匀敷脐，上盖以药棉，外用胶布固封，每5～7天换药1次，每6次为1疗程。

本方为脐疗方，可降低血糖，为河南中医学院李忠大夫之方。

【方二十一】

怀山药 60 克，猪横脷（猪胰）150 克，食盐少许。将猪胰切成片，和山药一起煲汤，再用食盐调味服食。

【方二十二】

干山药片 45～60 克（或鲜山药）100～120 克，粳米 100～150 克。将山药切片，与粳米同煮粥。四季可供早晚餐，温热服食。

【方二十三】

新鲜胡萝卜适量，粳米 250 克。将胡萝卜切碎，同粳米一起煮粥。

可供早晚餐服食。

【方二十四】

新鲜萝卜适量（约 250 克），粳米 100 克，将萝卜洗净切碎，同粳米煮粥。可供早晚服，温热服食。

【方二十五】

新葛根若干，粳米若干。先将葛根切片，经水磨石澄取淀粉，晒干备用。每次以葛根粉 30 克，粳米 100 克煮粥。可供早晚及或上下午点心，温热服食。

【方二十六】

松树二层皮（干）100 克（老大松树为佳），猪骨 250 克。将树皮与猪骨一起，内服，每天 1 剂。

【方二十七】

熟地、怀山药各 50 克，党参、覆盆子各 15 克，五味子 3 克，五倍子 3 克。水煎内服，每天 1 剂。

【方二十八】

天花粉 15 克，薯蓣 10 克，粳米 30 克，蜂蜜半匙。将花粉、薯蓣快速洗净，滤干，打碎，备用。粳米洗净，并和天花粉、薯蓣一起倒入小钢精锅内，加冷水 3 大碗，旺火烧开，煮 20 分钟，离火，再加蜂蜜，拌匀。作早餐或当点心吃，每日 2 次，每次 1 碗，当天吃完，2 个月为 1 疗程。

【方二十九】

葛根 30 克，红枣 10 个，绿豆 50 克。将葛根快速洗净，滤干，把红枣用温水浸泡片刻，洗净，与葛根一起倒入小砂锅内先煎汤，再用冷水两大碗半，用小火煎半小时，离火，滤出汁水，取出红枣，弃葛根渣。绿豆洗净后，倒入有红枣药汁的小砂锅内，用小火慢炖 40 分钟至 1 小时，离火。淡食，每日 2 次，每次 1 碗，当天吃完。

本方来自《常见慢性病食物疗养法》，常食不仅能降低血糖，且能降低血压，尤适用于糖尿病之“中消证”患者。

【方三十】

天门冬、麦冬各 10 克，粳米 100 克。先将天门冬、麦冬煎取汁，与粳米煮成粥，早晚供餐用。

【方三十一】

猪肝 500 克，白蜜 30 克。面粉 250 克。先将猪肝洗净，入锅煮熟取汤，加白蜜、面粉，熬香，和匀。分数次月臣，日服 2～3 次。

【方三十二】

黑木耳、扁豆各等份。共研成面，每次服 9 克，白水送服。

【方三十三】

嫩笋、酱油、盐适量。将嫩笋削皮切成长方片状，用酱油浸泡一下即捞出。锅内放入植物油烧至八成热，下笋片煎炸成黄色即可。

【方三十四】

鲜地黄 50 克（亦可用生地黄代），酸枣仁 30 克，粳米 100 克。先将地黄、枣仁水煎滤汁，以汁煮米作粥，随意服用。

【方三十五】

鲜菠菜根50克，鸡内金10克，大米50克。把菠菜根洗净，切碎，加水同鸡内金共煎煮3～40分钟，然后下米煮作烂粥。每日分2次，连菜与粥服食。

【方三十六】

桃树胶15～25克，玉米须30～60克。加水共煎汁饮，代茶饮。

【方三十七】

泥鳅10条，干荷叶3张。将泥鳅阴干，去头尾，烧灰，碾为细末，与干荷叶（研末）同等量。每服10克，遇口渴时再服，服时用凉开水送下，日3次，以不思水为止。

【方三十八】

糯米爆成“米花”50克，桑根白皮50克。水煎，1日服2次。

【方三十九】

人参6克，鸡蛋清1枚。

将人参研末与蛋清调匀，1次服下，每日1次，10日为1疗程。

【方四十】

玉米粒500克。加水煮玉米粒至开花，分4次吃，连吃1 000粒。

【方四十一】

生黄芪、生地各30克，苍术15克，人参30克，葛根15克，丹参30克。日1剂，水煎分服用。

本方为协和医院名老中医祝湛予经验方，方为降糖方，经药理研究证明，方中的6味药物均为降糖药物。

【方四十二】

山药、生地各50克，玉竹15克，石斛25克，沙苑、蒺藜各25克，知母20克，附子6克，肉桂5克，红花10克。水煎服，日服2次，早饭前、晚饭后30分钟温服，猪胰子切成小块生吞。服药期间，停服一切与本病有关的中医药物。

本方为吉林名老中医任继学治疗糖尿病临床有效方。

【方四十三】

地锦草、地骨皮各15克，南沙参12克，麦冬10克，石膏30克（先煎），知母10克，生地15克，僵蚕10克，青黛5克（包煎），泽泻30克，苦参15克。先将上药浸泡30分钟，再煎煮30分钟，每剂药煎2次，将2次煎出的药液混合分2次服用。

本方为汪履秋教授治疗非胰岛素依赖型糖尿病的有效方。

【方四十四】

嫩笋、酱油、盐各适量。将嫩笋削皮切成长方片，用酱油浸泡一下即捞出，锅内放入植物油烧至八成热下笋片煎炸成黄色即可。佐餐食用。

本方对糖尿病有效。

【方四十五】

兔肉100克，面粉250克，鸡蛋1只，豆粉适量，盐少许，味精、葱适量。

将兔宰杀后，剥皮，去内脏，取兔肉，将兔肉剁碎成肉末，放入豆粉、味精、葱、鸡蛋、食盐、调匀。把面粉放入盆内，加水适量，揉成面团，用擀面杖擀成薄片，切成5厘米见方的细片。左手拿面皮，右手打馅，按常法包成馄饨。在锅内加水适量，置武火上烧开，将生馄饨放入锅内煮开后，3分钟即成。

本方补中益气，凉血解毒，适用于消渴羸瘦之糖尿病患者。

【方四十六】

活鹅1只，葱150克，盐9克，蜜、酒、花椒末少许。将鹅宰杀，热水煺毛，剖腹去内脏，洗净后，用盐擦鹅腹内。葱去须洗净，加花椒末塞入鹅腹中，以满为度。蜂蜜拌酒成稠汁状，涂遍鹅身，鹅盛于大容器中，密封使不透气。锅内放酒和水1大碗，将鹅上笼蒸之，小火慢慢蒸至肉烂，中间将鹅翻一次身。

本方补虚益气，和胃止渴，适用于糖尿病症见体虚羸瘦，气虚之气短、乏力等。

【方四十七】

兔肉300克，蘑菇丝、冬菇丝各80克，蛋清1个，味精、精盐、酱油、白糖、肉汤、淀粉、料酒、胡椒粉、麻油、葱丝、猪油、生油适量。

兔肉洗净切成丝，盛入碗内，加蛋清、淀粉、料酒、酱油拌匀。烧热锅放入生油，油热至五成时，将兔肉丝下锅推散泡至熟，捞出沥干油。原锅内投入蘑菇、冬菇、姜煸透后，烹入料酒，加入肉汤、味精、盐、酱油、白糖、胡椒粉、麻油、兔肉，待滚烧后，用水淀粉勾稀芡，加入少许猪油推匀，撒上葱丝盛入盆内即成。

兔肉性味甘凉，具有补中益气、止渴健脾、凉血解毒之功效。兔肉含蛋白质达21.2%，高于牛肉、羊肉和猪肉，为完全蛋白质食品。蘑菇有益肠胃、化痰理气等功用，合用之，则具有补中益气，健脾化痰等功效。适于中气虚弱病人食用。糖尿病及肺结核病人可做辅助饮食。健康人食之能健脾胃。

第三十五节

『肥胖病』

肥胖病是指人体脂质代谢紊乱，或进食营养物质超过消耗量，使机体脂肪贮存增多，超过正常人标准体重20%以上，即是肥胖病。

肥胖不仅给人带来外表上的体态臃肿，生活不便，社交困难，最主要的是危害人体健康，缩短寿命，20世纪90年代以来，减肥已成为人们越来越关注的一个热点。

本病的发生主要是由于平素嗜食肥甘厚味，或贪饮酒浆，使脾胃功能受损，水液输布失常，水不化津，津不化气，阳滞体内，为湿为痰，痰湿积聚，精微不布，发为肥胖。主要的有效秘方、偏方如下：

【方一】

淫羊藿30克，粳米50克，肉桂10克。先将淫羊藿、肉桂煎水，去药渣，留药液，再下粳米煮成粥。每日早晚空腹吃1碗。

本方尤适用于甲状腺机能减退所致的肥胖症。

【方二】

生山楂500克，蜂蜜250克。去山楂果柄及果核，放在锅内，加水适量，煎煮至七成熟，水将耗尽时，加入蜂蜜，再以小火煎煮熟透，收汁即可。待冷，放入瓶内贮存备用，每日服数次。

【方三】

白菜200克，干虾米、植物油、酱油各10克，精盐3克，味精少许。先将干虾米用温水浸泡发好。再将白菜洗净，切成3厘米的段，随后，将油锅熬热，放入白菜炒至半熟，再将发好的虾米、精盐、味精放入，加些清水，盖上锅盖烧透即成。佐餐食用。

【方四】

西瓜皮、黄瓜皮、冬瓜皮各200克。

将西瓜皮刮去腊质外皮，冬瓜皮刮去绒毛外皮，与黄瓜皮一起，在开水锅内焯一下，待冷，切成条状，置盘中，用少许盐、味精拌匀，佐餐食用。

【方五】

鲤鱼1条，橘皮30克。将鲤鱼刮鳞，去除脏肠后，用清水冲洗干净，放入锅内，加橘皮、葱、姜、黄酒、食盐及适量清水，煮沸后去掉汤面上血沫和浮污，加盖继续炖煮至鱼肉熟烂，汤汁呈现白色即成。佐餐食用。

【方六】

焦山楂15克，荷叶3克，生大黄5克，生黄芪15克，生姜2片，生甘草3克。煎汤代茶饮。

【方七】

陈皮、陈瓢各10克，鲜竹叶20克，白糖适量。煎煮数沸，加白糖代茶饮。

【方八】

白茯苓粉15～30克，粳米60～100克。加水适量煮粥，粥成加胡椒粉、盐、味精少许（或加白糖适量），调味食。

【方九】

竹荪1克，银耳10克，鸡蛋、盐、味精适量。竹荪放洗洁精中浸泡，再用清水冲洗至无洗洁精沫；银耳浸泡后洗净，去蒂；鸡蛋打碎搅匀，清水煮沸后，倒入鸡蛋糊，加竹荪、银耳，文火烧10分钟，加精盐、味精适量，佐餐食用。

本方对于肥胖病腹壁脂肪较多者有较好疗效。

【方十】

鲜荷叶或干荷叶200克，水发莲子50克，鲜藕100克（切丝），绿豆芽150克，盐、味精各适量。将水发莲子与荷叶加水煎汤备用。素油烧热后放入藕丝炒至七成熟，再加入莲子、绿豆芽，放入荷叶、莲子汤适量，调加盐、味精，至熟出锅。

本方尤适用于时有低热，下肢肿胀，小便不利的肥胖者。

【方十一】

豆腐、豌豆苗尖各500克。将水煮沸后，把豆腐切块下锅，亦可先用菜油煎豆腐一面至黄，再加水煮沸。待沸后，下豌豆苗尖，烫熟即起锅，切勿久煮。

每天以此作佐餐菜肴，必能减肥，尤其是气虚便秘的肥胖者。

【方十二】

冬瓜（净）500克，熟火腿30克，味精0.5克，葱花5克，冬笋（净）、蘑菇各25克，精盐3克，胡椒粉0.5克，鸡汁250克，水豆粉10克，香油5克，炼猪油15克。将冬瓜切成4.5厘米长，3.3厘米宽，0.7厘米厚的片，再放入沸水锅内焯至刚熟时即捞起。熟火腿、冬笋、蘑菇切成1.6厘米见方的薄片，将砂锅置中火上，下猪油烧至三成熟，放入冬瓜、火腿、冬笋、蘑菇片炒一下，再加入鸡汁、精盐、胡椒面、味精煮沸至软熟入味，然后用水豆粉勾芡；再加葱花淋上香油，推勾起锅即成。

本方尤适用于营养性肥胖者。

【方十三】

赤小豆30克，粳米50克。赤小豆、粳米洗净，入锅，加清水煮至粥成。每日早晚食粥。

【方十四】

茯苓200克，面粉100克。将茯苓研成粉末，与面粉混合，水调作饼，烙熟。作主食用，中晚餐食之。

【方十五】

荞麦面500克。将荞麦面加清水合面，做成面条、面片、糕饼等面食，早晚食之。

【方十六】

鲜荷叶30克。将荷叶洗净，撕成碎片，入瓷杯中，沸水冲泡，温浸15分钟后即可饮服，代茶饮。

本方不但减肥，且能降脂。

【方十七】

干荷叶60克，生薏苡仁、生山楂各15克，橘皮5克。将荷叶、山楂、薏苡仁、橘皮切碎捣研成细末，混匀，装瓶备用。晨起取末放在水杯中，沸水冲泡，浸润20分钟即可饮用。代茶饮。

【方十八】

山楂30克，炒二丑6克，麦芽、赤小豆各30克，陈皮15克，莱菔子30克，茯苓15克，草决明、泽泻各30克，藿香、六神曲各15克，乌龙茶30克，夏枯草15克。

将药烘干，共研成粗末，用瓷罐或塑料袋密封即成。每次用6～12克泡开水当茶饮。

本方尤适用于肥胖者高血压。

【方十九】

绿豆芽50克，米醋、生姜、食盐各适量。绿豆芽摘洗干净，入开水锅内焯一下，捞出装盘，加米醋、食盐、生姜末拌匀，即可食用。

本方不仅减肥，且有利于保持身体健美。

【方二十】

玫瑰花、茉莉花各0.3克，玳玳花0.5克，川芎1.5克，荷叶、通草各1.0克，郁李仁、火麻仁各5.0克，全瓜蒌、佛耳草、玉竹各12克，参三七1.0克。浓煎喷洒在荷叶上焙干泡茶。每日2包，3个月为1疗程。

本方对单纯性肥胖病有良效。

【方二十一】

山楂根、茶树根、荠菜花、玉米须各10克。将山楂根、茶树根、荠菜花研粗末，玉米须切碎，水煎取汁。代茶频饮。

【方二十二】

白茯苓粉15～30克，粳米60～100克，胡椒粉、盐、味精少许。加水适量煮粥，粥成加胡椒粉、盐、味精少许（或加白糖适量），调味食。每日早餐食之。

【方二十三】

枸杞子10克，首乌、草决明、山楂各15克，丹参20克。文火水煎，取汁约1 500毫升，储于保温瓶中，作茶频饮。

【方二十四】

魔芋100克，调料适量。将魔芋和调料入油锅中，翻炒后出勺即可。

本方尤适用于老年性肥胖。

【方二十五】

番泻叶1.5克，泽泻、山楂、草决明各12克。将药制成冲剂，分2次服，4周为1疗程。

【方二十六】

漏芦、决明子、泽泻、荷叶、汉防已各15克，生地30克，红参6克，黑豆、水牛角、薏苡仁各30克，蜈蚣2条。水煎浓缩至100毫升，每日2次，每次50毫升。若体重在90公斤以上，每次量可加至75毫升。

【方二十七】

法半夏9～12克，陈皮5～9克，云苓、炒苍术、炒薏苡仁、大腹皮各9～12克。

制成浓缩小丸，每次45粒，每日3次。

【方二十八】

茶叶适量。

沸水冲沏，待茶浓时饮用。

【方二十九】

乌龙茶3克，槐角18克，首乌30克，冬瓜皮18克，山楂肉15克。将后4味中草药共煎，去渣，以其汤液冲泡乌龙茶，代茶饮用。

【方三十】

薏苡仁30克，粳米50克。先将生薏苡仁洗净晒干，碾成细粉，收贮备用，取薏苡仁粉，与粳米一起下锅加水煮至粥成。每日2次。

【方三十一】

燕麦片50克。锅内放水，待水开时，将麦片搅入，煮至熟软。每日2次。

【方三十二】

魔芋粉100克，大蒜适量，米粉、米醋、食盐、香油各适量。

取魔芋粉入锅，加水，边煮边搅，点适量石灰水，待魔芋充分吸水膨胀后，调入米粉，搅拌均匀，收汁而成。冷却后呈灰白色，形似豆腐，质地细腻滑嫩，临用时切成片，或细丝，入开水锅焯一下，捞出装盘。拌上少许大蒜、食盐、米醋、香油等调料，即可食用。

【方三十三】

冬瓜500克。冬瓜去皮、子，取白瓤切片，入锅中加水，煮熟。淡食或以少许食盐调味，佐餐食用。

【方三十四】

绿豆50克，煮粥喝。每日2次，或连豆服食。

【方三十五】

绿豆100克，红枣50克，糖精适量。将绿豆、红枣同放锅内煮熟，至豆烂枣熟成稀粥，加入糖精即可。每日早餐食之。

【方三十六】

兔肉1只（约650克左右），枸杞30克，盐、生姜适量。锅中加水适量，放入兔肉（切碎）、枸杞、盐和生姜，久火炖至肉烂熟即成。3天服1次，常服有效。

【方三十七】

嫩黄瓜250克，精盐1汤匙，白

糖3汤匙，食醋2汤匙，香油1汤匙，味精适量。将嫩黄瓜洗净，切成6毫米宽，1.6厘米长的段，放盘内，撒上精盐拌匀，腌10分钟，滤去盐水。再取砂锅置火上，放少半碗水烧开，加入白糖，熬成浓汁，离火，加入食盐、味精，调匀后浇在黄瓜上拌匀，腌30分钟后淋上香油即可食用。

【方三十八】

海带、赤小豆各100克，红萝卜150克，山楂50克，甜叶菊苷粉适量。将海带用水泡一天一夜（中间换两次水），然后洗净切成丝，晾干。将赤小豆、萝卜、山楂加水及甜叶菊苷粉烧开煮半小时，捞出豆、萝卜、山楂不要，放入海带焖至汁尽，海带酥烂，起锅晾干食用。

【方三十九】

生薏仁30克，冬瓜子仁100克，赤小豆20克，干荷叶、乌龙茶适量。洗净，合在一起放入锅内，加水适量煮至豆熟，再放入用粗纱布包好的干荷叶及乌龙茶，熬七八分钟，取出纱布袋即成，佐餐食用。

【方四十】

芹菜500克，海蜇皮（水发）150克，精盐、味精、醋适量，小海米3克。将芹菜去叶除粗筋后切成3厘米长的段，在开水锅中烫一下，沥干。海米泡好，海蜇皮泡好洗净，切成细丝，将芹菜、海蜇丝、海米一起拌和均匀，同时加入适量的醋、精盐和味精，拌匀即成。佐餐食用。

【方四十一】

山楂、银花、菊花各10克。3味共放锅中煎水代茶饮，频饮之，每天服1剂，连服半月至一月。

本方即降脂，又减肥，极适用于血脂高的肥胖者。

【方四十二】

米醋15克，蜂蜜5克，姜汁2克。将三品混合均匀，加水3～5倍均匀即成。一次服下，徐徐饮，每天饮2次。

【方四十三】

米醋15克，山楂汁、苹果汁、梨汁、蜂蜜各3克，温开水100克。以上诸品合一处，搅匀即成，徐徐饮之。一次服完，日服2次。

【方四十四】

番薯（又名地瓜）40克，米35克。米洗净加3倍水泡30分钟以上。地瓜洗净，连皮切小块，把泡好的米倒入砂锅中，煮沸后放入地瓜及盐、酒各少许，用中火煮，煮至几乎没有水分，即成美味可口的地瓜稀饭。1日2次，早晚食用。

【方四十五】

茶叶9克，粳米适量。茶叶加水煮开后去渣，茶水中加入粳米煮熟后，加入糖或盐调味即可。

本粥适应于肥胖人秋季食用。

【方四十六】

鲜山楂、瘦猪肉各250克。先将山楂洗净去核，加水煮烂，加糖煮成山楂酱；另将瘦肉切块，油锅中翻炒，再加入山楂酱即成。佐餐食用。

【方四十七】

芝麻3 000克，白蜜或枣膏适量。芝麻淘净甑蒸，上气后取出晒干，淘去沫，再蒸，反复9次，以汤脱去皮，炒香研末，白蜜或枣膏为丸如弹子大。每次温酒1匙化下1丸，日3次。

本方减肥且美容，适用于体重面容枯槁者。

【方四十八】

黄芪、防己、白术、川芎、制首

乌各15克，泽泻、生山楂、丹参、茵陈、水牛角各30克，仙灵脾10克，生大黄9克。将上药打碎，煎成药汁。每日2次，每次口服50毫升，超重25%以上者可增至每日150毫升，使用时若大便泄泻不止，可减轻大黄用量。

本方为轻身一号方，尤适用于高血脂的肥胖者。

【方四十九】

莲花7克，莲根（藕）8克，莲子9克。阴干，为末，混末，瓷瓶封存。早晚空腹食1克，温酒送服，或开水冲服。

本方尤适用于肥胖而容颜衰败者。

【方五十】

桃花3朵（0.5～1克）。阴干研末，空腹饮服，日3次。

本方来自唐玄宗宠妃杨玉环。杨身材肥胖，缺少风姿，故采用桃花汤饮之减肥。

【方五十一】

冬瓜半个，熟火腿、熟鸡脯肉25克，水发香菇1个，另有适量料酒、精盐、味精、葱、姜、鸡清汤。将冬瓜刮去外皮，去子，用刀切成片，下入开水锅内略烫一下，捞出。熟火腿和熟鸡脯肉切成片，然后分别修成荷花瓣形状，葱切段，姜切片，拍粉备用。取扣碗1个，将水发香菇正面朝下，放在碗底，周围间隔地摆上火腿片和鸡脯片成荷花形，然后放上冬瓜，加精盐、味精、料酒、葱段、姜片，上笼蒸20分钟即烂。起菜时，取出扣碗，挑出葱、姜不要，碗内汤滗出锅内，翻身扣在大汤盘子内，锅内原汤上火，再倒入鸡精汤，加料酒、精盐、味精烧开，撇净浮沫，慢慢地倒在大汤盘子内。

本方清热利尿，消肿解渴，是肥胖者的理想佳肴。

【方五十二】

冬瓜100克，鲤鱼1条，另有料酒、精盐、白糖、葱段、姜片、生油、胡椒粉适量。将冬瓜去皮，去瓤洗净，切成片。把鲤鱼去鳞，去鳃，去鳍，去内脏，洗净，下油锅煎至金黄色。锅中入适量清水，加入冬瓜、料酒、盐、白糖、葱、姜，煮至鱼熟瓜烂，拣去葱、姜，用胡椒粉调味即成。

本方减肥消肿，适用于肥胖病患者食用。

【方五十三】

油菜200克，鸡脯肉50克，植物油15克，料酒25克，蛋清半只，团粉3克，精盐2.5克，味精0.15克。先把油菜洗净，切成3.3厘米段。把鸡脯肉切成薄片，用蛋清、料酒，团粉、少量盐拌和好。油锅熬热，将鸡片倒入旺火急炒至热时，取出待用，再把油锅熬热加盐，煸油菜，最后将鸡肉和余下的佐料一起倒入，快速拌匀即成。

内含蛋白质16.4克，脂肪18.3克，糖6.9克，热量258千卡，钙286毫克，磷145毫克，铁3.58毫克，胡萝卜素6.3毫克，硫胺素0.17毫克，核黄素0.26毫克，尼克酸5.8毫克，维生素C 102毫克。

本方对于体型肥胖、高血压病、冠心病、脑血管病、骨质软化等患者皆宜食用。

【方五十四】

白菜200克，干虾米、植物油、酱油各10克，精盐3克，味精少许。先将干虾米用温水浸泡发好，再将白菜洗净，切成3.3厘米的段。随后，将油锅熬热，放入白菜炒至半热，再将发好的虾米、精盐、味精放入，加些清水，盖上锅盖烧透即成。

内含蛋白质7.6克，脂肪10.2克，糖6克，热量146千卡，钙160毫克，磷153毫克，铁1.7毫克，胡萝卜素0.02毫克，硫胺素0.04毫克，核黄素0.09毫克，尼克酸1.0毫克，维生素C 40毫克。

除乳母、儿童、青少年、孕妇可食用外，高血压、冠心病及肥胖症等皆宜食用。

第三十六节

『贫 血』

所谓贫血，是指在血容量正常的情况下，单位容积血液中的红细胞数目或血红蛋白含量发生减少。通常指男性红细胞数低于400万/立方厘米，血红蛋白低于12%克，女性红细胞数低于380万/立方厘米，血红蛋白低于10.5%克。

本病发生的最常见原因是由于铁的摄取量不足，而铁是人体中血红蛋白的重要成分。长期或重度缺铁可使血红蛋白的合成减少，从而导致缺铁性贫血，此外，贫血的发生是由各种原因引起的造血因子——叶酸、维生素B_{12}的不足；还有不少贫血是继发于其他疾病，如血液病、慢性肾脏疾病、恶性肿瘤等。临床上常用的较为有效的秘方、偏方主要如下：

【方一】

鲜菠菜、猪血各500克，木耳10克，葱、姜、料酒少许。菠菜用开水烫过切段，猪血煮熟切条，木耳温水泡发，油锅烧热，放葱、姜炒香，倒入猪血、木耳煸炒，点入料酒，炒至水干，加入肉汤、盐、胡椒粉调味服食，佐餐用。

【方二】

干红枣50克，花生米100克，红砂糖50克。将红枣洗净，用温水泡发，花生米略煮一下，放冷，把皮剥下，把泡发的红枣、花生米同放在煮花生的水中，加冷水适量，用小火煮半小时左右，捞出花生米皮，加红砂糖，待糖溶化后，收汁即可。

本方尤适用于缺铁性贫血。

【方三】

羊肉500克，黄芪、党参、当归、生姜片各25克，食盐少许。先将羊肉切成小块，3味中药包在纱布里，用线捆扎好，并放在砂锅里，加水适量，以小火煨至羊肉将烂时，放入生姜片25片、食盐少许，待羊肉熟烂即可。随意喝汤为主，也可吃肉。

本方尤适用于气血虚弱所致的各种贫血。

【方四】

牛筋3条，鸡血藤30克，补骨脂9克，大枣10枚。水煎，牛筋熟后入药，食筋饮汤。

【方五】

猪胃1个，黄芪100克，红糖适量。

三者炖熟服用，每周服1个。

【方六】

皂矾适量，生鸡蛋2个。将皂矾研为面，装入鸡蛋里，在鸡蛋破口处，用面糊包严，煮熟，每日早晚各吃1个。

【方七】

胎盘1个，瘦猪肉250克，红枣20枚，生姜数片。将胎盘漂洗干净，切片，同生姜生炒，再加瘦猪肉、红枣炖熟加盐调味，分次食用。

本方适用于再生障碍性贫血。

【方八】

糯米300克，赤小豆、生山药各30克，大枣20枚，莲子、白扁豆各15克。先将赤小豆、白扁豆煮烂，再加大枣、莲子、糯米同煮，最后将去皮山药切成小块加入粥内，以熟为度，早晚分服。

本方适用于再生障碍性贫血。

【方九】

龟肉250克，核桃仁100克，杜仲20克。将龟肉切块，用沸水汆透，核桃仁用温水泡去膜皮，切丁，下油锅炸至金黄色。杜仲洗净，刮去粗皮，再将葱、姜入油锅中煸炒，倒入龟肉炒至水干，加入盐、料酒、核桃仁、杜仲，倒入鸡汤，烧开去浮沫，文火炖至肉熟，放味精调味服食。

本方适用于再生障碍性贫血。

【方十】

羊骨250克，黑豆30克，枸杞20克，大枣20枚。加水煮沸后去骨，加少许食盐调味，饮汤食枣与豆。

本方适用于再生障碍性贫血。

【方十一】

牛骨髓、生山药各240克，胎盘粉300克，蜂蜜240克。捣匀入碗罐中，放锅内蒸熟。每次服2汤匙，每日2次。

【方十二】

羊胫骨或脊骨1根，姜、葱、盐少许。将骨头砸碎，煮汤，再加入姜葱盐调味，喝汤。

【方十三】

棉花根24克，丹参15克。水煎服，每日1剂。

【方十四】

当归、侧柏叶炭各200克。共为细末，炼蜜为丸，如梧桐子大，每次服15克，每日2次。

【方十五】

鲜旱莲草50克，红枣8～10枚。用清水2碗将二物煎至1碗，去渣饮汤。

本方适用于失血性贫血。

【方十六】

鸡血藤30克，鸡蛋2个，白砂糖少许。

将二物加清水2碗同煮，蛋熟后去壳再煮片刻，煮成1碗后再加砂糖少许调味。饮汤食鸡蛋。

【方十七】

黄芪、熟地、首乌、当归、灵芝各200克。制成片剂，每次6片，每片5克；1个月为1疗程，每周复查1次血象。

本方为武汉市李元宝中医治疗贫血的有效方。

【方十八】

仙茅、仙灵脾各9克，人参6克，黄芪12克，龟鹿二仙胶、当归、陈皮各9克，甘草3克。水煎服，每日1剂，1日2次。

本方专治再生障碍性贫血。

【方十九】

黄芪30克，当归、白芍、大熟地、阿胶各9克，粉草3克，白术、茯神、女贞子、旱莲草各9克。水煎服，1日1剂，分2次服。

【方二十】

糙糯米（即半捣米）100克，薏苡仁50克，红枣8克。按常法煮作粥，每日早晚食用。

【方二十一】

冻豆腐、鸡蛋清各适量。将冻豆腐以温水泡软后挤出水分，放入鸡蛋清碗内挤吸令蛋清吸入，取出放入锅内蒸或烹，可随意食用之。

【方二十二】

猪皮100～150克，黄酒半碗，红糖50克。以黄酒加等量清水煮猪皮，待猪皮烂熟调入红糖。每日2次分服。

本方主治失血性贫血。

【方二十三】

花生仁50千克，酱油、味精各25克。将花生仁炒熟去皮，放入缸内，再把酱油和味精混合均匀，倒入缸内泡制，每日搅拌2次，7天即成。佐餐食用。

【方二十四】

山药150克，枣泥60克，白糖90克，植物油500克，青梅丝、淀粉、香油各少许。把山药蒸烂，去皮，搓成泥，加上少许干淀粉拌匀，按成小团饼，放入枣泥包起来，做成金枣形，把细头插成一根青梅红（枣把）、再蘸上干淀粉，放入盘内备用。植物油烧至七成熟，把金枣放入油内炸透，呈金黄色，捞出；把炒勺擦净，用清水化开白糖，炒至白糖由稠变稀，能拔丝时，加上金枣，离开火眼，颠翻几下，倒在抹香油的盘内即成。

【方二十五】

人参2克，当归6克，生地9克，白芍6克，川芎5克，母鸡1只。各味同母鸡清洗，连肉带药汁食之。可分2～3餐食用，重者可多吃几只鸡。

本方尤适用于男性贫血者。

【方二十六】

人参15克，黄芪20克，白术12克，山药15克，当归10克，熟地12克，黄精15克，仙茅12克，巴戟天10克，淫羊藿12克，附片6克，肉桂5克，龙眼肉12克。每日1剂头煎，二煎早晚分服，饭前空腹时服。

本方为江苏著名中医施仲安方，功能健脾温肾，用来主治再障性贫血初起，头目眩晕，心悸怔仲，齿衄，鼻衄，颜面苍白，纳谷不香，气短息促，寐梦多汗，舌淡苔薄，两脉傿细等脾虚肾亏症状。

【方二十七】

当归10克，黄芪20克，川芎6克，赤白芍各10克，生熟地各12克，阿胶15克，艾叶10克，山萸肉12克，山药20克，枸杞子12克，制首乌15克。阿胶先用水与黄酒各半燉烊，分头、二煎冲服，艾叶于铁锅内焙炙焦烟时以醋淬灭火后入煎。

本方益肝滋肾，临床上可用来主治再障后期，腰脊酸软，急躁易怒，妇女经衍带下或并月停经；男子遗、滑或强中（虚性兴奋）。虚烦少寐，自汗盗汗，肘膝四肢常现紫瘢，舌淡腻苔，边尖现紫气，两脉细软无力，尺部似无等肝肾阴虚症状。

此外，《健康世界》杂志曾发表的一篇“治贫血的汤”，其中有不少食谱有极好的治疗贫血的作用。现稿录于下，以供参考。

莲子桂圆汤 莲子、桂圆肉各30克，红枣20克，冰糖适量。先将莲子用水泡发，去皮去心洗净，与洗净的桂圆肉、红枣一同放入砂锅中，加水适量，煎煮至莲子酥烂，加冰糖调味。睡前饮汤吃莲子、红枣、桂圆肉，每周服用1～2次，可经常服用。具有补心血、健脾胃的功效，适用于贫血乏力、神经衰弱、心悸、怔忡、健忘、睡眠不安等。

鸡肝西红柿汤 鸡肝、西红柿各200克，水发木耳12枚，熟猪油30克，鲜汤700克，味精1克，精盐3克，胡椒粉0.5克，先将西红柿洗净切片，鸡肝洗净切片。净锅置旺火上，加入鲜汤烧开，下鸡肝、木耳、西红柿片、胡椒粉、精盐、味精、熟猪油。鸡肝片氽熟时起锅，佐餐食用。具有补血强身的功效，适用于贫血引起的头晕眼花。

红枣黑木耳汤 红枣50克，黑木耳15克，冰糖适量。先将黑木耳与红枣以温水泡发并洗净，放入小碗中，加水和冰糖适量，将碗置于蒸锅中蒸约1小时。喝汤，吃黑木耳和红枣，或分次食用。具有滋阴和营、补益气血的功效，适合于阴液亏损、气血不足引起的贫血，如面色皖白、头晕耳鸣、心悸气短、低热口干、腰腿酸软、疲乏无力等。

羊肝菠菜鸡蛋汤 羊肝100克，菠菜250克，鸡蛋1个。先将羊肝洗净，切片，入砂锅，加水适量，煮熟后捣碎羊肝；菠菜洗净入锅，再打入鸡蛋，煮熟，日服1～2次，连续服用。具有补肝明目、补血养血的功效，适用于缺铁性贫血、营养不良性贫血。

山药紫荆皮汤 山药30克，紫荆皮9克，红枣20克。先将山药、紫荆皮、红枣洗净，加水适量，一同煎汤。日服1剂，分3次服用。具有健脾益血、补肾养阴的功效，适用于低热的贫血患者。

鸭肝首乌汤 取鸭肝120克，首乌、西红柿各30克，水发木耳8枚，胡萝卜30克，熟鸡油15克，鲜汤500克，味精1克，精盐2克。先将首乌加水煎取药汁，西红柿、胡萝卜洗净切片，鸭肝洗净切片。净锅置旺火上，加入鲜汤、药汁、胡萝卜、木耳，烧开后待胡萝卜熟，下鸭肝、西红柿片、精盐、味精、熟鸡油，鸭肝片氽熟时起锅，佐餐食用。具有补血强身的功效，适用于贫血引起的头晕眼花。

香菇豆腐汤 干香菇25克，水豆腐400克，鲜竹笋60克，豆油、香油、味精、精盐、胡椒粉、葱花、淀粉适量。先将香菇洗净，用温水浸发，去蒂切成丝。锅置火上，下豆油烧热，投入竹笋丝略炒盛出，将浸香菇水和清水适量倒入锅内煮开，投入香菇丝、笋丝、豆腐丁煮开，加精盐、胡椒粉，用湿淀粉勾芡，起锅后淋上香油，佐餐食用。具有益胃健脾、补虚损的功效，适用于高血压、高脂血症、贫血、缺钙、病后体虚等。

猪肝枸杞鸡蛋汤 猪肝100克，枸杞子20克，鸡蛋1个。先将猪肝洗净切成片，枸杞子洗净，鸡蛋打入碗内。再将锅内水烧开，放入少量的生姜和盐，先煮枸杞子，约10分钟后放入猪肝片，水沸后即可打入鸡蛋，稍煮即成。饮汤吃蛋、猪肝和枸杞子。具有养肝、补血、明目的功效，适用于肝虚所致之头晕、目花、夜盲症及贫血的调养和治疗。

猪肉参枣汤 猪瘦肉250克，人参5克，怀山药50克，红枣20克，精盐适量。先将猪瘦肉洗净切块，与洗净的人参、红枣、怀山药一同放入砂锅内，加水适量，先用武火煮沸，再转用文火炖至猪肉熟烂，加精盐调味，佐餐食用。具有益气健脾、滋阴养血、抗衰老的功效，适用于气血双亏、脾胃虚弱、消化不良、再生障碍性贫血等。

猪肝木耳菠菜汤 猪肝50克，黑木耳10克，菠菜50克，葱、味精、酱油、猪油、精盐适量。将猪肝洗净，剔除筋膜，切片；黑木耳用清水泡发，洗净，与猪肝片一同入锅，加水适量，煮熟，汤沸后再加菠菜，略煮片刻，再加猪油、葱、味精和精盐调味。吃猪肝、黑木耳和菠菜，日服1剂。经常食用，具有养血补血的功效，适用于贫血。

牛筋血藤骨脂汤 取牛蹄筋50克，鸡血藤30～50克，补骨脂10～12克。先将牛蹄筋洗净切片，与洗净的鸡血藤、补骨脂一同入锅，加水适量，先用武火煮沸15分钟，再用文火煎熬至牛蹄筋熟烂，取汁饮用。具有补肝养血、补肾壮阳的功效。适用于贫血、白细胞减少。

第三十七节

『血小板减少性紫癜』

血小板减少性紫癜是由于血小板减少而引起的以皮肤、黏膜、内脏及其他组织出血为特征的疾病。热毒郁营所致的血小板减少性紫癜，主症为起病较急、初起恶寒发热、皮肤出现紫斑，以下肢为多，口渴、便结、尿黄或有鼻衄、牙龈出血、尿血、便血等，舌红苔黄，脉弦数。临床上常用的偏方、验方主要如下：

【方一】

猪皮500克，白茅根60克（布包），冰糖适量。将猪皮切碎，加入煎好的白茅根水中炖至稠黏，再入冰糖拌匀，分4～5次食用，1日1次，连服数剂。

本方清营解毒，适用于热毒郁营所致的血小板减少性紫癜。

【方二】

水牛角30～60克。把水牛角削成薄片，加水煮2小时。1日分2～3次服。

本方对血小板减少性紫癜有效。

【方三】

红枣10～15枚，兔肉150～

200 克。

同放炖锅内隔水炖熟，服用，亦可同放入瓦罐内煮烂，调味服食。

本方补气摄血，适用于血小板减少性紫癜。

【方四】

阿胶 30 克，黄酒、赤砂糖适量。将阿胶加入少量黄酒和水，置水锅上炖溶化后，调入赤砂糖。每日 2 次分服，连服 7 天。

本方滋阴降火，适用于阴虚内热所致的血小板减少性紫癜。

【方五】

鸡血藤 30 克，当归 12 克，商陆（先煎 3 小时）20 克，墓头回 23 克，仙鹤草 30 克，侧柏叶 15 克，生黄芪 120 克，生地 60 克，生甘草 30 克。水煎服，日 1 剂，分 2 次服。

本方为浙江中医苏尔元方，功能补气培脾，活血化瘀，适用于原发性血小板减少性紫癜。

【方六】

黄芪、党参、当归各 20 克，肉蔻、熟地各 18 克，肉桂、熟附块各 12 克，山药 15 克，仙鹤草 30 克，阿胶（烊化）12 克。水煎服，日 1 剂，分 2 次服。

本方为湖北中医黎志远治疗原发性血小板减少性紫癜方，功能温补脾肾。

第三十八节

『单纯性甲状腺肿』

单纯性甲状腺肿俗称“大脖子病”，中医学称之为“瘿”。导致本病的原因是缺碘。因为当碘缺乏之时，甲状腺素的合成减少，血中甲状腺素浓度大降，使垂体分泌更多的甲状腺素，以使甲状腺增生肥大，于是形成甲状腺肿。常用的临床有效的偏方、验方主要如下：

【方一】

海带干燥后制成粉剂，每次 6 克，每日 3 次，或每日水煎服海带 30～60 克。功能软坚，散结，化痰，消瘿，适用于单纯性甲状腺肿。

【方二】

海带皮 30 克，昆布、海藻各 15 克，白萝卜 100 克。将海带、海藻、昆布洗净放入砂锅中，置文火上煨炖，将熟时下萝卜，再炖至烂熟即成。吃海带、萝卜，喝汤，可加入少许盐。

本方消瘿散结，适用于单纯性甲状腺肿。

【方三】

紫菜 15 克，白萝卜 250 克，陈皮 30 克。将紫菜切碎，萝卜切丝，陈皮剪碎，加水共煎煮 30 分钟，出锅前酌加调味品，弃陈皮服食，1 日 1 次，连服数周。

本方消肿散结，适用于单纯性甲状腺肿。

【方四】

沙参、天冬、麦冬、生地、花粉、昆布、海藻各15克，五倍子、大贝各10克。水煎服，每日1剂，日服2次。

本方为翟明义治疗甲状腺肿方，功能养阴解郁，软坚散结。

【方五】

当归9克，生地15克，玄参12克，黄连6克，黄芩9克，黄柏6克，黄芪15克，浙贝母9克，生牡蛎30克，酸枣仁15克，浮小麦30克。水煎服，每日1剂，日服2次。

本方为周次青治疗甲状腺肿方，功能滋润降火，益气散结，适应于阴虚火旺、痰热郁结所致的甲状腺肿。

【方六】

猫腿肉1 250克，猪瘦肉250克，枸杞子6克，桂圆肉9克，甘蔗90克，清汤1 250克，盐、味精、胡椒面、白酒、猪油、葱、姜适量。将猫后腿肉剁成4厘米见方的块，猪瘦肉也同样大小。枸杞子、桂圆肉用温水洗净，甘蔗用刀劈开，再剁成两段，葱、姜切成厚片。烧热100克猪油，放入葱、姜炒出香味后，烹入料酒炝锅，放入清水、猪肉，待水开后撇净血沫。待肉收缩已煮透，捞出用温水洗净。猪肉用开水煮透洗干净。取汤罐子1个，把猫肉和全部配料一起放入，下盐、味精、白酒、葱、姜，倒进清鸡汤，盖好盖上笼蒸烂。服用时打开盖，拣去葱、姜、甘蔗，加少许胡椒面尝好味即可。汤清肉烂，味道鲜美。

本方滋阴补肾。适合于贫血、纳差、淋巴结核、血小板减少性紫癜。

第三十九节

『甲状腺机能亢进』

甲状腺机能亢进是由于甲状腺分泌的甲状腺素超过身体生理需要，促使机体的新陈代谢异常地增快。其主要症状为怕热、多汗、心动过速、神经过敏、情绪急躁、食欲亢进、体重减轻以及甲状腺肿大、突眼、手颤等症状，常用的临床偏方、验方主要如下：

【方一】

取龙眼肉15～30克，开水冲泡代茶饮用。本茶益脾养血，为营养滋补佳品，对甲状腺机能亢进引起的健忘、神疲无力、月经过多等有较好效果。

【方二】

莲子、粳米适量。将莲子煮熟后，晒干，磨粉备用，每次取莲子粉20

克，入粳米 60 克煮粥，早晚餐食用。本粥有养心安神，益肾健脾之作用，对甲状腺功能亢进有效。

【方三】

鳖甲、龟板各 15 克，牡蛎 30 克，生地 12 克，白芍、天冬、麦冬、夏枯草各 10 克，珍珠母 30 克。先煎鳖甲、龟板、牡蛎、珍珠母 2 小时后，再下其余药物，浓煎后，滤取药液，分 3 次服用，连服 10 余剂。

本方滋阴降火，平肝滋阳，适用于甲状腺机能亢进症。

【方四】

栀子、豆豉、龙胆草各 9 克，生地 15 克，木通、柴胡各 9 克，黄芩 15 克，生牡蛎 30 克（先下），党参 15 克，川贝母 9 克，海藻、昆布、夏枯草各 15 克，海浮石 15 克（先下）。水煎服，日 1 剂，分 2 次服。

本方泻热除烦，对甲状腺机能亢进有一定疗效。

【方五】

海带 50 克，薏苡仁 40 克，鸡蛋 2 个，精盐、味精、胡椒粉、猪油适量。

把海带洗净切条状，薏苡仁洗净，加水共放锅里炖至很烂，连汤备用。锅置旺火上，放适量猪油，将打匀鸡蛋炒熟，随即将海带、薏苡仁连汤倒入，加盐、胡椒粉、味精即成。

本方补虚安神，活血软坚，强心利湿，适用于高血压、甲亢、关节炎、冠心病患者食用。

【方六】

白萝卜 250 克，紫菜 15 克，陈皮 2 克，盐、醋、味精适量。将萝卜洗净切丝，紫菜、陈皮剪碎，共放锅内，加水煎煮半小时。出锅前加食盐、味精及醋。

本方可治甲状腺肿大及淋巴结核。

第四十节

『急性肾小球肾炎』

急性肾小球肾炎亦称“急性肾炎”，临床以起病急、浮肿、血尿及高血压为特点，发病前常有急性上呼吸道感染或中耳炎、化脓性皮肤病等。常用的有效的临床偏方主要如下：

【方一】

小白菜 500 克，薏米 60 克。薏米煮稀粥，加洗净切好的小白菜，煮 2～3 沸，待白菜熟，不可久煮，无盐或低盐饮食，日 2 次。

本方清热利尿，适用于急性肾炎浮肿少尿者。

【方二】

赤小豆 100 克，鲤鱼 1 尾（250～500 克）。将鲤鱼去内脏，不去鳞，洗净，赤小豆淘净，文火煨1小时，熟后食，不加盐，日1～2次。

本方利水消肿，适用于肾炎水肿。

【方三】

大蒜30～45克，西瓜1个（大约重1 500克）。先在西瓜皮上挖一个三角形的洞，大蒜去皮纳入西瓜内，再用挖出的瓜皮塞住洞口，将洞口向上用瓦碟盖好，隔水蒸熟，趁热吃蒜和瓜瓤，1日内分数次吃空。

本方清热利湿消肿，适用于急性肾炎。

【方四】

黄毛乌骨母鸡1只（重约1 500克），赤小豆300克，黄酒1匙，精盐、白糖适量。

鸡宰杀后去毛，剖腹，洗净，沥干，切小块。赤小豆洗净，取大磁盆1个，先倒入一半赤豆垫底，铺上一层鸡块，倒入一半赤豆，铺上鸡块及内脏，淋上黄酒。喜甜食者，鸡块上面加白糖4匙；不喜甜食者，撒入小半匙食盐。旺火隔水蒸3小时，当点心或佐膳食。每次1小碗，1日2次，分4～5天吃完。

本方健脾补肾，利水消肿，适用于肾炎水肿轻者。

【方五】

陈皮、陈瓢各10克，鲜竹叶20片，白糖适量。煎煮数沸，加白糖，代茶饮。

本药茶利水消肿，适用于肾炎脾虚湿盛水肿。

【方六】

麻黄9克，生石膏30克，生甘草、生薏米各9克，杏仁10克，桑白皮15克，生姜9克。水煎服，1日1剂，分2次服。

本方宣降肺气，适用于急性肾小球肾炎。

【方七】

生甘草、桔梗各9克，牛蒡子12克，山豆根30克，板蓝根15克，射干9克，生石膏（先下）、鲜茅根各30克，薄荷3克，杏仁9克，银花15克，连翘9克。水煎服，1日1剂，分2次服。

本方宣肺气，利咽喉，适用于急性肾炎。

【方八】

白茅根50克，益母草25克，泽泻25克，半边莲25克，车前子20克，猪苓20克，大腹皮15克。

水煎服，1日1剂，分2次服。

本方活血化瘀，利水消肿，为吉林中医韩建方治疗急性肾炎的有效方。

【方九】

地肤子15克，荆芥9克，苏叶9克，桑白皮9克，瞿麦9克，黄柏9克，车前子9克，蝉蜕10只。

水煎服，每日1剂，分2次服。

本方发汗利尿，清热除湿，是中医钟思潮医生治疗急性肾炎的有效方。

【方十】

金银花12克，蝉蜕6克，蒲公英15克，玉米须、赤小豆各20克，连翘12克，浮萍10克，白茅根30克，冬瓜皮12克，车前草15克。水煎服，日1剂，2次服。

本方清热，祛风，利水，是江苏中医叶秉仁治疗急性肾炎的有效方。

【方十一】

蝉衣、僵蚕、地龙、白鲜皮、地肤子、荆芥各10克，乌梢蛇、浮萍、防己各15克。水煎服，每日1剂，分2次服。

本方祛风抗敏，利水消肿，是杭州中医舒土建治疗急性肾炎的有效方。

第四十一节

『慢性肾小球肾炎』

慢性肾小球肾炎多由急性肾炎转变而来，临床主症为浮肿、高血压、蛋白尿等。其病程迁延，常反复发作，可导致慢性肾功能不全。临床常用的有效验方主要如下：

【方一】

黄芪15克，糯稻根须干品50克。将新鲜糯稻根须洗净，晒干，置于干燥处，保存，备闲。然后与黄芪一起倒入小钢精锅中煎汤，头煎加水2大碗，煎至1小碗，滤出头汁，二煎加水1大碗，煎至1小碗，滤出二汁，弃渣。每日2次，每次1小碗，也可代茶慢慢饮服，3个月为1疗程。

本方补气利尿，适用于慢性肾炎，但需持续饮服。

【方二】

玉米须50克，水600毫升。将玉米须加水煎煮30分钟左右，熬成300～400毫升，过滤后，每日2次分服。

本方利尿消炎，适用于慢性肾炎。

【方三】

羊肉、冬瓜各250克，芫荽20克。先将冬瓜用水氽过，与羊肉片同入烧沸的羊肉汤内，加入少量盐、花椒水、葱丝等烧沸片刻，捞出装碗，加味精，淋少量猪油，撒芫荽末，浇适量羊肉汤服食。

本方补阳利尿，适用于慢性肾炎。

【方四】

鲫鱼250克，鸡脯肉30克，火腿9克，冬菇1.8克，鸡汤250克，葱3克，料酒9克，姜3克，味精1.8克，精盐、猪油各3克。先将冬菇发好，切成小块，火腿、熟鸡脯肉切成薄片，姜、葱切成细丝，鱼洗净，在鱼肉两面都用刀划上斜方菱形的刀口，撒上精盐、味精各少许，浸约30分钟。将火腿片、熟鸡肉片、冬菇块、姜、葱丝等都摆在鱼身上，鸡汤在旺火上烧开，放入鱼和鱼身上的佐料，煮开5分钟，撒上料酒、猪油及剩下的盐、味精等，略煮即成。

本方温脾利水，适用于慢性肾炎。

【方五】

乌龟1只，猪肚500克。将二者洗净后再切碎，加水用文火炖成糊状，不放或少放盐。每天早晚各服1次，两天服完，隔天再进1料，连服3料为1疗程。

本方补肾益肝，清虚热，适用于肝肾阴虚所致慢性肾炎。

【方六】

冰糖50克，莲米10克，蜈蚣1

只，鸡蛋1个。将前二者加水300毫升，煎至150毫升，再取1只蜈蚣去头足，焙干为末，纳入鸡蛋内，搅匀，用湿纸或黄泥包封，放灶内煨熟。用冰糖莲米饮送服，每天1次，7天为1疗程，不愈者，隔3天再行下一疗程。

本方补气益阴，适用于气阴两虚所致慢性肾炎。

【方七】

炙黄芪15克，党参12克，山药50克，茯苓15克，红枣10个，熟地15克，陈皮9克。水煎服，每日1剂，分2次服。

本方益气补脾为主，辅以益肾，适用于浮肿为主的慢性肾炎。

【方八】

生熟地各12克，女贞子20克，旱莲草15克，知母9克，夏枯草15克，生龙牡各30克。水煎服，日1剂，分2次服。

本方滋补肝肾，潜阳降逆，适用于慢性肾炎。

【方九】

苦杏仁，生山栀各50克。

二者共研细末，装入纱布袋中。另用黄黏米1匙，加水煮开打成糊状，趁热兑入装有药面的纱布袋中，用筷子在纱布袋中搅拌，以后将纱布袋敷于肚脐部，每日1次。

本方适用于慢性肾炎。

【方十】

棉花根、山药、赤豆各100克。将棉花根切片晒干，用山药、赤豆一同水煎服，日服2次，每日1剂。

本方对慢性肾炎有一定疗效。

【方十一】

益母草、半边莲各30克，黄芪、熟地各15克，怀山药10克，泽泻15克，山萸肉、丹皮各6克，茯苓10克，苏叶30克。水煎服，日1剂，分2次服。

本方适用于慢性肾炎。

【方十二】

鲜山羊奶，每日0.5～0.75公斤，分数次饮服。

本方为湖北中医唐长庚方，对慢性肾炎有效。

【方十三】

芡实30克，党参、白术、茯苓各12克，怀山药15克，菟丝子、金樱子、黄精各24克，百合18克，枇杷叶9克。水煎服，日1剂，分2次服。

本方清肺健脾，为谢其彦治疗慢性肾炎方。

【方十四】

仙灵脾、鹿衔草、金樱子各15克，芡实、黄芪各30克，党参、白术、黄精、白芍各15克，蝉衣10克，石韦30克，连皮茯苓15克，桑白皮、丹参各30克。浸泡30分钟，水煎3次，混合药液约750毫升，日分3次服完。

本方为陕西著名中医贺永清验方，功能益肾祛风，健脾补气，利湿化瘀，适用于慢性肾炎。

若浮肿甚，加冬瓜皮、大腹皮、车前子以利尿消肿；腰膝酸软加怀牛膝、川续断、杜仲以补肾强腰；畏寒肢冷，加附片、桂枝温阳利水；头目眩晕，血压高加钩藤、石决明以平肝潜阳熄风；眼干涩视物模糊，加枸杞子、菊花以清肝明目；顽固蛋白尿不消，重用黄芪，加鹿角霜、煨乌梅以收敛固涩；红细胞尿，加小蓟、仙鹤草以凉血止血；湿热之邪留滞，加白花蛇舌草、蚤休以清热解毒祛湿；瘀血明显，加益母草、桃仁、红花以增强活血化瘀之功；便秘，加大黄以通腑泻热；腹胀纳呆加砂仁、木香以理气和胃；恶心呕吐，加半夏、生姜以和胃止呕；咽干口燥，手足心烧属气阴虚，改党参为太子参，加麦冬、生地以益气养阴。经系统临床观察慢性肾炎 52 例，完全缓解 19 例（36.54%），基本缓解 25 例（48.08%），好转 5 例（9.62%），无效 3 例（5.77%）。

【方十五】

党参、当归各 10 克，生地、山药各 15 克，升麻、柴胡各 3 克，陈皮、甘草各 6 克，女贞子 15 克，旱莲草、山萸肉、丹皮、茯苓、泽泻各 10 克，冬葵子 15 克，白茅根 10 克，南沙参 20 克。每日 1 剂，早晚两次空腹分服。症状缓解后，本方加姜、枣以调和药性，继服 2～3 个月，以资巩固疗效。

本方为北京著名中医杨甲三教授验方，功能健脾益肾，清热利湿，升清降浊，用来主治慢性肾炎。症见：浮肿、面色萎黄、疲倦少寐、头晕耳鸣、腰膝酸软、纳少腹胀、小便短少、舌红、苔腻、脉沉细滑。

杨氏治疗慢性肾炎擅长将辨证和辨病相结合，重在辨证，分清阴水、阳水，病处何期，对症下药，则常药到病除。张景岳说："凡水肿等症，乃肺、脾、肾三脏相干之病，盖水为至阴，故其本在肾；水化于气，故其标在肺；水惟畏土，故其制在脾……"今病久脾虚则运化无权，精微摄取不利，水液输布困难。然精气宜藏不宜泄，肾为封藏之本，受五脏六腑之精而藏之，脾主统摄升清。若肾虚不藏精，脾虚不升清则精气下泄，湿浊排泄困难，渐致浮肿、蛋白尿。精气下泄日久，必造成肾阴亏虚；阴虚日久，阴不化气，气失化源而虚；阴虚尚存，又复兼气虚，实乃脾肾两虚，气阴不足，湿浊中阻，泛溢肌肤。因此杨氏主张以健脾益肾、清热利湿，佐以升清降浊为法组方。党参、山药健脾益气；茯苓、泽泻健脾利湿；冬葵子、白茅根清热利湿，祛邪而不伤阴；升麻、柴胡升清降浊；升麻以升其阳而散其热，使邪从外解，浊自下降；柴胡引清阳之气，升中有散。为防升散耗伤气阴，用量每每控制在 3 克，则无耗气伤阴助热之弊。当归、陈皮理气活血，南沙参入肺，取其金生水，以清肺养阴助肾利水消浮肿。

【方十六】

金银花 12 克，蝉衣 6 克，鲜茅根 60 克，夏枯草 15 克，益母草 30 克。水煎，先武火，沸后文火煎 15～20 分钟，连煎两次，共取药汁 300～500 毫升，每日 1 剂，分 3 次饭前服。

本方为四川中医刘正才验方，功能解毒疏风，活血利尿，临床上常用来主治急、慢性肾炎所出现的水肿、尿少、尿血、高血压等症，舌质红，或见瘀点，苔黄，脉滑数或弦数，中医辨证属于风热毒邪所致的"风水"。

兼见皮肤疮毒或尿检白细胞多者加七叶一枝花 15 克以增强清热解毒之力；水肿轻者加冬瓜皮，重者辅以甘遂末 5 克水调敷脐，使水从大小便而去；尿血或查见红细胞管型、透明管型，重用茅根至 100 克，或加生地、小蓟等活血、凉血、止血之品；高血压重用夏枯草至 60 克，或酌加玉米须、川牛膝、车前子，以增强降压效力；若出现高血压脑病之昏迷惊厥者，本方煎水送服安宫牛黄丸 0.5～1 粒，辅以针太冲、涌泉；蛋白尿轻者加黄芪 30～60 克，重而顽固者加乌梅炭

10～15克，属于肾虚不摄纳者辅以艾灸关元、气海；出现急性肾衰，尿少尿闭，恶心呕吐，本方煎水送服玉枢丹0.6～0.9克，另加生大黄7克煎成150毫升灌肠，每日1～2次，以每日排便2次为宜。

【方十七】

嫩藕150克，草鱼中段200克，山药50克，青椒半只，鸡蛋清半只，精制油250克（实耗40克），精盐、味精、胡椒粉、淀粉、姜末各适量。先将藕洗净，削去外皮，再把藕切成粗丝后改切成黄豆大小的藕米；山药洗净，刨皮后亦切成小粒；青椒洗净切成椒米。草鱼去鱼皮和鱼骨，斜批成大片后，切成粗鱼丝，再改切成黄豆大小的鱼米。把鱼放入容器内，加入精盐、味精、胡椒粉、淀粉、鸡蛋清拌匀上浆。炒锅烧热，加入精制油，待油烧至四成熟时，下鱼米用勺划散，再下青椒同划，待鱼米变色成熟时倒入漏勺沥油。锅内加油少许，烧热后放入姜末煸香，放入藕米、山药继煸一会，烹入黄酒少许，加精盐、鲜汤煮开后，下鱼米烧开加味精，淋入水淀粉勾芡，浇少许热油助光，即可出锅。山药性味甘、平、无毒。入肺、脾经，具有健脾止泻、补肺益肾的功效。主治肺虚喘咳、脾虚肠炎，并可治消渴及夜尿、尿频、妇女带下、糖尿病、慢性肾炎、遗精等。

【方十八】

仔鸡500克，甜米酒汁30克，洋葱头、猪油各20克，生姜15克，酱油30克，香油0.5克。

先将葱、姜切成薄片备用，再把宰杀处理好的仔鸡切成方块，鸡头鸡脚亦剁成方块，全部装进砂锅里，再将葱、姜片、猪油、酱油、甜米酒一起放进砂锅微火炖约30分钟，待鸡汁渐干时，加上香油少许即成待用。

本方含蛋白质41克，脂肪32克，糖9克，热量494千卡，钙52毫克，磷352毫克，铁5.9毫克，胡萝卜素0.04毫克，维生素A 5 090国际单位（以鸡肝10克计），硫胺素0.06毫克，核黄素0.2毫克，尼克酸14.2毫克，维生素C 1毫克。

三杯仔鸡适于冠心病、高血压、营养不良、肾脏病（炎病）患者食用。

【方十九】

白菜200克，熏鸡脯肉50克，酱油10克，香油3克，精盐3克，味精少许。先把白菜洗净，切成细丝，盛入盘中待用；把熏鸡脯肉用手撕成细丝，倒在白菜上面，加入上述佐料，拌匀即食。

本方内含蛋白质14.7克，脂肪3.3克，糖8克，热量120千卡，钙85毫克，磷182毫克，铁2.3毫克，胡萝卜素0.02毫克，硫胺素0.06毫克，核黄素0.15毫克，尼克酸4.8毫克，维生素C 40毫克。

此菜同样具有高蛋白、高维生素C、低脂、低糖、低盐的特点，因此，对于高血压病、冠心病、慢性肾炎等患者可经常食用。

【方二十】

黄芪8克，鹌鹑8只，葱、姜、料酒、精盐、味精、胡椒粉、鸡清汤适量。黄芪用湿布擦净，切成薄片，鹌鹑宰杀后，去净毛，剁去爪，剖开腹部，除去内脏。冲洗干净后放入开水锅内约1分钟捞出。将黄芪分别放入鹌鹑腹内，葱切小段、姜切片。将鹌鹑、葱、姜、料酒、盐、胡椒粉、鸡汤一并放入砂锅内，放火上炖，直至鹌鹑炖烂，拣出黄芪、葱、姜，放上味精即成。

黄芪性微温、味甘，能入肺、脾经，具有补气升阳、益气固表、托疮生肌、利水退肿的功效。现代研究证明其含有氨基酸、蔗糖、葡萄糖醛酸、黏液质、苦味素、胆碱、叶酸等成分，有提高机体抵抗力及强心、降压、利尿、保肝、抑菌等作用。鹌鹑性平、味甘，具有利水消肿、益中续气之功效。两料共用则有补脾益气、利水、托疮之功效，适用于脾胃虚弱、食少倦怠、浮肿痈疽等症。慢性肾炎病人服用有消尿蛋白之功用。

第四十二节

『肾盂肾炎』

肾盂肾炎，又分急性与慢性两种，急性肾盂肾炎的病变部位主要在肾盂，这种肾脏炎症是肾盂直接被细菌感染而引起的，所以是一种化脓性炎症；若不及时治疗，即转变成慢性肾盂肾炎。

急性肾盂肾炎主症为高热、寒战、腰痛，伴尿急、尿频、尿痛、口干便结、舌红、苔黄腻、脉滑数，宜用清热利湿之验方：

【方一】

绿豆100克，车前子50克。用清水洗净绿豆，再把车前子用新纱布包好，浸泡20分钟。二药同入锅内加水煎煮，待豆烂时取出药袋，饮汤吃豆，2～3次食完，连服3～5天。

本方清热利水，适用于急性肾盂肾炎。

【方二】

白花蛇舌草、大青叶各24克，海金砂15克，瞿麦9克，萹蓄9克。水煎服，日1剂，分2次服。

本方为福建中医杜锦海治疗急性肾盂肾炎方，功能清利湿热。

【方三】

蒲公英15克，旱莲草20克，生栀子、黄芩各15克，益母草、车前草、金钱草、地锦草、萹蓄各20克，白茅根30克，甘草梢6克。水煎服，日1剂，分2次服。

本方为中医江秀华方，功能清热通淋，对急性肾盂肾炎有效。

慢性肾盂肾炎尿急、尿痛不著，但觉腰酸背痛，神疲纳差，尿频便溏，舌淡苔白，脉沉细，临床上常用的偏方、验方主要如下：

【方四】

水牛肉500克（切片），冬瓜250克（切片），葱白100克（切段），豆豉50克。加水共煮，牛肉熟后蘸盐和醋，早晚空腹服食。

本方对慢性肾盂肾炎有疗效。

【方五】

桃仁9克，大黄12克，桂枝、甘草、芒硝（后下）各6克。水煎服，日1剂，分2次服。

本方活血化瘀，清热通腑，为陕西中医刘国强治疗慢性肾盂肾炎方。

【方六】

金钱草30克，丹皮、泽兰各9克，丹参12克，赤芍、大黄各9克。水煎服，日1剂，早晚服。

本方为安徽中医李汉俊方，功能活血化瘀，适用于肾盂肾炎。

【方七】

黄芪15克，甘草9克，乳香、没药各6克，杭白芍9克，丹参12克。水煎服，日1剂，2次服。

本方为著名老中医岳美中治疗慢性肾盂肾炎方。功能内托生肌，对肾盂肾炎有较好疗效。

【方八】

白僵蚕9克，白果5粒（打碎），白茅根30克，桑白皮9克，地肤子15克，黄芪30克，当归15克，熟地12克，阿胶9克，肉桂5克。水煎服，日1剂，分2次服。

本方为卯时江治疗慢性肾盂肾炎方，功能温肾健脾，利水消肿，填精养血。

【方九】

冬瓜（净）500克，素油15克，酱油15克，水淀粉30克，盐6克，葱、姜末、蒜泥适量。冬瓜切成3.3厘米的块入锅，加水烧熟捞出沥干水，取碗放入葱、姜末、蒜泥、盐、酱油、水淀粉调成料汁。开油锅油热后降温至四成，倒入调料汁炒均匀，投入冬瓜炒片刻加明油即可。

本方可利尿消肿，还可增强尿道上皮细胞的抵抗力，适于肾盂肾炎、膀胱炎和尿道炎的治疗和预防。

第四十三节

『水　肿』

水肿是体内水液潴留，泛溢肌肤，引起眼睑、头面、四肢、腹部，甚至全身浮肿的一种病证。其发病原因是由于感受外邪，饮食不节及劳伤体虚，水液代谢失调，水湿泛滥肌肤所致。临床常用的有效的偏方、验方主要如下：

【方一】

赤小豆100克，樟柳根60克。先煎樟柳根，取汁，去渣。以樟柳根汁煮赤小豆，将豆煮至烂熟，空腹吃，渴则饮汁，连服3天。

本方利尿消肿，疏风解毒，适用于风水相搏所致的水肿。

【方二】

鲫鱼240克，赤小豆120克，商陆3克。鲫鱼去鳞、肠肚等，洗净，与赤小豆、商陆同煮，至豆熟鱼烂成浓汤，不拘时，代茶饮。

本方行气利水，适用于水湿浸渍之水肿。

【方三】

麻黄6克，连翘、杏仁各9克，赤小豆30克，大枣12枚，桑白皮10克，生姜、甘草各6克。除赤小豆、大枣外，余药用布包煎，煮取汁液，用药汁与赤小豆、大枣同煮，直至将赤小豆煮烂熟，吃豆枣，喝汤汁，每日早晚各1次，连服3天。

本方疏风，清热，利湿，解毒，适用于湿热蕴结所致之水肿。

【方四】

芡实100～120克，老鸭1只。

将鸭子去毛和肠脏，芡实放入鸭腹中，置瓦锅内，加适量清水，煮沸后，用文火煮2小时左右，加适量盐调味服食。

本方健脾利水，适用于脾阳虚之水肿。

【方五】

新鲜羊肾、白术片各45克。将羊肾洗净去脂膜，切成细丁同白术片共入砂锅内，加适量水，煮粥，1次温热空腹食之。

本方补肾健脾，燥湿利水，适用于肾虚水肿。

【方六】

天麻、细辛、甘草各4克，牡蛎、生姜、知母各3克，麻黄6克，大枣2枚。水煎服，1日1剂，分2次服。

本方为清代名医陈修园方，功能温阳利水，宣肺散寒，适用于阳气衰微，又外感风寒所致水肿。

【方七】

麻黄33克，石膏66克，甘草5克，车前子33克，白茅根66克，生大黄16克。水煎服，每日1剂，分2次服。

本方为近代名中医李健颐方，功能清热宣肺，通腑利尿，适用于阳水。所谓阳水，是指外邪犯肺，致肺气不宣，不能通调水道，以致水溢肌肤而为恶风水肿的“风水”。

【方八】

枳壳7克，厚朴、大腹皮各5克，白芥子4克，陈皮7克，茯苓连皮10克，莱菔子4克，泽泻10克。水煎服，每日1剂，早晚服。

本方理气宽中，消食导滞，适用于通身肿胀。

【方九】

金石斛、北沙参、天花粉、生白芍、甜冬术各14克，怀山药24克，黄芪皮10克，生薏仁17克，赤豆30克。水煎服，每日1剂，分2次服。

本方为著名老中医秦伯未临床治疗水肿之验方，功能养胃生津，补气淡渗，适用于脾气虚、胃气亏损之浮肿。

【方十】

橘皮10克，滑石13克，赤茯苓5克，木香、槟榔、猪苓、泽泻、白术各4克，肉桂2克，生姜5片。水煎服，1日1剂，早晚服。

本方为《奇效良方》之方，功能清利湿热，健脾理气，适用于水肿。

【方十一】

玉米50克，白扁豆25克，大枣

50 枚。将其 3 味洗净，按常法煮作粥，每日 1 次。

本方利水消肿，适用于营养不良性之水肿。

【方十二】

扁豆 50～100 克，大米 100～150 克。加水煮饭，用油、盐调味服食。

本方益气，健脾，消肿，适用于脾虚水肿。

【方十三】

狗肉 500 克，小麦仁（小麦去皮）100 克。将狗肉切成小块，同小麦仁共煮粥，空腹适量服食。

本方补虚，消肿，适用于营养不良所致体虚浮肿。

【方十四】

绿豆、大米各 50 克，鲜猪肝 100 克。将绿豆与大米淘洗净，加水适量煮作粥，粥熟，加入洗净、切碎的猪肝再煮，待肝熟时即成。宜经常食用，不宜加盐。

本方利尿消肿，用治浮肿、小便不利症。

【方十五】

蚕豆、牛肉各 150 克。将牛肉切片，加水同煮，食盐少量调味，佐餐。

本方健脾，补气，消水，民间用以治疗营养性水肿，疗效甚佳。

【方十六】

蚕豆 50 克，桂圆肉 15 克，大枣 50 克。用清水 3 碗煎至 2 碗，分早晚 2 次服。

本方健脾补肾，补心气，养阴血，适用于脾虚足肿等症。

【方十七】

大蒜 60～90 克，生鱼 200～250 克。先把大蒜去皮，生鱼去肠脏洗净，加清水适量，隔水炖服（不要加盐），每日或隔日 1 次，连服数次。

本方健脾，利水消肿，适用于治疗营养性水肿。

【方十八】

冬瓜 150 克，葱白 15 克。将冬瓜去粗皮，洗净，切片加水适量，煮成冬瓜汤。煮沸后下葱白浸于汤内，吃瓜饮汤，1 日数次，可当菜吃。

本方健脾利湿，适用于各种水肿，尤其以温热水肿为宜。

【方十九】

郁李仁 50 克，薏苡仁 60 克。先煎郁李仁，取汁，去渣，以郁李仁对煮薏仁成稀粥，早晚当饭各吃 1 碗。

本方利尿消肿，用以治疗水肿较重、全身浮肿者。

【方二十】

鳝鱼 500 克，红糖 100 克，醋适量，菜油适量。将鳝鱼去骨及内脏、头、尾，洗净，切成肉丝，放入锅内煸炒，备用。将铁锅烧热，放入菜油烧开，将鳝鱼丝倒入翻炒，把醋、红糖加入炒和，加水煮熟，再加豆粉汁适量，翻炒即成。

本方补气血，利水肿，适用于营养不良性水肿。

【方二十一】

麻黄 12 克，生石膏 50 克，生姜 12 克，红枣 6 个，炙甘草 8 克，苍术 16 克。水煎服，每日 1 剂，分 2 次服。

本方宣肺利水，适用于一般以眼睑、头面先肿，进而上肢、颈部、胸部，渐及全身浮肿者。

【方二十二】

茯苓皮 50 克，泽泻 12 克，猪苓 16 克，白术、苍术各 12 克，大腹皮 20 克。水煎服，每日 1 剂，分 2 次服。

本方健脾利水，适用于全身水肿

以四肢较重，且肿部光泽，手按肿处凹陷易起者。

【方二十三】

防已20克，黄芪32克，白术、茯苓各20克，薏苡仁50克，大腹皮20克。水煎服，每日1剂，早晚服。

本方益气利水，适用于全身高度水肿，且常有腹水者。

【方二十四】

附子12克，白术21克，茯苓32克，芍药12克，肉桂4克，大腹皮16克。

本方温肾利水，适用于全身漫肿，腰以下肿甚患者。

【方二十五】

大鲤鱼1条，黄酒500克。

鲤鱼去鳞及内脏，冲洗干净，放入锅中，加黄酒及少量清水，煮至汤汁将尽即成。

本方有利水消肿功效，适用于水肿、身面皆肿患者。

本方出自《补缺肘后方》，原方用于"卒肿药，身通皆洪大"，为治疗水肿常用方。三焦气化功能失常，水湿泛溢肌表，则见水肿，法宜利水消肿。方中以鲤鱼为主，利水消肿；以黄酒为辅佐，行药势，助气化，兼以调味。两者合用，共成利水消肿之方。本方可用于营养不良性水肿。

本方不宜用醋、盐、豆豉等调料。

【方二十六】

青头鸭1只，草果5个，赤小豆100克，黄酒、食盐、湿淀粉各适量。青头鸭去皮及内脏，冲洗干净，鸭肉切成细丁备用。赤小豆清水浸泡后捞出备用。鸭肉丁、赤小豆放入锅中，加清水、草果、黄酒、食盐，旺火烧沸后转用小火炖至熟烂，用湿淀粉调稀勾芡，汤汁稠浓即成。

本方有利水消肿功效。适用于水肿、小便不利患者。

本方出自《饮膳正要》，原方用于"治十种水病不瘥"，为治疗水肿病常用方。三焦气化失常，水湿停聚，泛溢肌肤，则见水肿，法宜利水消肿。方中以青头鸭为主，滋阴利水；以赤小豆、草果为辅佐，赤小豆利水消肿，草果温燥除湿，兼以反佐，以制鸭肉、赤小豆之寒凉，并可调味。诸料合用，共成利水消肿之方。本品与鲤鱼羹同属利水消肿方，但本品并可滋阴，有利水而不伤阴的特点，对于阴虚水肿尤为适宜。

此外，《肘后方》不用赤小豆、草果，单以青头雄鸭煮汤食，用于"卒大腹水病"。

本方宜空腹进食。

【方二十七】

薏苡仁、粳米各50克。将二者分别用清水浸泡先发，淘洗干净，放入锅内，加清水，先用旺火烧沸后，再用小火煮至熟烂稠厚即成。

本方有祛风除湿、利水消肿功效。适用于风湿痹痛，筋脉拘挛，屈伸不利，水肿。

本品出自《本草纲目》。原方用于治疗"久风湿痹，补正气，利肠胃，消水肿，除胸中邪气，治筋脉拘挛"。为治疗风湿痹痛的常用方。风湿外侵，痹阻经络，气血运行不畅，则见痹痛；三焦气化功能失常，水湿停留，泛滥肌肤，则见水肿，法宜祛风除湿，利水消肿。方中以薏苡仁为主，祛风除湿，利水消肿；以粳米为辅佐，补益扶正，以助祛邪。合用而为祛风除湿、利水消肿之方。本方用于痹痛，以祛风除湿为主，兼扶正气，尤宜于体虚风湿痹痛者。本方用于水肿，其利水消肿之力较弱，宜用于轻度水肿。

除《本草纲目》外，《调疾饮食辨》谓本品“主除湿，利腰脚”。《本草纲目》还单以薏苡仁煮粥食，用于治疗“消渴饮水”。

本方可用于风湿性关节炎、痛风、皮肤扁平疣，以及防治癌症。

方中薏苡仁具有甘淡下行之性，故孕妇不宜食用。

【方二十八】

鲤鱼1条，冬瓜100克，葱白20克，黄酒、食盐各适量。鲤鱼去鳞及内脏，冲洗干净，斩去鱼头、鱼尾，顺脊背批下两片鱼肉，切成细丁备用。冬瓜、葱白冲洗干净，切碎备用。鱼肉放入锅中，加清水、冬瓜、葱白、黄酒及食盐，煮熟即成。

本方有利水消肿功效。适用于水肿，小便不利。

本方出自《食医心镜》、《随息居饮食谱》，原方用于“十种水气病”，“水气垂死，肠痔下血”，为治疗水肿常用方。三焦气化功能失常，水湿停聚，泛溢肌肤，则见水肿，法宜利水消肿。方中以鲤鱼、冬瓜为主，鲤鱼补脾利水，冬瓜利尿消肿，两者合用，则利水消肿之力更强；以葱白为辅佐，通阳以助利水消肿，兼可调味，合用而成利水消肿之方。本品利水消肿，兼可补脾，对于妊娠水肿也可适用。此外，本品尚有疗痔功效，故还用于痔疮下血。

本方可用于营养不良性水肿。

【方二十九】

蛏肉150克，大蒜50克，黄酒、食盐各适量。蛏肉冲洗干净，切段备用。大蒜去皮，切块备用。锅中加清水，烧沸，放入蛏肉、大蒜，再加食盐、黄酒，略煮即成。

本方有清热利水功效，适用于湿热水肿。

本方出自《泉州本草》，原方用于“湿热水肿”，为治疗湿热水肿方。湿热壅结，三焦气化功能失常，水湿泛溢肌肤，则见水肿，法宜清热利水。方中以蛏肉为主，清热利水以消水肿；以大蒜为辅佐，解水毒以助消水肿，兼以调味。两者合用，共成清热利水之方。

本方对寒湿水肿者不宜食用。

【方三十】

鲜冬瓜瓤250克。冬瓜瓤放入锅中，加清水适量，煮汤淡饮，不拘用量。

本方有利水消肿功效。适用于水肿，小便不利。

本方出自《圣济总录》，原方用于“水肿烦渴，小便少者”，为利水消肿方。本品重用鲜冬瓜瓤一味，煮汤代茶频饮，能利水消肿，用治水肿，小便不利。本品利水消肿，瓤不及皮、肉，可用于水肿轻症。

【方三十一】

鲜鲤鱼1条，赤小豆50克。鲤鱼去鳞及内脏，再去除头、尾及骨，冲洗干净备用。赤小豆洗净，放入锅中，加清水，旺火烧开后改用小火，煮至半熟时，加鲤鱼，煮至熟烂即成，不加调料淡食。

本方有利水消肿功效。适用于水肿、脚气。

本方出自《外台秘要》，原方用于“水病身肿”，为利水消肿常用方。三焦气化失常，水湿泛溢肌肤，则见水肿，法宜利水消肿。方中鲤鱼、赤小豆皆能利水消肿，两者合用，更增强利水消肿之效，用治水肿，疗效显著。

【方三十二】

白术10克，连皮茯苓20克，猪苓、泽泻、车前子各10克，六一散12克，陈皮、厚朴、大腹皮、苏叶、杏仁各10克。水煎，1日1剂，6小时服1次。

本方为江苏著名中医黄少华的验方，功能健脾利湿，疏肺导水。临床上用来主治颜面或全身水肿，腹水，阴囊水肿，发热恶寒，咳嗽喘气，尿少便清，食欲不振，恶心呕吐，心悸，或伴扁桃体肿大，疮疡，脉沉或滑数，舌苔薄白或白滑，或质红苔薄黄。

脾虚气弱者，加人参或太子参、苡米、炙甘草，去六一散；并发高血压者，加防已；心力衰竭者，可倍用茯苓，加朱砂拌柏子仁；喘气者，加苏子、葶苈子、炒莱菔子；腹水者，加葫芦瓢；扁桃体肿大者，加板蓝根；疮疡者，合五味消毒饮、土茯苓等。

【方三十三】

山药粉12克，薏苡仁15克，荸荠粉3克，大枣15克，糯米、白糖各75克。洗净薏苡仁，煮至开裂时，放入糯米、大枣共煮至烂，洒入山药粉，边洒边搅，煮20分钟后，洒入荸荠粉，搅匀后停火，加入白糖，分3次服。

本方健脾益气，利湿止泻，生津止渴，适用于脾胃虚弱，病后体虚，营养不良，贫血，水肿等症。

【方三十四】

白茯苓15克，粳米60克。将白茯苓磨成细粉，每次取茯苓粉15克左右，同粳米煮粥。

本方健脾益胃，利水消肿，适用于脾虚泄泻，小便不利，水肿，肥胖症，老年性浮肿。

【方三十五】

蚕豆250克，粳米、红糖各适量。蚕豆、粳米研末，加红糖清水拌匀。放入笼屉上框架之内。隔水蒸熟供食。

本方有健脾利湿功效，适用于膈食、水肿。

本方出自《指南方》，方名为后补，原方用于“膈食”，为健脾利湿方。脾胃运化功能失调，胃气失于和降，水湿停滞，则见膈食和水肿，法宜健脾利湿。方中以蚕豆为主，健脾和胃，利湿消肿；以粳米、红糖为辅佐，粳米健脾和胃，红糖和中缓肝，合用而成健脾利湿之方。

本方对痞积胀闷者不宜食用。

【方三十六】

水发石耳50克，豆腐750克，笋片、蘑菇各20克，火腿肉片10克。精盐、味精、白糖、胡椒粉、鸡汤各适量。豆腐切成5厘米的长条块。石耳洗净，擦净毛，同笋片、蘑菇片、豆腐一同下锅焯一下，捞出入汤碗中。锅中放入鸡汤，加入味精、盐、胡椒粉、白糖，烧开后倒入碗内即成。

石耳又称为“石壁花”，性味甘、平，具有清热解毒、止血、利尿的作用。李时珍称之其作用“胜于木耳”。此汤的石耳配清热、和中、解毒的豆腐，其功效加强，常可治疗水肿症。

【方三十七】

海蜇150克，鸡蛋清6个，熟火腿片100克，紫菜30克，精盐、味精、鸡清汤若干。将海蜇撕去外衣膜洗净后，放入沸水锅中焯约2分钟，取出在清水中漂洗，再放80℃的热水中浸泡20分钟，至海蜇涨大散开时取出，撕成长约5厘米的块，洗净，挤去水，放入汤碗中。把紫菜去杂洗净，放入沸水锅中焯一下，捞出挤干。将鸡蛋清放入碗中调匀，加入鸡清汤、盐，调匀后上笼蒸成芙蓉蛋。锅中加入鸡清汤烧沸后，将汤舀入海蜇碗中浸烫一下，把汤滤入锅中，加盐、味精烧沸，起锅倒入海蜇碗中，用铁勺将芙蓉蛋一片片舀入汤碗中，放入火腿片、紫菜即成。

本汤以海蜇为主料，配用紫菜、鸡蛋清、火腿片为辅料，海蜇具清热化痰、消积化食之功效；紫菜有清肺热、散瘿瘤、软坚化痰之功效，是一种营养丰富的海味，含碘量最为丰富，每公斤干紫菜含碘达18毫克。另外还含有蛋白质、脂肪、胡萝卜素、核黄素等人体必需物质。此汤菜数料合用，具有化痰、消积、利咽、除瘿瘤等功效，尤适于甲状腺肿大病人食用。对于水肿、脚气、颈部淋巴结核及咳嗽吐臭痰、高血压病人亦适用。

因紫菜性味甘寒滑，故胃寒者食用此汤菜宜慎重。

【方三十八】

白糖、醋各50克，香油、酱油、盐、料酒、葱姜末少许。先将浸软泡发的海带洗净，后卷成卷。在锅内放上素油加热，下葱姜末煸炒，当发出香味时就可以把调料和适量清水一并加入。最后把海带下锅煮20分钟，即改文火闷烧，直到汤汁浓稠时加香油，就可以出锅，装盘。

本方开胃增进饮食，具有利尿、祛水肿之作用。

第四十四节

『腰　痛』

腰痛是指腰部一侧或两侧发生疼痛的病症。凡房事过度，遗精滑泄，妇科疾病，以及老年肾衰都可出现腰痛。此外，久卧湿地，或水中作业，或脾肾阳虚，寒湿入侵腰部经络；或下焦湿热，或痰浊下注，郁滞腰部经络，也可出现腰痛；还有跌闪扭伤腰部之腰痛，亦屡见不鲜。常用的临床上有效的验方、偏方主要如下：

【方一】

猪肾1对，川牛膝5克，补骨脂3克，香附2克，杜仲5克，青盐少许。将公猪腰子用竹刀剖开，去筋膜油脂，将各药在锅内略炒，烘干，研成极细末，填入猪腰内，外用湿纸包好，并可在湿纸外再包一层黄泥，放在灰火中煨熟。腰子煨熟后，去药末，只吃猪腰，间隔1～2日服1次，连服7次为1个疗程。

本方补肾气，止腰痛，强筋骨，适用于肾气虚的腰痛，足痿弱无力。

【方二】

生山药100克，糯米600克，白糖300克，芝麻面、熟鸡油各50克，炒核桃肉30克。将生山药洗净，入笼蒸熟，剥去外皮，芝麻炒酥磨成粉状，炒核桃肉压成末，净熟鸡油、核桃肉、芝麻面、白糖和山药泥揉匀成馅料，糯米淘洗干净，与水混合磨成米浆，放入布袋沥干水分，作为汤圆外皮料，包入馅料做成汤圆，入开水中煮熟即可食之。

本方补肾滋阴，用于肾虚精滑所致腰痛无力。

【方三】

滑石 20 克，瞿麦 10 克，粳米 50 克。先将滑石用干净布包扎，然后与瞿麦同入砂锅煎煮，取滤液澄清约 1 000毫升。用药滤液与粳米煮粥，供中晚餐服食；夏天可做成稀粥当饮料。

本方清热除湿，适用于湿热所致腰痛。

【方四】

豆豉 60 克，薤白 1 把，附子 15 克，川椒（去目及闭口者）50 粒。先将薤白洗净去滑性，切碎；附子炮裂去皮，杵为末；豆豉、椒和炒至薤熟，放入 2 000 毫升酒中，更煎四五沸，去渣贮器内。每服 1 酒杯，和粥食之。

本方温阳，散寒，主治腰腿疼痛。

【方五】

鲜南蛇藤、鲜虎刺、鲜马兰各 30 克，鲜七层楼、鲜牛膝各 15 克，鸡蛋 3 枚。

水煎前 5 药半小时，去渣取药液，待温，放入鸡蛋，文火煮熟。每日 1 次服尽，连服数日。

本方活血通络，主治腰痛。

【方六】

独活 10 克，桑寄生 15 克，秦艽 12 克，防风 10 克，细辛 6 克，当归 12 克，芍药 15 克，川芎 12 克，地黄 9 克，杜仲 15 克，牛膝 12 克，人参 6 克，茯苓、桂枝各 12 克，甘草 6 克。水煎服，每日 1 剂，分 3 次服。

本方祛寒行湿，温经通络，适用于寒湿腰痛。

【方七】

羌活 12 克，人参 6 克，苦参 12 克，升麻 9 克，葛根 12 克，苍术 15 克，炙甘草 6 克，黄芩 12 克，茵陈 15 克，防风、当归各 9 克，知母 10 克，泽泻 15 克，猪苓、白术各 12 克。水煎服，每天 1 剂，早晚服。

本方清热利湿，舒筋止痛，适用于湿热腰痛。

【方八】

熟地 12 克，山药、山茱萸各 10 克，枸杞子、菟丝子、怀牛膝各 9 克，鹿角胶、龟板胶各 6 克。水煎服，1 剂分 2 次服。

本方大补肾气，尤适用于固肾气虚腰痛。

【方九】

当归 12 克，川芎、桃仁各 10 克，红花 12 克，没药 10 克，五灵脂 9 克，香附 10 克，牛膝 12 克。水煎服，1 日 1 剂，2 次服。

本方活血化瘀，理气止痛，适用于瘀血腰痛。

【方十】

黄芪 15～30 克，当归 12 克，川芎 8 克，芍药 10 克，熟地 15 克，升麻 5～8 克，台乌药 8～12 克，地龙 10 克。水煎两遍混合，分 2 次 1 日服完。

本方为江西著名中医周炳方验方，功能益气壮腰，活血通络，理气定痛，临床可主治各种腰痛，不论外感内伤，凡非新感时邪，而又偏于气滞血凝、筋骨劳损者均适应。

腰痛多以肾虚为本，风寒湿热为

标辨治，但关键在于气滞血凝，尤其年久不愈者，非着重气血不可，因而本方重用黄芪补虚损，充腠理为主，合四物汤补血活血，灌注经脉而充肾气；台乌药温肾除冷，善行诸气以止痛；升麻助黄芪之升走直达病所，地龙咸寒通络利腰，导湿热下行，制升麻之升浮，以引诸药恰入腰际，共奏调理气血、壮腰止痛之功。每守此方服用多剂可收全效。

兼寒湿塞滞、腰冷苔腻乏味加威灵仙、细辛；瘀阻腰痛如锥刺加桃仁；肾阳衰微，腰际酸软疼痛加山萸肉、补骨脂，或杜仲、续断、菟丝子之类。

【方十一】

淡菜500克，青菜心200克，料酒、精盐、葱段、姜片、胡椒粉、猪油各适量。淡菜用热水浸泡，去杂洗净，放碗中，滤净浸泡水，倒入碗中，上笼蒸1小时取出。烧热锅加入猪油。先将淡菜连汤下锅，加入清水、盐、料酒、葱、姜、胡椒粉，煮开后加入青菜心稍煮，拣出葱、姜即成。

淡菜为海味珍品之一。性味咸温，《本草汇言》中称其为“补虚养肾之药”、“善治肾虚有热及热郁吐血、痢血、便血及血郁成瘿，留结筋脉诸疾”。《日华子本草》谓之：“煮熟食之，能补五脏，益阳事，理腰，治脚气，消宿食，除腹中冷气、痃癖。”对肝肾不足、眩晕盗汗、肾阳虚弱、腰痛、阳痿、遗精早泄、女子月经不调、月经过多、崩漏、白带过多、小腹冷痛、小便余沥不净、高血压病、动脉血管硬化症均有一定疗效。

【方十二】

通心莲100克，新母鸡1只（重1 250克左右），补骨脂15克，植物油500克（耗油15克），白糖20克，酱油25克，精盐、味精、黄酒各适量，生姜1块，葱结1只。先将补骨脂用2杯清水浸泡半小时，然后置火上用大火烧开，小火煎煮至半杯药汁时滤汁待用。把母鸡从脊背处剖开，拿掉内脏及血块和喉管等，冲洗后沥去水分，用刀根将鸡肋骨斩断，把酱油抹在鸡皮上，腌渍15分钟，放入烧热的植物油中（七成熟）翻炸1分钟，取出沥油。炒锅内留底油，下葱结、生姜块（拍碎）略煸，放入鲜汤（也可用清水）、莲子和炸过的鸡（鸡的皮面朝上，汤汁与鸡齐平），倒入补骨脂药汁，用旺火烧开后加入酱油、黄酒、白糖、精盐转中小火加盖焖烧15分钟，然后开盖将鸡翻身，用旺火收浓汤汁，加味精调味，烧到卤汁稠厚即可出锅装盆，装盆时鸡皮面朝上，莲子围放在四周即成。

补骨脂性辛、温，具有温补肾阳的效果，主治肾虚冷泻，小便频数，阳痿，遗尿，腰膝冷痛。

第四十五节

『疟　　疾』

疟疾是疟原虫所引起的传染病。临床上以间歇性寒战、高热、出汗和脾肿大、贫血等为特征。常用的一些对本病有效的偏方、验方主要如下：

【方一】

苍耳子20克，鸡蛋3枚。将苍耳子捣碎，水煎取浓汁，鸡蛋打入沸汁中，煮成溏心蛋，食蛋喝汤。

本方祛邪解表，扶正，对疟疾有效。

【方二】

常山、槟榔、半夏、乌梅各9克。水煎服，日1剂，连服3日。

本方出自《中医内科学》，对疟疾有效。

【方三】

制香附30克，制草乌15克。水煎服，日1剂，1次服。

血分有热及孕妇忌用。

本方截疟杀虫，豁痰理气，适用于寒冷疟疾。

【方四】

甘草、甘遂各100克。研细末混和，收贮瓶中备用，治时取药末0.5～1克，用消毒棉花包裹，使呈球状，放置脐窝中，外覆以4平方厘米的胶布，四周固定粘紧，勿使泄气，每次贴药1～2天，在发病前3小时贴药。

本方祛痰破积，主治间日疟、恶性疟，为云南医生舒寿群方。

【方五】

青蒿30克。水煎，于发作前2小时服，连服3日。

本方出自《中医内科学》，适用于疟疾。

【方六】

辣椒、大茴香等份。研末，可于发作前2小时用膏药贴大椎穴。

本方出自《祖传秘方大全》，适用于疟疾。

【方七】

绿豆30克，信石（明者）9克。研细末，以葱饼为丸，如绿豆大，每服3丸，发日早五更，以新泉水吞服。

本方出自《祖传秘方大全》，适用于疟疾。但忌湿面、生冷荤腥。

【方八】

半边莲30克，鸡蛋2枚。同煮至蛋熟，去壳，在疟疾发作前2小时服。

本方清热解毒，化湿截疟，对疟疾有效。

【方九】

马兰30克，白糖20克。放入杯中以沸水冲泡，发作前半小时服用。

本方清热解毒，用治疟疾，此为《偏方大全》方。

【方十】

羊骨250克。将羊骨洗净，砸碎，加水煮汤，在疟疾发作前3小时服饮。

本方补肾，强筋骨，用治疟症。

【方十一】

花生仁。炒熟，每日吃50～100克。

本方治三阴疟。

【方十二】

赤小豆100克，红鲤鱼1条，枣10个，陈皮5克，生姜50克。将小豆洗净，鱼去内杂，加盐，与陈皮、生姜共煮烂熟，顿服。

本方除湿散寒，清热解毒，适用于间日疟、三日疟或久治不愈的疟疾。

第四十六节

『虚　劳』

虚劳，即“虚损劳伤”。凡久病体虚积劳内伤、病久失养、脏腑虚损、气血虚弱等表现为各种亏损证候者，都属于虚劳。究其原因，不外乎三条：一是烦劳过度，肾精虚失，形气日渐衰微，导致虚劳；二是饮食不节，劳倦伤脾；三是病后失调，正气耗伤，常用的临床偏方、验方主要如下：

【方一】

糯米250克，枇杷叶适量。每次用糯米250克，以清水浸泡一宿；将枇把叶去毛洗净后包粽，蒸熟服食。每天1次，连服3~4天。

本方益气补肺，适用于肺气虚所致虚劳。

【方二】

薏苡仁粉2.5公斤。以枣肉乳汁拌和，作团如蒸饼大，依法蒸熟。

本方益脾气补虚，主治脾气虚所致虚劳。

【方三】

人参10克，红枣10个，麦冬10克，糯米100～150克，红糖适量，茯神10克。将参、枣、麦冬、茯神共煎取汁，与糯米同煮粥，调入红糖即成。

本方养血补心，适用于心血虚所致虚劳。

【方四】

党参50克，当归10克，猪心1具，味精、食盐各适量。将猪心去油脂，洗净，把党参、当归和猪心放入砂锅内，加水适量，用文火炖至猪心软烂即成。食用时可加少许味精、食盐调味。

本方养血补心，可用于心血虚所致虚劳。

【方五】

乌雄鸡1只，陈皮、高良姜各3克，胡椒6克，草果2个。将乌雄鸡宰后，去毛、内脏，洗净，切成块。将陈皮、良姜、草果洗净后，与鸡肉入锅炖煮，至鸡肉软熟，加适量葱、生姜、料酒、食盐调味。酌量佐餐食用。

本方养血补肝，适用于肝血虚所致的虚劳。

【方六】

狼肉1 000克，草果3个，胡椒15克，荜茇、缩砂仁、生姜片各6克。将狼肉洗净切块，草果、胡椒、荜茇、缩砂仁、生姜片用纱布袋装好，扎紧袋口，同狼肉块一同入砂锅内，加适量水，先以武火煮沸，再改用文火炖，待熟时，放入葱末、酱、盐、黄酒少许调味，再煮2～3沸即成。分4次食肉饮汤。

本方补五脏，健脾胃，填精髓，适用于脾阳虚所致虚劳。

【方七】

白羊肉200克，肉苁蓉50克，粳米150克，鹿角胶1.5克，葱白7克，鸡子2枚。以5味药汁煮粥，临熟下鸡子，空腹食之。

本方出自《圣济总录》，功能温阳补肾，适用于阳衰之虚劳症。

【方八】

桂枝10克，炙甘草5克。煎服，1日分二三次用。

本方温通心阳，适用于心阳虚所致虚劳。

【方九】

杏仁250克，蜜120克。使用童便煮杏仁7次，用蜜拌匀，再用童便适量，于碗内重蒸，取出日晒夜露数日。任意嚼食。

本方养阴补肺，适用于肺阴虚所致虚劳。

【方十】

薏心连根120克，猪心肺各适量。2味合炖，心肺熟去药渣。每次适量，连服数日。

本方清热，补益心肺，适用心阴虚所致虚劳。

【方十一】

雌乌鸡1只，生地黄、饴糖各250克。将鸡宰杀后，煺毛与内脏，洗净，把生地切成细条，与饴糖拌合均匀，纳入鸡腹内，急缚，放入盆中，将盆置饭甑或蒸笼中蒸熟，取出即可。食肉饮汁，勿啖盐。

本方补血补阴，适用于脾阴虚所致虚劳。

【方十二】

夜明砂6克，鲜猪肝90克。将夜明砂加清水淘洗，除去泥沙，再把猪肝用竹刀片切碎，与夜明砂拌匀，放入碗内，上笼蒸熟即成。不放调料，趁热食用，每天或隔天1次。

本方补肝阴，清肝火，适用于肝阴虚所致虚劳。

【方十三】

鳖1只，猪脊髓200克，生姜、葱、胡椒粉、味精各适量。将鳖用开水烫死，揭去鳖甲，去内脏和头爪，将猪脊髓洗净，放入碗内，再把鳖肉放入铝锅内，加生姜、葱、胡椒粉用武火烧沸，再用文火将鳖肉煮熟，再放入猪脊髓，煮熟加味精即成。酌量佐餐，食肉喝汤。

本方补肾阴，适用于肾阴虚所致虚劳。

【方十四】

发好鹿筋400克，鲜鸡肉500克，水发冬菇、豌豆苗各50克，精盐、味精、胡椒粉、葱姜、料酒、高汤、麻油适量。发鹿筋切为4厘米长的段，鸡肉切条，洗净。葱切段，姜切片，

椒粉、葱、姜、肉汤。将黄羊肉洗净，入沸水锅中焯一下，捞出斩块。锅中放入肉块、料酒、盐、胡椒粉、葱、姜，注入肉汤。武火烧沸，撇去浮沫，文火炖至肉熟烂，盛出即成。

黄羊，《尔雅》称其为羳羊，《纲目》谓之茧耳羊，其性温，味甘，能入脾胃经，具有补中益气，补虚劳之功。常用于过劳而致的虚弱病人。健康人食之，能健体强身，故此汤菜老幼皆宜。

【方三十】

上好火腿 250 克，醋适量。取整块火腿放入盘中，再将盘子放入饭锅内干蒸焖透，如此反复 7 次，肉极烂而味全力厚。食时切片，佐调味品进食。

本品有补脾开胃，滋肾填精功效。适用于虚劳证，胃口不开，虚痢久泻，腰酸肢软，漏疮不愈。

本品出自《随息居饮食谱》，方名为后补，原方用于“补脾开胃，滋肾生津，益气血，充精髓，治虚劳怔忡，止虚痢泄泻，健腰脚，愈漏疮”，为滋补脾肾方。脾胃虚弱，运化无力，生化不足，精血亏虚，则见虚劳怔忡和泻痢。法宜补脾开胃，滋肾填精。本品重用火腿一味血肉有情之品，能补脾开胃，滋肾填精。本品以饭蒸，不仅利于保持本味，且取米饭之余气，以助补力。

此外，《本草纲目拾遗》以本品加川椒煮汤食。用于“下气疗膈，腹痛，或三四日不止”。

本方制作时应蒸至极烂。若老年齿落或脾虚少运者选用，可煮汤但饮其汁。又本方滋补之力较强，对外感未清、湿热内盛及积滞胀闷者不宜食用。

第四十七节

『风寒湿痹』

痹证是以肢体、筋骨、肌肉、关节等处疼痛、酸楚、重着、麻木和关节红肿或屈伸不利为主症的一类疾病。痹即闭阻不通之意，它表明人体肌表经络遭受外邪侵袭后，病邪阻闭气血的正常运行而成疾。临床常用的偏方、验方主要如下：

【方一】

羊肉 700 克，酒制豨莶草 50 克，白萝卜 100 克，花椒 12 粒，葱结 25 克，生姜块 15 克，味精 1 克，精盐 8 克，胡椒面 1 克，绍酒 20 克。将酒蒸制的豨莶草洗净，入砂锅加水煎取汁，去渣，羊肉、萝卜洗净，萝卜切成块，羊肉入沸水中煮几分钟，漂入清水中，捞起切成小条块，姜、葱洗净。砂锅置旺火上，加清水，用几块羊肉骨垫底，加羊肉煮沸后，拣去血泡，再放姜、葱、花椒、绍酒，改用中火烧煮30分钟，移至小火上，加入中药汁、白萝卜煨至熟软，拣去姜、葱、花椒，放精盐、胡椒调好味即成。

本方散寒止痛，祛风除湿，适用于寒痹证，临床主要症状为肢体关节疼痛较剧，活动尤甚，痛有定处，遇寒痛增。

【方二】

石膏30克，桂枝10克，粳米100克，砂糖适量。先煎石膏、桂枝，取汁与粳米煮为粥。粥熟调入砂糖，稍煮即可，日分2次服。

本方清热，祛风，利湿，适用于热痹证，临床主要症状为关节疼痛，局部灼热红肿，痛不可触，伸屈艰难，遇凉痛减，常涉及一个或多个关节。

【方三】

狗骨、白酒各适量。将狗骨浸于酒内，15日后可服。

本方益血脉，暖腰膝，适用于风湿痹证之腰腿疼。

【方四】

桂枝、芍药、生姜、大枣、黄芪、桑寄生、桑枝各若干。水煎服，日1剂，分2次服。

本方为安徽老中医蒋立基经验方，功能益气固表，养血通络，适用于痹证。

【方五】

忍冬藤、薏苡根各30克，桑寄生15克，黄柏12克，苍术、白术、赤芍、白芍各10克，甘草5克。水煎服，日1剂，分2次服。

本方为老中医邱一峰临床验方，功能清热利湿，健脾柔肝，适用于热痹证。

【方六】

木瓜15克，粳米100克，姜汁、蜂蜜各少许。木瓜研末与粳米煮作粥，临熟调入姜汁、蜂蜜，可任意服食。

本方用治霍乱转筋，湿痹脚气等证。

【方七】

两面针（入地金牛）9克，鸡蛋1个。将两面针与鸡蛋同煮，蛋熟去皮，再煮片刻，饮汤食鸡蛋。

本方适用于风湿骨痛。

【方八】

五加皮、当归、牛膝各等份，红曲、高粱面各适量。将五加皮洗刷去骨，与当归、牛膝煎取汁，再加油、高粱酿酒，每次酌量饮1小盅，日2次。

本方适用于风痹证，临床主要症状为肢体关节疼痛，游走不定，关节屈伸不便，苔白滑，脉浮。

【方九】

黄豆60克。加水煎汤，饮服。

本方除湿祛风，适用于痹证。

【方十】

龟板、杜仲各适量。将两味浸入白酒内，40天后可服用。

本方祛湿宣痹，适用于风湿性关节炎。

【方十一】

牛肉250克，乌豆60克，制附片、葱白各10克，生姜片6克，黄酒、精盐各适量。将牛肉洗净，切成小块，乌豆洗净，葱洗净，切段，再把牛肉块、乌豆、附片、葱白、鲜姜片、黄酒、精盐共入砂锅内，加清水适量，置文火上煮炖，以牛肉烂熟为度。食肉豆，喝汤，两次服完，常食之。

本方散寒止痛，适用于风寒湿痹。

【方十二】

生川乌头5克，生姜10克，粳米

100克，蜂蜜适量。将川乌头久煎3小时，生姜榨取汁，用川乌煎液加适量水煮粥，沸后调入生姜汁，临熟再调入蜂蜜，日分2次服。

本方散寒止痛，祛风除湿，适用于风寒湿痹。

第四十八节

『汗　　证』

汗证，是指在安静的状态下，如静坐静卧、睡眠等时，全身或身体某些部位出汗过多，或大汗淋漓不止为主的一种证候，常用的临床偏方、验方主要如下：

【方一】

浮小麦30克（装干净小布袋内），羊肚50克（洗净切块）。

将二者加水适量，慢火煮至烂熟，捞去布袋，调味，食肚饮汤，1日内分数次吃完，连用5～10天。

本方健脾益气，固表止汗，适用于表虚不固所致出汗。

【方二】

黑豆30克，桂圆肉10克，红枣30克。

均洗净后放在砂锅内，加水适量，用文火煨1小时左右，1天内分2次吃完。连吃15天为1疗程。

本方调和营卫，适用于营卫失调所致的汗出。

【方三】

冬虫夏草10～15克，鲜胎盘半个到一个，隔水炖熟服用。一般吃1次可显效。

本方补气养阴，适用于气阴不足所致之盗汗。

【方四】

桂枝6克，芍药5克，生姜3克，炙甘草2克，大枣3枚。水煎服，1日1剂，分2次服。

本方适用于营卫失和所致的自汗出。

【方五】

黄芪15克，白术、防风各9克。

本方益气固表，适用于脾肺气虚所致的汗出。

【方六】

人参6克，白术9克，大枣6枚，半夏9克，牡蛎12克，五味子10克，麻黄根5克。水煎服，1日1剂，分2次服。

本方适用于心血不足所致的盗汗，特点是睡则汗出，醒则汗止。

【方七】

当归12克，生地黄10克，熟地黄15克，黄连9克，黄芩、黄柏各6克，黄芪15克。水煎服，1日1剂，分2次服。

本方滋阴降火，适用于阴虚火旺所致的盗汗证。

【方八】

人参9克，炮附子6克，艾骨15克，煅牡蛎12克。水煎服，1日1剂，分2次服。

本方益气固阳固脱，适用于突然大汗淋漓，或汗出如油者。

【方九】

茵陈蒿15克，桂枝10克，茯苓12克，白术10克，泽泻15克，猪苓10克。水煎服，1日1剂，分2次服。

本方清热利湿，适用于黄汗，主要特点是汗出色黄染衣。

【方十】

甲鱼1只，川贝母5克，鸡清汤1 000克。将甲鱼切块，放蒸钵中，加入贝母、盐、料酒、花椒、姜、葱，上笼蒸1小时，趁热佐餐服食。

本方养阴清热，润肺，适用于盗汗之证。

【方十一】

泥鳅90～100克。用热水洗去黏液，剖腹去肠脏，用油煎至金黄，加水一碗半，煮至半碗，用盐调味，饮汤食鱼，每天1次（幼儿可分次饮汤，不吃鱼）。连服3天。

本方益气补中，适用于盗汗且伴形瘦神萎。

【方十二】

小麦麸50克，猪肉100克，糯米水磨粉250克，葱白、食盐各适量。小麦麸炒黄备用，猪肉剁馅。加小麦麸、葱、盐，制成馅心备用。糯米粉放入盆中，加开水合面，包馅心作汤圆煮食。

本方有补气固表功效，适用于自汗。

本方出自《本草纲目》，方名为后补，原方用于“自汗不止”，为治疗自汗常用方。气虚腠理不固，则见自汗，法宜补气固表。方中以糯米为主，补气固表以止自汗；以小麦麸、猪肉为辅佐，小麦麸收敛止汗，猪肉充养肌肤，合用而成补气固表之方。本品补虚止汗，还可用于盗汗。

本方意在固表。有实邪者不宜食用。

【方十三】

老雄鸭1只，冬虫夏草10克，葱白、生姜、胡椒面、料酒、食盐各适量。将鸭宰杀后，用热水煺毛，剁去脚爪，剖腹去内脏，清洗干净，将全鸭入开水锅中汆一下，捞出晾凉。将冬虫夏草用温水洗净，生姜切片，葱切段备用。将鸭头顺颈劈开，将虫草8克填入鸭头内，再用棉线绕紧，余下2克虫草同葱白、生姜一同放入鸭腹中，然后放入盆内，加入清汤，用料酒、食盐、胡椒面调好味，用湿棉纸封住盆口，上笼蒸约2小时。取出揭去棉纸，拣去生姜、葱白，加入味精即可食用。

本方补肺益肾，填精髓，止咳化痰，可用于肾虚腰膝酸软、阳痿遗精、虚劳咳喘、自汗盗汗、贫血。

【方十四】

嫩母鸡1只（约1 000克），田七12克，桂圆肉、枸杞子各10克，红枣10枚，生姜、料酒、盐、味精各适量。

将母鸡宰杀，热水煺去毛，剖腹去内脏，剁去头、爪，洗净。田七用温水浸软后切成薄片，枸杞子及红枣洗净，生姜洗净切片待用。将田七片、枸杞子、红枣、桂圆肉、生姜片、料酒、食盐拌好，装入鸡腹中，把鸡放在汤盆里，鸡腹向上，加水适量，加盖后置蒸笼中蒸 2～3 个小时，出笼后加味精适量即可食用。益气补虚，辅治病后、产后气血亏虚、年老体弱阳虚自汗。

【方十五】

母鸡 1 只，当归 30 克，生姜 5 克，葱 1 根，醪糟汁 50 克，盐、味精、胡椒适量。将母鸡宰杀去毛，剖腹去内脏，洗净，切成小块，放入开水中再烫洗一遍。当归用水洗去浮灰，切成片，生姜切片，葱切段待用。将鸡放入砂锅内，加水适量，先用大火烧开，除去汤面上的泡沫，然后再放入当归、葱段、姜片、胡椒、醪糟汁，再改用小火烧 3 个小时，待鸡烂骨酥时放盐，再煨数分钟，停火，放入味精，即可食用。

本方补气和血，调经止痛，润肠。可辅治气血不足之头晕、眼花、耳鸣、心悸、盗汗、乏力、妇女月经不调、痛经、老年便秘。

第四十九节

『出汗异常』

此指异乎寻常的过多的出汗，可见于各种内伤外感疾病。由于中医认为汗是人体阳气蒸化津液而成，而津液则由血来，称为“血汗出源”，因而对汗出一证，颇为重视。出汗异常，又分自汗和盗汗。

中医认为：凡不因劳动、气候炎热等因素而全身性汗出过多，异于平常的病证即称作为自汗。据宋朝陈言所撰《三因极一病证方论·自汗证治》记载：“无问昏醒，浸浸自出者，名曰自汗。”可见宋以前的医学文献所指的自汗，原无清醒与睡着的严格区别。只要是全身性汗出异常，都包括在自汗的病证范畴之内。而宋以后的医学文献，为与睡着汗出的盗汗区别，又鉴于自汗与盗汗的病机各有偏重不同，才逐渐把自汗明确定为清醒时汗出异于平常。

常见的自汗有气虚自汗、阳虚自汗、血虚自汗、痰症自汗、伤湿自汗等五型。此外，伤风、中暑、伤寒、温病、柔痉等多种病证也都可有明显的自汗兼证，只要治愈了这些病证，自汗兼证也就随之解除。

自汗的病人，清醒时即可汗出，活动后汗量明显增加。

盗汗病证的名称，最早见于《金匮要略·血痹虚劳病脉证并治》。又称作为寝汗。

盗汗病证是以入睡后汗出异常，醒后汗泄即止为特征的汗出异常病证。盗有偷盗的意思，古代医家用盗贼每在夜间鬼祟活动，来形容盗汗病证具有每当人们入睡，或刚一闭眼而将入睡之时，汗液像盗贼一样偷偷泄出的特点。

【方一】

人参（一般用党参10～15克），生黄芪10～15克，生白术12克，柴胡5克，当归10克，升麻5克，陈皮6克，甘草6克，生姜3片，大枣10枚。水煎服。

本方益气固表，调和营卫，适用于气虚自汗证。

证候特点：自汗以轻型、中型者为多，时觉汗出有恶风感，避风则虽汗出而不恶风，常在出汗后感到疲乏，或同时伴有短气现象。舌苔常正常，脉常缓，或无力。

【方二】

桂枝6～10克，白芍10～15克，甘草6～9克，龙骨30克，牡蛎30克，白薇10～12克，附子6～10克，黄芩10～15克，生姜3片，大枣10枚。水煎服。

本方益气温阳固表，适用于阳虚自汗证。

证候特点：自汗以中型、重型者为多。汗出较多，尤以上半身为甚。汗液常不黏腻，汗味偏淡。平时恶风畏冷，四肢欠温，汗后畏冷尤为明显。此外，并可伴见面色萎黄或皖白，汗后精神疲惫，稍劳即极易疲乏。纳食欠香，或纳食尚可，而稍活动，或一进食则满身出大汗。大便正常，或便溏。舌常薄白而润，唯挟内热时，可有浮黄薄苔。脉多濡、细或大而无力。

【方三】

人参（一般用党参10～15克代），黄芪10～15克，当归10克，生地10克，白芍10克，川芎6克。水煎服。

本方养血滋阴，适用于血虚自汗证。

证候特点：血虚自汗常突然发作于失血之后，如咯血、呕血、便血、月经过多或血崩漏下、产后或外科手术后。汗出量与出血量不成正比，常依不同病人的禀赋而有不同。如有的病人出血量甚少，而自汗淋漓；有的病人出血量较多，但汗出量却一般。血虚自汗又常与夜间盗汗并见。如出血量少的病人，除一时自汗较明显外，常可不伴有明显兼证。而出血量多的病人，常可兼有头晕目眩、心悸少寐、面色少华、口唇色淡等血虚见证；素有内热的病人，又可兼有口干咽燥、唇红脉细、舌边尖红、苔薄黄等症。

【方四】

桔梗6～9克，枳壳10克，橘红6克，茯苓15克，香附9克，贝母5克，桂枝5克，水煎服。

本方调中化痰，适用于痰症自汗。

证候特点：痰症自汗以阵发性为主。汗出发作时较多，缓解时较少。常见兼证有头晕、胸闷、恶心、苔腻、脉弦滑等，或可兼咳嗽、气喘，或呕吐痰涎，或小便不利。

【方五】

苍术10克，白术10克，香附10克，橘红6克，羌活10克，川芎10克，半夏10克，厚朴6克，茯苓12克，生姜10克，甘草6克。水煎服。

本方除湿通阳，适用于伤湿自汗。

证候特点：伤湿自汗的汗出每以湿滞不清、绵绵汗出为主。汗液常有黏意，汗出稍久可伴有汗臭之味。兼证常有自汗恶风，声音重浊，体重倦怠，胸闷口腻，关节酸痛等。

【方六】

白人参3克，黄芪15克，五味子10克，浮小麦30克，红枣10枚。水煎汤服，每日1剂。治自汗多而不止之气虚证。

第五十节

『淋　证』

淋证指小便频数、短涩、欲出不尽、滴沥刺痛，或痛引腰腹为特征的一种病证。引起本病的原因：一是湿热蕴结下焦；二是肝郁气滞，气郁化火、热移下焦；三是脾肾亏虚，劳倦伤脾所致脾虚下陷，房劳伤肾所致不能摄精。临床上常用的偏方、验方主要如下：

【方一】

阳桃 3～5 枚，蜜 30 克。将阳桃和蜜煎汤，代茶饮。

本方清热，利水，润燥，适用于石淋。所谓石淋，是以小便混浊，刺痛不移，时夹沙石为特征。

【方二】

花生仁适量。将花生仁炒熟，取其外红衣约半茶杯，研为细末，开水冲服。

本方适用于膀胱结石。

【方三】

鲜芥菜 250 克，鸡蛋 1 枚。将芥菜洗净切碎，鸡蛋打碎，2 味加水煮汤，午饭前顿服，1 日 1 次，以愈为度。

本方适用于泌尿与结石。

【方四】

大黄、海金沙各 30 克，鸡蛋数个。将大黄、海金沙共研为细末，用蛋清调和为丸，如绿豆大，每服 5 克，1 日 2 次。

本方通淋利湿，适用于石淋、砂淋。

【方五】

血余炭 10 克，地骨皮、车前子各 20 克，五灵脂 5 克。水煎服，每日 2 次。

本方适用于小便热涩刺痛者。

【方六】

葡萄 1.5 千克，蜂蜜、盐各适量。将葡萄去皮切片，用蜂蜜泡 10 分钟，焙干，再浸再焙，连续 3 次。每次嚼服数片，盐水送服，每日 3 次。

本方清热，润燥，解毒，散瘀血，适用于各种淋病，小便白浊，尿道刺痛。

【方七】

丹参 24 克，赤白芍各 12 克，炒川楝、元胡、芒硝（分冲）、生大黄各 9 克，海金沙 15 克，金钱草 100 克，木通 9 克。水煎服，1 日 1 剂，早晚服。

本方活血行气，利湿消石，适用于砂石淋。

【方八】

桑寄生 50 克，川牛膝 20 克，石韦、冬葵子各 25 克，瞿麦 20 克，海金沙25克，车前子15克，鸡内金5克。水煎服，1日1剂，分2次服。

本方益肾利湿，活瘀化石，适用于砂石淋的歇止期治疗。

【方九】

棕榈根30克，猪精肉500克。一起炖至肉熟为止。

本方止血，祛湿，消肿解毒，适用于血淋证。所谓血淋，皆尿色红赤，或夹紫暗血块，溲频短急，热涩刺痛者。

【方十】

黑槐子末、大黄末各2克，鸡蛋1枚。

将2味药共放于鸡蛋中搅匀，白面糊口煮熟，每服2枚，每日1次，停2日，服后多喝开水。

本方凉血止血，清热泻火，适用于血淋。

【方十一】

芹菜1500克。将芹菜洗净，捣烂取其汁，加热至沸，每次服60克，日3次。

本方凉血，止血，适用于小便溺血证。

【方十二】

乱发若干，麝香少许，米醋适量。将乱发烧为灰，不拘多少，为末，入麝香少许，每服6克，用米醋泡汤调下。

本方出自《类编朱氏集验方》，适用于血淋。

【方十三】

茄叶适量。将其熏干为末，每服6克，温酒或盐汤下，隔年者尤为佳妙。

本方出自《男女奇效良方》，适用于血淋。

【方十四】

生藕节500克，白冬瓜250克。二者洗净切片，加水煮汤，代茶饮。

本方适用于血淋。

【方十五】

玉米须30克，灯心草、车前子各10克，猪小肚1个。将玉米须、灯心草、车前子先用砂锅加水煎煮，取汁煮猪小肚（切小块），加食盐少许调味，喝汤食猪小肚，连服3～5日。

本方清热利湿通淋，适用于热淋。所谓热淋，指小便频数，点滴而下，尿色黄，灼热刺痛者。

【方十六】

车前子、木通各12克，柴胡30克，黄柏16克，五味子12克。水煎服，每天1剂，早晚服。

本方清热，利湿，通淋，适用于热淋患者。

【方十七】

豌豆苗30克，薏米50克，味精、盐、麻油少量，粳米50克。先将粳米与薏米煮粥，沸后加入豌豆苗同煮，食时加上述调料。

本方适用于热淋。

【方十八】

薏苡仁30克，萆薢6～10克，粳米100克。将萆薢先煎取汁，与薏苡仁、粳米同煮为粥。

本方清热利湿，适用于膏淋。所谓膏淋，是指小便混浊如米酒，或有滑腻之物，排尿时尿道热涩疼痛。

【方十九】

杉树根50克，桃仁6克，鲜鸡蛋1只。加水适量，煮至蛋熟，吃蛋喝汤，早晚各1次，连服5天。

本方适用于膏淋。

【方六】

黄连12克，朱砂15克，生地黄、当归各10克，炙甘草6克。水煎服，1日1剂，早晚服。

本方清心，育阴，安神，适用于心肾不交所致的失眠。

【方七】

茯苓15克，茯神12克，远志、人参各10克，石菖蒲12克，龙齿6克。水煎服，1日1剂，早晚服。

本方益气镇惊，安神定志，适用于心胆气虚所致的失眠。

【方八】

茯神10克，山楂9克，伏苓12克，半夏9克，陈皮10克，连翘6克，莱菔子15克。水煎服，午晚饭后服。

本方健脾和胃，化滞消食，适用于胃气不和所致的失眠。

【方九】

桂圆肉100克，60度白酒400毫升。将桂圆肉放在细口瓶内，加入白酒，密封瓶口，每日振摇1次，半月后可饮用。每日2次，每次10～20毫升，适用于虚劳衰弱、失眠、健忘、惊悸等症。

本方出自《万氏家抄方》，原方用于“温补脾胃、助精神”，为治疗虚劳、心悸的常用方。品名为后加。

方中桂圆味甘性温，能补益心脾，养血定神，对神经性心悸有一定疗效。配合白酒，通经络，行药力，使之更好地发挥作用。

本方对内有痰火及湿滞停饮者忌服。

【方十】

大枣5枚，粟米50克，茯神10克。先煎煮伏神，滤取汁液，以茯神液与大枣、粟米同煮为粥，每日2次，早晚服食。

本方健脾养心，安神益志，凡心脾两虚、惊悸怔忡、失眠健忘、精神不集中者皆适用。

【方十一】

鲜百合30克，糯米80克，冰糖适量。将百合剥成瓣，洗净，备用。糯米如常法煮粥，米将熟时加入百合煮至粥成，入冰糖调味。每日2次，早晚温热服食。

本方润肺止咳，宁心安神，适合于心肺两虚引起的咳嗽、虚烦、惊悸、失眠多梦者服用。

【方十二】

鲜藕1节，梨1只。取鲜嫩白藕1节，洗净，去藕节及外皮，切碎。梨去皮、核，切碎，分别用洁净纱布绞取汁液，两汁合并。

本方清热化痰，除烦安神，经常饮用本品，可改善热症失眠者的睡眠状况，对上焦痰热所致的心烦口渴、咳嗽咯痰、夜不成寐者效果尤为显著。

【方十三】

梨3枚，砂糖25克。将梨洗净，去皮，切片，加水煎煮20分钟，以砂糖调味，分2次服用，饮汤食梨。

本方清热化痰，和中安神，适用于痰热扰心或热病津伤、心失所养的失眠、烦闷之症。

【方十四】

干百合50克，面粉200克，水适量。

百合磨成粉，加水、面粉，和而作饼，烙熟，经常食用。

本方健脾养心，清热安神，凡心悸、心慌、失眠、健忘、食少、倦怠属心脾两虚、心神不宁者，宜用本品。百合性质平和，常人久服，可起到保

健延年的作用。

【方十五】

甘草10克，大枣5枚，小麦10克。甘草、小麦与大枣以冷水浸泡后，用小火煎煮，半小时为一煎。共煎煮2次，合并煎液，每日2次，早晚温服，喝汤食枣。

本方养心安神，和中缓急，凡心气不足，阴虚血少，肝气郁滞所致的失眠盗汗，精神恍惚，烦躁不安，悲伤欲哭者皆可食用本品。

【方十六】

猪心1枚，葱白适量，枸杞菜250克，豆豉适量。将猪心洗净血污，切成细丁状，枸杞菜、葱白切碎，豆豉放入锅内，加清水煮取豉汁。猪心、枸杞菜、葱白放入豉汁中，加黄酒、食盐，小火煮作羹食。佐餐食用。

本方补心安神，清热除烦，适用于心血不足兼有热象而导致的失眠者食用。

【方十七】

大枣20枚，葱白10克。将大枣洗净，劈开，与葱白一起入锅，加水煎煮，煮开15～20分钟后取下，滤取汤液；每晚1次，温热饮服。

本方补中益气，养血安神，适用于心脾两虚，心慌无力，食少倦怠，烦闷不得眠者食用。

【方十八】

炒酸枣仁30克，粳米50克，白糖适量。酸枣仁捣碎，用纱布袋包好，与粳米同煮为粥，粥成时去掉酸枣仁袋，加入白糖调味，或以酸枣仁煎液，煮米为粥。每日1次，晚饮或临睡前服食。

本方养肝宁心，安神敛汗，凡心肝血虚、夜卧虚烦不得眠者均可食用。

第五十四节

『中　风』

中风是以突然昏仆，不省人事，或口眼㖞斜，语言不利，半身不遂为主证的一类疾病。传统中医学以取类比象的方法，认为它与自然界风行迅速而变化多端的特性很相似，故名为中风。本病与西医学中的脑出血、脑血栓形成、脑栓塞、蛛网膜下腔出血、脑血管痉挛、病毒性脑炎以及神经麻痹等疾病相似，可以互参。常用的临床偏方、验方主要如下：

【方一】

天麻20克，钩藤30克，全蝎10克，白蜜适量。天麻、全蝎加水500毫升，煎取300毫升后入钩藤煮10分钟，去渣，加白蜜混匀，每服100毫升，日3次。

本方熄风止痉，通络止痛，适用于中风。

【方二】

石斛、天麻、川芎、仙灵脾、五加皮、牛膝、萆薢、桂心、当归、牛蒡子、杜仲、制附子各20克，虎胫骨（涂酥炙黄）32克，乌蛇肉（微炒）、茵陈、狗脊、丹参各20克，川椒（去闭口者，微炒出汁）25克，好酒1 500毫升。将药共捣碎细，酒浸，瓮中密封，7宿饮用。日1小杯，不计时候温饮，常令有酒力相续。

本方育阴潜阳，熄风，适用于中风手足不遂，骨节疼痛，肌肉顽麻，腰膝酸痛，不能仰俯，腿脚肿胀。

【方三】

葛粉250克，荆芥穗50克，豆豉150克。葛粉作面条，荆芥穗、豆豉共煮沸，去渣留汁，葛粉面条放药汁中煮熟，空腹食。

本方祛风，适用于中风，言语謇涩，神昏，手足不遂。

【方四】

人参5～10克，附片30～60克，粳米50～100克。将人参、附片合煎1小时，取药汁与粳米煮成稀粥，缓缓喂服，或加用1小碗鸡汤，与药汁、粳米一并熬粥，继续将人参、附片煎取二汁，煎1小时以内，取浓汁再与粳米30克煮粥喂服。

本方益气回阳，扶正固脱，适用于突然昏仆，不省人事，目合口开，鼻鼾息微，手撒遗尿，胸微欲绝。

【方五】

秦艽10克，当归9克，甘草6克，羌活16克，防风12克，白芷、熟地、茯苓各9克，石膏15克，川芎12克，白芍15克，独活10克，黄芩12克，生熟地黄各12克，白术9克，细辛10克。水煎服，1日1剂，分2次服。

本方祛风通络，活血化瘀，适用于经络空虚所致的中风。

【方六】

怀牛膝12克，龙骨20克，生白芍12克，天冬10克，麦芽15克，代赭石500克，牡蛎30克，玄参10克，川楝子9克，茵陈蒿10克，甘草6克，龟板9克。水煎服，每日1剂，分2次服。

本方育阴潜阳，镇肝熄风，适用于肝肾阴虚、风阳上扰所致的中风。

【方七】

白附子15克，僵蚕、全蝎各10克。水煎服，1日1剂，分2次服。

本方祛风，除痰，通络，适用于中风后遗症以口眼歪斜为主者。

【方八】

当归尾12克，川芎、黄芪各10克，桃仁、赤芍、红花各10克，地龙15克。水煎服，1日1剂，2次服。

本方益气养血，祛瘀通络，适用于半身不遂。

【方九】

白附子10克，石菖蒲12克，远志、天麻各10克，全蝎15克，羌活、南星各10克，木香6克，甘草5克。水煎服，每日1剂，1日2次。

本方祛风豁痰，宣通窍络，适用于中风后遗症而以语言不利为主者。

【方十】

豨莶草若干。将其晒干研末，炼蜜为丸，日服2次，每次12克。

本方适用于中风后遗症。

【方十一】

熟地12克，巴戟天、五味子各10克，肉桂6克，附子、菖蒲各9克，远志12克。水煎服，每日1剂，分2次服。

本方适用于中风后遗症以语言不利为主者。

【方十二】

熟地、枸杞、山萸肉各12克，橘红10克，半夏9克，茯苓15克，石菖蒲10克，郁金12克，丹参、赤芍各15克，鲜荷叶10克。水煎服，每日1剂，早晚2次分服。

本方为山西著名中医畅达验方，功能益肾填精，化痰清脑，临床上主要治疗病症如下。

脑动脉硬化，中风先兆，中风后遗症。症见头闷不清、昏眩不定、语言謇涩、痰多涎盛、胸闷纳呆、腰膝酸软、失眠健忘、足如蹈絮、夜尿频数、舌苔厚腻、脉弦滑。

本方在临床运用中当分痰饮之寒热，辨肾虚之阴阳各异随证加减。若畏寒肢冷，阳痿尿频，脉沉弱，偏肾阳虚者，可加仙灵脾、菟丝子；若五心烦热，面色红赤，脉沉细数，偏肾阴虚者，可加丹皮、女贞子、旱莲草；若烦热少寐，便秘呕恶，舌红苔黄厚，痰热盛者，可加胆星、瓜蒌、栀子；若痰清涎稀，舌胖苔白水滑，痰饮偏寒者，可加苍术、白术、干姜、白芥子；若肢体麻木，活动受限，舌质瘀暗，痰瘀阻络者，可加桃仁、红花、丝瓜络；若眩晕耳鸣，肢麻不仁较甚，血压升高明显，兼风阳上扰者，可加天麻、钩藤、地龙、代赭石。

动脉硬化、脑血管意外后遗症、腔隙性脑梗塞、美尼尔氏综合征及神经衰弱患者，临床多见痰盛于上，肾虚于下，上盛下衰证。笔者以本方随证化裁施治，对改善头闷不清、昏眩不定、语言謇涩、失眠多梦、腰膝酸软、步履蹒跚诸症，效果明显。

【方十三】

南蛇肉段1 000克，蘑菇、香菇各25克，猪瘦肉、火腿、鸭肉各100克，笋片250克，料酒、精盐、味精、白糖、姜片、胡椒粉、陈皮、鸡油、猪油、芫荽、高汤适量。蛇段洗净后放入瓦锅内，加入姜、陈皮、笋片、清水，煲1个小时左右取出，除净蛇骨，将蛇肉切成4厘米长的条块，放入炖盅内，加入姜汁、猪油、高汤，加盖密封，上笼蒸2个小时取出待用。将瘦猪肉、鸭肉下沸水锅汆一下捞出，和火腿分别切成条，放入大炖盅内待用。将蛇肉取出放入大炖盅内，加入高汤、蘑菇、香菇、原汤、猪油、鸡油、味精、白糖、盐、胡椒粉、料酒，加盖密封，上笼蒸1小时取出，撒上芫荽末即成。

此汤菜用祛风、通络、止痛、清热除烦、定惊的南蛇肉，配健脾益气、治风、破血、化痰的蘑菇、香菇、笋片与补中益气、养血的猪肉、鸭肉等品组合而成。此汤重在补正祛邪，具有补气养血、祛风湿、强筋骨、活血通络、化瘀止痛的功效。此外，双菇还具有抗癌的作用。此汤菜常可作为风湿痹痛、中风后遗症、半身不遂、手足拘挛或各种癌症的保健食品。

【方十四】

母鸡300克，熟鸡油15克，鸡蛋白5克，味精0.5克，猪油0.4克，干团粉5克，料酒7克，上等糯米10克，精盐0.15克。把糯米洗净浸着备用(约浸2小时)，将鸡剔骨，剁成4大块，在鸡肉的另一边用刀划成宽约3毫米的十字型刀花，再切成2.5厘米见方的块状，先放精盐、味精、精酒等浸泡半小时，使之入味；蛋清与团粉调和成蛋糊状；把预先浸泡好的糯米平铺在盘上，把剁好的鸡块蘸上蛋糊，放在盛糯米盘里滚上米粒，滚动时应注意均匀，滚好后把鸡块逐一放在涂有一层猪油的盘上，上屉旺火蒸约3～4小时，取出，然后把滤出的鸡汁和鸡油再淋在鸡块上即成。

本方含蛋白质77.1克，脂肪24克，糖81克，热量848千卡，钙55毫克，磷726毫克，铁11.3毫克，硫胺素0.28毫克，核黄素0.31毫克，尼克酸26毫克，维生素C微量。

此雪花鸡适用于高血压、冠心病、脑血管病、营养不良以及肺病、贫血等疾病患者食用。

【方十五】

大对虾300克，高级龙井茶叶10克，料酒、精盐、味精、鸡清汤适量。将对虾去头，剥去外皮，取出脊背屎肠洗净，用刀片切成小薄片。将龙井茶叶放在茶杯中，用煮开的鸡清汤彻好，备用。坐锅，倒入鸡清汤，烧开，放入虾片汆透，捞在汤篮子内。再将沏好的鸡汤茶倒入锅内，加精盐、味精、料酒烧开，撇净浮沫，倒入汤盘子内，另选少许嫩茶心放在汤内即成。

对虾，为珍贵海鲜，其性味甘，咸温，具有补肾壮阳、滋阴健胃、镇静的作用。龙井茶为我国名特茶品，上等的饮料。历代“本草”医著中均说到它具有止渴、除烦、去腻、消炎、解毒、轻身等多种功效。此汤两物相合使用，重在补肾壮阳，化痰开胃，提神益思。常用于肾阳不足，性机能减退，阳痿，神疲乏力，腰膝酸痛，中风后遗症，半身不遂等症。

第五十五节

『面神经瘫痪』

面神经瘫痪又称面神经麻痹，为颅神经病变中最常见的疾患。临床表现为：患侧周围性面神经麻痹，口眼歪斜，一侧眼睑不能闭合，额纹变粗或消失，口角不能活动，部分患者因面部感受风寒等原因所致。常用的临床偏方主要如下：

【方一】

小红参、女金芦、泽兰各150克，白酒2 500毫升。先浸泡半日后使用。每次20～40毫升，日服1次。

本方祛风除湿，补血活血，主治颜面神经麻痹。

【方二】

大豆200克，独活50克，白附子10克，米酒1 000毫升。先将大豆炒熟，与后两味共捣碎，加入酒内煎数沸，去渣备用。每日早晚饮酒各1次，每次10毫升。

本方祛风通络，适用于面神经瘫痪。

【方三】

白附子12克，僵参9克，全蝎6

克，生地、赤芍各15克，川芎9克，当归15克，桂枝50克，丝瓜络9克，鸡血藤30克。水煎服，日1剂，分2次服。

本方祛风活血，适用于口眼歪斜，半面麻痹。

【方四】

当归、川芎各10克，蜈蚣3条，蝉蜕、甘草各6克，地龙10条（焙干），乌附片13克（先煎半小时），防风、钩藤、僵蚕各13克。水煎服，日1剂，分早晚服。

本方为四川中医张文明治疗面瘫经验方，功能祛风平肝，活血通络。

【方五】

鲜生姜1块。将生姜剖开，取剖面反复向左向右交替涂擦患侧上下齿龈（指口角、歪向侧的对侧），直到齿龈部有灼热感或发热感时为止，每天2～3次，7天为1疗程。

本方出自《广西中医药》1989年12期，对面神经麻痹有效。

【方六】

白芍10克，玄参9克，天冬10克，龙骨、牡蛎各9克，皂枝30克，代赭石20克，牛膝15克。水煮，每日1剂。

本方出自《黑龙江中医药》1988年5期，对面神经麻痹有效。

【方七】

秦艽10克，羌活、防风、白芷各9克，地黄10克，当归9克，川芎10克，白附子、全蝎9克。水煎服，日1剂，但同时宜用西药消炎，配合针灸。

本方出自《黑龙江中医药》1988年5期，适用于面神经麻痹。

【方八】

当归、川芎各10克，蜈蚣3条，蝉蜕6克，甘草6克，地龙10条（焙干），乌附片13克（先煎半小时），防风、钩藤、僵蚕各13克。水煎服，日1剂。

本方为四川万县中医张文明方，功能祛风平肝，活血通络，适用于面瘫。

【方九】

鲜杨树皮60～100克。将树皮加水1 000毫升，煎沸后趁热熏患侧面颊部，器皿下煮小炉，文火缓缓加温，使热气持续而均匀，每次40～60分钟。

本方为江苏泰兴中医吴汉民方，功能温经通络，适用于面瘫。

【方十】

鳝鱼血、白面若干。先以白面和水作面圈，贴紧在患侧颊部（防止鳝血流掉），再以针在口角外缘半厘米外（上直对瞳孔）之地仓穴上，划十字，横竖各约半厘米，略使渗出血，不使流血，然后将鳝鱼头切去，滴血于面圈内（地仓穴处厚些），2天后擦去，每隔2～5天换1次。

本方出自《食物疗法精萃》。

第五十六节

『癫 痫』

癫证以精神恍惚，语无伦次，喜怒无常，或歌或笑，或悲或泣，如醉如痴，秽洁不知，不识羞耻；痫证发作，突然昏仆，昏不知人，手足抽搐，胸背强直，目睛上视，口吐白沫等。常用的有效的偏方、验方主要如下：

【方一】

猪心1个，九节菖蒲10克。猪心洗净，用竹刀劈开，九节菖蒲为末，入心内，加水煮汤，喝汤，食心。

本方养心，益智，化痰开窍，适用于痫症。

【方二】

榛蘑120克，白糖90克。用水煮榛蘑，滤汁，加白糖，口服5次，随意饮之。

本方祛风，活络，补虚，主治羊痫风。

【方三】

鸡蛋黄、人乳汁各15克。将蛋黄与乳入杯中和匀，1次食之。

本方养心安神，益气补血，适用于癫痫。

【方四】

白鱼10克，竹茹15克，黄酒100克。将白鱼、竹茹、黄酒入砂锅内，煎剩20克，待温，1次服之。

本方清心涤痰，治癫痫。

【方五】

红茶、明矾各500克，糯米100克。先将糯米加少许水煎煮，待米开花后取其汁备用；将红茶、明矾捣碎，研末，用糯米汁调匀成丸如赤豆大小，发病期服49粒，小儿服27粒，浓茶送服。

本方补虚，祛痰，适用于癫痫。

【方六】

水蛭12克，虻虫9克，桃仁10克，大黄、䗪虫各9克，地龙15克，僵蚕9克，全蝎6克，蜈蚣2条，花蕊石20克。水煎服，日1剂，分2次服。

本方化瘀活血，适用于外伤癫痫。

【方七】

天麻、川贝母、半夏各9克，茯苓15克，茯神9克，丹参15克，麦冬12克，陈皮9克，远志6克，菖蒲9克，制南星、全蝎各6克，僵蚕9克，琥珀末2克（分吞），朱砂1克（分吞），竹沥30克（分冲），生姜汁9滴（分冲），甘草9克。水煎服，日1剂，分2次服。

本方除痰定风，适用于风痰发痫。

【方八】

天南星100克，僵蚕120克，白附

子100克，红花120克，法半夏、全蝎、桃仁、天竺黄各60克，天麻50克，黄连30克，蜈蚣50克。以上药物共同粉碎后研为细面，加粉合剂压片，每片重0.3克。

1～3岁，每次服4片；4～7岁，每次服6片；8～14岁，每次服8片；成人每次服10片，均为每日3次，白开水送服。

本方平肝熄风，化痫止抽，适用于肝风偏胜的癫痫。

【方九】

羚羊角10克，钩藤12克，桑叶10克，菊花12克，白芍9克，生地12克，甘草9克，川贝母10克，竹茹12克，茯神9克。水煎服，1日1剂，分2次服。

本方平肝熄风，清热止抽搐，适用于肝风偏盛的癫痫。

【方十】

大黄（酒蒸）、黄芩各24克，煅礞石30克，沉香15克。共研末，水泛为丸。每次服3～12克，每日1～2次。

本方通腑涤痰，适用于“痰痫”。

【方十一】

青礞石360克，全蝎60克，地龙400克，胆南星、白矾各240克，二丑600克，天麻、沉香各100克，红花180克，钩藤、清半夏、桃仁、生大黄各120克，石菖蒲2 500克，人工牛黄10克。将石菖蒲2 500克，水煎5次，去渣，合并煎液，再将其余药物，共研粉碎为细面，掺入此药液中，制颗粒压片，每片重0.3克。1～3岁，每次服4片；4～7岁，每次服6片；8～14岁，每次服8片；成人每次服10片，均为每日2次，白开水送服。

本方化痰止痫，适用于痰火偏胜的癫痫病人。

【方十二】

木香10克，槟榔、青皮各9克，陈皮10克，莪术9克，黄连6克，黄柏10克，大黄5克，炒香附、二五各10克。将药制成水丸，每日1丸，白开水送下。

本方消食导滞，适用于食滞所致之癫痫。

【方十三】

当归10克，川芎9克，赤芍6克，桃仁9克，红花、生地各10克，牛膝12克，柴胡10克，枳壳9克，桔梗6克。水煎服，日1剂，分2次服。

本方活血化瘀，适用于因瘀血所致的癫痫。

第五十七节

『美尼尔氏综合征』

美尼尔氏综合征亦称内耳性眩晕症。平时，常感有耳鸣和听力减退，发病时，以发生剧烈眩晕，不敢转身及恶心呕吐为主证。常用的偏方、验方主要如下：

【方一】

大麻 3～5 克，绿茶 1 克。天麻切成薄片，干燥储存，备用。每次取天麻片与茶叶放入杯中，用刚沸的开水，冲泡大半杯，立即加盖，5 分钟后可以饮服。饭后热饮，头汁饮完，略留余汁，再泡再饮，直至冲淡，弃渣。

本方平肝熄风，潜阳定惊，适用于耳性眩晕症。

【方二】

独活 20 克，鸡蛋 4 只。将药加水共煮，蛋熟去壳再煮 15 分钟，使药汁渗入蛋内，去汤及药渣，单吃鸡蛋，每次 2 只，每天 2 次，3 天为 1 疗程，连用 2～3 个疗程。

本方祛风补脑，适用于美尼尔氏综合征。

【方三】

五味子、酸枣仁、怀山药各 10 克，当归 6 克，龙眼肉 15 克。水煎，每日 1 剂，分 2 次服。

本方适用于美尼尔综合征。

【方四】

仙鹤草 60 克。水煎，频服，连续 3～4 天。

本方适用于美尼尔综合征。

【方五】

生南星、半夏各 12 克，茯苓 20 克，白术 15 克，泽泻、桂枝各 20 克，猪苓 10 克。水煎服，每日 1 剂。

本方适用于内耳眩晕日久不愈者。

第五十八节

『神经衰弱』

神经衰弱多因患者长期受到精神创伤或突然受到某种精神刺激而造成的一种神经官能症疾病，主要症状为失眠、心悸、记忆力减退、注意力不集中、头昏痛、易烦躁、食欲不振等。常用的临床有效偏方、秘方主要如下：

【方一】

沙参、玉竹各 15 克，粳米 60 克。将沙参、玉竹用布包好煎汤，去渣，入粳米煮粥食。每天 1 次，连服数天。

本方滋阴清热，宁心安神，适用于阴虚火旺所致的神经衰弱。

【方二】

枸杞 30 克，大枣 10 枚，鸡蛋 2 个。放砂锅内加水适量同煮，蛋熟后去壳再共煎片刻，吃蛋喝汤。每天 1 次，连服数天。

本方滋肾养肝，适用于肝肾阴虚

所致神经衰弱。

【方三】

枣仁10克，黄花菜20根。将枣、菜炒至半熟，捣碎研成细末，睡前1次服完。

本方疏肝健脾，宁心安神，适用于肝气郁结所致神经衰弱。

【方四】

瘦猪肉250克，莲子、百合各30克。共放砂锅内加水煮汤，调味服食，每天1次，连服数天。

本方健脾养心，宁志安神，适用于心脾亏虚所致神经衰弱。

【方五】

粳米、核桃肉各50克。将粳米加水800毫升，煮成稀粥后，桃仁去皮捣烂，加入稀粥，再用小火煮数滚，见粥稠、表面有油为度，温热服食。早晚各1次，连服数天。

本方补肾助阳，宁心安神，适用于肾阳不足所致神经衰弱。

【方六】

丹皮6克，焦山栀9克，柴胡6克，白芍、当归、茯神各9克，炙甘草3克，生牡蛎15克，钩藤12克，佛手片、酸枣仁各9克，远志6克。水煎服，日1剂，分2次服。

本方疏肝理气，凉肝宁心，对神经衰弱有一定疗效。

【方七】

枸杞子12克，菊花9克，大生地12克，山萸肉9克，丹皮6克，茯神9克，丹参15克，麦冬、酸枣仁各9克，制首乌、龟板各15克。日1剂，水煎服，早晚服。

本方滋阴降火，平肝潜阳，宁神定志，适用于阴虚阳亢所致的神经衰弱。

【方八】

党参12克，白术9克，生黄芪15克，茯神9克，炙甘草3克，当归9克，远志6克，酸枣仁9克，广木香6克，熟地12克，五味子4.5克。水煎服，日1剂，早晚服。

本方补益心脾，调养气血，适用于心脾两虚所致的神经衰弱。

【方九】

附子4.5克，肉桂粉3克（分冲），山萸肉9克，怀山药15克，仙灵脾、巴戟天各12克，制首乌15克，柏子仁12克，女贞子、生龙骨各15克。水煎服，日1剂，早晚服。

本方温阳，补肾，填精，适用于肾阳不足所致的神经衰弱。

【方十】

百合24克，青龙齿9克，生龙骨11克，琥珀粉3克（分冲），炙甘草6克，淮小麦15克，红枣5枚。水煎服，日1剂，2次服。

本方适用于神经衰弱。

【方十一】

制黄精、生玉竹各30克，川芎3克，决明子9克，制首乌、钩藤、女贞子、旱莲草各30克，鲜马尾松叶60克。水煎服，日1剂，早晚服。

本方适用于神经衰弱。

【方十二】

玫瑰花4.5克，滁菊花、佛花、合欢花、厚朴花各9克，生白芍12克，炙甘草3克。水煎服，日1剂，分2次服。

本方适用于神经衰弱初起。

【方十三】

菊花、炒决明子若干。代茶泡服。

本方明目，止眩，止痛，适用于神经衰弱。

【方十四】

何首乌 15～30 克，或加络石藤、合欢皮各 15 克。水煎服，日 1 剂，晚上服。

本方补肝肾，养脑安神，适用于神经衰弱。

【方十五】

猪脑 1 只，川芎 4.5 克，白芷 4.5 克。将其放入开水后，蒸熟，服食。

本方补脑行气活血，止头痛，适用于神经衰弱。

【方十六】

干蛤士蟆油 25 克，菠菜 100 克，海米 50 克，另有精盐、鸡汤、味精、葱姜汁适量。

将干蛤士蟆油用温水泡开，择出黑线洗净，用开水氽一下捞出，切成小丁；将菠菜洗净切段，放开水略烫一下；坐锅，放鸡汤，放入蛤士蟆油丁、海米、葱姜汁、精盐烧开，撇净浮沫，点味精，撒上菠菜即成。

本方补肾益精，养阴润肺，适用于神经衰弱、精力不足者服用。

【方十七】

鹿角胶 25 克，煅牡蛎 12 克，桑螵蛸 10 克，人参 25 克，黄芪 10 克，当归 30 克，白芍、香附各 25 克，天冬 12 克，甘草 6 克，鳖甲、生地黄、熟地黄各 50 克，川芎 12 克，银柴胡 5 克，丹参、山药各 25 克，芡实 12 克，鹿角霜 10 克，乌贼 1 000 克，乌鸡肉 15 公斤，另有姜、葱、料酒、精盐、味精适量。人参润软，切片，烘脆碾成细末备用，其余药用布袋装好，乌贼用温水洗净，同鸡爪、翅膀和药一起下锅，注入清水烧沸后煮 1 小时备用。把鸡肉洗净，沸水焯后再洗净，切成条块，摆在 100 个碗内，加上葱段、姜块、盐、料酒，药汁适量，上笼蒸烂，等鸡出笼后，拣去葱姜，鸡肉加入碗中，原汤倒入锅中，再加适量汤调入料酒、盐、味精烧开，撇去浮沫，浇鸡碗中即成。

本方补血，益阴，补气，调经，适用神经衰弱及月经不调之人食用。

【方十八】

鲜玫瑰花 50 克（干品 15 克），羊心 500 克，盐适量。先将玫瑰花放在小锅中，加入食盐和适量水煎煮 10 分钟，待冷备用。羊心洗净，切成块，用竹签串在一起后，蘸玫瑰盐水反复在火上烤炙，趁热食用。

本方养血安神，适用于神经衰弱，症见惊悸失眠等症。

【方十九】

发好莲子 200 克，京糕 25 克，冰糖、香精适量。将莲子放入碗内加冰糖上笼蒸烂，取出沥净糖水，倒入汤碗内；把京糕切成丁，放在莲子上。在净锅内放冰糖、清水，使冰糖化开，再放入蒸莲子糖水，烧开撇出浮沫，加香精，浇在莲子上即成。

本方健脾补肾，宁心安神，消食开胃，适用于神经衰弱，症见心悸、虚烦、失眠等症患者食用。

【方二十】

灵芝 10 克，银耳 20 克，冰糖 250 克，樱桃 20 粒，鸡蛋清 1 个，水蜜桃 2 个。将灵芝洗净，切成薄片，入锅内，加清水，小火慢蒸，取汁两次，滤净杂质。银耳入温热水浸泡 30 分钟，摘去根脚杂质，再放入温热水中泡胀捞起。樱桃去核，蜜桃去皮核切成片。将锅置于火上，加清水 400 克，冰糖溶化，将事先搅散的鸡蛋清倒入冰糖汁中搅匀，待糖水中泡浮出水面时，用漏勺撇尽。将糖盛于蒸碗内，加入灵芝汁、银耳、樱桃、蜜桃片，用湿棉纸封住碗口，上笼蒸约 2 小时取出，翻入盘内即成。

本方补肝肾，益肺胃，健脑，适用于神经衰弱、心悸头晕、失眠、慢性肝炎、胃病、肺燥干咳等症患者食用。

【方二十一】

猴头菌 150 克，黄芪 30 克，鸡肉 250 克，料酒、精盐、姜、葱白、胡椒粉适量。猴头菌冲洗后放入盆内用温水发涨，约 30 分钟，捞出洗净，切成薄片，发猴头的水用纱布过滤待用。鸡肉洗净后剁成约 3 厘米长、1.5 厘米宽的长方块；黄芪用温毛巾揩净后切成薄片；生姜、葱白切成细节。锅烧热下猪油，投入黄芪、姜、葱、鸡块共煸炒后，放入盐、料酒、发猴头的水和少量清汤，用武火烧沸后，再用文火烧炖约 1 小时，然后下猴头菌片，再煮半小时，撒入胡椒粉。先将鸡块放在碗底，再捞猴头菌片盖在上面，汤加盐调好味盛入即成。

猴头为山珍之品，其肉嫩，味鲜美，营养价值较高，不仅为宴席珍馐，亦是高级滋补之品，有助消化、利五脏的作用。其内含有多糖及多肽类物质，具有抗癌作用。此汤菜配补中益气、养血生津的黄芪与鸡肉，其功效增大。

本方适用于神经衰弱，消化不良，消渴证患者食用。

【方二十二】

红螺肉 400 克，豌豆苗 50 克，竹荪 10 克，料酒、精盐、味精、葱段适量。将红螺肉去杂，加入少量去黏液物质，洗净，切成片，放入沸水锅内焯透捞出。竹荪用清水泡软，洗去泥沙，切去两头，再用清水漂洗成白色时捞出，切成段。豌豆苗去杂洗净。坐锅注入清水，放入竹荪、料酒、精盐、螺片，烧煮开后放入豆苗、葱段，再煮一会，加入味精，起锅装碗即成。佐餐食用。

红螺肉含丰富的蛋白质，无机盐及多种维生素，性味甘凉，具有清热明目等作用，配以山珍之品竹荪，不仅味鲜美，而且营养价值也很高。此汤含有较高的蛋白质、碳水化合物，以及人体所必需的多种氨基酸；具有养肝明目、滋肾补中的功效。常可治疗脾胃虚弱、神经衰弱、两目昏花、视物不清等症。

第五十九节

『健　忘』

健忘，指记忆力减退，遇事易忘的一种病证。古代医籍中亦称“喜忘”、“多忘”、“善忘”。老年健忘，主要由心脾肾三脏之亏虚而引起。

本病最早记载于《内经》。对其病因，《内经》认为有肾志伤和气血不调等多方面的原因。宋《圣济总录》强调心之气血衰少对记忆力的影响，用寝神定志人参汤治疗。《济生方》治健忘更重视补益和调理心脾之气血，创制有名的归脾汤。《丹溪心法》又指出健忘“亦有痰者”，《医宗必读》从心肾不交加以阐发，《类证治裁》更进一步指出脑髓不足与健忘证的密切关系。综合各家之说。健忘之因，不外气、血、痰留滞以及心脾肾功能失常而致，老人尤以气血亏虚，心脾肾虚弱多见。

目前，临床上常用的治疗健忘的偏方、验方主要如下：

【方一】

白芍10克，当归9克，陈皮10克，黄芪9克，肉桂9克，人参6克，白术6克，炙甘草9克，熟地12克，五味子6克，茯苓6克，远志6克，生姜6克，大枣3枚。

水煎服，日1剂。

方中人参、黄芪、白术、茯苓、甘草益气补脾；熟地、当归、白芍、川芎补血养血；远志宁心；肉桂温阳；陈皮理气；姜、枣调和营卫。此方为气血双补、养荣固本之剂。

本方养荣固本，适用于年老神疲所致的健忘，临床主要见症如下：

〔主证〕遇事善忘，神思迟钝，气短乏力，腰酸腿软，心悸少寐，尿频，舌淡苔薄白，脉细弱无力。

【方二】

党参10克，黄芪9克，白术6克，茯神15克，炒枣仁6克，当归9克，远志6克，桂圆肉12克，木香6克，甘草6克，生姜3片，大枣3枚。

水煎服，日1剂。

本方补益心脾，适用于心脾两虚所致的健忘，临床主要见症如下：

〔主证〕遇事善忘，精神倦怠，面色萎黄，心悸少寐，语声低怯，舌淡苔薄白，脉细弱无力。

【方三)

熟地12克，山茱萸10克，人参9克，当归9克，白芥子6克，麦冬10克，肉桂6克，黄连6克（此方为心肾两交汤)。

水煎服，日1剂。

心肾两交汤中熟地、山萸肉补肾益精；人参、当归、麦冬、枣仁补心宁神；白芥子一味取祛痰醒神之意；黄连、肉桂为佐，有交通心肾之功，本证亦可以六味地黄汤加远志、枣仁、石菖蒲、五味子等。

本方滋养心肾，适用于心肾不交所致的健忘，临床主要见症如下：

〔主证〕遇事善忘，腰膝酸软，头目眩晕，耳鸣耳聋，心烦失眠，舌红苔薄白，脉细数。

【方四】

半夏10克，陈皮6克，茯苓9克，甘草6克，枳实9克，南星6克（本方为导痰汤)。

桃仁10克，红花10克，当归6克，生地6克，赤芍9克，川芎6克，柴胡6克，枳壳6克，桔梗6克，甘草6克，牛膝6克（本方为血府逐瘀汤)。

水煎服，日1剂。

导痰汤由二陈汤加南星、枳实而成，用于痰浊内阻、神窍被蒙之健忘；血府逐瘀汤主要用于瘀血阻络，心窍蒙闭。二方合用，祛痰活瘀，以开心之痹结。如胸膈痞满，纳少泛恶，可加藿香、佩兰、苍术、郁金、菖蒲、半夏等。

本主祛痰活瘀，适用于痰瘀痹阻所致的健忘，临床主要见症如下：

〔主证〕遇事善忘，头目不清，胸膈满闷，表情呆滞，舌苔白腻，脉多滑，或见舌有瘀点，脉细涩。

第六十节

『营养不良性疾病』

当前，由于社会发展的不平衡，在我国仍有五六千万人口没有脱贫，此外，由于灾荒、偏食、酒精中毒、各种胃肠道疾病亦可导致营养不良。营养不良主要为供给人体的各种营养素不足，特别是维生素的不足所导致的人体发育及机能障碍，下列偏方对营养不良性疾病有较好疗效，主要如下：

【方一】

麻姑片 100 克，空心白莲 25 克，红枣 25 克，糖桂花 10 克，白冰糖 100 克，清水 1 000 克。将红枣去核切成小丁；麻姑片与白莲分别淘洗干净，下锅加清水上火烧开，待米与莲子煮透时，加入红枣、冰糖一同熬煮成粥，撒上糖桂花即成。

本粥营养丰富，健脾开胃，适用于体虚、营养不良等症。

【方二】

连皮五花猪肉 500 克，大米 70 克，白薯 200 克，苋菜 200 克，红糖 60 克，食盐 15 克，姜末 10 克，醪糟汁 10 克，四川豆豉 10 克，甜面酱 20 克，花椒（壳）适量。

1. 先将肉刮洗干净，切成 6 厘米长薄片，白薯去皮切滚刀片。大米、花粉入干锅，以微火炒香，炒至金黄色起锅，磨成粗粒粉面。苋菜洗净切 3 厘米长的节，备用。

2. 把切好的猪肉，放入磁盆中，加盐 7 克，姜末、醪糟汁、豆瓣酱、甜面酱 10 克，红糖（化为水）以上各味与肉拌匀，腌片刻。再将其放入米粉内拌匀，备用。

3. 苋菜和白薯分别加米粉、甜面酱及盐拌匀。后将和好的苋菜和白薯，分别放入大磁器内，各放一边，上面放拌好的米粉肉，锅内加水适量，将盛米粉肉的容器放笼屉内蒸软，即可出锅。

本方开胃增加食欲，营养丰富，适用于营养不良症。

【方三】

花生米 200 克，猪前蹄 1 个，黄酒、葱白、生姜、食盐各适量。

猪蹄去毛，冲洗干净，切成两片，放入锅中，加花生米、清水、黄酒、葱白、生姜，旺火煮沸，改用小火炖至熟烂，再调以食盐略炖即成。

本方养血补血，可用于一切血虚

证、贫血、白细胞减少症，尤适用于营养不良。

【方四】

山药1 000克，蜜枣150克，罐头樱桃10粒，猪网油1张（碗口大），猪油、白糖、桂花卤、湿淀粉适量。

山药洗净煮熟，冷后剥去皮。蜜枣用热水洗净泥沙，剖成两半，去核。猪网油洗净，晾干水分。樱桃去核备用。

扣碗内抹上猪油，将网油平垫碗底，放入樱桃，把蜜枣围在樱桃周围。再将山药切成3厘米左右长段，顺长一剖两半，用刀轻轻拍破，码在蜜枣上，码一层山药，撒上一层白糖，依次把山药码完，稍淋些猪油，最上层加入桂花卤（桂花酱），上蒸笼蒸透。

起菜时，把扣碗取出，挑净桂花渣，翻入盘内，同时锅内注入清水，下白糖烧开溶化，用湿淀粉勾成稀芡，把扣碗拿掉，挑去网油渣，浇上糖汁即可。

本药膳补益脾胃，补肾养心，适宜于营养不良患者食用。

【方五】

猪肘1 000克，冰糖150克，红枣1 000克。

1. 将猪肘除尽残毛，刮洗干净，在锅内煮开，除去腥味后取出。

2. 把红枣洗净。

3. 将冰糖30克炒成深黄色糖汁。

4. 在砂锅底上垫几块猪骨，掺汤1 500，将猪肘放旺火上烧开，打去浮沫，再将红枣、冰糖汁及其余冰糖放入，用微火慢慢煨两小时左右，待猪肘煨至离骨、黏稠、汁浓即成。

本药膳补脾益胃，滋阴养血，尤适用于营养不良证属血虚者食用，用于血小板减少者，亦颇适宜。

【方六】

大黄鱼1条，莼菜30克，黄酒、食盐、湿芡粉各适量。

黄鱼去鳞及内脏，冲洗干净，放入盘中。将盘子放入蒸锅内，蒸约数分钟取出，剥皮，左手持尾，右手用筷子夹住，将肉捋于盘中备用。莼菜洗净备用。清水倒入锅中，调以湿芡粉搅匀，煮沸，再加鱼肉、莼菜。略煮即成。

本品有开胃益气、养血填精功效，适用于胃弱食少，久病体虚，营养不良者食用。

本品出自《开宝本草》，方名为后补，原方用于“开胃益气”，为开胃益气，养血填精方。脾胃虚弱，运化无权，则见食少；久病耗损精血，则致体虚，法宜开胃益气，养血填精。方中以黄鱼为主，开胃益气，养血填精；以莼菜为辅佐，助黄鱼开胃益气。合用而成开胃益气、养血填精之方。

【方七】

紫米180克，糯米240克，薏米仁15克，桂圆干15克，红枣15克，玫瑰糖9克，红绿丝9克，白糖90克，清水3 000克。

红枣去核与桂圆干分别切成小丁待用。

把紫米、糯米、薏米仁分别淘洗干净后放入锅内，加清水上火煮开，待米粒将要煮开花时，加入红枣、桂圆干、红糖煮成粥即可分入10个碗内。

将玫瑰糖与白糖拌匀，红绿丝切碎一同拌和均匀，撒在粥碗面上即成。

本药膳和胃健脾，益气补血，抗癌，适用于营养不良，体质虚弱、癌症。

【方八】

糯米120克，粳米120克，粟米120克，秫米120克，赤豆120克，菱角120克，栗子120克，红枣120克，青丝6克，红丝6克，桂花卤6克，玫瑰卤6克，花生仁6克，瓜子仁15克，核桃仁15克，葡萄干6克，红糖500克，白糖120克，清水15公斤。

红枣洗干净去子切成三分大小的丁块；菱角、栗子用刀斩一口子，煮熟去壳，取肉切成碎丁块；将糯米、粳米、粟米、秫米、赤豆都分别用清水淘洗干净，放入大锅里，加上清水、红枣、栗子、菱角上火烧开，慢慢熬煮，要不时搅动锅底，防备糊底，待粥煮成时，加入红糖、桂花卤、玫瑰卤调拌均匀即可。

将粥分别盛入碗内，放上青丝、红丝、花生仁、葡萄干、瓜子仁、核桃仁，作各种图案拼摆，用白糖洒成福、寿、喜、庆等字样。

本药粥功能健脾暖胃，补肾壮阳，清热消食，适用于体虚、消渴、贫血、营养不良。

【方九】

人参10克，大枣5枚。

人参切片备用。大枣洗净备用。人参放入砂锅中，加清水浸泡半天，加大枣，煮约1小时即成。

本品有大补气血功效，适用于气血亏虚，虚弱劳损。

本品出自《十药神书》，原名独参汤，原方用于“止血后此药补之”，为大补气血的代表方。长期调摄不当，久病失于调治，或失血过多，均可导致气血严重亏虚和虚弱劳损，法宜大补气血。方中以人参为主，大补元气；以大枣为辅佐，补气养血。人参与大枣配伍，并可益气生血，合用而成大补气血之方。

本方可用于贫血及营养不良。

【方十】

活甲鱼1只（500克），料酒、酱油、白糖、淀粉、味精、猪油、奶汤、葱、姜、蒜各适量。

将甲鱼处死，剁下头及颈，沥干血液后用清水洗净，放在锅里倒上开水，盖上盖，在旺火上蒸，开锅后，立即撤火，焖半小时后取出。

用刀剁去附在甲鱼肚上和四周软肉上的厚膜，揭开甲鱼的硬盖，去五脏，剁下指甲和尾巴，用清水洗净，切成小方块在开水锅中烫一下，冲洗以去腥味，最后把甲鱼块放入热汤锅中，在旺火上煮开后，撤火，放入葱片、姜片、蒜片以及料酒、酱油等佐料，再在微火上慢慢炖烂，放入白糖、味精、湿淀粉，用力搅几下浇上猪油即可。

本方益气补虚，滋阴养肺，主要辅治：佝偻病、软骨病、角膜炎、皮炎、胃肠炎、营养不良。

【方十一】

乌鱼蛋200克，香菜5克，香菜糊葱油15克，料酒、味精、精盐、醋、胡椒粉、淀粉、高汤适量。

乌鱼蛋用净水稍泡一下，把蛋一片片剥开，用开水煮去掉腥味。

锅内放高汤，在旺火上烧开，将乌鱼蛋放入锅内，加料酒、味精、精盐，待沸后勾芡，出锅时加糊椒粉、醋、香菜糊葱油再撒上香菜。味美清香。

本方补肾气，益脾胃，利水，养精血，可辅治肾气亏损，久病气血不足，水肿少尿，营养不良。

【方十二】

鹿五脏（心、肝、肺、肚、肠）

各1个，鸡清汤500克，味精适量，料酒6克，胡椒面1克，湿淀粉15克，鸡油15克，香菜10克，盐少许。

将鹿五脏清洗干净，下锅煮烂，捞出，晾冷，切成1厘米宽、3.3厘米长的片。

食用时，先用开水将鹿五脏片氽一下。另用锅坐炉上，放入鸡清汤500克，烧开后下入鹿五脏片，并随之加入味精、料酒、胡椒面、盐、湿淀粉，待汤变浓时，撒入香菜，淋上鸡油15克，起锅装碗即可。

清香可口，营养丰富。

本方补肾养血，强筋壮骨，补五脏。

这个补菜适宜于瘦弱、身倦无力、五脏虚损的患者食用，亦可作为产后缺乳的辅助治疗。健康人食用更能增强体力，改善营养，增进健康。

【方十二】

黄花鱼1条（1 000克），鸡蛋清100克，西红柿2个，冬菇、冬笋、胡萝卜、青豆各少许，料酒、精盐、味精、胡椒粉、鸡油、生菜油、淀粉、清汤、葱、姜、蒜各适量。

黄花鱼去腮、鳞及内脏，洗净后去头尾和骨、皮，取其肉切成长方形的片，鸡蛋清制成蛋泡糊，放入少许淀粉拌匀。

将鱼片用盐、料酒、胡椒粉、味精腌上味，并放入蛋泡糊内一一沾匀，在热油锅中炸熟，摆在盘内。

将葱、姜、蒜切末放在炒锅中稍煸，再加入清汤、精盐、味精、料酒，用淀粉勾芡，淋些鸡油，浇在鱼片上，西红柿切成瓣，摆在盘边作装饰。

本方健脾开胃，益气安神。可用于脾胃虚弱，营养不良。

【方十四】

鲥鱼250克，火腿片5克，冬笋片10克，香菇3克，料酒、白糖、盐、虾子、鸡汤、胡椒粉、味精、猪油、葱、姜各适量。

把带鳞的鲥鱼肉，除去血水，用清水洗净，擦去水分，在开水中烫一下，去腥味和污物；再用清水漂洗干净，有血鳞那面朝上，平放在盘里，将火腿片、笋片、盐、虾子、鸡汤放在鱼身上，再在猪油上面放上葱、姜丝，放在旺火上蒸熟。

倒出鱼汁，加上味精、胡椒粉，搅拌均匀后，浇在鱼身上即成。

本方补益气血，主要辅治贫血、营养不良、结核病、脑血管病、胃肠炎。

第六十一节

『原发性坐骨神经痛』

坐骨神经痛是沿坐骨神经通路及其分布区的疼痛综合征，是周围神经的常见疾病。按病因可分为原发性和继发性两类，继发性按受损部位又可分为根性和干性两种。原发性即坐骨神经炎，继发性则因坐骨神经通路中遭受邻近组织病变影响所致。本病属于中医学的“痹证”范畴。

目前，临床上常用的治疗本病的有效偏方、验方主要如下：

【方一】

汉防己30克，怀牛膝、赤芍、白芍、寻骨风各15克，苍术、桂枝、木瓜、胆南星、威灵仙各12克，制川乌、制草乌、乌梢蛇、乳香、没药各10克，全蝎6克，细辛3克。

水煎服，1日1剂。

本方祛风散寒，利湿通络，适用于风寒湿邪痹阻经络，症见：下肢疼痛，受凉后或天气潮湿加剧，持续性钝痛而发作性加剧，夜间痛剧，腰胯部有冷感，苔薄白，脉弦紧。

【方二】

桑寄生30克，熟地20克，独活、杜仲、怀牛膝、续断、当归、桂枝、赤芍、制附片12克，防风、补骨脂、乌梢蛇各10克，细辛3克。

水煎服，每日1剂。

本方温肾养肝，散寒祛湿，活血通络，适用于肝肾亏损所致的坐骨神经痛，临床主要见症：

腰疼腿软，行走艰难，动则痛剧，小腿发凉，畏寒喜暖，头晕耳鸣，舌淡苔白腻，脉沉细。

【方三】

生川乌10克，白芍30克，麻黄10克，木瓜20克，川牛膝18克，细辛3克，黄芪30克，五加皮10克，炒酸枣仁30克，甘草6克，生姜3片，大枣3枚（去核）。

疼痛剧烈者，重用乌头至15～20克，酌加制乳香、制没药；麻木不仁明显者，酌加当归、红花、鸡血藤、全蝎、三七等；气血亏虚者，重用黄芪，酌加当归、人参；肾阳不足者，加仙茅、仙灵脾、续断、鹿角胶；肢体重着沉困者，加独活、防己、苡仁、伸筋草；热邪偏盛者，加知母、石膏、忍冬藤。煎服法：生川乌加水2升先煎1小时左右（或加适量绿豆同煎），煎至药汤无麻味时，再纳上药武火共煎（细辛后下）。煎2次，两煎药液混合后浓煎至400毫升，分上下午2次服。每日1剂，空腹温服。5日为1疗程，一般服药1～2个疗程。

本方温经散寒除湿，祛瘀通络止痛，适用于原发性坐骨神经痛。

【方四】

全当归15克，嫩桂枝10克，酒杭芍10克，北细辛3克，小木通10克，川牛膝12克，香独活10克，宣木瓜10克，生甘草3克，干地龙10克，全蝎5克，川蜈蚣3条，防己10克，川断15克。

水煎服，每日1剂，日服2次。

本方为曾绍裘方，功能散寒利湿，驱风通络，适用于风寒湿邪阻闭经络所致的坐骨神经痛。

【方五】

麻黄10克，熟地20克，肉桂5克，白芥子15克，焦白术15克，鹿角霜50克，玄胡25克，桃仁15克，赤芍15克，茯苓15克，生甘草15克。

水煎服，每日1剂，日服2次。

本方为尚尔寿方，功能温阳散寒，化瘀通络，适用于寒凝气滞，瘀阻经脉所致的坐骨神经痛。

【方六】

党参60克，当归60克，木瓜60

克，延胡索60克，甘草60克，续断90克，全蝎30克，落得打30克，甘松30克，蜈蚣20条，蜂房2只。

研末炼蜜为丸，每服6克，日服3次。

本方为章次公方，功能益气活血，舒筋止痛，适用于气血两虚，寒湿痹阻所致的坐骨神经痛。

【方七】

了哥王（根，茎）125克，海桐皮63克，加水约4升，煎至240毫升；加雌黑鸡肉（去毛及内脏）500克，置于盅内，文火隔水炖4小时，取药液顿服。隔3天用1剂，2剂为1个疗程。用1～5个疗程。治疗结果：用上药治疗坐骨神经痛患者100例，其中治愈者91例，显效者9例，总有效率为100%。

【方八】

用20%当归注射液适量，在患侧坐骨神经分布区域内找出痛点（一般为臀点、大腿后点、腘点、腓肠肌点、踝点），每点注入药液0.5～2毫升，进针深度以患肢有酸胀感或触电感为好，注射后用75JM型音频间动电疗仪治疗，每天1次，12～15次为1个疗程。治疗56例，痊愈24例，显效16例，好转15例，总有效率为98.3%。

第六十二节

『脑血管意外』

脑血管意外是以突然发生的意识障碍和肢体瘫痪为主要临床表现的一种急性脑血管疾病。中医学中有关本病的论述，主要见于“中风”与“瘖痱”之中。

年高精衰，烦劳过度；或素体肥胖，多痰多湿；或恣嗜醇酒肥甘，酿生痰火；或情志失调，五志过极，心火内盛，肝阳暴涨，致使阴阳严重失调而发为本病。

病轻者伤在经络，重者损及脏腑，主要与肝、心、脾、肾四脏关系密切。其基本病理是肝风内动，气血逆乱。肝风可以动痰、化火、乱气、扰血。或者风火痰相合，阻滞脑络；或者气血逆乱，上冲犯脑，络损血溢；或者痰浊（热）内闭，蒙蔽心神。故其基本病理因素不外风（肝风）、火（肝火、心火）、痰（湿痰、风痰）、气（气逆）、瘀五端。五者相互影响，相互兼夹，可表现为“风火相煽”、“气逆血升”、“风痰交阻”、“痰瘀互结”、“痰热内闭”等一系列复杂的病理变化。若风、痰、瘀闭阻脉络，气、血、精渐见亏虚，患者肢体痿废及舌强言謇日久不复，则步入后遗症阶段。

目前，临床上常用的治疗脑血管意外的偏方、验方主要如下：

【方一】

用清开灵或醒脑静注射液，每次10～20毫升，加入50%葡萄糖20毫升静脉推注，或加入10%葡萄糖250～500毫升中静脉滴注，每日1次，同时灌服或鼻饲至宝丹（或安宫牛黄丸）1粒以开窍，继用羚羊汤加减。药用羚羊角（磨冲）、石决明、菊花、钩藤、夏枯草清肝熄风；龟板、生地、白芍育阴潜阳；丹皮、山栀、黄芩清热凉血。大便秘结，加大黄、玄明粉（冲服）；痰涎壅盛，全瓜蒌、胆南星、天竺黄、竹沥，或吞服猴枣散；痰多昏睡，加石菖蒲、郁金、远志；抽搐，加全蝎、蜈蚣、僵蚕。

上方辛凉开窍，清肝熄风，适用于阳闭证所致的脑血管意外，主要临床见症如下：

突然昏倒，不省人事，牙关紧闭，两手握固，肢体强痉，面赤身热，口臭气粗，躁扰不宁，喉中痰鸣，二便不通。舌苔黄腻，脉弦劲滑数。

【方二】

先灌服或鼻饲苏合香丸1粒以开窍，亦可采用清开灵或醒脑静注射液静脉注射，方法同阳闭证。继煎服涤痰汤。药用胆南星、竹沥、半夏、橘红、枳实、竹茹、茯苓涤痰；石菖蒲、远志、郁金豁痰开窍；天麻、钩藤、僵蚕平肝熄风。若痰涎壅盛，气道不畅，半夏可生用先煎，另加竹沥口服，每次30～50毫升；或用三生饮（生南星、生半夏、生附子）煎服，同时配合吸痰；面白、肢厥、自汗多，加人参、附子、黄芪。

上方辛温开窍，豁痰熄风，适用于阴闭证所致的脑血管意外，临床主要见症如下：

突然昏倒，不省人事，口噤握拳，面白肢凉，静而不烦，痰涎壅盛，苔白腻，脉沉滑或弦缓。

【方三】

参附汤合生脉散加减。亦可选用参附注射液（人参、附子）或生脉注射液（人参、麦冬、五味子），加入50%葡萄糖溶液中静脉推注，或加入10%葡萄糖溶液中静脉滴注，每日1～2次。药用人参大补元气，附子回阳救逆，一般人参倍于附子用量；麦冬、五味子、龙骨、牡蛎益阴敛汗固脱。若汗出不止，加山萸肉、生黄芪；肢厥甚，加肉桂、干姜；阳回之后，若出现面赤足冷，烦躁不安，脉大无根，是真阴亏损、虚阳浮越之证，可用地黄饮子化裁。

上方益气回阳，扶正固脱，适用于阳气之脱所致的脑血管意外，临床主要见症如下：

突然昏倒，或由闭转脱而逐渐昏倒，不省人事，目合口开，面色苍白，鼻鼾息微，手撒肢厥，冷汗不止，二便自遗，舌痿短缩，脉微细欲绝或虚大无根。

【方四】

当归10克，川芎9克，赤白芍各15克，生熟地各12克，秦艽9克，防风9克，葛根6克，桑枝12克，白术9克，茯苓12克，半夏10克，天南星10克。

水煎服，日1剂。

本方养血通络，祛风化痰，适用于络虚风中所致的脑血管意外，临床主要见症如下：

肌肤不仁，手足麻木，突然口眼㖞斜，语言不利，口角流涎，甚则半身不遂，或恶寒发热，肢体拘急，苔薄白，脉浮弦。

【方五】

半夏10克，胆南星9克，橘红10克，枳实12克，竹茹9克，茯苓9克，全蝎10克，僵蚕9克，地龙10克，桑枝12克，天麻9克。

水煎服，日1剂。

本方化痰祛湿，熄风通络，适用于风痰阻络所致的脑血管意外，临床主要见症如下：

半身不遂，一侧肢体麻木，口多痰涎，语言不利，口眼㖞斜，头昏而重，大便或溏或秘，舌苔白腻，脉弦滑。

【方六】

胆南星10克，全瓜蒌9克，地龙9克，僵蚕10克，大黄9克，芒硝9克。

水煎服，日1剂。

本方化痰熄风，通腑泻热，适用于痰热腑实所致的脑血管意外，临床主要见症如下：

突然一侧肢体麻木，口眼㖞斜，半身不遂，头晕头痛，大便秘结，口多痰涎，语言不利，或神志欠清，或时清时昧，舌苔黄腻，脉弦滑。

【方七】

生地10克，白芍12克，玄参9克，天冬12克，龟板30克，天麻9克，钩藤15克，石决明15克，牡蛎30克，怀牛膝10克。

水煎服，日1剂。

本方滋阴潜阳，镇肝熄风，适用于阴虚风动所致的脑血管意外，主要临床见症如下：

素有头晕头痛，耳鸣目眩，突然口眼㖞斜，半身不遂，一侧手足麻木，语言不利。舌质红、苔薄黄，脉弦细数或弦滑。

【方八】

黄芪10克，当归尾9克，赤芍9克，桃仁10克，红花9克，葛根9克，丹参10克，地龙10克，全蝎10克，蜈蚣10克，桑枝10克，桂枝10克。

水煎服，日1剂。

本方益气活血，化瘀通络，适用于气虚血瘀所致的脑血管意外，临床主要见症如下：

半身不遂，肢软无力，神疲气短，偏身麻木，面色萎黄，自汗，或患肢浮肿，口眼㖞斜，语言不利，舌淡紫或有瘀斑，脉弦细或细涩。

【方九】

每天以生大黄粉9克，用沸水15～20毫升冲匀，多次灌服。不能灌服者，用生大黄30克，水煎200毫升保留灌肠，每天1次，直到解大便为止。用上药治疗脑出血急性期，发病24小时后不通的实闭患者，在西医常规治疗的同时，配合本方，疗效显著。

【方十】

取水蛭液（每10毫升含生水蛭3克），每次口服10毫升，每天3次，4周为1个疗程。治疗结果：治疗29例，明显好转21例，显效5例，无效3例。未发现副作用。

第六十三节

『厥 证』

厥证，是指以突然昏倒，不省人事，或伴有四肢逆冷为主要表现的一种病症，古有寒厥、热厥、阴厥、阳厥、煎厥、薄厥以及六经厥、气血痰湿等厥的分别，总由阴阳失调，气血逆乱引起。厥证在临床上可分为虚、实两类，老年精亏血脱，以虚证为多。

厥证之名，首见于《内经》。《素问》、《灵枢》中约三十多个篇章论述了不同名称的厥，《素问》还有“厥论”篇专论厥证。《内经》中厥的含义主要有二：暴不知人，突然昏倒和四肢厥冷，病机主要是气机逆乱，阴阳之交不相顺接。《伤寒论》论厥，主要指手足厥冷，金元以张子和《儒门事亲》论厥最详，把昏厥分为尸厥、痰厥、酒厥、气厥、风厥等。以后如《医学入门》、《医贯》、《景岳全书》又在前人分类的基础上，提出气血痰湿酒蛔等厥，作为辨证分型的依据，指导临床治疗。清代，一些医家提出厥证与肝的关系，如林佩琴《类证治裁》，叶天士《临证指南医案》论厥之发生都强调肝气逆乱之因，于临床治疗有重要指意义。

目前，临床上常用的治疗厥证的偏方、验方主要如下：

【方一】

槟榔 10 克，沉香 9 克，乌药 10 克，木香 6 克，枳壳 6 克。

水煎服，日 1 剂。

五磨饮子中沉香、乌药降气调肝；槟榔、枳实、木香行气破滞。本方可加白豆蔻、檀香、丁香、藿香之类理气宽胸。肝阳偏亢，醒后头昏而痛者，可加钩藤、石决明、磁石等；醒后时哭时笑，睡眠不安者，可加茯苓、远志、酸枣仁。对于昏厥病人，当先用温开水灌服苏合香丸或玉枢丹，清醒后再服五磨饮子。精神刺激是本证的主要诱因，因此平时可服逍遥散理气开郁，防止复发。

本方功能调气开郁，适用于厥证中的气厥实证。

〔主证〕猝然昏倒，不省人事，口噤拳握，呼吸气粗，或四肢厥冷，苔薄白，脉沉弦。此证多由精神刺激诱发。

【方二】

人参 6 克，附子 9 克。

水煎服，日 1 剂。

参附汤有补气回阳之功，急灌服。病人苏醒后，给服四味回阳饮。若汗出不止，加龙骨、牡蛎；心悸不宁，加熟地、远志、当归、酸枣仁养血安神。

本方功能补气回阳，适用于厥证

中的气厥虚证。

〔主证〕猝然昏倒，面色苍白，呼吸微弱，汗出肢冷，舌淡，脉沉微。

【方三】

当归尾 12 克，山楂 10 克，香附 10 克，红花 6 克，乌药 9 克，青皮 6 克，木香 6 克，泽泻 9 克。

水煎服，日 1 剂。

方中当归、红花、山楂活血散瘀；乌药、青皮、香附、木香理气开郁；泽泻利水。对于昏厥病人，可先用醋或童便火淬，取烟熏鼻，使之苏醒后，再用上药。风阳盛而头痛眩晕者，加钩藤、菊花、白蒺藜、枸杞。

本方活血顺气，适用于血厥证中的实证。

〔主证〕猝然昏倒，不省人事，牙关紧闭，面赤唇紫，舌红，脉沉弦。

【方四】

独参汤：人参 10 克。

人参养荣汤：黄芪 10 克，人参 6 克，当归 9 克，熟地 10 克，白芍 12 克，五味子 10 克。

当归补血汤：当归 10 克，黄芪 50 克。

水煎服，日 1 剂。

急用独参汤灌服，收散亡之气。继用人参养荣汤或当归补血汤。人参养荣汤以黄芪、人参为主；当归、熟地养血，白芍、五味子敛阴，其中已含有当归补血汤。若有出血，加阿胶、仙鹤草、藕节、茜草根；心悸少寐，加酸枣仁、龙眼肉、茯神。治疗本证，必须把益气放在首位，若单纯补血，效果不佳。

本方补养气血，适用于血厥证中的虚证。

〔主证〕突然昏厥，面色苍白，口唇无华，四肢震颤，目陷口张，自汗肤冷，呼吸微弱，舌质淡，脉细数无力。

【方五】

半夏 10 克，陈皮 9 克，茯苓 9 克，甘草 6 克，枳实 9 克，南星 6 克（本方为导痰汤）。

水煎服，日 1 剂。

导痰汤豁痰理气，以治痰湿为主。痰气壅盛可加白芥子、苏子降气；痰湿化热，见口干便秘，苔黄腻，脉滑数，可加黄芩、栀子、竹茹、瓜蒌仁。痰热容易上蒙清窍，攻痰与开窍要同时进行，可用礞石滚痰丸；昏厥重可选用苏合香丸或玉枢丹。

本方豁痰开窍，适用于痰厥证，临床为：

〔主证〕突然昏厥，喉有痰声，或呕吐涎沫，呼吸气粗，苔白腻，脉沉滑。

第六十四节

『消　渴』

频饮频渴，饮水即消，称为消渴。其由肺热津伤，或心火偏旺所致者，多继发于发热病如感冒、温病、伤寒等。另一种，因过食辛热肥甘或七情内郁生热化燥，灼伤真阴而致者，其在肺，渴饮无度为消渴（上消）；其在胃，饥而善食，溲多味甜为消谷（中消）；其在肾，精髓枯竭，虚阳烁阴，引水自救，溺浊为膏，为消肾（下消）。消渴、消谷、消肾三者合为三消。

目前，临床上常用的对消渴证有较好疗效的偏方、验方主要如下：

【方一】

鲜桑椹 1 000 克，糯米 500 克。

鲜桑椹洗净捣汁（或以干品 300 克煎汁去渣），再将药汁与糯米共同烧煮，做成糯米干饭，待冷，加酒曲适量，拌匀，发酵成为酒酿。

每日随量佐餐食用。适用于肝肾阴亏消渴、便秘、耳鸣、目暗、瘰疬、关节不利等症。

桑椹滋阴补血力强，辅以糯米补中益气，提高疗效。

【方二】

羊乳 500 克，糯米 50 克，白糖 50 克，清水 250 克。

将糯米淘洗干净，放入锅内，加清水上火烧开，熬煮成粥后，入羊乳、白糖调匀即可。

本药粥温润补虚，适用于消渴证、虚劳、反胃等。

【方三】

兔肉 100 克，面粉 250 克。鸡蛋 1 只，豆粉适量，盐少许，味精、葱适量。

将兔宰杀后，剥皮，去内脏，取净肉。

将兔肉剁碎成肉末，放入豆粉、味精、葱、鸡蛋、食盐，调匀。

将面粉放入盆内，加水适量，揉成面团，用擀面杖擀成薄片，切成 5 厘米见方的面片。

左手拿面皮，右手打馅，按常法包成馄饨。

在锅内加水适量，置武火上烧开，将生馄饨放入锅内煮开后，3 分钟即成。

本方补中益气，凉血解毒。适用于消渴羸瘦，胃热呕吐，便血等症。

【方四】

野鸡 1 只，豆豉、食盐、黄酒、湿淀粉、芝麻油各适量。

野鸡去毛及内脏，冲洗干净，放入开水锅中略烫后捞出。取肉细切，放入锅中，加清水、豆豉、食盐、黄酒，旺火烧沸后，再改用小火炖至熟烂，用湿淀粉勾芡，食前淋上芝麻油即成。

本品有补中气、止消渴功效，适用于中虚消渴，饮水无度，小便频数。

本品出自《食医心镜》、《饮膳正要》等。原方用于"消渴饮水无度，小便多，口干渴"，"消渴口干，小便频数"，为治疗消渴方，消渴日久，可致中虚，法宜补中气，止消渴。本品单用野鸡一味，能补中气，止消渴，故适用于消渴。

【方五】

梨500克，蜂蜜250克，水适量。

雪梨或鸭梨洗净，去柄、核，切片，放在铝锅中，加水适量，煎煮至七成熟烂，水将耗干时加蜂蜜，再以小火煎煮熟透，收汁即可，待冷；放瓶罐中贮存备用。

本品有润燥，生津，清热，止渴功效。随量食用，或调水饮汤吃梨，可治疗热病消渴、引饮、烦躁、食少、便秘、尿少等症。

本品出自《普济方》，品名为后加。原方用于"消渴"，为治疗消渴的常用方。消渴为燥热偏盛，阴液亏损所致，法宜清热润燥，生津止渴。方中以梨为主，甘寒养阴，清肺胃之热，并辅以养阴润燥之蜂蜜；二物相配，其效甚佳。凡外感或内伤，肺胃积热之证皆可应用本品。

本品对肾虚下消者不宜食用。

【方六】

猪肚500克洗净，加水适量，煮七成熟，捞出，改刀切成细丝备用。再以大米100克、猪肚丝100克、猪肚汤适量，煮成粥。可加葱、姜、五味调料。经常食用可治疗脾虚气弱之食欲不振、消化不良、消渴、小便频数，以及消瘦疲倦等症。

【方七】

知母12克，石膏30克，粳米30克，甘草10克，人参10克。

水煎服，日1剂。

方中石膏清泻肺胃而除烦热；知母清泄肺胃之热，质润滋燥，石膏配知母增强清热除烦之力；人参、甘草、粳米益胃护津，热甚烦渴，苔黄燥者，加茯苓、黄连；津伤口渴者，加天花粉、石斛、麦冬；气虚见气短自汗、乏力脉虚者，加黄芪、北沙参、葛根；肾虚精亏者，加山药、枸杞、五味子。

本方清热润肺，生津止渴，适用于上消证，临床主要见症如下：

烦渴欲饮，随饮随渴，咽喉干燥，食欲一般，小便频数量少，尿色混黄，舌红，或尖边红，苔少而黄，脉滑数。

【方八】

石膏30克，熟地10克，麦冬9克，知母12克，牛膝10克。

水煎服，日1剂。

石膏清热除烦，知母苦寒质润，助石膏以清胃热；熟地甘，微温，滋肾阴；与石膏相伍以清火滋水；麦冬养阴，助熟地滋肾阴；牛膝滋肾，并引热下行。诸药配合，共奏清胃滋肾之功。烦热渴饮者，加黄连、天花粉、玄参、鲜芦根、石斛；大便秘结者，加火麻仁、郁李仁。

本方清泄胃热，养阴生津，适用于中消证，临床主要见症如下：

多食易饥，口渴引饮，大便秘结，舌红少津，苔黄燥，滑数有力。

【方九】

熟地10克，山茱萸9克，干山药12克，泽泻10克，茯苓9克，丹皮9克。

水煎服，日1剂。

本方立法，以肾、肝、脾三阴并补而重在补肾阴。方中熟地滋肾阴，益精髓；山茱萸滋肾益肝；山药滋肾补脾，共成三阴并补以补肾治本之功，亦即“壮水之主以制阳光”之义。泽泻配熟地而泻肾浊；丹皮配山茱萸以泻肝火；茯苓配山药而渗脾湿，此即谓“三泻”，补泻并用，防止滋补之品产生滞腻之弊，实是以补为主，尿频而混者，加覆盆子、菟丝子、桑螵蛸、五味子、枸杞子；舌红绛者，加知母、黄柏；食少倦怠，舌淡红，脉虚细，去丹皮、熟地，加党参、黄芪、白术、鸡内金；畏寒肢冷，面色黧黑，耳轮焦干，饮一溲二，舌苔白，舌质淡，脉沉细无力者，可并服地黄饮子以加强疗效。(地黄饮子，《宣明方》)

本方滋养肝阴，润燥止渴，适用于下消证，临床主要见症如下：

小便频多，混浊如膏而甜甚，口舌干燥，渴而多饮，五心烦热，腰膝酸软，倦怠乏力，头晕耳鸣，舌红少苔，脉细数。

【方十】

胡桃肉30克，桃仁两片，红糖一汤匙。三者拌匀，每日1剂，分2～3次，咀嚼吞服。

【方十一】

大头菜30克，熟羊肉30克，糯米60克，葱姜末6克，精盐3克，味精0.3克，麻油15克，清水1 000克。

将大头菜淘洗干净，切成碎末。熟羊肉也切成碎米粒状。糯米浸泡过夜，清水淘洗干净。

炒锅下麻油烧热，加入大头菜、羊肉炒散，放入清水、糯米烧开，煮到米粒开花时，再入葱姜末、精盐、味精、麻油，稍煮片刻即可。

本方开胃止渴，适用于消渴病。

【方十二】

猪脊骨1具洗净剁碎，红枣150克，莲子（去心）100克，木香3克，甘草10克，后两味药以纱布包扎。同放锅中，加水适量，小火炖煮4小时。分顿食用，以喝汤为主，并可吃肉、枣和莲子。可治疗糖尿病消渴、善饥、尿多等症。

【方十三】

山药粉、茯苓粉各100克，放在大碗中，加水适量，浸泡成糊，再蒸半小时后，调面粉200克、白糖300克，及猪油、青丝、红丝（或果料）少许成馅。取发酵调碱后的软面与馅料包成包子，蒸熟即可。本品益脾胃，补气阴，涩精气。连续食用，可治疗虚弱，脾胃不健，食少，消渴，尿频，遗精，遗尿等症。

【方十四】

牛肉1 000克洗净，切成小块，放大铝锅内，加水适量，煎煮，每小时取肉汁1次，加水再煎，共取汁4次，合并汁液，以小火继续煎熬，至将稠黏时，加黄酒250毫升，至稠黏时停火。倒在大碗中，冷藏备用。本品有补气益血、健脾安中功效。虚弱消瘦，少食消渴，精神倦怠者食用相宜。

第六十五节

『癃 闭』

癃闭是指小便量少，点滴而出，甚则小便闭塞不通为主症的疾患。其中以小便不利，点滴而短少，病势较缓者为“癃”；以小便闭塞，点滴不通，病势较急者为“闭”，癃和闭虽然都是指排尿困难，但有区别，由于仅是程度上的不同。因此一般多合称为癃闭。

老年癃闭证的立论最早见于《内经》，如《素问·阴阳应象大论》：“年六十、痿、气大衰、九窍不利、下虚上实。”《素问·五常政大论》：“涸流之纪，……其病癃闭，邪伤肾也。”此外《内经》对癃闭的病因、病机、病位都作了较为详细的论述。隋唐《诸病源候论·小便诸候》中提出小便不通和小便难的病因皆是由于肾与膀胱有热。在《备急千金要方》和《外台秘要》中都载有治疗小便不通、小便难的方剂，并用葱管作导尿管，插入尿道治疗尿潴留。《丹溪心法》指出“小便不通有气虚、血虚、有痰，风闭实热”之分。治疗多提倡使用升提和探吐法，使上窍开，则下窍通。《景岳全书》强调本病最当辨其虚实”，认为“年衰气竭”者多属“阳虚”、“气虚下降”、“真阳败绝”、“阴虚阳亢”等证，治疗以健脾补肾为主。

目前，临床上治疗癃闭常用的偏用、验方主要如下：

【方一】

木通10克，车前子9克，萹蓄9克，瞿麦9克，山栀子9克，滑石10克，甘草6克，大黄9克。

水煎服，日1剂。

本方清热利湿，通利小便，适用于膀胱湿热所致的小便点滴不通或量极少。主要见症如下：

小便点滴不通，或量极少而短赤灼热，小腹胀满，口苦而黏，或口渴不欲饮，或大便不畅；苔黄腻，舌质红，脉数。

【方二】

黄芩10克，桑白皮9克，麦冬6克，车前子12克，木通6克，茯苓9克，山栀子9克。

水煎服，日1剂。

本方清肺热，利水道，适用于肺热壅盛所致的癃闭，临床主要见症如下：

小便不畅，或点滴不通，或量少短赤，呼吸短促，咳嗽咽干，烦渴欲饮，舌苔薄黄，脉数。

【方三】

沉香10克，橘皮12克，当归10克，王不留行9克，石韦6克，冬葵子9克，滑石12克。

水煎服，日1剂。

本方疏调气机，适用于肝郁气滞所致的癃闭，临床主要见症如下：

情志忧郁，或多烦善怒，小便不通或通而不爽，胁腹胀满，苔薄或薄黄，舌红，脉弦。

【方四】

当归尾12克，山甲片6克，桃仁9克，大黄6克，芒硝6克，红花10克，牛膝6克。

水煎服，日1剂。

本方行瘀散结，通利水道，适用于尿道阻塞所致的癃闭，临床主要见症如下：

小便点滴而下，或尿如细线，甚则阻塞不通，小腹胀满疼痛，舌紫暗，或有瘀点，脉涩或细数。

【方五】

肉桂10克，附子6克，牛膝9克，车前子9克，泽泻10克，山萸肉10克，山药12克，茯苓12克，熟地12克，丹皮10克。

水煎服，日1剂。

本方温阳益气，补肾利尿，适用于肾阳疲惫所致的癃闭，临床主要见症如下：

小便不通，或滴沥不畅，排出无力，面色晄白，神气怯弱，腰以下冷，腰膝无力，口不渴，舌质淡，脉微细。

【方六】

人参10克，黄芪9克，白术6克，当归10克，陈皮10克，升麻9克，柴胡12克，桂枝10克，猪苓12克，泽泻9克，茯苓9克。

水煎服，日1剂。

本方补中益气，升清降浊，适用于中气下陷所致的癃闭，临床主要见症如下：

小腹坠胀，时欲小便而不得出，或量少而不爽利，面黄肌瘦，不思饮食，少气懒言，体倦神疲，动则气喘，舌质淡，苔薄，脉沉细无力。

【方七】

知母10克，黄柏9克，肉桂6克，通草9克，泽泻12克。

水煎服，日1剂。

本方滋补肾阴，以助气化，适用于肾阴亏耗所致的癃闭，临床主要见症如下：

小便涓滴难下，甚至无尿，面焦颧红，腰膝酸痛，头晕目眩，口燥舌干，舌质红少津，脉虚弦或细数。

【方八】

用独头蒜1个，盐少许，捣烂，摊纸贴脐部，良久可通；或食盐250克，炒热，布包熨脐腹，冷后再炒热敷之；或用暖水袋热敷。或用葱白500克，捣碎，入麝香少许拌匀，分2包，先置脐上1包，热熨15分钟，再换1包，以冰水熨亦15分钟，交替使用，以通为度；或用白矾、生白盐各7.5克，共研匀，以纸卷围脐，填药在内，滴冷水于药上，其小便可通。

【方九】

取木鳖燎去毛，文火煨至鼓起为度，研末，每次0.6克，每天2次。疗效：治疗癃闭（其中前列腺肥大1例；女性产后2例，结扎术后1例）共计20例，痊愈19例，无效1例。

【方十】

肉苁蓉30克，仙灵脾10克，知母10克，黄柏10克，肉桂3克，桃仁

15克，王不留行15克，炮山甲15克，桔梗6克，枳壳10克，牛膝15克，车前子15克（包），泽泻20克，当归10克，石菖蒲10克，大黄10克，琥珀5克（冲）。

水煎服，日1剂。

湿热壅盛者加黄芩、土茯苓、蒲公英；阳虚明显者加炮附子、巴戟天；气虚明显者加黄芪；气滞血瘀者加三棱、莪术等；尿中有红白细胞者加白茅根、白花蛇舌草。

小便点滴不通，超过24小时者应配合导尿，在服药的同时，可酌情去掉导尿管或同时配合外敷法：取芫花3克、甘遂3克、冰片3克，共研细末，面粉适量，调成糊状，外敷于脐下中极穴上，直径4厘米，并于其上加热，12小时更换1次。

本方功能益肾活血，适用于癃闭。

第六十六节

『胸痹、心痛』

胸痹、心痛指的是以胸部窒塞或疼痛为主证的一类病证，其轻者仅感胸闷如窒，重者心胸甚或疼痛彻背，不得安卧，所以二者实则为一。老年阳气不足，加之情志不舒，体内多有留湿生痰、气滞血瘀之变，使络脉闭塞发为胸痹、心痛。

《内经》最早提出心痛一病，《灵枢·厥病篇》说："真心痛，手足青至节，心痛甚，旦发夕死。"这种真心痛即是胸痹的重证。张仲景《金匮要略》称本病为胸痹，并详细地描写了胸痹的临床表现：喘息咳唾，胸背痛，短气不得卧等。以后历代医家对胸痹病因病机的认识以及辨证、治疗都有很大的提高，特别是明清的医家，不但认识到胸痹、心痛的发作是由于寒凝、气滞、血瘀、痰阻使胸阳痹阻的结果，而且还提出气血虚损之人患心痛之虚证，此外从明清以后，中医内科也逐渐把心痛和胃脘痛区别开来，本篇即专论膻中部位及左胸部位窒塞或疼痛的病证。

目前，临床上常用的治疗胸痹、心痛证的主要偏方、验方如下：

【方一】

瓜蒌50克，薤白10克，白酒50克（本方为瓜蒌薤白白酒汤）。

水煎服，日1剂。

瓜蒌薤白白酒汤多与枳实、桂枝、附子、丹参、藿香合用。桂枝、附子、薤白辛温通阳，开痹散寒；瓜蒌、枳实化痰散结；檀香理气温中；丹参活血通络。若发作频繁而严重，见胸痛彻背，背痛彻胸，身寒肢冷，喘息不得卧者，宜用乌头赤石脂丸和苏合香丸（含化）芳香温通止痛，现代经验方冠心苏合丸对于胸部剧痛、四肢厥冷、汗出不止者，每能获瞬间止痛之效。

本方辛香温通，通络宣痹，适用于寒痹心脉所致的胸痹、心痛，主要临床见症如下：

猝然心痛如绞，形寒，感寒则发作，频繁剧烈，胸痹彻背，胸闷气短，心悸，甚则喘息不得卧，苔薄白，脉沉细。

【方二】

当归10克，生地12克，桃仁9克，红花10克，枳壳9克，赤芍9克，柴胡10克，甘草9克，桔梗6克，川芎9克，牛膝10克。

水煎服，日1剂。

方中当归、赤芍、川芎、桃仁、红花活血化瘀；柴胡、枳壳理气，取气行血亦行之意；用桔梗、牛膝亦取上下升降之意。心痛剧烈，本方亦可加乳香、没药，或合失笑散（蒲黄、五灵脂），可增强活血止痛之功。

本方功能活血化瘀，通脉止痛，适用于心血瘀阻所致的胸痹、心痛，临床主要见症如下：

心前区和胸骨后疼痛较剧，如刺如绞，痛有定处，伴有胸闷，日久不愈，心烦不安，气短，舌质紫暗或有瘀点，脉弦涩或有结代。

【方三】

瓜蒌50克，薤白10克，白酒10克，半夏10克。

水煎服，日1剂。

方中瓜蒌开胸中痰结，半夏化痰降逆，薤白通阳豁痰。本方如与干姜、陈皮、白豆蔻同用，效果较好，胸痛甚加用苏合香丸。痰浊与血瘀往往并化，祛痰的同时还要配合活血行瘀之品，如丹参、当归、益母草、泽兰叶、桃仁、红花等。

本方通阳泄浊，豁痰宣痹，适用于痰浊闭阻所致的胸痹、心痛，临床主要见症如下：

胸闷如窒而痛，重者痛引肩背，气短喘息，头晕心悸，肢体沉重，痰多，苔浊腻，脉弦滑。

【方四】

黄芪10克，茯苓9克，茯神9克，当归9克，川芎6克，炙甘草6克，半夏曲6克，柏子仁9克，酸枣仁6克，远志9克，五味子9克，人参10克，肉桂3克。

水煎服，日1剂。

方中人参、黄芪大补元气，以扶心气；炙甘草益心气而通经脉；肉桂辛热补阳；茯苓、茯神、远志、半夏曲补心安神，健脾和胃；柏子仁、酸枣仁、五味子敛心气，安心神；当归、川芎行气活血，全方有补养心脾之气血、振奋胸阳的功效，汗出多者可加龙骨、牡蛎，或另加人参粉冲服。

本方补心气，振心阳，适用于心气不足所致的胸痹、心痛。临床主要见症如下：

心胸隐痛，胸闷气短，动则喘息，心悸易汗出，倦怠乏力，面色㿠白，舌有齿痕，脉细缓或结代。

【方五】

人参9克，熟附子6克，生姜6克，大枣6克（本方为参附汤）。

熟地10克，山萸肉6克，枸杞子9克，山药9克，制附子6克，杜仲6克，茯苓6克，甘草6克。（本方为右归饮）

水煎服，日1剂。

参附汤和右归饮合用，能补心肾之阳气。其中人参大补元气；附子、肉桂温壮肾阳；熟地、山药、枸杞子补肾壮精。如果肾阳虚衰不能制水，水气凌心而见心悸、喘促、小便短少，肢体浮肿者，可用真武汤加防己、猪苓、车前子以温阳行水。

本方温补心肾，适用于心肾阳虚所致的胸痹、心痛，临床主要见症如下：

胸闷气短，动则更甚，胸痛彻背，心悸汗出，形寒肢冷，腰膝酸软，面色苍白，肢肿便溏，舌淡，脉沉迟或沉微。

【方六】

人参 9 克，炮附子 6 克，龙骨 20 克，牡蛎 30 克。

水煎服，日 1 剂。

人参、附子补心气而温心阳；龙骨、牡蛎敛心气止汗。心阳暴脱证是胸痹、心痛之严重证候，必须在短时间内给予有效治疗，才能挽救患者的生命。现代有冠心苏合丸、速效救心丸等有效治疗药物，另外还可配合针刺治疗，必要时应配合西医急救。

本方回阳救逆，益气固脱，适用于心阳暴脱所致的胸痹、心痛，临床主要见症如下：

胸闷、胸痛突然发作，面色苍白，大汗淋漓，呼吸急迫，口唇青紫，手足冰冷，甚则昏仆，不省人事，脉微欲绝或沉伏。

第六十七节

『痉　证』

痉证是以项背强急，四肢抽搐，甚至角弓反张为主要表现的病证，可见于多种疾病。历代医家对痉证的发病原因，从外感致痉逐步认识到内伤亦可致痉。由于病因学说的丰富和发展，给痉证治疗不断开创了新的途径。《内经》对痉证的病因是以外邪立论为主，认为系风寒湿邪，侵袭入体，壅阻经络而成。

在中医学里尚有“瘈疭”一证。瘈疭即抽搐。《张氏医通·瘈疭》篇说：“瘈者，筋脉拘急也；疭者，筋脉弛纵也，俗谓之抽。”《温病条辨·痉病瘈疭总论》中又说：“痉者，强直之谓，后人所谓角弓反张，古人所谓痉也。瘈者，蠕动引缩之谓，后人所谓抽掣，搐搦，古人所谓瘈也。”可见瘈疭即可为痉证症状表现之一，也可单独出现而为病。

痉证的病因病机，归纳起来，可分为外感和内伤两个方面。外感是风寒湿邪，侵袭入体，壅阻经络，气血不畅，或热盛动风，或热灼津液而致痉。内伤是阴虚血少，虚风内动，筋脉失养而致痉。外感和内伤在病因上虽不相同，但导致发痉的病机，都是阴阳失调，阳动而阴不濡所致。

目前，临床上用治痉证的偏方、

验方主要如下：

【方一】

羌活 12 克，独活 10 克，防风 9 克，藁本 10 克，川芎 6 克，蔓荆子 9 克。

水煎服，日 1 剂。

如寒邪较甚，苔薄白，脉浮紧，病属刚痉，治宜解肌发汗，方用葛根汤治之。方中葛根解肌养筋，以舒拘急；麻黄、桂枝解表散寒；芍药、甘草益阴和里，并制麻桂发汗之猛；姜、枣调和营卫。如风邪偏盛，症见项背强直，发热不恶寒，头痛汗出，苔薄白，脉沉细，病属柔痉，治宜和营养津，方用栝楼桂枝汤。以桂枝汤调和营卫，解散表邪；栝楼根清热生津，柔和筋脉。

若身热，筋脉拘急，胸脘痞闷，渴不欲饮，小便短赤，苔黄腻，脉滑数，此为湿热入络，治宜清热化湿，疏通经络，方用三仁汤加地龙、秦艽、丝瓜络、威灵仙等以通经活络。

本方祛风散寒，和营燥湿，适用于邪壅经络所致的痉证，症见：头痛，项背强直，恶寒发热，肢体酸重，苔白腻，脉浮紧。

【方二】

大黄 10 克，芒硝 9 克，玄参 9 克，生地 12 克，麦冬 9 克。

水煎服，日 1 剂。

如热盛伤津，并无腑实之证，可用白虎加人参汤以清热救津。如抽搐较甚者，可酌加地龙、全蝎、菊花、钩藤等熄风通络之晶。如烦躁较甚，可加淡竹叶，栀子清心除烦。

若温病邪热，内传营血，热盛动风，症见壮热头痛，神志昏迷，口噤抽搐，角弓反张，舌质红绛，苔黄燥，脉弦数，治以凉肝熄风，清热透窍。方用羚羊钩藤汤。方中以羚羊角、钩藤、菊花、桑叶清热凉肝，熄风止痉；白芍、生地、甘草养阴增液，柔肝舒筋；贝母、竹茹清热化痰；茯神宁心安神。神昏谵语或神志昏迷，可加服安宫牛黄丸或至宝丹以清热透窍。若邪热羁久，灼伤真阴，症见时时发痉，舌干少苔，脉虚数，可用大定风珠以平肝熄风，养阴止痉。以上证治，同时可参照温病有关病证。

本方泄热药津，养阴增液，适用于热甚发痉，所致的临床症状如下：

发热胸闷，口噤龄齿，项背强直，甚至角弓反张，手足挛急，腹胀便秘，咽干口渴，心烦急躁，甚则神昏谵语，苔黄腻，脉弦数。

【方三】

当归 10 克，川芎 9 克，白芍 10 克，熟地 10 克，白芍 9 克，阿胶 10 克，生龟板 30 克，生鳖甲 10 克，鸡子黄 1 枚，麦冬 10 克。

水煎服，日 1 剂。

本方滋阴养血，适用于阴血亏虚所致痉证，证见：

素体阴亏血虚，或在失血、汗、下太过之后，项背强急，上肢抽搐，头目昏眩，自汗，神疲，气短，舌淡红，脉弦细。

第六十八节

『瘿　病』

瘿病是由于情志内伤，饮食及水土失宜，以致气滞、痰凝、血瘀壅结颈前所引起的，以颈前喉结两旁结块肿大为主要临床特征的一类疾病。

瘿病一名，首见于《诸病源候论·瘿候》。在中医著作里，又有称为瘿、瘿气、瘿瘤、瘿囊、影袋等名称者。

目前，在临床上用治瘿病的偏方、验方主要如下：

【方一】

青木香10克，陈皮9克，昆布10克，海带9克，海藻9克，海螵蛸12克，海蛤壳9克。

水煎服，日1剂。

本方理气舒郁，化痰消瘿，适用于气郁痰阻所致的瘿病，临床见症如下：

颈前正中肿大，质软不痛，颈部觉胀，胸闷，喜太息，或兼胸胁窜痛，病情的波动常与情志因素有关，苔薄白，脉弦。

【方二】

青木香10克，陈皮9克，昆布10克，海带15克，海藻10克，半夏10克，连翘10克，甘草3克，当归10克，川芎9克。

水煎服，日1剂。结块较硬及有结节者，可酌加黄药子、三棱、莪术、露蜂房、山甲片、丹参等，以增强活血软坚、消瘿散结的作用。胸闷不舒加郁金、香附理气开郁。郁久化则见烦热，舌红，苔黄，脉数者，加夏枯草、丹皮、玄参以清热泻火。纳差、便溏者，加白术、茯苓、怀山药健脾益气。

本方理气活血，化痰消瘿，适用于痰结血瘀所致的瘿病，临床见症如下：

颈前出现肿块，按之较硬或有结节，肿块经久未消，胸闷，纳差，苔薄白或白腻，脉弦或涩。

【方三】

柴胡10克，白芍9克，茯苓9克，甘草6克，当归10克，川芎9克，栀子10克，丹皮9克，牛蒡子9克，海藻10克，黄药子9克。

日1剂，水煎服。

本方清泄肝火，适用于肝火旺盛所致的瘿病，见症：

颈前轻度或中度肿大，一般柔软、光滑。烦热，容易出汗，性情急躁易怒，眼球突出，手指颤抖，面部烘热，口苦，舌质红，苔薄黄，脉弦数。

【方四】

生地10克，玄参12克，麦冬15克，天冬9克，人参6克，茯苓10克，五味子10克，当归9克，丹参10克，酸枣仁9克，柏子仁12克，远志9克。

水煎服，日1剂。

肝阴亏虚、肝经不和而胁痛隐隐者，可仿一贯煎加枸杞子、川楝子养肝疏肝。虚风内动，手指及舌体颤抖者，加钩藤、白蒺藜、白芍平肝熄风。脾胃运化失调致大便稀溏、便次增加者，加白术、苡仁、怀山药、麦芽健运脾胃。肾阴亏虚而见耳鸣、腰酸膝软者，酌加龟板、桑寄生、牛膝、菟丝子滋补肾阴。病久正气伤耗、精血不足而消瘦乏力，妇女月经量少或经闭，男子阳痿者，可酌加黄芪、山茱萸、熟地、枸杞子、制首乌等补益正气、滋养精血。

本方滋养阴精，宁心柔肝，适用于心肝阴虚所致的瘿病，临床见症如下：

瘿肿或大或小、质软，病起较缓，心悸不宁，心烦少寐，易出汗，手指颤动，眼干，目眩，倦怠乏力，舌质红，舌体颤动，脉弦细数。

第六十九节

『胁　痛』

胁痛是以一侧或两侧胁肋疼痛为主要表现的病证，也是临床比较多见的一种自觉症状。

本证早在《内经》已有记载，并明确指出胁痛的发生主要是由于肝胆病变。如《灵枢·五邪》篇说："邪在肝，则两胁中痛。"《素问·藏气法时论篇》说："肝病者，两胁下痛引少腹。"《素问·缪刺论篇》也说："邪客于足少阳之络，令人胁痛不得息。"

目前，临床上常用来治疗胁痛的偏方、验方主要如下：

【方一】

柴胡10克，香附9克，枳壳9克，陈皮10克，川芎6克，白芍10克，甘草6克。

水煎服，日1剂。

胁痛重者，酌加青皮、川楝子、郁金以增强理气止痛的作用。若气郁化火，证见胁肋掣痛，心急烦躁，口干口苦，溺黄便秘，舌红苔黄，脉象弦数，可去川芎，加丹皮、山栀、黄连、川楝子、玄胡等以清肝理气、活血止痛。若气郁化火伤阴，证见胁肋隐痛，遇劳加重，心烦头晕，睡眠欠佳，舌红苔薄，少津，脉弦细，可去川芎，加当归、何首乌、枸杞子、丹皮、山栀、菊花等以滋阴清热。若肝气横逆，脾运失常，证见胁痛、肠鸣、腹泻者，可加白术、茯苓、泽泻、苡仁等以健脾止泻。若兼胃失和降，证见恶心呕吐者，可加陈皮、半夏、藿香、砂仁、生姜等以和胃止呕。

本方疏肝理气，适用于肝气郁结所致的胁痛，临床症状如下：

胁痛以胀痛为主，走窜不定，疼

痛每因情志而增减，胸闷气短，饮食减少，嗳气频作，苔薄，脉弦。

【方二】

新降香10克，旋复花9克，郁金12克，桃红9克。

水煎服，日1剂。

若瘀血较重者，可用复元活血汤加减以活血祛瘀，通经活络。方中大黄、山甲、桃仁、红花破瘀散结；当归养血行瘀；柴胡疏肝行气，引药入经。若胁肋下有癥块，而正气未衰者，可加三棱、莪术、地鳖虫等以增强破瘀消坚之力。亦可服鳖甲煎丸。并可参照《积聚篇》治疗。

本方祛瘀通络，适用于瘀血停着所致的胁痛，症见胁肋刺痛，痛有定处，入夜更甚，胁肋下或见癥块，舌质紫暗，脉象沉涩。

【方三】

龙胆草12克，栀子9克，黄芩10克，木通10克，泽泻9克，车前子12克，川楝子9克，青皮6克，郁金10克，半夏6克。

水煎服，日1剂。

若发热、黄疸者，可加茵陈、黄柏以清热利湿除黄。若胁肋剧痛，呕吐蛔虫者，先以乌梅丸安蛔，继则除蛔。若湿热煎熬，结成沙石，阻滞胆道，症见胁肋剧痛，连及肩背者，可加金钱草、海金沙、郁金及硝石矾石散等以利胆排石。若热盛伤津，大便秘结，腹部胀满者，可加大黄、芒硝以泄热通便。

本方清热利湿，适用于肝胆湿热所致的胁痛，症见：

胁痛口苦，胸闷纳呆，恶心呕吐，目赤或目黄、身黄、小便黄赤，舌苔黄腻，脉弦滑数。

【方四】

生地12克，枸杞子10克，沙参10克，麦冬15克，当归9克，川楝子9克。

水煎服，日1剂。

本方养阴柔肝，适用于肝阴不足所致的胁痛，症见：

胁肋隐痛，悠悠不休，遇劳加重，口干咽燥，心中烦热，头晕目眩，舌红少苔，脉细弦而数。

【方五】

肥大枣10枚，甘遂1克，芫花1克，大戟1克。

先将大枣加适量的水，熬煮成枣泥或枣羹，将芫花、甘遂、大戟共研成极细末，备用。

每服药末1克，用枣泥羹送下，每日清晨温服1次；次日再服1次，当泻下水饮，若不泻，可逐渐加量，1次增至3克，泻下后，当以大枣粥调养。

本方破积逐饮，适用于悬饮胸胁疼痛，身体壮实，脉沉弦有力者。

【方六】

丹参15克，旋复花10克，郁金10克，粳米100克，葱白5茎。

1. 先将旋复花用干净布包扎，与丹参、郁金（切片）同入砂锅中，加适量的水煎煮，取药液约1 000毫升，备用。

2. 以药液同粳米煮粥，待粥熟时，加葱白，搅和即成。

3. 早晚空腹服食1小碗，7天为1个疗程。

本方活血通络，下气散结，适用于下列症状：

胸胁胀痛，痞闷不舒，揉胁稍减。现今称为肋软骨炎、肋神经炎、慢性肝炎之右胁痛，以及扭闪跌打之胁肋痛等病。

【方七】

柴胡20克，枳壳15克，粳米50克。

1. 将柴胡、枳壳同入砂锅，加水适量，煮沸后，文火煎20分钟，取药液1 000毫升以上。

2. 以药液煮粳米粥，日服3次，每次1小碗。以稀粥当茶饮更佳。

本方疏解少阳，适用于外邪侵入少阳胁肋经络，恶寒发热，胁肋疼痛。

【方八】

土豆洗净，切碎，以洁净纱布绞汁。饭前每饮一汤匙。可治疗胃、十二指肠溃疡之腹痛、慢性胆囊炎胁痛，及习惯性便秘等症。

第七十节

『积　聚』

积聚是腹内结块，或痛或胀的病证。积和聚有不同的病情和病机：积是有形，固定不移，痛有定处，病属血分，乃为脏病；聚是无形，聚散无常，痛无定处，病属气分，乃为腑病。《难经·五十五难》说：“故积者，五脏所生；聚者，六腑所成也。积者，阴气也，其始发有常处，其痛不离其部，上下有所终始，左右有所穷处；聚者，阳气也，其始发无根本，上下无所留止，其痛无常处，谓之聚。故以是别知积聚也。”《金匮要略·五脏风寒积聚病脉证并治》：“积者，脏病也，终不移；聚者，腑病也，发作有时，辗转痛移，为可治。”一般说，聚病较轻，为时尚暂，故易治；积病较重，为时较久，积而成块，故难治。

积聚的发生，多因情志郁结，饮食所伤，寒邪外袭以及病后体虚，或黄疸、疟疾等经久不愈，以致肝脾受损，脏腑失和，气机阻滞，瘀血内停，或兼痰湿凝滞，而成积聚。故《景岳全书·积聚》篇说：“积聚之病，凡饮食、血气、风寒之属皆能致之。”聚证以气机阻滞为主，积证以瘀血凝滞为主。但气滞日久，可致血瘀而成有形之积，有形之血瘀，亦必阻滞气机，故积聚在病机上有区别，亦有一定联系。积聚日久，均可导致正虚，一般初病多实，久病多虚。

目前，临床上常用来治疗聚证的偏方、验方主要如下：

【方一】

柴胡10克，白芍9克，当归12克，薄荷9克，白术10克，茯苓12克，甘草9克。

水煎服，日1剂。

如气滞较甚者，可加香附、青皮、

广木香等疏肝理气之品。如兼瘀象者，加玄胡、莪术等。如年老或体虚者，可加党参以顾其虚。如寒湿中阻，症见脘腹痞满，食少纳呆，舌苔白腻，脉象弦缓者，可用木香顺气散以温中散寒，行气化湿。

本方疏肝解郁，行气消聚，适用于肝气郁结所致的聚证，临床见症是：腹中气聚，攻窜胀痛，时聚时散，脘肋之间时或不适，苔薄，脉弦。

【方二】

大黄9克，枳实6克，槟榔9克，沉香10克，木香6克，乌药9克。

水煎服，日1剂。

本方导滞通便，理气化痰，适用于食滞痰阻所致的聚证。

【方三】

金羚子10克，玄胡12克，五灵脂10克，蒲黄9克。

水煎服，日1剂。

本方理气活血，通络消积，适用于气滞血阻所致的积证。症见：积块软而不坚，固着不移，胀痛并见，舌苔薄，脉弦。

【方四】

当归10克，川芎12克，桃仁9克，红花10克，赤芍9克，五灵脂9克，丹皮9克，玄胡9克，香附10克，乌药9克，枳壳10克，甘草6克。

水煎服，日1剂。

本方祛瘀软坚，兼调脾肾，适用于瘀血内结所致的积证，临床见症如下：

腹部癥块明显，硬痛不移，面暗消瘦，纳减乏力，时有寒热，女子或见月事不下，舌苔薄、边暗，或质紫，或见瘀点，脉细涩。

【方五】

人参10克，白术9克，茯苓12克，甘草6克，当归12克，白芍9克，川芎10克，熟地10克，生姜9片，大枣3枚。

水煎服，日1剂。

本方大补气血，活血化瘀，适用于正虚瘀结所致的积证，临床见症如下：

积块坚硬，疼痛逐渐加剧，面色萎黄或黧黑，消瘦脱形，饮食大减，舌质淡紫，舌光无苔，脉细数或弦细。

第七十一节

『噎　膈』

噎即噎塞，指吞咽之时梗噎不顺；膈为格拒，指饮食不下，或食入即吐。所以古有“因噎废食”的成语。正如张石顽《千金方衍义》所指出：“噎之与膈，本同一气，膈证之始，靡不由噎而成。”据临床所见，噎虽可单独出现，而又每为膈的前驱，故往往以噎膈并称。

本病初起为吞咽困难，尤其是固体食物，虽勉强咽入，亦必阻塞不下，随即吐出，甚则吐出物如赤豆汁。逐渐发展，则胸膈疼痛，全身消瘦，面容憔悴，精神衰惫。

目前，临床上常用于治疗噎膈的偏方、验方主要如下：

【方一】

丹参10克，郁金9克，砂仁壳6克，沙参10克，川贝9克，茯苓6克，荷叶蒂9克，杵头糠6克；瓜蒌10克，陈皮9克。

水煎服，日1剂。

本方开郁，化痰，润燥，适用于痰气交阻所致的噎膈，临床见症如下：

吞咽梗阻，胸膈痞闷，情志舒畅时可稍减轻，口干咽燥，舌质偏红，苔薄腻，脉弦滑。

【方二】

梨汁15克，藕汁10克，牛乳15克，生姜汁10克，韭汁10克，沙参10克，石斛9克，生熟地各9克。

水煎服，日1剂。

本方滋养津液，适用于津亏热结所致的噎膈，临床见症如下：

吞咽梗涩而痛，固体食物难入，汤水可下，形体逐渐消瘦，口干咽燥，大便干结，五心烦热，舌质红干，或带裂纹，脉弦细数。

【方三】

生地黄15克，当归9克，桃仁10克，红花9克，三七9克，乳香6克，没药6克，丹参9克，五灵脂9克，蜣螂片9克，海藻10克，昆布9克，贝母10克，瓜蒌12克。

水煎服，日1剂。

本方滋阴养血，破结行瘀，可用于瘀血内结所致的噎膈，临床见症如下：

胸膈疼痛，食不得下而复吐出，甚至水饮难下，大便坚如羊屎；或吐出物如赤豆汁，面色晦暗，形体更为消瘦，肌肤枯燥，舌红少津，或带青紫，脉细涩。

【方四】

人参10克，黄芪9克，白术6克，茯苓15克，半夏9克，陈皮6克，生姜9克，旋复花15克，代赭石15克，熟地10克，山茱萸10克，当归9克，枸杞10克，鹿角胶9克，肉桂9克，附子9克，杜仲10克。

水煎服，日1剂。

本方温补脾肾，适用于气虚阳微引起的噎膈，临床见症主要如下：

长期饮食不下，面色㿠白，精神疲惫，形寒气短，泛吐清涎，面浮，足肿，腹胀，舌淡苔白，脉细弱。

第七十二节

『腹　痛』

腹痛，是指胃脘以下、耻骨毛际以上部位发生疼痛的病证而言。腹痛在临床上极为多见，牵涉到多个脏腑以及经络。本篇只讨论内科范围内的常见腹痛，不包括外科、妇科的腹痛。

《内经》最早提出腹痛一病。《素问·举痛论》等篇还指出腹痛是由寒邪所客和风木之气犯土而致。《伤寒论》、《金匮要略》从表里、寒热、虚实论治腹痛，为后世对腹痛的辨证治疗奠定了基础。隋唐以后，诸医学家重视寒邪致痛说，以温热药治疗腹痛。明代李梴、张景岳对腹痛的分证更为详细，尤于虚、实证候的描述较以前更具体。清代一些医家对老年腹痛有专门论述，如《医宗必读》、《明医类案》指出老年腹痛多由气血虚弱所致，唯有补法方能止痛这种观点对老年腹痛的辨证治疗有一定的指导意义。

目前，临床上常用的治疗腹痛的偏方、验方主要如下：

【方一】

良附丸（《良方集腋》）：高良姜，香附。

正气天香散（《证治准绳》引刘河间方）：乌药，香附，干姜，紫苏，陈皮。

附子粳米汤（《金匮要略》）：炮附子，粳米，半夏，甘草，大枣。

水煎服，日1剂。

良附丸须与正气天香散合用。高良姜、干姜、紫苏温中散寒；乌药、香附、陈皮理气止痛。如果腹中雷鸣彻痛，呕吐，用附子粳米汤温中降逆。

本方温中散寒，适用于寒邪内阻所致的腹痛，临床见症如下：

腹痛较剧，得温痛减，遇冷更甚，食少口不渴，大便溏薄，形寒肢冷，苔白，脉弦紧。

【方二】

小建中汤（《伤寒杂病论》）：桂枝，白芍，甘草，大枣，生姜，饴糖。

大建中汤（《金匮要略》）：蜀椒，干姜，人参，饴糖。

附子理中汤（《太平惠民和剂局方》）：炮附子，人参，白术，炮姜，炙甘草。

水煎服，每日1剂。

小建中汤中桂枝温阳，芍药益阴，糖和脾缓急，生姜辛温散寒，炙甘草、大枣甘温补中，全方有缓急止痛功效。如兼气虚自汗者，加黄芪，名黄芪建中汤；如果腹痛剧烈，呕吐，肢冷，脉微者，用大建中汤温中散寒；腹痛自利，脉沉迟，为脾胃阳虚，用附子理中汤。

本方温中补虚，适用于中虚脏寒所致的腹痛，临床主要见症如下：

腹痛绵绵，时作时止，喜温喜按，伴见面色无华，神疲畏寒，气短，舌淡苔白，脉沉细。

【方三】

保和丸（《丹溪心法》）：神曲，山楂，茯苓，半夏，陈皮，连翘，莱菔子。

枳实导滞丸（《内外伤辨惑论》）：大黄，枳实，黄芩，黄连，神曲，白术，茯苓，泽泻。

水煎服，日1剂。

保和丸有消食理气功效，饮食积滞之腹痛，轻者适宜，重者需用枳实导滞丸。其中大黄、枳实、神曲消食导滞；黄芩、黄连、泽泻清热化湿；白术、茯苓健脾。

本方消食导滞，适用于饮食积滞所致腹痛，临床主要见症如下：

脘腹胀满疼痛，嗳腐吞酸，厌食呕恶，痛甚欲便，得大便痛减，或大便不通，苔腻，脉滑实。

【方四】

柴胡疏肝散（《景岳全书》）：柴胡，枳壳，芍药，甘草，香附，川芎。

少腹逐瘀汤（《医林改错》）：小茴香，干姜，元胡，没药，当归，川芎，肉桂，赤芍，蒲黄，五灵脂。

水煎服，日1剂。

以气滞为主者，宜疏肝理气，用柴胡疏肝散，方中柴胡、香附、陈皮解肝郁而止痛；芍药、甘草缓急；川芎活血行血。以血瘀为主者，宜活血化瘀，用少腹逐瘀汤。方中当归、川芎、赤芍养血活血；蒲黄、五灵脂、没药、元胡化瘀止痛；肉桂、干姜、小茴香温经止痛。亦可加泽兰、红花等。

本方疏肝理气，活血化瘀，适用于气滞血瘀所致的腹痛，临床见症如下：

以气滞为主者，腹痛兼胀闷不舒，攻窜不定，痛引少腹，得嗳气、矢气则舒，情绪急躁则加剧，脉弦；以血瘀为主者，少腹或有积块疼痛，或无积块疼痛，痛处不移，舌尖紫，脉涩。

【方五】

佩兰10克，厚朴12克，大黄12克，枳实10克，苡仁15克，栀子10克，败酱草15克，黄芩10克。

水煎服，日1剂。

脾胃湿热型腹痛，多为湿热之邪下传壅滞肠中。用大黄、芒硝、枳实攻逐，湿热实邪由下而出，属于因势利导之法。若大便秘结不下，还可加芒硝软大便之燥结，使湿热实邪与肠中糟粕粪便一并祛除。但需注意，一旦大便通下，大黄、枳实以及芒硝等攻伐之药不宜再用，防止损害胃肠之气。可用下方作基本方随症加减。

党参6克，佩兰5克，佛手10克，败酱草12克，通草5克，白药12克，玉竹10克，苡仁12克，黄芩6克。

本方清利湿热止痛，适用于脾胃湿热所致的腹痛，临床见症如下：

脾胃湿热型腹痛的症状特点：腹痛拒按，疼痛可连及胃脘部位，伴有身热，以午后身热发作明显，头身困重，不欲饮食，食后欲呕吐，或食后腹痛加重，大便稀溏不畅或大便秘结，小便黄少等表现。西医学中的急性或慢性胃炎、肠炎、结肠炎、肠系膜结肠炎、腹痛型癫痫等病均属本证。

第七十三节

『呃　　逆』

呃逆以气逆上冲，喉间呃呃连声，声短而频，令人不能自制为主证。本证古称“哕”，又称“哕逆”。《内经》首先提出为中上二焦病。如《素问·宣明五气篇》说：“胃为气逆为哕……”《灵枢·口问》篇说：“谷入于胃，胃气上注于肺，……今有故寒气与新谷气俱还入于胃，新故相混，真邪相干，气并相逆于胃，而胃腑不受，复出于胃，故呃逆也。”阐发了中上二焦产生呃逆的病理机制。在治疗上，《内经》又记载了取嚏及转移病人注意力以达到止呃等简易方法，如《灵枢·杂病》篇说：“哕，以草刺鼻嚏，嚏而已；无息，而疾迎引之，立已；大惊之，亦可已。”至今对呃逆之轻者，仍有其实用价值。《金匮要略·呕吐哕下利病》把它分为三种类型：属于寒呃者，如“干呕哕，若手足厥者，橘皮汤主之。”属于虚热者，如“哕逆者，橘皮竹茹汤主之”，属于实热者，如“哕而腹满视其前后，知何部不利，利之愈”。这种分类和治法，为后世划分寒热虚实辨证施治奠定了基础。

目前，临床上常用治疗呃逆的偏方、验方主要如下：

【方一】

丁香10克，柿蒂9克，良姜6克，刀豆子6克，吴茱萸6克。

水煎服，日1剂。

本方温中祛寒止呃，适用于胃中寒冷所致的呃逆。症见：呃声沉缓有力，膈间及胃脘不舒，得热则减，得寒愈甚，食欲减少，口中和而不渴，舌苔白润，脉象迟缓。

【方二】

柿蒂10克，竹茹6克，沙参6克，石膏30克，竹叶6克，麦冬9克，半夏6克。

水煎服，日1剂。

本方清降泄热止呕，适用于胃火上逆所致的呃逆，症见，呃声洪亮，冲逆而出，口臭烦渴，喜冷饮，小便短赤，大便秘结，舌苔黄，脉象滑数。

【方三】

木香9克，乌药10克，枳壳10克，沉香9克，丁香6克，代赭石30克，川楝子9克，郁金6克。

水煎服，日1剂。

如气郁化火，心烦，便结，口苦，舌质红，脉象弦数者，可加以栀子、黄连等，泄肝和胃。若气逆痰阻，则可有头目昏眩，或时有恶心，舌苔薄腻，脉象弦滑，可合旋复代赭汤、二陈汤化裁，以顺气降逆，化痰和胃。

本方顺气降逆，适用于气机郁滞所致的呃逆，症见：呃逆连声，常因情志不畅而诱发或加重，伴有胸闷，纳减，脘胁胀闷，肠鸣矢气，舌苔薄白，脉象弦。

【方四】

人参10克，吴茱萸9克，丁香6克，白术10克，甘草6克，干姜9克，刀豆子6克。

水煎服，日1剂。

若呃逆不止，心下痞硬，可合用旋复代赭汤以重镇和中降逆。如肾阳亦虚，见形寒肢冷，腰膝酸软，舌质胖嫩，脉象沉迟者，可加附子、肉桂以温肾助阳。如兼有食滞，可稍佐陈皮、麦芽之类以理气化滞。若中气大亏，呃声低弱难续，食少便溏，体倦乏力，脉虚者，宜用补中益气汤。

本方温补脾胃，和中降逆，适用于脾胃阳虚所致的呃逆，症见如下：

呃声低弱无力，气不得续，面色苍白，手足不温，食少困倦，舌淡苔白，脉象沉弱。

【方五】

沙参10克，麦冬9克，生地12克，玉竹9克，石斛10克，枇杷叶12克，柿蒂6克。

水煎服，日1剂。

本方生津养胃止呃，适用于胃阴不足所致的呃逆，症见：呃声急促而不连续，口干舌燥，烦躁不安，舌质红而干或有裂纹，脉象细数。

【方六】

将丁香1克左右（10～15粒），细嚼（嚼时有大量唾液分泌，切勿将其吐出），徐徐咽下。待药味尽，将口内剩余药渣吞下，呃逆立止。30分钟如不止，可续用2～3次，方法同上，口里倘遗味可用温开水漱口，忌用冷水漱口及食生冷食物。结果：治疗呃逆患者238例，全部获愈。其中立效者230例，30分钟以下呃止者8例。未见副作用发生。

【方七】

有人用华蟾素（含蟾皮等）治疗顽固性呃逆18例，每支1克生药/2毫升，每天2～3次，2～4毫升肌注。除癌肿病人用药1～2个月外，其他病例见效后第3天停药，部分病人伴有腹胀、纳差也显著减轻。

【方八】

旋复花15克，代赭石30克，香附12克，郁金10克，半夏10克，大腹皮9克，佛手10克，木香9克，陈皮10克，白芍20克。

水煎服，日1剂。

本方理气和胃，降逆止冲，适用于呃逆。

【方九】

荜澄茄、高良姜各等份，研末，每次6克，水煎入醋少许服用。

【方十】

花椒微炒，研末，每次服用0.5克，醋汤冲服。

【方十一】

半夏9克，生姜15克，丁香6克，吴茱萸3克。

水煎服，日1剂。

【方十二】

取红糖或白糖50～100克，分3～4次连续放入口中含化或嚼化慢吞，半小时内停食其他食物。本法属中医治法中“甘味缓急法”。摄食较多白糖可以缓解中等程度的呃逆，对神经系统有镇静作用。

第七十四节

『霍　乱』

霍乱是以起病急骤，猝然发作，上吐下泻，腹痛或不痛为特征的疾病。因其病变起于顷刻之间，挥霍缭乱，故名霍乱。

本病记载，首见于《灵枢·经脉》篇："足太阴，……厥气上逆则霍乱。"说明如果脾胃运化机能失常，厥气上逆，升降失司，可以导致霍乱。《素问·六元正纪大论篇》说："土郁之发，……呕吐霍乱。"认为霍乱之病，在于脾胃。如果中土之气，抑郁不伸，即可引起呕吐泄泻。《伤寒论·辨霍乱病》指出："呕吐而利，此名霍乱。"扼要地说明了呕吐泄泻是霍乱的症状。

本病多发于夏秋季节，患者又大多有贪凉和饮食腐馊之物等情况，故认为主要由于感受暑湿、寒湿秽浊之气及饮食不清洁所致。由于脾胃受伤，升降失司，清浊相干，气机逆乱，所以吐泻交作。因其吐泻，津液过量丧失，故在短时间内，即可出现形容憔悴，目眶下陷，筋脉挛急，手足厥冷等危重证候。

目前，临床上用来治疗霍乱的偏方、验方主要如下：

【方一】

藿香 10 克，紫苏 12 克，白芷 9 克，桔梗 6 克，半夏 10 克，茯苓 9 克，甘草 6 克，厚朴 10 克。

水煎服，日 1 剂。

本方散寒燥湿，芳香化新，适用于寒霍乱之轻症：暴起呕吐下利，初起时所下带有稀粪，继则下利清稀，或如米泔水，不甚臭秽，腹痛或不痛，胸膈痞闷，四肢清冷，舌苔白腻，脉象濡弱。

【方二】

附子 10 克，党参 9 克，白术 6 克，炮姜 6 克，甘草 6 克。

水煎服，日 1 剂。

本方温补脾肾，回阳救逆，适用于寒霍乱之重证，症见吐泻不止，吐泻物如米泔汁，面色苍白，眼眶凹陷，指螺皱瘦，手足厥冷，头痛出汗，筋脉挛急，舌质淡，苔白，脉沉微细。

【方三】

滑石 10 克，黄芩 9 克，山栀 6 克，豆豉 10 克，半夏 6 克，厚朴 6 克，省头草 10 克，黄连 10 克，薏苡仁 10 克，半夏 9 克，通草 9 克，蚕沙 10 克，木瓜 12 克，吴茱萸 9 克。

水煎服，日 1 剂。

本方清热化湿，辟秽泄浊，适用于热霍乱。症见：吐泻骤作，呕吐如喷，泻下如米泔汁，臭秽难闻，头痛，发热，口渴，脘闷心烦，小便短赤，腹中绞痛，甚则转筋拘挛，舌苔黄腻，脉象濡数。

【方四】

山慈姑15克，雄黄9克，五倍子10克，大戟10克。因邪气过盛，可先用烧盐方探吐，一经吐出，不仅烦躁闷乱之症可减，且使下窍宣畅，二便自然通利，并可口服行军散或红灵丹0.3～0.9克，亦可以搐鼻取嚏，以辟秽解毒，通闭开窍。还可采用针刺十宣、委中出血以及刮痧等法，以通脉开窍，引邪外出；或用吴萸、青盐各30克，略研，炒热，用布裹之，熨脐下，以温通阳气。如汤药可进，而仍欲泻不出者，可用厚朴汤为主方。方中良姜、厚朴以温中破满；朴硝、大黄、槟榔、枳实以泻下通便。如吐泄畅通，病热已减者，可用藿香正气散以善其后。

本方辟秽泄浊，利气宣壅，适用于干霍乱，症见：猝然腹中绞痛，欲吐不得吐，欲泻，烦躁闷乱，甚则面色青惨，四肢厥冷，头汗出，脉象沉伏。

第七十五节

『咯　　血』

所谓咯血，是指喉部以下的呼吸道（喉头、气管、支气管或肺实质出血，经咳嗽由口腔排出体外）。常见于呼吸系统及心血管疾病，也常见于出血性疾病等。血液可大口吐出，亦可仅在痰中常带血丝或血点，若咯血量很大，容易引起窒息死亡。本病证的特点是在咯血前常先有喉部发痒或刺激感，然后咯出。

目前，临床上常用的治疗咯血的偏方、验方主要如下：

【方一】

干大蓟10克，干小蓟10克。大蓟、小蓟共置杯中，以沸水冲泡，温浸片刻。代茶频饮，每日3次，可用治血热性咯血、吐血、便血等出血症。

本饮品出自《圣济总录》，原用于治“血热引起的吐衄血”，为治疗肝经热盛的常用饮品。大小蓟苦寒，入心肝血分，长于清热凉血，并兼有清热解毒，利尿，利胆，清降肝阳之功效。本品也适合疮疡、肝炎、泌尿系感染、高血压患者饮用。

【方二】

生地200克，葡萄汁250克，鲜藕汁250克，蜂蜜500克。

生地洗净，加水适量浸泡透发，再加热煎煮，每20分钟取煎液1次，加水再煎，共取3次，合并煎液，再以小火加热煎熬浓缩，至黏稠时，加葡萄汁和鲜藕汁，再继续煎熬成膏状，加入蜂蜜，至沸后停火，待冷装瓶备用。

每次一汤匙，以沸水冲化顿饮，每日2次。适用于尿急、尿痛、小便赤热，以及尿血等症。

本方出自《圣惠方》。品名为后加。原方用于治疗热淋、小便涩少、涩痛沥血。生地能够清热凉血，养阴生津，其提取物可促进血液凝固而有止血作用。葡萄可以补气血，强筋骨，利小便。藕为清暑生津之佳品，不论常人、热病及其病后都宜，有出血倾向者更宜。藕汁止血，支气管咯血、消化道出血、尿血、皮下出血、齿鼻出血、癌肿出血等都可应用，有一定疗效。

本品对于阳虚体质者不宜使用。

【方三】

马勃200克，白砂糖500克，水适量。

白砂糖放在铝锅中，加水少许，以小火煎熬至较稠厚时，加入马勃细粉，调匀，即停火。趁热将糖倒在表面涂过食用油的大搪瓷盘中，待稍冷，将糖压平，用刀划成小块，冷却后即成棕色砂板糖。

本品有清肺、解毒、止血功效。经常含化食用，可治疗肺热咳嗽、咽喉肿痛、咯血、鼻齿出血等症。

本品出自《袖珍方》，品名为后加。原方用于“吐血”。肺胃有热，迫血妄行则致咯血，吐血，法宜清热止血。方中马勃辛散味平质轻，以发散邪热为长，并兼有止血功效。现代研究表明，马勃对口腔出血性疾患有明显止血效能，并对多种细菌有抑制作用。

本品对风寒劳咳失音者不宜食用。

【方四】

花生仁（去衣）250克，冰糖500克。冰糖放在铝锅中，加水少许，以小火煎熬至用铲挑起即成丝状，而不粘手时，停火。趁热加入炒熟的花生米，调匀，倒在表面涂过食用油的大搪瓷盘中。再将糖压平，待稍冷，用刀划成小块，冷却后，掰开即成。

本品有清肺、润燥功效。经常食用，可治疗燥咳少痰，痰中带血，小儿百日咳，咯血等症。

落花生仁甘平微温，以润肺养肺为其所长。现代研究，具有良好的止血作用。支气管扩张，咯血患者适宜，食用。

【方五】

用三七粉治疗支气管扩张症、肺结核及肺脓肿等病引起的咯血患者，效果显著。治疗方法：三七粉0.6～0.9克，每天服2～3次。疗效：治疗10例中，服药后5天止血者1例，10～30天止血者6例，31～60天止血者3例。其中完全止血者8例，止血1～2周又有少量咯血者2例。服药后未发生副作用。

第七十六节

『鼓　胀』

鼓胀，是据腹部膨胀如鼓而命名，以腹胀大，皮色苍黄，脉络暴露为特征。《灵枢·水胀》篇载：“鼓胀何如？岐伯曰：腹胀，身皆大，大与肤胀等也。色苍黄，腹筋起，此其候也。”

本病的成因，《素问·阴阳应象大论》认为是浊气在上。《诸病源候论》认为本病与感染“水毒”有关。朱丹溪与张景岳认为情志抑郁，饮食不节，或饮酒过度，都是鼓胀的原因，喻嘉言则认为癥瘕、积块，日久可转为鼓胀。总之，本病的病因主要由于：酒食不节，情志所伤，血吸虫感染，及其他疾病转变等。其病机，由于肝、脾、肾三脏受病，气、血、水瘀积腹内，以致腹部日渐胀大，而成鼓胀。

目前，临床上用来治疗鼓胀病的偏方、验方主要如下：

【方一】

柴胡10克，枳壳9克，赤芍6克，川芎10克，香附12克，郁金9克，川楝子10克，青皮10克，陈皮6克，甘草6克。

水煎服，日1剂。

如苔腻微黄，口干而苦，脉弦数，气郁化热者，可加丹皮、栀子；如头晕，失眠，舌质红，脉弦细数，气郁化热伤阴者，可加制首乌、枸杞子、女贞子、白芍等滋阴之品；如胁下刺痛不移，面青舌紫，脉弦涩，气滞血瘀者，可加延胡索、莪术、丹参等活血化瘀之品；小便短少，可加茯苓、泽泻等利水药物。

如食少腹胀甚，小便短少，舌苔腻，质淡体胖，脉弦滑，脾虚湿阻为主者，可用胃苓汤。方中白术、茯苓、猪苓、泽泻健脾利湿；桂枝辛温通阳，助膀胱之气化而增强利水之力；苍术、陈皮、厚朴行湿散满。可加郁金、青皮、香附以疏肝理气。如舌苔黄腻，口苦干而不欲饮，小便短赤，脉弦滑而数，湿阻化热者，上方可去桂枝，加栀子、茵陈等以清热燥湿；如精神困倦，大便溏薄，舌苔白腻，质淡体胖，脉缓，寒湿偏重者，上方可加干姜、砂仁等增强温阳化湿之力。

本方疏肝理气，行湿散满，适用于气滞湿阻所致的鼓胀。症见：腹胀按之不坚，胁下胀满或疼痛，饮食减少，食后作胀，嗳气不舒，小便短少，舌苔白腻，脉弦。

【方二】

白术12克，附子10克，干姜9克，甘草6克，木瓜15克，大腹皮10克，茯苓10克，厚朴10克，木香6克，大枣3枚。

水煎服，日1剂。

本方温中健脾，行气利水，适用于寒湿困脾所致的鼓胀，临床见症如下：

腹大胀满，按之如囊裹水，甚则颜面微浮，下肢浮肿，脘腹痞胀，得热稍舒，精神困倦，怯寒懒动，小便少，大便溏，舌苔白腻，脉缓。

【方三】

黄芩10克，黄连9克，知母10克，厚朴12克，枳壳9克，半夏6克，陈皮6克，茯苓12克，猪苓10克，泽泻9克。

水煎服，日1剂。

本方清热利湿，攻下逐水，适用于湿热蕴结所致的鼓胀。临床见症如下：

腹大坚满，脘腹撑急，烦热口苦，渴不欲饮，小便赤涩，大便秘结或溏泻，舌边尖红，苔黄腻或兼灰黑，脉象弦数，或有面目、皮肤发黄。

【方四】

当归10克，川芎9克，赤芍9克，莪术9克，延胡索10克，大黄6克，瞿麦10克，槟榔9克，葶苈子9克，赤苓10克，桑白皮12克。

水煎服，日1剂。

本方为急则治其标之法。如大便色黑，可加参三七、侧柏叶等化瘀止血；如水胀满过甚，脉弦数有力，体质尚好，可任攻逐者，可暂用舟车丸、十枣汤，以攻逐水气，水气减乃治其瘀，但须时时注意脾胃之气，不可攻伐太过，攻后虽有瘀实之证，宜缓缓消之，或攻补兼施，不能强求速效。如病势恶化，亦可见大量吐血、下血或神志昏迷危候，治按前列各法。

本方活血化瘀，行气利水，适用于肝脾血瘀所致的鼓胀，临床见症如下：

腹大坚满，脉络怒张，胁腹刺痛，面色黯黑，面颈胸臂有血痣，呈丝纹状，手掌赤痕，唇色紫褐，口渴，饮水不能下，大便色黑，舌质紫红或有紫斑，脉细涩或芤。

【方五】

炮附子10克，人参9克，白术9克，炮姜10克，炙甘草3克，桂枝10克，茯苓9克，猪苓12克，泽泻12克，丹皮10克，牛膝9克。

水煎服，日1剂。

本方温补脾肾，化气行水，适用于脾肾阳虚所致的鼓胀，临床见症如下：

腹大胀满不舒，早宽暮急，面色苍黄，或呈晄白，脘闷纳呆，神倦怯寒，肢冷或下肢浮肿，小便短少不利，舌质胖淡紫，脉沉弦无力。

【方六】

生熟地各10克，丹皮12克，泽漆10克，吴茱萸10克，山药12克，沙参10克，瞿麦12克，五味子15克，当归9克，川楝子9克，川芎10克，桃仁12克，红花10克，香附9克。

水煎服，日1剂。

如内热口干，舌绛少津，加玄参、石斛、麦冬以清热生津；如腹胀甚，加莱菔子、大腹皮行气消胀；如兼有潮热、烦躁、失眠，加银柴胡、地骨皮、炒栀子、夜交藤；如小便少，加猪苓、滑石、白茅根，或少加肉桂心以反佐之，以化气行水；如齿鼻衄血，加仙鹤草、鲜茅根之类以凉血止血；如阴虚阳浮，症见耳鸣，面赤颧红，加龟版、鳖甲、牡蛎等以滋阴潜阳。

本方滋养肝肾，凉血化瘀，适用于肝肾阴虚所致的鼓胀，临床见症如下：

腹大胀满，或见青筋暴露，面色晦暗，唇紫，口燥，心烦，失眠，牙龈出血，鼻时衄血，小便短少，舌质红绛少津，脉弦细数。

第七十七节

『呕　　血』

呕血为上消化道出血，血液来自食管、胃、十二指肠、胆道和胰腺。呕血者既往多有消化道溃疡或肝硬化、胃癌及胃炎等病史。在此症发作前多有恶心、呕吐、上腹部疼痛或不适。其呕出血液颜色为咖啡色，可有血块，且常伴有黑便。

目前，临床上常用的治疗呕血的偏方、验方主要如下：

【方一】

鲜藕 500 克，白糖适量。

藕去皮，去节，冲洗干净，切厚片，放入砂锅内，加清水，旺火烧沸后，再改用小火熬煮至汤浓藕极烂，调以白糖进食。本品有补益心脾、疏郁清热功效，适用于心脾两虚，内热血少，吐血，衄血。

本品出自《随息居饮食谱》。原方用于“阴虚肝旺，内热血少，及诸失血证”，为补益心脾的常用方。本方重用莲藕一味，浓煮汤进食，能补益心脾，兼可疏郁清热，用于心脾两虚及出血症。功效显著。

本方用鲜藕煮食，宜选粗壮老藕，用砂锅小火煨至极烂，以增强补益之力。不宜嫩藕及铁器炊具烹制。

【方二】

柿霜与白砂糖等量，水适量。

柿饼表面白霜与白砂糖等量，放在铝锅中加水少许，以小火煎熬熔炼均匀，即停火。趁热将糖倒在表面涂过食用油的大搪瓷盘中，等稍冷，将糖压平，用刀划成小块，冷却后即成白色砂板糖。

经常食用有清热、润燥、化痰之功效，可治疗肺热燥咳，咽干喉痛，口舌生疮，吐血，咯血，以及消渴等症。

本品出自《本草纲目》，为清上焦心肺火热方。

柿霜甘凉。以清热，润燥，化痰为长。《纲目》云：“柿霜，乃柿精液。”《本草纲目》云：“柿霜，清上焦虚火之药也。如病火畏药味者，用此，可作药中果珍。”本品也适合用治急慢性咽喉炎、扁桃腺炎，口腔黏膜溃疡症。

【方三】

黄芪 15 克，人参 15 克，白术 12 克，枣仁 12 克，远志 10 克，炙甘草 12 克，当归 10 克，血余炭 10 克，白及 10 克，三七面 6 克。水煎服。

如果病人吐血不止，是危险的证

候，应急送医院抢救，止血输血。送医院不便的病人，应紧急救治，可用以下方药：

人参150克，水煎频服。

或用人参30克，炮附子10克。水煎频服。

方中可加用三七粉10克、山萸肉20克、阿胶15克。

本方健脾，补气，止血，适用于脾不统血的呕血，临床见症如下：

经口吐出或呕出，血的颜色暗而浅淡，常挟有食物残渣，多数病人常常有胃痛病史，吐血前后胃痛比较明显。大便稀软色黑。伴有的症状表现：面色㿠白，口唇指甲颜色浅淡，精神疲倦，四肢无力，心慌头晕，劳累后加重。多属于西医学上消化道出血，主要包括食道出血、胃出血、十二指肠出血。

第七十八节

『痰　饮』

痰饮病是体内水液运化输布失常，停聚在某个部位而发生的一类疾病。早在《内经》中即有“积饮”之说。《金匮要略》首创痰饮病名，予以专篇论述，成为后世辨证论治的主要依据。自隋唐至金元，在痰饮病的基础上，又逐渐发展了痰的病理学说，始有饮症与痰证之分，本证亦是中老年人常见疾病之一。

痰饮有广义和狭义之分，广义的痰饮是诸饮的总称，包括痰饮（饮邪留于胃肠者）、悬饮（饮停胁下者）、溢饮（饮溢四肢者）、支饮（饮犯胸肺）；狭意的即指痰饮，则为诸饮中的一个类型，这里主要论述了广义的痰饮。

根据痰饮病的临床表现，西医所称之慢性气管炎、支气管哮喘、渗出性胸膜炎、心功能不全、胃肠功能紊乱及幽门不完全性梗阻、肠梗阻等疾病的某些阶段，可参照本病辨证论治。

目前，临床上常用的治疗痰饮证的偏方、验方主要如下：

【方一】

麻黄10克，桂枝9克，白芍9克，甘草9克，干姜10克，细辛9克，半夏6克，甘草6克。

水煎服，日1剂。

本方温肺化饮，适用于饮犯胸肺，临床主要见症如下：

咳喘胸满，甚则不能平卧，痰如白沫，量多，久咳则面目浮肿，苔白腻，脉弦紧。往往历年不愈，遇寒即发。初起兼有恶寒、身痛等表证。

【方二】

甘遂 10 克，半夏 9 克，白芍 12 克，甘草 6 克。

水煎服，日 1 剂。

本方攻守兼施，因势利导，用于水饮在胃。方中甘遂、半夏逐饮降逆，白芍、蜂蜜酸甘缓中，以防伤正；甘遂、甘草相反相激，祛逐留饮，若饮热互结，大肠壅塞，己椒苈黄丸（《金匮要略》）主之。

防己、川椒、葶苈子、生大黄、枳实、厚朴。

本方用于水饮在肠、饮郁化热之证，药用大黄、葶苈子攻坚决壅，泻下逐水；防己、椒目辛宣苦泻，导水利尿，加枳实、厚朴以泻脘腹胀满。

本方攻下逐饮，适用于饮留胃肠所致的痰饮证。主要临床见症如下：

脘腹坚满而痛，胃脘有振水音，或肠间水声漉漉，脉沉弦有力，或伴有下利而利后仍坚满；或水走肠间，沥沥有声，或伴有便秘而无矢气，口舌干燥，舌苔黄腻。

【方三】

葶苈子 10 克，川椒目 10 克，瓜蒌皮 9 克，桑白皮 15 克，苏子 10 克，半夏 9 克，茯苓 10 克，橘红 10 克，白蒺藜 12 克，生姜 9 克。

水煎服，日 1 剂。

本方以葶苈子、桑白皮泻肺逐饮；以苏子、瓜蒌皮、陈皮、半夏降气化痰；椒目、茯苓、生姜皮利水导饮；白蒺藜引药入两胁，平胆肝以助肺降。

若痰浊偏甚，胸部满闷，舌苔浊腻，加薤白、杏仁宣化痰浊水饮；若水饮久停难走，胸胁支满，体弱，食少者，加苓桂术甘汤等通阳健脾化饮，不宜再予峻攻。

本方攻逐水饮，适用于停饮胸胁所致的痰饮，临床主要见症如下：

胸胁胀痛，咳唾、转侧、呼吸时则疼痛加重，肋间饱满，气短息促，苔白，脉沉弦。

【方四】

茯苓 12 克，桂枝 10 克，白术 9 克，甘草 6 克。

水煎服，日 1 剂。

方中桂枝、甘草、白术通阳运脾，茯苓淡渗利湿。如脾阳虚衰，可合《伤寒论》理中汤，即加党参、干姜以温中益气。

本方温脾化饮，适用于脾虚停饮，临床主要见症如下：

面色萎黄，纳呆，呕吐清水痰涎，口渴不欲饮，水入即吐，或背部寒冷如掌大，心悸头眩，舌苔白滑，脉弦细而滑。

【方五】

炮附子 10 克，白术 10 克，茯苓 12 克，白芍 9 克，炮姜 12 克，桂枝 9 克，熟地 10 克，泽泻 9 克，山药 15 克。

水煎服，日 1 剂。

本方温肾化饮，适用于肾阳虚弱所致的痰饮，临床主要见症如下：

形寒肢冷，少腹拘急不仁，脐下悸动，气息短促，小便不利，或吐涎沫而头目昏眩，舌体胖大，苔白腻或灰腻，脉沉细。

【方六】

大冬瓜 500 克，粳米 60 克，火腿 30 克，葱姜米 6 克，麻油 9 克，精盐 3 克，味精 0.9 克，清水 0.6 克。

将冬瓜去皮，切成二份大小的丁块。

火腿洗净，蒸熟，切成碎米粒状。

粳米淘洗干净，沥干待用。

炒锅上火，下麻油与冬瓜煸炒，

加入火腿、粳米、清水、精盐烧开后，转用小火熬煮成粥，放入味精、葱姜米拌和即可。

【方七】

橘红粉10克，与白糖200克混匀为馅备用。米粉500克稍以水湿润，撒放在蒸锅的屉布上，用铲或刀将其压平，撒上橘红糖馅，上面再摊放一层米粉糕，压实，把糕切成小方块，装盘即可。本品有健胃、消食、化痰、止嗽功效。经常随量食用。可治疗食欲不振，消化不良，咳嗽多痰等症。

第七十九节

『肺　　胀』

肺胀是多种慢性肺系疾患反复发作迁延不愈，导致肺气胀满，不能敛降的一种病证。临床表现为胸部膨满，胀闷如塞，喘咳上气，痰多，烦躁，心慌等。其病程缠绵，时轻时重，日久则见面色晦暗，唇甲紫绀，脘腹胀满，肢体浮肿，甚或喘脱等危重证候。

肺胀病名首见于灵枢。《灵枢·胀论》篇说："肺胀者，虚满而喘咳。"《灵枢·经脉》篇又说："肺手太阴之脉，……是动则病，肺胀膨膨而喘咳。"《金匮要略·肺痿肺痈咳嗽上气病》篇指出本病的主症为"咳而上气，此为肺胀，其人喘，目如脱状"。此外在《痰饮咳嗽病》篇中所述之支饮，症见"咳逆倚息，气短不得卧，其形如肿"，亦与本病相类似。《诸病源候论·咳逆短气候》记载肺胀的发病机理是由于"肺虚为微寒所伤则咳嗽，嗽则气还于肺间则肺胀，肺胀则气逆，而肺本虚，气为不足，复为邪所乘，壅否不能宣畅，故咳逆，短乏气也"。后世医籍多将本病附载于肺痿、肺痈之后，有时亦散见于痰饮、喘促、咳嗽等门，在认识上不断有所充实发展。如《丹溪心法·咳嗽》篇说"肺胀而咳，或左或右不得眠，此痰挟瘀血碍气而病"，提示病理因素主要是痰、瘀阻碍肺气所致。《张氏医通·肺痿》篇说："盖肺胀实证居多。"《证治汇补·咳嗽》篇认为肺胀："又有气散而胀者，宜补肺，气逆而胀者，宜降气，当参虚实而施治。"

说明对肺胀的辨证施治当分虚实两端。

由于本病是临床常见的老年性疾病，病理演变复杂多端，还当与咳喘、痰饮（支饮、溢饮）等互参。注意与心悸、水肿（喘肿）、喘厥等病证的联系。

目前，临床上常用治疗肺胀的偏方、验方主要如下：

【方一】

紫苏子10克，莱菔子9克，白芥子6克，砂仁6克，党参9克，白术6克，茯苓10克，甘草9克，橘皮10克，半夏9克，前胡10克，生姜3片。

水煎服，日1剂。

本方化痰降气，健脾益肺，适用于痰浊壅肺所致的肺胀；临床主要症状如下：

咳嗽痰多，色白黏腻或呈泡沫，短气喘息，稍劳即著，怕风易汗，脘痞纳少，倦怠乏力，舌质偏淡，苔薄腻或浊腻，脉小滑。

【方二】

麻黄9克，石膏30克，半夏9克，生姜6克，桑白皮15克，杏仁10克，沙参9克，山栀子10克。

水煎服，日1剂。

本方清肺化痰，降逆平喘，适用于痰热郁肺所致的肺胀，临床主要症状如下：

咳逆喘息气粗，烦躁，胸满，痰黄或白，黏稠难咯，或身热微恶寒，自汗不多，溲黄，便干，口渴，舌红，脉数。

【方三】

半夏12克，茯苓10克，橘红9克，胆星6克，竹茹9克，枳实9克，菖蒲12克。另服安宫牛黄丸或至宝丹。

水煎服，日1剂。若痰热内盛，身热，烦躁，谵语，神昏，苔黄舌红者，加葶苈子、天竺黄、竹沥；肝风内动，抽搐加钩藤、全蝎，另服羚羊角粉；血瘀明显，唇甲紫绀加丹参、红花、桃仁活血通脉；如皮肤黏膜出血，咯血，便血色鲜者，配清热凉血止血药，如水牛角、生地、丹皮、紫珠草等。

本方涤痰，开窍，熄风，适用于痰蒙神窍所致肺胀。

【方四】

党参15克，黄芪10克，炙甘草9克，冬虫夏草6克，熟地10克，胡桃肉10克，五味子9克，灵磁石20克，沉香10克，紫菀10克，款冬9克，苏子9克，清半夏6克，橘红9克。

水煎服，日1剂。

肺虚有寒，怕冷，舌质淡加肉桂、干姜、钟乳石；兼有阴伤，低热，舌红苔少加麦冬、玉竹、生地；气虚瘀阻，颈脉动甚，面唇紫绀明显，加当归、丹参、苏木活血通脉。如见喘脱危象者，急加参附汤送服蛤蚧粉或黑锡丹补气纳肾，回阳固脱。病情稳定阶段，可常服皱肺丸。

本方补肺纳肾，降气平喘，适用于肺肾气虚所致的肺胀，临床见症如下：

呼吸浅短难续，声低气怯，甚则张口抬肩，倚息不能平卧，咳嗽，痰白如沫，咯吐不利，胸闷，心慌，形寒汗出，舌淡或暗紫，脉沉细数无力，或有结代。

【方五】

附子10克，桂枝9克，茯苓9克，白术10克，猪苓9克，泽泻10克，生姜9克，赤芍10克。

水煎服，日1剂。

本方温肾健脾，化饮利水，适用于阳虚水泛所致的肺胀，临床见症如下：

面浮，下肢肿，甚则一身悉肿，腹部胀满有水，心悸，喘咳，咯痰清稀，脘痞，纳差，尿少，怕冷，面唇青紫，苔白滑，舌胖质暗，脉沉细。

第八十节

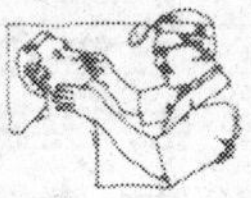

『肺　　痿』

肺痿，指肺叶痿弱不用，为肺脏的慢性虚损性疾患。临床以咳吐浊唾涎沫为主症。《金匮要略心典·肺痿肺痈咳嗽上气病》注说：“痿者萎也，如草木之萎而不荣。”用形象比喻的方法以释其义。

本病首见于《金匮要略·肺痿肺痈咳嗽上气病》篇，该篇指出：“寸口脉数，其人咳，口中反有浊唾涎沫者……，为肺痿之病。”历代医家多在《金匮》的基础上予以引申阐述，共同认为总属肺虚不足之疾，并有“肺伤善痿”的解释。《外台秘要》十卷肺痿门，指出炙甘草汤以治肺痿涎唾多，心中温温液液者。后世对虚热肺痿的治疗，主张用《金匮要略》肺痿篇中的麦门冬汤，或喻嘉言的清燥救肺汤，补充了该篇的不足。

根据《金匮要略》旨义及后世医家认识，本病多属肺部多种疾患伤肺，进一步演变发展成痿。如肺痈、肺痨、久嗽、喘、哮等伤肺，均有转化成为肺痿的可能。《金匮要略》将肺痿与肺痈、咳嗽上气并列一篇加以讨论，不仅是为了对照鉴别，还提示肺痈实热证，误治失治，或溃脓后正气渐虚，余邪不清，热毒结于上焦，熏灼肺阴，可以转为肺痿的虚热证。

目前，临床上常用来治肺痿的偏方、验方主要如下：

【方一】

麦冬10克，人参9克，甘草6克，大枣3枚，粳米12克，半夏9克，阿胶10克，胡麻仁12克，石膏30克，枇杷叶20克。

水煎服，日1剂。

上方为滋阴清热，润肺生津方，适用于：

咳吐浊唾涎沫，其质较黏稠，或咳痰带血，咳声不扬，甚则音哑，气急喘促，口渴咽燥，午后潮热，形体消瘦，皮毛干枯，舌红而干，脉虚数。

如火盛，出现虚烦、咳呛、呕逆者，则去大枣，加竹茹、竹叶清热和胃降逆。如咳吐浊黏痰，口干欲饮，则可加天花粉、知母、川贝母。津伤甚者加沙参、玉竹以养肺津。潮热加银柴胡、地骨皮以清虚热退蒸。

【方二】

甘草10克，干姜6克，人参6克，大枣3枚，白术10克，茯苓9克。

水煎服，日1剂。

本方温肺益气，适用于虚寒型肺痿。

第八十一节

『肺 痈』

肺痈是肺叶生疮，形成脓疡的一种病证，属于内痈之一。《金匮要略心典·肺痿肺痈咳嗽上气病脉证治》解释说：“痈者壅也，如土之壅而不通，为热聚而肺瘍也。”临床以咳嗽，胸痛，发热，咯吐腥臭浊痰，甚则脓血相兼为主要特征。

本病首见于《金匮要略·肺痿肺痈咳嗽上气病》篇，该篇有“咳而胸满振寒，脉数，咽干不渴，时出浊唾腥臭，久久吐脓如米粥者，为肺痈”的记载，并提出“始萌可救，脓成则死”的预后判断，以强调早期治疗的重要性，同时还指出成脓者治以排脓，未成脓者治以泻肺，分别制订了相应的方药。后世各家又在实践中不断加以补充，如《备急千金方》创用苇茎汤以清热排脓；《张氏医通·肺痈》认为应“乘初起时极力攻之”；《杂病源流犀烛》力主“清热涤痰”为原则；《医门法律》倡议“以清肺热，救肺气”为要著；《外科正宗》根据病机演变及证候表现，提出初起在表者宜散风清肺，已有里热者宜降火抑阴，成脓者宜平肺排脓，脓溃正虚者宜补肺健脾等治疗原则。当前在辨病施治方面，又进一步取得新的经验。

本病主要是风热火毒，壅滞于肺，热壅血瘀，蕴毒化脓而成痈，故治以清热解毒，化瘀排脓为法。

目前，临床上常用来治疗肺痈的偏方、验方主要如下：

【方一】

银花 10 克，连翘 15 克，芦根 20 克，竹叶 12 克，桔梗 9 克，甘草 6 克，牛蒡子 10 克，荆芥 9 克，豆豉 6 克，薄荷 9 克。

水煎服，日 1 剂。

本方清肺解表，适用于肺痈初期，症见恶寒发热，咳嗽，咯白色黏沫痰，痰量由少渐多，胸痛，咳时尤甚，呼吸不利，口干鼻燥，苔薄黄，脉浮数而滑。

【方二】

薏苡仁 10 克，冬瓜仁 9 克，桃仁 10 克，桔梗 9 克，甘草 6 克，芦根 10 克，黄芩 10 克，黄连 10 克，山栀子 9 克。

水煎服，日 1 剂。

本方清肺化瘀消痈，适用于肺痈成痈期，症见身热转甚，时时振寒，继则壮热，汗出烦躁，咳嗽气息，胸满作痛，转侧不利，咳吐浊痰，呈黄绿色，自觉喉间有腥味，口干咽燥，苔黄腻，脉滑数。

【方三】

薏苡仁30克，贝母15克，橘红10克，银花10克，甘草6克，白及9克，鱼腥草30克，野荞麦根15克，败酱草10克，黄芩10克。

水煎服，日1剂。

本方排脓解毒，适用于肺痈证溃脓期，症见咳吐大量脓血痰，或如米粥，腥臭异常，有时咯血，胸中烦满而痛，甚则气喘不能卧，身热，面赤，烦渴喜饮，苔黄腻、质红，脉滑数或数实。

【方四】

沙参10克，麦冬10克，百合15克，太子参15克，黄芪10克，象贝母10克，冬瓜子15克，阿胶10克，白及10克，桔梗10克，甘草6克。

水煎服，日1剂。

本方养阴补肺，适用于肺痈恢复期，症见身热渐退，咳嗽减轻，咯吐脓血渐少，臭味亦减，痰液转为清稀，精神渐振，食纳好转；或见胸胁隐痛，难以久卧，气短，自汗，盗汗，低烧，午后潮热，心烦，口燥咽干，面色不华，形体消瘦，精神萎靡，舌质红或淡红，苔薄，脉细或细数无力；或见咳嗽，咯吐脓血痰日久不净，或痰液一度清稀而复转臭浊，病情时轻时重，迁延不愈。

【方五】

野荞麦根茎，洗净晒干，去根须，切碎，以瓦罐盛干药250克，加清水或黄酒1 250毫升，罐口用竹箬密封，隔水文火蒸煮3小时，最后得净汁约1 000毫升（25%），加防腐剂备用。成人每服30～40毫升，1日3次，儿童酌减。一般病例用水剂，

【方六】

鲜构树根皮（桑科植物构树）洗净，切碎，用量500克，加水2 000克，煎至1 000，1日3次分服，连服1～2周，愈后忌辛辣及臭卤百日。

【方七】

精瘦牛肉250克洗净，切块，生姜25克，加水3大碗，清炖至八成熟，南瓜500克去皮，切块，加入牛肉汤中同炖，至熟烂，调加食盐，味精适量即可。分顿连续食用。有化痰排脓、利肺功效。肺痈咳吐脓痰病人食用相宜。

第八十二节

『肺　痨』

肺痨是具有传染性的慢性虚弱疾患。由于劳损在肺，故称肺痨。主要以咳嗽、咳血、潮热、盗汗及身体逐渐消瘦等为其特征。病轻者诸症间作，重者可以先后相继发生，或兼见并存。

概括历代医家认识，有关肺痨的致病因素，主要有两个方面，一为外因感染，“瘵虫”伤人；一为内伤体虚，气血不足，阴精耗损。病变主脏在肺，可累及脾肾，甚则传遍五脏。病理性质主要在于阴虚。

目前，临床上常用来治疗肺痨病的偏方、验方主要如下：

【方一】

沙参10克，麦冬12克，天冬10克，生熟地各12克，百部9克，獭肝10克，川贝10克，阿胶9克，三七10克，茯苓10克，山药9克，玉竹10克，百合12克，羊乳15克，白及10克。

水煎服，日1剂。

本方滋阴润肺，适用于肺阴亏损所致的肺痨，临床见症如下：

干咳，咳声短促，痰中有时带血，如丝如点，色鲜红，午后手足心热，皮肤干灼，或有少量盗汗，口干咽燥，胸部隐隐闷痛，苔薄，边尖质红，脉细或兼数。

【方二】

百合12克，麦冬11克，玄参10克，生熟地各20克，鳖甲15克，知母10克，秦艽9克，柴胡10克，地骨皮12克，青蒿10克，川贝母12克，白及9克，百部9克，龟板30克，阿胶10克，五味子9克。

水煎服，日1剂。

如咳嗽痰黏或色黄量多者酌加桑白皮、马兜铃、鱼腥草等清化痰热；咳血不止可加丹皮、山栀、紫珠草、大黄炭、煅人中白等凉血止血；血出紫暗成块，伴胸痛可加三七、血余炭、花蕊石、广郁金等化瘀和络止血；盗汗甚者可加乌梅、煅龙骨、瘪桃干、煅牡蛎、麻黄根、浮小麦等敛营止汗；失音或声音嘶哑可加诃子、凤凰衣、胡桃肉、白蜜以调肺肾、通声音。

本方滋阴降火，适用于阴虚火旺所致的肺痨，临床见症如下：

咳呛气急，痰少质黏，或吐稠黄多量之痰，时时咯血，血色鲜红，午后潮热，骨蒸，五心烦热，颧红，盗汗量多，口渴，心烦，失眠，性急善怒，胸胁掣痛，男子可见遗精，女子月经不调，形体日渐消瘦，舌质红绛而干，苔薄黄或剥，脉细数。

【方三】

党参10克，太子参15克，黄芪9克，白术9克，茯苓10克，甘草6克，天冬10克，麦冬9克，生地10克，熟地9克，当归10克，白芍9克，地骨皮12克，黄柏6克，知母9克，白及10克，百部10克。

日1剂，水煎服。

本方益气养阴，适用于气阴耗伤所致的肺痨，临床见症如下：

咳嗽无力，气短声低，痰中偶或夹血，血色淡红，午后潮热，热势一般不剧，面色㿠白，颧红，舌质嫩红，边有齿印，苔薄，脉细弱而数。

【方四】

人参9克，黄芪10克，山药12克，枸杞子15克，龟板30克，鹿角10克，紫河车9克，地黄10克，麦冬9克，阿胶10克，五味子15克，当归12克，白芍9克。

水煎服，日1剂。

本方滋阴补阳，适用于阴阳两虚所致的肺痨，临床主要见症如下：

咳逆喘息少气，痰中或见夹血，血色暗淡，潮热，形寒，自汗，盗汗，声嘶失音，面浮肢肿，心慌，唇紫，肢冷，五更腹泻，口舌生糜，大肉尽脱，男子滑精、阳痿，女子经少、经闭，舌光质红少津，或舌淡体胖边有齿痕，脉微细而数，或虚大无力。

【方五】

外治法：净灵脂、白芥子各15克，生甘草6克研末，大蒜泥15克同捣匀，入醋少量，摊纱布上，敷颈椎至腰椎夹脊旁开一寸半，约1～2小时皮肤有灼热感去之。7日1次。《理瀹骈文》原方有白鸽粪15克，麝香0.3克。

第八十三节

结核性胸膜炎

胸膜炎是胸膜的炎症。引起胸膜炎的原因很多，最常见的一种是由结核杆菌感染引起的，称为结核性胸膜炎；其他的化脓菌如葡萄球菌、链球菌、肺炎双球菌等也可引起化脓性胸膜炎。此外，胸膜炎还可发生于肺梗塞、癌肿等非感染性疾病。

本病在祖国医学中，分属于“风湿’、“悬饮”、“胸胁痛”等病证的范围。致病因素是在内脏虚弱的情况下感受外邪。病位初起在胸胁和肺卫，邪正相搏可见半表半里证，也可因邪郁于肺，肺气失宣而出现壮热、咳嗽，类似风温。病情进一步发展，由于邪闭肺络，气机郁结发生胸胁痛、咳嗽等症。在后期因胸胁络脉受损，气滞血瘀，也可后遗有胸胁痛。若肺气郁滞，不能布散水液而变为水饮停子胸胁之间，形成“悬饮”。如水饮郁久化热，还可耗伤阴液。因此，对本病的观察，必须注意其矛盾的主次，分析病机的转化，既要掌握全过程，又要重视阶段性。

目前，临床上常用的治疗本病的偏方、验方主要如下：

【方一】

柴胡12克，黄芩9克，青蒿9克，半夏9克，瓜蒌24克，赤芍12克，枳壳9克，桔梗6克。

水煎服，日1剂。

本方和解少阳，常见于纤维素性或渗出性胸膜炎的急性期，症见寒热往来，胸胁满痛，咳嗽痛及胸痛，口苦，咽干，干呕，苔蒲白，脉弦数。

【方二】

香附9克，旋复花9克，苏子9克，郁金9克，赤芍15克，当归9克，枳壳9克，元胡6克。

水煎服，日1剂。

本方理气活血，适用于纤维素性胸膜炎，症见胸胁刺痛，胸前满闷，呼吸不利，遇有阴天症状自觉加重，苔薄白，脉弦。

【方三】

控涎丹（组成有大戟、甘遂、白芥子）每服6克左右，用如下汤剂送服此丸药。

苏子9克，橘红9克，桔梗9克，杏仁9克，半夏9克，厚朴6克，茯苓12克，旋复花9克，香橼9克。

本方以逐水为主，辅以理肺化痰，常用于渗出性胸膜炎，症见胸胁满闷胀痛，咳嗽甚至咳逆气促不能平卧，或转侧呼吸引痛，胸部一侧可见饱满高起，舌苔白滑，脉沉弦。

第八十四节

『矽　　肺』

矽肺是尘肺病的一种。肺部因长期吸入有害的尘埃而发生纤维化病变统称为尘肺。尘肺的种类很多，如铁沫沉着病、石棉沉着病、矽肺等，其中以矽肺为害最大。

矽肺是职业病之一。矿工、隧道工人、采石工人以及从事石粉、玻璃等制造工人，由于吸入高浓度的含有二氧化矽的矽尘，以致肺泡壁上产生纤维结节性变化，渐渐引起全身虚弱及呼吸功能减退的一种慢性疾病，严重危害着工人的健康和生产劳动。

中医认为矽尘属金石燥邪一类，矽尘入肺，耗伤肺津，日久肺阴不足，虚火亢盛，进而影响肺气的宣降功能，以致咳嗽兼喘，痰黄稠不易咯出，热迫血络则痰中带血。若久咳伤气，气阴亏损可成虚喘。另一方面，病久矽尘瘀塞肺络，则气血运行受阻，可发为胸痹。

目前，临床上常用治疗肺病的偏方、验方主要如下：

【方一】

生地15克，麦冬9克，川贝母6克，枇杷叶12克，杏仁12克，生苡仁30克，夏枯草24克，沙参12克，桔梗6克，丹参9克。

水煎服，日1剂。

本方滋养肺阴，适用于早期肺燥伤津，症见干咳，或痰少黏稠不易咳出，胸闷，脉滑数，舌边尖红者。

【方二】

夏枯草24克，木贼草30克，百部12克，丹参15克，郁金12克，茯苓15克，半夏9克，橘红9克，薤白9克，瓜蒌15克。

水煎服，日1剂。

本方软坚散结，活瘀通络，适用于矽尘阻络，气血瘀滞，症见胸闷，胸痛，咳嗽，痰白黏或灰白，量多，舌质暗，脉弦滑。

【方三】

炙黄芪12克，白术9克，茯苓12克，熟地15克，补骨脂9克，五味子，白及9克，制南星9克，半夏6克，当归9克，赤芍6克。

水煎服，日1剂。

本方补益肺肾，祛痰通络，适用于晚期病人气阴俱虚，症见喘急胸闷，呼多吸少，咳嗽痰白呈泡沫状，或咯血，舌质暗淡，苔白滑，脉沉细。

【方四】

荸荠30克（去皮捣汁），白及面3克，两药调匀，吞服，每日3次，适用于干咳痰中带血。木贼草30～60克，水煎服，每日1剂，适用于胸痛明显者。

【方五】

口服克矽风药酒（含人参、天麻、丹参等）20～40毫升，每天3次，用20～25天，改为每天2次，用65～70天。随访3个月。治疗结果：治疗41例，症状均有改善，其中39例X线片显效（小阴影密集度稍减少，肺纹理清晰）3例，有效11例，稳定25例。

第八十五节

『血吸虫病』

本病是指由于血吸虫成虫寄生于人体静脉系统所引起的寄生虫病。人体由于接触含尾蚴的疫水而受到感染，临床表现复杂多样。

1. 急性血吸虫病：起病较急，发热，伴畏寒、咳嗽、荨麻疹，以及消化道症状如食欲不振、恶心、呕吐、腹胀，大便可为痢疾状，肝脾肿大。

2. 慢性血吸虫病：多因疫区居民小量反复感染，或因急性患者未经治疗或不彻底迁延而成。轻者可以无自觉症状，常于普查时发现。部分患者可见贫血，营养不良，常伴有腹泻，便中带有黏液及血，有时伴有里急后重和腹痛。肝因硬化而缩小，脾脏极度增大，有时有腹水及黄疸。

目前，临床上用来治疗血吸虫病的偏方、验方主要如下：

【方一】

荆芥10克，柴胡9克，羌活10克，防风12克，前胡9克，桔梗10克，竹茹9克，银花15克，连翘15克，甘草6克。

水煎服，日1剂。

本方疏表宣肺，适用于邪郁肺卫所致的血吸虫病。

【方二】

黄连9克，菖蒲6克，栀子10克，牛蒡子9克，厚朴9克，清半夏9克，陈皮9克，竹茹10克，茯苓10克，芦根30克。

水煎服，日1剂。

本方清热化湿，适用于邪阻脾胃所致的血吸虫病。

【方三】

白术15克，茯苓15克，泽泻15克，猪苓10克，青皮9克，陈皮6克，厚朴6克，木香9克，丹参9克，神曲10克，鸡内金9克，桂枝6克，白茅根30克。

水煎服，日1剂。

本方燥湿祛瘀，适用于湿阻血瘀所致的血吸虫病。

【方四】

鸦胆子去壳取仁，每次10粒（重0.4克左右），装入胶囊内吞服。

每天服3次，10岁下儿童减半，40天为1疗程。

本方为孟宪益方，功能化湿杀虫，清肠腑积垢，主治血吸虫病。

【方五】

地胆草鲜草每次60克，或干草30克，分2次水煎服用；或用干地胆草300克，研为细末，另备鸡蛋10个，每次30克，用鸡蛋1个混和后煎炒，并以党参15克，当归9克，茯苓9克煎汤送服，连服10天。

本方为俞慎初方，功能利尿，破滞，行气，主治晚期血吸虫病。

第八十六节

『泌尿系感染』

泌尿系感染是由非特异性致病细菌侵入尿路所引起的感染性疾病，包括尿道炎、膀胱炎和肾盂肾炎。临床有急、慢性之别，并分为有症状的尿路感染和无症状的细菌尿两种。本病女性多见，但近年来老年男性的发病率开始上升。本节仅讨论以尿频、尿急、尿痛为主要症状的尿路感染。中医学中有关本病的论述分别见于“热淋”、“气淋”、“血淋”、“劳淋”等病之中。

平日过食肥甘辛热，脾胃运化失常，积湿生热，湿热上注膀胱；或下阴不洁，秽浊之邪侵入膀胱，酿成湿热；或年老久病体弱，操劳过度，脾肾两虚，外邪乘虚而入，以致湿热蕴结下焦，膀胱气化不利。老年人由于正虚抗邪不力，病易迁延，而致湿热羁留；肾脾两虚，肾虚则固摄无权，脾虚则中气下陷，最终虚实夹杂或从实转虚。因此，本病病位主要在膀胱和肾、脾，基本病理以肾、脾两虚为本，膀胱湿热为标。

目前，临床上常用的治疗泌尿系感染常用的偏方、验方主要如下：

【方一】

萹蓄15克，瞿麦10克，石韦9克，木通9克，海金沙10克，车前子9克，滑石9克，大黄12克，山栀子9

克，白茅根 15 克，灯心草 9 克，甘草梢 15 克。

水煎服，日 1 剂。

本方清热泻火，利湿通淋，适用于湿热所致的泌尿系感染，临床常见的症状如下：

小溲频数，尿色黄赤，灼热刺痛，少腹弦急，或有寒热，口苦恶心，腰痛，苔黄腻，舌偏红，脉濡数。

【方二】

白茅根 30 克，山栀子 15 克，黄柏 10 克，木通 9 克，竹叶 10 克，甘草 9 克，车前子 10 克，滑石 9 克，大蓟 10 克，小蓟 9 克，蒲黄 10 克，藕节 30 克，当归 10 克，生地 10 克。

水煎服，日 1 剂。

本方清热利湿，凉血止血，适用于血热所致的泌尿系感染，临床主要见症如下：

小溲频急，热涩刺痛，尿色红赤混浊，或夹有血块、血条，少腹疼痛满急，苔黄，舌红，脉数有力。

【方三】

熟地 10 克，山药 15 克，茯苓 15 克，丹皮 12 克，泽泻 15 克，山茱萸 10 克，桑寄生 15 克，知母 10 克，黄柏 10 克，车前草 10 克，旱莲草 10 克，小蓟 10 克。

水煎服，日 1 剂。

本方滋肾降火，通淋止血，适用于阴虚所致的泌尿系感染，临床主要见症如下：

小便频数，涩滞不甚，疼痛轻度，尿色淡红，伴神疲乏力，腰酸膝软，午后低热，舌淡红，脉细数。

【方四】

黄芪 15 克，党参 10 克，白术 10 克，甘草 9 克，升麻 9 克，柴胡 9 克，茯苓 15 克，泽泻 10 克。

水煎服，日 1 剂。

本方健脾益气，升清化湿，适用于气虚所致的泌尿系感染，临床主要见症如下：

小溲淋涩，点滴而出，混浊不黄，小腹坠胀，少气懒言，面色少华，不思饮食，体虚神疲，动则气喘，舌淡、苔薄白，脉虚细无力。

【方五】

熟地 20 克，山萸肉 10 克，巴戟天 15 克，菟丝子 10 克，杜仲 9 克，牛膝 10 克，五味子 9 克，肉苁蓉 10 克，山药 10 克，茯苓 10 克，泽泻 9 克。

水煎服，日 1 剂。

本方益肾固涩，健脾利湿，适用于肾脾两虚所致的泌尿系感染，临床主要见症如下：

小便赤涩不甚，淋沥不已，劳累即作，时作时止，面色皖白，神气怯弱，腰以下冷，腰膝酸痛，浮肿乏力，舌淡，脉细。

【方六】

玉米须 30 克，荠菜花 15 克，白茅根 18 克。水煎去渣，分服两次，每日 1 剂。用于泌尿系感染、尿常规查有红细胞者。

【方七】

鸭跖草，地锦，荔枝草，车前草，萹蓄，紫花地丁，白花蛇舌草，虎杖。任选其中一二种，每种 30～60 克，水煎服，每日 1 剂。用于急性泌尿系感染。

【方八】

竹叶车前茶：车前草 100 克，竹叶心、生甘草各 10 克，白糖适量。煎汤代茶，每日 1 剂。用于急性尿路感染。

【方九】

藕汁 30 毫升，白蜜 30 毫升，生

地黄汁60毫升，混合，微火煎，空腹每服10毫升，渐渐咽之，每日4次，连服3天。用于阴虚证。

【方十】

生黄芪、白茅根各30克，肉苁蓉20克，西瓜皮60克。水煎，加适量白糖。每日分2～3次服。用于肾脾两虚证。

【方十一】

鲜茅根200克，加水适量，煎汁去渣，入粳米、赤豆各200克，煮粥，每日分3～4服。用于气虚血热证。

【方十二】

鲜竹叶、白茅根各10克，放保温杯中，以沸水冲泡，盖30分钟，代茶频饮。用于血热证。

【方十三】

生黄芪300克煎取浓汁，粳米100克，白糖少量，同煮，粥成加陈皮末1克，稍煮即成。用于气虚证。

第八十七节

『肾功能衰竭』

肾功能衰竭有急性与慢性之分。急性肾功能衰竭是指任何原因引起的急性肾实质损害，肾单位丧失调节功能，临床以少尿（每日尿量少于400毫升）或无尿（每日尿量少于50毫升）、代谢紊乱及尿毒症为主要表现者；慢性肾功能衰竭是指多种晚期慢性肾脏病导致机体内环境稳定状态破坏，代谢产物潴留而产生的一种综合病证，临床以氮质血症、水与电解质代谢紊乱及酸碱平衡失调、多系统损害为主要临床表现。老年人肾功能衰竭死亡率高。中医学中有关本病的论述，主要见于“癃闭”、“关格”、“溺毒”、“虚损”等病之中，同时与湿浊、肝风有一定联系。

本病主要病在脾肾，并以肾为重，同时与肺、心、肝、三焦有密切关系。其基本病理是脾肾衰败，湿浊内盛。病理关键在于肾失开合，水毒内盛。脾肾衰败，则阳虚失运而水湿内停，阳虚及阴，则肝失涵养而肝阳偏亢，化火生风。湿浊内盛，干犯脾胃，则气机升降逆乱；郁久生痰化热，蒙蔽心窍，则窍闭神昏；入营动血，则引动肝风；伤及心肺，阻滞气血，则气血瘀阻；流注下焦，气化不通，则膀胱闭癃。因此，本病的基本病理因素是湿浊（水邪）、痰、火（热）、瘀（瘀血）、风（肝风）五者。它们相互影响，兼挟为患，可表现出“阳虚湿阻”、“湿浊化热”、“热毒动风”、“痰热蒙心”、“阴虚风动”等一系列复杂的病理变化。

目前，临床上常用的治疗本病的偏方、验方主要如下：

【方一】

青皮12克，厚朴10克，槟榔9克，商陆9克，黑牵牛12克，大黄9克，木通12克，泽泻10克，茯苓15克。水煎服，日1剂。

本方破气通滞，攻下逐水，临床见症如下：

全身水肿，腹部胀大，尿少尿闭，恶心呕吐，纳呆厌食，头痛头昏，烦躁不安，甚则昏迷。舌苔腻，脉实有力。

【方二】

生石膏30克，银花10克，连翘9克，黄连10克，生地9克，白芍9克，人参9克，知母10克，羚羊角3克，石菖蒲15克。

水煎服，日1剂。

本方清热解毒，养阴熄风，适用于热毒动风所致的肾功能衰竭，临床见症如下：

头昏胀痛，恶心呕吐，呼吸气粗，烦躁不安，唇干齿垢，神昏谵语，抽搐拘急，二便不通，舌质红，苔黄，脉弦细数。

【方三】

附子10克，肉桂9克，仙茅9克，仙灵脾12克，人参6克，白术9克，吴茱萸9克，生姜3片，半夏6克，厚朴9克，陈皮6克。

水煎服，日1剂。

本方温补脾肾，化湿泄浊，适用于阳衰湿浊所致的肾功能衰竭，临床主要见症如下：

面色晦暗，畏寒怕冷，面浮足肿，下肢欠温，胸闷腹胀，恶心呕吐，神怠嗜睡，尿少或闭，大便溏薄或腹泻，舌淡而胖，苔白腻，脉沉细或濡细。

【方四】

人参10克，附子9克，黄连9克，大黄6克，生姜9克，竹茹10克，半夏6克，陈皮6克，枳实9克。

水煎服，日1剂。

本方补脾益肾，清热泄浊，适用于阳衰湿热所致的肾功能衰竭，临床主要见症如下：

面色萎黄或苍白，倦怠乏力，胸闷恶心，口中尿臭，或发热，烦躁，皮肤瘙痒，便秘或稀薄而热臭，苔黄腻而燥，脉细数或弦数。

【方五】

生熟地各12克，山茱萸10克，山药12克，枸杞子10克，丹皮9克，茯苓12克，泽泻10克，知母9克，黄柏12克。

水煎服，日1剂。

本方滋阴益肾，利湿清热。适用于阴损湿热所致的肾功能衰竭，临床主要见症如下：

面部潮红或烘热，头晕耳鸣，腰膝酸软，恶心欲呕，手足心热，肢肿轻微，舌质红或绛，苔黄腻，脉细数。

【方六】

党参10克，白术9克，茯苓12克，甘草6克，黄芪15克，当归10克，山药12克，五味子15克，白芍10克，生熟地各12克，枸杞子10克，肉桂9克，陈皮10克。

水煎服，日1剂。

本方健脾益肾，补益精血，适用于脾胃两伤所致的肾功能衰竭，临床主要见症如下：

头晕目眩，耳鸣腰酸，心悸气短，神疲乏力，面色萎黄，纳呆食少，舌质淡红，脉沉细弱。

【方七】

人参10克，附子10克，麦冬9克，五味子10克，山茱萸9克，煅龙骨30克，煅牡蛎30克，炙甘草6克。

水煎服，日 1 剂。

本方益气敛阴，回阳固脱，适用于阴竭阳脱所致的肾功能衰竭，临床见症如下：

神志昏糊，呼吸微弱，目合口开，手撒遗尿，汗出口渴，面色苍白或潮红，舌淡或红，脉微细或细数。

第八十八节

『膀胱炎』

膀胱炎是在身体抵抗力较差的情况下由细菌侵入而引起的一种常见病。细菌可以从血液或淋巴进入膀胱，但较常见的是从尿道上升（如尿道炎）或从肾脏下降（如肾盂肾炎）而进入膀胱。如果膀胱排尿不畅或膀胱有结石、结核、肿瘤等疾病时，就更容易引起发炎。

目前，临床上常用的治疗膀胱炎的偏方、验方主要如下：

【方一】

车前草 30 克，黄柏 0 克，知母 15 克，土牛膝 15 克，生地 30 克，竹叶 12 克，木通 10 克，甘草梢 6 克。

服法：水煎服。

本方清利下焦湿热，适用于下焦湿热所致的膀胱炎。

【方二】

石韦 30 克，鸭跖草 30 克，泽泻 10 克，丹皮 12 克，银花藤 30 克，萹蓄 10 克，瞿麦 10 克。

服法：水煎服。

本方清热利湿，适用于湿热引起的膀胱炎。

【方三】

生南瓜子 30 克，连壳嚼服，每日 1 剂。南瓜子有利尿作用，没有副作用，治疗膀胱炎，痊愈后不易复发。

【方四】

鱼腥草（侧耳根）60 克，炖瘦肉，每日 1 剂，连服 1～2 周，可治慢性膀胱炎。

外科病

WAI KE BING

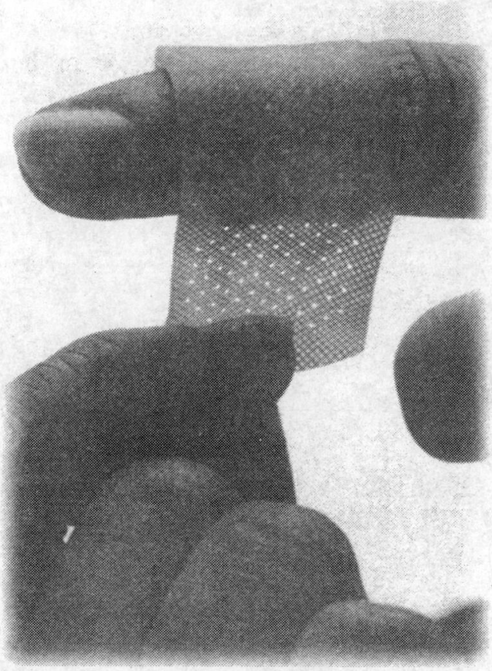

第一节

『痔 疮』

痔疮发作时，多现肛门坠痛或痔核红肿剧痛，或便时出血，兼有便秘、溲赤、唇干咽燥等热象。本病病因多由素积湿热，嗜食炙烤、辛辣之品，或过饮酒浆而致湿热内蕴，而湿热瘀滞即可导致痔疮的发作。临床常用的偏方主要如下：

【方一】

蒲公英、黄柏、赤芍、丹皮各 30 克，桃仁 20 克，土茯苓 30 克，白芷 15 克。水煎外用，每日 1 剂，日用 2～3 次，先加水 2 500～3 500 毫升，煮沸后过滤去渣。将药液倒入普通盆内，患者趁热先熏后洗，每次 15～30 分钟。

本方为邹桃生方，功能清热解毒，除湿消肿，凉血散瘀，适用于痔疮。

【方二】

硫黄、雄黄各 10 克，樟脑 3 克，麻油适量。前药研成细末，用麻油调匀，擦患处。

本产适用于湿热而致痔疮。

【方三】

乌梅、五倍子各 10 克，苦参 15 克，射干、炮山甲各 10 克，煅牡蛎 30 克，火麻仁 10 克。水煎服，日 1 剂，日服 2 次。

本方为凌朝光方，功能清热解毒，润肠通便，适用于痔疮。

【方四】

浮萍适量。水煎，趁热擦洗患处。

本方适用于痔疮抓破出血不流水者。

【方五】

槐花、地榆各 10 克，仙鹤草、旱莲草、侧柏叶各 15 克，枳壳 10 克，黄芩 5 克，胡麻仁 15 克，勒菜克 30 克。水煎服，每日 1 剂，日服 2 次；另外，可用此药煎液熏洗肛门。

本方为黄洪坤方，功能清肠利湿，止血，适用于痔疮。

【方六】

柞树叶 30 克。捣烂敷患处。

本方源于《黑龙江常用中草药手册》，适用于痔疮。

【方七】

刘寄奴、五倍子各等份。研为细末，空心酒下，仍用其末敷，遂愈。

本方源于《类编朱氏集验方》，治痔疮。

【方八】

生豆腐渣，锅内炒干为末，每服 9 克，白砂糖汤下，日 3 次。

本方源于《危氏方》，适用于痔疮。

【方九】

丝瓜，烧存性，研末，酒服6克。

本方主治肛门久痔。

【方十】

南瓜子1 000克。

加水煎煮，趁热熏肛门，每日最少2次，连熏数天即愈，熏药期间禁食鱼类发物。

本方对内痔有效。

【方十一】

红糖100克，金针菜120克。将金针菜用水2碗煎至1碗，加入红糖，温服，每日1次。

本方活血消肿，适用于初起痔疮。

【方十二】

朱砂15克，草决明20克，煅牡蛎、马勃、黄柏各15克，甘草6克。布包马勃与他药同煎30分钟，去渣留汁内服，每日3次，每次约160毫升。

本方为中医彭显光方，功能清热解毒，活血止血，软坚收敛，肾肿止痛，对消除痔疮有效。

【方十三】

明矾15克，黄连20克，鞣酸0.7克，普鲁卡因5克，甘油100毫升，注射用水适量制成1 000毫升。

将黄连以蒸馏水蒸煮提取2次，合并两次滤液浓缩，使每毫升相当于2克生药，加95%乙醇沉淀24小时过滤，留液去醇，再加适量注射用水溶解，加热近沸并过滤水沉，然后将上述溶液过滤，加入明矾、鞣酸、普鲁卡因及甘油，溶解后再加注射用水，使剩余量为1 000毫升，加活性炭0.3%，再加热近沸，稍冷过滤，精滤分装于瓶内置100℃下灭菌30分钟，经灯检，菌培养合格后备用。

本方为江苏著名中医丁泽民方，功能使痔核硬化而萎缩消失，并有止血作用，适用于各期内痔、混合痔的内痔部分。

【方十四】

茄子，将其切片，烧成炭，研成细末。每日服3次，每次10克，连服10天。

本方清热止血，适用于内痔。

【方十五】

黑木耳30克。

将木耳摘去污物，洗净，加水少许，文火煮成羹，服食。

本方益气，凉血，止血，适用于内外痔疮患者。

【方十六】

獭肝1副，猪瘦肉200克，蛋清1个，味精、盐、料酒、淀粉、胡椒粉、猪油、姜片、葱段适量。将獭肝洗净切成粒，猪瘦肉洗净切成粒，二者都盛入碗中，加入蛋清，淀粉拌和，下沸水锅略氽一下捞起，放入炖盅，加入肉汤、盐、料酒、姜、葱，上笼蒸30分钟取出。烧热锅放猪油，烹入料酒，加入肉汤，放入蒸过的獭肝、瘦猪肉粒，加入盐、味精、胡椒粉，待烧透后拣去姜、葱，装碗即成。

獭肝为水獭的肝脏，其性味甘咸平，具有养阴、除热、宁嗽、止血等功效。《本草图经》谓之“主（虚损）劳极，四胜寒疟，虚汗客热，亦主产劳”，《饮膳正要》谓之能“治肠风下血”。瘦猪肉滋阴润燥。二者相合则具有宁嗽止血、滋阴润燥、养阴除热之功效，适于久痔下血不止、阴虚劳嗽等病人食用。健康人食之有明目之功。

【方十七】

果子狸1只（约1 000克），鲍鱼丝、冬菇丝各150克，冬笋丝、生鸡丝各100克，火腿丝20克，木耳丝50克，姜丝、陈皮丝各20克，红枣丝10克，陈皮、姜、味精、白糖、胡椒粉、精盐、肉汤、猪油适量。果子狸宰杀后，用热水烫透煺毛，开肚取出内脏，用火燎去细毛，洗净后斩成两段，下沸水锅焯透取出，洗净，放入锅内，加入清水、姜片、陈皮，煲熟取出，拆净骨头，将肉切成丝放入盅内，加入原汤，上笼蒸熟后待用。鸡丝、鲍鱼丝、木耳、冬菇、冬笋下开水锅汆透后捞出，再用油、酒、开水滚煨片刻捞出。烧热锅加入猪油，四成热时，烹入料酒，加入高汤、原汤、猪油、味精、白糖、盐、果子狸丝和其他各丝（不含火腿丝），烧开后用水淀粉勾稀芡，装入碗中，撒上胡椒粉、火腿丝即成。佐餐食用。

果子狸又名豹狸、野猫、狸猫，其性味甘平，能治疗肠风下血、痔漏、瘰疬、游风。《千金·食治》谓之“补中益气”，《蜀本草》谓之“治鼠瘘”。适用于颈部淋巴结核、痔疮出血、脱肛疼痛等证。

【方十八】

柿饼50克，木耳60克，糖、水淀粉适量。将柿饼去蒂切成丁，木耳水发好撕成小块。将柿饼丁、碎木耳倒入锅中，注入适量清水煮沸一段时间，用水淀粉勾芡，放入糖搅匀，煮开后盛入汤碗中即成。

柿饼为柿的果实经加工而成。其性味甘涩、寒，具有涩肠、润肺、止血、和胃功效。《本草纲目》中记载：“有健脾涩肠、治血止血之功。”《本草通玄》认为：“止胃热口干，润心肺，消痰，治血淋、便血。”配以活血、止血、益气强身的木耳，常治疗吐血、咯血、血淋、肠炎、痢疾、痔漏等症。

【方十九】

鳝鱼500克，黄酒、葱白、生姜、食盐、素油各适量。鳝鱼去骨及内脏，冲洗干净，切成寸段备用，素油倒入炒锅，烧至七成热时，放入鳝鱼、葱白、生姜，煸炒后加清水、黄酒、食盐，小火烧至熟透即成。佐餐食用。

本品有补虚损、止便血功效，适用于虚弱劳损，产后虚羸，痔疮出血，下痢脓血。

本方出自《便民食疗》，方名为后补，原方用于“内痔出血”，为补虚损、止便血方。久病体虚，气血亏虚，脏腑耗损，则见虚弱劳损，法宜补益；大肠络脉损伤，血不循经，则见便血，法宜止血。本方重用鳝鱼一味，既补虚损，又止便血，故适用于虚弱劳损和大便下血。

烹饪制作鳝鱼，多用胡椒粉。本品用于止便血，不宜使用胡椒粉。

第二节

『血栓闭塞性脉管炎』

血栓闭塞性脉管炎是一种慢性、进行性、非特异性血管炎症性病变。由于血管因炎症变狭窄以致完全闭塞，肢体末端组织产生缺血性变化，严重时形成坏疽。现代医学认为本病的病因为：性激素、精神紧张、吸烟、受寒冻、营养不良、高凝状态等，并认为是一种自身免疫性疾病，临床常用的偏方主要如下：

【方一】

猪蹄1只，毛冬青根150克，鸡血藤、丹参各50克。加水共煮至蹄烂，去药渣，吃肉饮汤。

本方活血通脉，适用于血栓闭塞性脉管炎患者。

【方二】

蟾蜍。将其去肠杂洗净，入锅煮烂去骨，和面粉做成丸药，不拘份量可随时服用。

本方清热去湿，解毒杀菌，适用于血栓闭塞性脉管炎。

【方三】

活蜗牛。将其洗净，连同壳捣烂如泥状，敷于溃烂面上，以湿纱布盖上，每日换药1次。

本方通经活络，祛腐生肌，适用于血栓闭塞性脉管炎。

【方四】

茜草、丹参各12克，地鳖6克，王不留行12克，木瓜9克，薏米仁20克，清风藤、川牛膝各9克，茯苓12克，黄柏6克。水煎服，每日1剂，日服2次。

本方为翁延芥方，功能通络利湿，活血化瘀，适用于血栓闭塞性脉管炎。

【方五】

鸡血藤30克，元参、金银花各60克，甘草、乳香各30克，土茯苓60克。水煎服，每日1剂，日服2次。

本方为郭俊田方，功能清热解毒，活血化瘀，适用于血栓闭塞性脉管炎。

【方六】

当归60克，乳香10克，黄芪30克，银花60克，刘寄奴12克，甘草30克，桃仁10克，元参30克，牛膝10克。水煎服，每日1剂，日服3次。

本方为郑静嫦方，功能清热解毒，凉血化瘀，适用于血栓闭塞性脉管炎。

【方七】

茵陈24克，赤小豆18克，生薏米30克，炒苍术、黄柏各10克，防己、泽泻各12克，佩兰10克，苦参12克，木通6克，炒地龙12克，滑石10克。浸泡30分钟，水煎两次，两煎混合约500毫升，早晚各服250毫升。

本方为山东著名中医迟景勋经验方，临床功能利湿清热，芳香化瘀，行血消肿，主治血栓性深、浅静脉炎及湿热下注所致的丹毒、臁疮，湿热型血栓闭塞性脉管炎等疾病。

【方八】

母鸡1只（1～1.5公斤），当归20克，醪糟汁100克。杀鸡去毛及内脏，洗净，开水煮去血水捞出，再换1.5公斤水放锅中小火炖，加醪糟汁、当归，盖严炖3小时即成。鸡香味浓，汁鲜可口。

当归性味甘、辛、温，含亚油酸、菸酸、挥发油、维生索E、维生素B_{12}及β－谷甾醇等，其中β－谷甾醇为类固醇激素前体，可活跃性腺；亚油酸降脂；菸酸扩张血管，降胆固醇；维生素E抗衰老，维生素B_{12}抗贫血。

鸡肉性甘、温，含优质动物蛋白23.8%，脂肪1.1%，以及维生素A、维生素D、多种无机盐等。由于鸡肉含老年人需要的蛋白质高，含老年人应限制的动物脂肪少，无机盐和维生素丰富，因此能温补脾胃，补血，补肾，是老年人理想的冬令补益食品。

本方主治：老年人血虚所致的耳鸣、耳聋、头晕、眼花、夜尿多、食少乏力等症。也可作为冠心病、心绞痛、血栓性静脉炎患者的辅助治疗剂。

第三节

『胆囊炎』

胆囊炎系感染、胆汁刺激胰液向胆道反流，以及胆红素和类脂质代谢失调等所引起的胆囊炎性疾病。胆囊炎又可分为急性胆囊炎和慢性胆囊炎。急性胆囊炎的典型表现为急性发作的右上腹持续或阵发性绞痛，可向右肩背放射，胆囊区压痛或反跳痛，肌紧张，发热，恶心呕吐，或有黄疸及血白细胞增高；而慢性胆囊炎表现为反复发作且轻重不一的腹胀，右上腹及上腹不适或疼痛，常放射至右肩背，伴暖气泛酸等消化不良症状，进油腻食物症状加剧。常用的临床有效偏方、验方如下：

【方一】

鲜嫩小麦秆100克（采取春天已灌浆，尚未成熟的小麦），白糖少许。麦秆加水煮半小时左右，加白糖使之微甜，代茶饮，每次半小碗，1日3次。

本方消炎利胆，适用于胆囊炎。

【方二】

丹参500克，郁金250克，茵陈100克，蜂蜜1公斤，黄酒适量。把丹参、郁金、茵陈倒入大砂锅，加冷水浸没，浸泡2小时后，先用中火烧沸，加黄酒2匙，改用小火慢煎1小时，约剩下1大碗药液时，滤出头汁，再加冷水3大碗，煎二汁，约剩下大半碗药液时，滤出、弃渣；将头汁、二汁、蜂蜜一起倒入碗盆内，拌匀，碗盆加盖用旺火，隔水蒸2小时，离火，冷却，装瓶，盖紧。每日2次，每次1～2匙，饭后开水冲服，3个月为1疗程。

本方利胆解热，善降胆火，并能缓肝气，通经脉，除湿热，润燥，适用于胆道阻塞、胆囊疼痛、胆火旺，湿热重者有显效。

【方三】

红瓤西瓜14克，冻粉1.5克，白糖60克，香蕉油1滴，清水90克。西瓜瓤去掉种子、切碎，挤出西瓜汁，冻粉切成寸段，在瓜汁中加白糖15克，放入冻粉煮化，搅均匀，凉透，凝结成冻，即为西瓜酪。清水加入剩余白糖烧开，凉透，加上香蕉油，把西瓜酪割成小块，在盘子四周浇上糖水即成。

本方清热解毒，利胆降压，适用于胆囊炎、胆石症。

【方四】

柴胡12克，白芍15克，党参10克，白术12克，黄芪19克，黄连6克，半夏10克，陈皮、茯苓、泽泻各12克，防风10克，羌活、独活各8克，炙甘草、生姜、大枣各10克。水煎服，日1剂，分2次服。

本方为河南中医毛长珍方，功能利胆和胃，适用于慢性胆囊炎。

【方五】

柴胡、青蒿、枳实、茯苓、郁金、陈皮、法半夏各10克，白芍6～10克，威灵仙15～30克、生甘草3克。水煎服，每日1剂，分2次服。

本方为江西中医彭家森方，功能疏肝利胆和胃，主治慢性胆囊炎。

【方六】

柴胡10克，白芍、郁金各15克，绵茵陈30克，香附12克，青皮5克，延胡索、木香各10克，甘草5克。水煎服，日1剂，分2次服。

本方为广东中医邹志为方，功能疏肝利胆，适用于慢性胆囊炎。

【方七】

录子芩10克，川黄连3克，蒲公英、绵茵陈各12克，广郁金、威灵仙、莱豆壳各10克，北柴胡5克，生甘草3克。日1剂，水煎服。

本方为厦门著名中医康良石方，功能清热利湿，理气解郁，通络止痛，利胆退黄，适用于胆囊炎。

若胁痛较剧，加川楝子、延胡各10克；伴有黄疸者，加金钱草、栀子根各30克；脘腹痞满者，加马蹄金10克。每日1剂，水煎两遍，15剂为1疗程。禁饮酒，忌油腻、羊肉、狗肉、辣椒、胡椒、蒜、葱等大辛大热食物。并发病毒性肝炎者，当视具体证候综合辨治。

胆囊炎是常见急腹症之一，可分为单纯性及化脓性两种，多见于成年人，发病原因常和细菌感染及胆囊结石有关。在中医学中属于痛证——胁痛范畴。主要病因病机：一为气机久郁，气滞血瘀，胆腑气阻络痹；二为湿热久蕴，交蒸肝胆，胆腑疏泄不利；三为胆汁久滞，热邪煎熬成石，胆道痹阻；四为湿热炽盛，气滞血瘀，胆汁滞而不通而致胁痛。

小芩连汤是为单纯性慢性胆囊炎及急性发作者而拟，立法、拟方、用药，皆有独到之处，是经数十年验证的经验方，有较好的疗效。该方既注重清利蕴结熏蒸肝胆之湿热从小便而去，使病邪有所出路；又重视理气通络，调和肝胆气血，恢复疏泄条达功能，促使胆汁得清，滞气得降，以达通则不痛。

第四节

『阑尾炎』

阑尾炎是指阑尾的化脓性疾病，但有急慢性之分。若有下腹固定压痛对急性阑尾炎具有重要诊断意义；若是慢性阑尾炎则多有急性阑尾炎史，仅有右下腹不适感或隐痛，可因活动、饮食不节而诱发。本病常用的有效的偏方主要如下：

【方一】

大黄10克，芒硝9克，连翘、银花各12克，红藤15克，元胡10克，木香、桃仁各9克，丹皮12克。水煎服，每日1剂。

本方清热通腑，行气活血，适用于湿热瘀滞所致的阑尾炎，其主要症状如右小腹隐痛拒按，持续或阵发，或疼痛初在上腹部，或先绕脐疼痛，随后转移至右天枢穴附近，可伴腹皮挛急，脘胀纳呆，恶心嗳气，微热，大便正常或秘结。舌苔薄白或黄白相兼，脉弦滑、弦滑数或细涩。

【方二】

金银花12克，蒲公英、紫花地丁各15克，白花蛇舌草、大黄各10克，川楝子、丹皮各9克，赤芍10克，虎杖15克。水煎服，每日1剂。

本方清热解毒，化瘀消痛，适用于热蕴所致阑尾炎，其主要症状如：腹痛拒按，右下腹压痛较明显，有反跳痛，腹皮挛急，或可扪及包块，伴身热口渴，食少脘痞，恶心呕吐，大便秘结或便溏不爽，小便短赤，苔黄少津或厚腻，脉弦数或滑数。

【方三】

银花10克，连翘12克，黄芩、生地、玄参各9克，生甘草6克，大黄10克，紫花地丁12克，野菊花、蒲公英各9克，冬瓜子30克。水煎服，每日1剂。

本方清热解毒，通腑排脓，适用于脓毒溃散所致的阑尾炎，主要症状如：腹痛自右下腹扩展至全腹，痛势剧烈，腹皮紧急，全腹压痛，反跳痛，高热不退或往来寒热，面红目赤，唇干口臭，恶心呕吐，腹胀便秘，或大便溏薄而秽臭不爽，小便频数似淋，舌质红绛而干，苔黄糙起刺或黄厚而腻，脉弦滑数或细数。

【方四】

鲜野菊花60克，败酱草15～60克，紫花地丁30克。任选其中1种，水煎；分3～4次服，每日1剂。

本方可用于急性阑尾炎。

【方五】

白芍 18～45 克，甘草、柴胡各 6～12 克，枳壳、丹皮、黄柏各 10～15 克。水煎分 3 次服，每日 1 剂，重者加倍服。

本方适用于急、慢性阑尾炎。

【方六】

地榆、槐花各 30 克，半枝莲 15 克，甘草 3 克，鲜生地 30 克，连根葱 20 根。

水煎，分 3 次服，每日 1 剂。

本方适用于急性阑尾炎。

【方七】

大蒜 60 克，芒硝、大黄各 30 克。先将大蒜、芒硝合捣如泥状敷腹部最痛处（局部先涂上一层凡士林，以防皮肤损伤），2 小时后去药，再取大黄粉醋调外，敷 6～8 小时，共为 1 次，必要时数小时后可重复 1 次。

本方用于急性阑尾炎。

【方八】

新鲜马齿苋 120 克（干者 30 克），绿豆 30～60 克。煎汤，分 2～3 次服下。

本方对急性阑尾炎有效。

【方九】

苡米 50～100 克。清水煮烂为粥，稀稠适度，分 1～2 次服食，每日 1 剂。

本方用于急性阑尾炎恢复期及慢性阑尾炎。

【方十】

甜瓜子 30 克，白糖适量。将其捣烂研细，用开水冲服。

本方适用于急性阑尾炎。

第五节

『脑外伤后综合征』

脑外伤后综合征是指脑震荡或轻度脑挫裂伤后数月至数年，仍有某些自觉症状，但检查时无阳性神经系统体征者，发生率占闭合性颅脑损伤的 10%。临床表现为头痛、呕吐、心慌、失眠等。

目前，临床上常用的治疗脑外、伤后综合征的偏方、验方主要如下：

【方一】

桃仁 10 克，红花 10 克，川芎 10 克，赤芍 10 克，白芷 10 克，郁金 10 克，细辛 3 克，当归 10 克，白术 10 克，茯苓 10 克，甘草 5 克。水煎，每日 1 剂，分 2 次服，早晚各 1 次。

本方活血化瘀，通窍止痛，适用于瘀血内阻所致的脑外伤后综合征。

此症多见于轻度脑挫伤后以头痛为主症者。临床表现为头痛，经久不愈，以外伤时着力处为主，痛处固定不移，痛如针刺，舌质紫，舌底脉络有瘀滞，苔薄白，脉细或细涩。证属头部外伤，血络受损，脉络瘀阻，不通则痛。

【方二】

柴胡10克，陈皮10克，白芍10克，枳壳10克，香附10克，法半夏10克，厚朴10克，苏梗10克，茯苓10克，川黄连3克，山栀5克，生甘草4克。水煎，每日1剂，早晚分服。

本方疏肝和胃，降逆止呕，适用于肝胃不和所致的脑外伤后综合征。

此症多见于脑外伤后以呕吐为主症者。表现为恶心，呕吐胃内容物，嗳气频繁，时有吞酸，胸胁闷痛，性情抑郁寡欢，食欲不振，舌边红、苔薄腻，脉弦。证属肝气不舒，横逆犯胃，胃失和降。

【方三】

钩藤（后下）10克，天麻（另炖）10克，茯神10克，枸杞子10克，菊花10克，白芍10克，熟地10克，杜仲10克，桑寄生10克，黄芩10克，石决明（先煎）20克，珍珠母（先煎）20克。水煎，每日1剂，2次分服。

本方功能平肝潜阳，滋养肝肾，适用于肝阳上亢所致的脑外伤后综合征。

此症多见于脑外伤后以头晕目眩为主症者。表现为头晕目眩，视物昏花，头痛且胀，性情急躁，每因烦劳恼怒，症状加重，面部时作潮红，夜寐不安，口干苦，舌质红，苔薄黄，脉弦。证属外伤致气机逆乱，真阴暗耗，肝阳偏亢，上扰清空。

【方四】

党参10克，白术10克，茯苓10克，黄芪10克，当归10克，远志10克，合欢皮10克，五味子10克，柏子仁10克，川朴10克，陈皮5克。水煎，每日1剂，早晚分服。

本方功能补养心脾，益气安神，适用于心脾两虚所致的脑外伤后综合征。

此症多见于脑外伤后心慌失眠为主症者。表现为心慌不宁，心烦少寐，多梦易醒，健忘，倦怠乏力，面色少华，舌淡苔薄白，脉细弱。证属心脾两虚，血不养心，心神不宁。

【方五】

琥珀3克，辰砂0.3克，青龙齿15克，木通3～6克，大腹皮12克，桑白皮12克，赤芍9克，桃仁12克，党参15～30克，枸杞子15克，荆芥穗6克，柴胡6克，白芍15克，制香附6克。水煎，每日1剂。

本方为华江方，功能镇心安神，升清降泻，活血化瘀，适用于头部脉络受损所致的脑外伤后综合征。

【方六】

有报道称用杞菊地黄口服液治疗脑震荡后遗症12例，取得较好的近期交果，其中近期获愈者9例，好转1例，无效2倒，用法是口服杞菊地黄口服液，每次10毫升，每日2～3次，或内服杞菊地黄汤，水煎服，每日1剂。曾治一例48岁男性患者，因车祸致脑部外伤，昏迷5天，经治疗获愈出院，但遗有头昏目眩至今多年，经用本品内服治疗，连续服药18天，眩晕耳鸣症状消失。

【方七】

用王不留行子贴压耳穴：神门、交感、皮质下、脑点。头痛甚配额、枕；心悸失眠、多汗，情绪不稳配心、肾、耳背心；眩晕耳鸣，恶心纳呆配脾、胃、内耳、贲门、三焦；头颈肢体震颤配肝、枕及肢体对应穴位。每天按压4次，每周2次；两耳穴位交替使用。并用脑震宁冲剂10克，谷维素50毫克，脑益嗪20毫克，每天3次口服。2周为1个疗程。用1～4个疗程。治疗32例，痊愈29例，显效3例。

第六节

『带状疱疹』

带状疱疹又叫蜘蛛疮，俗称缠腰火丹或串腰龙。它是由水痘——带状疱疹病毒所引起的一种急性疱疹性皮肤病，表现为成群分布的密集小水疱，并有神经痛和局部淋巴结肿大。

带状疱疹多见于成人，好发于春夏季节。患者在出现蜘蛛疮之前，局部皮肤常常先有感觉过敏，伴有轻度发热，全身不适，食欲不振等症状，继而局部发生潮红，出现集聚性栗粒大小红色丘疹群，并迅速变为水疱。水疱呈带状分布，每群约有数个至数十个，水疱间的皮肤完整，形态正常。有时水疱可相互融合而成为弥漫性大片损害，牵涉引起淋巴结处也有肿痛，数日后水泡干燥结痂，若无感染，愈后一般不留疤痕。整个病程，从发病到痊愈，一般需要3周左右时间。

有人说，发生在胸、腰部的带状疱疹一旦成圈地围成一周，便似蛇龙缠身，危及生命，所以民间常将此病称之为“串腰龙”。皮疹出现前或伴随皮疹的出现可有烧灼样痛，特别是老年患者表现更加剧烈。由于该病起病急，来势凶猛，疼痛难忍，因而人们对此病十分恐惧。其实，带状疱疹来得快，去得也快，经过适当治疗，一般都能很快治愈。

目前，临床上常用的治疗此病的偏方、验方主要如下：

【方一】

王不留行适量，放铁锅内炒爆，炒至爆出白花，研成细粉，用鸡蛋清调成糊状，外敷患处，厚约0.5厘米左右，盖上纱布，固定，每日换药2次。

【方二】

石灰粉40克，50%酒精70毫升，甘油20毫升，上药混合摇匀涂抹患处。每日多次，涂后干燥成痂，痂厚除掉再涂抹。

【方三】

雄黄、大黄，上药任选一种，研成细末，用植物油或茶水调和外敷。

【方四】

龙胆草12克，泽泻10克，栀子9克，柴胡10克，丹皮9克，车前子15克，大青叶10克，黄芩10克，连翘10克，生地12克，甘草6克。

水煎服，日1剂。

水疱未破溃者，用青黛3克、黄连素3片、冰片0.5克，研末，制成搽剂涂患处。1日3～5次。

本方清肝利胆，解毒止痛，适用于肝胆湿热所致的带状疱疹。

【方五】

焦白术、茯苓、当归各15克，黄芪30克，板蓝根、泽泻各12克，苍术、白芷各9克，厚朴、陈皮、甘草各6克。水煎服2次，1日1剂。连服6～9剂。水疱未破者用龙胆紫涂抹；水疱已破者，用病毒唑软膏涂敷。

本方补脾健胃，抗毒排泻，适用于脾虚坏疽所致的带状疱疹。

【方六】

仙鹤草、大生地、侧柏叶各15克，丹皮、紫草、大青叶各12克，焦栀子、藕节、连翘各9克，甘草6克，大枣8枚。水煎服2次，1日1剂。连服3～5剂。外用炉甘石洗剂。

本方清热解毒，凉血止血，适用于血热妄行所致的带状疱疹，本病的特点如下：

血热妄行型病人皮损呈红色，水疱鲜红，水液带有丝状血迹，水疱周围可见出血斑点，灼热刺痛，微热或有高热，口微渴，舌微红，苔微黄，脉细数。治以清热解毒，凉血止血。

【方七】

牛黄上清丸，每次2丸，每日2次。

另外板蓝根冲剂、三七片、六神丸、七厘散、云南白药、南通蛇药、元胡止痛片、复方丹参片，均可选用。

【方八】

虎杖100克，贯众、板蓝根、紫草、藤黄、白芷、枯矾各50克，75%乙醇3 000毫升中浸泡10天后过滤取液加2%冰片，摇匀，用消毒纱布或棉签蘸药液涂于患处，2小时1次。2天为1个疗程。平均治疗6天后，全部获得治愈。随访2年均未见复发。

【方九】

据报道，采用当归治疗带状疱疹，效果满意。治疗方法：将当归研成细粉末，按年龄大小每次服0.5或1.0克，4～6小时1次，每天3次。治疗结果：治疗儿童带状疱疹54例，经服药1天后止痛者22例，服药2天后止痛者32例。带状疱疹一般在服药后第3天有部分枯萎，未再发生新疹，第4天结痂。另有人用0.5克当归浸膏片内服，每服2～4片，4小时1次。治疗成人患者23例，亦取得相似效果。

第七节

『丹　毒』

丹毒是丹毒链球菌侵犯皮肤和黏膜网状淋巴管而引起的感染，好发于头面部及小腿。病人起病急，出现畏寒、高热、头痛等全身症状。小腿丹毒容易复发，病人较痛苦。为解除丹毒病人的痛苦。目前，临床上常用的治疗丹毒的偏方、验方主要如下：

【方一】

绿豆50克，荸荠50克，共煮汤服，每日2次，7天为1疗程。

【方二】

豆腐100克，鲜丝瓜根100克，共炖汤服，每日2次，5天为1疗程。

【方三】

海蜇150克，煎汤服；或以姜、醋伴食，连续服用。

【方四】

牡蛎肉150克，煮熟食盐调味后服，每日2次，连续服用。

【方五】

黑大豆50～100克，煮汤服，每日2次，常服。

【方六】

马齿苋250克，煎汤服，每日2次，连续服用。

【方七】

苦瓜100克，煎汤服，每日2次，连续服用。

【方八】

芭蕉取子晒干研末，调水涂患部，干后即换。

【方九】

赤豆25克，牛膝15克，川柏15克。水煎服，每日2次，5天为1疗程。

【方十】

月季花5朵，冰糖25克。煎汤服，每日2次，5天为1疗程。

【方十一】

芭蕉根250克，捣烂取汁服，每日2次，5天为1疗程。

【方十二】

活泥鳅10～20条，先养于清水中，漂去泥污再置盆中。投入白糖适量，搅拌约10分钟，取滑液糖浆，涂于患部，常涂。

【方十三】

绿豆水磨取汁外涂患部，每日3～5次。

【方十四】

采用野菊花为主治疗丹毒患者61例，均在7～10天内全部治愈。治疗方法：野菊花30克，土茯苓、蒲公英各20克。将上药放入冷水中浸泡半小时后，水煎内服，分2～3次服，每天1剂。体外抗菌试验表明，野菊花对金黄色葡萄球菌、链球菌、绿脓杆菌和大肠杆菌等都具有较强的抑制作用。

第八节

『猫眼疮』

猫眼疮，现代医学称寒冷性多形红斑，是冬春两季较为常见的皮肤病，为皮肤黏膜的急性炎症性病变，有自限性，每到冬春两季易复发，可能是对药物、感染、肿瘤等因素的一种过敏反应，寒冷是明显的诱发因素。好发部位为手背、足背、掌跖、面部、耳廓等处，对称分布。皮疹呈多形性急性炎症表现，初起多为红斑、丘疹、风团、水疱，常见两种以上疹形同时存在。皮疹多呈环形、漩涡状或虹彩状，典型者中央呈暗红、紫红色，周围有淡红色晕圈而形成特殊的虹膜状，很像猫眼；或中央水疱周围红斑，故名猫眼疮。自觉灼热、疼痛或瘙痒，病程持续约 2 周左右。本病应与冻疮相鉴别，后者皮损肿胀明显，患脚皮肤冰凉而带紫红发绀之外观，以发于冬季为主，可资鉴别。

目前，临床上常用的治疗猫眼疮病的偏方、验方主要如下：

【方一】

当归 10 克，桂枝 15 克，川芎 10 克，赤芍 9 克，炙甘草 6 克，茯苓 9 克，生姜 6 克，细辛 5 克，鸡血藤 12 克。

水煎服，日 1 剂。

气虚者加黄芪、党参，发于上者加桑枝，发于下者加牛膝。冬季易发手足冰冷者加吴茱萸、干姜，春季易发灼热明显者加丹皮、生地、茜草。寒湿甚疱疹多者加苍术、羌独活、苡仁；瘙痒剧者加白鲜皮、合欢皮；伴关节痛加豨莶草、寄生；久治不愈血瘀明显者加桃仁、红花、丹参；外治未破皮者，可用大黄红花酊（用大黄、红花、黄柏、苍术、白鲜皮、甘遂、苏叶、红参置 75%酒精内浸泡 1 周即得）外搽；已破皮者，用复方青黛散油调外敷。对于已治愈的患者，嘱其来年复发之季，提前 10 天服用上述汤剂 3～5 贴，有预防复发的功效。此外，对于某些用上述方法治疗无效者，可采用雷公藤片治疗。

第九节

『褥疮』

褥疮是由于身体某一部位长时期受压，而致使血液循环和神经营养障碍、软组织坏死、坏疽和溃疡的一种疾病，多发于久病卧床之老年人。中医学中有关本病的论述，见于“褥疮”、“席疮”病之中。

《外科启玄》说：“席疮乃久病着床之人挨擦摩破而成。”老年人久病体弱，长期坐卧床褥，受压部位气血痹阻，肌肤损伤，初以血瘀为主，继则津停而生水泡，待皮肤破溃，毒邪内侵，则局部化脓溃烂。若正气不支，毒窜全身，更有生命之虞。本病虽病在局部，却涉及全身。其基本病理为本虚标实。虚指脏腑阴阳气血亏虚，肌肤薄弱，实指气滞血瘀，热毒为患。

目前，临床上常用的偏方、验方主要如下：

【方一】

如意金黄散：加浓茶或醋、香油适量调敷，每日 1 次，适用于一期或二期病灶。

【方二】

三石散：先洗净疮面，外涂 2%龙胆紫，再扑三石散。适用于二期病灶，皮肤已破但尚未化脓者。

【方三】

红油膏掺九一丹：清除疮面的分泌物及坏死组织后外敷，每日换药 2 次，注意引流通畅，若疮面分泌物较少，也可用生肌玉红膏。适用于三、四期病灶。

【方四】

凤凰衣（蛋壳内膜）：覆盖疮面，隔日 1 次，适用于肉芽组织生长已接近表皮者。

【方五】

白玉膏掺生肌散：外敷，每日 1 次。适用于疮面肉芽生长，已无分泌物者。

【方六】

白糖胶布法：将白糖撒在疮面上，并用胶布作叠瓦式封闭，外覆纱布，以绷带包扎，3～5 日更换敷料 1 次。适用于三期病灶除去坏死组织后，已有肉芽生长者。

【方七】

生肌橡皮膏：用探针外卷脱脂棉，棉上再涂以本品，制成中药捻引流。适用于窦道形成者。

【方八】

将三七研为极细末后，装入瓶内消毒。以醋调成糊状外涂患处。如为无感染的创面，宜先用生理盐水清洁疮面，再用碘酊、乙醇消毒，然后以药膏涂于疮面，不能太厚。隔日换药1次。感染严重者，先用双氧水冲洗创面后，再用本药。用上方治疗褥疮患者81例，经换药5～12次，全部获得治愈。另据《时珍国药研究》1996年第4期卢菊风报道，应用三七粉治疗褥疮患者36例，亦获痊愈。

【方九】

青黛50克，冰片20克，赤石脂、乳香、玳瑁、孩儿茶各30克，麝香1克。共研为极细末。溃疡用新洁尔灭消毒后，将药粉均匀撒入溃疡面。每天或隔天换药1次。加强护理。治疗1～3个月。治疗结果：78例中，治愈者76例，无效者2例。治愈率为97.4%。

第十节

『肠梗阻』

肠梗阻是指多种原因导致肠内容物在肠腔内通过障碍，以腹痛、呕吐、腹胀及便闭为主要临床表现的一种急腹症。按其发病基本原因，分为机械性、动力性和血运性三大类。老年人急腹症中肠梗阻约占23%。中医学中有关本病的论述，分别见于“关格”、“肠结”等病之中，同时与“呕吐”、“便秘”、“阳明腑实”有一定联系。

目前，临床上常用的治疗肠梗阻的偏方、验方主要如下：

【方一】

枳实10克，厚朴10克，莱菔子9克，芒硝9克。

水煎服，日1剂。

本方行气除满，通里攻下，适用于肠闭气结所致的肠梗阻。临床见症如下：

便闭不通，腹满腹痛，叩之如鼓；或腹中窜痛，时作时止，痛时腹中隆起有形，伴恶心呕吐。舌苔薄白，脉弦或弦细。

【方二】

当归10克，赤芍9克，桃仁9克，大黄6克，木青6克，枳实6克。

水煎服，日1剂。

本方活血化瘀，理气攻下，适用于气滞血瘀所致的肠梗阻。临床主要见症如下：

便闭不通，腹痛胀满，绞痛拒按，痛无休止并有定处；或吐出咖啡样物，舌质暗红或有瘀点、瘀斑，脉沉细或弦涩。

【方三】

大黄10克，芒硝9克，厚朴、莱菔子9克，桃仁90克，赤芍10克。

水煎服，日1剂。

本方泻热除满，通里攻下，适用于热结气阻所致的肠梗阻。临床主要见症如下：

便闭不通，腹痛胀满，按之痛甚，发热口渴，小便黄赤。舌质红、苔黄燥，脉弦数或滑数。

【方四】

附子10克，干姜9克，党参9克，炙甘草6克，大黄6克。

水煎服，日1剂。

本方温脾散寒，攻逐冷积，适用于寒凝冷积所致的肠梗阻。临床主要见症如下：

便闭不通，腹痛剧烈，痛有定处，喜热畏冷，面色苍白，形寒肢冷。或伴恶心、呕吐清水。舌质淡、苔薄白，脉弦紧或沉迟。

【方五】

甘遂10克，赤芍9克，桃仁9克，木香6克，枳实6克，厚朴9克，大黄10克，牛膝10克。

水煎服，日1剂。

本方攻逐水饮，理气通下，适用于水阻气结所致的肠梗阻。临床见症如下：

便闭不通，腹痛胀满，肠鸣漉漉，呕吐清涎，口渴欲饮。苔白腻，脉弦滑。

【方六】

莱菔子10克，神曲10克，山楂9克，厚朴9克，黄芩10克，黄连9克，大黄9克。

水煎服，日1剂。

本方消食导滞，清热通下，适用于食积热郁所致的肠梗阻。主要临床见症如下：

便闭不通，多于饱食后突然发生，腹痛胀满，呕吐酸腐。舌苔黄厚而腻，脉弦滑。

【方七】

取丁香30～60克，研成细末，加入75%乙醇调和，对乙醇过敏者，可用开水调和，敷于脐及脐周，直径约6～8厘米。其上以纱布及塑料薄膜覆盖，周围胶布固定，以减少乙醇挥发。对胶布过敏者可绷带固定。治疗结果：治疗20例，用药1次15例；用药3次5例。用药2小时后可听到肠鸣音，4～8小时排便、排气，效果满意。

第十一节

『尿石症』

此指泌尿系结石症，包括肾结石、输尿管结石、膀胱结石和尿道结石等。

本病相当于中医学石淋范畴，是临床常见病、多发病。该病疼痛发作时异常痛苦，对生命亦有很大危害，其发病率近年有上升趋势。

本病的病因极为复杂，只有少数病例可以找到尿石产生的原因，如甲状旁腺功能亢进、维生素D中毒和多发性骨髓瘤等病可以引起高血钙症和高尿钙症。因含钙的结石约占尿石的90%左右，故高血钙和高尿钙是尿石形成的重要原因。

目前，临床上较常使用的偏方、验方主要如下：

【方一】

海金沙、王不留行各12克，瞿麦、萹蓄、冬葵子、石韦各15克，金钱草30克，川楝子9克。

水煎服，每日1剂。

本方为排石汤一号，适用于镜检无血尿者的尿石症。

【方二】

大萝卜1个，蜂蜜60克，食盐适量。

萝卜冲洗干净，切成厚片，放入蜂蜜浸泡后取出。串在不锈钢铁针上，用小火炙干。依次反复蘸蜂蜜炙干多次，至萝卜香熟，俟冷后佐淡盐汤进食。

本品有利尿通淋功效。适用于淋病，小便疼痛难忍，砂石淋。

本品出自《朱氏集验方》。原方名“暝眩膏”。用于“诸淋疼痛不可忍及砂石淋”，为治疗淋病常用方。湿热蕴结，膀胱气化不利，则见小便滴沥疼痛；若湿热煎熬成石，则见砂石淋，法宜利尿通淋。方中以萝卜为主，利尿通淋，并能化坚消石；以蜂蜜为辅佐，性滑润以滑便窍，佐淡盐汤引经入肾，助通小便。诸料合用，共成利尿通淋之方。本品偏于清热，对湿热淋病尤为适宜。

此外，《随息居饮食谱》用“蜜炙芦菔，细嚼，任食食之”治“反胃噎食、沙石诸淋、禁口痢疾、肠风下血”。

第十二节

『胆石症』

随着人民生活水平迅速提高，高脂肪、高蛋白的摄入量迅速增加，我国胆结石症发病率也有明显上升趋势。据北京市不完全统计，表明胆石症发病率为7%～10%左右，不少医院病人中胆石病超过阑尾炎，已成为一种常见多发病。本病在老年人中发病率较高，据美国统计，大约有10%左右的人患有胆石症，70岁以上的老年人患有本病者占半数以上。

胆石病是一类病的总称，一般包括胆囊结石、胆总管结石、肝总管结石与肝内胆管结石。胆石可引起腹部疼痛、恶心、呕吐，合并急性感染时会发烧、寒战，造成腹膜炎，严重时可出现休克，抢救不及会有生命危险，对人类健康危害很大。

目前，临床上较常使用的偏方、验方主要如下：

【方一】

柴胡、郁金、香附、广木香、枳壳、白芍、川楝子、金钱草。

水煎服，每日1剂。

方中柴胡、枳壳、香附疏肝理气；白芍滋阴养血柔肝；川芎、郁金行气；木香行气；川楝子疏肝止痛；金钱草疏肝利胆。

本方功能疏肝理气，适用于肝气郁结所致的胆石症，主要临床表现如下：

右胁或右上腹疼痛，轻重不一，或向右肩背放射，时发时上，或常感右胁下胀痛不舒，舌质微红，脉弦细。

【方二】

木香、枳壳、元胡、栀子、虎杖、金钱草、大黄。

水煎服，每日1剂。

方中木香、枳壳、元胡理气止痛；栀子清肝胆之湿热；虎杖、大黄清里热通下；金钱草疏肝胆排石。

本方清热利湿，适用于肝胆湿热所致的胆石症，本病的临床表现主要如下：

右上腹或上腹疼痛，发热或黄疸未消，口苦口干，便干尿黄，苔黄腻，脉弦滑。

【方三】

柴胡、当归、白芍、党参、茯苓、白术、陈皮、山药、薏仁、白扁豆、砂仁。

水煎服，每日1剂。

方中柴胡舒肝解郁，当归、白芍养血柔肝，白术、茯苓、薏仁、扁豆、砂仁、陈皮健脾益气，山药补脾利湿。

本方功能疏肝健脾醒胃，适用于脾虚肝郁所致的胆石症，临床主要见症如下：

右胁胀闷，神疲乏力，纳呆食少，腹胀便秘，苔薄，脉细无力。

【方四】

赤芍、桃仁、红花、当归、川芎、郁金、香附、玄胡、三棱、莪术、茵陈、柴胡、金钱草。

水煎服，每日1剂。

方中赤芍、桃仁、红花、当归、川芎、郁金、香附、玄胡活血理气止痛，茵陈、柴胡、金钱草疏肝利胆排石，三棱、莪术消积祛瘀。

本方功能活血疏肝利胆，适用于肝郁血瘀所致的胆石症，临床主要见症如下：

右胁作痛，时轻时重，或胀痛不已，脘腹胀闷，黄疸日久不消，面色暗黄不泽，纳呆食少，肝大或伴脾大，舌质紫暗，脉象细弦或涩。

【方五】

服巴豆粉5天，茵陈大柴胡汤15天。有人用以上方治疗胆石症患者300例，其中痊愈者87例，显效者188例，有效者21例，无效者4例。排石率为91.6%，排净结石率为29%。

【方六】

小叶金钱草干品50克，鸡肫两只。

金钱草用冷水浸泡3分钟，除去沉泥，洗净，滤干，备用。

鸡肫原只剖开，除去食渣，留肫

内皮。先用冷水冲洗干净，再用盐擦、醋洗，最后冷水洗净。

将金钱草和鸡肫一起放入小砂锅内，加冷水浸没。小火慢炖1小时，离火。

每日2次，每次喝汤1小碗，吃鸡肫1只，鸡肫切片蘸酱油佐膳食。半个月至一个月为一疗程。如结石已溶化，并已排出，即可停食。

本方用小叶金钱草（金钱草有小叶、大叶之分），与连内皮鸡肫相配，攻中有补，攻补兼施，具有健胃消谷，化石磨石、清热利水等特佳功能，并能促进食欲。对胆囊结石、胆管结石、肾结石，以及尿道、膀胱结石等，均有良好的治疗效果。

搅匀，代茶饮。

本方适用于小儿因胃阴不足所致之厌食症。

【方七】

鲜麦冬500克，白蜜适量。将鲜麦冬捣汁，入白蜜，隔水加热至饴糖状。每服2～3匙，用温酒或白开水化服。

本方适用于小儿因体虚所致之厌食。

【方七】

炒扁豆、党参、玉竹、山栀、乌梅各等份，白糖适量。各药加水同煮，至豆熟时取汁，加白糖饮服。

本方适用于因脾胃虚弱所致的厌食症。

【方八】

蚕豆500克，红糖适量。将蚕豆用水浸泡后，去壳晒干，磨粉（或磨浆过滤后，晒干），即成。每服30～60克，加红糖适量，冲入热水调匀食。

本方适用于脾胃不健，消化不良，饮食不下等所致的厌食症。

【方九】

韭菜籽9克，面粉适量。将韭菜籽研末，调入面粉和匀，制成饼，蒸熟，日分3次服用，连服3～5日。

本方适用于小儿食欲不振兼见自汗、面白、肌肤不平等症。

第四节

『小儿呕吐』

小儿呕吐是以乳食由胃中上逆经口而出为主要特征。本病常因伤食、胃热、胃寒、肝气犯胃、惊恐气逆所致。常用的临床偏方主要如下：

【方一】

鲜白萝卜500克，蜂蜜150克。将萝卜洗净，切成丁，放在沸水内煮沸即捞出，把水控干，晾晒半日，再放入锅内，加入蜂蜜，以小火煮沸，调匀，待冷，装瓶备用。一般饭后食用。

本方适用于伤食呕吐。

【方二】

神曲15克，丁香1.5克。同入药杯中，沸水冲泡，代茶饮。

本方适用于伤食之呕吐。

【方三】

生姜、醋、红糖各适量。将生姜洗净切片，用醋浸腌24小时，同时取3片姜，加红糖适量以沸水冲泡片刻，待茶饮。

本方适用于小儿呕吐。

【方四】

橘皮3～5克，粳米50克。将橘皮晒干，碾炒细末，用粳米加水入砂锅内，煮作稀粥，入橘皮末稍煮片刻，待粥稠停火，每日早晚复温热服食，5

天为1疗程。

【方五】

小米100克，鲜嫩黄瓜300克，生姜10克，精盐2克。将黄瓜去皮去瓤，洗净切薄片，大米洗净，姜洗净拍破，砂锅加清水1 000毫升，下大米，大火烧开，小火慢煮至米烂时下瓜片。再煮至汤稠，表面浮有粥油时入盐调味，作餐食。

本方适用于暑热吐泻。

【方六】

枇杷叶10～15克（鲜者30～60克），粳米100克，鲜芦根60克，冰糖少许。先将枇杷叶用布包与鲜芦根（洗净切段）同煎汁。去渣，再与糯米煮粥，粥成后入冰糖，煮片刻即可。

本方对胃热呕吐有效。

【方七】

竹茹、芦根各30克，生姜3片。水煎，取汁，代茶饮。

本方适用于胃热呃逆，呕吐诸症。

【方八】

高良姜15克，粳米50克。

先煎良姜，去渣取汁，后下米煮粥，空腹食。

本方适用于胃寒所致呕吐。

【方九】

瘦羊肉500克，大蒜30克，葱、姜各5克，精盐、白糖各3克，料酒5毫升，酱油3毫升，面酱5克，味精2克，芝麻10克，核桃2个，香油10克，菜油500克（实耗25克），奶汤适量。将羊肉洗净，切2～3个整齐的块，葱洗净切段，姜切块，芝麻炒熟，大蒜去皮捣成泥，核桃打破取仁下锅烧开，放入姜、葱、羊肉焯透起锅晾凉，再加盐料酒腌1小时，上笼旺火蒸耙。取出晾凉切成长4厘米、宽2厘米的长条。锅内加菜油烧沸，入羊肉条炸干水分捞出，锅内留油少许，下葱、姜煸出香味，倒入酱油、料酒、白糖、奶汤、蒜泥，并将面酱澥成汁放入，倾入羊肉，大火收汁，拣去葱、姜不用，入味精，撒上芝麻、香油、翻匀，作餐食。

本方适用于脾胃虚寒，反胃呕吐。

【方十】

佛手10克，生姜2片，白砂糖适量。前2味水煎取汁，调入白砂糖温服。

本方适用于脾胃气滞所致之呕吐。

【方十一】

鲜土豆100克，生姜10克，鲜橘汁30毫升，佛手20克。将土豆、生姜、佛手榨汁，兑入鲜橘汁调匀，烫温服用，1日1次。

本方适用于肝气犯胃之呕吐。

【方十二】

天麻9克，钩藤12克，石决明15克，藕粉20克，白糖适量。将天麻、钩藤、石决明布包煎水去渣，趁热冲熟藕粉，白糖调味，顿服。日1剂，连服4～5剂。

本方适用于小儿惊恐气逆之所致呕吐者。

第五节

『小儿遗尿』

小儿遗尿指3岁以上小儿睡眠中小便自遗，醒后方觉的一种病证。本病的发生，是由于小儿智力未健，排尿的正常习惯尚未养成，因而未能自主排尿。一般地说，遗尿多与胃和膀胱虚冷有关。常用的临床治疗小儿遗尿的偏方主要如下：

【方一】

山药、益智仁（盐炒）、乌药各60克，猪脬1具。前3味共为细末，用纱布包好，与猪脬共炖至熟。日2次，吃肉饮汤。

本方适用于肾阳不足之遗尿。

【方二】

羊肉250克，大蒜15克，调料适量。将羊肉洗净，煮熟切片，大蒜捣，同放大盘内，加适量熟食油（或熟油辣椒）、酱油、精盐等拌匀食。

本方适用于肾虚之遗尿。

【方三】

带骨狗肉、清鸡汤各1 500克，陈皮、蒜苗、辣椒、调料各适量。将狗肉切块，蒜苗切段，辣椒切细丝。锅热后，下狗肉烘干水分，取出。旺火烧热锅，下花生油30克，入蒜泥、豆瓣酱各适量爆炒，再下姜片、蒜苗、狗肉，边炒边加花生油，炒约5分钟，入料酒、鸡清汤、盐、陈皮、酱油、红糖烧沸后转入砂锅里，焖90分钟，食前入味精，佐餐食用。

本方适用于肾阳虚之遗尿。

【方四】

羊肉150～250克，鱼鳔50克，黄芪30克，调料适量。将羊肉洗净切片，同鱼鳔、黄芪同加水煎煮，放入适量桂皮、姜、盐煮熟，饮汤食肉及鱼鳔。

本方适用于肾阳虚所致遗尿。

【方五】

白果（去壳及心）10克，腐皮50克，白米适量。因白果仁的毒素经煮沸较长时间就可挥发破坏，煮时最好用盖子上有孔透气的炊具（或将盖移开一条缝隙，勿盖紧），毒素则更易挥发散失。将白果、腐皮、白米同煮成稠粥，作餐食。

本方适用于脾肺气虚所致遗尿。

【方六】

新鲜猪脬（膀胱）1～3个（按年龄大小定数量），炙黄芪20克，食盐适量。先将猪脬洗净，每个装入炙黄芪10克，适量食盐，用棉线扎紧膀胱口，加少量水用文火蒸烂，弃去黄芪，趁热令小儿一次或几次吃完肉、喝尽汤。如未愈，1周后可再服1剂，3剂为1疗程，80%的患儿可获痊愈。

本方适用于小儿因脾肺气虚所致的遗尿。

【方七】

车前草15克，猪膀胱1个。二者洗净加水共煮熟，去药渣服用。

本方适用于因肝经湿热所致的小儿遗尿。

【方八】

珍珠草15克，鸡肠1～2具。将鸡肠剪开洗净与珍珠草加水共煮熟，去药渣服用。

本方适用于因肝经湿热所致遗尿。

【方九】

乌龟肉250克，黑豆100克，猪尿泡1个，盐少许。蒸熟吃，连吃3～5次。

本方适用于小儿遗尿兼见腰疼者。

【方十】

金樱子10克，红枣、荔枝各15克，仙茅10克，猪尿泡1个。将各味均收入猪尿泡中蒸熟吃。

本方适用于体质虚弱所致的小儿遗尿者。

【方十一】

鸡腰1具（炙令黄），黄芪18克，桑螵蛸1.2克（炒），牡蛎18克，炙甘草0.5克。药为散末，每服4克，水煎服。

本方出自《普济方》，适用于小儿遗尿。

【方十二】

黄芪9克，桂枝、白芍各6克，杜仲9克，明党参12克，益智仁5克，补骨脂6克，白果9克，桑螵蛸10克，海螵蛸、巴戟天、菟丝子、覆盆子各9克，五味子3克，决明子、枸杞子、炙草各6克，大枣3枚，饴糖9克。水煎服，每日1剂，分2次服。

本方为云南老中医康诚之经验方，适用于小儿肾气不足之遗尿症。

第六节

『小儿麻疹』

小儿麻疹以小儿发热、咳嗽、流鼻涕、目赤流泪、遍身布满红色斑疹且易传染为特征。本病发生原因是由于感染麻疹病毒所引起。常用的临床治疗偏方主要如下：

【方一】

芫荽15～30克，马蹄250～500克。将二者煎水，代茶饮。

本方适用于麻疹的初热期。

【方二】

鲜荸荠10枚，鲜芦根、鲜茅根各30克。将荸荠切片，芦根、茅根切段，加适量的水，煎煮取滤液。将滤液晾凉，代茶令患儿频频饮用。

本方适用于小儿麻疹的初热期、见疹期使用。

【方三】

金银花10克，连翘、牛蒡子、薄荷、升麻、葛根、紫苏叶5克。水煎，薄荷后下，每日1剂，3次分服。

本方适用于麻疹的前驱期。

【方四】

炒牛蒡子80克，炒甘草20克，荆芥穗0.4克。药研粗末，每服10克，水煎，温服不拘时。

本方出自《幼幼新书》，主治麻疹未出、已出或未匀，又治一切疮、咽痛。

【方五】

鲜芦根18克，白茅根10克，葛根3克，荆芥、柴胡、焦山栀、牛蒡子、连翘各4克，银花7克，蝉衣、木通、竹叶各4克，石膏10克。水煎服，1日1剂，分2次服。

本方为浙江著名儿科老中医龚香圃临床经验方，适用于麻疹初期，疹出不畅。

【方六】

红牛皮菜、芫荽子、樱桃核各9克。水煎服，1日1剂，分2次服。

本方出自《四川中药志》，主治成人及小孩出麻疹应时不透。

【方七】

鸡蛋1个，荞麦面30克。将鸡蛋两端各打一小孔，流出蛋清（不要蛋黄）。以蛋清和荞麦面，再滴入3～5滴香油，以减少搓时与皮肤的黏着力，和好后在患者身上搓滚，前胸后背要多擦，以皮肤微红为度，周身其他部位也要搓，不能遗漏，搓得次数愈多，疹子出得愈快。

本方出自《中医杂志》1956年3期，主治麻疹。

【方八】

紫草250克，贯众500克。

火煮加水3 000毫升，沉淀取上清液。1～3岁，每服20毫升；4～6岁，每服30毫升；7～10岁，每服50毫升。1日2次，隔日服或连服。

此方出自《广西赤脚医生》，适用于麻疹。

【方九】

葛根6克，防风5克，荆芥6克，葱头4个。水煎服，1日2次，每日1剂。

本方适于麻疹前驱期。

【方十】

制成的酒酿100克，鲜荸荠去皮10个。将荸荠切片，二者加水少许，煮熟食用。

本方清热透疹，适用于出疹期。

【方十一】

净银花、杭菊花各30克，葛根15克，粳米30克。

前3味水煎去渣取汁，与粳米煮粥，入冰糖适量调味，随患儿食量，1日1料或1日2料。

本方适用于小儿出疹期。

【方十二】

鲜竹笋、鲫鱼各适量。2味洗净煮汤食，日3次，随量用。

本方适用于小儿麻疹后期。

【方十三】

麦冬15克，大米60克，冰糖适量。将麦冬煎汤取汁，大米煮半熟后再加麦冬汁及冰糖，同煮为粥服食。

本方适用于小儿麻疹后期。

第七节

『小儿肺炎』

小儿肺炎的主要症状是发热、咳嗽、气促鼻煽。其发病原因主要是由于感受风寒，或风热之外邪；此外，在其他一些疹病过程中，若小儿正气虚弱，亦可并发或继发本病。治疗小儿肺炎的主要偏方、验方如下：

【方一】

雪梨2个，川贝母4克，冰糖30克，湿豆粉10克。将梨洗净，削皮，去核，切成12瓣，川贝母洗净，梨块装入蒸碗内，入川贝母、冰糖，加开水50毫升，用湿棉纸封严碗口，上笼蒸2小时取出，梨块摆入盘内，原汁倒入锅中，加清水少许，用湿豆粉勾芡，淋在梨上。随意服食。

本方适用于小儿肺炎之属于风热闭肺者。

【方二】

枇杷叶15克，粳米50克。先煎枇杷叶，去渣取汁，入粳米煮作粥，空腹食用。

本方适用于小儿肺炎。

【方三】

防风10～15克，葱白2茎，粳米50～100克。取防风、葱白煎取药汁，去渣。先用粳米煮粥，待粥将熟时加入药汁，煮成稀粥服食。

本方适用于风寒闭肺之肺炎患者。

【方四】

淡豆豉15克，葱须30克，黄酒20毫升。将豆豉加水1小碗，煎煮10分钟，再加洗净的葱须继续煎煮5分钟，最后加黄酒，出锅，趁热顿服。

本方适用于小儿肺炎属于风寒闭肺者。

【方五】

鲜牛奶250克，白糖少许。

将鲜牛奶煮开后，加白糖少许调味饮用。

本方适用于小儿肺炎恢复期。

【方六】

人参10克，菠菜1 500克，面粉1 000克，瘦猪肉500克，生姜10克，葱20克，胡椒粉3克，花椒粉2克，酱油50克，芝麻油5克，食盐适量。将菠菜择洗干净后，去茎留叶，在木瓢内搓成菜泥，加入适量的清水搅匀，布包好，挤出绿色菜汁，待用。人参调后切成薄片，烘脆研成细末待用。姜、葱洗净后切成姜末、葱花，猪肉用清水洗净剁茸，加食盐、酱油、花椒粉、姜末拌匀，加适量的水搅拌成糊状，再放入葱花、人参粉、芝麻油，拌匀成馅。将面粉用菠菜汁合成揉匀，如菠菜汁不够用加适量清水，揉至面团表面光滑为止，揉成长条分成200个剂子，擀成圆薄面皮，加馅将面皮逐个包成饺子，锅内水烧开后将饺子下锅，待饺子煮沸时，可加少量凉水，待馅和皮松离时，即可捞出装碗即成。

本方适用于小儿肺炎的恢复期。

【方七】

麻黄 2 克，生石膏 15 克，甜葶苈 5 克，瓜蒌 12 克，杏仁 10 克，苏子 6 克，苏叶 5 克，浙贝母 9 克，莱菔子 10 克，半夏、生姜各 6 克，焦鸡内金 10 克，六一散 12 克。水煎服，1 日 1 剂，每日 2 次。

本方为瞿文楼方，适用于小儿肺炎。

【方八】

生麻黄 1.5 克，生石膏 15 克（先煎），金银花、连翘、杏仁各 9 克，生甘草 3 克，炒葶苈子、天竺黄、瓜蒌皮、玄参各 6 克。水煎服，每日 1 剂，日服 3 次。

本方为马莲湘方，适用于内蕴痰浊所致小儿肺炎。

【方九】

黄连 1 克，黄芩 10 克，干姜 1 克，半夏、枳壳、川郁金各 5 克，莱菔子 3 克。水煎服，每日 1 剂，每服 3 次。

本方为北京中医药大学小儿王刘弼臣方，适用于小儿肺炎。

【方十】

葱白 3 条，大米 30 克，生姜 2 片。共煮粥，趁热食用。

本方适用于小儿肺炎之属于风寒闭肺症者。

【方十一】

杏仁 10 克，大米 30 克。将杏仁去皮尖，水研滤汁与大米加水共煮粥服用。

本方适用于风寒闭肺之型小儿肺炎。

第八节

『小儿佝偻病』

小儿佝偻病是一种以骨骼生长发育障碍和肌肉松弛、易惊、多汗为主要特征的全身性疾病。其发病原因是先天禀赋不足，乳食失调，复感疾病，调护失宜，日光不足，以致脾肾虚损，骨质柔弱或畸形。临床常用的治疗小儿佝偻病的偏方、验方主要如下：

【方一】

黄芪 30 克，五味子 3 克，猪肝 50 克，猪腿骨（连骨髓）500 克。

先将猪骨髓敲碎，与五味子、黄芪一起加水煮沸，改用文火煮 1 小时，滤去骨片与药渣，将肝切片入汤内煮熟，加盐与少许味精调味，吃肝喝汤。1 剂可 1 顿服完，宜常服，直至病愈。

本方适用于以脾肾虚弱为主要症状的小儿佝偻病。

【方二】

鲜鸡肉 500 克，青辣椒、葱、火

腿、蒜各 50 克，猪油 250 克，酱油 20 克。将鲜鸡肉削去皮，揩干净，切为滚刀，炒锅内放入猪油，待油温上升到 50℃ 时，将鸡肉入锅炸一下捞起，锅中留油 25 克，将余油倒出，先下大蒜片，下青椒、火腿、葱炒一下，把鸡倒入锅内，加入酱油，加一匙肉汤，用淀粉勾芡，加入味精及少许芝麻油。

本方能防治儿童佝偻病。

【方三】

鹿茸 100 克，附片 30 克，猪蹄 2 只。将鹿茸切薄片，猪蹄洗净，3 味同入锅，微火煮数沸，调味食用。

本方适用于小儿发育不良，骨软行迟，囟门不合等症。

【方四】

生板栗 500 克，白糖 250 克。先将板栗加水煮半小时，待凉，剥去皮，放在碗内再蒸 40 分钟，趁热用刀将板栗压拌成碎泥，加入白糖搅匀，再把栗泥填平成饼状，摆在盘中即成色味俱佳的食品，可供患儿经常食用。

本方常吃对治疗小儿佝偻病有效。

【方五】

龟板（即乌龟的腹部甲壳）若干。将龟板用清水浸泡 3 日，但需每天换水。刮去污垢，放入砂锅内，加多量的水用文火煮，每天煮 8～10 小时，连煮 3 天，取出晒干，碾为细末。每次 1 克，每日 2～3 次，开水吞服。

本方能有效地防治小儿佝偻病。

【方六】

鸡蛋皮若干。将鸡蛋皮洗净，烤干，研粉过罗极细。1 周岁以下，每次服 0.5 克；1～2 岁，每次 1 克；每日 2 次。

本方可用以防治小儿佝偻病。

【方七】

田螺、酱油、醋各适量。将田螺漂洗干净，放于沸水锅中煮沸，挑取螺肉蘸调料吃，可以常煮食。

本方可治因钙代谢失调而引起的小儿佝偻病。

【方八】

猪脊骨或腿骨 150 克，红萝卜 200 克。将二者洗净共煲汤服食。

本方适用于因肾脾虚弱所致的小儿佝偻病。

【方九】

胎盘粉 10 克，醋炒鱼骨 50 克，炒鸡蛋壳 20 克，白糖 30 克。共研细末，每次 0.5 克，1 日 3 次，宜久服。

本方适用于因肾气亏损所致小儿佝偻病。

【方十】

虎胫骨（酒炙赤）、生干地黄、酸枣仁（酒浸去皮炒香）、白茯苓、辣桂、防风、当归、川芎、牛膝各等份。将药制成末，炼蜜和丸麻子大，每服 5 丸，酒吞下或木瓜汤下。

本方出自明朱橚著的《普济方》，适用于小儿佝偻病。

【方十一】

怀山药、牡蛎、生龟板、黑芝麻各 15 克，怀牛膝、熟地、茯苓各 9 克，制首乌 12 克，山萸肉、生白术、西党参、全当归各 6 克，益智仁 3 克，大红枣 3 枚。水煎服，或将药研成细末，和匀，每日早晨、晚上用开水冲调 4.5 克。同时用炙黄芪 9 克、大红枣 5 枚浓煎，连汤带枣 1 次服完，每日 1 次。

本方源于《中医临证摄要》，适用于小儿佝偻病。

【方十二】

黄芪、菟丝子、白术各 10 克。水煎服，上药煎成 200 毫升，装入瓶中备用，每次服 10 毫升，每日 3 次，全程2个月。

本方来源于《上海中医药杂志》1987年9期，可主治小儿佝偻病。

第九节

『小儿百日咳』

小儿百日咳的临床特征是发病的1～2周，咳嗽是阵发性、痉挛性，当咳嗽剧烈时，一次发作完毕后，伴有拖长的鸡鸣样吸气声。其发作时，有连续不断而紧接的短咳，没有吸气的余地，甚至发生呕吐、口鼻出血等症。临床上常用的有效偏方主要如下：

【方一】

凤粟壳2～40克，糖冬瓜30～60克。煎水代茶饮，味甘甜，儿童喜服，每天1剂，一般4～6剂即可。

此方适用于小儿百日咳的初咳期。

【方二】

百部15克，紫苏叶、桑白皮各10克，冰糖15克。前3味水煎去渣，入冰糖，每日1剂，1周为1疗程。

本方适用于百日咳初期。

【方三】

大蒜15～30克，白糖适量。将大蒜去皮，洗净，捣烂，开水浸泡4～8小时，或加水1碗煮1～2沸，滤其汁，调入白糖，分2～3次服用。

本方适用于百日咳。

【方四】

猪肺1具，麻黄适量。二者洗净，猪肺切片，加水共炖汤服食。

本方适用于小儿百日咳。

【方五】

猪腰4个，番茄2个，琼脂10克，白糖400克，天冬、百部各9克，桑叶、前胡、甘草、紫菀、冬花、枳壳各8克，知母7克，杏仁8克，桔梗6克，鲜苇根20克，竹茹12克，葱结15克，姜块4克。将猪腰洗净，对剖开，去腰臊和白筋，切薄片，红番茄用开水烫一下撕去外膜，切薄片。琼脂洗净，中药淘净杂质，入砂罐清水煎取药汁，沥去沉淀，炒锅置中火上，倒入药汁，加姜葱，下腰片煮熟，捞入方瓷盘，放入番茄片铺平。另将琼脂投入药汁中，小火溶化，放白糖溶化淋入腰片面上，待晾凉放入冰箱凝结成冻，划成三角形。佐餐食用。

本方适用于小儿百日咳。

【方六】

露蜂房（有仔者）10克，豆腐50克，白糖20克。蜂房加水100毫升煮30分钟，取汁，入豆腐、白糖，再煮10分钟。饮汤吃豆腐，每服1剂，日2次。

本方适用于百日咳痉咳期偏热者。

【方七】

万寿菊15克，糖适量。将万寿菊加清水2碗煎至1碗去渣，加糖适量调味饮用。

本方适用于小儿百日咳的痉咳期。

【方八】

鲜地龙100克，白糖50克。地龙水煎去渣加糖收膏。

本方适用于小儿百日咳。

【方九】

冰糖50克，鸭蛋2个。

将冰糖加热水适量搅拌溶化，待冷，打入鸭蛋，调匀，放蒸锅内蒸熟，一顿或分顿食，日1次。

本方适用于百日咳。

【方十】

红枣12枚，胡萝卜120克。将红枣、胡萝卜煎水，取汁液，药液可加入白糖，代茶频频饮之，连服十余剂。

本方适用于百日咳恢复期。

【方十一】

麻雀1只。将麻雀拔去粗毛，在火上烤焦，去内脏，洗净顿服，每日1只，至愈为止。

本方可用于百日咳恢复期。

【方十二】

鲜葱菇4～5个，饭汤半碗，冰糖适量。将鲜葱菇洗净去皮捣烂，与饭汤、冰糖隔水蒸熟成糊状服食。日1次，连服数日。

本方适用于小儿百日咳恢复期。

【方十三】

萝卜500克，红糖15克，30克。萝卜洗净，捣烂，挤取汁液，盛碗中加红糖，蒸化，趁热徐徐服。

本方适用于小儿顿咳（即百日咳）。

【方十四】

生橄榄20颗，冰糖50克。将橄榄打碎，与冰糖同炖，分3次服。

本方适用于百日咳。

第十节

『小儿疳证』

小儿疳证是以形体消瘦，皮肤干燥，毛发枯焦，神情烦躁或呆钝，甚则头大颈细，肚大青筋显露为主要证候特征。本病发生的主要原因是由于乳食不节，喂养失宜，或因感染虫证，久病体弱以致脾胃虚损，运化功能失常，致使水谷精微化生成为气血津液的功能发生障碍所致。临床上常用的治疗小儿疳证的有效偏方主要如下：

【方一】

炒扁豆、淮山各60克，大米50克。一起煮粥服食。

本方对小儿疳积有效。

【方二】

生鸡内金90克，白糖适量，白面250克。

将鸡内金烘干，研成极细末，再将此末与白面、白糖混合，按常规做成极薄小饼，烙至黄熟，如饼干样，当饼干与小儿食之。

本方主治小儿疳积面黄食少者。

【方三】

鹌鹑1只，粳米100克。

将鹌鹑去毛与内脏，洗净，切成小块与粳米加水同煮，粥成后加调味品分次食用。

本方对小儿疳积有效。

【方四】

大枣肉100枚，大黄30克，白面100克。

将大枣去核，再将大黄研末，做成如枣核大的丸，塞入大枣内，外面裹白面，在火中煅极熟，捣为丸，如枣核大即成。每次服4丸，1日2次。

本方主治小儿疳积的脾虚夹积滞者。

【方五】

黑丑60克，白丑60克，面粉500克。

先将二丑炒香脆，研成极细末，调和面粉，入白糖适量，焙制成饼干。每片3克，每次1～2片，日3次。

本方适用于小儿疳积因伤食而致者。

【方六】

麦芽30克，山楂、神曲各10克。将3味放锅中炒焦存性，研成细末，分成小包，每包3克，每次1～2包，日1次。

本方适用于食滞所致小儿疳积。

【方七】

橘皮10克，荷叶15克，炒山楂3克，生麦芽15克。将橘皮、荷叶切丝，与山楂、麦芽一起，加水煎半小时取汁，代茶饮。

本方适用于小儿疳积。

【方八】

活蟾蜍1只，砂仁3克。将蟾蜍去头、足、内脏，以砂仁研末，纳入腹中，缝口，黄泥封固，炭火煅存性，候冷，研极细末。每次0.5～1.5克，1日2～3次。

本方适用于小儿疳证之晚期。

【方九】

蟑螂5只，白酒、食油各适量。将蟑螂放白酒内泡死，用食油炸焦食。每服1剂，日1次，连用至病愈。

本方对小儿疳积有效。

【方十】

炒芡实、炒扁豆、炒黄豆、炒玉米各100克，鸡内金130克（炒）。共研细末和匀，放干燥处贮藏备用。每日服3次，每次15～30克，温开水送服，连服1～2日。

本方对小儿疳积有效。

【方十一】

煅瓦楞子10克，鸡肝1副，调料适量。

将瓦楞子研成细粉，鸡肝切片，二者与葱、姜、盐、黄酒同置碗内拌匀，上笼蒸至鸡肝熟，加味精。

本方适用于小儿疳积。

【方十二】

鲜番薯（红薯、红苕）叶90～120克。水煮，取其汤当饮料，1日饮数次。

本方对目疳有效。

【方十三】

鸡肝适量，粳米15～30克。将二味共煮为粥，1日1料。

本方适用于小儿目疳。

【方十四】

鲜蚕豆（或水发干蚕豆）250克，精牛肉500克，调料适量。将牛肉洗净，切成3厘米长、4厘米厚的块，放砂锅内，加适量水、葱、姜、盐烧沸后改用文火炖至肉六成熟时，加入蚕豆，其炖至烂熟，常食或作餐，温热服食。

本方适用于小儿疳积而又肿胀之较明显者。

【方十五】

鳝鱼250克，薏苡仁、山药各30克，生姜3克。将鳝鱼去内脏，洗净切段，与后3味煮粥，调入少许盐或糖，随意食，连用数日。

本方适用于小儿疳证水肿较甚者。

【方十六】

生地15克，生石膏、粳米各30克。生石膏煎煮1小时去渣取汁，与生地、粳米煮粥，日1次。

本方适用于小儿疳积而又兼见牙疳、牙龈破溃流脓者。

【方十七】

淡竹叶10克，苦丁菜6克，甘草3克。水煎，加适量冰糖全溶，代茶饮。

本方适用于牙疳证。

【方十八】

鹌鹑1只，大米适量。将鹌鹑去毛和内脏，切成块状，加入大米煲粥，调味服食。

本方适用于小儿疳积而又以骨疳较明显者。

【方十九】

鹿角粉8～10克，粳米30～60克，食盐少许。先以粳米煮粥，米汤煮沸后倒入鹿角粉，加少许食盐，同煮为粥，日2次服。

本方适用于小儿骨疳症。

第十一节

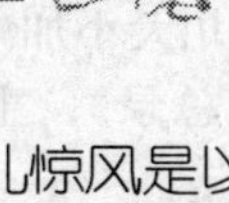

『小儿惊风』

小儿惊风是以小儿颈项强直，四肢抽搐，甚则角弓反张或意识不清为特征。临床常用的比较有效的偏方、验方主要如下：

【方一】

鱼鳔15克，黄酒120克。将鱼鳔、黄酒同入锅中煎煮，取液汁于抽搐间隙灌服，1日数次。

本方对急惊风有效。

【方二】

蝉衣6克，僵蚕、白糖各10克。先将蝉衣、僵蚕煎水，取滤液，加入白糖，于抽搐间隙时灌服，1日数次，重者可1日服2剂。

本方可用于小儿急惊风。

【方三】

青梅2 500克。取青梅洗净，去核，捣烂绞汁，过滤后放于日光下晒稠，即为青梅浸膏。每次服0.8克，与白糖水调匀服之，2～3天即愈。

本方用于小儿高热抽搐。

【方四】

山羊角30克。将羊角削片，水煮，日服2次。

本方适用于小儿痉挛抽掣、惊痫。

【方五】

薄荷、羌活、全蝎、麻黄、甘草、僵蚕、天竺黄、白附子各50克，竹沥（冲服）。各药为末煎服或水煎服。

本方出自宋代杨士瀛《仁斋小儿方论》，适用于痰涎内盛，痰热互结，邪热闭塞于内，不得外泄而致之肝风内动抽搐、发痉等症。

【方六】

薄荷、连翘、山栀、黄芩、大黄、钩藤、石决明、全蝎、龙齿、僵蚕若干。水煎作2～3次服。

本方出自《江苏中医杂志》1983年5期，适用于小儿急惊风。

【方七】

钩藤、天麻、人参各3克，羚羊2克，全蝎1克，炙甘草2克。将药为末，每服3克，水煎服。

本方出自明代王肯堂《证治准绳·幼科心传》，适用于小儿急惊风。

【方八】

全蝎（去尖尾）7个，蝉蜕21个，炙甘草8克，大天南星（炮炙）1个。各为末，每服1.5克，姜枣冲服。

本方出自宋代杨士瀛《仁斋小儿方论》，适用于痰热蕴结导致肝风发作之慢惊风。

【方九】

蛇蜕2.5克，钩藤15克，天麻5克，全蝎3.5克。水煎服。

本方出自林乾良等所著的《动物药验方集成》，适用于小儿惊风。

【方十】

代赭石若干。将赭石火烧醋淬10次；细研水飞，晒干。每服3～4.5克，白汤调下，连进3服。

本方主治小儿急慢惊风。

【方十一】

苏叶1.5克，薄荷、粉葛各9克。各净水煎好，另用古搭屎1.5克（即偷油婆屎，又名臊甲子屎）冲服。

本方出自《海内外秘方选》，适用于小儿惊风。

【方十二】

乳香（研）1.5克，胡粉3克。二味，合研匀细，用白颈蚯蚓生挖去土，烂研和就为丸。如麻子大，每服7～10丸，煎葱白汤下，量儿大小加减。

本方出自《圣济总录》，主治小儿慢惊风。

第十二节

『小儿夜啼』

小儿夜啼是指小儿白天如常，但入夜啼哭，或每夜定时啼哭者。常用的有效临床偏方如下：

【方一】

干姜 1～3 克，高良姜 3～5 克，粳米 60 克。

先煎干姜、高良姜，取汁，去渣，再入粳米同煮为粥。

本方对于因脾脏虚寒所致的小儿夜啼有效。

【方二】

花椒 15 克，干姜 30 克，大葱一握。将 3 味同捣如泥，把锅烧热，3 味同炒，边炒边浇酒。炒熟后用毛巾将药包裹待温度适宜时，熨敷患儿腹部，每晚 1 次。

本方对小儿夜啼有效。

【方三】

莲子心 2 克，生甘草 3 克。开水冲泡，日数次。

本方适用于心火炽盛所致小儿夜啼。

【方四】

黄连 3 克，乳汁 100 毫升，食糖 15 克。将黄连水煎取汁 30 毫升，兑入乳汁中调入食糖。

本方适用于小儿心经有热，夜啼不安。

【方五】

淡竹叶 30 克，北粳米 50 克，冰糖适量。将淡竹叶加水煎汤，去渣后入粳米、冰糖，煮粥。早晚各 1 次，稍温顿服。

本方适用于心火炽盛之夜啼。

【方六】

钩藤 6 克，乳汁 100 毫升。将钩藤水煎 15 分钟取汁 30 毫升，入乳汁中，食药乳，每次 20～30 毫升。

本方适用于小儿惊骇啼哭。

【方七】

蝉蜕 9 克，鸡内金 15 克。将 2 味微火焙脆研成极细末，每次 1 克，日 3 次。

本方适用于小儿夜惊啼哭。

【方八】

葛根 5 克，蜂蜜适量。葛根研粉，开水冲泡，加入蜂蜜饮服。

本方适用于小儿夜啼，有助于小儿安睡。

【方九】

大茴香、小茴香、锦文大黄各 10 克，面粉 60 克。将药研成细末，加入面粉及水，做成 3 个小饼，外敷肚脐处，上加热水（以小儿能承受为度），每日早、午、晚各敷 1 次，3 个饼交替使用，连用 3 天。

本方适用于小儿夜啼。

第十三节

『小儿夏季热』

小儿夏季热为婴幼儿一种特有的疾病，又称“暑热症”。其主要症状是：长期发热，口渴多饮，多尿，汗闭或少汗。临床上常用的治疗小儿夏季热的偏方、验方主要如下：

【方一】

玉竹、冰糖各500克。将玉竹洗净切片，水煎2次，合并煎液，浓缩。冰糖捣碎，取部分玉竹浓缩汁溶化，过细罗（60～80目），除杂质合并两液，文火加热，沸腾半小时，呈流膏样。每服20～30克，日2～3次。

本方适用于暑伤肺胃发生的小儿夏季热。

【方二】

鲜荷叶1张，鲜冬瓜500克，食盐少许。将荷叶洗净，煎碎，冬瓜洗净切片，加水1 000毫升同煮汤。弃荷叶，加盐调味，日1剂，分2次吃瓜饮汤。

本方适用于暑伤肺胃发生的小儿夏季热。

【方三】

扁豆15克，赤小豆30克，淮山药、木棉花各15克，薏苡仁30克，鲜荷叶半张，灯心草少许。慢火将各物煮粥，以豆熟透为度。

本方可用于暑湿伤脾之小儿夏季热。

【方四】

青蒿、薄荷叶、荷叶、藿香各300克，甘草90克。将前4味切碎，文火微炒，甘草另打粗块，与上药混匀，过1～2号筛，分装每袋13克，开水冲泡，每服1包，日2次。

本方适用于暑湿伤脾之小儿夏季热。

【方五】

蚕茧、大枣各20枚。煎汤，代茶饮服。

本方适用于下虚上盛之小儿夏季热。

【方六】

羊耳菊10～29克，桑椹子10～15克，黄芪6～15克，葛根、麦冬各6～10克。水煎服，每日1剂，日服4次。

本方适用于气阴两伤所致小儿夏季热，为唐冬秀方。

【方七】

青蒿、黄芩各3克，银花5克，扁豆花、竹叶、荷叶各3克，西瓜翠衣5克，丝瓜络3克，益元散5克，鲜小青（爵床）、五叶莲（蛇含）各10克。水煎服，每日1剂，日服3次。

本方为张芝芳方，适用于小儿夏季高热。

第十四节

『小儿蛔虫』

小儿蛔虫轻者可无明显症状，重者食欲不振，或喜食异物，面黄形瘦，脐周腹痛，时作时止，触之腹部柔软，或可扪及虫团聚散，并可见吐蛔或便蛔，且大便干稀不调。有些患儿出现淡色白斑，巩膜出现蓝色斑点，下唇或出现颗粒样大小白点，舌苔薄腻或花剥，舌尖红。

本病发生原因是因小儿吞食了蛔虫回卵所致，感染途径主要是通过污染的手或食入不洁的饮食而致。若平素小儿脾胃虚弱，饮食不节，素蕴湿热者更易发生本病。临床上常用的有效秘方、偏方如下：

【方一】

使君子 30 克，猪瘦肉 250 克，面粉 30 克。把使君子肉捣碎，猪肉洗净剁碎，同与面粉混合均匀，做饼 10 个，蒸熟。每服 1 个，1 日 2 次。

本方适用于小儿身体虚热而有蛔虫者。

【方二】

使君子适量。将使君子略炒至香，按年龄每岁每日 2 粒（最多每天不得超过 20 粒），分 3 次嚼服，连服 3 日为 1 疗程。

本方适用于小儿蛔虫及蛲虫病。

【方三】

楝根白皮、槟榔各 20 克，白糖适量。将楝根白皮去净皮，与槟榔片同水煎取汁，浓缩，加白糖制成 60 毫升糖浆。睡前空腹饮，连用 2 日。

本方适用于小儿蛔虫、钩虫。

【方四】

凤眼果 7～10 个（去壳），猪瘦肉 100 克。将二者加清水适量煲汤，用食盐少许调味，饮汤食凤眼果及猪瘦肉。

本方对小儿疳积、蛔虫病有效。

【方五】

南瓜子若干洗净，晾干，去壳取仁，研极细末，备用；5 岁以上小儿每次 10～15 克，5 岁以下小儿每次 6～9 克，均用蜂蜜调服，日 2 次，连服 2～3 天。

本方对小儿蛔虫有效。

【方六】

黄连 3 克，乌梅 10 克，黄柏（炒）5 克，使君子 12 克，槟榔、川椒（炒）各 10 粒，金羚炭 9 克，细辛 2 克，土茯苓 15 克，赤芍 10 克。水煎服，每日 1 剂，日服 3 次。

本方为李月方，可安蛔止痛，适用于小儿蛔虫病。

【方七】

乌梅15克，细辛6克，川椒3克，党参、当归各9克，黄连、黄柏、干姜各6克，桂枝9克。水煎500毫升，直肠滴注，每分钟40～50滴。

本为何成瑶方，适用于小儿蛔虫性肠梗阻。

第十五节

『小儿蛲虫』

本病对儿童的健康很有影响，首先因为肛门发痒，晚上爱闹，烦躁不安，睡眠不好，白天精神差，消化亦不良，小女孩还会因此引起外阴炎。临床常用的治疗小儿蛲虫病的偏方、验方主要如下：

【方一】

槟榔50克，茴香10个。将槟榔切碎，放入茴香，再加入适量水，煎煮后服用，每日分2次服用，连续5～7天。

本方适用于小儿蛲虫病。

【方二】

槟榔30～60克，粳米50～100克。先把槟榔片煎汁去渣，加入粳米一同煮粥。

本方适用于小儿蛲虫病。

【方三】

煤油适量。以棉球蘸少许煤油，睡前塞入肛门，次晨取出，连用3天。

本方适用于小儿蛲虫病。

【方四】

大蒜数瓣，植物油少许。将大蒜捣烂，加入植物油，每晚睡前涂肛门周围，连用5天。

本方对小儿蛲虫病有效。

【方五】

杏仁10枚。将杏仁炒熟，捣碎，用纱布包裹，使其向外浸油。每晚擦肛门1次，连用5天。

本方适用于小儿蛲虫病。

第十六节

『小儿流鼻血』

小儿流鼻血是多种疾病的一个共同症状，不能单独成为一种病。引起鼻出血的疾病，可能在鼻腔，也可能在其他器官，属于全身性疾病。本病多由火热迫血妄行或阴虚火旺，损伤脉络，尤其以肺热、胃热、肝火、肝肾阳虚为常见。临床上用以治疗小儿鼻出血的常用验方如下：

【方一】

白茅根 50～120 克，竹茹 100～300 克。水煎，代茶喝。

本方适用于由肺热引起的鼻出血。

【方二】

鲜藕适量，蜂蜜 15～30 克。将藕洗净，榨汁 100～150 毫升，加入蜂蜜，调匀内服，每日 1 次，连服数天。

本方对肺热引起的小儿鼻血有效。

【方三】

生石膏 50 克，豆腐 200 克。将 2 味加水 500 毫升同煮 1 小时，加盐少许调味，饮汤食豆腐。

本方适用于肺胃部郁热产生的小儿鼻出血。

【方四】

红旱莲、白茅根各 30 克，瘦肉少许。3 味加水 3 碗炖至 1.5 碗，吃肉喝汤，分 3 次服用。

本方适用于各种血热出血症。

【方五】

鲜荷叶半张，竹茹 10 克，鲜茅根 30～60 克，绿豆 30 克。先将鲜荷叶等洗净，绿豆先加适量水煮，待绿豆煮开花后，下其余味，取汁去渣，日分 2～3 次服。

本方适用于小儿胃热之鼻出血。

【方六】

栀子仁 3～5 克，粳米 50～100 克。将栀子仁碾成细末，先煮粳米为稀粥，待粥将成时，调入栀子末稍煮即可。

本方适用于因肝火引起的鼻出血。

【方七】

鲜藕 200～250 克，生侧柏叶 60 克。将鲜藕洗净，切薄片，放铝锅内，加水烧沸，文火煮 20 分钟取汁，再将侧柏叶捣汁点入藕汁中，搅匀，酌加白糖代茶饮。

本方适用于因血热所致鼻出血。

【方八】

生地黄汁约 50 毫升（或用干地黄 60 克），粳米 100 克，生姜 2 片。将新鲜生地黄适量，洗净后切段，每次榨取生地黄汁约 50 毫升，或用干地黄 60 克，煎取药汁。先用粳米加水煮粥，煮沸后加入地黄汁和生姜，煮成稀粥食用。

本方适用于阴虚所致小儿鼻出血。

【方九】

鸡蛋清2个，白糖50克。将二者调匀，以滚开沸水冲熟，待温顿食，每日2次。

本方对鼻出血有效。

【方十】

人参6克，大枣15枚，粳米30克。将枣去核，与另二味同煮为粥。日1剂，连用数日。

本方对因脾气虚引起的鼻出血有效。

【方十一】

大枣15个。将枣洗净，浸泡1小时，用文火炖烂，每服1剂，日3次，7天为1疗程。

本方适用于脾气虚所致的鼻出血。

【方十二】

龙眼肉、红枣、白糖参各15克，粳米100克。取连壳桂圆，剥去果皮，去核取肉，将白糖参单煎取汁，然后同红枣、粳米一并煮粥，亦可加少许白糖。

本方对脾虚所致的鼻出血有效。

【方十三】

藕粉、糯米粉、白糖各250克。一起放盆中加适量水，揉成面团，上笼蒸15～20分钟。作早、午餐，温热服食。

本方适用于体虚食少，或吐血、鼻出血。

第十七节

『小儿扁桃体炎』

小儿扁桃体炎为小儿最易得的疾病之一。其临床主要症状是：发病突然，高热畏寒，伴有头痛、咽痛、食欲不振等症状。检查时可见扁桃腺肿胀充血，有脓性渗出点，如互相融合，状如假膜。血常规检查，可见白细胞增高，若多次急性反复发作，可转为慢性扁桃腺炎。

本病多发于抵抗力下降、受凉、过度疲劳之后，为链球菌或葡萄球菌引起。临床常用的治疗小儿扁桃体炎的偏方、验方主要如下：

【方一】

蒲公英、金银花各400克，薄荷200克，甘草100克，胖大海50克，淀粉30克。先取薄荷、甘草、胖大海及蒲公英200克，金银花200克，磨成细粉，过筛备用。将剩下的蒲公英、金银花加水煮2次，合并煎液，过滤，浓缩至糖浆状，与淀粉浆混合在一起，经煮沸成糊状，再与上述备用药混匀，成软块，过20目筛制粒，沸水冲泡10分钟，喝上面的清液，每次10克，日2次。

本方适用于小儿急性扁桃体炎。

【方二】

金莲花、茶叶各 6 克。沸水冲泡，代茶饮。本方对小儿扁桃体炎有效。

【方三】

酸梅 6 克，青果（橄榄）25 克，白糖适量。将酸梅及青果放入砂锅内浸泡半天，然后煎煮，服时加白糖调味。

本方能有效地防治小儿扁桃体炎。

【方四】

乌梅肉、生甘草、沙参、麦冬、桔梗、玄参各等份。将前药捣碎混匀，每用 15 克放入保温杯中，以沸水冲泡，盖压温浸 1 小时，代茶饮，日 3 次。

本方对小儿扁桃体炎有疗效。

【方五】

胖大海 4～6 枚，冰糖适量。将胖大海洗净放入碗内，加入冰糖适量调味。冲入沸水，加盖焖半小时左右，慢慢饮用。隔 4 小时再泡 1 次，每天 2 次，一般 2～3 天即显效。

本方可用于治疗急性扁桃体炎。

【方六】

橄榄 12 个，明矾 1.5 克。先将橄榄用冷开水洗干净，用刀将每个橄榄剖 4～5 条纵纹，将明矾研末掺入纵纹内，每 1～2 小时吃 2 个，细嚼慢吞，有痰吐痰，无痰将汁咽下，吐出橄榄渣以免妨碍消化。

本方对咽喉肿痛，小儿扁桃体炎有较好疗效。

【方七】

天门冬 15～20 克，粳米 50～100 克，冰糖少许。先煎天门冬取浓汁，去渣。入粳米煮粥，沸后加入冰糖适量，再煮成粥。

本方适用于肾阴不足、阴虚内热之慢性扁桃体炎者。

【方八】

川贝 10 克，母鸭胸脯肉 120 克。将鸭肉清炖至八成熟时，入贝母、食盐少许，再炖至熟，饮汤食肉，日 1 次。

本方适用于燥咳无痰，咽喉不适的扁桃体炎。

【方九】

黄精、冰糖各 30 克。黄精洗净，与冰糖加水，用文火同煮 1 小时，饮汤食黄精，早晚分服。

本方适用于咽喉不适的扁桃炎患者。

第十八节

『小儿痿证』

在日常生活中，我们常见到有的小儿手足软弱无力，肢体皮肤肌肉发麻发木，失去收缩能力，呈现松软状态，无疼痛感觉，就像草木枯萎了一样，这就是痿证。痿证病变涉及的范围广泛，包括皮毛、肌肉、筋骨、经脉等。临床表现为抬举、起坐、行走、蹲站、持握时软弱无力，不能运动，日久则四肢瘫痪，痿废不用，并以下肢痿软为多见，所以古人称它为“痿躄”。“痿”是指肢体弱而无力，筋脉弛纵不收；“躄”（bì，音同闭）是腿脚软弱无力，不支撑人体，又称软风或柔风脚弱。本病多起于温热病之后，也有部分患儿初生后即见症状，或随着年龄增长而症状逐渐明显，因此任何年龄均可发病，但一般以5～10岁最多见。一年四季虽均可发病，但以5～10月的夏秋两季最多。患病后，多数病儿均能逐渐恢复健康。严重者则留后遗症。

小儿痿证有发于上肢者，有发于下肢者，有发于一侧者，亦有发于两侧者，亦有四肢同时发生的。古人认为发于上肢者多属风邪所致，发于下肢者为湿热为害；发于右侧者为气伤，发于左侧者为血衰，发于两侧者为气血两虚。小儿痿证，以下肢为多。初起之时多痿而兼痹，属实证、热证。疾病缠绵日久，多属痿而兼厥，气血败伤，肝肾不足，成为寒证虚证。

目前，临床上常用的对小儿痿证有效的偏方、验方主要如下：

【方一】

大生地10克，麦冬10克，生甘草1.5克，玄参12克，贝母24克，丹皮6克，白芍10克，薄荷15克。

水煎服，每日1剂。

本方功能养阴清热，适用于小儿痿证，临床证见皮肤毛发虚弱，失去光泽，手足痿软无力，四肢关节弛缓不收而痿废，脉象缓细微弱，苔薄质红。

【方二】

麦冬6克，生地10克，丹参6克，柏子仁10克，茯神10克，当归10克，党参10克，白术10克，黄连1.5克，川断10克，牛膝10克，红枣5枚，桑枝30克。

水煎服，每日1剂。

本方养心安神，活血通络，适用于小儿痿证，临床症见下肢肌肉萎缩，足软无力，不能站立，膝关节伸屈不利，活动受限制，心悸气短，脉象虚弱，苔薄黄质红。

【方三】

生地15克，当归10克，白芍10克，丹皮6克，羚羊角0.3克，山栀6克，桑枝30克，川断10克，川牛膝10克，木瓜10克。

水煎服，每日1剂。

本方养血柔肝，清热通络，适用于小儿痿证，临床症见：口苦筋急，阴茎弛缓不收，面色发黄，爪甲枯而无华，肢体痿软无力，腰膝软，眩晕耳鸣，舌红少苔，脉弦缓或沉弦细。或遗尿或遗精，或大便秘结。

若见纳差便溏，周身乏力，烦躁起急，手足时而瞤动，肌肉抽搐，为脾虚肝亢，加用党参10克、茯苓10克、白术10克、钩藤10克、白芍10克、菊花10克。

【方四】

党参10克，茯苓10克，白术10克，炙甘草6克，山药15克，莲子10克，红枣5枚，花粉10克，石斛10克。水煎服，每日1剂。

本方健脾化湿，养胃益阴，适用于小儿痿证。临床见症：下肢肌肉麻木，萎缩无力，面色黄或浮而华，口干作渴，食少便溏，苔薄白质淡红，脉象缓。

【方五】

生地 15 克，龟板 18 克，黄柏 10 克，知母 10 克，虎胫骨 4.5 克（或狗胫骨 15 克），当归 10 克，党参 10 克，枸杞 10 克，白术 10 克，金毛狗脊 4.5 克，茯苓 10 克，牛膝 6 克，川断 6 克，猪脊髓。

水煎服，每日 1 剂。

本方滋阴补髓，清热强骨，适用于小儿痿证。临床见症：腰软酸痛不能直起，足无力支持身体，口渴齿枯，面色黧黑，耳鸣头晕，或便秘闭。

【方六】

羊脊骨 1 具，肉苁蓉 30 克，草果 3 个，荜茇 6 克，葱白、黄酒、食盐各适量。

羊脊骨洗净，捶碎备用。肉苁蓉洗净，切片备用。葱白洗净，切末备用。羊脊骨放入锅中加清水。肉苁蓉、草果、荜茇、黄酒，小火熬成汤汁，滤去残渣，再加入葱白、食盐，煮作羹汤食。

本品有补肾益精、强壮筋骨功效。适用于肾虚精亏，腰膝冷痛，筋骨无力，小儿痿证。

本品出自《饮膳正要》，原方用于“下元久虚，腰肾伤败”，为补肾益精，强壮筋骨常用方。先天禀赋不足，或久病肾虚，阳虚不能温煦腰府，精血亏虚不能濡养筋脉，则见腰膝冷痛筋骨无力。法宜补肾益精，强壮筋骨。方中以羊脊骨为主，补肾益精，强壮筋骨；以肉苁蓉为辅，补肾阳，益精血以助羊脊骨之效；以草果、荜茇、葱白诸料，助其温暖散寒，并可调味，合用而成补肾益精，强壮筋骨之方。本品既补肾阳，又益精血，对下元虚寒者尤为适宜。

第十九节

『小儿流行性腮腺炎』

本病是由腮腺炎病毒所引起的一种急性传染病，俗称“痄腮”。本病的主要症状是：发热、耳下腮部肿胀疼痛。此病一般先肿一侧，1～4 日后波及对侧，亦有两侧同时肿大的，耳垂处是漫肿的中心，表面发热不红，局部胀痛拒按，以手触之有弹性，无波动感。本病全年皆可发生，但以冬春多见，发病年龄以 5～9 岁小儿为多。

目前，临床上常用的治疗小儿流行性腮腺炎的偏方、验方主要如下：

【方一】

生绿豆100克，白菜心3个。

先将绿豆置小锅内大火煮开花，用文火炖烂，加入白菜心，再煮20分钟，取汤顿服，每日1～2次。

本方清热解毒，对流行性腮腺炎有效。

【方二】

牛蒡子20克，大米60克，白糖少许。

牛蒡子，煎汁去渣取100毫升；大米煮粥，入牛蒡汁，调匀，加白糖适量调味，分2次温服。

本方清热解毒，对小儿腮腺炎有用。

【方三】

金银花15克，野菊花15克，牛蒡子10克，紫背天葵子5克，生甘草3克，柴胡10克，马勃4克，元参10克，黄芩10克，升麻3克，薄荷3克，连翘10克。

水煎服，每日1剂。

本方清热解毒，消肿散结，适用于热毒内阻所致的腮腺炎。

【方四】

板蓝根15克，忍冬藤15克，夏枯草10克，僵蚕10克，赤芍10克，连翘10克。

水煎服，每日1剂，日服2次。

本方清热解毒，疏风消肿，适用于腮腺炎。

【方五】

银花15克，薄荷6克，黄芩3克，冰糖15克。前3味水煎取汁，入冰糖溶化服。

辛凉解表，清热解毒，适用于痄腮初起，发热恶寒，腮部肿胀等症。

【方六】

鲜黄花菜50克（干品20克），洗净水煮，食盐调味。吃菜喝汤，日1次。

功能清热，利尿消肿，适用于小儿流行性腮腺炎。

【方七】

取活大蟾蜍1只，禁食禁水，隔离24小时后，从口中往肚里塞进10cm×2cm×0.6cm的黑墨1根，用绳扣住其腿，挂在朝阳通风处，晒干后取出黑墨。本组用制好的黑墨研浓汁，每次用毛笔均匀涂沫患处2～3遍，每天1次，下次治疗不必洗净前次黑墨，治疗组50例与对照组40例患儿均用板蓝根冲剂0.25～0.5袋/天2次口服。高热予物理降温、补液。治疗结果：两组均获治愈。治疗组疗程明显短于对照组（$P<0.01\sim0.001$）。

【方八】

生绿豆50克，或大黄30克，研极细末，加蛋清调为糊状，分摊于两块纱布上，外敷双足心，再以绷带固定，每日换药2次，每次敷药6～8小时。

【方九】

六神丸30粒，冰硼散15克，青黛30克，芒硝12克，共研细末，加老陈醋调为糊状，外敷腮腺肿胀处及足心（左侧腮肿敷右涌泉，右侧腮肿敷左涌泉），每6～8小时更换一次，直至发热、肿胀消失。

【方十】

芒硝30克，青黛10克，蒲黄15克，米醋适量，调为糊状，涂于干净纱布上，然后外敷肿胀处，每日一换，连续3～5天。

【方十一】

板蓝根15克，黄连9克，黄芩10克，连翘10克，元参9克，大力子12克，桔梗10克，薄荷10克，夏枯草12克，白僵蚕10克。

水煎服，日1剂。

若腮部漫肿、硬结不散者加昆布；热毒炽盛、大便秘结者加大黄；伴睾丸肿痛者，加龙胆草、川楝子；神昏惊厥者，加地龙、蝉衣合紫雪丹、牛黄丸口服。或双黄连注射液、清开灵注射液静点。

本方清热解毒，通络消肿，软坚散结，适用于热毒蕴结所致的小儿腮腺炎。

【方十二】

银花10克，赤小豆30克。将银花用纱布包裹，与赤小豆同放水中，共煮至烂熟，去银花，将豆加适量冰糖调成羹，每日1次，连食5天。有清热解毒、利湿消肿等功能，适于痄腮初起腮腺漫肿者。

【方十三】

鸭蛋1个，冰糖15克。先将冰糖加开水溶化，待水凉后打入鸭蛋搅匀，放蒸笼内蒸熟，每天2次，连服5～7天。有清热解毒、健脾益胃作用，用于痄腮初期症情较轻者。

【方十四】

有人用夏枯草为主治疗流行性腮腺炎患者80例，其中治愈者（体温正常，腮肿完全消失，无并发症）60例，占82.5%；显效者（临床症状大部分消失，腮肿有明显消退）10例，占12.5%；好转者4例（腮肿及诸症减轻）。

【方十五】

取鲜蒲公英30克（或干品20克），捣碎，加入1个鸡蛋清中充分搅匀，再加冰糖适量，共捣成糊剂，摊于纱布上，外敷耳前区及下颌角区的肿胀处，每天换药1次。治疗40例，全部治愈，一般外用2～4次即愈。其中退热时间最短1天，最长2天；消肿时间最短2天，最长4天。

第二十节

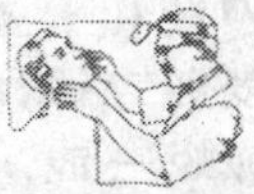

『猩 红 热』

猩红热是一种急性呼吸道传染病，由乙型溶血性链球菌感染所致，其临床特征以突然发烧、咽峡炎、弥漫的全身猩红色皮疹为主。中医过去称本病为“喉痧”或“烂喉丹痧”，其流行多在冬春季节，任何年龄都可以染病，但主要发生在2～8岁的儿童。

病人是本病的主要传染源。病菌通过空气飞沫传播。咳嗽、打喷嚏时传播机会很大；与病人接触过的用具，偶可间接传播；个别情况下，病原菌直接侵入外科伤口或皮肤疖子可形成外科性猩红热。

目前，临床上用来治疗猩红热的偏方、验方主要如下：

【方一】

金银花9克，连翘9克，牛蒡子9克，荆芥穗6克，薄荷3克，黄芩6克，蝉蜕3克，大青叶9克，甘草3克，锦灯笼6克。

水煎服，日1剂。

高热汗少、疹隐不退，加葛根6克，芦根9克。

高热汗少、心烦不安，加生山栀9克、淡豆豉9克。舌干口渴，烦躁不安，加生石膏12克、知母9克。

喉痛声嘶，微咳有痰，加桔梗9克、浙贝母9克。

本方清热解毒，适用于猩红热之轻症，主症为：恶寒发热，周身酸痛，咽喉肿痛，皮肤有弥漫性朱红色疹点，压之褪色，颈、肘、腘、腋等皮肤折皱处疹出如红线状，小便短黄，脉浮数，舌苔白腻或黄腻，舌红肿起刺如杨梅。

【方二】

银花四钱，连翘四钱，生石膏一两，大青叶四钱，黄芩三钱，赤芍三钱，白茅根六钱，元参三钱，射干二钱。

水煎服，日1剂。

若皮疹透出不畅加葛根二钱、蝉衣一钱。

若大便秘结，腹胀加生大黄二钱、瓜蒌仁五钱。

本方清热，解毒，凉血，适用于气营两伤所致的猩红热，临床见症如下：

高热，口渴喜欢冷饮，皮疹较多，融合成猩红一片，咽及软腭红肿疼痛，舌红苔黄，脉数。

【方三】

鲜生地一两（干的用五钱），丹皮三钱，大青叶六钱，板蓝根六钱，连翘五钱，黄连二钱，菖蒲二钱，郁金三钱，钩藤四钱，僵蚕三钱。

水煎服，日1剂。

咽喉红肿溃烂可外用散剂吹喉药，如锡类散、玉钥匙散等，以清热解毒，消肿去腐。

1. 锡类散（成药）：每用少许，吹咽喉患处。

2. 玉钥匙散方：西瓜霜五钱，硼砂五钱，朱砂六分，僵蚕三钱，冰片五分，共研细末，密装瓶内，每次用少许，吹咽喉患处。

本方清营凉血，开窍熄风，适用于热毒内陷心肝所致的猩红热，临床症见如下：

高热，烦躁，皮疹密布，颜色红艳，咽喉红肿溃烂，口臭异常。若进一步病情转重则嗜睡或谵妄，及至神志昏迷，惊厥，舌绛而干起芒刺，脉弦细数。这是邪毒攻心，热极引动肝风的危证。

【方四】

桔梗三钱，麦冬二钱，天花粉三钱，连翘三钱，蝉蜕一钱，大青叶二钱，锦灯笼二钱，甘草一钱，地骨皮三钱。

水煎服，日1剂。

宿有消化不良，痧疹消退后，咽痛等症悉减，唯食欲不振，消瘦，大便次数多，小便清长，舌质淡，苔白腻，脉缓。治宜健脾和胃。方用调胃散加减（习用方）：

茯苓三钱，连翘三钱，莱菔子三钱，藿香三钱，石斛三钱，炒神曲三钱，大腹皮三钱，炒扁豆三钱，桔梗二钱，甘草一钱。

午后微热，加黄芩二钱、知母二钱。

咽干、微咳，加地骨皮三钱、桑白皮三钱。

口渴喜饮，加天花粉三钱、竹茹二钱。

痧疹退后，诸证悉减，出现小便短黄，或尿急尿频，眼睑微肿，苔薄白，脉浮滑。治宜清利温热。方用清消饮加减（习用方）：

茯苓三钱，泽泻三钱，金银花三钱，通草一钱，连翘三钱，知母二钱，黄柏二钱，蒲公英三钱，车前草二钱，甘草梢一钱。

咽部红肿未消，加牛蒡子三钱，土牛膝三钱。

小便短赤、血尿，加小蓟三钱，鲜茅根四钱。

第二十一节

『水　痘』

水痘是由于感染水痘病毒引起的一种急性传染病。本病一年四季都有发生，以冬春两季较多。儿童时期任何年龄皆可发病，而以1～6岁为多见。由于疱疹内含有水液，色泽明净，状如豆粒，故名水痘。

目前，临床上常用的治疗水痘的偏方、验方主要如下：

【方一】

银花15克，芦根20克，连翘、竹叶、牛蒡子、桔梗、紫草、滑石、萆薢各10克，薄荷（后下）、蝉衣各6克。每日1剂，水煎分3次服用。

本方疏风清热，解毒祛湿，适用于风热所致的水痘，主要临床特点如下：

症见发热，咳嗽，流涕，痘疹红润，疱浆清亮，点粒稀疏，此起彼伏，舌苔薄白，脉象浮数。

【方二】

生石膏20克（先煎），茯苓15克，赤芍、丹皮、生地、知母、银花、黄芩、紫草、牛蒡子、苡仁各10克。每日1剂，日服3次。对于水痘密集者，可用苦参30克、浮萍15克、芒硝30克，煎水外洗，1日2次；若抓破有感染，可用青黛散撒布患处，或用2%的龙胆紫外涂。

本方清热凉血，解毒渗湿，适用于热毒所致水痘，临床见症如下：

症见高热不退，烦躁不安，口渴欲饮，面红目赤，水痘分布较密，疹色紫暗，疱疹混浊，大便干结，舌苔黄厚，脉象洪数。

【方三】

制成的酒酿 100 克，鲜荸荠 10 个去皮，切片，加水少放，煮熟食用。有清热、透疹功效。小儿风热外感，或出麻疹、水痘，食用为宜。

第二十二节

『钩虫病』

钩虫病是由十二指肠钩虫或美洲钩虫寄生于人体小肠所致的疾病，以贫血、虚弱及肠胃道机能障碍为主要病状，严重者可致心力衰竭。

钩虫寄生在人体的小肠里，不断吮吸血液，使人产生贫血，面色萎黄。钩虫病的传播是雌虫产生的虫卵，随粪便排出，通过施肥，在泥土中孵出幼虫，生长发育成为一种具有感染性的丝状幼虫。当人赤脚下地劳动时，幼虫即钻入皮肤，经过心、肺，上达咽部再经食道到肠子里，住下来发育为成虫，进行吸血，产卵。此病每年 5～9 月最易受感染。大便检查可找到钩虫卵。钩虫病在我国南方广大农村多见。

钩虫病的早期症状：当钩虫的幼虫侵入皮肤时，可出现红色高出皮肤的小丘疹，有时也可呈小泡状，非常痒，抓破后往往发炎。这种皮疹常发生于足趾或手指之间，或足踝、手腕等与泥土接触的部位。俗称“打粪毒”、“粪疙瘩”、“粪触块”、“粪毒”。

目前，临床上用治钩虫病的偏方、验方主要如下：

【方一】

厚朴 10 克，苍术 10 克，陈皮 9 克，甘草 6 克，降矾 15 克，红枣 3 片。

水煎服，日 1 剂。

本方健脾燥湿，和中补血，适用于脾虚湿滞所致的钩虫病，主要临床症状如下：

面色萎黄或面黄而虚浮，善食易饥，食后腹胀，或异嗜生米、茶叶、木炭之类，神疲肤软，淡苔薄，脉濡。

【方二】

人参 10 克，白术 9 克，茯苓 10 克，甘草 6 克，当归 10 克，白芍 9 克，川芎 10 克，熟地 10 克，生姜 2 片，大枣 3 枚，榧子 10 克，木香 6 克，砂仁 10 克。

水煎服，日 1 剂。

本方补血益气，适用于气血两虚所致的钩虫病，临床主要症状如下：

颜面、肌肤萎黄或苍白，面足甚至全身浮肿，脘闷不舒，倦怠乏力，精神不振，眩晕耳鸣，心悸气短，舌质淡胖，脉弱。

妇科病

FU KE BING

第一节

『月经病』

月经病是指月经的周期、经期、经量、经色、经质的异常，或伴随月经周期出现的症状为特征的疾病。常见的有：月经先期，月经后期，月经先后不定期，月经过多，月经过少，经期延长，经间期出血、崩漏、痛经、闭经，经行眩晕，经行泄泻，经行浮肿，经行风疹块，经行乳房胀痛，经行头痛，经行身痛，经行情志异常，经断前后诸证等。

一、月经先期

月经先期指月经周期提前7天以上，甚至十余日一行者，称为“月经先期”，又叫“经期超前”、“经行先期”，或“经早”。若月经只提前3～5天，且无其他明显症状者，属正常范围。

本病的发生一是气虚，二是血热。因为气能摄血，气虚则统摄无权，冲任失固；血热则流行散溢，以致血海不宁，均可使月经提前而至。常用的治疗月经提前的偏方主要如下：

【方一】

人参6克，大枣15枚，米30克。枣去核，与另二味同煮为粥，日1剂，连用数日。

本方适用于由于气虚所致的月经先期者，量多色淡质稀，神疲乏力等症。

【方二】

人参10克，净乌骨鸡1只，精盐少许。人参浸软切片，装入鸡腹，放入砂锅内，加盐，隔水炖煮至鸡烂熟，食肉饮汤，日2～3次。

本方尤宜于气虚月经先期、质清稀等症。

【方三】

鸡蛋10个，党参、黄芪、红枣各20克，炙草6克，当归、白术各9克，升麻、柴胡各5克，陈皮9克，生姜15克，白糖600克，苏打2克。将党参、黄芪、当归、升麻、陈皮、生姜、炙草、白术、柴胡、红枣去灰渣加工烘干，研细成末。鸡蛋打入盆内，用掸蛋机掸成泡，加入白糖继续掸泡使蛋浆与白糖溶为一体，加入面粉、中药粉末、苏打继续掸泡，合为一体。在蒸笼内垫一层细草纸，将蛋浆倒入擀平，蒸约10分钟，取出翻于案板上，用刀切成20个条形方块即成。

本方除适用于月经先期外，亦对妇女子宫脱垂疲倦无力、久泻脱肛有效。

【方四】

人参6克，黄芪30克，大枣15枚，白莲米（去心）、粳米各60克。先将人参、黄芪用清水1 000毫升，文火煮取200毫升去渣，大枣去核，与莲米、粳米共煮为粥。1日1剂，可连续1周。

本方对月经先期因气虚所致者疗效较好。

【方五】

鲜芹菜、鲜藕片各120克，生油15克，精盐少许。先把芹菜、藕片洗净，芹菜切成1寸长，将锅放在旺火上，下生油烧熟放入芹菜、藕片，调入精盐适量，颠炒5分钟，再调入适量味精即成。上为1次量，可连续服3～5次。

本方适用于体内有热而产生的月经提前。

【方六】

猪蹄1对，茜草30克，大枣10枚。猪蹄去毛洗净，茜草装入纱布袋内扎口，大枣洗净，3味下锅同煮，熟后去药袋服。

本方适用于血热妄行所致之各种出血证。

【方七】

河蚌肉250克，冬瓜500克，调料适量。将蚌肉加少许姜汁浸泡，冬瓜去皮、瓤后切片。取出冬瓜仁（子）水煮20分钟，去仁留汁，下入冬瓜片，煮5～10分钟，入蚌肉烹黄酒，再沸3分钟，调入精、盐、味精、葱花，淋上麻油佐餐服。

本方适用于血热之月经提前。

【方八】

青蒿、丹皮各6克，茶叶3克，冰糖15克。前药洗净，置茶杯中用鲜开水泡浸15～20分钟，入冰糖溶化，当茶饮，不拘时拘量。

本方清肝凉血，适用于肝郁血热所致月经提前。

【方九】

柿叶、侧柏叶、黄芩各9克。干燥，共为细末，每次3克，温开水送服。

本方清肝凉血止血，可用于血热所致的各种月经提前。

【方十】

荠菜250克，豆腐100克，调料适量。将豆腐切小方丁，开水滗后，捞出盛在盘内，荠菜用开水焯一下，凉后切细末，撒在豆腐上，加精盐、味精各适量拌匀，淋上香油。作餐用。

本方凉肝止血，适用于肝郁血热所致月经过量。

【方十一】

女贞子15克，枸杞子、旱莲草各12克，制首乌15克，覆盆子、当归身、杭白芍各10克，细生地24克，牡丹皮10克，生地榆15克，阿胶（烊冲）10克，侧柏炭12克。水煎服，1日1剂，分两次服。

本方为著名老中医萧煦临床验方。

【方十二】

黄芩、栀子各10克，麦冬、杭白芍各12克，茯苓15克，泽泻9克，酒大黄、升麻各1克。水煎，于月经干净后第5天开始服药，连进7～15剂。若服药期间月经来潮，应即停服。待月经干净后第五天再继续服药，可连续3个月经周期。

本方为浙江中医学院马爱华治疗月经先期的临床经验方。

【方十三】

天门冬（连皮50克），若用鲜品150克，红糖适量。天门冬洗净后、加水约1 000毫升，煎取500毫升，加入红糖，烧沸。日温服1次，连服数日。

本方适用于肾阴虚所致月经提前。

【方十四】

团鱼50克重1只，阿胶30克。将

团鱼洗净，去内脏及头，用砂锅清炖至烂熟，将鱼取出，文火焙干研成细末，3克1包，分装备用。鱼汤中加入精盐少许调味，以热汤烊化阿胶10克，冲服甲末3克，分2次将团鱼肉及汤吃完。

本方适用于阴虚所致月经提前。

【方十五】

生地30克，粳米30～60克。将生地洗净切片，用清水煎煮2次，共取汁100毫升，把米煮粥，候八成熟时入药共煮至熟，食粥，可连服数日。

本方适用于虚热所致月经提前。

二、月经后期

月经后期指月经周期延后7天以上，甚或四五十日者。如仅延后三五天，且无其他不适者，不作月经后期病论。

本病的发生有虚有实，虚者或因营血亏损；或因阳气虚衰，以致血源不足，血海不能按时满溢。而实者或因气郁血滞，冲任受阻；或因寒凝血瘀，冲任不畅，致使经期延后。常用的治疗月经后期的偏方主要如下：

【方一】

大砂仁、大佛手、大山楂各30克，黄酒或米酒500克。

将前3味洗净置酒瓶中浸泡3～6天。视酒量大小，每次15～30克，早晚各1次。不善酒者可以好醋代泡，服时加冰糖适量减酸。

本方适用于因气滞所致月经后期。

【方二】

大血藤30克，河蟹2只（约250克），米酒50克。大血藤、河蟹洗净，放入陶瓷罐中，加水一碗半，用文火炖熟后，加米酒再炖片刻。日1剂，趁热吃河蟹饮汤。

本方适用于情志不舒，肝气郁结所致的经期错后。

【方三】

鲜橘叶20克，苏梗10克，红糖15克。将上3味放入保温杯中，加盖开水泡15分钟，代茶饮。

本方适用于月经后期，兼见少腹胀痛者。

【方四】

干姜30克，羊肉150克。羊肉切块，与干姜共炖至肉烂，调入盐、葱花、花椒面、味精，食肉饮汤。

本方适用于血寒所致月经后期。

【方五】

生姜、艾叶各6克，红糖15克。将生姜、艾叶洗净，与红糖煎煮为饮，1日2次，每日1料。亦可用保温杯鲜开水泡15～20分钟服食。

本方适用于血寒月经后期。

【方六】

生姜10克，白胡椒籽7粒，红糖3匙。生姜洗净，切成薄片，白胡椒籽打碎，将红糖、生姜、胡椒倒入小钢精锅内，加冷水半碗，小火烧开3分钟后离火，滤出糖汤，弃渣。

本方适用于血寒月经后期。

【方七】

阿胶6克，黄酒50毫升。将阿胶用蛤粉炒研细末，以黄酒兑温开水送服。

本方适用于血虚经行后期，量少，色淡，小腹空痛。

【方八】

当归60～80克（原方当归不切片），生姜15克，羊肉1公斤，植物油、细盐、黄酒、干橘皮适量。将当归原支洗净、滤干，生姜洗净，切成厚片，羊肉洗净，滤干，切中块。起油锅，放植物油3匙，用旺火烧熟油后，先入生姜片，随即倒入羊肉，翻炒5分钟，加黄酒3匙，再焖烧5分钟后，盛入砂锅内，将当归也放入砂锅内，加冷水将羊肉、当归浸泡约半小时，再用旺火烧开，加细盐1匙，黄酒1匙、干橘皮1只，然后改用小火慢炖2小时，直至羊肉酥烂，离火，食时弃当归。

本方适用于血虚身寒，月经后期者。

【方九】

芍药花（色白阴干者）6克，粳米50克，白糖少许。以米煮粥，待1～2沸，入芍药花再煮，粥熟，调入白糖食之。

本方适用于血虚之月经后期。

【方十】

黑豆60克，鸡蛋2枚，米酒120克。将黑豆、鸡蛋用文火共煮（鸡蛋熟后去壳取蛋再煮），加入米酒饮服。

本方适用于虚寒月经后期。

【方十一】

艾叶10克，生姜15克，鸡蛋2只，水适量。鸡蛋连壳放入煮熟后，去壳取蛋，放入再煮，煲好后，饮汁吃蛋。

本方适用于因虚寒所致的月经后期。

【方十二】

生山楂肉50克，红糖40克。山楂水煎去渣，冲入红糖热饮。

本方适用于月经错后。

三、月经先后无定期

月经先后无定期指月经周期或提前或延后7天以上者，究其原因是气血失于调节而导致血海蓄溢失常。多由肝气郁滞或肾气虚衰所致，而以肝郁为主。主要治疗月经先后无定期的秘方、验方如下：

【方一】

小茴香、青皮各15克，黄酒250克。将前药洗净，入酒内浸泡3天饮用，每次15～30克，日2次。

本方适用于肝郁所致经期先后无定期。

【方二】

鲜橘叶20克，苏梗10克，红糖15克。将3味药放入保温杯中，加盖，开水泡15分钟，代茶饮。

本方适用于经期先后无定期，精神苦闷不乐者。

【方三】

香附30克，当归15克，白酒（或黄酒）250克。香附、当归切碎，泡酒中3天，每服15～30毫升，日2次。

本方适用于肝郁月经先后无定期。

【方四】

雪莲花、党参各15克，峨参7克，薏苡仁500克，鸡1 500克，调料适量。前3味切节或切片，装入纱布袋，扎口。鸡洗净，与药袋同入锅内，加水、姜、葱，用旺火烧沸，再用文火烧2～3小时，把鸡捞出，切成小方块，装入碗中，薏苡仁煮熟，放入鸡肉碗内，调味拌匀，随量食用，日2次。

本方适用于肾虚所致月经先后无定期。

【方五】

怀山药240克，枸杞120克，鹿胶60克，胡桃肉240克，冰糖60克。将鹿胶用蛤粉炒脆研末，余4味文火煮熟至极烂，入鹿胶粉和拌共捣为膏，防腐备用。每日3次，每次30克。

本方适用于肾虚所致月经先后无

定期。

【方六】

柴胡 4.5 克，当归 6 克，白芍 9 克，熟地 12 克，怀山药 12 克，菟丝子 9 克，女贞子 15 克，黑穞豆 18 克，杜仲、香附各 9 克，茯苓 12 克，郁金 6 克。水煎服，1 日 1 剂，分 2 次服。

本方为福建名老中医孙朗川临床验方，用以治月经先后无定期。

四、月经过多

月经过多指月经量较以往明显增多，而周期基本正常者。本病的发生主要是气虚统摄无权，或血热流行散溢，使冲任不固，血随经泄所致。此外，尚有瘀血内阻，以致经量过多者。

【方一】

韭菜 100 克，羊肝 120 克。将韭菜去杂质洗净切断，羊肝切片，用铁锅明火炒熟后吃。

本方适用于气虚月经过多。

【方二】

羊肉 500 克，当归、生地各 15 克，干姜 10 克。羊肉洗净，切块，放砂锅中，并入洗净之药及酱油、盐、糖、黄酒、清水各适量，红烧至肉烂。

本方适用于气虚所致月经量多。

【方三】

黄芪 30 克，粳米 100 克。先煎黄芪去渣，下米，煮作粥，空腹食之。

本方适用于气虚不能摄血之月经过多。

【方四】

鸡冠花 15～30 克，鸡蛋 2 个。加水 2 碗同煮，鸡蛋熟取出去壳，放回锅里再煮至汤液 1 碗，吃蛋喝汤，日 1 次，连服 3～4 次。

本方适用于血热月经过多。

【方五】

生地、地骨皮各 30 克，玄参、麦冬、白芍各 15 克，阿胶 30 克，白蜜 40 毫升。前 5 味水煎取浓汁 300 毫升，另用 60 毫升白开水将阿胶烊化，同入药汁内，加白蜜，置文火上调，候凉，装瓶。每服 20 毫升，日 3 次。

本方适用于虚热所致月经过多。

【方六】

蚕豆花 500 克，冰糖少许。

将蚕豆花洗净，切碎，用蒸馏法制露（干品制露 2 000 克，鲜者制露 1 000克），或调入冰糖，搅匀，贮瓶备用。每次 120 克，1 日 2 次温服。

本方用于血热所致月经过多。

【方七】

生地黄 6 克，益母草 10 克，黄酒 200 毫升。将黄酒倒入瓷瓶（或杯）中，加生地、益母草，隔水蒸炖 20 分钟。每次 50 毫升，日 2 次。

本方适用于血瘀所致的月经过多。

【方八】

油菜苔 120 克，蜂蜜适量。将油菜苔洗净，切碎略捣，绞取汁液，兑入蜂密，调匀。每次服 2～4 汤匙。

本方适用于血瘀引起的月经过多。

【方九】

当归 24 克，赤芍、生地炭各 15 克，川芎、桃仁、红花各 9 克，益母草 30 克，泽兰 12 克，枳壳 10 克。水煎服，经前开始服药，日服 1 剂，服 1～3 剂后停服。

本方适用于血瘀所致的月经过多。

五、月经过少

月经过少指尽管月经周期基本正常，但经量明显减少，甚或点滴即净，或经期缩短不足两天，经量亦少者。

本病的发生有虚有实，虚者或因

化源不足，血海空虚；或因精血衰少，血消不盈；实者，是因瘀血内停，或痰湿阻滞，经脉瘀阻，血不畅行。临床上用于治疗月经过少的偏方、秘方主要如下：

【方一】

当归9克，鸡蛋2个，红糖50克。当归煎水取汁后，打入鸡蛋煮熟，入红糖调匀。每次经净后食1次。

本方适用于妇女血虚所致月经过少。

【方二】

全当归90克，川芎30克，白芍60克，生地黄120克，人参30克，炒白术90克，白茯苓60克，炙甘草45克，五加皮240克，小肥红枣、核桃肉各120克，糯米酒2 000毫升。将上药切薄片，用绢袋盛好，浸于酒中，密封，隔水加热约1小时后，取出埋土中5天，然后取出静置21天，过滤后使用，每次温饮1～2小盅，日2次。

本方适用于血虚之月经过少。

【方三】

山药80克，紫荆皮15克，大枣20枚。水煎取汁，日1次，长期服用。

本方适用于血虚月经过少。

【方四】

黄芪100克，人参50克，当归80克，大枣20枚，红糖100克。前3味药加水煮3次，取汁浓缩至500毫升，将大枣用文火煮烂，取汁及枣泥，入药汁中煮，加入白糖收膏。开水冲服，每次20毫升，日3次。

本方适用于肾虚月经过少。

【方五】

羊腿肉1 000克，枸杞子50克，调料适量。羊肉整块用开水煮透，放冷水中洗净血沫，切块。锅中油热时，下羊肉、姜片煸炒，烹入料酒炝锅，翻炒后倒入枸杞子、清汤（2 000毫升）、盐、葱，烧开去浮沫，文火炖约1～1.5小时，待羊肉熟烂，去葱、姜，入味精。

本方适用于肾虚所致月经过少。

【方六】

当归、益母草各30克，川芎、桃仁、甘草、丹皮各10克，炮姜5克，白蜜80毫升。

前7味加水500毫升，煮取300毫升，去渣，加白蜜收膏。每服30毫升，日3次。

本方适用于血瘀之月经过少。

【方七】

牛膝20克，猪蹄250克。将猪蹄洗净剁开，与牛膝同置锅内，加水适量炖熟（加米酒50克更佳），趁热食。

本方适用于瘀血停滞所致月经过少。

【方八】

砂仁20克，发酵面3 000克，白糖1 100克，熟猪油1 000克，苏打20克。将砂仁去灰、壳，洗净烘干研末。白糖、砂仁末、苏打粉放入发面中反复揉匀后放几分钟，再进行揉匀，搓成长圆条，切成80个面剂，立放于案板上依次排好刷熟猪油做成荷叶形，入笼旺火开水锅内蒸10分钟。

本方适用于痰湿所致之月经过少。

【方九】

地梢枝、棉花根各30克，茄子根20克，莲蓬30克，鸡1只。将药物与鸡一起炖，1日1次，连服7日。

本方主治月经过少。

【方十】

小血藤30克，大血藤、连钱草、水菖蒲各20克。将前药煎汤，每日3

次。

本方主治月经过少。

六、经期延长

经期延长指月经周期虽然基本正常，但行经时间超过7天以上，甚或淋沥半月方净者。

本病的发生有实有虚，实者多因瘀血阻滞冲任，新血不得归经；虚者多由阴虚内热，扰动血海以致经期延长。

【方一】

小蓟（全草）、益母草各60克。两者洗净，同加水煎汤，去渣再煎，至浓稠服。

本方适用于血瘀所致经期延长。

【方二】

鲜月季花瓣100克，面粉400克，鸡蛋3个，牛奶200克，白糖100克，精盐1撮，色拉油50克，发酵粉适量。将鸡蛋清、黄分开，蛋黄中加入糖、牛奶，搅匀后拌入面粉、油、盐、发酵粉轻搅成面浆，蛋白用筷子搅打至起泡后兑入面浆；花瓣加糖渍半小时，和入面浆；汤勺舀面浆于五成热的油中炸酥。做早晚餐或点心食。

本方适用于血瘀之经期延长。

【方三】

生地、黄精（制）、粳米各30克。生地、黄精水煎后去渣取汁后，入粳米同煮为粥。

本方适用于阴虚内热所致经期延长。

【方四】

麦冬、百合各15克，白茅根12克。水煎，代茶饮。

本方适用于阴虚内热所致经期延长。

七、痛经

痛经指妇女在经期或行经前后，出现周期性小腹疼痛，或痛引腰骶，甚则剧痛昏厥者。

本病的发生有情志所伤，起居不慎或久淫为害等不同病因，并与素体及经期、经期前后特殊的生理环境有关。此外，亦有因子宫发育不良或畸形，或子宫位置过度不正而发生痛经的。

【方一】

山楂30克，向日葵籽15克，红糖30克。先将山楂、向日葵籽一齐放在锅内炒，以葵花籽炒香熟为度。再加水，熬成浓汁后，将红糖放入熬化即成。每次于经前1～2天，连服2～3剂，正痛时亦可服用。

本方适用于血瘀为主的痛经。

【方二】

荔枝核、香附、黄酒各30克。将荔枝核、香附研成细末，混合后装入瓷瓶密封保存，每个痛经发生之前一天开始服用，每次服6克，以黄酒适量调服，1日3次。

本方适用于以气滞为主的实证痛经。

【方三】

丹参、延胡索各30克，牛膝、红花、郁金各15克，白酒0.5公斤。将生丹参、延胡索、牛膝、红花、郁金倒入瓶中，用白酒浸泡加盖，密封半个月。每隔3天，用力摇动药酒瓶1次，每次约摇3分钟。行经前两天开始饮服，每日3次，每次1～2匙，至经血干净时停饮。连服4个经期为1疗程。

本方适用于气滞血瘀之痛经。

【方四】

阿胶、杜仲各15克，陈艾10克，

净子鸡1只（约500克），生姜6克。将杜仲、陈艾与鸡入砂锅中同炖，将熟时加入生姜，炖20分钟，加盐调味，每次用热汤烊化阿胶5克，日3次，饮汤食肉。

本方适用于寒湿凝滞之痛经。

【方五】

桂枝5克，山楂肉15克，红糖30克。将前2味加水2碗，文火煎成1碗，加红糖再煎片刻，日2次，趁热饮。

本方适用于因寒而致痛经。

【方六】

荔枝核、香附各等份，黄酒适量。荔枝、香附共研末，每服6克，黄酒调服，日2次。

本方适用于阳虚内寒之痛经。

【方七】

鸡蛋2个，元胡20克，益母草50克。3物加水同煮，蛋熟后去壳，再煮片刻。食蛋饮汤，于经前开始，日服1次，连服5～7天。

本方适用于阳虚内寒之痛经。

【方八】

鲜蔷薇根60克（干者30克），七叶莲9克，鸡蛋2只。将蔷薇根、七叶莲加清水3碗煎至1碗，去渣，再把鸡蛋两只煮熟去壳放入药液中同煮，加少量米酒服食。在月经来潮前1～2天开始服，每日1次，连服2～4天。

本方适用于湿热下注所致之痛经。

【方九】

母鸡1只，当归30克，醪糟汁60克。将鸡去毛并内脏洗净，当归洗去浮灰；把鸡放入砂锅内，同时加水、醪糟汁、当归、姜、葱、盐，盖严锅口，先在旺火上烧开，再用小火炖3小时，出锅时撒胡椒面，佐餐食。

本方适用于气血不足所致之痛经。

【方十】

猴头菌100克，净母鸡750克，黄芪30克，党参15克，大枣10克，调料适量。将猴头菌温水发胀后洗净，除苦味，切2厘米厚片待用；净母鸡去头脚，剁方块，放入罐内，加姜片、葱、绍酒、清汤适量，上放猴头菌片、浸软洗净之黄芪、党参、大枣，以湿棉纸封好罐口，上笼蒸烂，拣去姜、葱，将汤滗出，扣入盘中摆好，将滗出的鸡汤倒入砂锅，烧开后入料酒、味精、盐各适量，用玉米、淀粉勾汁，浇在鸡上。

本方适用于气血双虚所致之痛经。

【方十一】

川芎6～9克，丹参12克，鸡蛋2只。将川芎、丹参、鸡蛋加水同煮，鸡蛋熟后去壳取蛋再煮片刻，吃蛋饮汤。

本方适用于肝肾虚损之痛经。

八、经间期出血

经间期出血指妇女在两次月经之间，即停经期之时，有周期性出血者。

本病发生的机理为妇女在停经期元精充实，阳气内动，加以肾阴不足，湿热内蕴或瘀血内留等因素动血，便可引起阴道出血。有关治疗本病的偏方主要如下：

【方一】

熟地黄150克，南粳米50克，冰糖适量。将熟地洗净，捣烂后和南粳米、冰糖入砂锅内，加井水煮成稀粥，日2～3次，温服。

本方适用于肾阴虚经间期出血。

【方二】

绿豆50克，薏米30克，猪大肠250克。将大肠洗净，绿豆、薏米浸泡洗净，装入肠内加水少量，两端扎紧，入瓦罐内加水煮熟烂服。日1剂，连服7～8天。

本方适用于湿热所致经间期出血。

【方三】

紫珠菜200克（干品减半），鸡蛋4个。将紫珠菜洗净，与鸡蛋同放入瓦锅内加水煎煮，待蛋熟去皮，再煮几小时，使蛋色变黑。每服鸡蛋1个，日2次，连用100个为1疗程。

本方适用于血瘀所致经间期出血。

九、闭经

闭经指女子年逾18周岁，月经尚未初潮，或已行经而又中断达3个月以上者，称为闭经。

本病的发生有虚有实。虚者精血不足，血海空虚，无血可下；实者，邪气阻隔，脉道不通，经血不得下行。

【方一】

鳖甲30克，白鸽1只，米酒少许。将白鸽去毛和内脏，并将鳖甲打碎，放入白鸽腹内，加清水适量，米酒少许，放瓦盅内隔水炖熟，调味服食。

本方适用于肝肾不足之闭经。

【方二】

山药90克，鸡内金30克。将两味干燥，共研细末，每服12克，日2次。用糯米酒或黄酒送服。

本方适用于气血虚弱之闭经。

【方三】

黑木耳、胡桃仁各120克，红糖240克，黄酒适量。将木耳、核桃仁碾末，加入红砂糖拌和均匀，瓷罐装封，每服30克，黄酒调服。1日2次，黄酒送服。

本方适用于气血虚弱之闭经。

【方四】

泽兰叶10克，水鱼1只，米酒少许。将活的水鱼用热水烫，使其排尿后，切开去肠脏。泽兰叶研末，纳入水鱼腹内（甲与肉同用），加清水适量，放瓦盅内隔水炖熟，加少许米酒服食。每隔1天1次，连服3～5次显效。

本方适用于阴虚血燥之闭经。

【方五】

向日葵梗9克，猪爪250克。先将猪爪（猪蹄壳）洗净，刮去污垢，用河沙在锅中炒泡，再淘洗干净后放入砂锅内，用文火煨炖至烂熟。猪爪煨烂后，加入向日葵梗，煮几沸熬成浓汁，去渣，饮汁，每日2～3次，每次20～30毫升。

本方适用于气滞血瘀之闭经。

【方六】

薏苡仁根30克。将药洗净，切段，水煎，早晚空腹饮用，连服十余剂方有效。

本方适用于痰湿阻滞之闭经。

十、月经崩漏

月经崩漏指妇女经血非时暴下不止或淋沥不尽，前者称崩中或经崩；后者称漏下或经漏；崩与漏出血情况虽不同，但二者常交替出现，故概称崩漏。

本病是因冲任损伤，不能制约经血，故经血从胞宫非时妄行。可突然发作，亦可由月经失调发展而来，常见病因有血热、肾虚、脾虚、血瘀等。

【方一】

乌梅肉15克，红糖适量。将上2味加水500毫升，煎至300毫升，去渣。日内分2次服。

本方适用于虚热之崩漏。

【方二】

豆腐250克，好醋120克。将豆腐

与醋同煮，煮熟即成，一次顿服，可连服数剂，血止后停服；要忌食辛辣等刺激性食物。

本方适用于血热崩漏。

【方三】

狗头骨 1 个，煅龙骨、棉花籽、百草霜各 18 克，黄酒适量。将猪头骨烧存性，龙骨煅，棉花籽炒，与百草霜共研为细末，混合均匀即成。每次服 24 克，用黄酒送下，微见出汗为好。

本方适用于肾阳虚的崩漏。

【方四】

鲜藕、鲜白萝卜、鲜旱莲草各 800 克。将上药洗净共捣烂，用净纱布包裹取汁，冰糖适量，不拘多少，频频饮服。

本方适用于肾阴虚之崩漏。

【方五】

麦麸 1 000 克，百草霜 30 克，红糖 250 克。将麦麸、百草霜、红糖加开水揉和成每个重 100 克的饼，将饼放笼屉上蒸熟，每日早晚空腹白开水送服 1 个。

本方适用于脾虚之崩漏。

【方六】

鲜益母草、鲜荠菜、生油各 30 克。前两味药洗净切断，铁锅置旺火上，注入生油，待油烧热后下鲜益母草、鲜荠菜炒熟，日分 2 次食。

本方适用于因瘀血所致的崩漏。

第二节

『带下病』

带下病指妇女带下量明显增多，色、质、臭气异常，或伴全身，或局部症状者，称带下病。

本病的产生是由于湿邪影响任、带，以致带脉失约，任脉不固所形成。但湿邪有内、外之别，外湿指外感之湿邪；内湿一般指脾虚失运、肾虚失固所致。

【方一】

荞麦粉 500 克，鸡蛋清 10 个，甘草末 60 克。先将荞麦粉炒黄，甘草研成细末，和匀。再用蛋清调，加适量温开水，做成丸。每日早晚用开水送下药丸 30 克。

本方适用于脾虚带下及湿热带下之轻者。

【方二】

白果肉 4 粒，鸡蛋 1 个。将白果去皮心，鸡蛋小头打一洞口，白果填入蛋内，用纸打湿，糊好洞口，将蛋煮熟或蒸熟即成。每天晨起吃 1 个，连服 5～10 天。病程长者，服 20 天亦可。

本方适用于脾虚之带下病。

【方三】

鲜鸡冠花、鲜藕汁、干燥白糖粉各500克。将鸡冠花洗净，加水适量煎煮，每20分钟取煎液1次，加水再煎，共煎3次。合并煎液，继续以小火煎煮浓缩，到将要干锅时加入鲜藕汁500毫升，再加热至稠烂时停火，待混匀、晒干、压碎，装瓶备用。每次10克以沸水冲化，顿服，每日3次。

本方适用于脾虚带下。

【方四】

金樱子、蜂蜜各200克。将金樱子剖开去核，洗净，水煮2次，合并滤液，浓缩至稀流膏状，加入滤净之蜂蜜，煮沸；每服10～15克，日2次，温开水冲服。

本方适用于肾阳虚之带下。

【方五】

黄狗肾（阴茎与睾丸）1具，冰糖少许。将狗肾洗净切碎，加水浓煎成胶，冰糖熬汁，兑入收膏。每服12克，黄酒兑服。

本方适用于肾阳虚所致带下病。

【方六】

龟鹿二仙胶360克，当归、黄芪各18克，枸杞子30克，米酒或高粱酒500毫升。各药物放入大口瓶内，再放入酒密封存4个月；睡前服1小杯。

本方适用于肾虚之带下病。

【方七】

何首乌60克，鸡蛋2只。

将何首乌、鸡蛋加水同煮，鸡蛋熟后去壳取蛋再煮片刻，吃蛋饮汤。

本方适用于肾虚之带下病。

【方八】

蚌肉150克，米酒、姜汁少许。将蚌肉洗净，先用花生油适量下锅，待油煎香后再放入蚌肉，然后加入米酒2～3汤匙，并加入汤汁1汤匙，清水适量同煮，用食盐少许调味，食蚌肉饮汤。

本方适用于肾阴虚之带下病。

【方九】

活甲鱼1只，虫草10克，红枣20克。将甲鱼切成4大块，放入锅中煮沸，捞出，割开四肢，剥去腿油，洗净；虫草洗净，红枣用开水浸泡；甲鱼放入汤碗中，上放虫草、红枣，加料酒、盐、葱节、姜片、蒜瓣和鸡清汤，上蒸笼蒸（或隔水蒸）2小时，取出，拣去葱、姜，佐餐食，日2次。

本方适用于肾阴虚之带下病。

【方十】

向日葵茎或根、荷叶各12克，红糖适量。以水3碗，煎向日葵茎或根、荷叶至半碗，加红糖溶化或熬化成糖浆即成。1日2次，饭前空腹饮下。

本方适用于湿热之带下病。

【方十一】

冬瓜子、冰糖各30克。将冬瓜子洗净，碾成粗末，加入冰糖，冲开水1碗，放在陶罐里，用文火隔水炖服。每日2次，连服数日。

本方适用于温热之带下。

【方十二】

草薢、银花各30克，绿豆30～60克。先将前2味洗净煎水，药汁和绿豆共煮为粥，加白糖适量调味，日1剂，连服3～5天。

本方适用于热毒所致带下病。

【方十三】

马鞭草60克（干品30克），猪肝60～100克。将马鞭草洗净切成小段，猪肝切片，混匀后用瓦碟载之，隔水煮熟服食。每日1次，3～4次显效。

本方适用于热毒所致之带下病。

【方十四】

薏苡仁50克，大米150克，土茯苓10克。皆淘洗干净，土茯苓装入纱布袋，扎口，水煮至米烂粥浓，去药袋，食粥。

本方适用于热毒之带下病。此外《健康之友》杂志曾发表过冯焕章一篇“白带便方与食疗”，现摘录于下，以供大家参考。

治疗便方：

清带汤：白术15克，苍术10克，淮山15克，陈皮3克，车前子12克，荆芥炭5克，白芍12克，柴胡6克，甘草5克，银花藤30克，蒲公英20克，椿树根白皮15克。水煎服。本方适应“湿热型”白带兼赤带。

完带汤加味：土炒白术15克，苍术10克，山药15克，车前子12克，荆芥炭5克，白芍12克，党参15克，炙甘草5克，白芷10克，艾叶12克。水煎服。带下日久，带质清稀如水兼有腰痛者，减去车前子，加韭菜子10克、覆盆子15克、菟丝子12克。本方适应“寒湿型”，白带稀如水，体质较差者。

草药单方：

1. 白鸡冠花、椿树根白皮各30克。水煎，分早晚服完。

2. 向日葵茎（晒干）切碎片，每次15克，水煎，加红糖30克溶化服。

3. 鲜山葡萄根（野葡萄）60～90克，加水浓煎取汁，每天1剂，分2～3次服（以上三方适应湿热型带下）。

外治法：

坐盆熏洗方：①防风12克，荆芥15克，银花30克，黄柏18克，蛇床子30克，白矾10克（用药液溶化）。煎水熏洗。适用于白带多，或外阴痒。②百部、蛇床子、苦参各15克，川椒6克，枯矾15克。煎汤，睡前趁热熏洗。适用于白带、外阴瘙痒难忍。

食疗方：

鸡冠金樱煲瘦肉：白鸡冠20克，金樱子肉15克，猪瘦肉150克。放锅里加适量清水煲汤，去药渣，调味后，饮汤吃肉佐膳。鸡冠花治白带，有收涩止带之功；金樱子补肾收涩止白带；瘦肉滋阴营养。适应白带稀如水，兼有腰痛的寒湿型。

樱根白果螵蛸小肚汤：金樱根90克，煨白果肉10个，海螵蛸25克，猪小肚（膀胱）1具。先将小肚去脂肪衣膜，洗净，放锅里，加入药物3味，清水适量，煲汤，去药渣，调味后，饮汤吃肉。金樱根升提补肾，收涩止带下；白果肉利尿收敛，治白带湿热；海螵蛸为收敛制酸药，治带良药。

淮山车前煲鲜墨鱼：淮山30克，车前草50克，鲜墨鱼250克。先将鲜墨鱼洗去衣膜污物，用沸水汆过；车前草洗净，同淮山、鲜墨鱼放入锅里，加适量清水煲汤，调味后，饮汤吃肉佐膳。淮山健脾，墨鱼疏肝，收涩止白带；车前草利尿清湿热。适应湿热型白带。

参芪怀杞炖乌鸡：黄芪15克，党参20克，淮山15克，枸杞子10克，乌鸡1只（即竹丝鸡）。先将乌鸡宰杀去毛、内脏，洗净，药材洗净，用少许白酒拌过，放入鸡腹内，缝好口，加适量汤（或沸水），放入大碗里盛载，隔水炖至烂熟，取出腹腔内药渣，加入调味料，饮汤吃肉分餐佐膳。黄芪补中益气，升提；党参补中健脾胃；淮山健脾补肾止白带；枸杞子补肝肾明目，强壮滋养。乌鸡为妇科圣药，能治妇女月经不调、带下等疾病，多吃健体强身。适应寒湿体虚型，白带久下不愈者甚有裨益，但须连续服用。

第三节

『妊娠病』

妊娠病是指在妊娠期间，发生与妊娠有关的疾病。本病的产生是因妇女受孕以后，阴血聚于冲任以养胎，致使孕妇机体处于阴血偏虚，阳气偏亢的生理状态；同时，随着胎体渐长，往往影响气机之升降，这些生理变化，多数孕妇皆能适应，但对于素有脏腑气血偏盛偏衰，或孕后复感引气，则可伤及脏腑、气血或冲任，从而发生妊娠病。

一、妊娠恶阻

妊娠恶阻指妊娠后出现恶心呕吐，头晕厌食，或食入而吐者。本病发生原因是冲脉之气上逆，胃失和降。临床常用的有效偏方如下：

【方一】

鸡蛋1个，白糖30克，米醋60毫升。将米醋煮沸，入白糖调溶，打入鸡蛋，煮至半熟，全部服食，日2次。

本方适用于脾胃虚弱所致恶阻。

【方二】

鲜韭菜汁10克，生姜汁5克，白糖适量。将鲜韭菜、生姜捣烂，绞取汁水，再将白糖少许，放入汁水中，拌匀即成。1日3次，饭前服，少少饮之。

本方适用于脾胃虚弱之恶阻。

【方三】

白术10克，鲫鱼30～60克，粳米30克。将鲫鱼去鳞甲及内脏，白术洗净先煎取汁100毫升，然后将鱼与粳米煮粥，粥成入药汁和匀，根据患者口味入盐或糖；食粥，每日1剂，可连服3～5天。

本方适用于脾胃虚弱之恶阻。

【方四】

佛手10克，生姜2片，白砂糖适量。前2味水煎取汁，调入白砂糖温服。

本方适用于肝胃不和所致妊娠恶阻。

【方五】

甘蔗汁1杯，生姜汁1匙。炖热温服。

本方适用于肝胃不和之妊娠恶阻。

二、妊娠腹痛

妊娠腹痛指在妊娠期因胞脉阻滞或失养，气血运行不畅而发生小腹疼痛者。本病发生的原因主要是血虚、气郁、虚寒等。

【方一】

黄酒500毫升，鸡蛋黄14枚。将2味同放入铝锅用小火炖煮至稠黏，待冷，在罐中备用。

本方适用于血虚妊娠腹痛。

【方二】

大红枣10枚，宁夏枸杞30克，子鸡（500克）1只。将鸡去毛及内脏洗净，与枣、杞同炖至鸡烂熟，服鸡与汤。食时可加入精盐少许调味。

本方适用于血虚妊娠腹痛。

【方三】

陈皮、木香各3克，瘦猪肉2 000克。先将陈皮、木香焙脆研末备用，在锅内放食盐少许烧热后，放入猪肉片，炒片刻，放适量清水烧熟，将熟时放陈皮、木香末、食盐和搅匀，食肉及汤。

本方适用于气郁之妊娠腹痛。

【方四】

绿茶、绿萼梅各6克。前2味共用沸水冲泡，代茶频饮。

本方用于气郁之妊娠腹痛。

【方五】

乌骨母鸡1只（约500克），草果、草豆蔻各5克。将鸡洗净，草果、草豆蔻入其腹内，以竹签缝好切口，加水煮熟，调味食。

本方适用于虚寒性妊娠腹痛。

【方六】

草豆蔻仁2枚，高良姜9～15克，生姜汁30～50毫升，羊肉100～120克，面粉120～150克，黄牛乳、鲜藕各适量。将草豆蔻煨后捣碎，高良姜切末，羊肉细切，炒作焦状。3味与面粉、生姜汁、牛乳共同调成糊状，灌入藕中诸窍，填满，于甑中（或笼内）蒸熟，每于饭后或睡前少少食。

本方适用于虚寒性妊娠腹痛。

三、妊娠胎漏，胎动不安

妊娠胎漏是指妇女妊娠期阴道少量出血，时下时止而后腰酸腹痛者；所谓胎动不安，是指妊娠期仅有腰酸腹痛或下腹坠胀，或伴有少量阴道出血者。二者常是堕胎、小产的先兆，现代医学称为“先兆流产”。

本病的发生在母体方面，是因素体虚弱，肾气不足；或因房事不节，耗损肾精，或由气血虚弱，或因邪热动胎，或因受孕之后兼患其他疾病，干扰胎元，以致胎动不安。本病的发生在胎气方面，是因夫妇之精气不足，两精虽能结合，但胎元不固，以致发生胎漏，胎动不安。常用的治疗胎漏、胎动不安的临床偏方主要如下：

【方一】

豆豉30克，鹿角末1克。以水200毫升煮豆鼓，取汁约100毫升，加入鹿角末搅匀，分2次服。

本方适用于肾虚之胎动不安、胎漏。

【方二】

母鸡1只，墨鱼干（带骨）1条，糙糯米150克，食盐少许。将母鸡宰杀洗净后，连内脏，与带骨墨鱼一同放入砂锅，加水炖烂熟，取浓汤备用。鸡肉墨鱼捞出佐餐，以浓鸡墨鱼汤煮糙糯米成饮，加盐少许调味。以鸡肉墨鱼为菜，吃鱼汤糯米饮，1日2餐均可食之。

本方适用于肾虚之胎漏，胎动不安。

【方三】

雌乌鸡1只，糯米100克，葱白3茎，花椒及盐少许。将鸡去毛及内脏，切细煮烂，再入米及葱、椒、盐煮粥，空腹食。

本方适用于气血虚弱所致之胎动不安、胎漏。

【方四】

鲈鱼250克，苎麻根30克。将鲈

鱼去鳞及内脏，洗净，切成鱼片，与洗净的苎麻根一起放入陶瓷罐内加水1 000克，煲至鲜鱼熟透，吃鱼饮汤，日1次，5～7次有效。

本方适用于气血虚弱或肾虚而致的胎动不安、胎漏。

【方五】

天门冬（连皮）50克（鲜品150克），红糖适量。将天门冬洗净后，加水约1 000毫升，煎取500毫升，加入红糖，烧沸，日温服1次，连服数日。

本方适用于血热所致的胎漏、胎动不安。

【方六】

生地黄（洗净切）1 200克。将地黄捣取自然汁，每服用7分盏，酒3分盏，同煎稍沸，稍热便服，日2～3服。

本方适用于血热所致胎漏、胎动不安。

【方七】

南瓜蒂10个，米粉300克。将南瓜蒂放在瓦上炙灰存性，研成细末，将糯米或粳米炒后研成米粉，与南瓜蒂末混合，用开水冲服30克。

本方适用于跌闪所致胎漏、胎动不安。

四、妊娠堕胎、小产、滑胎

所谓堕胎，是指孕妇妊娠12周内，胚胎自然殒堕者；所谓小产，是指妇女12～28周内，胎儿已成形而自然殒堕者；若堕胎或小产连续发生3次以上者，称为滑胎，现代医学称为“习惯性流产”。

三病最常见的原因是禀质虚弱以致胎不成实；其病理主要为肾虚受胎不实，冲任不固，或气血亏损，源流不继，以致发生殒堕，常用的治疗偏方主要如下：

【方一】

苎根（挫）80克，银花200克，清酒1盅。以水1大盅，煎至半盅，去滓；分2次温服。

本方适用于妊娠胎动欲堕、腹痛不可忍。

【方二】

苜蓿子3克，鸡蛋2个。将苜蓿子捣烂，加水煮20分钟，取汁1碗，倒入打匀的蛋液中，隔水蒸至凝膏，日1～2剂，连服1周。

本方适用于堕脱、小产。

【方三】

艾叶12克，鸡蛋2只。将艾叶、鸡蛋用瓦煲（忌用铁器），文火同煮（鸡蛋煮熟后去壳取蛋再煮）。有滑胎习惯的孕妇，孕后第一个月可每日服1次，连服5～8天；孕后第一个月，每日服1次；孕后第三个月每半月服1次；孕后第四个月，每月服1次，直至妊娠足月。

本方适用于滑胎。

【方四】

南瓜蒂3个，切片，煎汤。受孕月开始，每月服1次，连服5个月。本方适用于习惯性流产。

【方五】

菟丝子250克，熟地170克，党参、阿胶、杜仲各120克，川断、白术、鹿角霜、巴戟、枸杞各100克，当归头70克，春砂仁17克，大枣50枚。药研细末，炼蜜为丸，每次6～10克，日服3次，连服3个月为1疗程。

本方为广州名老中医罗元恺经验方，适用于先兆流产、习惯性流产。

【方六】

人参、黄芪、当归、续断、黄芩各3克，白术7克，川芎、白芍、熟地各2.5克，砂仁、炙甘草各1.5克，糯米1撮。水煎服，妊娠后每隔三五日服1剂，直至滑胎月份。

本方适用于因气血两虚，倦怠少食，屡有堕胎之患者。

五、妊娠小便不通

妊娠小便不通指妊娠期间，小便不通，甚至小腹胀急疼痛，心烦不得卧。

本病的发生，主要是胎气下坠，压迫膀胱，以致膀胱不利，水道不通，尿不得出，常用的治疗妊娠小便不通的偏方主要如下：

【方一】

鲜桃花5朵，大海米、熟火腿各10克，鸡蛋4个，调料适量。将鲜桃花摘去花蕊，取下花瓣洗净，控水，切成丝；海米淘洗净加入料酒，上笼蒸透，切成碎末；火腿、鲜姜分别切成末。鸡蛋在碗内打散，加入鸡汤、味精、料酒、白胡椒面、精盐、湿淀粉搅拌均匀，炒勺置火上，烧热放入猪油，入鲜姜末煸炒出味，捞出，下入调好的鸡蛋用手勺推炒熟，盛入盘内撒上鲜桃花丝、海米、火腿。

本方适用于妊娠小便不通。

【方二】

鲫鱼1条（约250克），笋肉25克，水发香菇5只，调料适量。将笋肉、香菇分别洗净，切片，鲫鱼去鳞、鳃、肠杂及颌下硬皮，用黄酒、盐、胡椒粉渍20分钟，取出置碗内。鱼身中间摆放香菇片，两头平列笋片，加黄酒少许、葱段、姜片、味精，上屉蒸1.5～2小时，至鱼熟烂，拣去葱姜。

本方适用于妊娠小便不通，

【方三】

鲈鱼肉180克，姜花0.9克，长葱段9克，白糖0.6克，汤45克，味精0.6克，香油0.9克，胡椒粉0.09克，绍酒9克，湿淀粉3克，生油750克（耗油45克），精盐0.9克。将鱼肉切成方块球形，用精盐拌匀。猛火烧锅放油，用中火将鱼球炒至六成熟，倒在笊篱里，去油。把锅放回火位，放入汤、姜、酒、盐、糖、香油、胡椒粉、鱼球，加盖至八成熟时放入葱段，并调入湿淀粉、味精、香油便成。

本方适用于肾虚之妊娠小便不通。

【方四】

四季葱500克。将葱洗净，不去根，用手截断，放入砂锅内炒熟，分两次轮流使用。每次取一半，用布或毛巾包裹，热敷下腹部，自脐部顺次向耻骨部熨之，冷后换药。每天1～2次，每次约30分钟，可不拘时。

本方适用于妊娠小便不利。

六、妊娠心烦

妊娠心烦指孕妇在妊娠期间出现烦闷不安，郁郁不乐，或烦躁易怒等现象。本病发生原因是火热乘心，但临床上有阴虚、痰火之不同。主要治疗的临床偏方如下：

【方一】

生地、酸枣仁各30克，粳米100克。将枣仁研细，水煎取汁100毫升，生地水煎取汁100毫升，粳米洗净，煮粥，粥成加入药汁，再煮1沸。早晚温服。

本方适用于阴虚所致的妊娠心烦。

【方二】

黄连5克，生白芍、阿胶各10克，鲜鸡蛋2个。前2味加水煎取汁，以30毫升沸水烊化阿胶，合并两汁，打入蛋黄搅匀煮沸，每晚睡前顿服。

本方适用于阴虚所致妊娠心烦。

【方三】

胖大海、广柑各500克，白糖100

克，甘草 50 克。将胖大海、甘草加水炖成茶，再将广柑去皮核，放小锅中，加白糖 50 克，腌渍 1 日，至广柑肉浸透糖，加清水适量，文火熬至汁稠，停火。又将每瓣广柑肉压成饼，加白糖 50 克，拌匀倒盘内，通风阴干，装瓶。每服 5～8 瓣，用已做好的胖大海甘草茶冲下，日 3 次。

本方适用于痰火所致的妊娠心烦。

七、妊娠水肿

妊娠水肿指妊娠后，肢体面目等部位发生浮肿。本病的发生主要是因素体脾肾阳虚，孕后更感不足，脾阳虚不能运化水湿，肾阳虚则上不能温煦脾阳，下不能温化膀胱，水道不利，泛溢肌肤，遂致水肿。此外，胎气壅阻，气机滞碍，水湿不化也造成肿胀。临床常用的治疗妊娠水肿的有效偏方如下：

【方一】

白扁豆皮 15 克，秋豆角 10 克，红糖适量。前 2 味煎汤取汁，调入红糖，日 1 剂，分 2 次服。

本方适用于脾虚所致妊娠水肿。

【方二】

怀山药 30 克，大枣 20 枚，肉桂 0.5 克，薏米 30 克。煮粥，日 1 剂，连服 4～5 剂。

本方适用于脾肾气虚所致妊娠水肿。

【方三】

白术、生姜、陈皮、白芍、当归各 10 克，茯苓 15 克，净青鲤鱼 1 条（约 500 克）。诸药用纱布包好，与鲤鱼同煮 1 小时，晨起吃鱼饮汤。

本方适用于妊娠水肿。

【方四】

杜仲、枸杞各 30 克，干姜 10 克，鲤鱼 500 克。前 3 味洗净，装入纱布袋，扎口，鱼去鳞、鳃及内脏，洗净，与药同煮 1 小时，去药袋，饭前食鱼饮汤。

本方适用于肾虚妊娠水肿。

【方五】

干姜、肉桂各 3 克，茯苓（去皮）30 克，面粉、白糖各适量。干姜、肉桂、茯苓分别为末，和匀，加面粉、白糖，与水调和后做饼，入笼蒸熟食。每服 15～20 克。

本方适用于肾虚妊娠水肿。

【方六】

黄豆芽 250 克，鲜蘑菇 50 克，调料适量。黄豆芽去根，洗净，加水煮 20 分钟，下磨菇片，入精盐、味精再煮 3 分钟，佐餐食。

本方适用于妊娠水肿。

【方七】

花生仁、豌豆各 150 克，陈皮 5 克，红枣 10 枚。诸味洗净加水共煮熟，温热食，1 日 1～2 次。

本方适用于气滞所致妊娠水肿。

【方八】

陈皮、陈瓢各 10 克，鲜竹叶 20 片，白糖适量。煎煮数沸，加白糖，代茶饮。

本方适用于气滞水肿。

第四节

『产后病』

产后病指产妇在新产后至产褥期中所发生与分娩或产褥有关的疾病。本病的发生主要原因有：

一是亡血伤津，此因分娩用力，出汗和产伤或失血过度，使阴血暴亡，变生他病。

二是瘀血内阻，产后余血浊液易生瘀滞，或胞衣残留或感染邪毒，均可导致瘀血内阻，败血为病。

三是外感久淫或饮食房劳所伤，产后气血俱伤，元气受损，抵抗力减弱，所谓“产后百节空虚”，稍有感触或生活失慎易致生产后诸病。

一、产后血晕

产后血晕指产妇分娩后，突然头晕眼花，不能坐起或心胸满闷，恶心呕吐，痰涌气急，心烦不安，甚至口噤神昏，不省人事。本病病因有虚有实，临床常用的有效偏方主要如下：

【方一】

生晒参 10 克。将其切成薄片，放入砂锅内，煎熬成汤。一次或分次服用。

本方适用于血虚气脱所致产后血晕。

【方二】

羊肉 500～1 000 克，鲜藕 2 350 克，山药 50～100 克，黄芪 15 克，黄酒、高曲、酒糟、腌菜末、盐各适量。将高曲、酒糟、黄芪同煮约 30 分钟取汁，羊肉、藕、山药洗净，切块，同放锅内，加黄酒与前汁同煮至肉熟，吃时加盐少许，撒上腌菜末，吃肉、藕，饮汤。

本方适用于血虚气脱之产后血晕。

【方三】

黑豆 50 克，苏木 12 克，红糖少许。黑豆洗净为细末，苏木劈细，同置锅中煮至豆熟，去渣留汁，加红糖，日 1～2 次。

本方适用于血瘀气闭之产后血晕。

【方四】

生山栀、益母草各 50 克，红糖 100 克。将山栀去核，切片，加水 500 毫升，与益母草同煎，煎取 400 毫升，入红糖搅匀，浓缩收膏，每服 20 毫升，日 2 次。

本方适用于瘀阻气闭产后血晕。

【方五】

鸡 1 只（约重 500 克），天麻 10 克，调料适量。将母鸡宰杀后去毛及内脏洗净，天麻洗净，切片后置鸡腹内，鸡入锅，加水清炖至熟烂，加调料入味后食用。

本方适用于身体虚弱所致的产后血虚头昏。

【方六】

屈头鸡（即毛蛋中已死亡之鸡仔）2～5只，川芎5克，当归9克。将屈头鸡去壳、毛和肠脏，洗净略切，与川芎、当归同加水炖，熟后饮汤食鸡。

本方适用于产后失血过多，头昏眼花。

【方七】

枸杞根250克，白酒1 000毫升。将药研细、布包、酒浸于净瓶中，封口，7日后，滤渣待用。日温浸15毫升，渐加至20毫升，不拘时，酒尽后，再加酒，味薄即止。

本方适用于妇女产后头晕目眩。

【方八】

母鸡1只，百合、粳米各60克。将鸡宰杀后去净毛及内脏，粳米、百合洗净后放入鸡腹中，缝合。加姜、葱、盐、酱油少许，用水煮熟，开腹取百合、粳米做饭，并饮汤吃肉。

本方适用于产后头晕又兼见少气、少食等。

【方九】

乌鸡1只,(约重1 000克)，黄芪50克，食盐适量。乌骨鸡去毛及内脏，留肝、肾，洗净。黄芪纳入鸡腹内，加水适量，隔水蒸烂，加盐调味，吃肉喝汤。

本方适用于产后失血、气血亏虚、肝肾不足、血虚头晕。

【方十】

糯米适量，大葱连须数根。将糯米洗净煮粥，快熟时，入葱，再沸，日1剂，分2～3温热服。

本方适用于产后血晕。

【方十一】

没药20克，酒3盅。将没药磨尽，每服1盅，煎沸温服。

本方适用于产后血晕腹痛。

二、产后腹痛

产后腹痛指产后伤血，冲任空虚，胞脉失养；或因血少气虚，运行无力，以致血流不畅，迟滞而痛。症见产后小腹隐隐作痛，喜按，恶露量少，色淡，头晕耳鸣，脉虚细。临床常用的治疗偏方如下：

【方一】

当归、续断、肉桂、川芎、干姜、麦冬各40克，芍药60克，吴茱萸、干地黄各100克，甘草、白芷各30克，黄芪40克，大枣20个，酒2 000毫升。将上药共研细，布包，用酒浸于净器中，经一宿，加水1 000毫升煮取150毫升，备用。每饭前温饮15～20毫升，日3次。

本方适用于治疗产后虚损、腹部疼痛。

【方二】

党参、白术、茯苓、炙甘草、熟地、白芍各10克，当归15克，川芎7.5克，肥母鸡1只，猪肉、杂骨各500克，葱、姜少许。用常规整理鸡，猪肉切碎，杂骨打碎，余药洗净用干净纱布包裹浸湿，将鸡、猪肉、骨、药包放入锅中，加水适量，用武火烧开，打去浮沫，加入姜、葱，再用文火烧至鸡肉烂熟，去药包，食肉及汤。

本方适用于血虚气弱之产后腹痛。

【方三】

鲤鱼鳞200克。将鱼鳞洗净，加水适量，文火熬成胶冻状。每次60克，黄酒冲化，温服，日2次。

本方适用于产后之瘀血腹痛。

【方四】

螃蟹数只，洗净，盛碗内，隔水蒸，将熟时加入米酒1～2汤匙，再蒸片刻。饮汤，食蟹肉（可蘸熟植物油、酱油、味精等调味品）。

本方适用于产后瘀血腹痛。

【方五】

生牛膝200克，酒3 000毫升。用酒煮取生牛膝1 200毫升，去渣。若用干牛膝根，酒渍宿后煮，随个人酒量分次服。

本方适用于产后腹中苦痛。

【方六】

当归、益母草各30克，川芎、桃仁、甘草、丹皮各10克，炮姜5克，白蜜50毫升。前7味加水500毫升，煮取300毫升，去渣，加白蜜收膏，每服30毫升，日3次。

本方适用于产后血虚受寒所致的小腹冷痛拒按。

【方七】

泽兰30克，粳米50克。先煎泽兰，去渣取汁，入米煮粥，空腹食。

本方适用于产后瘀滞腹痛。

【方八】

红兰花30克，酒2 000毫升。将药入酒内，煎至减半，顿服一半，未止再服。

本方适用于妇女产后，风邪入腹所致腹中刺痛。

【方九】

当归、山药、续断、熟地各15克，阿胶9克，人参6～9克，麦冬9～15克，肉桂3克，甘草3～6克。

水煎服，每日1剂，1日2次。

本方适用于气血虚弱所致腹痛。

【方十】

野鸡1只，面粉适量。将野鸡去毛及内脏，洗净，取其肉，剁茸作馅，调味。面粉和面作皮包馄饨，煮熟，空腹食。

本方适用于妇女产后体虚所致腹痛。

【方十一】

精羊肉100克，生山药50克，粳米100克。将羊肉与生山药分别煮至极烂，剁如泥状，后于羊肉汤内相和，并下米煮粥，空腹食。

本方适用于产后寒疝腹痛。

【方十二】

山楂糕300克，淀粉、精白面粉各50克，白糖150克，蜂蜜30克，植物油500克（实耗50克）。淀粉、面粉加水调成糊，山楂糕切成手指粗条放入糊中抓匀，将其逐个下入烧至六七成熟的植物油中（不能粘连），炸至金黄色时捞出，另锅内少许水，入白糖、蜂蜜，文火熬至水尽将成块时，与山楂条倒入，翻炒匀，待冷装瓶，日服2～3次。

本方适用于产后瘀血腹痛。

【方十三】

桂皮6～9克，红糖适量。水煎服，1日1剂，分2次服。

本方适用于妇女产后血瘀腹痛。

【方十四】

猪肝200克，芜荑末20克，面适量。将猪肝洗净后，顺其肝叶切成薄片，掺芜荑末于肝叶中，将面加水和后，裹于肝之表面，其外再裹以湿纸，置于塘灰中炮熟，去纸及面，空腹服。

本方适用于产后腰及脐腹痛。

三、产后恶露不绝

产后恶露不绝指妇女产后恶露持续20天以上仍淋沥不断者。本病发生原因是冲任为病，气血运行失常，但临床上有气虚、血热、血瘀之分别，常用的有效偏方主要如下：

【方一】

脱力草30克，鸡蛋10个，红糖

30克。将脱力草（若无，可用党参30克、黄芪60克代替）先熬水，去渣，再用滤液、红糖与鸡蛋同煮，以蛋熟为度，每天吃蛋2～3个，吃完可再制。

本方适用于产后之气虚所致恶露不尽。

【方二】

人参10克，净乌骨鸡1只，精盐少许。将人参浸软切片，装入鸡腹，放入砂锅内，加盐，隔水炖至鸡烂熟，食肉饮汤，日2～3次。

本方适用于产后气虚之恶露不尽。

【方三】

藕汁100克，白糖20克。先将鲜白嫩藕榨取藕汁，冷藏备用，再将白糖兑入藕汁中，冷饮之。

本方适用于血热所致产后恶露不尽。

【方四】

仙鹤草、益母草各30克，红糖10克。先将二草浓煎，去渣，取滤液，入红糖于滤液中，煮1～2沸，即可服用，每日2～3次。

本方可用于血瘀之恶露不尽。

【方五】

小蓟（全草）、益母草各60克。两者洗净，同加水煎汤，去渣再煎至浓稠服。

本方适用于血瘀所致恶露不安。

四、产后大便难

产后大便难指产后大便坚涩，或数日不解，或排便时干燥疼痛，难以解出者。本病的发生是由于分娩失血，营血骤虚，津液亏耗，不能濡润肠道，以致肠燥便难；或阴虚火旺，内灼津液，津少液亏，肠道失于滋润，传导不利，则大便燥结。常用的治妇女产后大便难的偏方主要如下：

【方一】

木耳30克，海参20～30克，猪大肠50～200克。将猪大肠洗净切小段，与海参、木耳加清水适量同煮，熟后以食盐、味精调味服食。

本方适用于产后大便难。

【方二】

松子仁30克，糯米50克，蜂蜜适量。将松子仁捣成泥状，同糯米加水，文火煮稀粥，冲入蜂蜜，早起空腹及晚间睡前分2次温食。

本方适用于产后大便难。

【方三】

番薯500克，红糖适量，生姜2片。将番薯削去外皮，切成小块，加水适量，煮至熟透时，入红糖、生姜继煮片刻，作点心食。

本方既适应于妇人产后便秘，又适合老人肠燥便秘。

【方四】

苏子10克，火麻仁15克，粳米50～100克。苏子、火麻仁捣烂，加水研，滤取汁，与粳米同煮粥，任意服。

本方适用于妇女产后大便难。

【方五】

黑芝麻、冰糖各150克，大米100克，糖橘饼1只。将芝麻洗净炒香，大米浸泡1小时，2味混合后加水磨成浆，冰糖加水煮沸，改用文火，调入芝麻大米浆，不断搅拌直至成稠原糊，撒上切成米粒大小的橘饼。

本方适用于妇女产后燥热便秘等症。

【方六】

炒柏子仁15克。将柏子仁炒香，轻轻捣破，开水冲泡茶盖扣紧，代茶服。

本方适用于妇女产后肠燥便秘。

【方七】

苦杏仁、上白粳米各6克。杏仁用沸水泡片刻，剥去皮尖，与粳米加水磨成浆，加白糖适量，煮熟，作茶饮，日1次。本方适用于产后血燥津亏，大便秘结。

【方八】

大麻仁10克，粳米50克。将麻仁捣烂水和滤汁，与粳米煮粥任意食。

本方适用于产后血虚便秘。

【方九】

母鸡1只，当归30克，醪糟汁60克。将鸡去毛、内脏，洗净，当归洗去浮灰，将鸡放入砂锅内，同时加水、醪糟汁、当归、姜、葱、盐，盖严锅口，先在旺火上烧开，再用小火炖3小时，出锅时撒胡椒面，佐餐食。

五、产后排尿异常

产后排尿异常指妇女产后小便不通或尿意频数，甚至小便失禁者。本病发生原因是膀胱气化失职所致，临床又可分为气虚、肾虚、膀胱损伤3种，常用的治疗小便异常的偏方如下：

【方一】

鲫鱼1条（约250克），笋肉25克，水发香菇5只，调料适量。将笋肉、香菇分别洗净，切片，鲫鱼去鳞、鳃、肠杂及颌下硬皮，用黄酒、盐、胡椒粉渍20分钟，取出，置碗内，鱼身中间摆放香菇片，两头平列笋片，加黄酒、葱段、姜片、味精少许，上屉蒸1.5~2个小时，至鱼熟烂拣去葱、姜。

本方适用于妇女产后小便不利。

【方二】

麻雀2只，菟丝子、枸杞子各15克。将后2味洗净，装入纱布袋内，扎口，麻雀去毛及内脏，洗净，与二药加水同煮熟，食肉饮汤。

本方适用于肾虚产后排尿异常。

【方三】

益智仁30克，桑螵蛸15克，猪脬1具。前二药洗净，用纱布包好，与洗净的猪脬同放砂锅内炖熟，弃药包，调入盐，食肉饮汤，日1剂。

本方适用于膀胱损伤所致产后排尿异常。

【方四】

白及、凤凰衣、桑螵蛸各10克，猪脬1个。将猪脬洗净，余药入内，扎口，煮烂服食。

本方适用于产后伤脬，小便淋沥不止等症。

【方五】

莴笋250克，海蜇皮150克，芝麻酱30克，调料适量。将莴笋去皮，切细丝，盐渍20分钟，挤干水分，海蜇皮洗净切丝，用凉水淋冲沥水，二者相合，调入芝麻酱、麻油、白糖、精盐、味精拌匀，佐餐食。

本方适用于妇女产后小便不利。

六、产后缺乳

产后缺乳是指产妇在产后2～10天内没有乳汁分泌和分泌乳量过少，或者在产褥期、哺乳期内乳汁正行之际，乳汁分泌减少或全无不够喂哺婴儿的，统称为缺乳，又称“乳汁不行”。

由于乳汁过少或无乳的最明显表现为新生儿生长停滞及体重减轻。因此，不仅给婴儿的生长、发育造成影响，而且也会给家庭带来各种困难和麻烦，故对产后缺乳要积极进行有效的防治，能够有效地治疗产后缺乳的秘方、偏方主要如下：

【方一】

芝麻酱100克，鸡蛋4个，小海米、葱丝、味精各适量，食盐少许。先用水将麻酱调成稀糊状，然后打入鸡蛋，加适量水搅匀，再加入调料，置锅内蒸熟即可。将蒸熟之羹1次食用。每日2次，一般3日见效。

本方尤适用于产后气血虚弱所致乳汁不足、乳无汁。

【方二】

豆腐120克，红糖30克，黄酒1小杯。将豆腐、红糖加水600毫升，入锅中用文火煮，煮至水约400毫升时，即可加入黄酒调服。吃豆腐，喝汤。

本方尤适用于产后血虚津亏所致乳汁不行，乳无汁，有热者更宜服用。

【方三】

母猪蹄4只，土瓜根、通草、漏芦各100克，粳米（或糯米）500克。猪蹄洗净，每只切两半入锅内，加水3 000毫升，旺火煮至1 500毫升，取出猪蹄，放入土瓜根、通草、漏芦再煮，取汁900毫升，然后去滓，将米入汁内煮粥。趁热喝汁，以饱为度，若身热微汗出者佳，不见效再服。

本方尤适用脾胃素虚，兼有肝郁气滞、经脉不畅的乳汁不行、乳无汁。

【方四】

木瓜500克，生姜30克，米醋500克。用瓦煲，分次吃，以利于吸收。

【方五】

生姜500克，猪脚2只，甜醋1 000毫升。将生姜刮去皮切块，猪脚切块，二者同醋煮熟。分数日食完，煮好后若放置一二周再食，则效更佳。

【方六】

棉花籽10克，鸡蛋2个。将上述二物加清水2碗同煎，蛋熟后去壳再煎片刻，加白糖适量调味，饮汤食蛋。

【方七】

莴苣子100克，糯米、粳米各50克，甘草25克。将4味加水1 200毫升（3大碗），煎汁取700毫升。去渣分3次温服，1～2剂即可见效。

本方对产后脾胃虚弱所致的血虚乳少、乳无汁有特效。

【方八】

赤小豆50～100克。将小豆洗净，加水700毫升，入锅中，旺火煮至豆熟汤成，去豆饮汤。

本方尤适用于产后乳房充胀，乳脉气血壅滞所致的乳汁不行，乳无汁。

【方九】

猪蹄1只，花生米50克，香菇15克，调料少许。煮熟后食用。

【方十】

鲫鱼500克，通草9克，猪前蹄1只。共煮汤，熟后去药，食肉饮汤。

【方十一】

芝麻30克，鸡蛋3只，盐少许。将芝麻炒香，研细末，加少许盐，另将鸡蛋煮熟后，剥去外壳沾芝麻末食用，以能消化为度。

【方十二】

豆腐5块，丝瓜250克，香菇25克，猪前蹄1只。先煮猪蹄、香菇，加盐、姜调味，待肉熟后，放入丝瓜、豆腐同煮食用。1日内分次吃完。

【方十三】

紫河车1具。将其洗净，炒焦，研末，每次服3～9克。

【方十四】

花生米200克，红糖20克。先将花生米炒熟，碾成粉状，加入红糖，用开水调成糊状服用。

【方十五】

紫河车100克，猪瘦肉200克，葱白3茎，黄酒50毫升，精盐少许。将胎盘洗净，切成长3厘米、宽1厘米长条，猪瘦切成长3厘米、宽2厘米的薄片。然后将上五味一同入锅中，加水800毫升，用旺火炖至肉熟，吃胎盘、猪瘦肉，喝汤，一般3～5次见效。

【方十六】

鲇鱼1条（重300～400克），鸡蛋4个。将鲇鱼去内脏洗净，置锅内，加水700～800毫升，用旺火煮沸后，改用文火，将鸡蛋打入鱼汤中，稍候片刻，继续用旺火煮至鲇鱼熟透，吃鲇鱼、鸡蛋，喝汤，日服2次，一般3～4天即效。

【方十七】

人参、生黄芪各30克，当归60克，麦冬15克，木通、桔梗各9克，七孔猪蹄2个（去爪壳）。水煎服，1日2次。

【方十八】

炒麦芽120克。加水500毫升，煎煮数沸，洗双侧乳房20分钟，再用木梳由周围向乳头梳理数遍。

【方十九】

核桃5个，黄酒适量。核桃去壳取仁，捣烂，黄酒冲服。

本方尤适用于乳汁不通所致乳少。

【方二十】

红衣花生、玉米渣、大米各100克。将玉米渣、花生加水煮至五成熟，入大米，再加适量水，以小火熬成原粥，随口味加糖服。

【方二十一】

天花粉15克，豇豆100克。2味洗净，加水同煮，油、盐调味，饮汤食豇豆。

【方二十二】

红薯叶250克，猪五花肉200克，调料适量。洗净红薯叶，切碎，猪肉洗净，切成2厘米长、1厘米宽的块，将2味放锅内，加葱、姜、盐、味精等，武火烧沸后，转用文火炖至肉烂，食肉饮汤。

【方二十三】

羊肉250克，猪蹄1只（约500克），调料适量。将猪蹄刮洗净，加酒、酱油浸1小时，羊肉切成方块，用少许油爆香蒜茸，投入羊肉翻炒至干，烹上米醋，再炒焙干，以去尽膻味，然后投入葱、姜、桂皮及调料，改用文火焖熟，拆去骨，收干卤汁。

食羊肉猪蹄膏，1日数次。

【方二十四】

蹄筋350克，鸡脯肉50克，鸡蛋清3只，料酒、精盐、葱末、生粉各适量。将蹄筋切成段，加水烧开片刻后，捞起备用，鸡脯肉去筋放在肉皮上，敲成细茸，放入碗中用水化开，加料酒、盐、生粉和蛋清等调成薄浆。锅内调入清油，烧熟后放入蹄筋和调味品，待入味后，将鸡茸浆徐徐倒入，浇上葱油。

本方尤适用于产后亏损所致乳汁缺乏。

【方二十五】

党参9克，大枣20克，覆盆子9克，粳米60克。将前3味用纱包袋包好，加水煎汤去渣后入粳米煮作粥。每日1剂，连续服食4～5剂。

【方二十六】

豌豆100克，红糖适量。将豌豆用温水浸泡数日，用微火煮至糜烂如泥，调入红糖，不拘时食。

本方尤适用于脾胃不和所致乳汁不下。

【方二十七】

大鲤鱼1条，赤小豆50克，陈皮、小椒、苹果各6克。将鱼去鳞、鳃及内脏，洗净，切段，与诸药加水同煮约40分钟，调味，空腹温服。

【方二十八】

赤小豆50克，糯米甜酒酿250克，鸡蛋4个，红糖适量。赤豆洗净，加水煮烂，入甜酒酿，烧沸，打入鸡蛋，待蛋凝熟透加红糖。吃蛋喝汤。

本方尤适用于血虚所致的乳汁不下。

【方二十九】

鸡爪10只，花生米50克，调料适量。将鸡爪剪去爪尖，洗净，下锅，加水、黄酒、姜片，煮半小时后，再入花生米、精盐、味精，用文火焖煮1.5～2小时，撒上葱花，淋入鸡油。

本方适用于产后血虚、乳汁不足。

【方三十】

金针菜30克，猪瘦肉60克，调料少许。将金针菜洗净，猪肉切成片，同放陶瓷锅内，用旺火隔水炖熟，加入调料，吃肉、菜，喝汤。

【方三十一】

牛鼻子1个，生姜2片。将牛鼻子洗净，去毛，切片，放炖盅内，加生姜、水适量，隔水炖熟，食盐调味，饮汤食肉。

【方三十二】

炙黄芪50克，通草10克，母鸡1只，精盐、黄酒各适量。前2味洗净，鸡宰杀后去皮，剖腹，洗净，滤干，切大块，放入磁盘内，加入二药，撒上精盐1匙（宜淡不宜咸），淋上黄酒3匙，不加盖，用旺火隔水蒸3～4小时，空腹食或佐餐食。1日分2～3次吃完。

【方三十三】

母鸡1只（约1 500克），猪排骨2块，调料适量。将母鸡宰杀后，去毛、内脏，洗净，与猪排骨同入沸水锅内，加葱、姜、料酒、精盐，用文火焖约3小时，至鸡肉脱骨入味精，佐餐，日数次。

【方三十四】

天冬60克，猪瘦肉500克。将肉切块洗净，与天冬共加水，文火炖至肉熟烂，食肉饮汤。

【方三十五】

鲜石斛50克，花生米500克，食盐6克，大茴香、山楂各3克。将石斛切成1厘米长的节，锅内加清水，并入食盐、大茴香、山楂、石斛，待盐溶后，倒入花生米，烧沸后文火煮约1.5小时，至花生米入口成粉质，佐餐用。

【方三十六】

虾米30克，粳米100克。

将虾米用温水浸泡半小时，与粳米煮粥，每日早晚温热服食。

本方尤宜于肾精不足所致的乳汁不通。

【方三十七】

粳米100克，薤白、枳壳各10克，陈橘皮15克，豆豉10克，大枣8枚，生姜汁适量。先将薤白、枳壳、陈橘皮煎汤取汁，去渣，再加入粳米、大枣、豆豉煮粥，待粥熟调入生姜汁，空腹温服。

本方适用于妇女产后断奶乳胀。

【方三十八】

穿山甲珠30克，丝瓜络15克，猪蹄筋200克，佛手10克。将三药装纱布袋内，扎口，与猪蹄筋同置砂锅或高压锅内炖至熟，弃药袋，调入适量盐、姜汁。饮汤食肉，日数次，连用至乳多为止。

【方三十九】

鲜橙汁半碗，米酒1～2汤匙。将米酒冲入鲜橙汁内，日服2次。

本方尤适用于妇女哺乳期乳汁排出不畅、乳房红肿、结硬疼痛等症。

【方四十】

川芎6～9克，当归9～12克，穿山甲肉45～100克。放容器中，加水适量，放入锅中，隔水炖2～3小时，饮汁食肉。

本方适用于产妇乳房胀硬、乳汁不下等症。

【方四十一】

嫩豌豆250克。加水适量，煮熟淡食，共饮汤。

【方四十二】

焦麦芽60克。水煎取汁，当茶饮。

七、产后自汗、盗汗

产后自汗是指产妇出现涔涔汗出、持续不止者；所谓产后盗汗，是指产妇睡后汗出湿衣，醒来即止者。本病的发生主要是产后气虚，卫阳不固或阴虚内热，浮阳不敛，自汗外溢所致，临床治疗产后自汗、盗汗的有效偏方、验方如下：

【方一】

黄芪15克，羊肉90克，桂圆肉10克，怀山药15克。将羊肉用沸水稍煮片刻，捞出后即用冷水浸泡以除膻味；用砂锅将水煮开，放入羊肉和3味药同煮汤。食时调好味，可饮汤吃肉。

本方适用于气虚产后自汗。

【方二】

羊肚1个，黑豆50克，黄芪40克。将羊肚剖洗干净，细切，每用100克与黑豆、黄芪共煮为粥，日服2次。

本方适用于气虚产后自汗。

【方三】

糯稻根30克，泥鳅90克。先将泥鳅宰杀洗净，用食油煎至金黄，用清水2碗煮糯稻根，煮至1碗汤时，放入泥鳅煮汤，吃时调好味，连汤带鱼同吃。

本方适用于气虚产后汗出。

【方四】

豆腐衣2张，鹌鹑蛋8个，水发香菇2只，火腿肉25克，调料适量。将豆腐衣撕碎，洒上少许湿水润湿，鹌鹑蛋磕入碗内，加盐少许，搅打均匀，香菇切丝，火腿切末，炒锅放火上，放入猪油，烧热，爆香葱花、姜末，倒入鹌鹑蛋翻炒至凝结，加水，烧沸，投入香菇，调入黄酒、精盐、味精，煮15分钟，下豆腐衣，撒上火腿末。

本方适用于产后体虚自汗。

【方五】

羊肚1个，糯米60克，红枣5枚。将羊肝洗净，糯米用水浸透，把糯米与红枣同放羊肚内，缝好口，放盆内隔水炖热，佐餐食用。食用时切开羊肚，调好味。

本方适用于产后出汗过多，不能自止。

【方六】

猪肚1个，黄芪15克，人参3克，

粳米 50～100 克，莲实 30 克，小麦适量。将猪肚用盐搓洗干净，与小麦同煮至半熟，取出猪肚细切。诸药切碎，装入纱布袋，扎口，与猪肚加水同煮至熟烂，去药袋及猪肚，再下米煮粥，临熟入葱，调味随意喝粥吃猪肚。

本方适用于产后气虚自汗、食少。

【方七】

猪肉、生姜、白蜜各 100 克，黄精 50 克。将生姜捣茸，煎取浓汁 100 克，与猪油、黄酒、白蜜同煎熬膏，每服 10 克，日 3 次。

本方适用于产后体虚，畏风自汗。

【方八】

猪肉适量，牡蛎粉、麦麸（炒黄）各等份。将猪肉洗净煮浓汤，二粉调均，每取 3 克调入猪肉汤内服食。

本方适用于产后体虚自汗、盗汗。

【方九】

甲鱼 1 只，川贝母 5 克，鸡清汤 1 000克。将甲鱼切块，放蒸钵中，加入贝母、盐、料酒、花椒、姜、葱，上笼蒸 1 小时，趁热佐餐服食。

本方适用于阴虚产后盗汗。

【方十】

小麦仁 60 克，糯米 30 克，大枣 15 枚，白糖少许。将前 3 味洗净，共煮作粥，入白糖令溶，日 2 次。

本方适应于产后阴虚盗汗。

第五节

『妇科杂病』

妇科杂病是指凡不属于经、带、胎、产疾病的范畴，但又与女性生理病理特点有密切关系的疾病。治疗这类疾病的偏方、验方主要如下：

一、妇女子宫脱垂

妇女子宫脱垂指子宫脱垂至阴道口外，主要病因是气虚下陷与肾虚不固致胞络损伤，不能提摄子宫。

【方一】

莲子 250 克，猪肚 1 只，黄酒适量。将莲子洗净，冷水浸泡半小时，备用，猪肚用冷水内外冲洗后，用细盐反复擦洗内壁，再用冷水冲洗干净，肚子剖开 1 个缺口，将莲子塞入肚腔内，再用线将猪肚封口，肚子的两头也用线扎牢，再把猪肚放入砂锅内，加冷水将猪肚浸没，用旺火烧开后，加黄酒 2 匙，再改用小火慢炖 3～4 小时。如水不够，可再加水，直至肚子酥烂，离火。吃时，将肚子切开，拆线，取出莲子，烘干，磨成粉末，每日 3 次，每次 1 匙，开水吞服。莲子也可加白糖当点心吃；肚子蘸酱油佐餐食，也可切片放入汤内，加细盐半匙，再烧片刻，连汤吃。

本方对妇女子宫轻度下垂属气虚者有效。

【方二】

选肥壮的山羊。在羊耳尖部位消毒后取血十数滴，用温开水1次冲服，日服1次，有仅服2次得愈者。

本方适用于气虚所致子宫脱垂。

【方三】

新鲜荷叶5张，黑枣250克，猪油、黄酒各适量。将荷叶洗净，并把每张荷叶裁剪成10～12小方块，备用；再将黑枣用温水浸透半小时后，洗净，离水，加黄酒3匙拌匀湿润。又将黑枣用荷叶包起来，每小张包1只黑枣，包时，在黑枣表面涂上一层熟猪油，荷叶要包紧，不使散开。包好后放入磁盆内，最后将荷叶枣用旺火隔水蒸2～3小时，磁盆加盖，不让水蒸气进入，以后，每次可取数只，在饭上蒸热吃。每日2次，每次4～6只。

本方对脾虚下陷所致子宫下垂常食有效。

【方四】

升麻15克，黑芝麻100克，猪大肠1段（30厘米长），调料适量。将升麻、黑芝麻装入洗净之猪大肠内两头扎紧，放入砂锅内，加葱、姜、盐、黄酒、清水适量，文火炖3小时，至猪大肠熟透。

本方适用于气虚所致子宫脱垂。

【方五】

金樱根60克，母鸡1只（重约500克）。将鸡宰杀去毛、头足及内脏，洗净，金樱根洗净，切碎，放鸡腹中，加米酒少许，清水适量，放容器内隔水炖熟，调味后饮汤食鸡。

本方适用于肾虚所致子宫脱垂。

【方六】

去壳鲜荔枝（连核）、陈米酒各1 000克。将荔枝浸于酒内1周后饮用，按各人酒量不同酌饮，每日早晚各1次。

本方适用于肾虚之子宫脱垂。

【方七】

何首乌30克，500克重雌鸡1只。将鸡宰杀后去毛和肠脏，以白纱布两三层包何首乌末（以免粉末漏出）纳鸡腹内，加清水放锅内煲至鸡肉离骨，取出何首乌末，加盐、油、姜、酒调味，饮汤吃鸡，1日内分两次服完。

本方对肾虚之妇女子宫脱垂有效。

二、不孕症

不孕症指女子结婚后夫妇同居2年以上，配偶生殖功能正常，未避孕而不受孕者。本病发生的原因有肾虚、肝郁、痰湿、血瘀等，临床常用的有效的偏方、验方主要如下：

【方一】

青虾250克，韭菜100克。将青虾洗净，韭菜洗净，切段。先以素油煸炒虾，烹黄酒、酱油、醋、姜丝等调料，再加入韭菜煸炒，嫩熟即可。

本方对肾虚不孕有效。

【方二】

生姜、红糖各500克。将姜捣为姜泥，混入红糖，蒸1小时，晒3日。共九蒸九晒，最好在夏季3伏，每伏各蒸晒3次即成。在月经期开始时服用，每次1匙，1日3次，连服1个月，服药期间忌房事。

本方对妇女宫冷不孕有效。

【方三】

仙灵脾250克，熟地150克，醇酒1 250毫升。将药共碎细，纱布包贮，用酒浸于净器中，密封，勿通气，春夏3日、秋冬5日后方可开取饮用。每日适量温饮之，常令有酒力相续，但不得太醉。

本方适用于妇女宫冷不孕。

【方四】

猪脊髓200克，团鱼250克，调料适量。将猪脊髓洗净，团鱼用开水烫死，揭去鳖甲，去内脏，放入铝锅内，加水、姜、葱、胡椒面，用旺火烧沸后，改用小火煮至团鱼肉熟，再放入猪脊髓，煮熟加味精，吃肉喝汤。

本方适用于妇女由于肾阴虚所致不孕症。

【方五】

荔枝核15克，小茴香10克，橘核15克，粳米50克。先将荔枝核、橘核、小茴香一起水煎，滤取药液备用，用药液同粳米煮粥，男方随时可服。女方于月经结束一天开始早晚各服1剂，连服1周；又于下个月经周期再服，连用3个月。

本方适用于肝郁妇女不孕。

【方六】

陈皮、石菖蒲各10克，北粳米200克，川芎6克，神曲9克，香附、苍术各6克，冰糖少许。将陈皮、石菖蒲、川芎、神曲、香附、苍术、白术研末，粳米、冰糖同入砂锅内，加水煮至汤稠时，调入上述各药研成的末，日2次，温热食。

本方适用于痰湿不孕。

【方七】

当归300克，党参、益母草各200克，川芎、醋制香附、泽兰各75克，大红袍120克，苯甲酸1.5克，尼泊金、食用橙皮油各1克，蔗糖650克。当归、川芎、香附研成粗粉，加水适量润湿，静止1小时，通蒸气，收集馏液；把药液滤过，药渣与益母草、党参、大红袍、泽兰加水煎者2次，合并煎液，馏液浓缩，加乙醇后静置，过滤，回收乙醇，加苯甲酸、尼泊金、蔗糖溶解，过滤，加食用橙皮油，和匀，再加冷开水至1 000毫升，分装。每服10毫升，日3次。

本方适用于血瘀不孕。

【方八】

大熟地（九蒸）30克，当归（酒洗）、白芍（酒炒）、山萸肉（蒸熟）各15克。水煎服，1日1剂，分2次服，3个月有效。

本方为《傅青主女科》治不孕症方。

【方九】

雷丸、郁金、石见穿各20克，百部、麦冬、槟榔、赤芍、桃仁、路路通各15克，桂枝、细辛各5克，丹皮、穿山甲、皂角刺各10克。水煎服，每周4剂。

本方为杨宗孟专治不孕症方。

【方十】

升麻、柴胡、川芎各3克，香附、桑白皮、橘叶、白蒺藜各4.5克。水煎服，每日1剂，日服2次。

本方出自《杂病源流犀烛》，适用于肝经郁滞所致不孕症。

【方十一】

枸杞子、菟丝子、五味子、覆盆子、车前子、益智仁、乌药、炙龟板各12克。水煎服，每日1剂，日服2次。

本方出自《妇产科学》，适用于阴阳两虚所致不孕症。

【方十二】

大熟地、巴戟天各30克（盐水浸），土炒白术30克，人参、生黄芪各15克，山萸肉9克，枸杞子6克，柴胡1.5克。水煎服，每日1剂，日服2次。

本方出自《傅青主女科》，适用于肾气不足所致的不孕症。

【方十三】

酒炒白芍30克，酒炒香附、酒洗丹皮、茯苓（去皮）各9克，酒洗当归、土炒白术各150克，花粉6克。

水煎服，每日1剂，1日2次。

本方出自《傅青主女科》，适用于肝郁气滞所致不孕症。

【方十四】

紫石英、党参、川断各15克，仙灵脾9～15克，黄芩、徐长卿、菟丝子、当归、白芍、白术、云苓、炙甘草各9克，熟地12克，川椒1.5克，鹿角霜、川芎各6克。水煎服，每月从月经第七天开始服药，每日服1剂，连服3天，停药1天，再服3剂，每月共服6剂，6剂服完后方可交合（服完药恰好是排卵期）。

本方适用于原因不明的不孕症。

【方十五】

丹参30克，香附、赤芍、白芍、桃仁、络石藤、红花各9克，当归、连翘各12克，川芎、小茴香、炙甘草各6克。水煎服，1日1剂，分2次服。

本方适用于输卵管梗阻性不孕症。

【方十六】

紫石英15～30克，川椒1.5克，川芎6克，川续断、川牛膝、仙灵脾、当归各12～15克，菟丝子、枸杞子、丹皮、香附、赤白芍各9克，桂心6克。水煎服，1日1剂，分2次服。

本方适用于排卵障碍性不孕症。

【方十七】

桃仁、红花、川芎、当归、丹参、山栀、地榆炭、延胡、甘草各40克。水煎服，1日1剂，分2次服。

本方为宁波市第一医院朱菲青治疗宫外孕验方。

【方十八】

丹参、花蕊石各15克，赤芍、桃仁各9克，乳香、没药各5克，槐花10克。水煎服，1日1剂，分2次服。

本方为天津妇幼保健院周嘉媛治疗宫外孕的验方。

【方十九】

益母草30克，当归15克，鸡蛋2个。将药用清水2碗煎取1碗，用纱布滤渣，鸡蛋煮熟，冷却去壳，划弄小孔数个，用药汁煮片刻后，饮药汁吃鸡蛋。每周吃2～3次，1个月为1疗程。

本方适用于不孕症。

【方二十】

玉兰花将开未开，每岁1朵（如20岁用20朵）。每日清晨，空心水煎服。

本方主治因痛经所致不孕症，出自《良方集要》。

【方二十一】

粳米100克，鹿角胶15克。粳米煮粥，粥熟后加鹿角胶，姜米、精盐少许，食用3～5天为1疗程。

本方主治不孕症。

【方二十二】

吴茱萸、川椒各240克。炼蜜为丸，如弹子大，棉裹纳入阴户中，日夜一换，1月后子宫和暖，即可成孕。

本方主治子宫寒冷不能受孕。

【方二十三】

川芎5克，肉桂1克，鸡血藤20克，炒炽实、怀牛膝各15克，水牛角30克，益母草、路路通、王不留行各15克，穿山甲、赤芍各10克，绒毛20克（人工流产取出胚胎组织）。日服1

剂，分2次煎服，连服5剂。

本方为厦门著名中医吴熙验方，功能疏通脉络，活血化瘀，适用于输卵管不通所致的原发性不孕症。

治疗本病，通其闭塞，使其通畅是关键所在，然而通法众多，总不离虚则补之，实则泻之，随证而施，方为稳妥。笔者曾治疗3位亲姐妹同患不孕症，经治疗后大姐（36岁时）、二姐（38岁时），分别生4男孩，三妹（32岁时）亦生1女孩。

【方二十四】

鹿鞭1只，罐头蘑菇90克，带皮猪肉100克，海米30克，嫩母鸡500克，干贝30克，味精、料酒、胡椒粉、鸡油、葱、姜、精盐、鸡汤各适量。将鹿鞭温水泡透，用刀沿纵向剖开，将尿道尾用刀削掉，再用开水将外皮烫掉，放锅内用开水煮1小时左右，用冷水洗净，放锅内，加鸡清汤、干贝、海米、净嫩母鸡、洗净猪肉、葱、姜共炖烂。将炖烂的鹿鞭取出切成斜片。锅内注入鸡汤，加入蘑菇（大的切四半，小的切两半），料酒、胡椒粉、盐、鹿鞭片同烩，最后加味精，淋上鸡油即成。

本汤菜以鹿鞭、蘑菇、海米、干贝等为主料而成，鹿鞭有壮元阳、益肾精之功效，与开胃、理气之蘑菇，补虚益气血之母鸡肉，补阳益肾强精之海米，数料合用，则具滋阴补阳、益肾暖宫之功效。适于阳痿早泄，腰膝酸软及慢性睾丸炎，女子宫寒不孕等患者食用，健康人食用能增强体质。

阴虚火旺病人慎用。

【方二十五】

人参、陈皮各3克，鹿尾、母鸡各1只，火腿肉、猪瘦肉、水发蘑菇各50克，料酒、精盐、白糖、葱、姜、高汤适量。将鹿尾巴用开水稍泡取出，洗净污秽，再下沸水滚烧10分钟捞出褪去毛洗净（可反复烫腿毛）。锅烧热放油烧至八成热时，下入葱、姜煸香后，烹入料酒，加入水，将鹿尾巴下锅滚烧10分钟捞出。再重起油锅煸姜、葱，烹入料酒，加入陈皮、鹿尾巴、清水滚烧10分钟后，捞起姜、葱，再用文火煨10分钟后，捞出鹿尾巴。光鸡洗净后剁去爪，剖成两半，再下沸水锅焯透捞出，剔去大骨待用。瘦肉和火腿各切成3件，瘦肉先下开水锅略焯捞起，洗净后同火腿、蘑菇鸡放入盘内待用。人参洗净上笼蒸软，切成薄片和陈皮一起放入篮子内，然后再把鹿尾巴切成两半放在鸡肉的两旁。将高汤倒入篮锅内，加入白糖，烧开后再倒入篮子内，加盖后用湿绵纸密封，上笼蒸1.5小时取出，启封放盐调味即成。

本汤菜以人参、陈皮合鹿尾、母鸡肉为主料制成。人参是我国特产名贵中药，因具功能神奇，能起死回生，古人曾称之为“神草”。人参为很好的强壮剂，有补虚扶正、抗老防衰之功效。《神农本草经》谓之“主补五脏，明目，久服轻身延年”；陈皮能行气健脾；鹿尾暖腰膝，益精髓，补肝肾，母鸡肉补虚，益气养血；合用则有补元气、养肝肾、益精髓功效。适于元气虚弱，肝肾不足，腰膝酸冷，阳痿、遗精、早泄及女子宫寒不孕之人食用。健康人食之能强身益智，抗衰老。

三、妇女更年期综合征

妇女更年期综合征是指妇女在经绝前后，由于卵巢功能衰退，导致内分泌失调，植物神经功能紊乱所产生的一系列的证候群，如潮热，潮红（自觉一股热冲上就心烦面红），出汗，焦躁不安，抑郁失眠，有时情绪异常，喜怒无常，无端哭笑，有似精神病者。本病的发生，是由于妇女年届七七，肾气渐衰，冲任亏虚，精血不足，或因情志抑郁，营阴暗耗，致使肾之阴阳失调，进而影响心、肝、脾脏诸功能紊乱，从而出现更年期综合征的种种征象，常用的治疗妇女更年期综合征的偏方主要如下：

【方一】

柴胡6克，龙骨30克，牡蛎30克，生大黄、黄芪、川桂枝、制半夏各9克，炙甘草3克。水煎服，1日1剂，分2次服。

本方是黑龙江省祖国医药研究所张琪之方，对治疗更年期综合征有效。

【方二】

仙茅、知母、仙灵脾各10克，当归6克，巴戟天15克，红糖30克，黄柏皮10克，白糖30克。将中药煎水，去渣，取滤液，再在滤液中加入红、白糖，煮1～2沸，即成。每日早晚各服1次，每次30～50毫升。

本方主治更年期综合征。

【方三】

浮小麦100克，炙甘草10克，大枣10枚。先将炙甘草加水煎煮取汁，备用，再用炙甘草与小麦、大枣同煮，先用武火煮沸，最后用文火煨至小麦烂熟成粥样。每日早晚空腹食1碗。

本方主治妇女更年期综合征。

【方四】

玄参、丹参、党参各10克，天冬、麦冬各5克，生地、熟地各12克，柏子仁、酸枣仁10克，远志5克，当归3克，茯苓、浮小麦、白芍各10克，元胡6克，龙骨、牡蛎各15克，五味子、桔梗各5克。清水煎服，日1剂，1剂煎2次，分早晚温服，16剂为1疗程。

本方为梁剑波方，适应于因肾阴十足，不能上济于心，或平素心气不足，不得下通，心肾不交而出现的一系列症状。

【方五】

黄连3克，麦冬、白芍、白薇、丹参各9克，龙骨15克，枣仁9克。煎服汤药每日5剂，1剂煎2次，早晚温服，连续服药1个月为1疗程。

本方为裘笑梅方，主治妇女更年期综合征，症见烘热汗出、心烦易怒、口干、失眠、心悸、心慌等。

【方六】

郁金、三棱、莪术各10克，丹参30克，川军、肉苁蓉、巴戟天各10克。本方每周服6剂，水煎服，一般服用1个月可明显见效，治疗3个月左右瘀胀即可消退。

本方为吕承全方。

【方七】

沙参、熟地、山药、枸杞、菟丝子各20克，五味子、女贞子、桑椹子各15克，当归10克，茺蔚子20克，柏子仁12克，夜交藤20克。每日1剂，每剂用水800毫升，大火煮沸，慢火煎煮15分钟，煎2次，1日服3次，空腹温服。

本方为凌缓百方，主治妇女更年期综合征。

【方八】

莲子50克，龙眼肉30克。日煎1剂，食用时加糖少许。

本方适用于妇女更年期综合征。

【方九】

粳米100克，酥油20克，蜂蜜15克。将粳米加水煮沸后，渗入酥油、蜂蜜，文火熬粥，作餐食。

本方适用于妇女更年期综合征。

四、子宫颈癌

子宫颈癌早期无症状，普查时发现宫颈癌，典型症状为：一是阴道分泌物增多呈水样、米汤样，脓血伴异味；二是阴道不规则出血，开始少量，接触性出血或大便后出血，继而出血持续甚至大出血；三是疼痛，腰骶疼痛，下肢肿胀疼痛；四是尿频、尿急、血尿及肛门坠胀、便血及大便困难；五是消瘦，贫血。本病临床常用的偏方、验方主要如下：

【方一】

败酱草30克，土贝母15克，土茯苓、金银花各20克，炒槐花15克，半枝莲、夏枯草各30克，川楝子炭15克，五灵脂炭10克，青皮15克，生薏仁30克，甘草3克。每日1剂，水煎服。

本方出自1984年《上海中医药杂志》，对早期宫颈癌有较好疗效。

【方二】

桂枝9克，茯苓15克，丹皮12克，桃仁15克，赤芍12克，乳香、没药各6克，昆布、海藻各15克，鳖甲18克，小锯锯藤15克。

水煎服，每日1剂，分早晚服。

本方为民间方，适用于子宫颈癌。

【方三】

蜀羊家18克，大枣5枚，明党参5克，红茜草3克。水煎服，每日1剂，早晚服。

本方为安徽医学院肿瘤秘方，适用于子宫颈癌。

【方四】

海龙1条，白花蛇3条，水蛭、虻虫、人指甲、黄连、乳香、没药各6克，全蝎、蜂蜜、黄柏各9克，丹皮12克，龙胆草15克。将药共研细末，用银花煎水为丸，外以雄黄为衣，每天6～9克，分2～3次吞服。

本方为民间方，适用于子宫颈癌。

【方五】

泽漆100克，鸡蛋3个。加水适量，泽漆与鸡蛋共煮，煮熟后吃蛋喝汤，每日1剂。

本方出自《陕西中草药》，适用于子宫颈癌。

【方六】

黄芪45克，当归15克，香附12克，三棱、莪术、知母各15克，水蛭30克，鸡内金15克，山豆根60克，桃仁、党参、炮山甲各15克，蚤休60克。将药共研细末来压片或成丸，每日服2～4次，每次服3～6克。

本方出自《中医妇科临床精华》，适用于子宫颈癌属气滞血瘀型。

【方七】

蜈蚣3条，全蝎6克，昆布、海藻、当归、续断、半枝莲、白花蛇舌草各24克，白芍、香附、茯苓各15克，柴胡9克。水煎服，每日1剂，佐服云南白药2克。

本方出自1988年的《湖北中医杂志》，适用于子宫颈癌。

【方八】

北沙参、石斛各20克，黑木耳6克，太子参、女贞子各20克，旱莲草30克，白芍、金银花各20克，败酱草30克，川军炭15克，黑山栀10克，茯苓20克，明党参30克，甘草3克。水煎服，每日1剂，适用于中晚期子宫颈癌。本方出自《上海中医药杂志》1984年第10期。

【方九】

柴胡、川芎、当归、白芍、熟地、

椿皮、白果各6克。水煎服，每日1剂。

本方适用于晚期子宫颈癌，出自《千家妙方》。

【方十】

三棱、莪术、黄连各20克，黄柏、黄芩各15克，桂枝、茯苓各20克，丹皮、赤芍、红花、桃仁各15克，茜草、白头翁、半枝莲各20克。水煎服，每日1剂，10天为1疗程。

本方适用于晚期子宫颈癌。

【方十一】

胡萝卜200克。将其洗净，切成细丁，配加适量凉开水，压榨取汁，每次1杯，每日1～2次。

胡萝卜营养成分以富含胡萝卜素最为突出，每100克含量为4.05毫克。胡萝卜素进入人体可在肝内转变为维生素A，1微克胡萝卜素转化成1/6（0.167）微克的维生素A，所以又叫作维生素A原，其生理功能与维生素A相似，可以维护上皮组织健康，增强对疾病的抵抗力。许多临床病例研究显示，不少上皮细胞癌的发生与维生素A摄入量呈负相关。动物实验表明，饲料中缺少维生素A或胡萝卜素可提高动物对化学致癌物的敏感性，给予充足的维生素A，则可抑致癌物的致癌作用，抑制肿瘤细胞的生长和分化，阻止、延缓癌症的发展，或使癌前病变消退。据最新报道，一些学者通过研究认为胡萝卜素防癌抗癌作用优于维生素A，且无维生素A过量中毒之弊。能防治胃癌、肺癌、乳腺癌、宫颈癌、膀胱癌、皮肤癌等上皮组织的肿瘤。

胡萝卜性味甘平，功效健脾化滞，宽中下气，也宜于消化不良者食用。

【方十二】

大蒜200克，米醋500毫升，白糖适量。将大蒜去皮剥成瓣状，洗净沥干，装入加有白糖的米醋中，浸泡1个月后即可服食。每次数粒，佐餐食用，但宜经常食用效果好。

原方主治心腹冷痛症，近年来用于癌症的防治。

大蒜为百合科植物大蒜的鳞茎，含有蛋白质、脂肪、磷、铁、钙及多种维生素。其防癌抗癌的有效成分主要是大蒜辣素、二烯丙基硫代硫酸酯、大蒜油等。

大蒜除了通过增强免疫功能，提高机体抗癌能力而有一定预防肿瘤作用外，对肝癌、鼻咽癌、子宫颈癌细胞也有直接抑制作用。并且还可直接阻断体内的致癌化学物质亚硝胺的合成。

本品中大蒜宣窍辟恶，消肿解毒；米醋活血散瘀，消食化积。二物相配，共成消肿散瘀之方。经常食用，既可开胃，又能去病养生。

【方十三】

甜杏仁10枚，牛乳100毫升，大枣5枚，粳米50克，桑白皮10克，生姜3克。杏仁用水浸泡，去皮尖，加入牛乳绞取汁液，大枣去核，生姜切片，备用。先煮桑白皮、姜、枣，煎取汤液，加米煮粥，临熟时兑入杏仁汁，再继续煮至粥成，每日2次。杏仁主要成分是脂肪油、蛋白质、各种游离氨基酸，以及杏仁苷。近年来发现杏仁对肺癌、乳癌、子宫颈癌等多种肿瘤有预防和抑制作用。桑白皮含挥发油、葡萄糖苷、桑皮素、桑皮色烯素等成分，药理实验桑白皮有较好的解热止咳祛痰作用。

最近有报道，大枣抑制癌细胞增

殖作用显著。

本品中杏仁祛痰止咳平喘，当为主料；辅以甘寒桑白皮，清泻肺热；大枣、牛乳补益中气，以辛温生姜为佐剂，温肺止咳，并防桑白皮寒凉太过，遏制肺气。全方寒温并用，补泻同施，合而成为止咳喘，补中气，防癌肿之方。可作为呼吸道癌症、肺气肿、肺心病患者的辅助食品。

【方十四】

大蓟、白英各20克，蛇果草15克。水煎服，每日1剂。

本方源于《肿瘤的防治》，功能解毒抗癌，适用于子宫体癌。

【方十五】

黄柏、紫草各15克，硼砂、枯矾、冰片、青黛各30克。将药共研细末，撒患处；或用凡士林配膏，搽患处；每日1～2次。

本方为北京肿瘤专家段凤午方，功能清热凉血，解毒燥湿，对宫颈癌有效。

【方十六】

山豆根、草河车、夏枯草各100克。将药研细末，炼蜜为丸，每丸重9克，每服2～3丸，每日2～3次。

本方清热解毒，是段凤午治疗宫颈癌的效方。

【方十七】

吊马桩50～100克，骨碎补50～100克。每日1剂，水煎服。

本方源于《中华肿瘤治疗大成》，功能散结消痞，益肾扶正，对宫颈癌治疗有效。

【方十八】

蜈蚣、蜣螂、䗪虫、甲珠、全蝎各25克。将药烘干研末，每次2.5克，开水吞服，每日3次。此药有毒，如恶心呕吐，可立服绿豆浆。

本方源于《中华肿瘤治疗大成》，功能破瘀化痰，行瘀散结，适用于宫颈癌瘀毒盛者。

【方十九】

酒大黄30克，瓜蒌90克，赤芍、黄芪各30克。共研细末，炼蜜为丸，每丸重9克，每服1丸，日2次。

本方源于《抗癌本草》，功能益气养血，行瘀散结，适用于子宫体癌。

【方二十】

桃仁10克，红花9克，当归、赤芍、三棱、莪术、苏木各10克，玄参、茜草根各15克，枳实9克，沉香1克，蒲公英9克，虾鼠粪10粒。每日1剂，水煎，以白颈蚯蚓7条化白糖开水兑服。

本方源于《湖南中草药单方验方选编》，功能活血化瘀，理气散结，适用于子宫体癌。

【方二十一】

白英60克，大枣30克。每日1剂，水煎服。

本方源于《湖南中草药单方验方选编》，功能益气扶正，解毒散结，适用于子宫体癌。

【方二十二】

人参、生鳖甲各18克，花椒9克。共为细粉，分为6包，每服1包，开水送下，每晚1次。

本方源于《抗癌本草》，功能滋阴益气，散结消癥，对子宫颈癌有效。

【方二十三】

斑蝥、车前子、滑石、木通各30克。共研细末，水研为丸，每服1克，每天1～2次。

本方源于《肿瘤的防治》，功能活血行瘀，清热除湿，适用于子宫颈癌。

【方二十四】

熟地、生地、茯苓、泽泻、山萸肉各10克，龟板、女贞子各15克，地骨皮、丹皮各10克，枸杞子15克，菟丝子10克，川断15克，山药10克，半枝莲、白花蛇舌草各30克。每日1剂，水煎服。

本方源于《中西医结合治疗癌症》，功能滋补肝肾，清热解毒，适用于肝肾阴虚型子宫颈癌。

【方二十五】

黄柏10克，丹皮20克，木通10克，白芍、车前子（包）各20克，栀子9克，瞿麦10克，仙鹤草30克，龙胆草9克，草河车30克，土茯苓30克，当归10克，莪术15克。每日1剂，水煎服。

本方源于《肿瘤病》，功能清热燥湿，凉血散结，适用于湿毒蕴结型子宫颈癌患者。

【方二十六】

鲜石见穿、鲜六月雪、鲜墓头回各30克，鲜香附15克。水煎服，每日1剂，煎2次分服。

本方源于《全国中草药汇编》，功能抗癌解毒，适用于宫颈癌。

【方二十七】

诃子、月石各15克，乌梅、黄连各6克，麝香0.12克，白花蛇舌草、半枝莲各60克，土茯苓、贯众、苡仁、山药各30克，紫草根、银花、丹参各15克，当归12克，青皮9克。

①上方各药共研细末，过筛，最后加入麝香，制成外用散剂，即得。②上方用水煎煮，制成煎剂、散剂供外用。先将阴道宫颈清洗干净后，将药粉撒布于癌灶处，隔日换药1次。③煎剂口服，每日1剂，煎两次分服。

本方源于湖北中医学院附院，功能理气活血，抗癌解毒，适用于宫颈癌。

【方二十八】

乌贼骨、小鼠粉各24克，象皮15克，冰片3克，麝香适量。将药共研细末，混匀，上于宫颈糜烂处，隔日冲洗换药1次。

本方源于《癌症治验录》，功能生肌，对宫颈癌后期有效。

【方二十九】

鲫鱼粉30克，生山甲10克，冰片、芒硝各3克，朱砂6克。将药共研细末，混匀，上于子宫颈糜烂外，隔日冲洗换药1次。

本方源于《癌症治验录》，功能去腐生新，适用于宫颈癌中期。

【方三十】

醋制莪术、醋制三棱各10克。浓煎200毫升，分2次服。

本方破血消积，对宫颈癌有效。

【方三十一】

川贝母15克，健壮公兔1只。将贝母与兔炖熟，连汤服食，每日1剂，早晚2次分服，健康状况好的患者可酌加红糖，临床效果较理想。

本方源于《新医学》1976年2期，功能软坚散结，适用于子宫颈癌。

【方三十二】

忍冬藤、败酱草各20克，蒲公英、桑寄生各30克，薏苡仁、生白芍各15克，萹蓄12克，全虫3克，海藻、五加皮、昆布、连翘各10克。水煎服，每日1剂。

本方源于《北京中医药学报》1983年3期，功能清热利湿，散结抗癌，适用于子宫体癌术后复发。

【方三十三】

党参30克，白术10克，山药、地榆炭、陈棕炭、茜草、侧柏炭各15克，丹参12克，半枝莲、瓦楞子各30克，甘草6克。水煎服，每日1剂。

本方健脾益气，止血抗癌，适用于子宫内膜癌。

五、卵巢癌

卵巢癌为女性生殖系统中的常见的恶性肿瘤之一。其临床主要表现为：一是下腹部不适，髂窝部充胀下坠；二是腹部包块，腹痛；三是月经紊乱；四是腹水；五是排尿困难，尿频尿急，大便秘结；六是恶液质；常用的临床治疗偏方、验方如下：

【方一】

水蛭若干。将水蛭晒干研粉，每日早晚用黄酒冲服3克左右。

本方出自1975年的《新中医》，适用于卵巢癌。

【方二】

两面针、石上柏、三棱、莪术各15克，五龙爪、透骨草各30克。水煎服，每日1剂，1日2次。

本方出自《中医肿瘤的防治》，适用于卵巢癌。

【方三】

龙葵、蛇毒、蜀羊泉各45～60克，米仁根50克，马鞭草、蒲扎根各30克。水煎服，每日1剂。

本方出自《抗癌顾问》，适用于卵巢癌。

【方四】

山楂30克，益母草15克，当归、元胡、紫草各9克，川芎6克。水煎服，每日1剂，1日2次。

本方出自《肿瘤要略》，适用于卵巢癌。

【方五】

蒺知子15粒。每日吞服或水煎服，长期服用。

本方出自《大明诸家本草·痃癖方》，适用于卵巢癌。

【方六】

醋制阿魏15克，山楂肉、天南星、半夏、麦芽、炒神曲、黄连、萝卜子各30克，连翘、贝母、瓜蒌15克，风化硝、石碱、胡黄连、白芥子各7.5克。研为末，姜汁浸炊饼和丸，每服6克，热汤送下。

本方出自《卫生宝鉴·癥瘕痞块》。

【方七】

麝香0.6克，血竭6克，牛胆30克（干品）。共为细末，装100个胶囊，每日2次，1次1粒。

本方出自《癌症家庭防治大全》，适用于卵巢癌。

【方八】

乌龟（最好多钱龟）1只，土茯苓用量与龟重量相等。将龟内脏洗净，连壳与土茯苓同熬成膏，频频饮之。

本方出自《台湾治癌中药》，适用于卵巢癌。

【方九】

柘木60～120克。每日1剂，水煎服。

本方出自《实用抗癌药物手册》，适用于卵巢癌晚期。

【方十】

白花蛇舌草、半枝莲各60克，橘核、昆布、桃仁、地龙各15克，土鳖虫、川楝子、小茴香各9克，莪术、党参各12克，红花3克，薏苡仁30克。水煎服，每日1剂，分2次服用。

本方出自湖北中医学院附属医院，适用于卵巢癌。

【方十一】

水蛭、黄酒各3克。水蛭晒干研细粉，每晚用黄酒冲服各3克左右。

本方源于《癌症家庭防治大全》，功能破血癥，适用于输卵管、卵巢肿瘤。

【方十二】

丁香、山奈、白蚤休、藤黄、阿魏各等份。共研细末，撒于樟脑胶膏上，敷贴患处。

本方源于《黑龙江中医药》1984年第4期，功能消肿散结，抗癌定痛。

【方十三】

党参、茯苓、猪苓各30克，白术15克，桂枝、炮附子各6克。每日1剂，水煎服。

本方源于《中西医肿瘤诊疗大全》，功能温补脾胃，化气行水，适用于卵巢癌晚期属脾阳虚水泛型。

【方十四】

元胡20克，没药、当归、川芎各10克，赤芍15克，蒲黄、五灵脂、小茴香各10克，川楝子、郁金各15克，乳香、乌药各10克。每日1剂，水煎服。

本方源于《中西医临床肿瘤学》，功能活血逐瘀，散结止痛，适用于卵巢癌腹痛甚者。

【方十五】

木香、厚朴各10克，香附15克，乌药、陈皮各10克，砂仁5克，枳壳10克，肉桂6克，党参、白术、茯苓各15克，甘草10克。每日1剂，水煎服。

本方源于《中西医临床肿瘤学》，功能健脾扶正，顺气调肝，适用于卵巢癌腹胀甚者。

【方十六】

大黄6克，黄柏3克，侧柏叶6克，泽兰3克，薄荷1.5克。共研末煮糊加酒少许，外敷腹部，每晚临睡前敷至翌日。

本方源于《抗癌本草》，功能清热解毒，凉血散瘀，适用于卵巢癌。

【方十七】

铁树叶15克，七叶一枝花20克，白花蛇舌草30克，鳖甲15克，三棱、莪术各9克，丹参15克，香附、枳壳各12克，青皮9克，当归、泽兰各12克。每日1剂，水煎服。

本方源于《新中医》1980年3期，功能清热解毒，理气行瘀，适用于卵巢癌。

【方十八】

白花蛇舌草30克，橘核、昆布各15克，川楝子10克，小茴香9克，桃仁15克，土鳖虫9克，三棱10克，莪术12克，童参、茯苓各15克，薏苡仁30克。每日1剂，水煎服。

本方源于《抗癌中草药制剂》，功能解毒散结，化浊消痰，适用于卵巢癌。

【方十九】

半枝莲、半边莲、白花蛇舌草各60克，七叶一枝花6克。每日1剂，水煎服。

本方源于《云南中医学院学报》1987年10期，功能清热解毒，化瘀消积，适用于卵巢癌患者。

【方二十】

鲜核桃树枝250克，鸡蛋1个。加水500毫升，煮鲜核桃树枝20分钟，后去渣，用汤煮鸡蛋，每次1个，每日2次。

本方源于《云南中医学院学报》

1987 年 10 期，功能清热利湿，扶正解毒，适用于卵巢癌。

【方二十一】

桑寄生、当归、生地、香附、生大黄（后下）各 15 克，桃仁 12 克，枳实、炒内金、赤芍、白芍、醋三棱、焦白术、焦山楂、郁金各 15 克。每日 1 剂，水煎服。

本方源于《浙江中医学院学报》1984 年 1 期，功能扶正固本，活血化瘀，适用于卵巢囊肿。

【方二十二】

桂枝、茯苓、丹皮、桃仁、芍药等份。本药方为桂枝茯苓丸，每丸 10 克，每次 1 丸，每日 3 次。

本方源于《癌症独特秘方绝招》，功能祛瘀消癥，适用于卵巢癌。

【方二十三】

熟大黄、土鳖虫、水蛭、蛴螬、干漆、生地黄等。本药为蜜丸中成药，每丸 3 克，每服 1 丸，每日 3 次。

本方源于《癌症独特秘方绝招》，功能破血消癌癥，逐瘀通经，适用于卵巢癌。

【方二十四】

当归、赤芍各 12 克，川芎 10 克，熟地 15 克，三棱、莪术各 10 克，干蛤蟆 2 个，竹茹 10 克，代赭石 30 克，蜈蚣 3 条，蝉衣 10 克，急性子、桂枝、炮姜各 15 克，生姜 10 片，大枣各 10 枚。每日 1 剂，水煎服。

本方源于《癌症的治疗与康复》，功能理中温阳，活血散结，适用于卵巢癌。

【方二十五】

土鳖虫、当归、乳香、三七等份。本药为散剂，每瓶装 3 克，每次 1.5～3 克，每日 2 次。

本方源于《癌症独特秘方绝招》，功能活血化瘀，消肿止痛，适用于卵巢癌。

【方二十六】

熟地 30 克，当归 15 克，川芎 9 克，白芍、党参各 15 克，白术 12 克，云苓 15 克，甘草 10 克，生牡蛎 30 克，山甲珠、炒鳖甲各 10 克，土茯苓 15 克，商陆、土鳖虫各 9 克。每日 1 剂，水煎服。

本方源于《云南中医学院学报》1987 年 10 期，功能益气养血，软坚散结，适用于卵巢癌。

【方二十七】

桃仁、红花各 10 克，川芎 9 克，当归 12 克，熟地、白芍各 15 克，三棱、莪术各 10 克，鸡血藤 15 克，川楝子、青皮各 9 克，鳖甲 15 克，生牡蛎 30 克，甲珠 10 克，党参、生芪各 15 克。每日 1 剂，水煎服。

本方源于《云南中医学院学报》1987 年 10 期，功能益气养阴，化痰软坚，适用于卵巢癌。

【方二十八】

枳实、柴胡 12 克，土鳖虫 9 克，甲珠、黄药子、莪术各 15 克，半边莲、七叶一枝花各 30 克，白花蛇舌草 15 克，川芎 6 克，赤白芍各 9 克。每日 1 剂，水煎服。

本病源于《百病良方》，功能理气活血，消积散结，适用于卵巢癌属气滞血瘀型。

【方二十九】

生地、白芍、麦冬、天冬、玄参、当归、丹皮、枸杞子、沙参、地骨皮、党参各 10 克，旱莲草、天花粉各 15 克，五味子 5 克。每日 1 剂，水煎服。

本方源于《新中医》1980 年 2 期，

功能清热解毒，理气行瘀，适用于卵巢癌。

【方三十】

黄芪40克，汉防己、白术各15克，甘草、桂枝各10克，茯苓30克，猪苓20克，泽泻15克，半边莲30克，龙葵20克，水红花子、马鞭草各30克，大腹皮15克，薏苡仁50克。每日1剂，水煎服。

本方源于《中西医临床肿瘤学》，功能益气通阳，行瘀利水，适用于卵巢癌腹水多者。

【方三十一】

党参20～30克，白术10～15克，半枝莲20～80克，白英30～40克，马鞭草20～30克，赤芍15～20克，桃仁、红花各10克，土鳖虫3～6克，猫爪草20克，土茯苓30克，小茴香5～10克。每日1剂，水煎服。

本方为河北医学科学院王济民主任医师治疗卵巢癌术后方，功能益气健脾，清热化瘀。

【方三十二】

牛黄、麝香、血竭、硇砂、轻粉、冬虫夏草、朱砂、全蝎、蜈蚣、乳香、没药、银花、连翘、生栀子、白芷、半枝莲、蟾酥、雄黄等。水泛为丸，每次3克，每日2次。

本方为天津中医苗原润方，功能解毒化浊，行瘀散结，适用于卵巢癌。

【方三十三】

太子参、丹参、茯神、黄芪各15克，白术、炙甘草各10克，干地黄15克，鸡血藤20克，天冬15克，高丽人参24克，薏苡仁30克，半枝莲12克，炒麦芽18克。每日1剂，水煎服。

本方源于《浙江中医学院学报》1985年1期，功能补益气血，解毒化浊，适用于卵巢癌。

【方三十四】

生黄芪30克，党参、黄精各15克，女贞子30克，枸杞子、白术各15克，山药、土茯苓、生薏苡仁各30克，鸡血藤、石见穿、夏枯草、益母草各30克，蚤休、刘寄奴、急性子各15克，茜草30克，荔枝核20克，水红花子、浮小麦各30克。每日1剂，水煎服。

本方出自《北京中医》1987年2期，功能益气养阴，解毒散结，适用于卵巢癌。

【方三十五】

杏仁、半夏、白蔻仁、厚朴、白通草、竹叶、薏苡仁、飞滑石、甘澜水。每日1剂，水煎服，送服舟车丸4.5克。

本方源于《云南中医学院学报》1987年10期，功能清热化浊，健脾利水，适用于卵巢癌。

六、乳腺痛

乳腺癌以乳腺出现包块为特征，其肿块大多为单发或多发，多为边缘不整，坚硬，少数可如橡皮样硬，早期能推动。乳腺癌病人的30%有疼痛感，多为钝痛，当肿瘤侵犯皮肤时，多出现不同程度的凹陷点，称为“酒窝征”。随着肿瘤继续发展，可出现皮肤变粗增厚等“橘皮样变”及与皮肤粘连现象。肿瘤继续发展侵蚀皮肤便可发生破溃，患者乳头可有溢液或溢血，当乳腺癌发生肺、肝及骨等处转移时，则出现相应的症状。中医认为，本病的发生多与情志失调有关。临床常用的偏方、验方主要如下：

【方一】

山慈姑200克，蟹壳100克，蟹爪（带爪尖）100克。共研细末，以蜜为丸，每丸重10克，每日3次，每次1～2丸，饭后用。

本方为河北中医伍瑞文方，功能解毒散结，适用于乳腺癌。

【方二】

乳香、没药各30克，雄黄15克，麝香4.5克。每服9克，陈酒送下。

本方源于《外科症治全生集》，功能消肿散结，止痛，适用于乳腺癌。

【方三】

全蝎6克，蜈蚣2条，核桃4个。将核桃一开两半，一半去仁，将两药放入，再将另一半对合捆住，放火上烧之冒过青烟为度，研末，分2次服，黄酒送下，每日2次。

本方消瘀散结，适用于乳腺癌。

【方四】

龟板数块，黑枣肉适量。将龟板炙黄研末，黑枣肉捣烂，两者混合为丸，每日10克，白开水送服。

本方滋阴益胃，适用于乳腺癌。

【方五】

胡芦巴120克，盐、黄酒适量。将胡芦巴置于盐水中，炒干研末，每日10克，每日1次，黄酒送服。

本方散寒止痛，适用于乳腺癌。

【方六】

半枝莲、六耳棱、野菊花各30克。每日1剂，水煎服。

本方为广西南宁反修医院方，功能清热解毒，适用于乳房纤维瘤。

【方七】

土贝母、核桃隔、金银花、连翘各15克。每日1剂，酒水煎服。

本方源于《姚希周济世经验方》，功能清热解毒，适用于乳腺癌已溃。

【方八】

鲜小檗根30克，猪瘦肉适量。每日1剂，水煎服。

本方源于《福建中草药》，功能泻火解毒，适用于乳房肿瘤。

【方九】

蛇蜕、蜂房、全虫各等份。共为细末，每日服3次，每次5.5克开水送下，1个月为1疗程。

本方源于《肿瘤的防治》，功能活血解毒，适用于乳腺癌。

【方十】

瓜蒌1个，当归、甘草各15克，乳香3克，没药8克。每日1剂，水煎服。

本方源于《中医肿瘤学》，功能活血化瘀，适用于乳腺癌。

【方十一】

蜈蚣、全蝎各10克，穿山甲12克，海马10克。上药焙干研末，每日2次，每次1克，黄酒送下。

本方源于《肿瘤的辨证论治》，功能活血解毒，适用于乳腺癌。

【方十二】

王不留行、八月札各30克，山甲片12克。每日1剂，水煎服。

本方源于《抗癌中草药制剂》，功能活血解毒，适用于乳腺癌。

【方十三】

王不留行、天花粉、银花各9克。每日1剂，水煎服。

本方源于《中医肿瘤的防治》，功能活血解毒，适用于乳癌初起未溃者。

【方十四】

五倍子、雄鼠屎、露蜂房各等份。共为末，每次3克，每日2次。

本方源于《验方新编》，功能活血散结，适用于乳腺癌。

【方十五】

五倍子、乳香、没药各60克，鸦

胆子（去壳）20克。上药共捣烂，米醋1 250克，慢火熬成膏，摊于布上外敷，每2日换药1次。

本方源于《肿瘤临证备要》，功能活血解毒，适用于乳腺癌。

【方十六】

六棱菊、野菊花、半枝莲各30克。每日1剂，水煎服。

本方源于《实用肿瘤学》，功能清热解毒，适用于乳腺癌。

【方十七】

白花蛇舌草、仙茅各120克。每日1剂，水煎服。

本方源于《新医药资料》，功能解毒助阳，适用于乳腺癌。

【方十八】

扛板归、土牛膝、白花蛇舌草各30克。每日1剂，水煎服。

本方源于《肿瘤示略》，功能解毒活血，适用于乳腺癌。

【方十九】

狼毒、红枣各500克。将二者共煮，去狼毒，吃红枣，每次5枚，每日2～3次。

本方源于《抗癌中药》，功能益气解毒，适用于乳腺癌。

【方二十】

猕猴桃根、野葡萄根各30克，八角莲、生南星各3克。每日1剂，水煎服。

本方源于《肿瘤的诊断与防治》，功能解毒化痰，适用于乳腺癌。

【方二十一】

天葵4.5克，贝母9克，煅牡蛎12克，甘草3克。每日1剂，水煎服。

本方源于《浙江民间草药》，功能化痰软坚，适用于乳腺癌。

【方二十二】

柴胡、黄芩各15克，苏子、党参、夏枯草各30克，王不留行90克，牡蛎、瓜蒌、石膏、陈皮、白芍各30克，川椒5克，甘草6克，大枣10枚。每日1剂，水煎服。

本方源于《千家妙方》，功能清热解毒，化痰散结，适用于乳腺癌。

【方二十三】

牛黄3克，乳香、没药、雄黄、蟾酥各180克，胆矾6克，朱砂、血竭各9克，寒水石、轻粉各6克，蜈蚣30条，蜗牛60条，冰片、麝香各3克。将药共研细末，水泛为丸，如芥子大，口服，每次5～6丸，每日1～2次。

本方活血化瘀，解毒，适用于乳腺癌。

【方二十四】

蒲公英、地丁各9克，炮甲珠6克，瓜蒌60克，金银花15克，当归30克，黄芪15克，花粉6克，白芷、桔梗各15克，赤芍6克，薤白15克，远志、官桂各9克，甘草6克。

每日1剂，水煎服，分3次早、中、晚饭前2小时服用。

本方为辽宁抚顺新宾县医院方，功能清热解毒，活血化瘀，适用于乳腺癌。

【方二十五】

苗儿根、蛇莓草、石见穿、铁菱角、大贝母、五爪龙、牛膝各10克，八仙草20克，蛇舌草、半枝莲、凤尾草各10克，粉丹草3克。每日1剂，水煎服。

本方泻火解毒，攻坚破积，适用于热毒瘀结所致的乳腺癌。

【方二十六】

党参、天冬、桃仁各9克，夏枯

草、海藻、昆布各12克，王不留行子、石见穿、黄药子各30克，漏芦、赤芍各15克，葶苈子、牡蛎、车前子各30克，大枣10个。每日1剂，水煎服。

本方源于上海龙华医院，功能益气活血，软坚散结，适用于乳腺癌。

【方二十七】

当归12克，莪术、山甲各15克，鳖甲24克，昆布、海藻各30克，瓜蒌24克，丹参30克，漏芦、王不留行、皂刺各12克，土茯苓30克。每日1剂，水煎服。

本方源于《中医外科治疗大成》，功能活血解毒，化痰散结，适用于乳腺癌血瘀毒凝证。

【方二十八】

赤芍、白术、土鳖虫、川楝子各9克，当归、橘核、川断各12克，丝瓜络、白薇、丹参各15克，柴胡6克，生牡蛎30克。每日1剂，水煎服。

本方源于湖北宜昌地区医院，功能化痰散结，适用于乳腺癌。

【方二十九】

全蝎、蜈蚣各12克，生穿山甲15克，僵蚕24克，生军30克，柴胡12克，白芍、木香各9克，乳香、没药、山栀各12克，青皮、陈皮各9克，连翘12克，橘红9克，川贝母、赤芍各12克，丹皮6克，蒲公英30克，银花15克，生甘草5克。每日1剂，水煎服。

本方源于江苏省靖江卫生学校，功能理气活血，解毒散结，适用于乳腺癌。

【方三十】

（1）当归、贝母、香附、瓜蒌各15克，生地、赤芍、栀子、穿山甲各10克，桔梗、青皮各6克。

（2）青核桃枝、三七各1 500克，甘遂2 500克，生甘草1 500克。

方（1）水煎服，每日1剂。方（2）加水500毫升，中火煎熬，煎至药渣无味，滤液去渣，用铜锅浓缩收膏，盛瓷器内，加冰片少许，密封。用时涂膏贴于患处，胶布固定，48小时换药1次。

本方源于山西运城中医肿瘤医院崔和狮，功能理气活血，软坚散结，适用于乳腺癌。

【方三十一】

人工牛黄10克，制乳香、制没药、海龙各15克，黄芪、山慈姑、香橼、炒三仙各30克，夏枯草、三七粉、首乌、苡仁、地丁、莪术、仙灵脾各60克。共研细末，水泛为丸，每日2次，每次3克。

本方源于中国中医研究院广安门医院，功能活血解毒，软坚散结，适用于乳腺癌。

【方三十二】

瓜蒌、生地各150克，土贝母、生香附、煅牡蛎各120克，漏芦、白芥子、茯苓、炒麦芽各90克，王不留行子、制半夏、当归、橘叶、炒白芍、小青皮各60克，炮山甲30克，陈皮60克，木通、川芎、甘草各30克。共研细末，每日服3次，每次6克。

本方为上海嘉定县萧双壮方，功能理气化痰，活血散结，适用于乳腺癌。

【方三十三】

当归、生地、白芍、川芎、陈皮、半夏、川贝母、茯苓、青皮、远志、桔梗、苏叶各4克，栀子、木通、甘草各3克，香附6克，生姜1片。每日1剂，水煎服。

本方源于北京中医药大学，功能清肝活血，解郁化痰，适用于乳腺癌Ⅱ期手术病人。

【方三十四】

青皮、生甘草、山慈姑、土贝母各10克，蒲公英、夏枯草、天门冬各15克，生黄芪、枸杞子、六神曲、焦山楂各30克。水煎服，每日1剂，2次分服。

本方为北京著名中医段凤午方，功能解毒散结，疏肝扶正。

男科病

NAN KE BING

男科病是指梦遗、滑精、阳痿、早泄、阴痛、子痛、不育、杂病等男子专有疾病。几千年来，中医学在这个方面积累了大量行之有效的偏方、验方、秘方，下面仅就重要的男科病例举一些常用的单方。

第一节

『阳　　痿』

阳痿是指男性生殖器痿弱不用，不能勃起，或勃起不坚，不能完成正常房事的一种病症。本病多情志不遂，肝胆湿热，肾气亏虚等，致使宗筋弛纵所引起，是男科的常见病之一，临床常用的治疗单方如下：

【方一】

雄蚕蛾 20 只，白酒 30 克。选活雄蚕蛾，在热锅上焙干，研末。每次早晚用白酒送服雄蚕蛾末 3 克，服半月以上。

本方忌服萝卜，尤适用于肾虚阳痿。

【方二)

雪莲花 90 克，白酒 500 克。将雪莲花泡入白酒中，密封严盖，每日摇数次，浸泡 7 天后，每晚睡前服 15 毫升左右，最多不得超过 50 毫升。

本方不适用于有下焦湿热者，尤适用于肾虚阳痿。

【方三】

韭菜 180 克，鲜虾 240 克，素油、味精适量。将鲜韭菜切成 3 厘米长的段，备用；鲜虾去壳，备用。将锅烧热，放入菜油，待油泡化尽即倒入韭菜、鲜虾，反复翻炒，撒下味精、食盐，炒匀即起锅。

可佐餐，用以下酒更有效。

【方四】

虫草 6 克，生姜 2 克，黄麻雀 12 只。将黄麻雀去毛和内脏，洗净，切块，把虫草、黄雀肉块、姜片一齐放入砂锅内，加水适量，炖 2～3 小时，以黄雀烂熟为度。虫草及雀肉一齐吃下，分次吃完。

本方尤其适用于肾阴阳俱虚之阳痿，但湿热重者不宜用。

【方五】

千里光 60 克，蛇倒退 30 克，车前子 15 克，猪肉 100 克。先将千里光、车前子、蛇倒退煎水，去渣取汁，以药汁炖肉，肉炖至烂熟，吃肉喝汤。

每日早晚各服 1 次，连服 3～5 天，不能吃肥肉者，可用瘦肉。

【方六】

甘松 5 克，粳米 50 克。先煎甘松取药汁，去渣，再用粳米煮粥，待粥将成时，加入甘松药汁，稍煮 1～2 沸即可。每天两次空腹食用，3～5 天为 1 个疗程，但胃火重者，不宜服用。

【方七】

鲜虾仁 30 克，白酒 100 克，酱油 9 克，白糖 15 克。将虾米去头尾，备用。将白酒、酱油、白糖和匀，将生虾仁放在内，浸泡 15 分钟，即可食虾仁。空腹食虾，或以酒下虾仁。

本方尤其适用于肝郁阳痿，但阴虚火旺者忌服。

【方八】

海马1对，白酒500克。用酒浸泡海马两周后，按自己的酒量每日饮少许。

【方九】

熟附片15～30克，生姜150克，蒜头适量，狗肉500～1 000克，花生油适量。将生姜煨熟，狗肉洗净切碎，先将花生油在锅里把蒜瓣稍炒片刻，加适量水入狗肉、熟附片、煨姜片，共煮2小时，酌量分餐热食。

【方十】

小麦30～60克，粳米100克，大枣5枚。将小麦洗净后，加水煮熟，捞去小麦取汁，再入粳米、大枣同煮粥，或先将小麦捣碎，同枣、米煮粥食用。

【方十一】

香椽1～2个，麦芽糖适量。取鲜香椽1～2个，切碎放入碗内，加入适量麦芽糖，盖上盖，隔水蒸数小时，以香椽稀烂为度。

每次服1匙，早晚各1次。

【方十二】

鹿肉、大米适量。将鹿肉洗净，切片，与淘洗净的大米同煮成粥，加入少许盐熬煮即成，可常服食。

【方十三】

羊外肾（即山羊或绵羊的睾丸）2个，糯米适量。将羊外肾洗净血液，悬通风处凉干，然后与糯米煮粥食之。

【方十四】

乌龟头及颈1个，葱、蒜适量。将乌龟头、颈洗净晒干，放在瓦片上焙枯，研细末，拌于面条中，同时放葱、蒜适量，同食之，每天1次，连食5天。

【方十五】

当归15克，白芍、山药各30克，柴胡10克，花粉、知母各15克，黄柏、薄荷各10克。水煎服，每日或隔日1剂。

本方尤适用于青壮年阳痿。

【方十六】

干地龙、怀山药、山萸肉、菟丝子、天门冬、枸杞子、龟板胶各10克，熟地黄、牡蛎各12克，丹皮6克。水煎服，龟板胶烊化。

经服本方，阴茎勃起坚而有力，同房能成功后，需再服蜜丸以巩固，伴有前列腺炎者，需同时治疗。

【方十七】

黄芪、丹参各30克，川芎、赤芍、牛膝各20克，当归15克，桃仁、红花各10克。每日1剂，水煎，日2次服，30日为1疗程，可连服3个疗程。

本方尤适用于老年人阳痿。

【方十八】

党参15克，黄芪30克，焦白术、茯神、远志、巴戟天、龙眼肉各10克，淫羊藿15克，木香6克，炙甘草5克。每日1剂，浓煎2克，分服。

本方尤适用于用脑劳心之人所致阳痿。

【方十九】

潞党参、炒白术、甘枸杞、冬虫夏草、熟地黄、阳起石、净韭子各12克，炙鳖甲、生龟板各30克，杜仲、锁阳、仙灵脾、当归身、川续断、肉苁蓉、破故纸、紫河车、炙甘草各9克，菟丝子15克。将药各研为细末，和匀，炼蜜为丸，如梧桐子大，金箔为衣，每次3～6克，每日3次，1个月为1疗程。

需注意的是在服药第一个疗程期间，严禁房事，必要时，可进行第二或第三疗程。

【方二十】

当归30克，牛尾1条，盐少许。将牛尾巴去毛，切成小段，与当归同锅加水煮，后下调料，饮汤吃牛尾，

本方尤适用于肾虚阳痿。

【方二十一】

狗阴茎3件，黄酒适量。将狗阴茎用瓦焙干，研为细末，每服3～4克，用黄酒送下。

本方用治阳痿久治不愈。

【方二十二】

牛鞭（即公牛的生殖器）1具，枸杞子30克，盐少许。

牛鞭洗净切段同枸杞子共炖熟，加盐分2次吃完。

【方二十三】

大蜻蜓40只，雄蚕蛾30只，露蜂房20克，丁香、木香、桂心各10克，胡椒5克，生枣仁、酒当归、炙首乌各20克。共为细末，炼蜜为丸如梧桐子大，或为散，每服7～10克，每日2～3次，空腹以黄酒送服。

本方为中医石春荣之蜻蜓展势丹。

【方二十四】

茯苓15克，菖蒲、甘草各3克，白术9克，生枣仁15克，远志、柴胡各3克，当归9克，人参3克，山药15克，巴戟天9克。水煎服，每日1剂，日服2次。

【方二十五】

龙胆草（酒炒）4.5克，炒黄芩8克，栀子（酒炒）、当归（酒洗）、生地黄（酒洗）各9克，泽泻、木通、车前子各6克，柴胡、生甘草各3克。上为粗末，水煎空腹服。

【方二十六】

细辛5克。

每日用上药泡茶1杯，口服，连泡3次服用。

【方二十七】

泥鳅400克，大枣（去核）6枚，生姜2片。泥鳅开膛洗净，加水与枣、姜共煮，以一碗水煎煮至剩半碗即成，每日2次，连服多日。

【方二十八】

鹿角胶、鹿角霜、柏仁、菟丝子、熟地黄各300克，白茯苓、补骨脂各150克。将鹿角胶生溶化，量入无灰酒打糊丸，桐子大小，每服60～70丸，空心淡盐汤或酒送下。

本方为《景岳全书》中的仙传斑龙丸，用治命门火衰不甚、血海薄弱而阳痿者。

【方二十九】

薏米、芡实各40克，木通、山栀、黄柏各10克，滑石、金钱草各30克，生地、车前子各12克，山药、金樱子、菟丝子各15克。水煎服，每日1剂，分2次服。

本方为黄学文治疗阳痿之验方。

【方三十】

猪子肠1具。将肠置于瓦上焙干，为末，每服3～5克，烧酒50毫升调服，能管1个月。

本方补肾壮阳，主治阳痿。

【方三十一】

猪肉馅120克，韭菜250克，面粉、油五味佐料各适量。将韭菜择洗干净，切末，拌肉馅，加佐料，面和匀擀作皮，包之，入油灼熟。

本方补精益阳，主治阳痿，腰酸

等症。

【方三十二】

海参（发泡后）150 克，鸡汁、芥末各适量。将海参切丝，用鸡汁、芥末凉拌，佐餐食之。

本方益精补肾，养血润燥，适用于阳痿虚劳等病。

【方三十三】

麻雀 10 只，菟丝子、枸杞各 15 克，精盐、料酒、花椒水、姜末、葱末、鸡清汤各适量。将麻雀去毛、内脏、脚爪、嘴巴，在沸水锅中焯一下，捞出洗净。将菟丝子洗净，去杂装入纱布袋扎口。枸杞子去杂洗净。将麻雀、菟丝子、枸杞子、盐、料酒、花椒水、姜葱同入锅中，注入鸡汤，煮至麻雀肉熟烂，拣出菟丝子后装入汤碗即成。

本汤菜以麻雀、菟丝子、枸杞子为主料。麻雀性温，味甘，有壮阳补肾、暖腰膝、缩小便、治崩带之功效。孟诜曾说“其肉 10 月之后，正月以前食之，续五脏不足气，助阳道，益精髓，为补阴壮肾之滋补性食物”。菟丝子为常用之壮阳药，能补肾益精，养肝明目。枸杞子性平，味甘，可滋阴补虚，益精明目。三料共用则助阳道，壮腰膝，补肝肾，治痿止带。适用于阳痿早泄、腰膝酸软、脾胃虚寒、妇女带下等症。对于性神经官能症病人，尤宜食之。

此汤菜性燥热，故阴虚火旺及内热者勿用。

【方三十四】

禾花雀 10 只，熟鸡肝、熟香肠各 50 克，料酒、味精、酱油、白糖、胡椒粉、姜末、葱末、蚝油、猪油、高汤各适量。禾花雀去将净绒毛，开背挖出内脏洗净，斩去翼尖剔去大骨，放入砂锅内，加入酱油、葱、姜、糖、胡椒粉拌匀，腌 2 小时。香肠、鸡肝切成小条（每样 10 条），每只雀肉塞进香肠、鸡肝各 1 条。坐锅烧热放入猪油，待油九成热时，将禾花雀下锅烫一下即捞出。倒出热油，加入水，放入禾花雀烧煮一会，倒出沥干水分。烧热锅放入猪油，烹入料酒，投入禾花雀颠翻几下，加入高汤、蚝油、味精、酱油，加盖用中火烧煮一会儿，淋上猪油，撒上胡椒粉用勺推匀，盛起装盆即成。

禾花雀又名黄胸鸦，其肉营养丰富，具有滋补解毒的功效，配用鸡肝具有补肝肾、明目、消疳之功效。适于阳痿、酒精中毒，及肝虚目暗人食用。

第二节

『遗　精』

遗精指男子睡眠因梦，或无梦，甚至清醒时产生不能自主的泄精，称为遗精。这里所说的遗精是病理性的，每周在2次以上，甚至清醒时亦流精，并伴有头昏、精神萎靡、失眠、膝腰酸软等症。并不包括像《景岳全书·遗精》篇所讲的“有壮年气盛，久节房欲而遗者，此满易溢者”的情况，此属生理，这种遗精，一般无明显症状。常用的比较有效的治疗遗精的偏方主要如下：

【方一】

苦瓜1条，芡实粉10～15克，冰糖30克。将苦瓜捣烂如泥，和芡实粉和加冰糖捣匀，1次或分2次服。

本方降火滋阴，涩精，适用于阴虚火旺所致遗精。

【方二】

胡桃仁60克，韭菜150克。用麻油炒熟，加适量盐、姜、葱、味精等调好味，佐餐食。

本方温肾固精，适用于因肾虚不藏之遗精。

【方三】

芡实、山药各30克，莲子15克，炒枣仁9克，党参3克。药用水适量，慢火煮，服汤，再用白糖15克拌入药渣中同服，每日如此。

本方健脾，补肾，固精，适用于遗精。

【方四】

栀子仁3～5克，莲子心10克，粳米50～100克。将栀子仁碾成细末，先煮粳米、莲子心，待粥将成时，调入栀子末稍煮即可，或加白糖适量服。

本方清热利湿止遗，适用于湿热内蕴所致遗精。

【方五】

生地20克，天冬、麦冬、山萸各10克，党参、茯神、远志各8克，夜交藤、牡蛎各30克，黄连、肉桂各3克，甘草6克。水煎服，1日1剂，晚上服。本方滋阴降火，交通心肾，适用于心肾不交所致遗精。

【方六】

萆薢、茯苓、车前子、白术、木通、泽泻、石菖蒲、丹参各10克，黄柏6克，莲子心3克。水煎服，1日1剂，晚上服。

本方清热利湿，分清导浊，适用于湿热下注之遗精。

【方七】

栀子、黄芩、龙胆草、木通各6克，白芍、生地、丹皮、山栀、五味子各10克，柴胡、川楝子、甘草各6克。水煎服，每日1剂，分2次服。

本方疏肝解郁，清泻相火，适用于相火亢盛之遗精。

【方八】

山药、党参、黄芪各10克，茯苓、茯神各8克，远志、桔梗各6克，木香、甘草各3克，酸枣仁、莲须、芡实各8克，龙骨、牡蛎各10克。水煎服，1日1剂，分2次服。

本方调补心脾，适用于因心脾气虚所致之遗精。

【方九】

沙苑蒺藜7克，芡实10克，莲须4克，五味子8克，煅龙骨、煅牡蛎、金樱子、菟丝子、补骨脂各10克，仙灵脾15克。水煎服，1日1剂，分2次服。

本方温补肾阳，适用于因肾气不固所致遗精。

【方十】

五味子、鸡内金各30克。将药烘干，研细末，开水送服，每日3次。

本方适用于遗精属阴虚火旺者。

【方十一】

猪肾1枚，附子末3克。将猪肾切开去膜，入附子末，湿纸裹熟，空心食之，饮酒1杯，3～5副可以有效。

本方适用于遗精。

【方十二】

益智仁60克，乌药45克，山药30克。研末为丸，如梧桐子大，米砂为衣，每服60粒。

本方适用于遗精。

【方十三】

莲子30克，粳米、冰糖各60克。

将莲子放入锅内，加半碗清水，碱面少许，上火烧开，用竹刷反复刷洗，去红衣、莲心，用清水浸泡1夜，捣成碎米粒状。将粳米洗净放锅内与莲子米同煮，待米粒开花，加入冰糖，熬至烂熟成粥即可。

莲子含有多种营养成分，还有健脾养神、轻身延年之作用，适用于腰痛遗精、目赤作痛、脾虚泻痢等症。

【方十四】

芡实150克，鸡内金30克，面粉、白砂糖各适量。芡实、鸡内金研细，过筛备用。鸡内金放入盆中，加沸水浸烫，过凉后再加芡实、白砂糖、面粉，和面作极薄小饼，烙成焦黄色进食。

本方有补脾固肾、运脾消食功效。适用于脾虚食积，消化不良，肾虚遗尿、遗精。

本方出自《医学衷中参西录》，原方用于“老人气虚，不能行痰，致痰气郁结，胸部满闷，胁下作疼，凡气虚痰盛之人，服之皆效，兼治疝气”。为治疗脾虚食积和肾虚遗尿、遗精方。脾虚运化无力，饮食停滞不消，则见脾虚食积；肾虚固摄无力，则见遗尿、遗精，法宜补脾固肾，运脾消食，方中以芡实、鸡内金为主，芡实补脾固肾，鸡内金运脾消食，固精止遗，两者合用，补脾消食，固肾止遗之力增强，以面粉、白糖为辅佐，面粉与芡实配合，一者补心，一者补肾，使心肾相济，水火调和；白砂糖补脾益胃以助芡实、鸡内金之力。诸料合用，共成补脾固肾、运脾消食之方。本品补中有消，对老人或小儿体虚食积尤为适宜。

《医学衷中参西录》还以本方去芡实，用于“小儿痞积痞胀，大人癥瘕积聚”。

本方对外感未清，尿赤便秘及阴虚火旺者不宜食用。

【方十五】

鹿茸1克，蛤士蟆油3克，鸡里脊肉150克，肥猪肉膘50克，水发玉兰片5克，熟火腿10克，鸡蛋清1个，鲜蘑10克，油菜5克，料酒、精盐、味精、花椒水、麻油、鸡汤各适量。将蛤土蟆油放在碗内泡软，去净籽及黑线，用水洗净。把鸡里脊肉剔去白筋，把肥肉膘切成薄片，二者放在一起用刀背砸成细泥，放入鸡蛋清、鸡汤搅匀，再加入精盐、料酒、花椒水、味精各少许，最后加入鹿茸、蛤士蟆油拌匀。油菜、玉兰片、火腿、鲜蘑均成小薄片，锅内放入鸡汤，汤开时用手抓起鹿茸、蛤士蟆油、鸡泥徐徐下汤内成珍珠疙瘩状，再放入火腿、鲜蘑、油菜、玉兰片，同时将余下的精盐、花椒水、味精、料酒倒入，汤开时撇净浮沫，加入麻油盛在大碗内即成。

此汤为鹿茸与蛤士蟆油两种滋补强壮品组成，有补肾壮阳、益精养血的作用。其中鹿茸，性味甘、咸、温，有壮元阳、补气血、益精髓、强筋骨的作用。蛤士蟆油又是补肾益精、润肺养阴的珍品。两物相合，能增强机体的功能，降低肌肉的疲劳，促进人体新陈代谢，具有滋肺补肾、养阴益血的功效。

本方适用于肾精亏虚、久病体弱、阳痿、滑精、腰膝酸冷、虚寒带下、以及精亏眩晕、耳鸣等症。

外感热病，阴亏火旺者不宜服用。

【方十六】

雉肉250克，冬虫夏草9克，姜片、葱段、胡椒粉、精盐、鸡汤各适量。将虫草择灰屑，用温水洗净。雉宰杀后，去毛，去内脏，斩去脚爪，洗净，放入沸水锅中氽一下，捞出。将虫草的一部分放在雉腹内，放在汤篮内，另一部分虫草放在雉肉上面，注入鸡汤，放入姜片、葱段、胡椒粉、盐，上笼蒸至雉肉熟烂，拣去葱、姜，取出即成。

《聊斋志异补集》中有诗云“冬虫夏草名符实，变化生成一气通，一物竟能兼动植，此间物理性难穷”。冬虫夏草不仅生态奇特，而且又是名贵的滋补性中草药，素与鹿茸、人参齐名。清人吴仪洛在《本草从新》中曾谓其能“保肺益肾，止血化痰，卫痨嗽”。《药性考》又说它能“秘精益气，专补命门”。可见其补益功效之强。从现代研究来看，冬虫夏草含有丰富的蛋白质、冬虫夏草菌、冬虫夏草酸，并有扩张支气管、镇静、催吐作用。雉肉具补中益气之功。以两料相配则冬虫夏草之滋补作用渗透到雉肉之中，其功效相得益彰。因此此汤菜具有很强的补益肺肾的作用。适于肺肾两虚、小便频数、气短乏力、阳痿、遗精等命门不足之病人食用。

【方十七】

黄芪、枸杞各30克，乳鸽1只，料酒、精盐、味精、姜片、鸡清汤、鸡油各适量。将乳鸽宰杀，去毛、内脏，斩脚爪，洗净，放入沸水中氽一会儿，捞出洗净斩块放炖盅内。黄芪、枸杞分别洗净，放入炖盅内。将料酒、盐、味精、姜片、鸡清汤同放炖盅内，上笼蒸到肉熟烂，取出笼，拣出姜、黄芪，淋上鸡油即成。

本汤菜主料黄芪、枸杞子、乳鸽。乳鸽为刚孵出不久之幼鸽，肉厚而嫩，有滋肾调经、益气解毒、祛风之功，是一种滋养性很强的食品。黄芪是常用的一味中药材，具有补脾益气、固表止汗、升阳托毒之功。现代研究证明，黄芪有强心利尿、降血压、抗菌止汗及扩张血管之作用。枸杞了是滋肾益气、生津助阳、补虚强筋骨显效的强壮滋补药。三料共用，则具有补气壮阳、固表止汗、解毒祛风之功用。适于中气虚弱、体倦乏力，表虚自汗及痈疽疮溃久不愈合之人食用。也是民间常用的病后调补之食品，对于阳痿遗精等性神经功能低下病人食之有治疗作用。

对于表证未解、湿滞、痰火病人慎用。

【方十八】

水发白果150克，白糖100克，淀粉25克，碱适量。将白果砸破去外壳，放入锅中，加水适量，放入碱，置武火上煮沸后去膜，去白果心，装入碗中，加适量水。将碗上笼用武火蒸熟，停火取出。在锅中加清水，放入白果、白糖，置火上煮沸，撇去浮沫，用淀粉勾芡，略煮后上盘即可食用。

本方敛肺气，定喘嗽，止带浊，缩小便，用于哮喘、痰嗽、白带、白浊、遗精、小便频数等症。

【方十九】

鲜虾仁200克，火腿、水发冬菇、蛋糕、菠菜心、净冬笋、水发木耳各10克，鸡蛋清1个，绍酒10克，淀粉30克，精盐3克，熟猪油500克（实耗40克），清汤30克。虾仁洗净，去掉黑筋。沥干水分，用刀碾成泥，加入精盐1克，鸡蛋清、淀粉30克和成糊，均匀地平摊在抹有少量猪油的瓷盘上，以2.5厘米厚为宜，上笼蒸3分钟取出，晾凉后切成长4.5厘米，宽0.25厘米的丝。把火腿、冬菇、蛋糕、菠菜心、冬笋、木耳切成细丝。精盐2克同绍酒、清汤兑成汤汁。炒锅加熟猪油，中火烧至四成热，倒入虾丝，待虾丝漂起时捞起沥油。炒锅内留底油20克，把虾丝连同配料一起下锅，倒入兑好的汤汁，迅速颠翻几下，即可装盘食用。

本方补肾壮阳。可辅治肾虚腰膝酸软、遗精、阳痿、小便频数、产后乳汁不足。

【方二十】

莲子50克，粳米100克。莲子去皮及心，研成细粉备用。粳米淘洗干净，放入锅中，加莲子、清水，旺火烧沸后，再改用小火煮至粥成。

本品有补脾涩肠、益肾固精功效。适用于脾虚久泻久痢，肾虚遗精，淋浊。

本方出自《调疾饮食辨》、《饮膳正要》、《随息居饮食谱》等，原方用于“健脾胃，止精滑泄利”、“心志不宁，神中强志，聪耳明日”、“健脾益肾，颇著奇勋”，为涩肠固精常用方。泻痢日久，损伤脾胃，脾胃运化失常，则见虚泻虚痢；肾虚封藏失职，则见遗精，法宜补脾涩肠，益肾固精。方中以莲子为主，补脾涩肠，益肾固精；以粳米为辅佐，补脾止泻以增强莲子功效。两者合用，共成补脾涩肠、益肾固精之方。本品收敛固摄之力较强，应用以虚证泻痢及遗精为宜。本品莲子并能养心安神。还可用于心神不宁，夜寐多梦。

此外，《寿亲养老新书》载“莲实粥方”，以莲实、糯米煮粥，用于老人“益耳目聪明，补中强志”。

本方重在收敛，对气滞中满及大便涩滞者不宜食用。

第三节

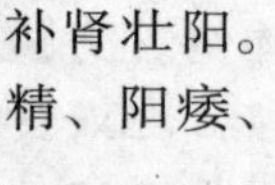

『早泄』

早泄是指性交时间极短即行排精，甚至性交前即泄，以致不能进行正常性交的一种疾病。祖国医学认为，本病以肝经湿热、阴虚阳亢、肾气不固，心脾虚损为多见，临床常用的较为有效的偏方、验方主要如下：

【方一】

龙胆草 15 克，黄芩 10 克，栀子 9 克，泽泻 12 克，木通 10 克，车前子 9 克，当归 10 克，生地、甘草各 9 克。水煎服，日 1 剂，分 2 次服。

本方清泻肝经湿热，适用于肝经湿热所致的早泄。

【方二】

生地黄 10 克，山萸肉、山药、知母、黄柏、泽泻、丹皮、金樱子各 9 克，沙苑蒺藜 10 克，龙骨、牡蛎各 30 克。水煎服，日 1 剂，分 2 次服。

本方滋阴潜阳，适用于阴虚阳亢所致的早泄。

【方三】

附子、肉桂各 6 克，熟地、山萸肉各 9 克，茯苓 10 克，泽泻、山药各 12 克，丹皮 10 克。水煎服，日 1 剂，分 2 次服。

本方益肾固精，适用于肾气不固所致的早泄。

【方四】

人参、白术各 9 克，黄芪 12 克，当归 10 克，茯神 9 克，远志、枣仁各 6 克，龙眼肉 12 克，木香、甘草各 6 克。水煎服，日 1 剂，分 2 次服。

本方补益心脾，适用于心脾虚损所致的早泄。

【方五】

人参 15 克，茶叶 5 克。水煎服，日服 1 剂，分 2 次服。

本方补气助阳，适用于因肾阳不足所致的早泄。

【方六】

狗肉 500 克，八角、小茴香、桂皮、生姜、大蒜、胡椒面、精盐各适量。将狗肉入清水中净洗几遍，切小块，用开水烫过，入热油锅中炸至金黄捞出。另取砂锅 1 只，倒入狗肉及八角、茴香、桂皮、大蒜、生姜。加水浸没，旺火烧沸，转小火烧 2 小时，调入精盐、胡椒面，稍焖即成。

本方温阳祛寒，补虚健脾。适用于脾胃虚寒、气怯食少、胸腹胀满及肾虚下寒、腰膝酸软、阳痿、早泄者。

第四节

『性欲低下』

性欲低下是指在性刺激下，没有进行性交的欲望，对性交意念冷淡，而且阴茎也难以勃起的一种性功能障碍。本病发生的原因，西医认为和大脑皮层功能紊乱、内分泌系统的疾病、药物等有关。而祖国医学则认为，与人体脾肾阳虚、命门火衰有很大关系。临床常用的治疗性欲低下的较为有效的偏方、验方主要如下：

【方一】

淫羊藿、熟地、阳起石、广狗肾胶各100克，菟丝子、制首乌各200克，枸杞子300克，鹿茸10克，黄芪、肉苁蓉、羊鞭胶、水貂鞭胶各50克。先将菟丝子、制首乌、枸杞子用水煎煮2次，每次2小时，滤冷合并，浓缩，加3倍于水的95%乙醇，沉淀48小时，过滤，回收乙醇，浓缩成膏状。再将淫羊藿、黄芪、熟地、阳起石、肉苁蓉水煎煮2次，滤液合并，浓缩成膏状，与以上浸膏合并，低温干燥，研粉，过80目筛，另将水貂鞭胶、鹿茸、羊鞭胶、广狗肾胶研粉，过80目筛，然后将上述药粉混匀，制成颗粒，装入胶囊，每粒含粉0.02克，每服3粒，1月3次，1个月为1个疗程。

本方补肾壮阳，益精补虚，适用于性欲低下，肾虚阳痿。

【方二】

九香虫50克，车前子、陈皮、白术各20克，杜仲40克。先将九香虫炒至半生半熟，车前子微炒用布包，杜仲微炙，上药共为细末，炼蜜为丸如梧桐子大，每日服5克，晚临睡前再服1次，淡盐水或白酒送下。

本方补肾益气，适用于肾虚性欲低下，兼见阳痿不起。

【方三】

肉苁蓉、五味子、菟丝子、远志、蛇床子各等份。将药研成粉末，每日睡前空腹服6克，黄酒送服。

本方温肾助阳，敛精安神，适用于性欲低下、阳痿。

【方四】

补骨脂240克（盐水炒），云茯苓120克，韭子60克。将上药浸入陈醋内，醋高过药面一指，加热煮沸，取渣令干为末，再做成丸如桐子大，每服20丸，早晚各1次。

本方温补肾阳，固精涩遗，适用于性欲减退、遗精、阳痿。

【方五】

生海虾500克，核桃仁80个，淫羊藿200克，白酒250毫升。先将酒放入合适的容器内，加热；待酒热后投入生海虾，充分浸透，取酒虾焙干为度。核桃仁去皮盐渍，焙干，与海虾共为细末，分作20包，1日服1包，每包分2次服用，每次取淫羊藿10克，煎水100毫升，分送海虾散，1个月为1个疗程，服药期间禁房事。

本方温肾补阳，适用于肾阳不足、命火衰微、性欲低下、阳痿。

【方六】

熟地、山萸肉、枸杞子各15克，肉苁蓉、锁阳、山药、巴戟肉、白人参、炒枣仁、菟丝子各12克，天门冬、甘草各9克，淫羊藿叶30克，鹿茸6克。将药研为细末，炼蜜为丸，每丸重9克，日服3次，每服1丸，白开水送下，忌食腥冷食物。

本方滋阴，壮阳，益肾，适用于肾阴、肾阳皆虚所致的性欲低下。

【方七】

熟地、山药、山茱萸、枸杞、鹿角胶、菟丝子、杜仲、当归、肉桂、巴戟肉、肉苁蓉、黄狗肾等各适量。水煎服，日1剂，分2次服。

本方温阳益肾，填精补血，适用于性欲减退、遗精、阳痿。

【方八】

韭菜子、女贞子、菟丝子、枸杞

子、五味子、覆盆子、巴戟天、淫羊藿、蛇床子、鹿角霜各适量。水煎服，日1剂。

本方温肾壮阳，适用于性欲低下，厌倦房事。

【方九】

牛鞭1根，韭菜子25克，淫羊藿、菟丝子各15克，蜂蜜适量。将上药焙干为末，蜜为丸，黄酒冲服。

本方补火助阳，适用于性欲低下，阳痿诸症。

【方十】

菟丝子、五味子、蛇床子各适量。将药研末，蜜丸如梧子，每次饮服3丸，日服3次。

本方补阳益阴固精，适用于肾阳不足，精关不固，性欲低下，阳痿，遗精，滑泄。

【方十一】

蛇床子末90克，菟丝子（取汁）150毫升。将2味药相合，外涂于阴茎上，日5遍。

本方温肾壮阳，适用于肾阳不足，性欲低下，阳痿。

【方十二】

阳起石、蛇床子、香附子、韭子各30克，土狗（去翘足，煅过）7个，大风子3克（去壳），麝香、硫黄各3克。将药研末，炼蜜为丸，指顶大，以油纸盖护贴脐上，用绢袋子缚住。

本方补火助阳，适用于肾阳虚衰、命火不足的性欲低下、阳痿。

【方十三】

麻雀50只，蛇床子150克。先将麻雀杀死去毛及内脏，煮烂去骨，然后与蛇床子煎熬成膏，炼蜜为丸，每丸9克，1日2次，每次服1～2丸，温开水送服或酒送服。

本方补肾助阳益气，适用于因肾阳虚衰性欲减退之阳痿。

【方十四】

熟地、山萸肉、五味子、女贞子、旱莲草、淫羊藿、紫河车、山药各适量。水煎服日2剂。

本方滋补肾阳，适用于性欲淡漠。

【方十五】

当归、白芍、柴胡、香附，女贞子、枸杞子、党参、茯苓、甘草各适量。水煎服，日1剂。

本方养血柔肝，疏肝理气，适用于性欲低下。

【方十六】

冬虫夏草、人参、淫羊藿各适量，乌鸡1只。将药及乌鸡加水炖服，早晚各服1次，服汤食肉。

本方补精髓，益气血，适用于阴阳气血皆虚的性功能减退。

第五节

『男子不育』

男子不育是指由男子生殖器官的解剖和生理机能异常而致不育者。引起本病的原因很多，如性机能障碍可引起不育症，而性机能障碍常见的有阳痿、早泄、遗精、不射精等。又如精液异常可引起不育症，而精液异常又有无精子、精子稀少、精液不液化、死精子过多、精液量少等。此外，先天或后天生殖器官的器质性病变，精神因素，身体健康状况，性交习惯等，皆能引起男子不育症。祖国医学在治疗男子不育症方面积累了大量的有效的偏方，主要如下：

【方一】

柴狗肾1具，韭菜子15克，蛇床子、五味子各10克，菟丝子30克，补骨脂12克，桑螵蛸30克，覆盆子、生山药各15克，车前子（包）9克，盐知柏各9克，全当归12克。水煎服，每日1剂，分2次吃。

【方二】

枸杞子、菟丝子、五味子、覆盆子、车前子（包）各9克，党参15克，白术、茯苓、仙灵脾各9克，川断12克，当归9克，甘草6克。水煎服，每日1剂。

此方为《山东中医学院学报》所载方。

【方三】

知母、黄柏各9克，生熟地各12苎，赤白芍各9克，丹参30克，仙灵脾15克，丹皮、车前子（包）各9克，金银花30克，生甘草6克。水煎服，每日1剂，2次服。

本方适用于精液不化所致的男子不育症。

【方四】

枸杞子、覆盆子各30克，川附子24克，蛇床子、菟丝子、炙草、山药、破故纸各30克，柴狗肾1具，益智仁、淫羊藿各30克，五味子15克，山萸肉9克，韭菜子15克，紫河车、巴戟天各30克，上肉桂24克，鹿鞭1具，熟地30克，砂仁15克。上药共为细末，配成水丸，每次服9克，日2次。

本方出自《上海中医药杂志》1981年12期，适用于精子数少、成活率低而导致不育者。

【方五】

知母、黄柏各9克，生熟地各15克，山药、山萸肉各12克，丹皮、泽泻、云苓各9克，生甘草6克。水煎服，每日1剂。

本方出自《山东中医学院学报》1979年2期，适用于热灼肾阴，相火偏旺，阳强难倒，不能射精者。

【方六】

蜈蚣18克，当归、白芍、甘草各60克。先将当归、白芍、甘草晒干研细，过90～120目筛，然后将蜈蚣研细，再将两种药粉混合均匀。分次服半包至一包，早晚各1次，空腹用白酒或黄酒送服，15天为1疗程，忌食生冷，勿气恼。

本方出自《山东中医学院学报》1979年2期，适用于阳痿、早泄所致不育。

【方七】

炒茴香、川芎各6克，元胡、没药、蒲黄、炒灵脂、川牛膝各10克，当归、赤芍各12克，琥珀末（冲）3克。水煎，每日1剂，1日2次。

本方出自《黑龙江中医药杂志》1982年2期。适用于性交时常常自感小腹、阴囊部胀涩抽痛，不能射精所致的不育者。

【方八】

煅龙骨、煅牡蛎各15克，五味子6克，茯苓9克，桑螵蛸6克，银白石脂、芡实、菟丝子、韭菜子、金樱子各9克。水煎服，每日1剂，1日2次。

本方出自《男子不育》，适用于肾气不固、早泄、遗精、神疲乏力所致不育患者。

【方九】

鱼腥草20克，凤尾草、土茯苓各15克，萆薢12克，车前草15克，漏芦10克，川楝子、莪术各12克，丹参15克，丹皮10克，益母草15克，肉苁蓉12克，女贞子、麦冬各10克，生甘草8克。水煎服，每日1剂，1日2次。

本方出自《北京中医学院学报》1982年1期，适用于慢性前列腺炎、精囊炎所引起的不育患者。

【方十】

知母9克，黄柏9克，生地15克，金银花30克，蒲公英15克，赤白芍各9克，丹参15克，当归12克，川断15克，甘草6克。

水煎服，每日1剂，1日2次。

本方出自《山东中医学院学报》1979年2期，适用于因慢性前列腺炎、精囊炎所致死精子过多，不能生育者。

【方十一】

熟地、菟丝子各30克，覆盆子25克，茯苓20克，枸杞、破故纸各30克，车前子10克，炒韭子15克，肉桂10克，五味子15克，鹿茸5克，沉香10克，胡桃仁5克，巴戟天25克。将上药研末炼蜜为丸9克重，每次服1丸，日服3次。

此方为辽宁著名中医彭静山治疗男子不育症专方。

【方十二】

白术15克，茯神9克，远志6克，柴胡1.5克，郁金3克，白芍30克，当归9克，巴戟天6克，陈皮1.5克，白芥子6克，神曲1.5克，麦冬、丹皮各9克。

水煎服，每日1剂，日服2次。

此方出自《辨证录》，专治因肝气郁结所致的男子不育症。

【方十三】

熟地30克，玄参15克，麦冬、生地、丹皮、山药、石斛、海参各9克。水煎服，每日1剂，日服2次。

本方出自《辨证录》，专治因精室蕴热所致的男子不育症。

【方十四】

制首乌15克，韭菜子、当归、熟

地各12克，菟丝子10克，覆盆子、仙灵脾、川牛膝各12克。水煎服，每日1剂，日服2次，1个月为1疗程。

本方出自《浙江中医学院学报》，专治因肾阳不足所致的男子不育症。

【方十五】

炮天雄16～19克，熟地、菟丝子、怀牛膝、枸杞子各20克，炙甘草6克，仙灵脾10克。水煎服，日1剂，1日2次。

本方为广东著名中医罗元恺方，专治因肾虚精绝异常之不育。

【方十六】

生薏仁30克，生地10克，麦冬15克，女贞子10克，滑石20～30克，茯苓10克，虎杖12克。每日1剂，水煎服。15日为1疗程，服1～2疗程可效。

此方为北京中日友好医院施汉章经验方，专治因精子不液化所致的男子不育症。

【方十七】

仙灵脾、枸杞子、山药、肉苁蓉各100克。

水煎服，药每2日1剂，日服2次，每日检查1次精液常规，2～3月为1个疗程。

本方为辽宁中医张翠环、李经国治疗不育症的专用方。

【方十八】

大熟地15克，枸杞子、覆盆子、山萸肉、巴戟天、仙灵脾、肉苁蓉各10克，韭菜子20克，紫河车6克，生黄芪15克，全当归10克。水煎服，每日1剂，30日为1疗程。待精液检查恢复正常值后改服人参鹿茸丸、五子衍生丸巩固疗效，促其怀孕。

本方为北京平谷县中医院于增瑞治疗男性不育症的专用方。

【方十九】

淫羊藿、阳起石各30克，菟丝子15克，熟地18克，女贞子9克，山药12克，五味子10克，鹿角胶、龟板各18克。水煎服，每日1剂，1日2次。

本方为山东济宁中医院高全华专治不育症的经验方。

【方二十】

生地12克，泽泻、茯苓、车前子、白芍各10克，丹皮、知母、黄柏各6克，碧玉散15克，生鳖甲20克。水煎服，1日2次，3个月为1疗程。

本方为江苏中医徐福松专治男子免疫性不育症的验方。

【方二十一】

鱼鳔胶、鹿角胶、人参、菟丝子、枸杞子、覆盆子、山药、山萸肉、肉苁蓉、仙灵脾、当归、牛膝。

水煎2次，早晚分服，3个月为1疗程。

本方为《天津中医学院学报》孟庆辉治疗特发性水精症所致的不育症。

【方二十二】

仙灵脾、太子参、车前子各15克，肉苁蓉、覆盆子、菟丝子、枸杞子、制黄精、制狗脊、留行子、当归各12克，仙茅9克，五味子6克，紫河车粉3克。水煎服，1日2次。

本方为《浙江中医学院学报》所载朱柏林经验方，专治因死精子所致的男子不育症。

【方二十三】

知母9克，黄柏10克，生地15克，山萸肉9克，怀山药、土茯苓各15克，小蓟根30克，炒蒲黄15克，鲜茅根30克。水煎，分早晚煎服，同时送服参三七粉1.5克。

本方为《江苏中医》所载蒋春荣治疗男子不育症的专用方。

【方二十四】

金银花、香连翘各24克，蒲公英、紫花地丁各20克，生地、当归、白芍、覆盆子各15克，黄柏、知母、龙胆草各12克，紫河车末（冲服）15克，甘草10克。水煎服，1日2次。

本方为《新中医》所载顾春生治疗脓精症所致的男子不育症。

【方二十五】

青蒿、山茱萸、炙黄芪各20克，知母、黄柏各12克，龙骨、牡蛎各30克，沙苑子15克，远志、石菖蒲各12克，熟地15克。

水煎服，1日2次。

本方为《浙江中医杂志》所载张生胜治疗不育症方。

【方二十六】

紫石英、党参、川断各15克，仙灵脾9～15克，黄芩、徐长卿、菟丝子、当归、白芍、白术、云苓、炙甘草各9克，熟地12克，川椒1.5克，鹿角霜、川芎各6克。

水煎服，每日1剂，1日2次。

本方为《实用中医保健学》所载方，治疗原因不明的不孕症。

【方二十七】

海龙3条，鹿茸、海狗肾各15克，胎盘30克，羊肾（睾丸）3副，肉苁蓉15克，仙灵脾、仙茅、巴戟天、葫芦巴各20克，枸杞子30克。以诸药干燥研为细末，炼蜜为丸。每日2～3次，每次10克口服。若作汤剂，每剂海龙改为1条，胎盘3克，海狗肾1.5克，鹿茸2克，此4味共研细末；肉苁蓉、仙灵脾、仙茅、巴戟天、葫芦巴、枸杞子原量加水共煎，取汁冲服以上4味，每天1剂，羊肾每天1只，炖煮后吃肉喝汤。

本方为河南著名中医张海岑验方，功能补肾壮阳，填髓生精，适用于男性肾虚不育之偏于阳虚者。

骨科病

GU KE BING

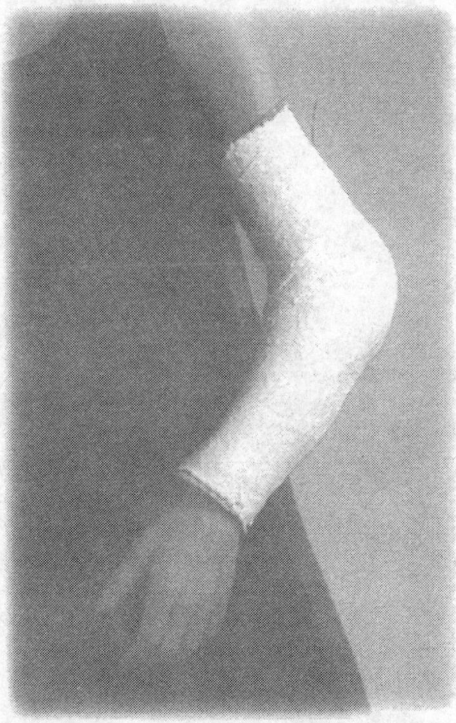

第一节

『骨质疏松』

人在35岁以后身体中骨质的总量就逐渐减少，约每10年减少10%～15%，女性绝经、男性60岁以后更是明显减少。其减少的早期表现有身高缩短、牙齿松动脱落，进一步可发展到全身骨痛，且因为骨质的减少、骨的脆性增加，即使轻度外伤或无外伤情况也可造成骨折，脊柱骨被压塌或压缩性骨折最为常见，生活中或上下楼梯或转身等稍不注意即造成股骨骨折，严重的可造成畸形，表现为驼背，变矮，下腹壁突出，骨盆前倾，膝关节、髋关节屈曲畸形，踝关节僵硬，足内翻，步伐缓慢变小，步态不稳等。这就是医学上称之为“骨质疏松症”，随着年龄增大而减少的为“生理性骨质疏松”，出现骨折、身体畸形的则为“病理性骨质疏松症”。临床常见的验方如下：

【方一】

鸡750克，黄豆50克，核桃50克，葱白2根，生姜2片，黄酒15克，食盐、胡椒粉适量。将鸡洗净砍成块，黄豆泡发，葱白成结，除胡椒粉外均投入汽锅内，加水至2/3满，隔水以小火蒸2小时，出锅放少许胡椒粉。

本方为汽锅蒸黄豆核桃鸡，对骨质疏松有效。

【方二】

猪骨汤1 000克，豆腐2块，鸡蛋1个，虾皮25克，葱、姜、蒜、蚝油、盐、味精适量。鸡蛋破壳入小碗，以筷子打匀加少量水和盐，蒸熟备用，豆腐切小块。油锅烧热放入蒜爆香，倒入少许油后加猪骨汤、虾皮，沸后将蒸蛋以大匙分次舀入汤中，再加进豆腐煮沸，放葱、盐、味精出锅。

本方为豆腐猪骨汤，对骨质疏松有一定疗效。

【方三】

黄豆芽、排骨各500克，生姜2片，黄酒15克，食盐、味精、胡椒粉适量。以高压锅炖排骨汤备用，黄豆芽去根洗净切两段，大火翻炒豆芽至进油，倒入砂锅，入汤、黄酒，小火炖30分钟，放入味精、胡椒粉。

本方为黄豆芽炖排骨，适用于骨质疏松症。

【方四】

海参3条，猪瘦肉200克，虾米10克，鸡蛋2个，豆笋50克，鸡汤500克，姜、葱、酒、糖、盐、味精、麻油适量。海参水发，去内脏洗净，切成两截，猪肉、虾米剁成泥加盐塞入海参腔内，鸡蛋荡成皮切丝，豆笋洗净泡发。炒锅入油烧热爆姜、葱白至香味，出锅，换油下海参稍煎熟，入酒、糖、盐、豆笋、蛋丝、鸡汤煮10分钟，再放蛋丝、葱花、味精，出锅浇上麻油。

本方为海参荷包，对骨质疏松有好的疗效。

【方五】

猪骨头1 000克，海带150克，姜、葱、胡椒粉、味精、盐适量。高压锅内加2 000克水，将猪骨头连同海带、生姜一同入内，旺火烧开，小火炖烂，加调料出锅。

本方为猪骨头炖海带，常吃能有效防止骨质疏松。

第二节

『颈椎病』

颈椎病是一种进展缓慢的退行性常见多发性骨疾患，多见于中年以上的人。轻者头、颈、臂、手、上胸、背疼痛麻木；重者可出现四肢瘫痪、大小便失禁等。颈部是头与躯体联结的部位，头部的血液供给大脑及躯体的神经系统，以及饮食、呼吸等生命活动，都需要经过颈部相互沟通。不仅如此，颈部还是头部活动的枢纽。由于颈部椎骨的协同作用，头部才能向前、后、左、右转动，并可以进行仰头、俯视等活动。正因为如此，颈部很容易受伤，例如：扭伤、落枕。

临床上常用的治疗颈椎病的偏方、验方主要如下：

【方一】

全蝎10克，蜈蚣2条，鹿衔草、川芎、当归、自然铜、乌梢蛇各15克。将药加水煎者2次，取药汁混合，每日饮服2次。

本方出自《江西中医药》1990年21卷，适用于颈椎病。

【方二】

白芍30克，木瓜13克，鸡血藤15克，葛根、甘草各10克。每日1剂，水煎分2次服。

本方出自《当代中国名医高效验方1 000首》，对颈椎病有效。

【方三】

苍术、炒白芍、茯苓各20克，川芎15克，桔梗、干姜、厚朴、甘草各10克。制成合剂，每次30毫升，日3次，2周为1疗程。

本方出自《北京中医学院学报》1986年9期，适用于颈椎病。

【方四】

葛根25克，威灵仙、鸡血藤各15

克，白芍15～30克，甘草6克，炙蜈蚣2条（研水冲服）或全蝎8克。本方每日1剂，水煎服，可随症加减。

本方出自《陕西中医》1987年8期，适用于颈椎病。

【方五】

白芍30克，甘草15克，酸枣仁、牡蛎各10克，威灵仙、元胡各12克。将药加水煎煮2次，取药汁混合，每日分2次饮服。

本方出自《中医骨伤科杂志》1987年3期，对颈椎病有效。

第三节

『退行性脊椎炎』

退行性脊椎炎是脊椎关节软骨的非炎症性退行性变及继发性骨质增生，有原发型与继发型之分，老年人多见的为原发型。本病以颈椎、腰椎为多见，很少见于胸椎，其中发生于颈椎的，称颈椎骨关节病或颈椎病；发生于腰椎的称腰椎骨性关节炎或肥大性脊椎炎、增生性脊椎炎。中医学中有关本病的论述，主要见于“痹证”、“腰痛”、“历节风”等病之中，同时与“眩晕”、“胸痹”、“心悸”也有一定联系。

40岁以上患者，出现慢性颈、腰、脊背疼痛，符合本病临床特点，X线摄片有典型改变，即可确认。皮肤感觉、肌力、腱反射等体格检查，X线摄片、脊椎CT扫描有助于精确定位与定性、判断病情轻重、制定治疗方针。必要时可作肌电检查与脊髓造影以帮助诊断。

颈椎病因常伴有肩周炎，故有时须与冠心病相鉴别；腰椎骨性关节炎则需与类风湿性关节炎、强直性脊椎炎、弥漫性特发性骨肥厚症，以及血管性间歇性跛行相鉴别。

目前，临床上常用的治疗退行性脊椎炎的偏方、验方主要如下：

【方一】

桑寄生15克，杜仲10克，牛膝10克，干地黄9克，当归9克，川芎10克，独活9克，秦艽10克，桂枝12克，地龙10克，路路通9克，甘草6克。

水煎服，日1剂。

肩胛痛甚，项强不舒，上肢麻木去独活、牛膝，加蜈蚣、葛根、海风藤、桑枝、全蝎；形寒肢冷，加附子、细辛；肩颈隐痛、头眩肢困、纳差，去地黄，加苍术、苡仁、半夏、陈皮、菖蒲；恶心、眩晕、头胀痛，加天麻、钩藤、石决明、菊花、黄芩；下肢麻木，腰痛甚，加威灵仙、鸡血藤、川续断、狗脊；平昔体弱多病，酌加党参、黄芪、枸杞。

本方养血通络，疏风散寒，适用于风寒痹阻所致的退行性脊椎炎，临床主要见症如下：

症状：肩颈部，或腰脊、下肢酸痛，多劳后加重，甚而屈伸不利，遇寒冷或阴雨尤剧，肌肤麻木不仁，手足笨重，舌淡红，苔薄白，脉弦细。

【方二】

丹参 10 克，当归 9 克，桃仁 12 克，红花 10 克，川芎 9 克，没药 9 克，五灵脂 10 克，地龙 9 克，羌活 9 克，秦艽 10 克。

水煎服，日 1 剂。

疼痛剧烈，酌加延胡索、赤芍；肩颈胀痛连及头部，肢麻，加石决明、天麻、钩藤、茺蔚子；上肢麻木，加片姜黄、桑枝、海风藤；下肢痛甚，加桑寄生、独活、鸡血藤；气短，加太子参、黄芪；胸闷、苔腻，去当归，加半夏、苡仁、佩兰。

本方活血化瘀，祛风除湿，适用于气滞血瘀所致的退行性脊椎炎。临床主要见症如下：

症状：肩颈肿胀刺痛，俯仰转动不利，上臂麻木，或腰膝疼痛如锥刺，固定不移，活动受限，下肢麻木。舌紫暗有瘀点，脉弦涩。

【方三】

续断 10 克，桑寄生 9 克，杜仲 10 克，白芍 9 克，地黄 10 克，乌梢蛇 9 克，地龙 10 克，秦艽 10 克，黄芪 10 克，茯苓 12 克，甘草 6 克，当归 10 克。

水煎服，日 1 剂。

肩颈上肢疼痛，重用防风、桂枝、桑枝；下肢疼痛，重用杜仲、续断、牛膝；腰膝疼痛，重用独活、桑寄生；脊柱活动不利，手足颤抖者，加僵蚕、全蝎、地龙，脊柱疼痛拘挛，加伸筋草、威灵仙、田三七；目眩耳鸣，加枸杞子、女贞子、旱莲草；形寒肢冷，肩背腰膝冷痛，去秦艽、地龙，加桂枝、鹿角胶；肩颈部烘热，或五心烦热，加银柴胡、枸杞、知母、黄柏等。

本方补肝益肾，通经活络，适用于肝肾两虚所致的退行性脊柱炎。临床主要见症如下：

症状：身体瘦削，颈、腰、脊背疼痛，甚而僵硬畸形，肢体麻木，伴头晕目眩，腰膝酸软，神疲寐差。舌淡，苔白，脉细弱。

【方四】

生黄芪 15 克，白芍、木瓜、仙灵脾、威灵仙、续断、牛膝、甘草各 10 克，水煎服，每日 1 剂。

【方五】

补骨脂、胡桃仁、杜仲各等份，大蒜适量蒸熟，与三药混合炼蜜为丸，每次服 6 克，1 日服 2 次，适用于肝肾两虚证。

【方六】

桑椹子 250 克，宣木瓜、五加皮各 100 克，浸入 1.5 千克高粱酒中，置于瓷罐中，加封置 1 个月左右即可，经常饮服，剂量依人而定。适用于风寒痹阻证。

【方七】

羊腿骨、羊胫骨（连皮肉）各 3 只，伸筋草、千年健、威灵仙、丹参各 30 克，先以水煎药，半小时后去药渣，加入打碎的羊骨，煮至羊肉烂熟，再加适量调味品，食汤和肉。3 日 1 料。

【方八】

羊脊骨（捣碎）1 副，陈皮、良

姜、生姜各30克，草果2个，盐少许。加水适量，慢火熬汁，去骨及药渣，加米适量煮粥，每日或隔日1剂。

【方九】

猪肾（去脂膜，切）1副，粳米60克，草果、砂仁各6克，陈皮3克，先将猪肾、陈皮水滤去渣，并入酒少许，再下米煮成粥，空心服食。适用于脾肾两虚证。

【方十】

苍耳子适量炒为末，茶叶适量，加水同煎，代茶饮。

【方十一】

取熟地15 000克，肉苁蓉、鹿衔草、骨碎补、淫羊藿、鸡血藤各10 000克，莱菔子5 000克，煎制成流浸膏11 000克，加蜂蜜1 500克，每丸重2.5克，每次2丸，每天服2～3次，30天为1个疗程。治疗结果：刘伯龄用上方治疗退行性脊椎炎患者1 000例，其中显效者（腰痛消失，活动不受限，恢复原工作）808例，占80.8%；好转者141例，占14.1%；无效者51例，占5.1%。总有效率为94.9%。作者认为，本方的作用机制是来自其抗炎、抗增生和镇痛效应。

【方十二】

生地20～90克，赤芍、白芍、王不留行、川断各15克，红花10克，葛根、黄芪、蒲公英、独活各20克，金银花、土茯苓各30克。随证加减，每天1剂，水煎服。用药3个月。治疗结果：30例中，治愈2例，显效23例，好转3例，无效2例，总有效率为93.33%。

皮科病

PI KE BING

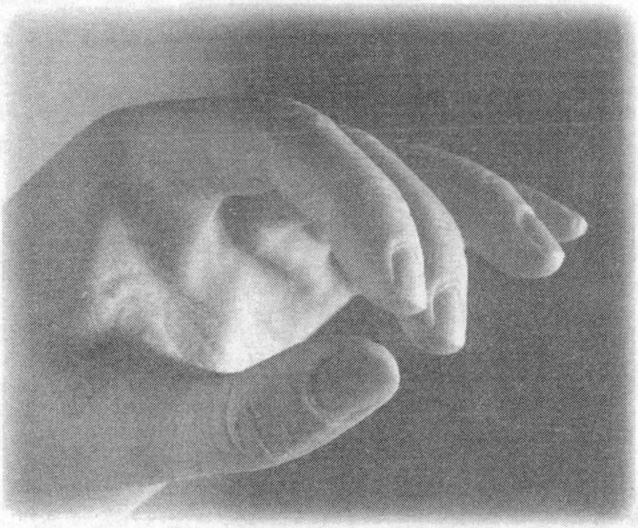

第一节

『荨麻疹』

荨麻疹是一种常见的过敏性皮肤病，初起皮肤瘙痒，抓后皮肤迅即发生大小不等之风团，剧烈瘙痒，此起彼伏，骤起骤消，甚至累及黏膜，出现腹痛、腹泻、喉头水肿之症状。临床上常用的偏方主要如下:.

【方一】

荆芥穗10克，防风9克，金银花12克，牛蒡子10克，丹皮9克，浮萍6克，生地9克，薄荷6克，黄芩10克，蝉衣12克，生甘草6克。水煎服，日1剂，早晚服。

本方辛凉解毒，疏风止痒，适用于荨麻疹。

【方二】

生地10克，当归12克，赤白芍各10克，首乌10克，黄芪12克，防风、荆芥穗、刺蒺藜、川芎各9克，甘草6克。水煎服，日1剂，分2次服。

本方养血益气，疏风止痒，适用于血虚受风所致的荨麻疹。

【方三】

香樟木、晚蚕沙、徐长卿、败酱草、核桃叶各30～60克，紫苏120克。将药任选一种煎水，趁热先熏后洗，每日1～2次。

本方适用于荨麻疹。

【方四】

黄芪10克，白术、防风、桂枝各9克，白芍10克，生姜6克，大枣9克，浮萍6克，白鲜皮10克，荆芥穗9克，陈皮12克，甘草9克。水煎服，日1剂，早晚服。

本方调和营卫，益气固表，对荨麻疹有效。

【方五】

金银花12克，地肤子、荆芥穗各9克，大黄10克，厚朴、云苓各9克，白芍10克。甘草9克。水煎服，日1剂，分2次服。

本方清热散风，适用于荨麻疹。

【方六】

熟地9克，当归、白芍各20克，首乌、黄芪各30克，防风、川芎各12克，甘草30克，蝉蜕10克，荆芥、白蒺藜各12克。水煎服，每日1剂，每晚或早晚分2次服。

本方出自《山东中医杂志》1989年8期，适用于顽固性荨麻疹。

【方七】

玉米须15克，已发酵好的酒酿100克。将玉米须放入铝锅中，加水适量，煮20分钟后捞去玉米须，再加酒酿，煮沸食用。

本方适用于荨麻疹。

【方八】

三七1～1.5克，去骨鸡肉100克。

三七切成薄片，用鸡油或猪油炸黄，加入鸡肉拌匀，放入碗中，再加水适量，用文火蒸炖1小时，加入少量食盐调味，药肉汤1次服完，每天或隔1～2天服1料，连服2～3剂。

本方适用于阳虚气弱及气血两虚所致的荨麻疹。

【方九】

醋100毫升，木瓜60克，生姜9克。3味共入砂锅煎煮，醋干时，取出木瓜、生姜，分早、晚2次食完，每日1剂，痊愈为止。

本方出自《醋蛋治百病》，适用于荨麻疹属风寒外袭者。

第二节

『湿　　疹』

湿疹是一种过敏性皮肤病，当进食异性蛋白食物，例如鸡蛋、牛奶、鱼虾等，便可引起一种变态反应性皮肤病。主症为：皮肤先出现红色丘疹，粟粒样皮疹或疱疹，继而伴有渗出液，干燥后形成灰色或黄色痂皮，痂皮脱落后露出红色的潮湿表面，剧烈刺痒，搔后易发生感染。临床常用的有效单方、验方主要如下：

【方一】

薏苡仁、粳米各30克，冰糖少量。将薏苡仁、粳米共煮成粥，再放入少量冰糖，作点心食用。

本方健脾祛湿，适用于脾虚型湿疹。

【方二】

红枣10枚，扁豆30克，红糖适量。将前2味加水煮烂熟，加入红糖，服食。

本方养血和血，而“血和风自灭”，故可治疗慢性湿疹。

【方三】

竹节菜（干品30克）50克，粳米100克。竹节莱加水煎汤，去渣后入粳米，再加水煮稀粥，每日早晚各2次，温热顿服。

本方清热利湿除风，适用于皮肤湿疹、阴部瘙痒等症。

【方四】

水蛇1～2条，蟾蜍2～4只，粳米适量。剥去蟾蜍外皮，去掉头、爪、内脏，洗净后切小块，剥去水蛇皮，去掉内脏，放入开水中煮熟，拆肉去骨，再入蟾蜍肉一起放入锅内，加粳米（或糯米）水煮粥，调味食。

本方适用于湿疹。

【方五】

乌梢蛇1条，猪脂、盐、姜少许。将蛇切片煮汤，加猪脂、盐、姜少许

调味，饮汤吃肉。

本方祛风、除湿、解毒，适用于湿疹及风湿痹痛症。

【方六】

黄柏6克，丹皮炭、陈皮炭各3克，冰片1.5克，蛋黄油适量。前4味药研细末，用蛋黄油调成糊状，涂患处，每日3次。

本方出自《醋蛋治百病》，适用于湿疹。

【方七】

大黄9克，清油适量。将大黄研细末，用清油调擦患处。

本方适用于湿疹水泡期，此方源于《中国民间小单方》。

【方八】

五倍子6克。将其炒黄研细末，撒于患处。

本方出自《中国民间小单方》，适用于湿疹皮肤起红斑，水疮变为脓疱，痒而兼痛，流黄水。

第三节

『疣』

疣指生长在皮肤上的小赘生物，病状为绿豆至黄豆般大的豆疹，形态扁平，稍微高出于皮肤表面，淡褐色或接近正常皮肤颜色，呈散在性分布。本病是由病毒所引起，它可因互相接触而传染给他人；也可因搔抓而接种在自己的皮肤上，以致豆疹排列成串。临床上常用的偏方、验方主要如下：

【方一】

马齿苋30克，木贼草10克，生薏苡仁、大青叶各15克，灵磁石10克。水煎，每日1剂。

本方驱风散结、清热解毒，适用于由风热毒邪凝聚体肤所致之扁平疣。

【方二】

生薏苡仁30克，炒三棱10克，大青叶15克，桃仁、姜黄、赤芍、木贼草各10克。水煎，每日1剂。

本方对扁平疣有效。

【方三】

马齿苋30克，苍术、蜂蜜、白芷各10克，苦参、陈皮各15克，蛇床子12克，细辛6克。煎水约300毫升，趁热反复温洗患处，擦至皮肤略呈淡红色为度，每日加温，洗3～5次，每次15分钟，每剂可洗2天。

本方对疣有疗效。

【方四】

薏苡仁100克。将其淘洗干净，煮作饭食，每日1次。

薏苡仁为禾本科植物薏苡的种仁，又名米仁、薏米。它有两个品种：一种形尖壳薄，米呈白色，粘牙，如糯米，即薏米，可食可药；另一种形圆壳厚坚硬，米小，俗称菩提子，仅作药用。薏苡仁含蛋白质16.2%、脂肪4.56%、碳水化合物70.17%，另含有薏苡素、薏苡脂、三萜化合物。

中医认为，薏苡仁味甘淡，性凉，能健脾、利湿。据《中华皮肤科杂志》报道，取新收的薏苡仁100克，与大米混合煮饭吃，用于扁平疣，每日1次，连续服用，直至疣除。在服食期间，部分人可能会有反应，开始时疣部变红增大，继续坚持服用，局部干燥脱屑，以至疣赘消除。

婴幼儿湿疹，也可用薏苡仁煎汤代茶饮服。

脾虚便难，脾胃虚寒及妊娠妇女慎服。

【方五】

黄豆芽500克。将其洗净，清水炖煮至熟，连汤服食，经常食用。

黄豆芽为黄豆浸水发芽而得，可作蔬菜食用。干黄豆本身并不含有维生素C，但在发芽后，可以产生维生素C。现代研究认为，维生素C能协助氨基酸的代谢，防止酪氨酸氧化不完全生成黑色素，临床上常应用维生素C制剂来减轻某些疾病产生的色素沉着。

另据临床报道，连续3天食用本品，每日3餐，在此期间不吃其他粮食及油类，第4天起改为普通饮食，并继续以豆芽佐餐，用于寻常疣有显著疗效。

本品有润肌肤、去黑痣、消疣赘的作用，经常食用，可使皮肤细腻，光滑白净。

黄豆芽的豆瓣不易消化，在制作时需煮炖烂熟为好。

【方六】

板蓝根、马齿苋各30克。水煎服，每日1剂。

本方清热祛疣，主治扁平疣。

【方七】

生赭石、生龙骨、生牡蛎、生薏苡仁、马齿苋各30克，大青叶、当归尾、赤芍、丹参各12克，升麻6克。水煎，日1剂，分3次服。

本方清热解毒，降火行瘀，去疣。

【方八】

鲜芝麻花不拘多少。选择无虫无病之鲜花，揉擦患处，每日3次，每次5分钟，连用3天，疣即自行脱落。

【方九】

木贼草30克。水煎，用脱脂棉蘸药水涂擦患处，每日2～3次。

本方对扁平疣有效。

【方十】

夏枯草、连翘、藿香、佩兰、薏苡仁、茯苓、板蓝根、白鲜皮、扁豆各1.5克，白术、陈皮各10克，甘草3克。每日1剂，水煎3次，分3～5次服用。

本方清热除湿，适用于湿热熏蒸发于皮肤而致疣者。

【方十一】

生猪油适量。用小块生猪油涂扁平疣表面，每天3～4次，治疗1周左右，一般即可将疣除去，不留任何痕迹。

【方十二】

生香附20粒（约10克），鸡蛋1个。将生香附去毛须，洗净，晒干，碾碎，加鸡蛋中煎炒（加少许植物油或盐）。每2～4日服1次，5～8次为1疗程。

第四节

『痤　　疮』

痤疮是青春期常见的皮肤病，初起时皮疹为针头或芝麻大小，与肤色相同或红色，顶端日渐呈现黑头，可挤出黄白色粉渣（即粉刺），乃遗留凹陷疤痕。本病多因饮食不节，过食辛辣油腻之品，生湿生热，凝滞肌肤，或肺经风热熏蒸，蕴阻肌肤而成，临床常用的有效单方、偏方主要如下：

【方一】

浙贝母、白附子、菊花叶、防风、白芷、滑石各15克，皂角10克。将6味研为细末，用皂角蒸熟，去筋膜，同药捣为丸，早晚擦面。

本方祛风清热，适用于痤疮、雀斑，其来源于《疡医大全》。

【方二】

赤小豆20克，细辛6克，麻黄3克，银花10克，泽泻8克，茯苓15克，车前子8克，神曲15克，红花3克，甘草6克。煎汤代茶，1日1剂，并用药液清洗患部，早晚各1次。

本方出自《云南中医杂志》1989年10期，功能消疮，适用于痤疮。

【方三】

土茯苓30克，生地榆15克，赤芍10克，黄柏15克，蒲公英、茜草各10克，地肤子、金银花、板蓝根各15克。水煎服，每日1剂。

本方清热解毒，活血祛湿，适用于痤疮患者。

【方四】

白果适量。将药洗净，切开，绞汁，取汁频涂患部，干后再涂，直至汁尽，每日用2～3粒。

本方解毒排脓，平痤除疮，适用于痤疮患者。

【方五】

硫黄、川军各等份。将2味药共研细末，冷开水调敷患处。

本方出自《家用偏方》，主治痤疮。

【方六】

蝮蛇胆汁0.5毫克，雪花膏500克。将二者混合调匀，每日早晚先用温水洗脸，待干后涂擦皮损处。

本方消炎抑菌，溶解皮脂，脱色止痒，适用于痤疮。其方来源于《辽宁中医杂志》1984年8期。

【方七】

土瓜根60克。捣细为散，以浆水和研成膏，瓷盆中盛贮，临卧洗面后涂之。

本方泻热消瘀，适用于痤疮。

第五节

『黄褐斑』

黄褐斑是一种面部色素增生性皮肤病，它多分布在鼻及鼻两侧，形似蝴蝶，故俗称“蝴蝶斑”。此斑表面光滑无皮屑，既不痒，也不痛，长期存在，多年不褪，但日晒后加重。中医学认为，本病的发生与肝、脾、肾功能失调有关，或因肝病而引起者，又有“肝斑”之称。或因脾虚不能化生精微，气血两亏，肌肤失去营养，以致湿热熏蒸而患此病；或因肾阴虚，水亏不能制火，血弱不能华色，虚热内蕴，郁结不散，阻于皮肤所致。临床常用的偏方、验方主要如下：

【方一】

醋柴胡12克，当归、白芍各10克，丹参15克，茯苓12克，白术10克，青橘叶6克，制香附10克，薄荷3克（后下）。水煎服，每日1剂，分2次服。

本方疏肝解郁，适用于因肝郁气滞而导致的黄褐斑。

【方二】

党参12克，黄芪15克，白术10克，怀山药15克，扁豆、茯苓各12克，黄柏、黄芩、泽泻各10克，六一散6克。水煎服，每日1剂，早晚服。

本方健脾利湿清热，适用于因脾虚湿热而导致的黄褐斑。

【方三】

生熟地各15克，玄参、天花粉、知母、黄柏、炙龟板、茯苓、山栀、柴胡、丹皮各10克。水煎服，每日1剂，分2次服。

本方用于因肾虚蕴热而导致的黄褐斑。

【方四】

青嫩柿树叶若干，白凡士林30克。将柿树叶晒干研细面，与白凡士林调匀成膏，每天睡前涂患处，晨起洗净，一般半月至一月后方能奏效。

本方适用于黄褐斑。

【方五】

益母草粉7.5克，白附子6克，白及7.5克，白蔹6克，轻粉1.5克，钟乳粉6克，密陀僧4.5克，细辛末1.5克。各研极细末，混合均匀，装瓶备用。晚上睡前用人乳或温水调和，涂患处，次日用温水洗去。

本方治疗黄褐斑有效。

【方六】

薏苡仁50克。水煎服，每日1剂。

本方健脾利湿，适用于黄褐斑。

【方七】

白芍、金樱叶、鸡内金各9克，冬瓜仁、生薏苡仁各30克，党参、茯苓各12克，桃仁、红花各6克，白附子、蔓荆子、细辛各3克。水煎，每日1剂，分3次服。

本方适用于黄褐斑兼有肝病者。

【方八】

菟丝子、生熟地各15克，女贞子、何首乌各12克，旱莲草、白芍、当归各10克，阿胶、枸杞子各9克。水煎取浓汁，口服，每日1剂。

本方益肾养血，适用于黄褐斑。

【方九】

当归12克，益母草、泽兰、白芷各9克，荆芥穗、羌活各6克，川芎、柴胡各4.5克，蝉蜕3克。水煎服，每日1剂。

本方活血散风，适用于风邪伤于营卫、气血失和所致的黄褐斑。

第六节

『雀　斑』

雀斑因形似麻雀卵上的斑点而得名。其好发于颜面，多为圆形或卵圆形，如针尖或米粒大小，呈棕褐色或黑色斑点，不高出皮肤表面。

中医认为，本病的发生是火郁于细小脉络的血分中，复受风邪侵袭，风火之邪相合而引起，亦可因禀赋不足，肾水不能荣华于面，浮火结滞而形成。而西医则认为，雀斑与遗传有关，常呈家族性；另一方面则可能与日光有关，因本病的特点是冬轻夏重，这与紫外线的强弱有关，临床上常用的治疗雀斑的偏方、验方主要如下：

【方一】

水牛角60克，升麻、羌活、防风各30克，白附子、白芷各15克，生地30克，川芎、红花、黄芩各15克，生甘草6克。

将各药研成细末，蒸熟，做成小丸，每晚服10克，温开水送服。

本方祛风清热、凉血散血，对治疗雀斑有效。

【方二】

苍耳子若干。将苍耳子做成粉，洗净，焙干，研成细粉装瓶备用。每次饭后3克，米汤送下，每日3次。

本方适用于因风邪袭面、气血失和而致的雀斑。

【方三】

熟地15克，山茱萸、炒丹皮各10克，茯苓12克，山药30克，升麻、白附子、细辛、巴戟天各3克，甘草10克。水煎服，每日1剂，分2次服。

本方适用于因肾阴亏损而致的雀斑。

【方四】

黑牵牛粉适量，鸡蛋清适量。将二者调匀，备用，在临睡前将调好的黑牵牛粉，涂抹在脸上，晨起洗去。

本方既可除雀斑，又能保护皮肤。

【方五】

旋复花若干。将旋复花拣去杂物，去除梗叶，筛净泥土，研成细粉备用，用时以之洗脸。

本方适用于雀斑，亦可使皮肤润泽、驻颜。

【方六】

白檀香、浆水适量。将白檀香捣磨成汁，浆水制法是：将煮熟的小米浸泡在冰水中五六天，至生出白色泡沫时，滤出备用。每晚用温浆水洗脸，毛巾擦干，然后在雀斑局部涂上檀香汁，第二天晨起擦去。

本方对雀斑有效。

【方七】

桃花、冬瓜仁各等份，蜂蜜适量。将桃花阴干，研成细粉，冬瓜子去壳，研末，加入蜂蜜调匀，夜晚以此蜜敷面，每日晨起洗净，每天1次。

本方理气活血，润肤祛斑，对雀斑有效。

【方八】

茵陈20克，生地榆、老紫草各15克，赤芍10克，地肤子、土茯苓各15克。水煎服，每日1剂。

本方清热凉血，消斑美容，适用于雀斑。

【方九】

鲜芹菜根60克。切碎，用水浸泡24小时，过滤后取汁洗脸，每日早晚各洗1次。

本方对雀斑有效。

第七节

『皮肤癌』

皮肤癌的典型病变造成周边珍珠样隆起，表面有毛细血管扩张。此为皮肤癌之一的基底细胞癌的主要表现；皮肤癌的另一种是鳞状细胞癌。其主要特征是：初起为疣状隆起肿块，基底坚硬，表面粗糙如菜花状。可见毛细血管扩张，顶部常见钉刺样角质。临床上常用治疗皮肤癌的偏方主要如下：

【方一】

大枣10枚，信石0.2克。大枣去核后将信石放置于大枣内，于恒温箱内烤干，研细混匀，密封于瓶中备用。用时与麻油调成糊状外敷，每日1次或隔日1次。

本方祛腐生肌，适用于皮肤癌。

【方二】

枯矾30克，黄柏10克，煅石膏20克，黄升丹10克。将药共研细末，用熟菜油调成糊状外敷患处，每日或隔日换药1次。

本方清热燥湿解毒，对皮肤癌有效。

【方三】

千足虫、蓖麻仁10克，陈石灰3克，叶烟粉各3克，鲜苎麻根10克。取乙醇浸泡千足虫或活千足虫捣烂加入蓖麻仁泥（蓖麻仁去壳捣烂），陈石灰、叶烟粉调匀，然后加入鲜嫩苎麻根调合，最后加入浸泡千足虫的乙醇5毫升，二甲基酮50毫升，调成膏状，瓶贮备用。临用时，以双氧水及水洗净肿瘤创面后涂敷此膏，隔日或每日换敷。

本方源于《四川中草药通讯》，功能拔毒祛腐，燥湿敛疮，适用于皮肤癌。

【方四】

方①煅信石5克，将信石置于新瓦上加火到红，待凉研细备用。方②冰片10克，云南白药20克，麝香3克，共研细末备用。方③黄连、黄柏各9克，黄芪、紫草各15克，冰片9克，枯矾30克，青黛9克，橡皮6克，硼砂9克，共研细末备用。

癌症多有炎症出血，可先用方②、方③外用。换药2～3次后改用方①外敷，量不宜过多。如癌床面积大，可分区，分次给药，隔日换药1次。

本方为陕西宝鸡市中心医院肿瘤科方，功能清热解毒，拔毒生肌，适用于皮肤癌。

【方五】

樟丹30克，乳香10克。二者按比例混合，共研细末，外用。临用前以麻油调制成糊状，涂敷于癌肿患处，每日1次。

本方为沈阳医学院方，功能活血消肿，适用于皮肤癌。

【方六】

麻油500克，小鲫鱼150～500克。麻油煮沸，将小鲫鱼投入油中，熬至鱼枯后，去渣过滤，加黄蜡适量待其熔化后离火，冷凝即成软膏。将其涂在纸上或布上贴敷患处，每日更换1次。

本方源于《常见肿瘤的良方妙法》，功能利水消肿，适用于皮肤癌。

【方七】

板蓝根120克，银花、连翘、皂刺各9克。水煎2次分服，每日1剂。

本方源于《常见肿瘤中医治疗》，功能清热解毒，适用于皮肤癌。

【方八】

①5901条：白砒6克，小麦粉30克，将小麦粉加水适量，调成浆糊状，再加入白砒，捻成丝状细药条。②5902糊剂：滑石粉500克，煅甘石粉90克，朱砂、冰片各30克，淀粉60克。共研细末，用香油调成糊状。将癌块局部消毒麻醉后，于距离癌块根部0.5～1厘米健康组织处，先用1号针头刺入基部，将针取出，然后沿原针眼将5902药条插入，如此沿癌块周边，每隔0.5厘米，插入药条1根，2～3天后，局部组织发黑或呈黄灰色，坏死脱落，用5902糊剂外敷创面。

本方源于《常见癌症中医治疗》，功能祛腐生肌，燥湿敛疮，适用于皮肤癌。

【方九】

火硝500克，皂矾30克，黄丹60克，雄黄9克，朱砂3克，冰片适量。先将黄丹、雄黄、朱砂共研细末，另取火硝、皂矾置锅内烈火炼成药液，将药末加入药液中搅拌均匀，立即倾于干净平板上，冷却后凝结成晶块，研成细粉，备用。同时，每2克药粉加冰片1克，研细混匀，每次取适量，置于癌块上，隔日换药。

本方源于《常见癌症中医治疗》，功能解毒燥湿敛疮，适用于皮肤癌。

【方十】

血竭、紫草根各30克，水蛭、山甲、地鳖虫各15克，松香120～150克，麝香、蓖麻子各适量。先将紫草根用麻油炸成紫草油，再将水蛭炒炭及山甲炒焦后，共研细末。血竭、地鳖虫、松香亦研成细粉，加入蓖麻子（或用蓖麻油代替）同放锅内加热熔化，趁热，涂于牛皮纸或布面上，外用，贴敷于癌肿创面。每周换药2次，麝香可撒于膏药上使用。

本方为河南鹿邑县人民卫生防治院验方，功能破血逐瘀，解毒消肿，适用于皮肤癌。

【方十一】

三氧化二砷、穿山甲、黄芩素各1克，活性炭3～6克。先将穿山甲研碎成粗粉和三氧化二砷同置坩锅内煅烧，至冒白烟后离火放冷，研末，加入黄芩素及活性炭细粉，混合均匀，用经灭菌的麻油调成糊剂，用药前可先涂搽1～2天一般消炎药膏，待癌肿皮肤表面洁净无痂后，再涂搽本品，注意勿触及周围健康皮肤。

本方源于《抗癌中草药制剂》，功能抗癌解毒，适用于皮肤癌。

【方十二】

火硝500克，皂矾、朱砂各30克，黄丹60克，雄黄90克，冰片适量。将火硝、皂矾放入锅内烈火烧成液体，再将黄丹、雄黄、朱砂均研成细末放入此液中，不断搅拌均匀，然后立即将溶液倒于干净平面上，冷却凝结成晶块，碾成粉末备用。用前每60克末加冰片30克混合研极细即成。用时将化癌散直接撒布于瘤体表面，每天换药1次。

本方源于《湖北卫生》1976年3期，功能燥湿祛痰，清热解毒，适用于皮肤癌。

【方十三】

密陀僧、炉甘石各60克，上梅片15克，猪板油25克。将药共研细末，与猪板油25克捣匀捶成软膏，外敷患处，每日换药1次。

本方源于《常见癌症中医治疗》，功能解毒，燥湿敛疮，适用于皮肤癌。

【方十四】

石花草、铁杆蒿叶各250克，白英、千里光各500克，泡桐树根（中层皮）1 500克，桑树根皮（中层皮）750克，生桐油90毫升，猪油500克，红粉12克，雄黄30克，熟香油120毫升，青粉9克，铜黄15克，全蝎3条，蜈蚣1条。先将石花草、白英、千里光、铁杆蒿叶、泡桐树根、桑树根皮加水煎煮4～5小时，过滤，滤液浓缩成糖浆状，加入桐油后再煎1小时，加猪油又煎片刻，放冷，递次加入红粉、雄黄、青粉、铜黄、香油、全蝎粉、蜈蚣粉，调和均匀，外用，涂敷于癌肿创面，隔日换药1次。

本方源于武汉医学院，功能敛疮生肌清热解毒，适用于皮肤癌。

【方十五】

丹参、白鲜皮各20克，当归、赤芍、莪术、七叶一枝花各15克，桃仁、生首乌、僵蚕各10克，山慈姑、土茯苓、半枝莲各30克，蜈蚣3条，川芎5克。水煎服，日1剂。

本方源于《常见癌症的中医治疗》，功能活血化瘀，祛风解毒，适用于皮肤基底细胞癌患者。

【方十六】

煅人中白 6 克，大梅片 2 克。研粉，撒在溃疡面上，并以红霉素软膏纱布覆盖、固定，每日换药 1 次。

本方为安徽黄山中医院章传义方，功能活血除毒，祛腐生肌，适用于皮肤癌。

【方十七】

凤尾蕉叶、白花蛇舌草、半枝莲、川楝子各 500 克。将药研成粗粉，再用 1:4、1:3、1:2 冷水煎煮 3 次，合并煎煮液，浓缩为原总体积的 1/5 加乙醇沉淀 2 次，经活性炭处理后过滤，分装灭菌，每天 2 次，每次 2～4 毫升，肌肉注射。

本方源于《四川中草药通讯》1974 年 1 期，功能解毒抗癌，适用于皮肤癌。

【方十八】

蟾酥 10 克，磺胺软膏 40 克。取蟾酥溶于 30 毫升清洗液中，再加入磺胺软膏调匀，每次适量外敷于癌瘤处。

本方源于山东青岛白求恩医院，功能解毒、消肿、止痛，适用于皮肤癌。

【方十九】

红砒 3 克，指甲、头发各 1.5 克，大枣（去核）1 枚，碱发白面 30 克。先将红砒研成细末，再与指甲、头发同放入大枣内，用碱发白面包好，然后放入桑木炭火中，煅烧成灰即可。用时将炭研细末，直接撒于瘤体创面上，或用芝麻油调成 50% 糊状涂抹于瘤体创面上，每日 1 剂或隔日 1 次。

本方祛腐除毒，适用于皮肤癌。

【方二十】

黄柏、黄芩各 9 克，大黄 6 克，藁本、菊花、金银花、川芎、蔓荆子各 18 克，半枝莲 60 克，红花、桃仁各 10 克。水煎，每日 1 剂。

本方为著名中医段凤午方，功能清热解毒，活血祛风，适用于皮肤癌。

【方二十一】

胆矾 30 克，朱砂、雄黄各 30 克，白矾、磁石各 30 克。煅制成末，外用。

本方为天津中医学院胡慧明方，功能祛腐生肌，适用于皮肤癌。

第八节

『黑色素瘤』

黑色素瘤症状因分型而异，如属结节型者，初起为蓝黑色隆起性结节，周围绕以红晕，迅速增大，破溃，很早发生转移；若是浅表扩散型，初起为斑疹，后变为结节，直径约 2.5 厘米，常呈弧形，褐色、黑色、粉红色甚至灰或白色。此外，亦还有恶性雀斑型，临床常用的偏方、验方主要如下：

【方一】

1. 丹方：水银、白矾、青矾、芒硝各180克，食盐90克。

2. 糊剂：上丹方结晶18克，蟾酥、红娘、斑蝥各0.5克，洋金花粉1克。

1方各药混合共研，至不见水银珠为度，转入砂罐内加温，蒸去水分，使成“丹胎”，再将砂罐倒置于瓷碗内，盐水石膏封口后置于荷叶水坛口上，坛内装水约10公斤，罐内放炭火加热约2小时后，冷却瓷碗，取出粉末（以白色结晶为佳），研细后即为五虎丹。2方各药以面糊调制成糊状即得。用时涂布于癌肿表面。

本方源于《湖北中医杂志》1982年4期，功能祛腐敛疮生肌，适应于恶性黑色素瘤。

【方二】

猕猴桃250克，狗肉500克，鸡蛋2个或猪肉适量，猕猴桃根120克。先用猕猴桃和狗肉共炖汤服，后每天用猕猴桃根、鸡蛋或猪肉适量炖服，30克为1个疗程。

本方源于《福建医药卫生》1976年2期，对眼部恶性黑色素瘤有效。

【方三】

菊花、海藻、三棱、莪术、党参、黄芪、银花、山豆根、山慈姑、漏芦、黄连各100克，蚤休、马蔺子各75克，制马钱子、制蜈蚣各50克，紫草25克，熟大黄15克。将药共研细末，用紫石英100克，煅红置于2 000克黄醋水中，冷却后将其过滤，以此醋为丸，如梧桐子大，每日2～3次，每次25～30粒，饭后1小时温开水送服，禁食刺激性食物。

本方源于《湖北中医杂志》1982年4期，功能清热解毒消肿，适应于恶性黑色素瘤。

【方四】

牛黄50克，麝香30克，冰片40克，黄连90克，硼砂120克，雄黄60克，绿豆100克，柿霜适量。共为细末，炼蜜为丸，每丸重1.5克。每次1丸，每日3～4次，噙化。20日为1疗程，连用2～3个疗程后停药，1个月后再服用。

本方源于《中西医肿瘤治疗大全》，功能清热解毒，消癥散结，适用于因热毒炽盛而致的咽喉部恶性黑色素瘤。

【方五】

熟地15～30克，杞果15～30克，山萸肉15克，何首乌、黄精各30克，茯苓15克，黑芝麻、黑豆各30克，丹皮15克，白蔹、木贼各30克。每日1剂，水煎服。

本方源于《中西医肿瘤治疗大全》，功能滋补肝肾，适用于恶性黑色素瘤属肝肾两虚型。

【方六】

五倍子粉、黄柏粉、青黛、枯矾末、橡皮末、生肌散各2份，珍珠粉1份。将药粉混匀过筛备用，每用少许，局部外敷。

本方源于《中草药防治肿瘤手册》，功能祛腐生肌，适用于恶性黑色素瘤溃烂难敛。

【方七】

龙胆草6克，黄芩9克，栀子6克，泽泻10克，木通、车前子各6克，当归、生地各10克，柴胡5克，萆薢10克，茵陈15克，滑石10克，甘草6克。每日1剂，水煎服。

本方源于《中西医肿瘤诊治大全》，功能健脾化湿，适用于恶性黑色素瘤脾虚湿盛型。

【方八】

当归、黄芪各15克，黄芩9克，生地15克，熟地9克，天冬、麦冬各10克，天花粉9克，红花、桃仁各6克，川芎10克，白芍15克，何首乌20克，甘草6克。每日1剂，水煎服。

本方源于《中西医结合肿瘤诊疗大成》，功能养血润肤，适用于黑色素瘤属血虚风燥之患者。

【方九】

黄芪50克，人参4克（据病情常选用红参、西洋参、生晒参、太子参、党参），炒白术、茯苓各15克，当归10克，白芍30克，生地20克，石斛10克，藤梨根、猫爪草、白花蛇舌草各30克，夏枯草10克，七叶一枝花20克，石见穿、鳖甲各10克，薏苡仁30克。每日1剂，水煎服。

本方来源于《中医函授通讯》1996年15期，功能滋阴清热，补养气血，化瘀解毒，适用于恶性黑色素瘤。

【方十】

五倍子粉、黄柏粉、青黛、枯矾末、橡皮末、生肌散各2份，珍珠粉1份。将药粉混匀过筛备用，每用少许，局部外敷。

本方源于《中草药防治肿瘤手册》，功能祛腐生肌，适用于恶性黑色素瘤溃烂难愈。

【方十一】

熟地10克，龟板15克，黄柏10克，知母12克，山药10克，山萸肉9克，丹皮、枸杞子各10克，石斛15克，炙甘草6克。每日1剂，水煎服。

本方源于《中西医结合肿瘤诊疗大成》。功能滋阴降火，适用于黑色素细胞瘤属阴虚内热证。

【方十二】

黑木耳39克，木贼30克，玄参12克，牡蛎30克，夏枯草60克，橘红12克，重楼、荆皮、半枝莲各30克，蛇莓、白花蛇舌草各60克。水煎2次，早晚分服，每日1剂。

本方源于《四川中医》1983年5期，功能清热解毒，活血消肿，适用于恶性黑色素瘤。

【方十三】

首乌、狗脊、荆皮、木贼、重楼各30克，玄参15克，牡蛎20克，蛇莓、半枝莲、白花蛇舌草各60克，黑木耳30克。水煎2次，早晚分服，每日1剂。

本方源于《四川中医》1983年5期，功能清热解毒消肿，适应于恶性黑色素瘤。

第九节

『斑　秃』

斑秃是指头发突然或渐渐地成片脱落为特征的一种常见的皮肤病。现代医学认为本病与神经系统功能紊乱和免疫反应有关。过度的脑力劳动，长期精神忧虑、焦急、悲伤、惊恐，都属于神经功能紊乱范畴，也是诱发斑秃病的最常见的病因，所以斑秃患者常有失眠、易激动等神经兴奋症状，或嗜睡、精神萎靡不振等神经抑制症状。祖国医学认为本病的发生有以下几点。

一是由于气血两虚：发为血之余，气虚则血难生，毛根不得濡养，故发落成片。

二是由于肝肾不足：肝藏血，肾藏精，精血不足则发无生长之源。

三是血瘀毛窍：阻塞血路，新血不能养发，故发脱落。

有鉴于此，治疗斑秃的主要偏方、秘方如下：

【方一】

旱莲草 20 克（鲜品量加倍）。用清水将旱莲草洗净，加热蒸 20 分钟，取出冷后放入 75％酒精 200 毫升内浸泡（冬春浸 3 日，夏秋浸 2 日），然后过滤去渣，即成咖啡色酊剂，瓶装备用。使用时先用棉签蘸上药液涂搽患处，待干后用七星针在脱发区上连续轻轻叩打，手法宜均匀，不宜忽快忽慢，忽轻忽重，针尖宜平起平落，不能歪斜，以免划破皮肤，每次叩打至皮肤潮红为度。开始每日涂搽药液 3 次（早、中、晚），七星针叩打 2 次，不宜间断。待新生的头发日见增加时，可改为每日搽药 2 次，叩打 1 次，直至痊愈。

【方二】

生姜 6 片，生半夏（研末）15 克。先将生姜擦患部 1 分钟，稍停，再擦 1～2 分钟，然后用生半夏末调香油涂之，连续应用一个时期，直至生出头发为止。

【方三】

斑虫 10 克，百部酒 100 毫升。浸泡后外搽患部。

【方四】

桐子核 15 克。开水浸泡，每日擦患处 2～3 次。

【方五】

老姜数片。将其浸入高粱酒内 2～3 日后，常擦患处，半月后可见效。

【方六】

生姜 30 克，闹洋花 5 克，白酒 60 克。取前二味药浸泡于酒中 5 日，将药酒外搽患处，每日 1～2 次。

【方七】

何首乌、当归、柏子仁各等份。将药烘干后研细粉，过 80～100 目筛，加蜜制成丸，每丸重 9 克。每日服 3 次，每次服 1 丸。

【方八】

枣树枝条 10 枝。用鲜嫩枣树枝条捆成束，一头用火燃烧，使另一头有油汁滴下，装入干净瓶中备用。先用清洁的温水洗头、擦干，然后用生姜反复擦脱发区，至皮肤发红，再用枣树枝汁涂擦脱发区。

每日 3～4 次，1 周左右可生长毛发，月余显效。

【方九】

好醋 50 毫升，墨 1 锭。用墨磨醋呈稀糊状，用毛笔蘸搽患处，每日 2 次。

【方十】

蜈蚣 3 条，茶油 90 克。蜈蚣用茶

油浸泡4～5日，油滤过备用。

用此药外搽患处，每日3次。

【方十一】

鲜侧柏叶32克，75%酒精100毫升。将鲜侧柏叶放入酒精中浸泡7日备用。用棉花球蘸酒液少许，局部擦拭，每日3次，一般2～3个月可获疗效。

【方十二】

鲜骨碎补50～100克。将药切成薄片备用，用骨碎补片蘸盐外搽患部，每日3次。

【方十三】

茯苓500克。将茯苓烘干，研为细末，瓶装备用。每次服6克，每日2次，或者于睡前服10克，用白开水冲服。

【方十四】

沙椒120克。上药以酒浸，密室内每日搽之。

【方十五】

侧柏叶若干。将上药阴干，研末，和麻油涂之。

【方十六】

黑附子、蔓荆子、柏子仁各15克。将药共研为末，用乌鸡脂调和，捣碎，使均匀，在瓷盒内密封百日后，涂脱发处。

【方十七】

生姜片、人参各30克。先将生姜皮焙干后与人参共研细末，用鲜姜切片蘸药末涂擦脱发区。

【方十八】

蝙蝠1只，石花草根15克。将药焙干共研细末，麻油调敷患处。

【方十九】

核桃30克，何首乌20克，川芎5克。将药打碎后开水泡，代茶饮。

【方二十】

凤尾草根适量。浸油，以药油涂患处。

【方二十一】

藤黄、骨碎补各15克，桐油适量。前两味药共研细末，放入桐油中浸泡1昼夜，成药油，备用。先取鲜生姜1块，切片蘸药油用力擦患处，每日3次。

【方二十二】

醋130毫升，热水200毫升，醋入热水，趁热洗头。每日1次，宜常洗。

【方二十三】

黄精、熟地、补骨脂各10克。研碎后用开水冲服。

【方二十四】

鸡蛋黄油。鸡蛋带壳煮熟，取出蛋黄，放在铁锅内煎熬，煎至焦黑。即可熬出蛋黄油，备用，涂擦患处。

【方二十五】

雄黄30克，硫黄60克。将药共研为细末，和匀，调猪油外敷患处，用力揉擦，使药透入，每日换药1次。

【方二十六】

桑白皮150克。煎汤去渣，浓缩，装入瓶内，外涂患处，每日数次。

【方二十七】

鸡内金（炒研）100克。将药研成极细末，每服1.5克，每日3次，饭前温开水送服。

【方二十八】

芝麻花适量。于农历春3月间，趁芝麻花盛开季节，采鲜芝麻花若干，趁湿装入玻璃瓶内，压实封好瓶口，埋地下30厘米左右，泥土封牢。经过伏天后，于9月份将瓶子取出，瓶内药液备用。用药前先将头痂用水洗净，干后用纱布蘸药液抹擦患处，每日 1 次，一般不超过 10 次，即可见效。治疗后 20～30 日，脱发处即可长出新发。

第十节

『脱　发』

脱发的主要症状是头发油腻，如同擦油一样，亦有焦枯发蓬，缺乏光泽，有淡黄色鳞屑固着难脱，或灰白色鳞屑飞扬，自觉瘙痒。若是男性脱发，主要是前头与头顶部，前额的发际与鬓角往上移，前头与顶部的头发稀疏、变黄、变软，终使额顶部一片光秃或有些茸毛；女性脱发在头顶部，头发变成稀疏，但不会完全成片的脱落。

中医学认为本病有两种原因：一是血热风燥，血热偏胜，耗伤阴血，血虚生风，更伤阴血，阴血不能上至巅顶濡养毛根，毛根干涸，或发虚脱落。

二是脾胃湿热，脾虚运化无力，加之恣食肥甘厚味，伤胃损脾，致使湿热上蒸巅顶，侵蚀发根，发根渐被腐蚀，头发则表现黏腻而脱落。

有关治疗脱发的偏方、秘方主要如下：

【方一】

柏枝（干药）、椒仁、半夏各 90 克。将药加水 500 毫升，煎至 250 毫升，入蜜少许，再煎 1～2 沸。用时入生姜汁少许，调匀，擦无发处，每日 2 次。

【方二】

白矾、郁金各等份。将白矾、郁金制成丸，每次 4～5 克，每日 2 次。

【方三】

食盐 15 克。将食盐加入 1 500 毫升温开水，搅拌均匀，洗头，每周 1～2 次。此法长期应用，可防止脱发。

【方四】

榧子 3 枚，胡桃 2 个，侧柏叶 30 克。将药共捣浸雪水梳头，其发永不脱落，而且光润。

本方尤适用于肾虚型脱发。

【方五】

侧柏叶若干。将柏叶阴干研细，以香油浸之。每朝蘸刷头，头发长出后，用猪胆汁入汤洗头。

本方尤适用于妇女脱发。

【方六】

车前草 200 克，米醋适量。将车前草全草焙成炭，浸入米醋，1 周后用该药醋外涂患处，每日 2～3 次。

【方七】

黑牛胆 1 个，槐豆适量。将槐豆装入有胆汁的牛胆内装满，浸透槐豆即可，内服。每次 9 克，每日 3 次。

【方八】

侧柏叶 240 克（焙干），当归（全身）120 克。将药共研为末（忌铁器），水糊为丸，如梧桐子大。每服 50～70 丸，早晚各 1 服，用黄酒或盐汤送下。

【方九】

芝麻花、鸡冠花各 60 克，樟脑 1.5 克，白酒 500 克。将芝麻花、鸡冠花撕碎。然后浸泡入酒内密封，15 日后过滤，再将樟脑入药酒中，使之溶化，备用。以药棉蘸药酒，涂搽脱发区，每日搽 3～4 次。

本方尤适用于神经性脱发。

【方十】

芝麻梗、清明柳（清明节采的柳枝嫩叶）各 90～120 克。煎汤洗发，并摩擦头皮，连用 1～7 日。

本方尤适用于脂溢性脱发。

【方十一】

猪苦胆 1 个。将猪苦胆汁倒入半面盆温水中，搅拌后洗头或洗患处，把油脂状鳞屑清除干净，再用清水冲洗，每日 1 次。

本方尤适用于脂溢性脱发。

【方十二】

活蜈蚣 3 条。将活蜈蚣用菜油浸 3～4 日，先取生木片汤洗发，洗后，以蜈蚣油涂头至愈止。

【方十三】

代赭石。将代赭石研为细面，每日早晚各服 3 克，白天水送服，连服 2～3 个月。

【方十四】

枸杞子 15 克，大米 50 克。将枸杞子、大米洗净，放砂锅中煮成粥，食用。

【方十五】

何首乌 30 克，大米 50 克，冰糖适量。将何首乌放入砂锅中煎取浓汁后去药渣，然后放入大米和冰糖，将米煮成粥即成，食用。

本方尤适用于脱发久不愈。

【方十六】

野蔷薇嫩枝 100 克，猢狲姜 50 克。将药水煎百沸，取汁刷头。

本方尤适用于病后脱发。

【方十七】

蔄苣子、猢狲姜各 100 克。上药为末，先以竹刀刮去不生发的疮疤，后以此药擦之，以生发为度。

【方十八】

垂柳叶 500 克，生姜汁 100 毫升。将垂柳叶阴干为末，加姜汁于铁器内捣匀，取药液摩擦患处。

本方除适用于脱发外，亦有用治脱眉的，《圣惠方》认为其生眉效果颇佳。

【方十九】

桑叶、麻叶各 500 克。将药以米酒水煮百沸，取水洗发。

《千金方》评价说：“此方治头发脱落，常用不辍。”

【方二十】

蜀椒 500 克，生半夏、骨碎补各 250 克。将药研粗末，以白酒浸渍 7 日后，外用涂擦患处，每日 3 次，生发为止。

【方二十一】

生铁 100 克，腊猪脂 500 克。将生铁入猪脂内煮 3 沸，先以醋洗净患处，布揩气热，然后油涂。

【方二十二】

生半夏、生姜各 300 克，麻油

1 000克。将药研末，以麻油浸渍半月，用时先以生姜片涂擦患处，后用药油涂之，每日1次，连用3个月，脱落眉发即生。

【方二十三】

石灰、白酒各1 500克。将石灰以水拌炒焦，用白酒浸之，半月后去渣，每次饮酒10毫升，每日1次，久之则新发更生。

【方二十四】

蓖麻子2 500克。将蓖麻子加入榨汁瓶贮，每取其汁半酒杯入米煮粥，频食之，发落自生。

【方二十五】

当归、柏子仁各500克。将药共研细粉，水和蜂蜜为丸，如梧桐子大，每饭吞服6～10克，每日3次，1月为1疗程。

第十一节

『白　　发』

白发不包括老年性自然衰老后所致的白发，而指因遗传因素或某些疾病所致的早年性白发症。现代医学认为，白发症主要是毛发黑色素形成减少，由黑色素细胞形成黑色素的功能减弱，酪氨酸酶的活动减低所致。凡情绪过度紧张、用脑过度、忧虑、惊恐、神经外伤等都可能造成白发，此外，患慢性消耗性疾病时也可能出现白发。

中医学认为，下列因素与白发有关：

一是精虚血弱：肾精不足，不能化生阴血，阴血亏虚，导致毛发失其濡养，故而花白。

二是血热偏盛：情绪激动，致使水不涵木，肝旺血燥，血热偏盛，毛根失养，故发早白。

三是肝郁脾湿：肝气郁滞，损及心脾，脾伤运化失职，气血生化无源，故而白发。

有关治疗白发的验方、偏方较多，主要如下：

【方一】

桑白皮30克，五倍子15克，青葙子60克。水煎取汁，外洗。

【方二】

地骨皮、生地黄、菟丝子、牛膝、远志、石菖蒲适量。蜜丸或水煎服。

【方三】

酸石榴100克，五倍子150克，芝麻叶50克。研粗末，投入铁器水内，取汁外涂。

【方四】

女贞子500克，巨胜子250克。水煎，每次服20毫升，每日2～3次，温开水送下。

本方是治疗阴虚血燥所致白发的良方。

【方五】

大蒜两瓣，姜1块。将药捣成泥状，擦头皮，再用水冲洗，可喷些香水，减少大蒜味，连续擦3～4个月即可生效。

【方六】

桑白皮90克。将桑白皮剉细，煮5～6沸后，去渣，频抹鬓发，自不坠落。

本方可为头发保健之剂，易得易用，老少皆宜。

【方七】

女贞子520克，旱莲草、桑椹子各300克。先将女贞子阴干，再用酒浸1日，蒸透晒干，旱莲草、桑椹子阴干，将上三味药碾成细末，炼蜜成丸，每丸重10克。每日早晚各服1丸，淡盐开水送服。

【方八】

黑芝麻粉、何首乌粉各150克。将药加糖适量，煮成浆状，开水冲服，每晚1碗。

本方半年后可使白发转灰，灰发转黑。

【方九】

乱发（用自己的）30克，椒50粒。将自己的乱发洗净，每30克入椒50粒，泥封固，入炉火中煅如黑漆，细研成末，用白酒送服3克左右。

【方十】

熟干地黄2 000克，杏仁500克（汤浸，去皮尖，双仁，研如膏），诃黎勒皮250克。将药捣研为末，入杏仁令匀，炼蜜和调，用杵捣200～300下，做成梧桐子大丸药。每服用温水送下30粒，饭前服，渐加至40粒为度，忌生葱、萝卜、大蒜。

【方十一】

生柏叶（切碎）1 000克，猪膏500克。捣柏叶为末，以猪膏和为20丸，用布裹1丸纳泔汁中，化破沐之。每日1次，1月后渐黑光润。

【方十二】

白蜡适量。拔去白发，融白蜡点孔中，即生黑发。

【方十三】

宣连若干克。将药用酒浸一宿，焙干为末，用蜜做丸如梧桐子大，午睡前酒吞20粒。

【方十四】

生地、制首乌各5克。将药以开水冲泡，每日代茶饮，连服数月。

【方十五】

青胡桃3枚（和皮捣细）。将药入乳汁3盏，于银石器内调匀，搽须发3～5次。

【方十六】

绿矾、薄荷、乌头等份。将药研末，以铁浆水浸，日染之。

【方十七】

经霜桐叶子。多收捣碎，以甑蒸之，生布绞汁，沐头。

【方十八】

莲子草500克，杏仁（汤浸，去皮尖，双仁，麸炒微黄），干熟地黄各1 000克。将药混合，捣一万杵，色当如漆，即圆如梧桐子大。每日空腹以温酒下30丸，晚再服1次。

【方十九】

榴花。将药阴干为末，与少许铁粉混匀，用米醋汤冲服3克，早晚各1次。

【方二十】

何首乌、铁矿石各60克。将药共为细末，每服2～3克，每日2次。

【方二十一】

天门冬、熟地各250克。将药共炼蜜为丸，如梧桐子大，每日饭前以酒下30丸。

本方常服对须发早白有效，但忌生葱、萝卜、大蒜等。

【方二十二】

黑豆、山栀、大青叶各30克。水煎服，每日2次。

【方二十三】

柏树果壳10个，生地10克。上药煎汤代茶饮，每日1剂，连续服1～3个月。

【方二十四】

黑芝麻10克，何首乌、核桃仁各3克。将3味药在铁锅内炒熟后吞服，上述量为1剂，每天服1剂，连服3个月。

【方二十五】

小黑豆500克，枸杞60克，首乌30克，核桃12个。先煎枸杞、首乌，用煎汤煮黑小豆、核桃仁，然后搅拌，阴干，每日早晚空腹服黑豆30粒。

【方二十六】

蓖麻子仁200克，香油适量。用香油将蓖麻子仁煎焦去渣，放3日，用刷频刷头发。

本方尤适用于发黄不黑。

【方二十七】

生熟地黄各2 500克。将两地黄研细，以蜜为丸，如绿豆大。每服10克，每日3次，白酒送下。

本方药专力宏，可用于各个年龄组及不同性别的白发。

【方二十八】

木瓜500克。将木瓜用麻油浸1个月，取油梳头。

本方久用可令枯槁之发慢慢转为润泽而乌亮。

【方二十九】

胡桃皮（或青胡核）、蝌蚪各100克。将药共捣为泥，入乳汁3盏于玻璃器皿中调匀。每取适量涂染须发，并配合桃油梳发。

本方久用可令须发由白变乌。

【方三十】

米醋500毫升，黑大豆250克。大豆用醋煮、去豆，再煎如糊状，染发。

本方治女性白发尤其良好。

【方三十一】

巨胜子、菊花、茯苓各1 000克。将药研末，以蜂蜜为丸如绿豆大。吞服，每日3次，3个月为1疗程。

本方治疗高血压白发患者尤良。

【方三十二】

牛膝2 000克。牛膝每次煎服20克，每日2次。

本方尤适用于青壮年头发早白。

【方三十三】

枸杞子200克，茅香100克，干柿5枚。将药干柿同茅香煮熟，枸杞子焙干，共研末，水泛为丸，如梧桐子大。每次服50丸，每日3次，茅香汤送服。

第十二节

『口 臭』

口臭，尽管不是病，只是一个临床症状，但口臭难闻，非常影响交际。

一般地说，口臭的程度与年龄有关，即随着年龄的增加而增加。如中年人气味较浓，而且带有刺激性，老年人的气味更甚，并带有异臭。

中医学认为，口臭多由肺胃蕴热、阴虚火旺、宿食停积、口齿疾患以及口腔不洁等引起。事实上，一般常见的口臭，以口腔不卫生和肠胃引起的为多，如饭后未及时漱口，又不注意刷牙，牙上积有大量牙垢、牙石；再加上牙床常出血，促使牙龈感染慢性发炎。口内有破牙烂根，牙上有龋洞，常积蓄腐坏发臭的食物残渣，加上细菌感染，形成慢性发炎，以致牙床上长瘘管经常出脓，导致口臭。

此外，口臭也与身体内部一些疾病有关，如重症肝炎、肝硬化或肝癌病人。在肝功能严重损害时，口中会发出特殊的臭味，如像臭鸡蛋味，或像尿中的氨臭味。发生口臭的疾病还有白血病、肺结核、支气管炎、糖尿病等。

一些人喜欢吃辛辣的东西，如大蒜、葱、韭菜、臭豆腐，也能产生臭味。

目前，临床上常用于治疗口臭症的偏方、验方主要如下：

【方一】

将川芎、白芷、陈橘皮、桂心各120克，枣肉240克研末，再纳枣肉，干则加蜜，和丸如大豆，每服10丸，食前食后常含之，或吞之，治口气臭秽，七日大香。

【方二】

将枇杷叶（刷去毛）、干熟地黄、干生地黄（去土）、天门冬（去心，焙）、麦门冬（去心，焙）、石斛（去芦）、山茵陈（去梗）、黄芩、枳壳（去瓢，麸炒）、甘草（炙）各等份，上药为末，每服15克，加水1碗，煎至多半碗，去滓，食后，临卧温服。主治胃中积热，牙宣口臭。

【方三】

干荔枝5～7枚（去壳），粳米（或糯米）50克；将荔枝、粳米（或糯米）分别洗净入锅，加水适量煮或稀粥，具有温阳益气，生津益血之功效，晚饭服食，连吃3～5天为1疗程。

【方四】

取川芎适量，加适量水煎1.0～20分钟，弃渣取汁，含漱，常用香口去臭。

【方五】

取黄瓜皮250克，加水煎10分钟取汁饮，每日3次，适用于湿热偏盛引起口臭者。

【方六】

取新鲜柠檬1枚嚼咽汁，适用于胃热、口臭。

【方七】

取干甜瓜子仁适量，研极细末，与蜂蜜少许，调匀成丸，饭后含化，可生香去臭。

【方八】

鲜藿香30克（干品15克），粳米50克。将藿香洗净入锅，水适量，煎熬5分钟，弃渣取汁待用；再将粳米淘洗干净，入锅加水适量，熬煮米烂汤略稠时，再放入藿香水，煮沸片刻即可。具有散暑气、辟恶气之功效，每日1天，连服3～5日为1疗程。

【方九】

鲜薄荷叶30克（干品15克），粳米50克，冰糖适量。将鲜薄荷叶洗净放入锅内，加水适量，煎熬5分钟，弃渣取汁待用；再将粳米淘洗干净，入锅加水适量，熬煮米烂汤略稠时，再放入薄荷叶，煮沸片刻即可，具有利咽喉、令口香之功效。每日1次，连服3～5日为1疗程。

【方十】

生芦根30克，粳米50克。将生芦根洗净，放入锅内加适量水煎熬，弃渣取汁待用，再将粳米淘洗干净，入锅加水适量，熬煮米烂汤略稠，再放入芦根汁煮片刻，能辟秽除臭，晨起空腹食用。

【方十一】

沉香、麝香各3克，细辛15克，升麻、藁本、藿香叶、甘松、白芷各8克，石膏125克，寒水石60克。

上药共为细末，每日晨起揩齿。

芳香辟秽，散寒燥湿，主治齿垢不洁及口臭。

本方以沉、麝、芷、松诸香荡涤浊邪，芳香辟秽；再与细辛、升麻、藿香、藁本等散寒燥湿之品配用，可解散阳明经腑之郁结；石膏、寒水石清阳明经实热，与上药配用，有形无形之邪，皆可化解，故齿牙黑黄者可使莹净洁白。

【方十二】

丁香、厚朴各2份，薄荷1份。将上药蒸馏取挥发油，密封贮存备用，或每次取丁香、厚朴、薄荷，按4:4:2的比例，开水浸泡15分钟，滤去药渣后使用。用于治疗口臭时，以温开水50毫升加入上药油0.5～1毫升，摇匀后含漱。王亚楠等用上方治疗口臭患者32例，牙痛15例，全部治愈。

第十三节

『手足癣』

手足癣是常见、多发的顽固性皮肤病，一般为指、趾及掌跖部皮肤的浅部真菌感染，多为红色毛癣菌、絮状表皮癣菌及须毛癣菌，其临床表现为初起针头大小水疱、脱屑、角质增厚、皮肤糙粗干裂、糜烂等。临床可根据症状结合真菌检查阳性者确诊。

中医称手癣为“鹅掌风”，足癣为“足湿气”。认为多系外受风毒，内为血燥，凝集于皮肤而发病。

目前，临床上常用的治疗手足癣的偏方、验方主要如下：

【方一】

苦参20克，百部15克，蛇床子15克，川椒6克，藿香12克，地肤子12克，乌梅15克，丁香6克，当归12克，露蜂房10克，甘草6克，陈醋500克。

用法：将上药先放入陈醋中浸泡24小时后，再加适量清水，煎沸待温后浸泡手足，凉后可再温，每天1次，每次30～60分钟，1周为1疗程。

加减：瘙痒剧烈者加白鲜皮、艾叶；多汗者加葛根、明矾；继发感染者加黄连、黄柏；干燥皲裂者苦参减量，加忍冬藤、白及。

【方二】

荆芥、防风、苦参各15克，黄柏、黄连各20克，白鲜皮、地骨皮各12克，白矾10克，食醋1 000毫升。将诸药置适宜容器内，加入食醋浸泡，密闭避光浸泡2日后，过滤，取滤液分装。用药棉蘸药液适量涂抹患处，每日8～10次，7日为1疗程，一般2～3疗程显效或治愈。

【方三】

苦参、蒲公英各500克，煎液温浸患处，每次10分钟，每日1次。

【方四】

乌梅肉、苦参、苦楝皮各30克，苍术、黄柏、川椒各20克，白及粉、枯矾各15克。上药加水适量，文火煎50分钟，先用淡盐水清洗患处，再以药液浸泡30分钟～1小时，每剂煎洗2次，早晚各1次，3剂为1疗程。

【方五】

狼毒、蛇床子各50克，加入山西陈醋1 000毫升，置密闭容器中浸泡1周，煮沸10分钟，去渣取汁，浸泡患处，用后仍置密闭容器中保存，每疗程1剂。每次浸泡30～60分钟，每日2次，连用10天为1疗程。不超过2个疗程即愈。

【方六】

荆芥、防风、红花、五加皮、地骨皮、大风子、白矾各12克，皂角15克，上药加米醋1 000毫升，浸泡24

小时，然后用药液浸泡患处，每日1次，每次30分钟，1剂可连续使用5天。水疱型加大黄、藿香各10克；糜烂型先将乌贼骨粉研细末，均匀扑在糜烂面上，待干燥后再给予浸泡。

【方七】

苦参、金银花、白鲜皮各30克，蛇床子、黄柏、土槿皮各20克，黄连15克，食醋1 000毫升，将上述药物浸入食醋中24小时，煎时加入少量清水，文火烧开，煮沸20分钟后，去渣取汁放入脸盆，浸泡1～2小时，早晚各浸泡1次，每日1剂，7剂为1疗程。

【方八】

焦山楂、乌梅、苦参、诃子各30克，艾叶、木香各15克，白鲜皮、地肤子、蛇床子各20克，食醋适量。水煎至药液约2 500毫升，过滤加食醋，浸泡患处，每次30分钟，每日早晚各1次，1剂药可用3次。继发感染者大黄、黄柏各30克。

第十四节

『冬天皮肤皲裂』

每年冬季，许多人手和脚的皮肤就会显得很干燥，严重时还出现许多裂口，甚至出血。冬季皮肤开裂的现象，医学上叫做“皲裂”。如何自我防治皲裂呢？

首先是分析致病的因素，如经常在室外作业，经常接触溶解脂肪及吸水性物质、经常使用碱性物质引起皲裂，应严格按操作规程和劳动保护条件要求工作，尽量避免用手足直接接触，工作完后及时洗净手脚，再擦些油脂类护肤膏。

对于有手足皲裂史的人，每到秋冬要加强个人防护，不要过多使用碱性过大的肥皂，在气温转寒时手脚皮肤出现轻度干燥时，就要保暖防冻，晚上睡前用热水浸泡手足后，再涂抹一些滋润皮肤的油膏，如甘油、凡士林、防裂膏。

下面，再介绍一些防治皮肤冬季皲裂的偏方、验方：

【方一】

取凡士林100克，放入杯中用水加温溶化，放入中药马勃3克搅拌即成，冷却后成膏放入容器中，1日3次外涂，搽前将手脚用温热水洗净后擦干再搽。

【方二】

双甘液外涂：取75%酒精500克，加入生甘草250克，密封，泡3～4天后过滤取液，将甘草液与等量甘油混合即成，每天涂擦患处2～3次，一般4～5天后裂口即可愈合。

【方三】

用香油、猪油各30克，待烧开后放入白芷15克炸枯去渣后，再放入蜂蜜30克、黄香9克调成膏状。用这种糊膏涂裂口，具有生肌、敛疮、止血、止疼，促进裂口愈合的作用；也可将猪油在火上加温熔化，趁热滴入裂口，然后用橡皮膏贴紧。一般连用10次，每晚1次，裂口即可愈合。这两种方法一般用于裂口较深并且裂口有出血的病人。

【方四】

蛋黄油外涂：取鸡蛋2只煮熟后弃蛋壳及蛋白，将蛋黄置铁锅内小火熬出油，冷却后将蛋黄油抹于皲裂皮肤表面，每日2次，3~4天即可痊愈。

【方五】

每晚用热水浸泡手足后，揩干，用剪刀刮去硬皮，再外涂5%水杨酸软膏、10%尿素软膏、10%白及软膏等其他抗菌软膏。

肿 瘤 病

ZHONG LIU BING

第一节

『肺　　癌』

肺癌的主要症状是咳嗽，咯血或血痰，胸痛，发热，胸闷，气急，甚至全身疲乏、消瘦、贫血、食欲不振等。临床常用的有效偏方主要如下：

【方一】

丹皮、生地各12克，鱼腥草、蒲公英各30克，丹参、王不留行、野菊花各12克，五味子9克，夏枯草、海藻、海带各15克。水煎服，日1剂，早晚服。

本方滋阴清热，化瘀散结，对肺癌治疗有效。

【方二】

甜杏仁10枚，牛乳100毫升，大枣5枚，粳米50克，桑白皮10克，生姜3克。杏仁用水浸泡，去皮尖，加入牛乳绞取汁液，大枣去核，生姜切片，备用。先煮桑白皮、姜、枣，煎取汤液，加米煮粥，临熟时点入杏仁汁，再继续煮至粥成，每日2次。

本方止咳平喘，补中养胃，防癌抗癌。本药膳可作为呼吸道癌症、肺气肿、肺心病患者的辅助食品。

【方三】

鱼腥草30克，瓜蒌皮、八月札各15克，生苡仁、石上柏、白花蛇舌草、石见穿各30克，山豆根15克，生牡蛎、夏枯草各30克，赤芍12克，龙葵15克。水煎服，每日1剂。

本方为上海龙华医院治疗肺癌的有效方，功能软坚化痰，解毒散结。

【方四】

夏枯草、海藻、海带、生牡蛎、石见穿、徐长卿各30克，丹皮9克，瓜蒌15克，生地、野菊花、王不留行子、铁树叶、蜀羊泉、望江南、鱼腥草、蒲公英各30克。水煎服，每日1剂。

本方为上海曙光医院治疗癌方，功能清热解毒，化瘀散结。

【方五】

垂盆草、白英各30克。水煎服，每日1剂。

本方出自《千家妙方》，功能抗癌消肿，对肺癌有效。

【方六】

紫草根60克，人工牛黄10克，七叶一枝花60克，前胡30克，鱼腥草60克。将紫草根、七叶一枝花、鱼腥草、前胡制成浸膏，干燥后粉碎，加入人工牛黄和匀。每次15克，日服3次。

本方清热解毒，对肺癌有效。

【方七】

仙鹤草、蟾蜍、人参若干。将药制成片剂，每片合生药0.4克，每次6

片，每日3次，可连服数月至1年。

本方为广州中医药大学周岱翰方，功能补气扶正，解毒消癌，对肺癌有效。

【方八】

核桃树枝60克，草河车、女贞子、白花蛇舌草、淡竹叶各30克。水煎服，每日1剂。

本方解毒抗癌，对肺癌有疗效。

【方九】

当归、赤芍、川芎、枳壳、桔梗、桃仁、红花、牛膝、三棱、莪术各12克，生地、浙贝母、百部各15克，蚤休30克，柴胡10克，甘草5克。水煎服，每日1剂，早晚分服。

本方为天津中医王文翰方，功能行气活血，化瘀散结，适用于肺癌。

【方十】

白花蛇舌草、猫爪草各20克，黄芩15克，猪苓、大蓟、小蓟各20克，三七6克（冲服），元胡、黄芪、党参、薏苡仁、生半夏各20克，守宫2条（为末冲服）。水煎服，每日1剂。

本方出自《广西中医药》1987年4期，功能扶正解毒，散结消癌，适用于肺癌。

【方十一】

红参、田三七各200克，菟丝子400克，穿山甲、浙贝母、淫羊藿、射干各200克，破故纸、龟板、黄芪、茯苓、巴戟天、威灵仙、金樱子各400克，生半夏300克，生南星100克，七叶一枝花300克，天竺黄、海马、五味子、陈皮各100克。将药共为细末，炼蜜为丸，每丸重10克，每次1丸，日3次。

本方出自《新中医》1990年3期，功能解毒化痰，散结，适用于肺癌。

【方十二】

炙黄芪、柴胡、清半夏各15克，西洋参、香附、神曲各10克，瓜蒌、鱼腥草、川贝母各20克，白蔻、陈皮、升麻、白及各6克，三七参、炙甘草各4克，九香虫、桑叶、炒莱菔子各10克，灯心草、竹叶为引。水煎服，每日1剂，30天为1疗程。

本方出自《福建中医药》1992年6期，功能补气托毒，化痰散结，适用于肺癌。

【方十三】

白花蛇舌草、半枝莲各50克，蜂房25克，鱼腥草50克，山豆根12克，山慈姑20克，地丁、苡米、海藻、昆布各30克，大贝、瓜蒌各15克。水煎服，每日1剂。

本方清热消痰，解毒散结，适用于肺癌。

【方十四】

生黄芪30克，生白术12克，北沙参30克，天冬12克，石上柏、石见穿、白花蛇舌草各30克，蝉衣、山豆根、夏枯草、海藻各15克，昆布12克，生南星30克，瓜蒌皮15克，生牡蛎30克。水煎服，日1剂。

本方益肺养阴，抗癌散结，适用于肺癌。

【方十五】

半枝莲、白毛藤各45克，白花蛇舌草30克，沙参15克，麦冬、金银花、云苓、党参各9克，怀山药6克，甘草4.5克。水煎服，日1剂，早晚服。

本方补气养阴，解毒抗癌，适用于肺癌。

【方十六】

老母鸡1只，蟾蜍4只。把蟾蜍

切碎喂鸡，如鸡不吃就用手往鸡嘴里填食。4～5日后鸡呈嗜睡状即杀鸡，去五脏加食盐炖熟，吃肉喝汤。

本方来源于《山东中医杂志》张秀芹所述方，功能扶正解毒，适用于肺癌。

【方十七】

大蒜20瓣，木瓜、百部各9克，艾叶18克，陈皮、生姜、甘草各9克。水煎服，日1剂。

本方来源于《中西医结合治疗常见肿瘤》，功能祛痰止咳，健胃止呕，适用于肺癌咳嗽剧烈，胸疼气短，咯脓样痰者。

【方十八】

七叶一枝花30克，半枝莲15克，赤白芍、白花蛇舌草各10克，龙葵30克，三棱、莪术、茵陈、当归、丹参、郁金各10克。水煎服，每日1剂，早晚分服。

本方清热解毒，化瘀祛湿，适用于原发性肺癌。

【方十九】

雄黄15克，乳香、没药各7.5克，石膏5克，甲珠7.5克，蜈蚣3条，蜗牛10克，全虫15克，血竭、轻粉各2.5克，朱砂、冰片、蟾蜍、硼砂各10克，大黄15克，白芷5克，麝香0.5克。先将朱砂、冰片、轻粉及麝香共研细末，再将其他药物研成细末混合，用面粉作黏合剂，调制成丹。口服，每次2～3克，每日1次，饭后服。先从小剂量开始，渐加至常用量。服药期间忌葱、蒜、韭菜、辣椒等。

本方来源于《常见肿瘤的良方妙法》，功能化痰解毒，软坚散结，适用于肺癌。

【方二十】

雪梨250克，鱼腥草60克，食糖适量。生雪梨洗净，连皮切碎、去核。用冷水800毫升将鱼腥草浸透，先用旺火烧开，再用文火煮30分钟，去渣取上清液500毫升，将梨置入药液内加入适量食糖后用文火烧煮，待梨完全煮烂即可食用。

本方润肺清心，清热解毒，适用于肺癌患者。

【方二十一】

南北沙参、天冬、麦冬各30克，瓜蒌皮、大贝母、桑白皮各15克，仙鹤草、鱼腥草、白花蛇舌草各30克，小蓟炭10克，半枝莲20克。水煎服，日1剂。

本方为北京中医药大学东直门医院方，功能养阴清热，软坚散结，适用于肺癌阴虚内热型。

【方二十二】

1. 干蟾皮、藤梨根、鱼腥草、银花各30克，沙参、天冬、麦冬、百部、夏枯草各15克。

2. 芙蓉花15克，白茅根60克，紫草根、公英、海藻、昆布各30克，橘核9克。

3. 卷柏30克，地榆15克，生地30克，熟地15克，半枝莲30克，泽兰10克，全虫9克，蜂房30克，五味子9克。

上三方交替使用，水煎服，日1剂。

本方来源于《抗癌中草药制剂》，功能滋阴清热，软坚化痰，适用于肺癌。

【方二十三】

1. 槐木、并头草各30克。

2. 紫河车、生地、熟地、茯苓、猪苓、泽兰、紫贝齿、首乌、生龙骨各12克，当归、白芍、女贞子、公丁香、白术、神曲、麦芽、山楂、内金、阿胶、生玳瑁、芦荟、贝母、麦冬各9克，禹余粮、牡蛎各30克，砂仁、人参、朱砂、琥珀、甘草各3克。

水煎服，每日1剂，每方连服7天后交替使用。

本方来源于《抗癌中草药制剂》，功能补气养血，抗癌，对肺癌有一定疗效。

【方二十四】

生地、五味子、北沙参、王不留行、麦冬、蒲公英、石见穿、百部、徐长卿、地骨皮、南沙参、望江南、野菊花、怀山药、白花蛇舌草、煅牡蛎、夏枯草、海藻、海带、元参、花粉、丹参、川贝、炙山甲、制鳖甲、蜀山羊、丹皮、鱼腥草、紫花地丁各100克。

水煎服，每日1剂。

本方来源于《中医杂志》1988年1期，功能养阴清热，软坚散结，适用于原发性支气管肺癌。

【方二十五】

Ⅰ号方：葶苈子、炙百部、川楝子、炒枳壳、茯苓、赤芍各20克，马兜铃、木通各15克，麦冬、泽泻、制大黄各25克，怀牛膝135克，半枝莲、石见穿、侧柏叶、仙鹤草、苦参各75克，蒲公英、龙胆草各45克，北五味、全瓜蒌各18克，桔梗、元胡、石斛各24克。

Ⅱ号方：龟板60克，全蝎、白花蛇舌草、地鳖虫各45克，蜈蚣16条，活腹蛇1条，活癞蛤蟆4～6只，活甲鱼1只。

Ⅲ号方：石见穿、半枝莲、七叶莲各100克，降香屑6克，大麦冬、大贝母、玄参各30克，香附子、陈皮、茯苓、秦艽、生薏苡仁、熟薏苡仁各10克，丹参、冬虫夏草各15克，蚤休60克，红枣3枚。

Ⅰ号方水煎代茶饮，每剂服2天。Ⅱ号方加水煨至甲鱼烂为度，每剂浓汁服2～4天。甲鱼肉可吃。Ⅲ号方水煎服，每日1剂。

本方来自《江苏中医杂志》1984年4期，功能扶助正气，解毒抗癌，适用于中央型肺癌患者。

【方二十六】

三棱、莪术、丹参各15克，桃仁12克，王不留行15克，大黄䗪虫丸12克（包），石见穿30克，大黄9克，羊蹄根、铁树叶各30克，蜈蚣3条。水煎服，每日1剂。

本方活血破瘀，软坚散结，适用于原发性肺癌。

【方二十七】

桑叶、紫菀各15克，象贝母10克。水煎服，每日1剂。咯血加白及15克，阿胶10克，大小蓟、藕节炭各6克；气虚加黄芪、沙参各30克；痰多加南星10克，海浮石15克；发热加生石膏60克，山药、地骨皮、青蒿各15克；胸水加赤小豆、石韦、茯苓、芦根各30克，葶苈子12克，大枣7枚。

本方来源于《肿瘤诊治》，功能化痰散结，适用于肺癌。

【方二十八】

白花蛇舌草、白茅根、铺地锦、苡仁、夏枯草各30克，橘核、橘红各9克，麦冬、海藻、百部、昆布、生牡蛎、芙蓉花、蚤体各15克，生地、元参各12克。水煎服，每日1剂。

本方来源于《抗癌中草药制剂》，功能解毒化痰，散结抗癌，适用于肺癌。

【方二十九】

瓜蒌、葶苈子、鱼腥草、半枝莲、

白花蛇舌草、草河车、冬瓜子、天冬、百部、薏苡仁、阿胶或北沙参、麦冬、生地、丹皮、银花、蜂房、蛇蜕、百合、当归、元参等常规量加减。每日1次，水煎服，一般1月1疗程。

本方为牛惠敏方，功能清热解毒，肃化痰浊，补益气阴，适用于肺癌。

【方三十】

宝珠山茶10朵，红花15克，白及30克，大枣120克。煎水1碗服之，渣再服。

本方收涩止血，适用于肺癌吐血咳嗽。

【方三十一】

海带50克，米醋200毫升。海带切成细丝，或研成粉末，浸泡在米醋中，密闭贮存备用，每日服用10毫升，或此醋调制菜肴用。

本方滋阴润肺，健脾益气，慢性支气管炎、肺癌久咳、痰中带血者可常服，如咯血明显，可配生藕汁取食。

第二节

『食管癌』

食管癌临床特征主要是：有不同程度的吞咽不适，且逐渐加重，在进食后有梗噎状，疼痛及呕吐、呕血、黑便。体重减轻，此外亦可出现声音嘶哑、胸骨后钝痛，在疾病后期出现恶液质、腹水。临床常用的较为有效的偏方主要如下：

【方一】

大黄鱼鳔100克。将黄鱼鳔洗净，沥干，用香油炸至酥脆，取出，压成粉末，等冷装瓶备用。每次5克，每日3次，温水送服。

本方祛风活血，解毒抗癌，常用于食道癌、胃癌等症。

【方二】

露蜂房、全蝎各20克，山慈姑、白僵蚕各25克，蟾蜍皮15克，酒450毫升。将药捣碎，酒浸于净器中，7日后开取，每次空腹饮10～15毫升，日3次。

本方主治食管癌。

【方三】

白花蛇舌草30克，蒲公英80克，半枝莲12克，山豆根15克，山慈姑、鸦胆子、露蜂房各10克，三七参9克，斑蝥去头足1克，蟾酥0.5克。水煎服，每日1剂。

本方清热解毒，活血祛瘀，消癌散结，适用于食管癌瘀毒内结型。

【方四】

姜半夏、姜竹茹、旋复花、代赭石、广木香、公丁香、沉香曲、豆蔻、川楝子、川朴、南北沙参、天冬、麦冬、石斛、急性子、蜣螂、当归、仙鹤草。每日1剂，水煎服。

本方为上海曙光医院方，功能理气化痰，滋阴散结，适用于食管癌。

【方五】

生地20克，石斛30克，生芪15克，青皮9克，八月札30克，胆南星、大竺黄各12克，花蕊石15克，仙鹤草30克，牛膝炭12克，石燕、白花蛇舌草、半枝莲、石见穿各30克。每日1剂，水煎服。

本方为林钧华医生方，功能滋阴化痰祛疾，适用于食管癌阴虚痰瘀型。

【方六】

僵蚕15克，玄参、夏枯草各30克，红枣150克，麦冬30克，莪术10克，金银花15克，壁虎5条，甘草10克。每日1剂，水煎服。

本方扶正解毒，对食管癌有效。

【方七】

龙葵、万毒虎、白英、白花蛇舌草，半枝莲各100克。每日1剂，水煎服。

本方清热解毒，适用于食管癌。

【方八】

黄芪30克，党参15克，白术9克，山药30克，白芍15克，熟地20克，当归11克，赤芍12克，急性子6克，白花蛇舌草40克，焦三仙各9克，生甘草6克。每日1剂，水煎服。

本方益气养血扶正，化瘀解毒祛邪，适用于食管瘤、气管癌血虚、瘀毒内结型。

【方九】

破石、三棱、马鞭草若干。每日1剂，水煎服。

本方为王劲方，功能活血解毒散结，适用于食管癌。

【方十】

八角金盘、八月札、石见穿、急性子、半枝莲、丹参、青木香、生山楂无剂量。每日1剂，水煎服。

本方为马吉福方，功能清热解毒，化瘀散结。

【方十一】

活壁虎5条，白酒500毫升。以锡壶盛酒，将壁虎放入，两天后即可服用。每次服10毫升（慢慢吮之），早、中、晚饭前半小时服。

本方祛瘀消肿，适用于食管癌全梗阻者。

【方十二】

䗪虫15克，蜈蚣2条，山慈姑、半枝莲、党参各20克，半夏10克。每日1荆，水煎服，7剂为1疗程。

本方益气活血，解毒化痰，适用于食管癌咽下困难症。

【方十三】

枳壳30克，干漆（炒）6克，五灵脂18克，郁金15克，白矾、仙鹤草、火硝各18克，制马钱子12克。共研为细末，水泛为丸，每次服1.5～6克，每日3次，开水送下。

本方攻坚破积，适用于食管癌。

【方十四】

党参12克，麦冬、山药各15克，生赭石31克，知母、花粉、当归、法半夏、枸杞、瓜蒌仁、土元各10克。每日1剂，水煎服。

本方益气化痰活血，适用于食管癌。

【方十五】

半枝莲、白花蛇舌草、刘寄奴各30克，金佛草10克，代赭石30克（先煎），柴胡、香附、郁金、炒枳壳、沙参、麦冬、元参、清半夏、丹参各

10克。每日1剂，水煎服。

本方益气活血，解毒化瘀，适用于食管癌患者。

【方十六】

清半夏60～120克，人参15～20克，威灵仙、代赭石各40克，昆布、海藻、瓜蒌皮、丹参、当归、薏苡仁各30克，三棱、莪术各15克，僵蚕、郁金、象贝各12克。水煎3次，取液混合，加白蜜100～200毫升，云南白药4克（分2次冲服）搅匀。频饮，1～2日服完。药后便溏减白蜜、当归、瓜蒌皮用量，加白术。

本方益气活血，化痰散结，适用于食管癌患者。

【方十七】

板蓝根、猫眼草各30克，人工牛黄6克，硇砂3克，威灵仙60克，制南星30克。将上药制成浸膏干粉，每次服5分，日服4次。

本方清热解毒化痰，适用于食管癌。

【方十八】

硇砂2.7克，海藻、昆布各15克，草豆蔻9克，乌梅3个，白花蛇舌草120克，半枝莲60克。每日1剂，水煎2次分服。

本方解毒软坚散结，适用于食管癌。

【方十九】

硼砂60克，火硝30克，硇砂6克，礞石15克，沉香、冰片各9克。

共研细末，制成散剂，口服，每次1克，含化后缓缓吞咽，每隔半小时至1小时1次，待黏沫吐尽，能进食时可改为3小时1次，连服2天停药。

本方解毒化痰散结，适用于食管癌。

【方二十】

陈皮、清半夏、木香各12克，丹参30克，厚朴12克，三棱、莪术各13克，蚤休30克，枳壳12克，吴萸5克，黄莲12克，大黄、白芷各7克，砂仁6克，甘草5克。每日1剂，水煎服。

本方为天津中医王文翰方，功能理气化痰活血散结，适用于食管癌。

【方二十一】

八角莲10克，八月札30克，急性子、半枝莲各15克，丹参12克，青木香10克，生山楂12克。每日1剂，水煎服。

本方为安徽安庆市人民医院治疗食管癌的验方，功能理气活血化痰。

【方二十二】

半夏、党参各12克，丁香3克，代赭石24克，苏梗、旋复花、竹茹各15克，龙葵30克，白英、蛇莓、半枝莲、金刚刺各15克。每日1剂，水煎分2次服。

本方为湖北武汉商业职工医院治疗食管癌的验方，功能降气化痰，解毒散结。

【方二十三】

党参12克，黄芪、白术、茯苓各15克，陈皮、半夏各9克，砂仁10克，甘草6克，生姜3片，大枣5枚。每日1剂，水煎服。

本方来自《中西医肿瘤治疗大全》，功能温补脾肾，益气回阳，适用于食管癌气虚阳微型。

【方二十四】

当归、杭芍各15克，柴胡、焦白术各10克，茯苓15克，郁金12克，草河车10克，夏枯草30克，白芥子、僵蚕各10克，全虫3克，旋复花10

克，代赭石30克。每日1剂，水煎服。

本方来自《中医外科诊疗大成》，功能疏肝理气，软坚散结，适用于食管癌。

【方二十五】

硼砂80克，硇砂、三七各20克，冰片30克，制马钱子6克，仙鹤草30克。共研细粉，每日4次，每次10克，10天为1疗程，后改为每日2次，每次10克，以巩固疗效。

本方来自河南林县中医肿瘤研究所，功能活血开膈，解毒散结，对食管癌有效。

【方二十六】

当归20克，红花、桃仁、山甲、酒军各10克，党参30克，天冬15克，生赭石30克，莪术、半夏各15克，寸冬30克，知母15克，柿霜10克，半枝莲30克，干蟾皮10克。每日1剂，水煎服。

本方出自北京中医药大学，功能活血化瘀，补托解毒，对食管癌有效。

【方二十七】

生地、赤芍、丹皮各15克，枸杞子30克，山萸肉10克，猪茯苓、地骨皮、石斛各15克，花粉20克，白花蛇舌草30克，半枝莲30克，干蟾皮10克，元参、知母各15克。每日1剂，水煎服。

本方为北京中医药大学治疗食管癌验方，功能滋阴清热，扶正解毒，适用于食管癌热毒伤阴型。

【方二十八】

生炙黄芪各30克，人参（或党参）、甘草、酒大黄各10克，当归15克，枳壳、槟榔各10克，半枝莲30克，降香10克，硇砂1.5克，半夏15克，白芥子、干蟾皮各10克。水煎服，每日1剂。

本方出自《中医外科治疗大成》，功能健脾益气，消痰解毒，适用于食管癌脾虚痰湿型。

【方二十九】

当归15克，生炙黄芪各30克，杜仲10克，生山药40克，山萸肉10克，猪茯苓、鸡血藤各30克，生熟地各15克，冬凌草20克，石见穿15克，僵蚕10克，地龙15克，制鳖甲30克。每日1剂，水煎服。

本方出自北京中医药大学，功能益气养血，健脾益肾，适用于食管癌气血两虚证。

【方三十】

泽漆100克，壁虎50克（夏季用活壁虎10条与锡块50克），蟾皮50克，黄酒1 000毫升。将药浸泡黄酒中，密封，每日搅动2次，浸泡5～7日，过滤静置2日后口服，每次20～50毫升，每日3次，能进食后再每次调服壁虎粉2克，蟾皮粉1克。

本方出自《中西医结合治疗肿瘤》，功能活血解毒，适用于食管癌。

【方三十一】

党参、北沙参、白术、丁香、广木香、白豆蔻、麦芽、青皮、陈皮、沉香、厚朴、藿香、姜半夏、桃仁、土贝母、丹参、急性子、红花、当归、蜂房、蜀羊泉各50克。每日1剂，水煎服。

本方来自《中西医结合肿瘤学》，功能理气化痰，活血散瘀，对食管癌有疗效。

【方三十二】

黄毛耳草、石见穿、半枝莲、威灵仙、鬼针草、橘叶各15克。每日1剂，水煎服，日服3次。

本方来自《肿瘤辨证论治》，功能清热解毒，软坚散结。

【方三十三】

瓜蒌、浙贝、清半夏、橘红各30克，半枝莲、蚤休、白术各20克，生薏苡米、露蜂房、砂仁、酒大黄各10克，黄连6克，胆南星、旋复花（包煎）各15克。每日1剂，水煎服。

本方为传书林中医治疗食管癌痰湿凝结型方，功能燥湿化痰、宽胸启膈。

第三节

『胃　　癌』

胃癌的主要症状是：上腹部饱胀不适或隐痛、泛酸、嗳气、恶心，偶有呕吐、食欲减退、黑便等，若病情进一步发展可出现上消化道出血，上腹部疼痛，间伴有消瘦，无力，常可出现贫血，发热，恶液质等。中医学认为，本病的发生与饮食不节，忧思过度，脾胃损伤，气结痰凝有关，本病位在脾胃，常累及肝与肾。临床常用的有效的偏方主要如下：

【方一】

菱粉30克，粳米50克。粳米淘洗干净，如常法煮粥，待米熟时，调入菱粉，用小火烧至粥成，每日2次。

本方益肠胃，解内热，防癌肿。可用于年老体虚，慢性泄泻，胃肠道癌者食用。

【方二】

白花蛇舌草120克，煨莪术、煨三棱、赤芍各9克，代赭石粉、海藻、昆布、制鳖甲各15克，旋复花9克（包煎），夏枯草60克，白茅根30克，蜂蜜60克。每日1剂，水煎服。

本方为湖北中医学院方，功能清热解毒，化瘀散结，适用于胃癌。

【方三】

焦楂曲、焦麦芽各9克，煅瓦楞30克，制内金6克，川楝子9克，延胡索15克，陈皮、广木香、生枳实各9克，丹参15克，桃仁12克，生牡蛎30克，夏枯草15克，海带、海藻各12克。每日1剂，水煎服。

本方为上海中医学院曙光医院方，功能消食健脾，理气散结，适用于胃癌。

【方四】

生党参15克，茯苓12克，生黄芪15克，炒白术10克，生白芍12克，炒当归、广郁金各10克，醋青皮9克，炒莪术、京三棱各10克，绿萼梅6克，香谷芽10克。水煎服，每日1剂。

本方出自《中医杂志》1986年12期，功能益气养血，化瘀散结，对胃癌治疗有疗效。

【方五】

旋复花（包）、半夏、炙甘草各10

克，代赭石（先煎）、党参、黄芪各30克，白术20克，姜汁、梨汁、甘蔗汁、韭菜汁、牛乳各10毫升，半枝莲、半边莲、藤梨根各30克，煅瓦楞（先煎）15克。每日1剂，水煎服。

本方出自《湖北中医杂志》1984年3期，功能益气养阴，降逆和胃，适用于胃癌。

【方六】

党参15克，白术、茯苓各12克，甘草3克，生黄芪、熟地各15克，黄精12克，白毛藤、白花蛇舌草各30克，莲子肉15克，田三七1.5克，大枣6枚，沙参、羊肚枣各10克，枸杞子9克。每日1剂，水煎服。

本方为福州第一医院治疗胃癌验方，功能益气养阴，化瘀解毒。

【方七】

藤梨根60克，虎杖、石见穿、白花蛇舌草、半枝莲各30克，瞿麦、丹参各15克，元胡、陈皮、茯苓、姜黄、香附各9克，甘草6克。每日1剂，水煎服。

本方为武汉市胃癌防治协作组治疗胃癌验方，功能解毒化瘀，理气和胃。

【方八】

棉花根60克，白茅根15克，藤梨根、半枝莲各60克，车前草15克，大枣3个。每日1剂，水煎服。

本方为浙江温州抗癌研究小组治疗胃癌的验方，功能解毒化瘀，益气健脾。

【方九】

海藻、海带、丹参各15克，牡蛎、瓦楞、白花蛇舌草、铁树叶、蒲黄炭、仙鹤草各20克，夏枯草、赤芍、白芍各12克，当归、白及各10克，青陈皮各12克，木香9克，山楂、神曲、谷芽、麦芽各15克，党参30克，甘草10克。

本方源于《上海中医药杂志》1992年7期，功能消积散结，健胃和胃，适用于胃癌。

【方十】

乌骨藤60克，虎杖45克，海藻、昆布、陈皮、枳壳各15克。每日1剂，水煎服。

本方为武汉部队总医院治疗胃癌经验方，功能理气散结，解毒化浊。

【方十一】

生牡蛎30克，炙山甲10克，木馒头12克，郁金9克，赤芍10克，丹参12克，失笑散（包）12克，夏枯草10克，石斛12克，清半夏9克，陈皮6克，广木香6克，太子参10克。每日1剂，水煎服。

本方为上海曙光医院治疗胃癌验方，功能活血散结，理气和胃。

【方十二】

杭白芍30克，莪术15克，五灵脂、干蟾皮各10克，半枝莲20克，荜茇10克，青陈皮各12克，枳壳、元胡、香附、厚朴、菖蒲、肉豆蔻各10克。水煎服，每日1剂。

本方为北京东直门医院治疗胃癌验方，功能疏肝和胃，祛瘀散结，尤适用于胃癌肝胃不和型。

【方十三】

人参（另煎）10克，猪、茯苓各30克，焦白术10克，生炙黄芪各30克，补骨脂15克，吴茱萸10克，山萸肉15克，肉豆蔻12克，半枝莲20克，椿根皮30克，赤芍、白芍、禹余粮各10克，仙鹤草、女贞子各20克。每日1剂，水煎服。

本方为北京东直门医院方，功能温补脾肾，解毒化瘀，尤适用于胃癌脾胃虚寒型。

【方十四】

茵陈25克，银柴胡12克，仙鹤草30克，蜂房12克，五灵脂、干蟾皮各9克，半枝莲30克，制胆星10克，紫草、石斛各15克，生地、麦冬各20克，黄芩15克，知母12克，枳实6克。每日1剂，水煎服。

本方为北京东直门医院方，功能解毒散结，育阴清热，尤适用于胃癌瘀毒内阻型。

【方十五】

羚羊骨、半枝莲、白花蛇舌草、威灵仙、黄芪各100克，大黄、木香各60克，核桃树枝、石斛、炮山甲、砂仁、山豆根、蜂房、马鞭草、地骨皮各50克。共研细末，炼蜜为丸，每丸9克，每服1丸，日3次。

本方为中医陈长义治疗胃癌中晚期方，功能解毒散结，益气养阴。

【方十六】

三七、蚤休、黄药子、冰片、川乌、元胡、芦根各100克，麝香30克，大蒜汁适量。

共研细末，炼蜜为丸，每丸6克，每服1丸，日2次。

本方为孟照华治疗胃癌验方，功能破瘀散结，解毒化积。

【方十七】

半夏、白术各30克，血竭、木香各9克，瓦楞子30克，雄黄6克。共研细末，分成30份，每服1份，日3次。

本方见《福建中医药》1989年3期，功能活血化瘀，化痰散结，适用于胃癌。

【方十八】

蚤休、黄药子各60克，夏枯草、白鲜皮、山豆根、败酱草各120克。共研细末，炼蜜为丸，每丸9克，每服5丸，日3次。

本方为河南林县治疗胃癌方，功能清热解毒，散结消瘀。

【方十九】

花生米、鲜藕根各50克，鲜牛奶200毫升，蜂蜜30毫升。捣烂共煮，每晚50毫升。

本方为北京东直门医院方，功能益气养阴，清热解毒，适用于胃癌。

【方二十】

瓜蒌、橘皮各25克，莪术、炒枳实、香附各20克，木香、黄连、当归、木瓜、清半夏各15克，柴胡12克，炒白芍30克，甘草10克。每日1剂，水煎服。

本方来源于《中西医结合杂志》1995年8期，功能理气和胃，化痰行瘀，适用于胃癌前期痰瘀气结。

【方二十一】

太子参、麦冬、北沙参各15克，山药、莲子肉、虎杖各10克，白花蛇舌草30克，蚤休15克，制鳖甲、丹参各20克，浙贝母9克，半边莲15克，赤芍12克。每日1剂，水煎服。

本方为北京房山中医院穆希泉治胃癌验方，功能益胃健脾，解毒化瘀。

【方二十二】

黄芪、女贞子各30克，当归、白芍、熟地各15克，阿胶（烊化）10克，白术15克，甘草9克，鸡血藤15克，仙灵脾、人参（另煎）各10克，半枝莲、七叶一枝花各30克。每日1剂，水煎服。

本方为北京东直门医院治疗胃癌

方，功能益气养血，解毒化浊，适用于胃癌气血亏虚之患者。

【方二十三】

猪肚1个，胡椒、花生各30克，肉桂9克，砂仁6克。加盐少许煮烂，每日50克。

本方温阳益胃，适用于脾胃虚寒所致的胃癌。

【方二十四】

陈皮10克，茯苓15克，白术、半夏各12克，黄芩、连翘、炒莱菔子、甘松、川楝子、虎杖各15克，壁虎1条，鸡内金10克。每日1剂，水煎服。

本方为河南焦作中医药学校王热闹治疗胃癌验方，功能理气和中，解毒化瘀。

【方二十五】

半枝莲、白茅根各30克。水煎代茶饮，每日1剂。

本方来源于《新编中医入门》，功能清热解毒，凉血化瘀，适用于胃癌。

【方二十六】

枯矾（捶烂）9克，白醋180克。煎煮5分钟，澄清一口吸尽。

本方来源于《广东中医》1960年3期，功能涤胃消肿，适用于胃癌。

【方二十七】

陈白头翁45克，大枣5枚，槟榔10克，党参15克。水煎服，每日1剂。

本方来源于《常氏双简方》，功能益气和中，解毒散结，适用于胃癌。

【方二十八】

全瓜蒌15～30克。每日1剂，水煎服。

本方源于《中药药理学》，功能清热化瘀，散结消肿，适用于胃癌。

【方二十九】

沉香、白蔻、紫苏各3克。共为末，每服2克，柿蒂汤下。

本方源于《活人心书》，功能调中理脾，降逆止呕，适用于胃癌久呃。

【方三十】

泽漆120克，葶苈子（熬）、大黄各60克。各研为细末，混匀，炼蜜为丸梧子大，每服2丸，日3次。

本方源于《补缺肘后方》，功能化痰祛痰，解毒行瘀，适用于胃癌。

【方三十一】

知母50克，冰糖100克，老公鸡1只。将公鸡去毛，内脏切碎，与知母冰糖共熬成膏，每服2～5大匙，长期应用。

本方源于《中国红十字》1987年4期，功能益气养血，和胃调中。

【方三十二】

高良姜、槟榔等若干。各炒为末，米饮调下6克。

本方源于《百一选方·心脾痛》，功能温中暖胃，理气止疼，适用于胃癌疼痛。

【方三十三】

海蒿子、昆布、紫菜、牡蛎、蛤粉各15克。每日1剂，水煎服。

本方源于《中国药用海洋生物》，功能软坚散结，清热化浊，适用于胃癌。

【方三十四】

墓头回30克，生姜3片，红糖30克。每日1剂，水煎代茶饮。

本方源于《肿瘤要略》，功能活血化瘀，消肿散结，适用于胃癌。

【方三十五】

大皂荚1条（去皮炙酥），大枣30

克。每日1剂，水煎服。

本方源于《国医论坛》1988年3期，功能益气扶正，化痰散结，适用于胃癌。

【方三十六】

牛涎、好蜜各250克，木鳖子仁30克。研末，共入铜器熬稠，每以2匙和粥与食，日3服。

本方源于《普济方》，功能益阴养胃，散结行瘀，适用于胃癌。

【方三十七】

白茅根9克，七叶一枝花、白花蛇舌草各30克。每日1剂，水煎服。

本方源于《中医肿瘤的防治》，功能活血破结，清热解毒，适用于胃癌。

【方三十八】

冰片45克，硼砂10克，枯矾15克，95%酒精500毫升。将前3药投入酒精混匀后装瓶备用，外擦疼痛部位，不拘于时。

本方源于《中华肿瘤治疗大成》，功能消肿散结止痛，适用于胃癌疼痛者。

【方三十九】

乌蛇粉240克，蟅虫、蜈蚣各90克。共为细末，炼蜜为丸，每丸3克，早晚各服1丸，以温开水送服。

本方源于《中华肿瘤治疗大成》，功能活血通络，散结消肿，适用于胃癌疼痛者。

【方四十】

大黄若干。每服3克，每日2～4次，直到大便隐血试验转为阴性。

本方为焦东海方，功能止血，适用于胃癌合并出血。

【方四十一】

元胡荽60克，半枝莲、半边莲、黄毛耳草、薏苡仁各30克，白玉簪花根1.5克。每日1剂，水煎服。

本方源于《抗癌中草药制剂》，功能清热解毒，化解散邪，适用于胃癌。

第四节

『肝　癌』

肝癌的主要临床表现是：肝区痛、纳差腹胀、上腹部有肿块、黄疸、腹水肿胀，以及脾肿大等。临床上常用的偏方、验方主要的如下所述：

【方一】

鸡骨草30克，田螺250克。先用清水养田螺24～48小时，勤换水以去除污泥，取田螺肉洗净，与鸡骨草一起作汤，佐餐食用。

本方清热利湿，舒肝止痛，民间常用于黄疸型肝炎、慢性肝炎、脂肪肝、肝硬化和早期肝癌的防治。

【方二】

干燥鼠屎60克。加水适量，水煎2次，混合后分4次口服，每日1剂。

本方为姚善业方，功能破血利水，解毒止痛，适用于肝癌剧痛。

【方三】

活蟾蜍3只，大蒜1枚。将其剥去皮，把大蒜捣烂涂在蟾蜍皮上，外敷于痛处。

本方为中医苏宝根方，功能解毒止痛，适用于肝癌疼痛。

【方四】

八月札、石燕、马鞭草各30克。每日1剂，水煎服。

本方源于《日用抗癌药物手册》，功能疏肝理气，活血解毒，适用于肝癌。

【方五】

木鳖子去壳3克，独头蒜、雄黄各1.5克。杵为膏，入醋少许，蜡纸贴患处。

本方源于《普济方》，功能散血清热，除痈消痞，适用于肝癌疼痛。

【方六】

半枝莲、半边莲各30克，玉簪根9克，薏苡仁30克。每日1剂，水煎服。

本方源于《台湾抗癌中药》，功能清热解毒，化湿消肿，适用于肝癌。

【方七】

龙葵60克，十大功劳30克。每日1剂，水煎服。

本方源于《新编中医入门》，功能清热解毒，活血消痞，适用于肝癌。

【方八】

预知子、石燕、马鞭草各30克。每日1剂，水煎服。

本方源于《抗癌药物手册》，功能清热除痰，解毒散结，适用于肝癌。

【方九】

雄黄、朱砂、五倍子、山慈姑各等份。共研极细粉，吸入疗法，每次少量。

本方源于《全国中草药汇编》，功能解毒化瘀，消癥散结，适用于肝癌。

【方十】

活蟾蜍3只，黄酒1斤。将蟾蜍用黄酒共煮沸后半小时，去蟾蜍取酒，贮藏备用，每日3次，每次10毫升，连服30天，休息30天后再服，3月为1疗程。

本方源于《中医杂志》1980年7期，功能清热解毒，化瘀消积，适用于肝癌。

【方十一】

冰片15克，白酒适量。将冰片溶入白酒中，装瓶备用，需要时用棉棒蘸此药酒擦涂疼痛部位，约10～15分钟见效。

本方源于《山东中医》杂志1982年2期，功能活血散结止痛。

【方十二】

活癞蛤蟆1只（去内脏），雄黄30克。将雄黄放入蛤蟆腹内，加温水少许捣成糊状，敷在肝区最痛处，夏天敷6～8小时换1次，冬天可24小时换1次。

本方来源于《新中医》1980年3期，功能解毒化瘀，散结止痛，适用于肝癌疼痛。

【方十三】

斑蝥500个，陈皮500克，糯米5 000克。

将糯米洗净干净，沥干，加入斑蝥后置锅内用微火炒至焦黄，拣去斑鳖，糯米研碎，另将陈皮研粉，混合均匀。口服首用量每次10～15克，每日3次，维持量每次5～6克，每日3次，于饭后温开水冲服。

本方为江苏启东县医院方，功能扶正益气，活血散结，适用于肝癌。

【方十四】

蟾蜍、天龙、儿茶、龙葵、藤梨根、山豆根、夏枯草适量。各药共研细末，加入辅料后，压制成片剂，口服，每日3次。

本方为上海市启东县肿瘤防治小组治疗肝癌验方，功能清热解毒，活血散结。

【方十五】

水蛭、虻虫、地鳖虫、壁虎、蟾皮。炼蜜为丸，每丸4.5克，每服9克，每日2次。

本方为上海市人民医院治疗肝癌验方，功能益气活血，清热化浊。

【方十六】

天性草根、野荠菜根各90克。分别水煎，上午服天性草根，下午服野荠菜根。

本方为安徽安庆专区卫生组方，功能清热解毒，化浊行瘀，适用于肝癌。

【方十七】

半枝莲、半边莲、黄毛耳黄各30克，元胡荽60克，薏苡仁30克。每日1剂，水煎服。

本方为江西南昌第二医院治疗肝癌验方。功能清热解毒，化浊行瘀。

【方十八】

龙葵、白英、遍地香各50克，蛇莓25克，半枝莲15克，徐长卿10克。每日1剂，水煎服。

本方为上海市群力草药店治疗肝癌方，功能清热解毒，活血化浊。

【方十九】

茵陈30克，黄柏、栀子各10克，猪苓30克，泽泻12克，水红花子、丹参各30克，莪术10克，白花蛇舌草30克。每日1剂，水煎服。

本方来源于《中西医结合治疗癌症》，功能清热化湿，解毒化瘀，适用于湿热瘀毒型肝癌。

【方二十】

半枝莲、独脚莲、蚤休各30克，丹参、三棱、莪术各10克，土茯苓9克，白花蛇舌草30克。每日1剂，水煎服。

本方来源于《贵阳中医学院学报》1986年3期，功能清热解毒，活血逐瘀，适用于晚期原发性肝癌。

【方二十一】

丹参10～30克，赤芍15～30克，三棱、莪术、桃仁、地鳖虫、片郁金各10克，车前子8克，泽泻、半边莲各30克，茯苓15克。

本方源于《中医药研究》1988年6期，功能活血行瘀，利水化浊，适用于原发性肝癌合并腹水，使用方法是水煎服，日1剂。

【方二十二】

白芍、扁豆、薏苡仁各30克，白术15克，防风、陈皮各10克，柴胡、川芎、香附各6克，甘草、川芎各9克。每日1剂，水煎服。

本方源于《天津中医》1983年5期，功能调和肝脾，理气化浊，适用于肝癌化疗后胃肠道反应。

【方二十三】

川石斛、竹茹、佛手各9克，绿萼梅6克，生熟谷芽、北沙参各12克，芦根30克。每日1剂，水煎服。

本方源于《浙江中医杂志》1986年4期，功能养阴和胃，降逆止呕，适用于肝癌，阴虚呕逆。

【方二十四】

制鳖甲30克，炮山甲、桃仁、广木香、青皮、郁金、白芍各12克，红花6克。每日1剂，水煎服。

本方源于《抗癌中草药制剂》，功能活血化瘀，软坚散结，适用于肝癌。

【方二十五】

藤梨根、白花蛇舌草、生牡蛎各30克，党参、白术、白芍、茯苓、郁金、炮山甲各9克。每日1剂，水煎服。

本方源于《上海中医药杂志》1979年4期，功能益气健脾，活血软坚，适用于肝癌。

【方二十六】

接骨木30克，半边莲、金钱草各15克，三棱、莪术各10克，青陈皮、车前子各9克，三七0.6克。每日1剂，水煎服。

本方源于《湖南中草药单方验方选编》，功能清热解毒，理气化瘀，适用于肝癌。

【方二十七】

黄芪、龟板、鳖甲各15克，泽泻、党参、白术、茯苓各10克，当归20克，白花蛇舌草45克，半枝莲15克。

本方源于《肿瘤要略》，功能益气养阴，清热活血，适用于原发性肝癌，使用方法是水煎服，每日1剂。

【方二十八】

半枝莲、七叶一枝花、山慈姑、蜈蚣、莪术、田七、牛黄各150克。每次6片，每天3次口服，连服5天，停药2天，2个月为1疗程，服完1疗程后休息1～2周再继续用。

本方源于《新中医》1985年6期，功能清热解毒，活血化瘀，适用于中、晚期肝癌。

【方二十九】

党参、白术、炙黄芪、茯苓、炒扁豆各9克，薏苡仁15～30克，橘皮6克，炙甘草3克。每日1剂，水煎服。

本方源于《新医药学杂志》1979年4期，功能健脾益气，扶正抗癌，适用于肝癌属脾气虚型。

【方三十】

天仙藤30克，乳香、没药、醋元胡、吴萸、干姜各6克，小茴香15克。共研细末，每服9克，好酒服。

本方源于《本草汇言》，功能散寒，活血止痛，适用于肝癌及腹腔肿瘤。

【方三十一】

马尾莲9克，金锦香12克，七叶一枝花15克，一枝黄花20克，四季菜30克，老鸦柿根60克。水煎服，日1剂。

本方源于《肿瘤要略》，功能清热解毒，凉血消痞，适用于原发性肝癌。

【方三十二】

麝香、牛黄各3克，乳香、没药各30克，熊胆3克，三七粉、人参各30克。共研细末，黄米浆为丸，绿豆大，每次1克，每日3次。

本方源于《肿瘤病》，功能行气豁痰，化瘀散结，适用于肝癌。

【方三十三】

全蝎、蜈蚣、水蛭、僵蚕、蜣螂、守宫、五灵脂各等份。共研细末，每次3克，每日2次。

本方源于《肿瘤病》，功能活血化

痰，行瘀散结。

【方三十四】

太子参、黄芪、丹参、郁金、凌霄花、桃仁、八月札、制香附各9克，炙鳖甲12克，全虫6克。水煎服，每日1剂。

本方为中医庞冲池方，功能益气扶正，祛瘀消癥。

【方三十五】

鹅血200克，蘑菇适量，调料适量。蘑菇洗净，放锅内加水适量煮熟，加鹅血、调料，煮至鹅血成豆腐块状。

本方抗癌，适用于肝癌等。

第五节

『大肠癌』

大肠癌包括结肠癌、直肠癌和肛管瘤。其症状表现依部位不同而有异，如右侧结肠癌主要症状可见：腹部肿块，腹痛，贫血，部分肠梗阻。而左侧结肠癌则见：便血，便频，腹痛，黏液便，肠梗阻；若是直肠癌又可出现便血，便频，便细，变形，黏液便，肛门癌，里急后重。临床常用的偏方、验方如下：

【方一】

鲜桃花瓣10克（或干品2克），粳米30克。桃花瓣与粳米煮稀粥，隔日服1次，连服7～14天。

本方利水活血通便，适用于直肠癌之症见腹块刺痛，坚硬不移，腹胀腹泻，利下紫黑脓血，里急后重，舌紫、苔黄，脉弦者。

【方二】

党参、黄芪、白术、茯苓、薏苡仁、土茯苓、半枝莲、制半夏、仙鹤草、陈皮各若干。每日1剂，水煎服。

本方为中医翟范方，功能益气调中，抗癌祛邪，适用于乙状结肠癌、食道癌、胃癌患者。

【方三】

石见穿、地榆、党参、茯苓、生薏苡仁、七叶一枝花、苦参、昆布、天龙各100克。每日1剂，水煎服。

本方为上海著名中医钱伯文治疗直肠癌方，功能软坚消瘤，健脾化湿。

【方四】

潞党参、黄芪各30克，白术、茯苓、黄芩、柴胡各9克，丹参、熟地、白芍、杜仲、枸杞各15克，升麻6克。日1剂，水煎服。

本方为中医刘燕珠治疗直肠癌验方，功能补中益气。

【方五】

厚朴9克，白术、茯苓各12克，佩兰9克，肉蔻10克，苍术9克，太子参12克，甘草9克。日1剂，水煎服。

本方为中医谢立奎治疗直肠癌术后泄泻方，功能化湿健脾。

【方六】

怀山药、炒白术、党参、广木香、炒枳壳、炙鸡内金、青陈皮、焦建曲各130克。水煎服，每日1剂。

本方为中医雷水仲治疗直肠嗜银细胞癌验方，功能健脾和胃。

【方七】

红藤15克，白头翁9克，半枝莲30克，白槿花、苦参、草河车各9克。每日1剂，水煎服。

本方清热解毒，利湿活血，适用于大肠癌患者。

【方八】

黄芪30克，黄精、枸杞子、鸡血藤各15克，槐花12克，败酱草、马齿苋、仙鹤草、白英各15克。

水煎服，每日1剂。

本方益气补血，清热解毒，适用于大肠癌患者。

【方九】

蜂房、全蝎、蛇蜕、瓦楞子、大麻仁、大黄、银花、鸡内金、山豆根、白扁豆各120克。共为细末，水泛为丸，如绿豆大小每服6～9克，每日3次，黄芪煎水或开水送下。

本方来源于《癌症中医防治研究》，功能解毒化瘀，消导和胃，适用于肠癌。

【方十】

乌蛇100克，蜈蚣、全虫各25克，生苡仁200克，制硇砂10克，皂刺50克，瓜蒌10克。共为细末制片，每服2克，每日3次。

本方源于《新中医》1989年5期，功能攻毒抗癌，适用于直肠癌。

【方十一】

青蒿、鲜野葡萄根、地榆各60克，鲜蛇莓30克。各药洗净后沥干，置热水瓶内，倒入沸开水浸过药面，浸泡12小时，滤出药液即得。每日1剂，口服，15天为1疗程。

本方源于湖北红安县水河卫生院，功能清热解毒抗癌，适用于直肠癌。

【方十二】

海藻30克，水蛭6克。将2药分别用微火焙干，研细混合，每次3克，每日2次，黄酒冲服。

本方源于山东东平人民医院，功能破瘀散结，适用于直肠癌。

【方十三】

厚朴9克，白术、茯苓各12克，佩兰9克，肉蔻10克，苍术9克，太子参12克，甘草9克。水煎服，每日1剂。

本方源于《湖南中医杂志》1987年2期，功能健脾止泻，适用于直肠癌术后泻下不止者。

【方十四】

火硝、制马钱子、郁金、白矾各15克，生甘草3克。共研为细粉，水注为丸，如绿豆大小，每次0.3～0.9克，每日3次，黄芪煎水服或开水送下。

本方源于《防癌治癌小绝招》，功能化痰解毒，消肿散结，适用于肠癌肿块坚硬疼痛患者。

【方十五】

制马钱子120克，制乳香、制没药、西红花各15克，麻黄60克，郁金15克。共为细粉，面糊或米饭为丸，如绿豆大，每服1～5粒，开水送下，疼痛剧烈时服，痛止停服。

本方源于《癌瘤中医防治研究》，功能活血化瘀，通络止痛，适用于癌瘤及各种癌瘤剧烈疼痛。

【方十六】

鲜瞿麦根30～60克（干品24～30克）。用米泔水洗净，水煎服，日1剂。

本方清热利湿，适用于肠癌。

【方十七】

黄芪、党参、云苓、莲肉、芡实、山药、薏苡仁、南星、旱莲草、半枝莲。水煎服，每日1剂。

本方为中医周进发方，功能健脾益气，化湿祛痰，适用于大肠癌早期属脾虚痰湿型。

【方十八】

地榆、槐花、黄柏、黄芩、赤芍各9克，白头翁、仙鹤草、龙葵各15克，败酱草、薏苡仁、马齿苋各30克。水煎服，日1剂。

本方源于《中西医临床肿瘤学》，功能清热利湿，健脾理气，适用于直肠癌湿热证。

【方十九】

党参15克，黄芪30克，白芍15克，熟地、川芎、升麻、白术、陈皮、诃子、石榴皮各10克，丹参、败酱草各15克。水煎服，日1剂。

本方源于《中西医临床肿瘤学》，功能补气益血，适用于直肠癌气血两虚型。

【方二十】

炒苡米30克，石榴皮21克，焦山楂30克，诃子肉12克，山豆根9克，瓦楞子15克，黄芪30克，党参15克，料姜石30克。水煎服，日1剂。

本方源于《癌瘤中医防治》，功能健脾益气，收涩止泻，适用于肠癌。

【方二十一】

黑木耳、白槿花、荠菜花、地锦草、地榆各9克，无花果、甜瓜子、墓头回各15克，血见愁12克，木贼草6克。水煎服，每日1剂。

本方源于《治肿瘤方剂》，功能清肠解毒，理血止血，适用于直肠癌。

【方二十二】

水杨梅根、藤梨根、半枝莲各30克，白英、白花蛇舌草各30克，虎杖、白头翁各15克，茯苓、陈香曲各12克，焦白术、广木香各9克。水煎服，每日1剂。

本方源于《中医成功治疗肿瘤100例》，功能健脾理肠，解毒抗癌，适用于直肠息肉癌变。

【方二十三】

苦参12克，草河车15克，白头翁12克，白桂花15克，红藤12克，无花果15克，半枝莲、生苡仁、白花蛇舌草各30克。水煎服，每日1剂。

本方源于浙江中医学院肿瘤研究室，功能清热燥湿，解毒抗癌。

【方二十四】

新鲜马齿苋150克，绿豆60克。煎汤服食，每天1～2次，吃蛋喝汤。

本方源于《疾病与防治》，适用于大肠癌。

【方二十五】

核桃枝60克，鸡蛋3枚。水适量，文火煮1小时，吃蛋喝汤。

本方源于《疾病与防治》，对大肠癌患者有效。

【方二十六】

白头翁50克，银花、木槿花各30克。煎浓汁200毫升，加白糖30克，温服，每日3次。

本方为民间验方，适用于大肠癌。

【方二十六】

黄柏、黄芩、紫草各60克，虎杖120克，藤梨根250克，苦参60克，乌梅15克。浓煎成500毫升，睡前每次用30～50毫升，保留灌肠，每日1次。

本方为民间验方，适用于结肠癌。

【方二十八】

薏苡仁粉30～60克，粳米2两。先将生薏苡仁洗净晒干，碾成细粉，每次取薏苡仁粉30～60克，同粳米煮粥。

本方健脾胃，利水湿，抗癌肿，适用于浮肿，脾虚腹泻，风湿痹痛，筋脉拘挛，并可作防治癌瘤的一种辅助食疗措施。

第六节

『膀胱癌』

膀胱癌是泌尿系统最常见的恶性肿瘤，病因与化学致癌物、病毒因素及吸烟等有关。血尿是它的最早症状，并可伴有尿频、尿急、尿痛等症状，临床常见的有效偏方、验方主要的如下：

【方一】

生地、山药各30克，山萸12克，茯苓、猪苓、紫草各30克，芦荟6克，小蓟、蒲黄炭各12克，半枝连、白花蛇舌草各30克。水煎服，每日1剂。

本方养阴清热，凉血止血，适用于阴虚血热所致的膀胱癌。

【方二】

猪苓30克，汉防已12克，大黄、芦荟各6克，茯苓、虎杖各30克，龙胆草12克，半枝莲、白花蛇舌草各30克。水煎服，每日1剂。

本方清热利湿导滞，适用于湿热下注所致的膀胱癌。

【方三】

黄芪30克，白术、茯苓各24克，菌灵芝30克，莪术、龙葵、蛇莓各15克，白英30克，土茯苓24克，白花蛇舌草、薏苡仁各30克。水煎服，每日1剂。

本方益气扶正，活血化瘀，适用于气虚血瘀所致的膀胱癌。

【方四】

白英、半枝莲各30克，龙葵、蛇莓各15克，肿节风、猪苓各30克，薏苡仁60克，汉防已12克。水煎服，每日1剂。

本方抗癌利尿，对膀胱癌有效。

【方五】

土贝母、山慈姑、海浮石、昆布各等份。共为细末，每服6克，每日2次。

本方出自《浙江中医学院学报》1982年增刊号，功能解毒软坚散结，适用于膀胱癌。

【方六】

香菇10个，冬笋100克。香菇用温水泡发后，去蒂、切片，冬笋切片，备用。锅内油热时，放入香菇、笋片翻炒，调入鸡汤，食盐煨至汁液将干时即可出锅，佐餐食用。

本方益胃、清热、防癌，本药膳味道鲜美，营养丰富，有增强免疫力，防治膀胱癌的作用。

【方七】

大蒜200克，米醋500毫升，白糖适量。将大蒜去皮剥成瓣状，洗净沥干，装入加有白糖的米醋中，浸泡1个月后即可服食，每次数枚，佐餐食用。

本方消肿散瘀，解毒抗癌，经常食用，既可开胃，又能祛病养生，连年来用于膀胱癌的防治。

【方八】

鲜土茯苓60克，棕榈子30克。浓煎成膏，制成片剂，每次5片（片重0.3克），每日3次。

本方源于《新医药资料》1972年3期，功能清热解毒，可用于膀胱乳头转移性上皮癌。

【方九】

元胡荽、萹蓄各12克。捣烂取汁兑白糖服。

本方源于《浙南本草新编》，功能止痛止血，适用于膀胱癌尿血，疼痛。

【方十】

千金藤（鲜品每次25克，干品10克），车前子（包）15克。水煎服，每日2次。

本方为日本民间方，功能清热解毒，可用于膀胱癌。

【方十一】

木通、牛膝、生地、天门冬、麦门冬、五味子、黄柏、甘草各3克。每日1剂，水煎服。

本方源于《本草经疏·溺血》，功能清热利湿止血，适用于膀胱癌尿血。

【方十二】

无花果30克，木通15克。每日1剂，水煎服。

本方源于《中医肿瘤的防治》，功能解毒利湿，适用于膀胱癌。

【方十三】

天葵、小石韦各15克，过路黄、土茯苓各30克。每日1剂，水煎服。

本方源于《实用抗癌手册》，功能清热解毒，适用于膀胱癌。

【方十四】

蜣螂9克，白花蛇舌草、半枝莲、野葡萄各30克。每日1剂，水煎服。

本方源于《医学情况交流》1974年9期，功能活血解毒，对膀胱癌有效。

【方十五】

党参、黄芪、白术、茯苓、甘草、建曲各适量。每日1剂，水煎服。

本方源于《浙江中医杂志》1981年12期，功能益气健脾，适用于膀胱癌。

【方十六】

党参15克，黄芪、女贞子、桑寄生、白花蛇舌草各30克。每日1剂，水煎服。

本方源于《新医药学杂志》1977年7期，功能益气养阴解毒，适用于膀胱癌体质较差，正气不足者。

【方十七】

鲜蘑菇、猪瘦肉各100克，食盐

适量。先将猪瘦肉、鲜蘑菇切成片，加水适量作汤，用少许食盐调味，佐餐食用。

本方滋阴润燥，健脾益胃，尤适合于放疗、化疗后白细胞减少，食欲不振的膀胱癌患者食用。

【方十八】

沙苑子、山慈姑各15克，桑寄生、猪苓、白花蛇舌草各30克。每日1剂，水煎服。

本方源于《新医药学杂志》1977年7期，功能益肾利湿解毒，适用于膀胱癌体质较好，正气不虚者。

【方十九】

土茯苓30克（炒存性），百部30克（炒存性），蜈蚣30克（炒存性），斑蝥10个（炒存性），蝉蜕15克（炒存性），滑石15克，银花20克，薏苡仁、苦丁茶、金钱草各15克，海金沙10克，牛膝、干姜、肉桂、附子、小茴香各15克，大枣5个，生姜5片。每日1剂，水煎服。

本方散寒利湿解毒，适用于寒湿毒结型膀胱癌。

【方二十】

当归、赤芍、生地、木通、滑石、海金沙各15克，半枝莲、二蓟炭、茅根、薏苡仁、白花蛇舌草、金钱草各30克，知母、黄柏、炒木鳖子仁各12克，银花24克，天花粉12克，乌贼骨24克。每日1剂，水煎服。

本方源于《抗癌中草药制剂》，功能活血利湿解毒，对膀胱癌有效。

【方二十一】

金钱草、白毛藤、土茯苓、薏苡根、白花蛇舌草各37.5克，蛇莓18克。每日1剂，水煎服。

本方源于《中西医临床肿瘤学》，功能解毒利湿通淋，对膀胱癌有效。

【方二十二】

干蜀葵40克。每日1剂，水煎服，分2次使用。

本方为山东中医杨俊卿方，功能解毒抗癌，对膀胱癌有效。

【方二十三】

白花蛇舌草、蛇莓、蛇六谷、土茯苓、龙葵、白英、土大黄各30克。水煎服，每日1剂。

本方清热解毒，利湿消肿。适用于膀胱癌尿血。

【方二十四】

鲜芝麻90克，鲜黄花60克，半边莲30克，沙氏鹿茸草、醋浆草各15克，佩兰9克。每日1剂，水煎服。

本方源于杭州市肿瘤医院，功能清热解毒，对膀胱癌有效。

【方二十五】

半枝莲、大蓟、小蓟、六一散（包）各30克，五苓散、蒲黄炭、藕节炭、贯众炭各15克，知母、黄柏各9克，生地12克，车前子（包）30克，槐花15克。每日1剂，水煎服。

本方清热利水，凉血止血，适用于膀胱癌。

【方二十六】

1. 党参15克，黄芪、茯苓、女贞子、桑寄生、白花蛇舌草各30克。

2. 沙苑子、山慈姑各15克，桑寄生、猪苓各30克，白花蛇舌草3克。每日1剂，水煎服。

本方1适用于体弱气虚者；方2适用于体质较好病人，二方均源于中国人民解放军总医院，功能健脾益肾，抗癌解毒，对膀胱癌有疗效。

第七节

『前列腺癌』

前列腺癌早期可无症状，中晚期可见排尿梗阻、尿潴留、血尿或尿失禁、疼痛、骨转移致神经压迫和病理性骨折等。临床上常用的有效的偏方主要如下：

【方一】

刘寄奴9克，麦冬60克，生地30克，车前子9克。每日1剂，水煎服。

本方源于《中华肿瘤治疗大成》，功能滋阴益肾，清热化瘀，适用于前列腺癌肾阴不足，瘀热不解者。

【方二】

小茴香6克，威灵仙9克，椒目24克。每日1剂，水煎服。

本方源于《中华肿瘤治疗大成》，功能温中暖肝，通利下焦，适用于前列腺癌下焦受寒，小便不通。

【方三】

朱砂（另研）7.5克，钟乳粉15克，滑石10克。将药共研细末，为丸，如梧桐子大，每次10丸，每日3次，空腹时用灯心汤送下。

本方源于《中华肿瘤治疗大成》，功能清利下焦，通淋散结，适用于前列腺癌下焦热甚者。

【方四】

王不留行30克，当归、川续断、白芍、丹参各6克。水煎服，日1剂。

本方源于《东轩方·血淋不止》，功能通经利便，活血止血，适用于前列腺癌。

【方五】

射干30克，黄芪20克，蒲公英、仙鹤草、白毛藤各25克，琥珀5克（冲）。水煎服，日1剂。

本方源于《常氏集简方》，功能清热解毒，益气利湿，对前列腺癌有效。

【方六】

白花蛇舌草30～60克，半枝莲、野葡萄根、土茯苓各30克。日1剂，水煎服。

本方源于《实用中西医肿瘤治疗大全》，功能清热解毒利湿，对前列腺癌有效。

【方七】

夏枯草30～60克，败酱草、金钱草、王不留行、龙葵各30克，薏苡仁60克。水煎服，日1剂。

本方源于《实用中西医肿瘤治疗大全》，功能清热解毒，软坚散结，适用于前列腺癌。

【方八】

马鞭草60克。水煎服，日1剂。

本方源于《实用中西医肿瘤治疗大全》，功能清热解毒，适用于前列腺癌。

【方九】

黄芪60克，三棱30克，莪术20克，土茯苓60克。每日1剂，水煎服。

本方为天津著名中医张大宁方，功能补气活血祛瘀，对前列腺癌有效。

【方十】

川楝子1.5克，白花蛇舌草、半枝莲、萆薢、薏苡仁各30克，水蛭2克。每日1剂，水煎服。

本方源于《抗癌中药一千方》，功能活血祛湿，解毒散结，适用于前列腺癌。

【方十一】

黄柏、知母、木通各10克，赤芍、牛膝、炮山甲各15克，生牡蛎30克，刺猬皮15克。水煎服，日1剂。

本方源于《实用中西医肿瘤治疗大全》，功能清热利湿，活血散结，适用前列腺癌。

【方十二】

生黄芪15克，潞党参、仙灵脾各12克，肉苁蓉、巴戟天各6克，枸杞子、制首乌各12克，穿山甲15克，牛膝12克，制大黄6克，炒黄柏10克，知母6克，土茯苓、七叶一枝花、白花蛇舌草各15克，杭白芍12克，炙甘草6克。日1剂，水煎服。

本方为上海中医药大学方伯英方，功能补气养血，清热解毒，适用于前列腺癌。

【方十三】

生黄芪15克，潞党参、仙灵脾各12克，肉苁蓉、巴戟天各6克，枸杞子、制首乌各12克，穿山甲15克，牛膝12克，制大黄6克，炒黄柏、知母各10克，土茯苓15克，七叶一枝花12克，白花蛇舌草15克，杭白芍12克，炙甘草6克。水煎服，每日1剂。

本方源于《上海中医药杂志》1988年1期，功能益气补肾，活血解毒，对前列腺癌有效。

【方十四】

生黄芪、穿山甲、土茯苓、白花蛇舌草各15克，党参、仙灵脾、枸杞子、制首乌、牛膝、七叶一枝花、杭白芍各12克，肉苁蓉、巴戟天、制大黄、知母、炙甘草各6克，炒黄柏10克。水煎服，每日1剂。

本方源于《上海中医药杂志》1988年1期，功能益气补肾，化湿通络。

【方十五】

女贞子30克，旱莲草、菟丝子各15克，莪术30克，三棱15克，夏枯草30克，炙鳖甲20克，青蒿15克，海藻、地龙各30克，土元、僵蚕各12克，土茯苓30克，炙马钱子0.3克。每日1剂，水煎服。

本方为北京中医药大学王沛教授方，功能补气活血通经，对前列腺癌有效。

【方十六】

白花蛇舌草、天葵子、土茯苓各30克，当归、赤芍、川芎、蒲黄、栀子、元胡、乳香、没药各15克，木通、车前草各12克。每日1次，水煎服。

本方源于《常见肿瘤的良方妙法》，功能活血化瘀，解毒散结，对前列腺癌有效。

【方十七】

女贞子15克，皂刺10克，夏枯草、丹参各30克，红花10克，菟丝子15克，猪牙皂6克，酒地龙、猪茯苓各20克，穿山甲10克，莪术、胆星各15克，龙葵20克，露蜂房10克。1日

1剂，水煎服。

本方为北京中医药大学王沛教授方，功能调经活血，软坚散结，适用于前列腺癌。

【方十八】

木通10克，瞿麦、金钱草、萹蓄、败酱草、白花蛇舌草、土元、白茅根、忍冬藤、土茯苓、薏苡仁、丹参各30克，赤芍、泽兰各15克。1日1剂，水煎服。

本方源于《中西医结合临床肿瘤内科学》，功能清热利湿消积，对前列腺癌有效。

【方十九】

巴戟天、穿山甲各9克，大黄6克，黄柏9克，土茯苓15克，白花蛇舌草30克，生黄芪20克，党参、仙灵脾各15克，肉苁蓉9克，枸杞子15克。每日1剂，水煎服。

本方源于《上海中医药杂志》1988年1期，功能益气温阳，解毒化浊，对前列腺癌有较好的疗效。

【方二十】

当归、白芍、瞿麦、石韦、天葵子、大黄、椿白皮、栀子、木通、炙甘草、麻仁各30克。每日1剂，水煎服。

本方源于《肿瘤良方大全》，功能清热化湿，养血扶正，对前列腺癌有效。

第八节

『阴茎癌』

阴茎癌是指发生于男性阴茎头部和包皮的恶性肿瘤。病变起始于阴茎头或包皮内侧，不易发现。可见乳头状或扁平突起，溃疡周边隆起，分泌恶臭液体，可穿破包皮呈花状。临床常用的偏方、验方如下：

【方一】

猪秧秧不拘量。煎汤外洗，不拘时量。

本方源于《癌症家庭防治大全》，功能清热解毒，活血通经，对阴茎癌有效。

【方二】

土茯苓60克，金银花12克，威灵仙、白鲜皮各9克，丹皮6克，苍耳子15克。每日1剂，煎2次分服，另用茶叶加食盐适量煎汁后供局部冲洗。

本方为江西瑞昌县人民医院治疗阴茎癌验方，功能清热解毒。

【方三】

铁树叶、白花蛇舌草、半边莲、金银花、川楝子各500克。水煎煮3次，合并煎煮液，浓缩到原总体积的1/5，加乙醇沉淀2次，经活性炭处理过滤，分装灭菌，每日2次，每次2～4毫升，肌注。

本方源于《癌症家庭防治大全》，功能解毒散结，适用于阴茎癌。

【方四】

①鸦胆子、硇砂、砒石、草乌各6克，吴萸、轻粉各9克，硼砂、枯矾各30克，麝香15克，冰片3克。

②白及、橡皮、紫草各15克，炉甘石30克。

③樟丹9克，梅片0.9克，煅石膏、硼砂各30克，密陀僧6克。

①②两方各药研为细末，分别加入合梅素粉5～10克，混合均匀，制成外用散剂。③方各药共研细末，加凡士林调和均匀经干热灭菌后，即得。外用，散剂供撒布于癌肿创面，软膏供局部涂敷用，均匀，每日1～2次。①方用于解毒祛腐、消肿抑癌；②方用于生肌收敛，愈合创面；③方用于癌块消失后久不愈合的创面，有生肌、抗感染的作用。

本方源于河北新医大附属第二医院，功能消肿抑癌，适用于阴茎癌。

【方五】

轻粉、石膏各15克，胆矾、铜浆各9克。共研细末，湿疮干撒，干疮以公猪胆汁调浓点之，每日3次。

本方源于《外科医境》，功能解毒化浊，消病除疮。

【方六】

山慈姑30克，丝瓜络500克，海藻3克。每日1剂，水煎服。

本方清热通络，化痰散结，适用于阴茎癌患者。

【方七】

土茯苓30克，白鲜皮15克，金银花、薏苡仁各30克，防风6克，木通9克，木瓜15克，皂角子10克。每日1剂，水煎服。

本方源于《外科真诠》，功能清热解毒，燥湿缓痛，适用于阴茎癌。

【方八】

黄芪30克，当归身15克，茯苓30克，丹皮12克，砂仁10克。每日1剂，水煎服。

本方源于《谦益斋外科医案》，功能益气养血，适用于阴茎癌。

【方九】

红粉9克，轻粉6克，水银3克，红枣10枚。共研细末为丸，每丸如绿豆大小，每日1丸，不可超过2丸。

本方源于江西余平县人民医院，功能攻毒杀虫，适用于阴茎癌。

【方十】

血竭、没药、滑石、丹皮各30克。共为细末，每月少许敷患处。

本方源于《浙江中医学院学报》1982年增刊号，功能破积散瘀，适用于阴茎癌。

【方十一】

琥珀10克，苍术9克，吴萸6克，车前子（包）、赤茯苓各30克，滑石15克，山栀子10克，萆薢12克，泽泻30克，丹皮12克，益智仁20克，青盐30克，猪苓20克。每日1剂，水煎服。

本方源于《枫江陈莘田先生外科临证》，功能清热利湿，解毒缓痛，适用于阴茎癌。

【方十二】

瞿麦、萹蓄、金银花、车前草、马鞭各30克。每日1剂，水煎服。

本方源于《中西医结合临床肿瘤内科学》，功能清热利湿，适用于阴茎癌。

【方十三】

卤水1 000毫升，乌梅27个，放

砂锅或搪瓷缸内，煮沸后细火持续煎20分钟，放置24小时过滤备用。成人口服每日6次，每次3毫升，饭前后各服1次。

本方源于《癌症家庭防治大全》，功能抗癌，适用于阴茎癌。

【方十四】

党参、白术各10克，云苓、陈皮、薏苡仁各15克，赤小豆30克，黄芪10克，菟丝子30克，金樱子15克，枸杞子、五味子各30克，车前子15克。每日1剂，水煎服。

本方源于《中西医结合肿瘤内科学》功能补脾益肾，利湿解毒，适用于阴茎癌。

【方十五】

知母15克，黄柏10克，生地20克，花粉30克，玄参、女贞子、旱莲草各20克，杭芍10克，丹参20克，白花蛇舌草30克，莪术10克，白英、龙葵、藤梨根各20克。水煎服，每日1剂。

本方源于《实用中西医肿瘤治疗大全》，功能滋阴补肾，适用于阴茎癌复发。

【方十六】

柴胡、升麻各10克，龙胆草30克，黄芩、甘草、桔梗各10克，昆布15克，当归10克，白芍30克，木香10克，三棱、蚕砂各15克，土茯苓30克。水煎服，日1剂。

本方源于《实用中西医肿瘤治疗大全》，本方功能疏肝理气，活血软坚，适用于阴茎癌初期。

【方十七】

土茯苓60克，苍耳子15克，金银花12克，白鲜皮、威灵仙各9克，胆草6克。水煎服，1日1剂。

本方为江西瑞昌县人民医院治疗阴茎癌方，功能清热解毒。

【方十八】

黄柏10克，知母、熟地各20克，龟板30克，猪脊髓不拘量，蜂蜜适量。诸药研末，加猪脊髓、炼蜜为丸，如梧桐子大，每日1丸。

本方滋阴补肾，清热降火，适用于阴茎癌，肝阳素亢，相火内灼。

【方十九】

龙胆草30克，栀子、黄芩、柴胡各10克，车前草30克，生地15克，泽泻10克，蜈蚣2条，山豆根、马鞭草、瞿麦、萹蓄各30克，当归10克。水煎服，日1剂。

本方源于《实用中西医肿瘤治疗大全》，功能清肝泻火，解毒利湿，适用于阴茎癌的中期。

【方二十】

滴乳石15克，西牛黄1.5克，珍珠9克，天竺黄10克，陈胆星9克，血竭12克，川连9克，灯心灰6克。共为细末，每服3～5克，金银花汤服之，功能清热解毒，化血敛疮，适用于阴茎癌。

第九节

『白血病』

白血病应视为血液的恶性肿瘤，其特点是白细胞某一系统的过度增生，并浸润到体内的各种组织和脏器，尤其是肝、脾和淋巴结，且周围血液中经常出现各种幼稚的白细胞，白细胞的总数经常增多，常有严重的贫血与明显的出血倾向，并可危及病人的生命。

本病的发生多与环境因素及机体的遗传、代谢、免疫等有关。中医认为多因七情有过，肝脾损伤而成虚劳，日久气滞血瘀结成痰核而为本虚标实之症。急性白血病以儿童为多见，其发病急，病程短，发热，口腔溃烂，有严重贫血，普遍出血现象；而慢性白血病发病缓慢，起初多无特殊不适，后期表现亦较复杂，多为疲乏无力，饮食减少、消瘦、头晕、头痛、面色苍白无华，或发热出汗，或腹胀腹疼，或颈腋、腹股沟等部位出现包块等，临床常用的偏方、验方主要如下：

【方一】

生石膏 30 克，生地 15 克，青黛 6 克（装入胶囊吞服，不入煎剂），黄连 9 克，蚤休 24 克，虎杖、丹参各 30 克，苦参 15 克，丹皮、银花各 12 克。水煎服，日 1 剂。

本方清热解毒，凉血消瘀，可用于白血病患者。

【方二】

黄连、芦荟各 12 克，龙胆草 9 克，青黛 6 克（入胶囊吞服），大黄 9 克，莪术、黄药子、夏枯草各 15 克，柴胡 6 克。水煎服，日 1 剂。

本方清肝泻火佐以活血化瘀，适用于湿热型白血病。

【方三】

穿山甲 15 克，土鳖虫 10 克，昆布、海藻、鳖甲各 30 克。水煎服，日 1 剂。

本方适用于白血病。

【方四】

太子参、麦冬各 15 克，五味子、半夏、茯苓、陈皮、杏仁各 10 克。水煎服，日 1 剂。

本方源于《河北中医》1987 年 3 期，功能益气养阴，健脾化痰，适用于急性非淋巴细胞性白血病。

【方五】

龙胆草、黄芩、栀子、木通、当归、生地、柴胡、猪苓、泽泻各 10 克，鸡血藤、丹参各 30 克。水煎服，日 1 剂。

本方源于《中医杂志》1980 年 4 期，功能清泻肝胆湿热，适用于急性白血病肝胆湿热型。

【方六】

熟地、茯苓、黄芪、白花蛇舌草、

龙葵、山豆根、软紫草各30克，山药15克，山萸肉、肉苁蓉、巴戟天、补骨脂、人参、麦冬、五味子各10克，当归6克。水煎服，日1剂，连用3～4周为1疗程，休息1周，可继续服用。

本方益气助阳解毒，适用于急性非淋巴细胞性白血病，此方来源于《中国中西医结合杂志》1985年9期。

【方七】

当归、丹参、赤芍各20克，川芎10克，沙参20克，麦冬15克，板蓝根50克，山豆根30克，山慈姑50克。水煎服，日1剂。

本方源于《中国中西医结合杂志》1988年8期，功能养血活血，清热解毒，适用于急性白血病。

【方八】

人参20克，麦冬30克，生地、白芍各20克，枣仁25克，五味子6克，山茱萸30克，黄芩15克，丹皮30克，白花蛇舌草25克，白薇、知母各15克，石膏60克，广角粉5克（冲服）。水煎服，日1剂。

本方源于《中原医刊》1989年5期，功能养阴清热，凉血解毒，适用于急性单核细胞白血病。

【方九】

羚羊骨18克，水牛角、白花蛇舌草、半枝莲、山慈姑各30克，玄参15克，紫草根、细叶蛇泡各30克，土鳖虫12克，青黛末15克。水煎服，日1剂。

本方源于《奇难杂证》，功能清热凉血解毒，适用于急性粒细胞性白血病。

【方十】

马钱子0.9克，大黄、猪秧秧、半枝莲、蛇六谷、白花蛇舌草各30克。水煎服，日1剂。

本方源于《抗癌中草药制剂》，功能清热解毒抗癌，适用于急性白血病。

【方十一】

狗舌草、猪秧秧、白花蛇舌草、龙葵、仙鹤草、北沙参各30克，金银花、丹参各18克，白术15克，制黄芪、当归、补骨脂各12克。水煎服，日1剂。

本方源于《抗癌中草药制剂》，功能清热解毒，佐以益气养血，适用于急性白血病。

【方十二】

大青叶、板蓝根、紫草、赤芍、丹皮、犀角、蜈蚣、雄黄各90克。水煎服，日1剂。

本方源于《抗癌中草药制剂》，功能凉血解毒清热，适用于急性白血病。

【方十三】

生大黄、黑元参、生地、大青叶各9克，天花粉6克，蝉蜕、人中黄各4.5克，粉丹皮3克。水煎服，日1剂。

本方源于《抗癌中草药制剂》，功能养阴清热解毒，适用于急性白血病。

【方十四】

人参10克，沙参30克，党参、生地、天麦冬各15克，五味子6克，当归15克，杭芍20克，云苓、白术、山药各10克，枸杞子15克，山萸肉、生龙牡各20克，炒枣仁15克，浮小麦30克，黄芪15克，甘草10克。水煎服，日1剂。

本方源于《中医肿瘤学》，功能益气补血健脾养心，适用于血虚气亏，心脾两虚型白血病。

【方十五】

生地20克，玄参15克，知母、

龟板各10克，鳖甲30克，地骨皮20克，蒲公英30克，银柴胡、大青叶各15克，半枝莲、白花蛇舌草各30克，狗舌草15克，女贞子30克，青黛3克（另包分冲服）。水煎服，日1剂。

本方源于《中医肿瘤学》，功能滋阴养血，清热解毒，适用于肝肾阴亏，毒热内蕴型白血病。

【方十六】

沙参30克，人参10克（另煎兑），丹参30克，赤芍15克，归尾、炮山甲各10克，瓜蒌20克，干蟾10克，山慈姑15克，郁金、枳实各10克，徐长卿30克，黄芪20克，山药10克。水煎服，日1剂。

本方源于《中医肿瘤学》，功能益气活血，化痰解毒，适用于气虚血瘀，痰凝毒结型白血病。

【方十七】

犀角4克（或水牛角10克），生地、丹皮各20克，旱莲草30克，女贞子20克，杭白芍15克，血余炭20克，大小蓟、仙鹤草各30克，地榆炭20克，羊蹄根30克，大青叶20克，露蜂房10克，生黄芪、藕节各30克。水煎服，日1剂。

本方清热解毒，凉血止血，适用于阴虚血热，迫血妄行型白血病。

【方十八】

玄参12克，牡蛎30克，浙贝12克，甲珠15克，夏枯草、昆布、海藻各30克，清半夏、生南星各12克（先煎2小时），瓜蒌、黄药子各15克，山慈姑20克，半枝莲30克，蚤休20克，白花蛇舌草30克。水煎服，日1剂。

本方源于《百病良方》，功能清热解毒，软坚散结，适用于热结痰核型白血病。

【方十九】

海浮石15克，全瓜蒌30～60克，蒲公英15克，陈胆星、枳壳、竹沥半夏各10克，黄连3～10克，土茯苓15～30克，人中黄10克，板蓝根15克，礞石滚痰丸15克（包煎）。水煎服，日1剂。

本方源于《肿瘤的防治》，功能清化痰热，解毒散结，适用于痰热型白血病。

【方二十】

黄芪15～30克，肉桂3～10克，党参10～15克，当归、白术、白芍各10克，熟地15克，茯苓12克，鹿角10克，陈皮6克，红枣5个，甘草3克。水煎服，日1剂。

本方源于《肿瘤的防治》，功能健脾补肾，益气壮阳，适用于阴虚型白血病。

【方二十一】

青蒿30克，鳖甲（醋炒）、银柴胡、生地、半枝莲、白花蛇舌草、大青叶各30克，沙参、丹皮、知母各20克，紫草15克，三棱、莪术各10克，犀角粉（冲）5克。

本方源于《山东中医杂志》1988年1期，功能养阴凉血，清热解毒，适用于急性颗粒细胞白血病。

【方二十二】

瓜蒌15克，川连10克，清半夏9克，青礞石30克（先煎），沉香6克（后入），大黄6克（后入），黄芩9克，川贝母12克，枳壳5克，菖蒲10克，玄明粉6克（冲）。水煎服，日1剂。

本方源于《福建中医药》，功能清热涤痰，化湿通腑，适用于急性单核细胞性白血病。

【方二十三】

白花蛇舌草50克，青黛40克，黄药子、三棱各25克，莪术30克，红参15克，半枝莲20克，杞果30克，狗脊25克，丹参50克，大黄、山萸肉各20克，儿茶10克。水煎服，日1剂。

本方源于《吉林中医药》1981年3期，功能活血化痰，解毒抗癌，适用于急性粒细胞性白血病。

【方二十四】

潞党参15克，黄芪18克，当归6克，五味子3克，麦冬6克，大黄9克(后下)，地鳖虫6克，桃仁、红花各3克，三棱、莪术各9克，甲珠12克，枳壳6克，煨姜3片。水煎服，日1剂。

本方源于《云南中医杂志》1980年4期，功能补气养血，破瘀消癥，适用于慢性粒细胞性白血病。

【方二十五】

三棱、莪术、五灵脂、龙骨、牡蛎、海浮石各15克，香附子18克，水红花子、瓦楞子各30克，三七12克，苏木10克，明雄黄9克，山萸6克。水煎服，日1剂。

本方源于《四川中医》1989年4期，功能活血破瘀，软坚化积，利湿解毒，适用于慢性粒细胞性白血病。

【方二十六】

蜈蚣、全蝎、僵蚕、土鳖各等份。将药共研细末，每服0.3～1.0克，一般用量为0.7克，每日3次。

本方源于《抗癌中草药制剂》，功能熄风活血，适用于白血病。

【方二十七】

胡黄连9克，川连6克，地丁草、蒲公英、金银花各15克，皂角刺、皮硝各9克，生军、炙乳没各6克，樟木15克，冰片粉3克，硼砂9克，炉甘石15克。将药煎水500毫升，用纱布湿敷局部，每日3次。

本方为上海著名中医秦亮甫验方，功能清热解毒，散瘀止痛，消肿散结，收敛防腐，适用于白血病并发肛周脓肿。

肛周脓肿分早、中、晚三期：①早期仅见皮肤轻度潮红、灼热，稍疼痛者单独用此方煎汤湿敷即可。②中期肛门周围有硬块，尚无波动感，红肿，疼痛或轻度糜烂渗出但疮面较浅者，去皮硝煎水湿敷，并在疮面上撒少许生肌散或月白珍珠散。③晚期脓肿肿块红痛，有波动感或已溃破，脓肿疮面较深，有较多坏死组织，浓液渗出量多者，先用九一丹药线或纱布条蘸九一丹药粉填入溃破疮口内，另用湿敷方局敷，每日3次，待坏死组织脱落，脓性渗出液减少后改用生肌散或月白珍珠散撒于湿敷纱布上局敷，每日2～3次，直至痊愈。如在外治的同时辨证加用清热解毒的中药内服效果更好。

第十节

『鼻咽癌』

鼻咽癌临床主要症状有鼻塞、鼻腔出血，常以颈部淋巴结转移而就诊。本病的发生与遗传、病毒、环境等因素有关。中医学认为，七情损伤、正气不足是患鼻咽癌的内因，正虚之体，再遇风邪毒的侵袭，沉积于鼻腔，气血运行受阻，瘀积而成肿块，临床常用的偏方、验方主要如下：

【方一】

白花蛇舌草 60 克，半枝莲 30 克，金果榄 9～12 克。水煎服，每日 1 剂。

本方源于《中草药单方验方选编》，功能解毒抑癌，适用于鼻咽癌肺转移。

【方二】

蜈蚣 3 条，炮山甲、土元、地龙、田三七各 3 克。将药焙干，共研细末，用米醋调成悬浊液服，每日 1 剂。

本方源于《抗癌中草药制剂》，功能解毒抗癌，适应于鼻咽癌。

【方三】

山苦瓜 10 克，甘油 20 克，75%乙醇 25 克。先将山苦瓜切碎，浸泡于乙醇中，添蒸馏水 50 毫升，搅匀后用纱布滤除药渣，加入甘油制成滴鼻剂，每日滴鼻 3～6 次。

本方源于《抗癌中草药制剂》，功能解毒开窍，适用于鼻咽癌。

【方四】

地黄 18 克，郁金 9 克，巴豆 7.5 克。各药共研细末，以醋泛丸，如绿豆大小，每次 2 丸，2 小时 1 次，浓茶送下，服至吐泻停止。

本方攻毒抗癌，对鼻咽癌有效。

【方五】

陈葫芦 250 克，麝香 30 克，冰片 30 克。将葫芦炒灰存性、研末，再加入麝香、冰片混匀，把少许药粉吹入鼻咽部，每日数次。

本方源于《抗癌中草药制剂》，功能开通鼻窍，适用于鼻咽癌。

【方六】

葱白、皂角各 3 个，鲜鹅不食草 6～9 克，麝香 0.15～0.2 克。将葱白、皂角、鲜鹅不食草捣烂绞汁，加入麝香，以棉花蘸药汁塞耳，亦可将药汁滴耳用。

本方聪耳开窍，适用于鼻咽癌。

【方七】

瘦猪肉、山楂、卷柏各 50 克。加水 1 500 毫升，煮熟后吃肉喝汤，每日 1 剂，连用 7 天，为 1 疗程，休息 3 天后再用，可服用 10 疗程。

本方扶正抗癌，适用于鼻咽癌。

【方八】

马勃9克（包煎），射干15克，开金锁、七叶一枝花各30克。水煎服，每日1剂。

本方源于《实用药物抗癌手册》，功能解毒利咽抗癌，适用于鼻咽癌。

【方九】

五倍子粉、冰片粉、田三七粉、枯矾粉各等份。共为细末，以凡士林纱条或花生油纱条蘸药粉，塞入出血鼻孔内。

本方来源于《癌的扶正培本治疗》，功能抗癌止血，适用于鼻咽癌出血。

【方十】

太子参30克，玄参、麦冬、生地、女贞子各15克，石斛10克，花粉20克。水煎服，每日1剂，开始放疗即服中药。

本方为中医李连华方，功能益气养阴，适用于鼻咽癌放疗患者。

【方十一】

人参3克，金银花、白花蛇舌草（或夏枯草）各20～30克。水煎服，人参单煎服，服人参当天不服其他3种中药，另3种中药水煎服，每周2次。

本方源于《中国中西医结合杂志》1986年5期，功能益气扶正，清热解毒，适用于鼻咽癌放疗期。

【方十二】

天冬、麦冬各12克，沙参10克，元参9克，生地10克，白茅根12克，玉竹、银花各9克，白花蛇舌草30克，白毛藤20～30克，党参12克，茯苓、白术各10克，丹参15克，甘草3克。每剂煎3次，代茶饮，可长期服用。

本方源于《中国中西医结合杂志》1985年5期，功能益气生津，解毒抗癌，适用于鼻咽癌。

【方十三】

北沙参15克，川石斛、玉竹各12克，白花蛇舌草15克，龙葵30克，海藻12克，野菊花15克，苍耳子12克，辛荑花、焦山栀各10克，生地、赤芍各15克，白茅根30克，藕节15克，麦冬30克，象贝母10克，玄参12克，桃仁6克，夏枯草30克，大枣7枚。水煎服，每日1剂。

本方清热生津，解毒散结，适用于鼻咽癌，此方源于《上海中医药杂志》1989年1期。

【方十四】

白花蛇舌草、半枝莲、党参、玄参各15克，石斛30克，生地、熟地、麦冬各24克，连翘18克，党参15克，天冬24克，刺蒺藜18克，玉竹、山药、赤芍各12克，黄芩、白花、山豆根各9克。水煎服，每日1剂。

本方源于《抗癌中草药制剂》，功能养阴清肺，抗癌，适用于鼻咽癌。

【方十五】

蛇泡勒、丹参、钩藤、走马胎各30克，老鼠刺、铁包金、入地金牛、茜草根、刺蒺藜、穿破石、山慈姑各15克，大枣60克，细叶七星剑15克。水煎服，日1剂。

本方攻瘀抗癌，清热解毒，适用于鼻咽癌。

【方十六】

蛇泡勒、白茅根、野菊花，铁包金各30克，入地金牛、土鳖虫各15克，大蓟21克，甘草9克。水煎服，日1剂。

本方源于《抗癌中草药制剂》，功能解毒散结，适用于鼻咽癌。

【方十七】

辛夷、苍耳子各12克，白芷、川

芎、淡黄芩各3克，连翘、蒲公英各12克，牡蛎60克，夏枯草12克，半枝莲30克，蜀羊泉15克，鹅不食草12克。水煎服，每日1剂。

本方源于《肿瘤的防治》，功能清肺开窍，解毒散结，适用于鼻咽癌。

【方十八】

金银花30克，连翘、天花粉各6克，当归15克，蒲公英12克，乳香15克，赤芍、黄芩各6克，桃仁15克，菊花10克，大黄15克，知母3克，薄荷6克。水煎服，每日1剂。

本方为南昌市第一医院治疗鼻咽癌方，功能清热解毒，活血散结。

【方十九】

石上柏30克，苍耳子10克，草河车15克，射干10克，山慈姑15克，白茅根30克，山豆根10克，瓜蒌20克，茜草根10克，胆南星、半夏、白芷各15克。水煎服，每日1剂。

本方源于《中医肿瘤学》，功能清热泻肺，消炎抗癌，适用于肺热型鼻咽癌。

【方二十】

生地15克，丹皮10克，石上柏30克，山豆根10克，钩藤15克，全蝎6克，夏枯草15克，丝瓜络10克，虎杖30克，僵蚕1克，鸡血藤30克，苍耳子10克。水煎服，每日1剂。

本方源于《中医肿瘤学》，功能清热解毒，适用于鼻咽癌合并有颅神经损害者。

【方二十一】

青皮、陈皮、杏仁各10克，黄芩12克，瓜蒌20克，胆南星10克，制半夏20克，猪苓、土茯苓、土贝母各30克，钩藤10克，小蓟、石上柏各30克，辛夷10克。水煎服，每日1剂。

本方源于《中医肿瘤学》，功能清热化痰，解毒抗癌，适用于痰热型鼻咽癌。

【方二十二】

青蒿、鳖甲各10克，秦艽9克，地骨皮、玄参、生地各12克，银花、天花粉各15克，丹皮10克，赤、白芍各10克，蝉衣、甘草各6克，灯草1.5克，鲜芦根30克，常山10克，黄芪30克。水煎服，每日1剂。

本方源于《贵州中医学院学报》1989年4期，功能养阴退热，适用于鼻咽癌化疗后低热。

【方二十三】

玄参、北沙参各30克，麦冬、黄芪、女贞子、卷柏、苍耳子、辛夷、菟丝子各15克，知母12克，石斛、党参、白术各25克，山豆根、白芷、山药、石菖蒲各10克。水煎服，每日1剂，煎3次，分3次服

本方为中医杨通礼方，功能益气养阴，解毒消肿，适用于鼻咽癌。

【方二十四】

夏枯草、海藻、礞石各30克，昆布、钩藤各24克，赤芍15克，蜂房、苍术各12克，桃仁、白芷、生南星(先煎)、制远志、菖蒲、地龙、蜈蚣、全蝎各6克。先煎生南星2小时后，再放入其他药物共煎，每日1剂，分2次服。

本方为著名中医段凤午治疗鼻咽癌方，功能清热解毒，养阴散结。

第十一节

『脑　　瘤』

脑瘤是指生长于颅内的肿瘤。尽管脑瘤的种类繁多，但是终均可导致颅内压的增高而出现头痛、呕吐、视力障碍、头晕、复视、精神症状，癫痫发作、颈项强直、角膜反射减退以及呼吸改变、血压改变等。中医学认为本病与气血痰郁所致之瘀滞有关，即气血瘀滞日久，渐成肿块，临床常用的偏方、验方主要如下：

【方一】

红粉、郁金各240克，血竭、蛤粉、雄黄各120克，硇砂、芥穗、急性子、川芎、乳香、没药各30克，朱砂320克，杜仲、山甲、蜗牛、槐米各30克，巴豆仁150克，苍术、银朱各60克，全蝎、黑芝麻、丁香各30克，天麻、白及、煅金礞石各15克，琥珀60克，白芷、川军各90克，蝉蜕、麝香各9克，蜈蚣10条，斑蝥30个。将药共研细末，枣肉为丸，每丸重约3克，口服，每日2～4丸，每日1次。

本方源于《实用中西医肿瘤治疗大全》，功能活血解毒，通络散结。

【方二】

威灵仙、七叶一枝花各30克，木瓜9克，三七粉3克。前3味药水煎，冲服三七粉，每日1剂。

本方为著名中医段凤午方，功能清热解毒活血，适用于脑肿瘤。

【方三】

石斛120克，瓦楞子180克，紫草90克，蜈蚣20条，白芷90克，青黛12克，海藻、昆布各60克，夏枯草、丹参各120克，苍耳子、辛荑各30克，生地60克，全蝎30克，旱莲草120克，牡蛎60克，桃仁30克，石决明60克，橘络30克，忍冬藤90克。将药加蜂蜜1 250克，熬膏，每天服10次，每次6克。

本方源于《实用中西医肿瘤治疗大全》，功能活血通络，化痰散结，适用于脑肿瘤。

【方四】

石斛、夏枯草、元参、旱莲草各120克，瓦楞子180克，紫草90克，青黛12克，海藻、昆布、生地、白芷、牡蛎、石决明各60克，苍耳子、辛夷、全蝎、桃仁、橘络各30克，金银花90克，蜈蚣20克，蜂蜜1 250克。煎取汁加蜂蜜熬成膏，每服6克，每日3次。

本方源于上海群力草药店，功能清热化瘀，祛风通络，适用于脑瘤。

【方五】

生地、熟地各10克，山萸肉15

克，山药、泽泻、云苓、菊花、怀牛膝、钩藤各10克，白芍30克，玄参15克，生牡蛎30克，枸杞15克，生龟板20克，女贞子15克，生赭石30克。水煎服，日1剂。

本方源于《实用中西医肿瘤大全》，功能滋补肝肾，适用于颅内肿瘤属肝肾阴虚型。

【方六】

熟地、山萸肉各15克，云苓、菟丝子、益智仁、泽泻各10克，附子6克，肉桂3克，牛膝、鹿角胶各10克，车前子（包）20克，补骨脂10克，山慈姑、白花蛇舌草30克。水煎服，日1剂。

本方源于《实用中西医肿瘤治疗大全》，功能温补脾肾，补脑填精，适用于颅内肿瘤属肝肾阴虚型。

【方七】

土茯苓30克，夏枯草12克，昆布、海藻各9克，牡蛎30克（先煎），红花3克，丹参12克，三七3克（冲），干地黄18克，玄参12克，旱莲草3克，防风、白芷、苍耳子、荆芥各9克，钩藤、忍冬藤各12克。水煎服，日1剂。

本方源于《福建中医药》1987年3期，功能育阴潜阳，活血化瘀，软坚散结，适用于听神经纤维瘤。

【方八】

半夏15克，陈皮10克，威灵仙30克，云苓、胆南星、枳实、苍术、白术、菖蒲、郁金、竹茹各10克，青礞石15克，瓜蒌、猪苓各30克。水煎服，日1剂。

本方源于《实用中西医肿瘤治疗大全》，功能燥湿化痰，消肿软坚，适用于颅内肿瘤属痰湿内阻型。

【方九】

胆南星、半夏各10克，制附片6克，枳实、竹茹、陈皮各10克，茯苓15克，猪苓25克，车前子（布包）10克，徐长卿20克，石菖蒲12克，钩藤15克，生石决明20克，牛膝12克，僵蚕10克，全蝎3克，蜈蚣3条，蚤休30克。水煎服，日1剂。

本方源于《中华肿瘤治疗大成》，功能燥湿祛痰，开窍止痛，适用于神经胶质瘤属痰湿内阻型。

【方十】

当归12克，生地15克，丹参20克，川芎、桃仁、红花、枳壳、赤芍、牛膝、地龙、穿山甲各10克，钩藤15克，生石决明20克，水蛭3克，莪术、茯神、柏子仁各10克。水煎服，日1剂。

本方源于《中华肿瘤治疗大成》，功能活血化瘀，通窍止痛，适用于神经胶质瘤属气滞血瘀型。

【方十一】

鱼脑石、石决明、生牡蛎、蜂房、蛇蜕、全蝎各60克，威灵仙120克。将药共研细末，水泛为丸，如绿豆粒大小，每次服用3～6克，每日3次。

本方为著名中医段凤午方，功能镇肝熄风通络，适用于脑瘤疼痛。

【方十二】

生赭石30克，珍珠母20克（均先煎），首乌、生地、丹参、白芍、女贞子、旱莲草各15克，竹茹、天葵子、牛膝、紫草各10克，陈皮5克，蛇蜕、黄连各3克，蜈蚣1条。水煎服，日1剂。

本方为老中医刘炳凡方，功能平肝养肝，熄风和胃，适用于脑部肿瘤。

【方十三】

黄芪、潞党参、补骨脂各15克，

巴戟天12克，当归15克，熟地12克，何首乌20克，白芷12克，菊花15克，白僵蚕10克，全蝎末（冲服）3克，白术12克，陈皮10克，半枝莲30克，白花蛇舌草30克，石决明20克，鹿角胶（烊化）10克，甘草5克。水煎服，日1剂。

本方源于《中华肿瘤治疗大成》，功能益气养血，补肾解毒，适用于脑胶质瘤手术后的治疗。

【方十四】

怀牛膝、生赭石、生龙骨、生牡蛎各30克，龟板15克，白芍60克，玄参、天冬各15克，川楝子6克，夏枯草30克，麦芽10克，甘草6克。水煎服，日1剂。

本方为北京中医张代钊方，功能镇肝熄风，适用于颅内肿瘤属肝风内动型。

【方十五】

小川芎5克，枸杞15克，当归、鸡距子各9克，丹参15克，炙远志、红花、桃仁各9克，淫羊藿30克，太子参24克，桔梗、贝母、半夏、神曲各9克，炙蜈蚣5克，制豨莶15克。水煎服，日1剂。

本方源于《福建中医药》1987年3期，功能活血化瘀散结，适用于脑垂体肿瘤。

【方十六】

熟地、山萸肉各15克，云苓10克，菟丝子、益智仁、泽泻、牛膝、鹿角胶、补骨脂、白术各10克，附子6克，肉桂3克，车前子20克。水煎服，日1剂。

本方源于《中医肿瘤学》，功能温补脾肾，适用于脾肾阴虚型脑瘤。

【方十七】

生熟地各10克，山药、泽泻、云苓、菊花、怀牛膝、钩藤各10克，山萸肉、白芍、玄参、女贞子各15克，生牡蛎30克，枸杞子12克，生龟板、生赭石各20克。水煎服，日1剂。

本方源于《中医肿瘤学》，功能补益肝肾，滋阴熄风，适用于肝风内动型脑瘤。

【方十八】

生黄芪30克，当归9克，赤白芍各12克，瓜蒌皮、王不留行、夏枯草、海藻、薜荔果各15克，生牡蛎、生南星、蛇六谷（先煎）各30克，蜂房、香白芷、补骨脂各12克。水煎服，日1剂。

本方源于《上海中医药杂志》1987年7期，适用于气虚血瘀型脑瘤。

【方十九】

丹参、白芍、旱莲草各12克，首乌、生地、女贞子各15克，旋复花、竹茹、天葵子、紫草、牛膝各10克，生赭石30克，珍珠母20克（二味先煎），陈皮5克，蜈蚣1条，蛇蜕（焙）、黄连各3克。水煎服，日1剂。

本方源于《黑龙江中医药》1988年3期，功能滋补肝肾，镇肝熄风，适用于颅底鞍区占位性病变、脑部蝶鞍瘤。

【方二十】

土茯苓75克，首乌、钩藤各25克，草决明20克，菊花、桃仁各15克，川芎10克，当归50克。水煎服，日1剂。

本方源于《抗癌本草》，功能养血活血，祛风平肝。

【方二十一】

丹参、菊花、夏枯草、石菖蒲、莪术、半枝莲、益母草各15克，茯苓12克，三棱、枸杞子、党参各10克，山慈姑、仙灵脾、鹿角各9克。水煎服，日1剂。

本方源于《上海中医杂志》1983年4期，功能补益脾肾，活血散结，适用于垂体兼色性细胞瘤患者。

【方二十二】

羚羊角粉（吞）2克，白僵蚕、杭菊、当归、益母草、石斛夜光丸（2次吞）、钩藤各9克，全蝎（研吞）、蜈蚣各4条，枸杞子20克，女贞子15克。水煎服，日1剂。

本方源于《浙江中医学院学报》1983年3期，功能平肝熄风通络，滋养肝肾明目，适用于脑垂体兼色性细胞腺瘤。

【方二十三】

当归、川芎、赤芍、桃仁、红花、三棱、莪术、猪苓、土鳖虫、白术各10克，生地黄、泽泻、石菖蒲各15克，茯苓20克，蜈蚣2条。水煎服，日1剂。

本方源于《广西中医药》1988年3期，功能养血，活血，祛瘀，适用于颅内肿瘤。

【方二十四】

石菖蒲、远志、胆星、姜半夏、生牡蛎、夏枯草、生地、蔻仁、蛇六谷、蛇莓、芙蓉叶、天龙、紫草根、黄连、瓜蒌仁、麻仁各50克。水煎服，日1剂，配合应用安宫牛黄丸，每日2次，每次半粒。

本方源于《上海中医药杂志》1986年6期，功能化痰开窍，解毒散结，适用于混合性脑膜瘤所致颅内高压。

【方二十五】

麝香1克（分6次吞服），桃仁、大枣、赤芍各15克，红花、黄酒各10克，老姜12克，川芎20克，葱3克，田三七8克（研末分6次服）。水煎服，日3次，2日1剂。

本方源于《新中医》1989年5期，功能活血通窍，通用于颅内肿瘤。

【方二十六】

夏枯草、山豆根、赤白茯苓各9克，白芷、白鲜皮、白花蛇舌草、莪术各15克，生薏苡仁、马齿苋、败酱草各30克，露蜂房3克。水煎服，日1剂。

本方为北京著名中医段凤午方，功能清热化湿，解毒散结，适用于脑垂体瘤。

【方二十七】

生石决明、生鳖甲、丝瓜络各15克，僵蚕、蝉衣、钩藤、蜂房、全蝎、晚蚕砂各9克，木贼、牡蛎各15克，甘菊花30克，地龙12克。水煎服，水煎2遍混匀，分2次服。

本方为段凤午方，功能熄风通络，适用于脑瘤头痛剧烈，视力减退者。

第十二节

『胰腺癌』

凡 40 岁以上的病者有顽固的上腹痛、厌食和进行性体重减轻等症状时，应注意胰腺癌的可能性；发病年龄多在 40～60 岁，但 30～40 岁者也非太少，本病预后较差，一般于出现症状后 6～9 个月死亡。常用的治疗胰腺癌的验方主要如下：

【方一】

茵陈、车前子（包）、半枝莲、代赭石（先煎）、美人蕉各 30 克，白花蛇舌草 40 克，六一散（包煎）20 克，丹参、虎杖、龙葵、延胡索各 15 克，生大黄（后入）12 克，龙胆草、柴胡、黄芩、三棱、莪术各 10 克。

水煎服，每日 1 剂。

本方出自辽宁中医杂志，功能清热利湿，解毒化瘀，对胰头癌有效。

【方二】

醋大黄、红花、元胡、制香附、佛手片各 6 克，参三七（吞）、京三棱、蓬莪术各 3 克，青陈皮、台乌药、广木香各 4.5 克，王不留行子 12 克。

水煎服，每日 1 剂。

本方为陆文彬方，功能活血行瘀，理气破积，对胰头癌有效。

【方三】

牡蛎、夏枯草各 20 克，贝母 12 克，玄参、青皮各 15 克，党参、炒白芥子、首乌各 30 克，白术、当归、赤芍、胆星、法夏各 10 克，木通、白芷、台乌药各 7 克。

水煎服，每日 1 剂。

本方为谢民福方，功能活血化瘀，软坚散结，适用于胰头癌。

【方四】

白花蛇舌草 500 克，半枝莲 300 克，石见穿 300 克，牡蛎 300 克，黄芪 300 克，丹参 240 克，太子参 24 克，白术 150 克，当归 150 克，瓜蒌皮 120 克，大贝母 120 克，昆布 120 克，海藻 120 克，莪术 90 克，三棱 90 克，鸡内金 90 克，川芎 90 克，陈皮 60 克。

本方为谢文伟方，功能化痰解毒，扶正攻癥，适用于胰腺癌，本方水泛为丸，每服 6 克，每日 2 次。

【方五】

柴胡 12 克，白芍 12 克，枳实 12 克，泡参 30 克，白芍 15 克，茯苓 24 克，陈皮 12 克，法半夏 12 克，败酱草 30 克，白花蛇舌草 30 克。

服法：水煎服。

本方疏肝和胃，益气健脾，适用于胰腺癌。证见腹痛，腹部胀满不适，食欲不振，疲乏无力，恶心呕吐，或腹泻，苔薄黄，脉缓。

【方六】

莪术15克，水蛭3克，甲珠15克，柴胡15克，白芍12克，枳壳12克，半枝莲30克，白术24克，黄药子15克。

服法：水煎服。

本方疏肝理脾，活血逐瘀，适用于胰腺癌。证见上腹部出现包块，质硬，固定不移，腹部胀满不适，食欲不振，乏力，或腹泻，黑便。苔薄白，舌边有瘀点，脉弦涩。

【方七】

茵陈30克，栀子12克，大黄6克，柴胡12克，败酱草30克，半枝莲30克，白花蛇舌草30克，虎杖30克，莪术15克，甲珠15克。

服法：水煎服。

加减：体虚甚者，加人参6～10克（嚼服），黄芪30克。

本方疏肝理脾，利湿退黄，佐以活血化瘀，适用于胰腺癌。症见脘部胀满不适，包块质硬，疼痛，固定不移，身目黄染，进行性加重，小便黄，大便干结，苔黄腻，脉弦滑数。

【方八】

柴胡9克，龙胆草6克，栀子9克，黄芩9克，黄连3克，茵陈15克，生地12克，大黄9克，蒲公英15克，白花蛇舌草30克，土茯苓20克，苡仁30克，茯苓12克，郁金12克。

水煎服，每日1剂。

本方为杨炳奎方，功能清热解毒利湿，适用于胰腺癌。

【方九】

生黄芪、丹参、半枝莲各15克，七叶一枝花10克，大黄、柴胡各5克，生白芍12克，广郁金10克，鸡内金6克，石见穿15克，糯稻根30克，红枣15克。

水煎服，每日1剂。

本方为黄柳华方，功能益气活血，解毒化瘀，适用于胰体癌。

【方十】

茵陈30克，车前子（包）30克，半枝莲30克，代赭石30克，白花蛇舌草40克，美人蕉30克，六一散（包）20克，丹参15克，虎杖15克，龙葵15克，元胡15克，生大黄（后下）12克，芒硝（冲）10克，柴胡10克，黄芩10克，三棱10克，莪术10克。

水煎服，每日1剂。

本方为费根夫方，功能清热解毒，活血攻下，适用于胰腺头癌。

【方十一】

牡蛎20克，夏枯草20克，贝母12克，玄参15克，青皮15克，党参30克，炒白芥子30克，首乌300克，白术10克，当归10克，赤芍10克，胆星10克，半夏10克，木通7克，白芷7克，乌药7克。

水煎服，每日1剂。本方为谢民福方，功能化痰消癥，理气益气，适用于胰腺癌。

【方十二】

红花、龙葵、石见穿、枸杞各30克，夏枯草24克，穿山甲、丹参各15克，香附、青皮、八月札各12克，川楝子、郁金、广木香各10克。

水煎服，每日1剂。

本方出自《中国中医秘方大全》，功能软坚活血，清热消胀，适用于胰腺癌。

【方十三】

八月札、炮山甲、干蟾皮、香附各12克，枸杞子、红藤、龙葵、平地木、夏枯草、蒲公英、石见穿各30

克，丹参15克，郁金、川楝、广木香各9克。

水煎服，每日1剂。

本方为杨会祥方，功能清热解毒，祛瘀散结，理气止痛，适用于胰腺癌。

【方十四】

青黛、人工牛黄各12克，紫金锭6克，野菊花60克。上药共研细末，每服3克，每日3次，饭后服。

热甚加紫草根15克，炒白芍、丹皮各9克，蒲公英30克，苡仁、银花各30克，鸡内金10克；上腹疼痛加川厚朴、广木香、玄胡各9克，参三七3克（冲服）；黄疸加茵陈、金钱草各15克，半枝莲30克，郁金9克；纳差加生谷芽、生麦芽、建曲各15克；恶心加法半夏、陈皮各9克。

本方为人民卫生出版社出版的《中草药制剂》中方，功能清热解毒，软坚散结，适用于胰腺癌。

【方十五】

柴胡、枳壳、郁金、干蟾皮、鸡内金各10克，八月札、白术、猪茯苓、生米仁、菝葜、半枝莲、白花蛇舌草各30克，生山楂15克。

每日1剂，水煎服。

加减：腹痛剧烈者加徐长卿、元胡、川楝子、白芍、甘草；伴发黄疸者加生军、茵陈、山栀、田基黄；伴发腹泻者加诃子肉、罂粟壳、肉豆蔻、白扁豆；伴发腹水者加大腹皮、半边莲、龙葵；恶心呕吐者加姜半夏、姜竹茹、代赭石、枇杷叶。

本方为王庆才方，功能舒肝理气，健脾利湿，解毒抗癌，散瘀止痛，适用于晚期胰腺癌。

【方十六】

党参30克，当归15克，炒酸枣仁30克，黄芪30克，苍术20克，茯苓15克，柴胡15克，白蔻仁15克，苡仁45克，五味子15克，合欢皮30克，焦栀子10克，陈皮15克，甘草10克。

水煎服，日1剂。

本方为何光鉴方，功能益气补中，舒肝利湿，调理冲任，适用于胰腺癌。

【方十七】

柴胡12克，枳实12克，赤芍12克，青皮12克，陈皮12克，穿山甲12克，厚朴10克，木香12克，三棱15克，莪术15克，延胡索15克，苍术10克，三七10克，茵陈10克，半枝莲20克，甘草3克。

水煎服，每日1剂。

本方出自成都中医学院学报，功能理气活血，清热散结，适用于胰腺癌。

【方十八】

党参10克，茯苓12克，当归10克，白术10克，陈皮10克，大腹皮12克，玉竹15克，北沙参20克，生鳖甲（先煎）20克，木香3克，砂仁（后下）9克，熟地15克，山药20克，炙甘草3克。

水煎服，每日1剂。

本方来自辽宁中医杂志，功能益气养阴，解毒散结，适用于胰腺癌气血亏虚者。

第十三节

『唇　　癌』

唇癌约占全部恶性肿瘤的0.5%～1%，占口腔癌的12%～25%，主要发生在下唇，男性较女性多见，发病高峰年龄在60岁左右。临床表现：①开始多在下唇的唇红缘部黏膜增厚，上皮角化或黏膜糜烂、经久不愈形成肿块；②肿块可呈现外突型、溃疡型、浸润型；③晚期可发生颏下、颌下淋巴结转移，同侧或两侧，转移率为10%。

目前，临床上常用的治疗唇癌的偏方、验方主要如下：

【方一】

北沙参9克，八角莲（研粉分吞）9克，红藤9克，白芷9克，丝瓜络9克，半边莲30克，石膏30克，白英30克，忍冬藤15克，白茅根15克，仙鹤草15克，甘草6克。

水煎服，日1剂。

本方出自浙江中医学院学报，功能清热解毒，活血通络，适用于唇癌。

【方二】

生石膏（先煎）30克，牡蛎（先煎）30克，夏枯草9克，白花蛇舌草15克，猫爪草15克，黄连3克，知母9克，象贝母9克，石上柏15克，龙葵15克，石见穿15克，瓜蒌12克。

水煎服，日1剂。

热毒炽盛，溃破而成翻花状者，加蚤休15克、半枝莲15克、山豆根9克、马勃3克；热毒蕴结，气血瘀滞，疼痛难忍者，加全蝎1.5克、露蜂房9克；热盛阴虚，口干全红，光剥无苔者，加生地15克、玄参15克、鲜芦根30克；颈项结块，加昆布9克、海藻9克、牛黄醒消丸（吞服）3克。

本方源于中医耳鼻喉口腔科临床手册，功能清热解毒，化痰散结，适用于唇癌证属痰浊聚结，热毒炽盛者。

【方三】

西洋参5克，山药15克，麦冬15克，天花粉15克，金银花15克，连翘10克，当归10克，藿香叶10克，半枝莲30克，白花蛇舌草30克，甘草5克。

水煎服，日1剂。

本方滋阴生津，清养脾胃，适用于唇癌证属阴虚火旺者。本方源于《中华肿瘤治疗大成》。

【方四】

黄连6克，生石膏（生煎）30克，生地20克，藿香叶10克，当归10克，丹皮12克，金银花15克，防风10克，山栀子10克，全蝎5克，蜈蚣3条，僵蚕6克，半枝莲30克。

水煎服，日1剂。

本方清热解毒，适用于唇癌证属脾胃火毒型。本方源于《中华肿瘤治

疗大成》。

【方五】

生石膏 20 克，知母 10 克，黄芩 15 克，栀子 9 克，生甘草 9 克，芒硝 6 克，大黄 6 克，竹叶 10 克，山豆根 15 克。

水煎服，日 1 剂。

本方源于《实用中西医肿瘤》。功能通腑泻热，解毒化痰，适用于唇癌属脾胃实热型。

【方六】

犀角 1.5 克，银柴胡 12 克，黄芩 12 克，生地 15 克，麦冬 15 克，石斛 15 克，枇杷叶 12 克，牡蛎 30 克，夏枯草 30 克，莪术 12 克，蜈蚣 6 克，全蝎 6 克。

水煎服，日 1 剂。

本方源于《中西医肿瘤治疗大全》，功能清火解毒，养阴生津，适用于唇癌属脾火内炽型。

【方七】

密陀僧、赤芍、全当归、乳香、没药、赤石脂、苦参、百草霜、银朱、桐油、香油、血竭、儿茶、川大黄适量。

水煎服，日 1 剂。

本方源于《肿瘤临证备要》，功能活血解毒，适用于唇癌。

第十四节

『舌 癌』

舌癌为常见的口腔癌之一，据国内资料统计，其发病率约占全身恶性肿瘤的 0.8%～1.5%，占头颈部恶性肿瘤的 5%～7.8%，占口腔癌的 32.3%～50.5%。男性多于女性，平均发病年龄 60 岁左右。其主要临床表现：①肿瘤早期在舌侧缘黏膜组织增厚、白或小硬结，逐渐形成溃疡或肿瘤。②舌侧缘是舌癌最好发部位，舌背、舌腹部也可看到。③溃疡继发感染后可产生剧痛、流涎、口臭，舌运动受限，咀嚼、语言、吞咽等功能障碍。④晚期向附近组织如口底、牙龈、咽前柱、下颌骨扩散。⑤早期即易发生颌下、颈下深淋巴结转移。

目前，临床上常用的治疗舌癌的偏方、验方主要如下：

【方一】

白花蛇舌草 30 克，野菊花 9 克，蒲公英 9 克，海藻 9 克，生牡蛎 12 克，龙葵 15 克，象贝 9 克，车前子 9 克，生大黄 9 克，梅花点舌丹 2 粒。

水煎服，日 1 剂。

本方源于河北中医杂志，功能补气活血，解毒消瘤，适用于舌癌。

【方二】

黄芪 30 克，党参 15 克，当归 15

克，川芎12克，丹参20克，半枝莲15克，山慈姑10克，山甲珠10克，三七6克，藕节10克，陈皮15克，金银花15克，连翘12克，公英12克，黄连10克，砂仁6克，鸡内金10克，菟丝子10克，杞果10克，甘草6克。

水煎服，日1剂。

本方补气解毒，适用于舌癌。

【方三】

党参15克，黄芪30克，沙参30克，云苓10克，白术10克，甘草5克，当归15克，生地20克，仙鹤草30克，知母10克，淡竹叶10克，山豆根15克，蚤休15克，青黛12克(包)。

水煎服，日1剂。

本方补气养阴，解毒抗癌，适用于舌癌晚期。本方源于《中医肿瘤学》。

【方四】

番硇砂、人中白各1.5克，瓦上青苔瓦松、溏鸡矢各3克，麝香、冰片各0.3克。

将上药除麝香、冰片外用银罐子两个，药装于罐内，将口封严，外用盐泥封固，以炭火煅红约1小时，候冷开罐，将药取出，入麝香、冰片共研细末，用磁针刺破舌菌，以丹少许点上。

本方源于《中医肿瘤学》，功能消炎抑癌，适用于早期舌癌。

【方五】

山豆根15克，夏枯草15克，土贝母15克，蒲公英20克，儿茶9克，苦参10克，川连粉3克（冲服），半枝莲30克，白花蛇舌草30克，龙葵30克。

水煎服，日1剂。

本方清热泻火，解毒抗癌，适用于舌癌中期。

【方六】

生石膏30克，生地15克，犀角0.5克（冲服），黄连、黄芩、知母各9克，栀子、桔梗、赤芍、玄参各12克，土茯苓30克，僵蚕12克，石见穿15克，白花蛇舌草15克。

水煎服，日1剂。

本方源于《中西医肿瘤诊疗大全》。功能清泄胃火，解毒散结，适用于胃火炽盛型舌癌。

【方七】

知母、黄柏各9克，熟地、山萸肉各24克，泽泻、茯苓、丹皮各9克，竹叶15克，山豆根15克，龙葵12克，青黛、半枝莲、石斛各15克，玄参20克。

将上药制成蜜丸，每丸重15克，每次1丸，每日3～4次。

本方源于《中西医肿瘤诊疗大全》。功能清热解毒祛腐，适用于热毒壅盛之舌癌。

第十五节

『甲状腺癌』

甲状腺癌的发病率在全部恶性肿瘤中所占比例不到1%。在头颈部恶肿性瘤中其发病却占首位。女性略高于男性。30～40岁为发病高峰年龄，50岁以后发病明显下降。临床表现为：①颈部正中喉结下部，一侧或双侧有肿块，且其生长速度较快。②发音嘶哑，进食呛噎。③伴有阵发性面部潮红、频繁腹泻，或有阵发高血压。④局部放射接触史或缺碘区。

目前，临床上常用的治疗甲状腺癌的偏方、验方主要如下：

【方一】

柴胡9克，莪术9克，三棱9克，木香9克，桃仁9克，红花9克，丹皮9克，栀子12克，郁金12克，赤芍15克，夏枯草30克，鳖甲30克，煅灶蛎30克。

水煎服，日1剂。

本方为上海龙华医院方。功能理气化瘀，解毒散结，对甲状腺癌有效。

【方二】

夏枯草、黄药子、全瓜蒌、海藻、牡蛎、望江南、白花蛇舌草、野菊花、白毛藤、紫丹参各30克，昆布、山药各15克，桃仁10克，南沙参、王不留、蜂房各12克，小金丹10片，天龙丹15片。

水煎服，日1剂。

本方为上海中医药大学方。功能清热解毒，行血散结，适用于甲状腺癌。

【方三】

女贞子30克，旱莲草30克，骨碎补30克，补骨脂30克，鸡血藤30克，海藻30克，络石藤30克，透骨草30克，肉苁蓉30克，山药15克，牛膝15克，木瓜15克。

水煎服，日1剂。

本方为北京中医药大学方。功能滋阴益气，化痰散结，适用于甲状腺癌。

【方四】

升麻10克，天葵子10克，七叶一枝花10克，玄参12克，连翘12克，野荞麦12克，浙贝母15克，黄药子15克，蒲公英15克，香茶菜15克，海藻15克，昆布15克，生牡蛎20克。

水煎服，日1剂。

本方源自《中医成功治疗肿瘤》，功能清热解毒，软坚消瘿，适用于甲状腺癌。

【方五】

当归15克，白芍15克，川芎10克，熟地15克，人参（另煎）10克，茯苓12克，半夏10克，陈皮10克，丹皮12克，海带、海螵蛸、海浮石各

15克，木香6克。

水煎服，日1剂。

本方源自北京中医药大学。功能益气养血，化痰散结，适用于甲状腺癌。

【方六】

柴胡12克，郁金12克，半夏10克，川贝12克，海藻15克，昆布15克，陈皮12克，青皮12克，黄药子15克，生牡蛎30克，猫爪草15克。

水煎服，日1剂。

本方源自《中医西肿瘤诊疗大全》。功能理气散结，解毒消瘿，适用于甲状腺癌。

【方七】

党参15克，茯苓15克，白术12克，山药15克，扁豆10克，桔梗9克，贝母10克，夏枯草10克，海藻15克，昆布15克，当归10克，莪术10克。

水煎服，日1剂。

本方源自北京中医大学东直门医院肿瘤科。功能健脾化痰，消瘿散结，适用于甲状腺癌。

【方八】

黛蛤散30克，芦荟10克，牙皂9克，山豆根10克，鱼腥草30克，白花蛇舌草30克，野菊花30克，草河车20克，青皮10克，天花粉20克。

水煎服，日1剂。

本方源于《中西医肿瘤诊疗大全》。功能清热解毒，散结消瘿，适用于甲状腺癌。

第十六节

『肾　癌』

肾癌据国内外资料统计占全身肿瘤的0.4%～3.0%。发病年龄以50～60岁多见，偶见于儿童。男女之比为2∶1。本病症状多变，易被误诊，目前有1/3～2/3的病人是无症状体检偶然发现的。三大主要症状为：无痛性血尿，腰部或上腹部肿块和腰痛。其中血尿是肿瘤穿破肾盂后出现，已不是早期病状。临床上60%左右肾癌有血尿，间歇无痛，肉眼可见。1/3病人有全身症状：发热、高血压、血沉快等，并可有食欲不振，消瘦无力等。肾癌预后决定于病理分期。手术治疗5年生存45%左右。局部淋巴结转移和侵及周围脏器者几乎无生存5年者。

目前，临床上常用的治疗肾癌的偏方、验方主要如下：

【方一】

生熟地各12克，女贞子15克，枸杞子、补骨脂、白术、云苓各10克，黄芪30克，太子参20克，海金沙15克，瞿麦、土茯苓各20克，半枝莲30克。

水煎服，日1剂。

本方源自《中医肿瘤学》。功能滋肾益气，利湿解毒，适用于肾癌肾亏余毒型。

【方二】

生地、白术各12克，小蓟、滑石各15克，蒲黄、木通、竹叶、栀子、猪苓各10克，藕节30克，当归、银花各9克，太子参15克，甘草3克。

水煎服，日1剂。

本方源自《癌的扶正培本治疗》。功能凉血利湿解毒，适用于肾癌出血或合并感染。

【方三】

白参（蒸兑）、白术、白芍、女贞子各10克，茯苓、生地、黄精、枸杞子各15克，当归12克，黄芪、白花蛇舌草、石见穿各30克，山慈姑30克，甘草5克。

水煎服，日1剂。

本方源自《中西医临床肿瘤学》，功能补气养血，解毒散结，适用于肾癌气血亏虚型。

【方四】

仙人掌、七叶一枝花、穿心莲各10克，白花蛇舌草、夏枯草、半枝莲各30克，石见穿15克，山核桃树枝30克，红皮鸡蛋1～2枚。

水煎服，日1剂；鸡蛋捞出，另食。

本方功能清热解毒散结，适用于肾癌。

【方五】

生地、熟地各6克，山药、山茱萸各12克，丹皮、茯苓、泽泻、骨碎补、女贞子、怀牛膝、萹蓄、阿胶（烊化兑服）各10克，桂枝7克，猪苓、龙葵各15克，白英15克，黄芪、枸杞子各30克。

水煎服，日1剂。

本方为段凤午经验方。功能补肾利湿解毒，适用于肾癌偏肾虚。

【方六】

炒茴香、青木香各15克，肉桂、南木香各7.5克，川楝子49个（先切7个，取肉，以茴香7.5克，慢火同炒；又切7个，以补骨脂7.5克，同炒；又切7个，以黑牵牛子7.5克，同炒；又切7个，大盐3克同炒；又切7个，以斑蝥14个去翅同炒，去斑蝥不用；又切7个，以巴豆肉14个，同炒，去巴豆不用；又切7个，大萝卜子7.5克同炒，去萝卜子不用）。

上并为末，酒调稀面糊丸梧子大，每服30丸，食前盐汤下。

本方源于《仁斋直指方·木肾》。功能理气散寒止痛，适用于肾癌。

【方七】

黄芪30克，太子参30克，云苓10克，猪苓20克，干地黄20克，当归10克，赤芍10克，白芍10克，女贞子20克，地骨皮15克，干蟾10克，僵蚕10克，半枝莲60克。

水煎服，日1剂。

本方补气养血，解毒散结，适用于肾癌晚期。

【方八】

当归、赤芍、五灵脂、蒲黄、莪术、败酱草、延胡索各15克，川芎、红花、柴胡、怀牛膝、三棱、郁金、香附各9克，桔梗、甘草各6克，生地24克，桃仁12克，大枣3枚。

水煎服，日1剂。

本方活血化瘀，理气解毒，适用于肾癌侵犯结肠者。

【方九】

车前子10克，瞿麦10克，木通

10克，大黄炭9克，萹蓄10克，滑石10克，栀子10克，龙葵30克，半枝莲30克，蛇莓30克，竹茹10克，甘草梢5克。

水煎服，日1剂。

本方清热利湿，活血散结，适用于肾癌属湿热瘀毒型。

【方十】

川附片60克（另包先煎），桂枝、杭芍、砂仁、泽泻、炙甘草各9克，牡蛎、鳖甲、败酱草、薏苡仁、炮姜、茯苓各15克。

水煎服，日1剂。

本方源于《实用中西医中医肿瘤治疗大全》。功能温阳通经，解毒散结，适用于肾癌侵犯结肠者。

第十七节

『绒毛膜癌』

绒毛膜癌是一种恶性程度极高，早期即可远位转移并破坏器官或组织的恶性肿瘤。绝大多数绒毛膜癌为妊娠性的。极少数与妊娠无关，而常与卵巢的恶性肿瘤同时存在，绒癌中的1 /2继发于葡萄胎。30%与各种流产有关，另20%发生于足月妊娠和早产后。临床表现最常见的为阴道持续不规则出血、子宫增大且柔软。由于早期就可以发生肺转移。因此可见胸痛、咯血等症状。有阴道转移时，可见阴道有紫蓝色软结节或褐色结节。侵蚀性葡萄胎经治后基本无死亡，而绒毛膜癌经治后死亡率降至20%左右。

目前，临床上常用的治疗绒毛膜癌的偏方、验方主要如下：

【方一】

黄芪15克，败酱草15克，白及15克，苡仁30克，赤小豆30克，冬瓜仁30克，鱼腥草30克，茜草9克，阿胶珠9克，当归9克，党参9克，甘草6克。

水煎服，日1剂。

本方源于湖北医学院第二附属医院。功能活血益气，解毒利湿，适用于绒毛膜上皮癌。

【方二】

五灵脂6克，红花3克，海螵蛸30克，蒲黄粉6克，茜草根6克，台乌药3克，射干9克，丹参15克，当归9克，山慈姑9克，蒲黄炒阿胶9克，乳香9克，没药9克，甘草6克。

水煎服，每日1剂。

本方为蒋玉伯方。功能清热解毒，活血散结，适用于绒毛膜上皮癌。

【方三】

山豆根30克，紫草根30克，苡仁30克，丹参30克，全瓜蒌30克，白英30克，连翘15克，苦参15克，川楝子15克，香附9克，生黄芪9克。

水煎服，每日1剂。

本方清热解毒，活血化瘀，适用于绒毛膜上皮癌。

【方四】

茅草根30克，风阳菜12克，六月雪12克，白英12克，紫金牛12克，臭牡丹12克，高粱泡12克，淫羊藿12克，山楂12克，铁扫帚9克，紫金皮9克，山苍子根9克，茜草9克，石菖蒲9克，竹叶椒9克，红花9克。

全部药物先用黄酒60毫升炒制，再用猪肉共加水煎煮，制成煎剂。口服，每日1剂，顿服。

本方为民间验方。功能清热解毒，活血化瘀，适用于绒毛膜上皮癌。

【方五】

当归9克，红花6克，桃仁9克，三七6克，花蕊石15克，大黄6克，丹皮6克，紫草30克，地黄15克，党参12克，海浮石30克，瓜蒌15克，苡仁30克，珍珠母30克，代赭石30克，土茯苓30克，半枝莲30克。

水煎服，每日1剂。

本方为四川医学院田映碧方。功能清热解毒活血，软坚化痰散结，适用于绒毛膜上皮癌。

【方六】

海螵蛸30克，五灵脂（半生半炒）6克，蒲黄（半生半炒）6克，茜草根6克，乌药3克，红花3克，丹参15克，射干10克，山慈姑10克，炒阿胶10克，制乳香10克，制没药10克，血竭17克（另包二次冲服）。

水煎服，每日1剂。

本方源于《中西医肿瘤治疗大全》。功能活血化瘀，收敛止血、适用于绒毛膜癌。

【方七】

生地20克，地骨皮10克，炙龟板10克，牡蛎30克，阿胶10克，黄芩、棕榈炭各10克，地榆15克，炒山栀10克，沙参20克，麦冬20克。

水煎服，日1剂。

本方养阴平肝，适用于阴虚肝旺型绒毛膜癌。

【方八】

山楂18克，当归、泽兰、甲珠各9克，茯苓12克，丹参15克，蜂房6克。

每日1剂，水煎服。

5天为1疗程。服药后可能出现不规则阴道流血，如数量不多，不必停药，亦不需止血。遇贫血明显患者可适当服用补血剂。

本方源于《抗癌中草药制剂》。功能活血解毒，适用于绒毛膜上皮癌。

第十八节

『骨肉瘤』

是指肉瘤性成骨细胞及其产生骨样组织为主要结构的恶性肿瘤，以往称为成骨肉瘤。男性多见，男女之比约2:1，好发于青少年，10～25岁患者占总病例的75%。好发于长骨两端，尤以股骨下端、胫骨上端最多见，位于股骨者约占总发病率的50%。骨肉瘤的临床表现主要为：①疼痛；②肿胀；③功能障碍。本病相当于中医学的“骨瘤”、“骨疽”。骨肉瘤的5年生存率国外为70%～80%，我国为50%左右。

目前，临床上常用的治疗骨肉瘤的偏方、验方主要如下：

【方一】

天南星9克，防风、白芷、柴胡、土鳖虫、自然铜、桑皮各9克，升麻6克，猴骨、龙骨、桂皮各18克，细辛7.5克，荆芥、当归、甘草各7.5克，丹皮21克，续断10.5克，海风藤12克，黄芪39克，附子、遍地红、过山龙各15克，红丹500克，香油1 000毫升。

先将香油置火上煎熬，后加清药煎枯去之。最后再加入红丹为黏稠状，离火，待温度下降后涂布牛皮纸上。外敷患处。

本方为江西省中岗山专区人民医院方。功能补骨强骨，祛毒散结，适用于骨肉瘤。

【方二】

党参、黄芪、归尾、赤芍、白术、丹参各9克，川断、狗骨各12克，寄生30克，王不留行9克，海藻12克，海带12克，全蝎粉45克（吞服），地龙粉4.5克（吞服），小温中丸12克（包煎）。

水煎服，每日1剂。另配二黄丸（0.15克装）每周吞1粒。

本方益气健脾，软坚散结，适用于溶骨性骨肉瘤。

【方三】

党参12克，黄芪12克，当归9克，白术9克，木香6克，川断15克，狗脊12克，桑寄生12克，丹参15克，王不留行子9克，地龙粉9克（分吞），全蝎粉6克（分吞），牡蛎30克，夏枯草12克，海藻12克。

水煎服，每日1剂。

本方源于民间，功能健脾补肾，活血散结，适用于骨肉瘤。

【方四】

藁本30克，川芎30克，夏枯草60克，白芷15克，乳香30克，薄荷15克，赤芍30克，桃仁15克，当归30克，没药30克，红花30克，三七

30克。

将上药共研细末，制成内服散剂，每次3克，每日2次。

本方源自《抗癌中草药制剂》。功能活血化瘀，软坚消肿，适用于骨肉瘤。

【方五】

怀山药12克，生苡仁24克，熟苡仁24克，山萸肉9克，桑寄生24克，仙灵脾9克，赤芍9克，白芍9克，川牛膝9克，丹参9克，牛黄醒消丸3克（分服），六味地黄丸12克（分吞）。

水煎服，日1剂。

本方源于民间。功能健脾益气，活血消肿，适用于骨肉瘤。

【方六】

三棱9克，莪术9克，麝香0.3克，生半夏9克，地鳖虫9克，生川乌9克，商陆9克，桃仁9克，红花6克，木鳖子0.9克，雄黄3克，斑蝥0.9克，乳香9克，没药9克。

以上各药共研细末，制成外用散剂。外用，撒敷于癌肿处，或用蜜糖调和后深敷，隔日1次。

注：用药后偶有局部瘙痒发泡，一般停药数日自愈，如严重时可将处方中斑蝥除去，改用阿魏3克，反应即可减少。

本方源于《抗癌中草药制剂》。功能解毒化瘀，消肿散结，适用于骨肉瘤。

【方七】

生地20克，山萸肉15克，女贞子30克，丹皮10克，骨碎补15克，补骨脂15克，透骨草20克，自然铜10克，川断15克，当归15克，黄柏10克，肿节风10克，核桃树枝30克，寻骨风15克。

水煎服，每日1剂。

本方源于《中医肿瘤学》。功能滋肾清热，适用于肾虚火郁型骨癌晚期。

第十九节

『多发性骨髓瘤』

多发性骨髓瘤属于浆细胞肿瘤，为浆细胞异常增生的恶性肿瘤。欧美国家发病率在0.02～9.6/10万。我国有报告在0.3/10万。中、老年及男性高发。临床表现为：①骨痛、骨折、邻近骨的软组织肿物；②贫血、晚期出血；③反复感染；④肾损害：多尿、蛋白尿，重者肾衰。以上为常见症状。并发症有：①高血钙：纳差、恶心、呕吐、烦渴、多尿、心律紊乱、头痛、嗜睡乃至昏迷；②高黏滞性综合征：头昏、眼花、视力障碍、手足麻木、大脑及心功能障碍；③淀粉样变：巨舌、腮腺肿大，皮肤苔藓样变，心、肝、肾受累症状；④髓外侵犯症状。

目前，临床上常用的治疗多发性骨髓瘤的偏方、验方主要如下：

【方一】

仙鹤草60～90克，白花蛇舌草、半边莲、半枝莲各15～30克，喜树根、败酱草根、蛇莓、白毛藤、大青叶、京三棱、蓬莪术、赤芍、红花各10克，薏仁10～12克，蛇六谷6克。

水煎服，每日1剂。化疗期间可不停服。实验室指标恢复正常，改1周服3剂，巩固疗效。

阴虚阳亢、湿热内蕴者可加黄芩、黄柏、知母、丹皮、生地各10克，山栀6～9克，玉竹12克；恶心、呕吐、纳呆可加陈皮、姜半夏、竹茹各6克，鸡内金10克，山楂6～9克；正气虚加黄芪10～30克，党参10～15克，当归、生地、熟地、黄精各10克。

本方源于《中国中西医结合杂志》。功能清热解毒，活血化瘀，适用于多发性骨髓瘤。

【方二】

党参15～30克，五味子10克，麦冬、首乌、寄生、女贞子各15克，牛膝、丹参、旱莲草、鸡血藤各10～15克，杜仲、川断、天麻各15克，全虫6克，蜈蚣2条，杭芍15～25克，甘草6～30克。

水煎服，日1剂。

本方源于《江苏中医》。功能益气养阴，适用于多发性骨髓瘤。

【方三】

生熟地各15克，山药12克，云苓12克，女贞子30克，菟丝子30克，丹皮12克，赤白芍各12克，元胡9克，白蔹30克，文术15克，蒲公英30克，鸡血藤18克，甘草9克。

水煎服，日1剂。

本方原于《中国中西医结合》杂志。功能滋补肝肾，活血化瘀，适用于多发性骨髓瘤。

【方四】

台参12克，白术12克，云苓12克，陈皮9克，杞果15克，菟丝子30克，川断12克，怀牛膝12克，鸡血藤30克，补骨脂12克，丹参30克，甘草6克。

水煎服，每日1剂。

贫血严重可加黄芪当归补血汤、阿胶等；骨痛剧加制乳没、元胡、全蝎、蜈蚣；若纳差腹胀严重加木香、砂仁、焦三仙、鸡内金等。

本方健脾益肾，活血化瘀，适用于多发性骨髓瘤。

第二十节

『恶性淋巴瘤』

恶性淋巴瘤是原发于淋巴结或淋巴结外淋巴组织的恶性肿瘤，分为何杰金病和非何杰金淋巴瘤两种。

何杰金病年发病率2～3/10万，我国略低，男性高于女性。欧美地区发病年龄呈双峰：15～35岁，50岁以上。我国及东亚发病高峰10岁左右，不呈双峰曲线。何杰金病常表现为：①淋巴结进行性肿大，多见于颈部，亦可累及纵膈、腹膜后、腹股沟等淋巴结。②累及肝、脾、肺、骨髓等器官出现相应器官受侵症状。③可有发热、盗汗、消瘦、乏力、皮痒等全身症状。何杰金病对放疗及化疗敏感，已成为可治愈性肿瘤。10年生存率Ⅰ期75%～90%，Ⅱ期65%～70%，Ⅲ期约60%～50%。

非何杰金淋巴瘤（简称NHL）年发病率约3～4 /10万，近年有增高趋势。发病年龄从儿童至75岁随年龄增加发病率明显上升。男性多于女性，约为1.4∶1。主要临床表现有：①淋巴性肿大，约2 /3病例原发淋巴结，表现进行性淋巴结肿大。②约1 /3病例原发淋巴结外淋巴组织如咽淋巴结、胃肠道、皮肤、肺、胸膜、骨、睾丸、中枢神经系统，也可并发白血病。因此，症状不一，变化多端。③可有发热、盗汗、消瘦、皮痒、乏力等全身症状。

目前，临床上常用的治疗恶性淋巴瘤的偏方、验方主要如下：

【方一】

白花蛇舌草100克，夏枯草60克，山楂50克，首乌、鳖甲、丹皮、党参、半边莲各30克，薏苡仁25克，生地、白术、白芍、女贞子各20克。

日1剂，水煎服。

若伴消化道症状如进食后腹腔胀满、纳呆，加谷芽、陈皮；腹泻，加山药、莲子、马齿苋、黄芪；口燥咽干加麦冬、黄精、白茅根、南北沙参；舌淡苔薄脉缓，减丹皮。

本方源于《四川中医》。功能益气养阴，解毒散结，适用于恶性淋巴瘤。

【方二】

白花蛇舌草30～90克，山慈姑、三棱、莪术、炒白术各15～30克，僵蚕、夏枯草各30克，昆布、煅牡蛎、煅瓦楞各30～60克，炮山甲、黄药子各9～15克，全蝎（研末冲服）6～12克，甘草6克。

水煎服，1剂3煎，1日3次。为巩固疗效，常用所服中药作丸，每次10克，1日3次。30剂为1疗程。肿块处可外敷独角莲或鲜蟾皮。

偏寒加干姜、附片、肉桂；偏热加狗舌草、天葵子；气虚加黄芪、党参；血虚加当归、紫河车；胃阴虚加石斛、麦冬；肺阴虚加北沙参、天冬；心阴虚加麦冬、玉竹；肝肾阴虚加龟板、鳖甲、生地、枸杞子；阳虚加附片、肉桂、补骨脂、棉花根；实热加生石膏、知母、黄芩、黄连。另外葵树子、猫爪草均可选用。

本方活血散结，清热解毒，适用于恶性淋巴瘤，其他肿块型癌。

【方三】

牡蛎60克，海蛤壳60克，海藻60克，昆布20克，象贝30克，夏枯草30克，当归30克，川芎15克，桂枝15克，细辛15克，白芷15克，藿香30克，山慈姑15克。

诸药研末为丸，如绿豆大，日服3次，每次9丸。

本方源于《江苏中医》。功能化痰轻坚，行气活血，适用于何杰金氏病。

【方四】

夏枯草12克，僵蚕12克，香附9克，石决明9克，当归6克，白芍6

克，青皮6克，柴胡6克，川芎6克，红花3克，姜黄3克，生甘草3克，猫爪草10克，贝母10克，海藻10克。

水煎服，日1剂。

本方源于《中医肿瘤学》。功能舒肝理气，化痰散结，适用于恶性淋巴瘤气郁痰结型。

【方五】

熟地、当归、白芍、川芎、白术、茯苓、香附、桔梗、陈皮各6克，人参、炙甘草、海蛤粉、昆布、贝母各30克，升麻、红花各9克。

以夏枯草500克煎汤，加蜜1 200克收膏，合上药为丸如梧子大，每服9克，白汤送下。

低热者加白薇、青蒿、地骨皮、银柴胡；盗汗者加煅龙骨、牡蛎、浮小麦、山萸肉、五倍子、六味地黄丸等；贫血加何首乌、生黄芪、阿胶、鹿角胶、紫河车、枸杞子、大枣等。

本方源于《中医肿瘤学》。功能益气养血，化痰散结，适用于恶性淋巴瘤肝肾阴虚、气血双亏型。

第二十一节

『喉　　癌』

喉癌约占全身恶性肿瘤的1%～5%，占耳鼻喉科恶性肿瘤的首位。近年来其发病率在世界大多数地区均有上升。发病年龄以40～60岁为多，男女之比为8:1。临床表现主要为：①声音嘶哑；②吞咽困难；③咳嗽、痰中带血；④吞咽疼痛；⑤气急；⑥颈部肿块；⑦肺部感染。

目前，临床上常用的治疗喉癌的偏方、验方主要如下：

【方一】

制南星9克，制半夏9克，橘红12克，茯苓25克，枳实10克，菖蒲9克，竹茹6克，僵蚕9克，山豆根15克，莪术9克，党参10克，甘草9克。

水煎服，每日1剂。

本方源于《中西医肿瘤诊疗大全》。功能利湿化痰，解毒散结，适用于痰浊凝聚所致的喉癌。

【方二】

龙胆草10克，大黄6克，栀子10克，牛蒡子10克，蝉衣10克，黛蛤散15克，防风10克，川芎10克，当归15克，青皮10克，郁金12克，枳壳12克。

水煎服，每日1剂。

本方清泻肝火，利咽解毒，适用于肝火壅盛所致的喉癌。

【方三】

人参（另煎）10克，麦冬30克，五味子12克，黄芪30克，玄参20克，山慈姑9克，白花蛇舌草30克，川贝15克，桔梗10克，当归10克，甘草9克。

水煎服，每日1剂。

本方养阴益气，解毒散结，适用于肺气阴虚所致喉癌。

【方四】

桃仁9克，红花9克，赤芍9克，当归10克，生地12克，柴胡6克，枳壳10克，桔梗10克，三棱、莪术各9克，半枝莲9克，玄参15克，贝母10克，甘草6克。

水煎服，每日1剂。

本方活血化瘀，解毒散结，适用于气血阻滞所致的喉癌。

【方五】

守宫25条，蛤粉25克，僵蚕15克，全蝎15克，蜈蚣10克，露蜂房30克（烧存性），硼砂15克，粳米60克。

将守宫、蛤粉与粳米同炒至焦黄，再与各药共研末装入胶囊中，每日3克，1日3次。

本方益气扶正，化痰散结，适用于喉癌。

【方六】

山豆根10克，板蓝根20克，草河车15克，金果榄6克，桔梗10克，浙贝母10克，黄芩10克，薄荷6克，牛蒡子15克，紫苏6克，山栀子10克，麦冬30克。

水煎服，日1剂。

本方源于《中医肿瘤学》。功能清热解毒，化痰散结，适用于喉癌。

五官科病

WU GUAN KE BING

第一节

『耳　　痛』

此指耳廓部、外耳道或鼓膜的疼痛。主要病因，病机如下：

一是风热邪毒，外因耳部外伤复感风热邪毒而致，肌肤受伤，经络阻滞，气血凝聚，则病耳痛。

二是肝胆热毒，多因肝经湿热之邪循经上行耳窍所致。

三是气血瘀阻，肝胆热邪上乘，阻塞经络，或耳廓外伤，瘀血阻塞经络而致。

目前，临床上常用的治疗耳痛的偏、验方主要如下：

【方一】

黄芩 10 克，黄连 9 克，连翘 10 克，玄参 9 克，板蓝根 6 克，马勃 9 克，牛蒡子 6 克，僵蚕 6 克，天麻 9 克，柴胡 10 克，陈皮 9 克，桔梗 8 克，甘草 10 克，薄荷 9 克。

水煎服，日 1 剂。

本方疏风清热，解毒消肿，适用于风热邪毒所致的耳痛。症见耳痛，伴见耳肿或有发热、头痛、怕风、倦怠，舌质红，苔薄黄，脉浮数等症。

【方二】

龙胆草 10 克，泽泻 9 克，木通 6 克，车前子 9 克，当归 9 克，柴胡 6 克，黄芩 9 克，栀子 9 克，生地 9 克。

水煎服，日 1 剂。

本方清泻肝火，适用于肝胆热毒所致的耳痛。临床症见耳痛剧烈，局部皮肤红肿，兼见口苦咽干，便秘溲黄，全身发热，舌质红，苔黄腻，脉弦数。

【方三】

当归 9 克，川芎 10 克，白芍 9 克，熟地 10 克，龙胆草 9 克，泽泻 9 克，车前子 6 克，当归 9 克，柴胡 6 克。

水煎服，日 1 剂。

本方清肝泻热，活络通窍，适用于气血瘀阻、肝胆热邪上乘所致的耳痛。主症为耳内掣痛难忍，头昏耳鸣，舌质紫暗，脉细涩。

第二节

『耳 痒』

此指耳廓或外耳道作痒。主要病因、病机如下：

一是风热湿毒：外感风热湿毒，蕴结于耳，气血郁滞而致。

二是血虚风燥：多由上型发展而成，风热湿毒蕴结日久，伤及脏腑气血，乃致气虚血少，风燥血生，耳窍失养，肌肤糙痒。

三是肾虚火旺：先天禀赋不足或过劳伤肾，以致肾精亏虚，阴虚火旺，上扰于耳所致。

目前，临床上常用的治疗耳痒症的偏方、验方主要如下：

【方一】

防风10克，地肤子9克，苍耳子9克，白鲜皮9克，龙胆草6克，泽泻6克，木通6克，车前子9克，当归9克，柴胡10克，生地9克。

水煎服，日1剂。

本方清热解毒，祛风除湿，适用于风热湿毒所致的耳痒，症见耳部作痒难忍，甚或瘙痒出血，局部肌肤发红灼热，疼痛，时流黄水，火毒盛者伴有发热烦躁等症，舌苔黄腻，脉数有力。

【方二】

蝉衣10克，防风6克，地肤子9克，当归6克，川芎9克，白芍10克，熟地10克，人参10克，茯苓10克，甘草6克。

水煎服，日1剂。

本方养血祛风，适用于血虚风燥所致的耳痒。临床症见耳廓肌肤增厚糙裂，作痒不止，伴见脱屑；全身症状可见面色萎黄，头目眩晕，口唇无华，舌淡，脉虚细等症。

【方三】

熟地10克，山茱萸9克，丹皮10克，茯苓10克，泽泻9克，黄柏9克。

水煎服，日1剂。

本方补肾降火，适用于肾虚火旺所致的耳痒。临床症见外耳道奇痒难忍，或如风吹，但耳廓不痒，兼见耳鸣，腰酸乏力，耳鸣眩晕，舌红脉细数。

第三节

『耳　鸣』

耳鸣是听觉神经功能紊乱的一种现象。听觉神经由于某种原因受到刺激或损伤，动作电位失去平衡，自发放电波亢进，无规则地刺激听觉分析器而引起的一种耳（颅）鸣反应，统称为神经性耳鸣。

耳鸣大体上可分为两大类，主观性耳鸣（自觉耳鸣）和客观性耳鸣（他觉耳鸣）。耳鸣有多种原因，可划分为5种。

目前，临床上用来治疗耳鸣的偏方、验方主要如下：

【方一】

大黄9克，芦荟10克，青黛10克，柴胡6克，龙胆草9克，当归10克，青皮6克，栀子6克，黄芩9克，木香10克，南星10克，麝香3克，神曲12克。

水煎服，日1剂。

本方清泄肝火，适用于肝胆火盛所致的耳鸣。症见耳中突然鸣响，声高不绝，兼见头痛面赤，心烦易怒，目赤口苦，大便秘结，小便短赤，舌红苔黄，脉象弦数等症。

【方二】

大黄10克，黄芩9克，礞石20克，沉香9克，半夏9克，橘红10克，茯苓9克，甘草10克，生姜10克，乌梅10克。

水煎服，日1剂。

本方清热化痰，适用于脾胃痰火所致的耳鸣。症见两耳鸣响，胸脘痞闷，呕吐黄黏痰涎，舌红，苔黄腻，脉象滑数。

【方三】

生地12克，当归10克，白芍9克，川芎10克，知母10克，黄柏10克，黄芩9克，香附10克，白芷10克，柴胡10克。

水煎服，日1剂。

本方养阴补肾，适用于肾阴亏损所致的耳鸣。症见耳内鸣响，尤以午后、夜间为甚，头晕目眩，腰酸腿困，遗精盗汗，五心烦热，舌红脉细。

第四节

『慢性化脓性中耳炎』

慢性化脓性中耳炎是很常见的一种耳科疾病。其特点为鼓膜穿孔，长期或间歇性流脓，听力下降。有时可危及生命。本病多因急性化脓性中耳炎未能及时、合理、彻底治疗所致。另外，鼻及咽部疾病如慢性鼻窦炎、儿童增殖体肥大等炎性病灶反复发作也可引起本病。中医称本病为“脓耳”或“耳疳”。

目前，临床上治疗本病的偏方、验方主要如下：

【方一】

党参、白术、茯苓、山药、扁豆、莲子、薏苡仁、桔梗、砂仁、炙甘草、白芷、皂角刺各10克。金银花、当归尾、黄芪各15克。

水煎服，日1剂。

本方健脾渗湿，补托排脓，适用于脾虚湿困的化脓性中耳炎，证见患耳流脓，时轻时重，缠绵日久，流脓量多且较清稀，一般无臭味，听力有所下降。检查见鼓膜紧张部中央性穿孔，有较多清稀脓液。伴头昏痛，面色萎黄，倦怠无力，纳少腹胀，大便时溏。舌淡、苔白腻，脉细弱。

【方二】

熟地黄、山萸肉各30克，山药、茯苓、泽泻、丹皮、白芷、鱼腥草、桃仁、红花、穿山甲、皂角刺各10克。

水煎服，日1剂。

本方补肾培元，去腐化浊，适用于肾元亏损所致化脓性中耳炎，症见耳内流脓量少、质稠，日久不愈，并有臭味。耳聋较重，并有耳鸣。检查见鼓膜边缘穿孔，经穿孔可见肉芽、息肉或豆腐渣样物。伴头晕神疲，腰膝酸软，遗精早泄等。舌红、苔少，脉细。

【方三】

海螵蛸1克，麝香0.05克，冰片0.3克，黄连1.5克。共研细末，加入5毫升注射用水浸泡备用，滴耳，每日3次。

【方四】

熟鸡蛋黄2个，冰片少许（研末）。熟鸡蛋黄置勺内烤至油出，用此油加冰片滴耳，每日2次。

【方五】

熟地24克，山萸肉12克，山药12克，茯苓12克，丹皮10克，泽泻10克。

服法：水煎服，每日1剂。加减法：虚火甚者加黄柏12克、知母12克；脓水多加花粉10克、旱莲草30克。如果长期流脓不止，精神倦怠者，可用托里排脓法：党参30克，黄芪30克，银花15克，当归10克，赤芍10克，玄参10克，车前草10克，黄柏10克，知母10克，甘草3克，水煎服，每日1剂。

【方六】

雄黄18克，冰片4.5克，灯心4.5克（烤黄存性），桑螵蛸30克（烤黄存性），辰砂6克，枯矾3克，青黛12克。研末成散，密封备用。

用法：患耳先用双氧水，或50度米酒洗干净，将药喷入耳内。

【方七】

诃子15克，白头翁15克，白芷15克，秦艽15克，穿山龙15克，生石膏30克，苡仁30克，银花10克，连翘10克，菊花10克，川连10克，甘草6克。水煎服，每日1剂。

第五节

『外耳道疖肿』

外耳道疖肿是外耳道皮肤急性局限性化脓性病变，又称局限性外耳道炎。发生于外耳道软骨部，是耳科常见病之一。夏季多发。其病因多为挖耳损伤外耳道皮肤或洗澡时及游泳后外耳道积水，使局部表皮软化，易被细菌侵入感染。另外，化脓性中耳炎脓液的浸渍，以及某些全身疾病如糖尿病等也可诱发外耳道疖肿。中医称该病为“耳疖”。

目前，临床上治疗本病的偏方、验方主要如下：

【方一】

连翘、桔梗、荆芥、野菊花、紫花地丁、蚤休、板蓝根各10克，金银花、牛蒡子、白僵蚕、穿山甲各15克，生甘草8克。

水煎服，日1剂。

本方疏散风热，解毒消肿，适用于风热邪毒外侵所致的外耳道疖肿。证见耳部疼痛，牵拉耳廓、压迫耳屏时耳痛加剧。检查见外耳道局限性充血，肿胀，明显触痛。伴发热、恶风、周身不适。舌红、苔薄黄，脉浮数。

【方二】

龙胆草、黄芩、栀子、泽泻、木通、车前子、板蓝根各10克，柴胡、当归尾、白芍各8克，蜈蚣2条。

水煎服，日1剂。

本方清泻肝胆，利湿消肿，适用于肝胆湿热上乘所致的外耳道疖肿。证见耳痛剧烈，并向同侧头部放射。患者常自觉听力下降。检查外耳道半球状隆起，充血，顶部有黄白色脓点，局部触痛明显。伴口苦咽干，发热，大便秘结，小便短赤。舌红、苔黄厚腻，脉弦。

【方三】

将活苍耳子虫100条，浸入到50毫升芝麻油中，使其窒息而死。再加入冰片1克，放置7天后使用。用时取苍耳子虫1条研成糊状，放在疖肿表面，若有空隙，用蘸有苍耳子虫浸油的小棉球填满，使苍耳子虫糊能与疖肿紧密接触，直到第二天换药时取出，每日换药1次。

【方四】

取熊胆0.1克，白矾20克，生甘草20克。先将白矾、生甘草分别煅存性，研为极细末，过筛后与熊胆共研极细末，并存备用。用时取该药末0.3克，吹入患耳病灶处，每日1次。

第六节

『急性化脓性中耳炎』

急性化脓性中耳炎是中耳黏膜的化脓性炎症。主要原因为上呼吸道感染，如急、慢性鼻炎，鼻窦炎，扁桃体炎患者，细菌及病毒等易经咽鼓管侵入中耳引起感染。婴幼儿咽鼓管较短、宽而平直，鼻咽感染容易侵入中耳，所以此病好发于小儿。另外，当鼓膜外伤时，也可因致病菌直接进入中耳引起本病。在患某些急性传染病时，也可并发急性化脓性中耳炎。本病相当于中医的“脓耳”。

目前，临床上常用的治疗本病的偏方、验方主要如下：

【方一】

连翘、荆芥、牛蒡子、蔓荆子、乳香、没药、淡豆豉各10克，金银花、野菊花、大青叶各15克。

水煎服，日1剂。

本方疏散风热，解毒止痛，适用于风热邪毒侵袭所致的急性化脓性中耳炎。证见起病急，耳内跳痛、胀闷感，听力减退。检查鼓膜表面血管纹明显，呈放射状排列。伴见发热、恶寒、鼻塞等。舌红、苔薄黄，脉浮数。

【方二】

龙胆草、栀子、黄芩、柴胡、木通、泽泻、板蓝根各10克，牛蒡子、芒硝、当归尾、生地黄各15克。

水煎服，日1剂。

本方清泻肝火，解毒止痛，适用于肝胆火热炽盛所致的急性化脓性中耳炎。症见耳内疼痛剧烈，致患者夜不能寐，听力减退。鼓膜弥漫性充血，标志消失。伴发热，口苦咽干，小便黄赤，大便秘结。舌红、苔黄厚，脉弦数。

【方三】

连翘、野菊花、紫花地丁、蚤休、乳香、没药、白芷、穿山甲、皂角刺各10克，金银花、天花粉、当归尾、赤芍、陈皮各15克。

水煎服，日1剂。

本方清热解毒，消肿排脓，适用于热毒蕴结成脓所致的急性化脓性中耳炎。证见耳痛呈搏动状，流脓后耳痛减轻。听力略有恢复，鼓膜充血，表面可见脓液溢出之反光点，发热消退，舌红、苔黄、脉数。

【方四】

五倍子10克，黄连5克，冰片3克，白酒40毫升。将五倍子洗净，晒干，打碎，黄连切片。以上3药放入白酒中浸泡2～3周后使用。滴耳，每日3次。

【方五】

鲜车前草60克，鲜马齿苋100克，洗净共切碎，绞汁滴耳，每日3次。

【方六】

中耳炎，取白矾末放于猪胆内，阴干后取白矾末，每次少量，吹入耳孔，疗效佳。

【方七】

新鲜河蚌1枚，指甲末少许，人中黄3克，冰片3克，老石灰10克。将1枚新鲜河蚌之两盖启开，纳入指甲末（焙枯研末）少许、人中黄3克、冰片3克、老石灰10克，外用黄泥包裹，置壳于火中煨至冒青烟，取出去泥，研成极细末，入瓶密封待用。先用棉签将耳道拭干，然后用小管将末吹入耳中。每日3～5次，每次0.5克。

【方八】

苦参15克，冰片6克，香油（食油亦可）30克。

将香油用锅勺盛之置火上，烧沸，即将苦参放入待其焦黄即捞出，再将冰片放入搅匀，待凉备用。每日滴耳3次，每次2～3滴。

【方九】

柴胡15克，山栀子12克，牛蒡子10克，龙胆草30克，苦丁茶30克，黄芩12克，银花30克，薄荷10克(后下)。

水煎服，每日1剂。

加减：流脓夹血者加鲜生地30克、丹皮12克。

【方十】

土茯苓15克，苡仁15克，龙胆草30克，栀子12克，柴胡12克，泽泻12克，木通12克，当归10克，生地30克，车前草15克，蒲公英20克，紫花地丁15克。

水煎服，每日1剂。

【方十一】

活田螺1个，洗净，清水静置2天后，挖开盖头，加入冰片少许，取水滴入耳内，1日3次，有止痛作用。

【方十二】

猪胆粉15克，枯矾15克，黄连3克，冰片1.5克，研极细粉和匀，隔日1次喷入耳内。

【方十三】

冰片、玄明粉各0.9克，朱砂0.3克。按此比例配取所需剂量，研极细末，混匀备用。用法：干棉签将耳内脓液拭净，有脓痂者用双氧水洗耳。然后用喷粉器将药粉均匀喷入中耳腔，以黏膜上粘满薄薄一层淡赭色粉末为度，每天喷药1次。

【方十四】

核桃适量熬油，将黄芩15克、黄柏15克、栀子15克入核桃油中炸焦，去渣，待冷，取油滴耳，1日3次，每次1～2滴。

【方十五】

取初产妇乳汁10毫升，置于不带釉的粗陶瓷碗底凹处，持郁金1个，研磨至乳汁变稠时备用。用时，先以双氧水冲洗耳道，拭净后，滴入磨好的乳汁2～3滴，每天2次，10天为1个疗程，急性患者可配用抗生素。用上药治疗化脓性中耳炎患者10余例，均愈。

第七节

『牙龈腐烂』

本病是牙床周围的组织，包括上龈和下龈，破损糜烂疼痛，历代医书称之为“牙疳”。

此病病因病机如下：

一是风热牙疳，平素胃腑积热，复外感风热之邪而发，邪毒侵袭牙龈，伤及肌膜，则牙龈的肿痛热，继而溃烂。

二是走马牙疳：温热病后，复感时行疫疠，积毒上攻齿龈，或内热炽盛，少阴阴津不足，阳明邪火有余，余毒上攻齿龈，则发生牙床腐烂，甚则齿牙脱落，该证相当于坏疽性口炎或口颊坏疽等。

三是青腿牙疳：内热炽盛，阴液不足，血热妄行，则上患牙龈腐烂，下肢兼贝青色肿块，故名之为青腿牙疳。

目前，临床上常用的治疗本病的偏方、验方主要如下：

【方一】

煅石膏30克，黄芩10克，生地15克，黄连10克，升麻9克，丹皮9克。

水煎服，日1剂。日久不已，可加人参、玄参；兼湿重者，加茵陈、生苡仁、车前子；外用人中白散（人中白、孩儿茶、黄柏、薄荷、青黛、冰片、黄连、硼沙）擦牙龈患处。

本方疏风清热解毒，适用于风热牙疳，临床症见初起2～3日齿龈红肿疼痛，继之齿龈糜烂，烂处多覆以灰白色膜，拭之易脱，触之出血；口有恶臭，唾液增多，黏稠如丝，饮食纳呆，寒热交作，恶心呕吐，便秘，溃烂可扩大至腭、颊、舌本，亦可伴有身热、头痛，精神疲倦，溲赤便秘，脉滑数，苔黄腻。

【方二】

犀角3克，玄参10克，丹皮10克，麦冬10克，连翘10克，生地10克，黄连10克，银花12克，竹叶卷心15克。

水煎服，日1剂。

脾虚者兼服人参茯苓粥，药用人参、茯苓、粳米；热久津伤，可服甘露饮，药用枇杷、熟地、天冬、炒枳壳、茵陈、生地、麦冬、石斛、炙甘

草、黄芩，外擦人中白散（药用人中白、孩儿茶、黄柏、薄荷、青黛、冰片、黄连、硼砂）。

本方清热解毒，适用于走马牙疳。临床主要症见初起牙龈或颊部出现一硬结，红肿疼痛，1～2日即腐烂，患处灰白，随即变为黑色，按之硬，可流出紫黑色水，色味恶臭，软化后腐肉开始脱落，溃处微痛而痒；4～5日后溃烂渐深，可浸及鼻、鼻翼两旁或腮和口唇周围，溃处青黑，甚至唇腐齿落、腭破腮穿、鼻梁塌陷，并可从鼻旁烂洞处望见咽部。全身症状明显，身体壮热，神志昏沉，舌质红绛，脉细数，苔黄腻，毒火盛，病情恶化者，气喘痰鸣，头额冷汗。若治疗得宜，里腐易者，内见红肉，流出鲜血，身热渐退，口齿落腮穿也有可能治愈。但疮面愈合后，颜面可因疤痕而出现畸形。

【方三】

苍术10克，木瓜10克，羌活9克，附子9克，山楂10克，独活10克，牛膝9克，麻黄10克，黄柏12克，乌药9克，干姜9克，槟榔9克，枳壳10克，甘草6克，黑煎30克，生姜9克，蒲公英15克，马齿苋9克。

水煎服，日1剂。

若寒湿重，加肉桂，毒火盛，兼服五汁饮，药用梨汁、荸荠汁、鲜苇根汁、麦门冬汁、藕汁；外用可用冰硼散（药用玄明粉、朱砂、硼砂、冰片）擦腐烂处。

本方祛寒行湿，清火解毒，适用于青腿牙疳。症见牙龈肿胀，溃烂出脓血，甚者可穿腮破唇，同时两腿疼痛，发生肿块，形如云片，色似青黑茄子，大小不一，肌肉顽硬，行动不便；寒湿重者，可兼见身体疼痛，无汗，四肢浮肿，尿少而清；毒火盛者，可兼见口苦，口干，口臭，舌质红，舌苔黄而干，脉象滑数。

第八节

『急性牙髓炎』

本病大多数是由龋齿发展到牙本质深层，细菌通过牙本质小管，或由穿通的龋洞进入髓腔所引起，临床表现主要是剧烈的牙痛，尤以夜间为甚。

目前，临床上常用的治疗急性牙髓炎的偏方、验方主要如下：

【方一】

连翘10克，防风9克，荆芥9克，乳香10克，没药9克，野菊花10克，紫花地丁10克，牛蒡子15克，金银花20克，白蒺藜10克，露峰房15克。

水煎服，日1剂。

本方疏风清热，解毒止痛，适用于风热外侵所致的急性牙髓炎，临床证见阵发性牙痛。遇风发作，检查见患牙有龋洞，局部牙龈红肿，伴见发热，微恶寒，头痛，口渴，舌红、苔薄黄，脉浮数。

【方二】

黄连、当归、丹皮、乳香、没药、大青叶、蚤休、栀子各10克，牛膝、生地黄、穿山甲、皂角刺各15克，升麻8克。

水煎服，日1剂。

本方清泻胃火，消肿止痛，适用于胃火炽盛所致急性牙髓炎，临床证见牙痛剧烈，牵引头痛，牙龈红肿甚，伴见口臭，口渴引饮，发热，大便秘结，舌红、苔黄等，脉细数。

【方三】

用细辛3克，荜茇、川椒、薄荷各6克，防风、高良姜各4.5克，上药水煎后用药液含漱。

【方四】

服用荜茇、冰片各3克，共研细末，用消毒棉花或纱布将药面包在内，置牙痛处。

第九节

『咬牙啮齿』

此指上下牙齿互相磨切，格格有声，是某些疾病的一种表现。

本病病因病机如下：

一是心胃火热：阳明之经脉入齿挟口环唇，心胃火盛，内热充络，牙齿则磨切有声，多在睡眠中发生。

二是饮食积滞：饮食不节，内伤脾胃，乳食停滞不化，气滞不行，胃不和则卧不安，故在睡眠中常发生咬牙啮牙，兼见其他食积症状。

三是蛔虫内扰：饮食不洁，蛔虫内生，虫积内伏，则常在睡眠中发生咬牙啮齿。

四是气血虚弱：气血不足，筋脉失于滋养，牙齿的开合功能迟缓，也可见咬牙啮牙。

目前，治疗本病的常用偏方、验方主要如下：

【方一】

黄连10克，当归9克，生地10克，丹皮9克，升麻6克。

水煎服，日1剂。

本方清胃泻火，适用于心胃火热所致的咬牙啮齿，症见咬牙啮齿有声，心烦口臭，口渴思冷饮，消谷善饥，呕吐嘈杂或食入即吐，舌质红，舌苔黄而少津，脉滑数。

【方二】

神曲10克，山楂9克，茯苓9克，半夏9克，陈皮9克，连翘6克，莱菔子10克。

水煎服，日1剂。

本方消食导滞和中，适用于饮食积滞所致咬牙啮齿，症见睡眠啮齿，胸脘痞闷，不思饮食，食不消化，神气倦怠，大便不畅或泻泄腹痛，或大便秘结，小便黄赤。舌苔腻而微黄，脉滑而实。

【方二】

乌梅肉15克，黄连9克，黄柏6克，人参6克，当归9克，附子6克，桂枝10克，蜀椒9克，干姜9克，细辛3克。

水煎服，日1剂。

本方驱虫健脾化湿，适用于蛔虫内扰所致的咬牙啮齿，临床主要症状如下：

症见睡中啮齿，胃脘嘈杂，腹痛时作时止，有异嗜怪癖，面黄肌瘦或鼻孔作痒，白眼珠有红斑或蓝点，面部有白色虫斑，唇内有粟粒状透明突起。舌尖部或舌中线两旁有浅红色或鲜红色点状突起，舌质淡红，舌苔白，脉弦滑。

【方四】

当归10克，川芎9克，白芍9克，熟地10克，人参6克，白术6克，茯苓10克，甘草9克。

水煎服，日1剂。

本方益气养血，适用于气血虚弱所致的咬牙啮齿，其临床特点如下：

症见啮齿咬牙，其声低微无力，面色㿠白，少气懒言，唇甲色淡，头目眩晕，心悸耳鸣，舌体胖，舌质淡，舌苔薄白，脉细弱。

第十节

『牙齿酸软』

此病又称齿齼，是指牙齿于咀嚼食物时酸软无力。中医学认为，齿为骨之余，肾主骨，齿与肾密切相关，胃与脾相表里，脾肾两虚则齿失荣养，故咀嚼食物时酸软无力，风冷之邪外侵牙体，牙即会出现接触酸味的感觉，表现为咀嚼无力。

目前，临床上常用的治疗牙齿酸软的偏方、验方主要如下：

【方一】

胡桃肉30克，补骨脂15克，杜仲15克，大蒜6克。

水煎服，日1剂。

或取核桃肉久嚼也能减轻。

本方功能健脾补肾，适用于脾肾两虚所致的牙齿酸软，主要临床特点如下：

症见牙齿酸弱，遇冷遇热皆感不适，甚则咀嚼无力，脉沉弱，舌淡白，苔薄白。

【方二】

麻黄6克，细辛3克，炮附子9克。

水煎服，日1剂。

本方温经散寒，适用于风冷外客所致的牙齿酸软，临床特点如下：

症见牙齿酸弱，见风冷则甚，喜食热物，脉弦紧，舌暗淡，苔白滑。

第十一节

『牙　痛』

牙痛是十分痛苦的，故俗语称："牙痛惨过大病。"牙痛发作，使人最先想到的原因是蛀牙或其他牙病。然而，并非所有牙痛都是由蛀牙或牙病引起的，也可以由其他疾病引致。所以，切勿牙一痛就要求牙医将痛的部位的牙齿脱去。

1. 引致牙痛的牙病约有六种：

(1) 牙髓发炎。一般是由于近齿龈部分牙齿蛀洞内藏有食物碎屑，发生细菌感染引起。这种原因的牙痛十分剧烈。

(2) 牙髓腔中有钙化的髓石形成，压迫牙髓神经，使之发生疼痛。此种牙痛，有些似三叉神经痛，有时还会反射性地引起头痛，病牙并无蛀洞。

(3) 蛀牙。牙齿有蛀洞，如蛀洞浅，多不会发生疼痛，但在吃过酸、过甜、过冷、过热的食物时则可觉痛，痛不甚剧。如蛀洞深，食物碎屑藏于内，细菌繁殖，则生疼痛。

(4) 牙周膜发炎引起剧烈牙痛，并有牙浮牙松感觉。

(5) 牙齿长出时受阻，引致牙痛。例如，牙齿埋在颌骨中，不能按正常位置长出，为两旁的牙齿所阻，因而压迫着邻近的牙根或牙糟神经，所以发生疼痛。

(6) 牙齿折断引起牙痛。例如跌倒时牙齿撞折，或咬过硬的食物而牙齿折断。

至于不是牙病引起的牙痛，一般常见的有如下数种：一、高血压。二、流行性感冒。三、神经衰弱。四、妇女行经期间。五、上颌窦发炎。

面部三叉神经痛有时很似牙痛。因为面上的三叉神经，有一条神经是在脸颊的部位。

既然牙痛不一定由牙病引起，故凡发生牙痛，勿随便将牙齿脱去。因为恒齿脱去，就不能再生了。人工镶的牙齿，不论外表怎样好，其功能都远远不及天生的。有些人，面部三叉神经痛，看牙医，牙医也以为是牙痛(可能该部位的牙有些蛀)，将牙脱去，但脱牙后痛仍如故，才知是三叉神经痛。

2. 祖国医学对牙痛病因病机的

认识：

（1）风热牙痛：风热外邪，直侵人体，伤及牙齿及牙龈，气血壅滞，瘀阻脉络，不通则痛。

（2）风寒牙痛：风寒外邪，侵犯牙体及龈肉，气血凝滞，脉络瘀阻，故牙齿作痛，牙龈淡红不肿。

（3）胃火牙痛：足阳明胃经循行入齿，胃火炽盛，循经上炎，则牙龈红肿，牙齿胀痛剧烈。

（4）虚火牙痛：肾阴不足，虚火上炎，故牙齿隐隐作痛或微痛，牙龈微红微肿；虚火久蒸，灼炼龈肉，则龈肉萎缩；肾主骨，齿为骨之余，肾虚则牙齿失于濡养，则牙齿浮动，咀嚼无力。

（5）气虚牙痛：劳伤过度，久病失养，而耗伤元气，元气不足，齿失其养故牙痛绵绵，但齿不浮动，局部少见红肿。

（6）龋齿牙痛：平素嗜食膏粱厚味，或过食甘甜糖质，以致牙体被蛀蚀；龋齿遇冷、热、酸、甜食物或吸风引冷皆可引起疼痛。

目前，临床上常用的治疗牙痛的偏方、验方主要如下：

【方一】

荆芥6克，豆豉5克，薄荷10克，银花18克，连翘10克，桔梗9克，甘草6克，竹叶10克，牛蒡10克，芦根15克，知母10克，生地10克，露蜂房15克。

水煎服，日1剂。

本方疏风清热止痛，适用于风热所致牙痛，其临床特点主要是：牙齿胀痛，呈阵发性，遇风发作，患处得冷则痛减，受热则痛增，兼有表症。

【方二】

麻黄10克，附子6克，细辛3克。

水煎服，日1剂。

本方疏风散寒止痛，适用于风寒所致牙痛，其临床特点是：牙齿抽掣样痛，受冷则痛甚，得热则痛减，时恶风寒，脉象浮。

【方三】

黄连10克，当归9克，生地10克，丹皮9克，升麻6克。

水煎服，日1剂。

本方清胃泻热，适用于胃火牙痛，症见如下：

牙齿疼痛剧烈，牙龈红肿较甚，或渗血出脓，头痛，口渴引饮，口臭，大便秘结。舌苔黄厚、脉象洪数。

【方四】

熟地10克，山茱萸9克，山药9克，丹皮12克，茯苓9克，泽泻10克，知母10克，黄柏10克，狗脊9克。

水煎服，日1剂。

本方滋阴降火，适用于虚火所致牙痛，症状主要如下：

牙齿隐隐作痛或微痛，牙齿浮动，咬物无力，午后疼痛加重，头晕，口干。无浊苔，脉多细数。

【方五】

黄芪10克，人参9克，白术10克，当归9克，炙草6克，升麻6克，柴胡9克，陈皮9克，生姜3片，大枣3枚，丹皮9克，赤药10克，熟地12克，茯苓15克。

水煎服，日1剂。

本方补气缓痛，适用于气虚牙痛，临床主要特点如下：

牙痛隐隐，痛势绵绵，牙龈肿胀

而不红，面色皖白，少气懒言，脉虚弱。

【方六】

黄连10克，当归6克，生地10克，丹皮15克，升麻6克，露蜂房10克，海桐皮9克。

水煎服，日1剂。外用荜茇、细辛、白胡椒、花椒等塞于蛀孔中，可暂时止痛。若发现龋洞，应及早予以填充，龋齿损害严重者，无须保留时，应及时拔除。

本方清热止痛，可用于龋齿牙痛，其临床特点如下：

牙齿局部变为墨浸状或黄褐色，正常见龋洞，疼痛时发时止，舌脉如常。

【方七】

取1个鸡蛋，白酒30毫升，先将白酒倒入碗内，再把鸡蛋打入碗内，然后将碗内白酒点燃，当白酒烧尽时，鸡蛋即熟。待温，1次吃完，约1个小时后，可止牙痛。

【方八】

用75%医用酒精棉球擦拭局部，然后换1个酒精棉球压于牙痛部位，数分钟后取出，轻者1次即止，重者重复2～4次，如有10%樟脑醋效果更佳。

【方九】

取1个独头紫皮蒜，捣成糊状，如患者左部牙痛，可将全部蒜汁糊在左腕部的脉搏上，如果右部牙痛，可取右腕脉搏，然后用绷带缠后扎紧。过几天即见脉部出水泡，疼痛即止。此法治牙痛，可除根，终生不再犯。

【方十】

用花椒1粒，噙于龋齿处，疼痛即可缓解。

【方十一】

将丁香花1朵，嚼碎后填入龋齿洞内，数小时后牙痛即可消失，且能保持数月内疼痛不再复发。

【方十二】

取鲜生姜1片，咬于疼痛的牙齿间，半小时后牙痛即可消失。

【方十三】

取鲜仙人掌30克，刮去表皮毛刺，洗净，煎汤内服。如能将煮熟的仙人掌同时食用，则疗效更为神速。

【方十四】

取云南白药末少许，填入龋齿洞内，少顷即可控制牙痛。如能同时内服云南白药，每次2粒，每日3次，连服3～5日，则疗效更佳。

【方十五】

白附子3.75克，知母3.75克，细辛3.75克，川芎7.5克，高良姜7.5克。

上5味共为细末，石棉裹少许着齿上，有津吐之，一日两度含之。

本方清除口腔秽气，杀虫，可治疗口臭、齿痛、龋齿。

【方十六】

猪牙皂角62克，干生姜62克，木律62克，墨旱莲62克，皂角子62克，细辛62克，熟地黄62克，川升麻62克，荷叶62克，青盐31克。

上药共锉细，用一新瓦罐，尽盛其药，又用新瓦盖合罐口，以麻绳缚牢，上复用盐泥封固，晒干，后挖地坑方阔二尺，下铺一方砖，后倒放药罐，以木炭火烧罐四周，使青盐出，去火，放一宿，取药出，研为细末，每用牙刷刷上下牙，次用温水漱去，洁齿、牢牙、乌髭须甚效。

本方牢牙，乌髭，适用于齿黄动

摇，髭须黄白，肾虚风冷牙痛。

【方十七】

乌头31克，皂角去皮31克，生地黄31克，细辛研末10克，青盐研末10克，石胆研末6克，白矾末6克，麝香6克。

上药前3味，为粗末，用生姜自然汁合成团子，用槐枝火烧，令烧尽取出置净地上，用碗盖一宿，出火毒，再捣细为末；后5味，分别研细，合匀，每用少许擦牙痛处，或刷牙时沾药刷牙亦可；早晨、食后、临卧各用3次，有津即吐，误咽无妨。

牢牙齿、定疼痛、固龈槽、益气血、抗颜、黑髭须，适用于牙齿松动，龈齿宣露，牙齿痛。

【方十八】

茯苓31克，石膏31克，龙骨31克，寒水石15.5克，白芷15.5克，细辛10克，石燕子大者1枚，小煮2枚。

上药共为细末，每日早晚刷牙。本方适用于牙齿疏松疼痛。

【方十九】

草乌、荜茇4.5克，川椒、细辛各9克。

共研极细末，用少许点于患牙内外，一时其牙自落（注：应为其痛可缓），不落再点。

本方适用于牙痛及口臭。

【方二十】

熟地黄60克，地骨皮60克，川芎60克，青盐62克，香附子60克，破故纸60克，细辛8克，防风8克，白蒺藜15克，五加皮15克，石膏15克，川椒6克，猪牙皂角6克。

上药共为细末，每早蘸药擦牙，用百沸汤漱口咽下。

本方固齿止痛，明目乌须发。

【方二十一】

生地30克，生石膏30克，知母12克，麦冬、牛膝、当归、骨碎补、淡竹叶各15克，升麻、丹皮、甘草各10克，黄连3～6克。每天1剂，亦可随证加减。水煎分2～3次服。治疗期间停用他药，禁食辛辣肥甘之品。治疗结果：牙痛患者80例，其中痊愈者64例，占80%；好转者10例，占12.5%；无效者6例，占7.5%。总有效率为92.5%。

【方二十二】

取鲜毛茛5克，洗净切碎捣泥，用脱脂棉适量裹药泥做成一棉球棒置放患处或以患牙咬住棉球30分钟，后用鲜毛茛50克放在有盖口杯内，用水500毫升沏泡，待凉后以水刷牙1～2次。治疗结果：用上法治疗各类牙痛数十例，大都1次止痛，少数病人，1次后效果欠满意可依法于数小时后重复1次。本法具有消炎防腐、收敛洁口、止血止痛等多项功用。对牙本质过敏、龋齿、牙髓炎、冠周炎、牙周炎与牙槽脓肿有快速良好的作用。

【方二十三】

据报道，用芫花根皮治疗牙痛，效果显著。治疗方法：取芫花根二层皮（鲜）250克，用开水250毫升浸泡3～5天。用时将棉球蘸药液放患牙上3～5分钟。治疗结果：治疗牙痛（其中龋齿91例，牙髓炎18例，牙槽脓肿15例，牙本质过敏6例）共130例，经用药3～5分钟后止痛者128例，无效2例。极个别患者20分钟止痛。

第十二节

『牙齿焦黑』

此指牙齿变得黄黑干燥，牙齿焦黑与齿垢齿黑不同，后者是指附于牙齿上面的污垢而言，刮去可去，牙齿焦黑是温热病热邪深入下焦的重要指征。

本病病因病机如下：

一是下焦热盛：温热病后期，热邪传入下焦，热深不解，津液干涸，齿失津润，故见牙齿焦黑。

二是肾热胃劫：温热病后期，肾热胃燥，气液被耗，齿失滋养，则见齿黑。

目前，临床上治疗牙齿焦黑的偏方、验方主要如下：

【方一】

炙甘草 10 克，干地黄 9 克，生白芍 6 克，麦冬 10 克，生牡蛎 30 克，阿胶 10 克，火麻仁 10 克，生鳖甲 30 克。

水煎服，日 1 剂。

本方功能咸寒甘润，适用于下焦热盛所致的牙齿焦黑，其临床特点为口干，舌燥，手指蠕动，脉沉数。

【方二】

石膏 30 克，熟地 15 克，麦冬 10 克，知母 10 克，牛膝 9 克。

水煎服，日 1 剂。

本方清胃救肾，适用于肾热胃劫所致的牙齿焦黑，上附污垢，伴咽干，口渴，烦躁不眠或腹满便秘，脉数，舌绛。

【方三】

零陵香、香白芷、青盐、升麻各 15 克，细辛 7 克，麝香 1.5 克另研，砂锅细末、石膏细末各 30 克。

上药除砂锅、石膏、麝香外，同为细末，后 3 味别处研精细，和匀，每晨以指沾药擦牙，后以温水漱口。

洁齿白牙，去除口臭，主治牙齿黑黄不洁净。

方中砂锅末研精细，盖以其粗涩刮去牙面污垢；零陵香、香白芷、细辛、升麻芳香走窜，除胃肠中壅塞积秽，去臭恶气；麝香芳香，活血化瘀，除腹中有形之积滞；石膏细研，既可清洁口腔，又能清泄胃热，与诸香药一寒一温，一散一泻，一升一降，配伍尤妙。

【方四】

（方一）用牙刷蘸取少许明矾细粉，在牙齿黄斑处轻刷几次，即可清除，此方适用于抽烟和喝茶之人牙齿黄锈症。

（方二）口含红糖水 10 分钟后，接着用较硬的牙刷刷牙，3 分钟后漱口，再用配好的盐碱水（500 毫升水加精盐、食用碱面各 50 克），刷牙 2 分钟，每日早晚各 1 次，连续 1 周。本方适用于长期吸烟、牙面烟垢、牙齿发黑或发黄者。

（方三）取食盐 120 克、杏仁 30 克，同研成膏状，每天用此膏揩齿。此方具有增白洁齿，防龋止痛之功，主治牙齿黑黄。

【方五】

寒水石、白石英、石膏各 30 克，细辛、朱砂、沉香各 15 克，川升麻、钟乳各 30 克，麝香、丁香各 0.3 克。

诸药捣细过筛为散，研令匀，每日早晨及夜间用以揩齿。

本方令齿光白。

【方六】

白矾适量。

研细，用牙刷蘸此粉刷牙。

除烟黄、白牙。

【方七】

升麻 15 克，白芷、藁本、细辛、沉香各 1 克，寒水石 2 克（研）。

上 6 味捣碎过筛为散，每天早晨取杨或柳枝 1 条，用牙将其 1 次咬软，点取药粉揩去。

本方揩牙白齿，令齿香而光洁。

【方八】

地骨皮、郁李仁、生干地黄、杏仁各 30 克，川升麻 45 克，藁本、露蜂房 15 克。

制作：上药捣细过筛为散，每用 3 克，以纱布包裹，常含咽津。

功能：可治疗齿黄黑枯燥无泽者。

【方九】

白芷、白蔹、莎草根、白石英、细辛、川芎各等份。

捣研为散，常用揩牙。

本方可治齿黄黑。

【方十】

绿矾 15 克（一半生用，另一半放锅内炒至烟出后放冷用），五倍子、诃子皮各 15 克，香白芷 9 克，甘松香、栗莲各 6 克，枣核灰 9 克，螺蛸 6 克，胆矾 15 克，香附子 12 克，麝香 1.5 克。

共研为细末，后入麝香，再研细拌匀备用。每日早晨刷牙后，再以牙刷蘸此药末少许刷于牙缝，过片刻用温水洗漱吐出。

本方可使牙缝黑垢不净之物去掉，不患牙痛。

【方十一】

海蛤、琥珀、白石英、珍珠、玛瑙、光明砂各 30 克，麝香 0.3 克。

上药捣为散，于乳钵内熏研令细，每日取柳枝打碎一头，点药揩齿。

本方含齿白净。

【方十二】

杏仁 30 克，食盐 120 克。

将食盐与杏仁同研成膏，每天以膏揩齿两次。

本方能洁白牙齿，主治牙齿黄黑。

【方十三】

食醋 30 克。

含半口食醋，在口里蠕动二三分钟，然后吐出，再用牙刷刷洗，最后用清水漱净。

反复用此法可除烟垢，洁牙齿。

【方十四】

升麻 3 克，骨灰 6 克，白芷 2.5 克，石膏 4.5 克，麝香少许。

上药为末，每用时先以温水漱口，再以本药擦之。

能洁齿白牙。

【方十五】

百药煎、胆矾、五倍子各等份。

上药为细末，擦于牙上，再用清水漱口。

本方治齿黄黑。

【方十六】

升麻、藁本、甘松、茜草、香白芷、川芎各30克，华细辛（去苗叶）60克，生干地黄（焙干）60克，地骨皮（拣净）30克，皂角（刮去皮，烧存性）90克，麝香3克（拣去皮毛，另研细），青盐60克。

上述药为细末，入麝香再一处细研，每日早晚揩牙，如常使用。

本方在治牙齿垢腻不洁净，发黑。

【方十七】

川升麻1克，香白芷0.3克，藁本0.3克，细辛0.3克，沉香0.3克，寒水石31克，石膏0.3克，龙齿0.3克，麝香0.3克。

上药，捣细，罗为散，研入麝香令匀，每日早晚揩齿。

本方适用于口中有气味，齿牙不白。

【方十八】

干桑椹子31克，川升麻31克，皂荚盐水中浸一宿，焙干31克，生干地黄31克，槐白皮31克。

上药细锉，以糯米饭搓为团，以炭火烧，令通赤，候冷，入麝香0.3克，都研令细，每早及临卧，先以浆水漱口后，揩齿。

本方适用于牙齿黄垢不白。

【方十九】

白芷、血蒌、莎草根（去毛）、血石英（研）、细辛（去苗叶）、川芎各等份。

制作：上6药各等份，捣研为末，如常揩齿。

本方适用于牙齿黄黑，久用令齿洁白。

第十三节

『牙龈肿痛』

本病初起齿龈呈局限性红肿，先硬后软，患牙有浮出或伸长感觉，自觉疼痛，触动患牙痛剧，后期牙齿松动，有溢脓或穿溃出脓，腮颊肿胀。

本病病因病机如下：

一是风热外袭：风热阳邪，侵袭人体，引动脾胃秘热，二热交蒸，循胃经上冲于齿龈而发牙龈肿痛。

二是秽毒郁结：对口腔卫生注意不够，使牙体被龋蚀，秽毒郁结龈肉及牙根，形成肿痛，继而化脓。

三是脾胃火盛：嗜食辛辣，脾胃蕴热，热毒壅盛于里，秘困中焦而化火，火性上炎，火热循经至牙床而使牙龈肿痛，腐肉成脓。

四是气血虚弱：牙龈红肿，溃后因气血不足，致使疮口不收，久治不愈，甚则或为牙漏。

目前，临床上治疗牙龈肿瘤的偏方、验方主要如下：

【方一】

金银花10克，野菊花9克，蒲公英10克，紫花地丁9克，紫背天葵9克，连翘9克，蝉花9克。

水煎服，日1剂。

本方疏风消肿，清热解毒，适用于风热外袭所致的牙龈肿痛，临床症状如下：

症见牙龈红肿，坚硬，焮热疼痛，恶寒发热，头痛。脉浮数，舌红苔薄黄。

【方二】

金银花9克，野菊花10克，蒲公英9克，紫花地丁10克，紫背天葵9克。

水煎服，日1剂。

本方清热解毒，适用于秽毒郁结所致的牙龈痛，症见牙龈局部肿痛，连及腮颊，口干、口苦、口臭。舌苔黄，脉数。

【方三】

人参10克，炒白术9克，穿山甲9克，白芷9克，升麻10克，甘草12克，当归10克，生黄芪10克，皂角刺9克，青皮6克。

水煎服，日1剂。

本方托里排脓，适用于气血虚弱所致的牙龈肿痛。症见牙龈肿痛溃破，久不收口，疮口不合皮，经常溢脓。

第十四节

『牙齿松动』

所谓牙齿松动，是由牙周膜受到破坏，牙槽骨被吸收引起的。健康的牙周组织，牙齿牢固地长在牙槽骨里。牙根的周围有牙龈紧紧地把牙围住，而且牙根与牙槽骨之间有数以万计的纤维，从各个不同的方向，把牙齿牢牢拉住。这种纤维在医学上称为“牙周膜”，牙齿就是依靠牙周膜被固定在牙槽骨上。

但是，牙齿有一定的活动度，这种活动是生理性的，就是牙齿在牙槽骨里正常范围的移动，这是因为包在牙根周围的牙周膜富有弹性，这种移动常常在咀嚼食物时出现，移动的情形微小得连肉眼都不易发觉。

超过牙齿能承受的外力加于牙齿，可以使牙槽骨折断造成外伤。牙齿和牙槽骨之间的纤维撕裂，甚至牙根折断，引起牙齿松动；后期龋齿还可使牙齿松动，牙周病是指牙根、牙周膜和牙槽骨发生感染、破坏。患了牙周病，牙齿往往要松动。

祖国医学认为牙齿松动的病因病机主要如下：

一是由于阳明热壅：中医认为，齿龈为阳明脉络所系，若饮酒过度或嗜食辛辣，肠胃热壅，上蒸于口，腐其齿龈，则齿失其所固而动摇，并可见牙龈红肿或牙齿宣露。

二是由于肾虚气衰：牙齿与肾气的盛衰密切相关，肾气衰，则发堕齿槁、牙齿松动，甚则脱落。

三是由于阴虚火旺：少壮之年，或因多劳而伤肾精，或因素有遗精之疾，致肾精不充，骨髓失养，则牙齿松动，牙龈宣露。

四是由于创伤不固：伤于外因，或以击损，或以跌仆，使牙齿不固而松动。

目前，临床上用于治疗牙齿松动的偏方、验方主要如下：

【方一】

黄连15克，当归10克，生地9克，丹皮9克，升麻6克。

水煎服，日1剂。

本方清胃固齿，适用于阳明热壅所致的牙齿松动，同时还伴有牙龈红肿，或牙龈宣露，口臭，便秘。脉滑数，舌质红，苔黄腻偏干。

【方二】

熟地15克，丹皮10克，泽泻10克，茯苓10克，山萸肉10克，山药10克，骨碎补10克，鹿茸6克，牛膝9克。

水煎服，日1剂。

本方补肾益气，适用于肾虚所致牙齿松动，临床症见咬物困难，久之牙齿自动脱落，可伴有腰膝酸软，精神困倦，头晕目眩，夜尿频多，便溏溺清，舌淡胖润，脉沉细反弱。

【方三】

知母15克，黄柏10克，山药15克，生地10克，熟地9克，丹皮10克，泽泻15克，山萸肉9克，茯苓10克，山药9克。

水煎服，日1剂。

本方滋阴降火，适用于阴虚火旺所致牙齿松动，症见牙齿松动，咀嚼无力，牙龈红肿，溢脓，耳鸣口干，腰酸，头晕目眩，潮热。舌质红，苔黄，脉细数。

【方四】

生地黄100克，白蒺藜（炒去刺）100克，香附（炒）200克，青盐75克，破故纸（炒）50克，没食子（大者）4个。

上为细末，早晨擦牙，津液咽下。

固齿、乌发。本方药外可以辟秽解毒，收涩护齿；内可以补肾固元，舒畅情志；内外并治，标本兼顾，故有延年益寿、固齿乌发之功。适用于肝肾阴亏、腰膝酸痛、牙齿松落、须发早白者服用。此方药性平和，一般人均可服用。

【方五】

生大黄30克，熟大黄30克，生石膏30克，熟石膏30克，骨碎补30克，银杜仲30克，青盐30克，食盐30克，明矾15克，枯矾15克，当归身15克。

上药共研为细末，每晨起先用此药末涂擦牙根上，然后洗脸，用毕以冷水漱吐。

本方系黄功农献给慈禧太后之方，久用牙齿洁白，至老不松动。

【方六】

乌头、皂角（去皮、子）、生地黄各30克。

上3味药同研为粗末，用生姜自然汁擦合成丸子如鸡蛋大；用槐枝生火，放白丸药在火中烧，待烧至烟尽而透，将丸子取出放干净地上用碗盖1夜，次日将内药研为极细末；另以细辛（研末）、青盐各9克，胆矾末、白矾末、麝香末各6克，合同前丸药末同研备用，每用时以牙刷蘸药末少许，加水刷牙，日3次。

本方可使牙齿坚固白洁。

【方七】

青盐、生石膏各15克，制补骨脂12克，花椒（去目）、白芷、细辛各5克，防风、薄荷叶、旱莲草各8克。

上药生晒，研为细末，每天清晨用牙刷蘸药末轻轻刷遍全牙，并稍含3～5分钟，再用清水漱口。

本方能固齿止痛。

【方八】

荆芥（不见火）、川芎、细辛、当归各等份。

制作：上为细末，过筛；用牙刷浸水沾取药粉揩齿，不可马上用水漱去，须令药气入牙内良久，方漱为佳。

功能：本方祛风行气，活血养血牢牙。

【方九】

青矾（研）15克，绿矾（研）15克，白矾（研）15克，马牙硝（研）30克，丹砂（细）31克，防风（去叉）30克，蜡60克，猪脂500克，黄芪（切细）30克，细辛（去苗叶）30克，当归（切、焙）90克，麻油90克，松脂30克。

上13味，捣筛为末，先煎脂化去滓，再加油蜡，然后下诸药，复煎令凝膏，盛于瓷盒内；每用如樱桃大，临睡涂齿龈处。

本方坚齿牢牙。

【方十】

生地黄、独活各90克。

上2味切细，以水500毫升浸渍1宿，含之。

功能：对牙根松动目疼痛者有效。

【方十一】

胡桃仁（去壳、烧透）、知母各等份。

研为细末，每服1次擦于牙齿上。

本方可使牙齿坚固洁白。

【方十二】

荠草、生姜、柳树皮（刷去表面绿皮，取里面之白皮）、牛膝（去苗）、胡蒜子、生干地黄、菟丝子、没食子、桐子漆、猪牙皂角各180克。

共研成粗末，放入瓶内，瓶口用食盐调稀泥封固，放火内烧煅1日后，埋入土内约半日许（选阴湿地，要挖深一点），取出放室外露了夜，白天收入阴凉处，不得见太阳，后研为细末，筛过备用；再用时以手指蘸药末少许，揩于牙齿上，过一会儿即以清水洗去；日用2次，应坚持揩洗，不可中途而废。

本方长期使用，不但牙齿坚固不脱，而且光洁白净。

【方十三】

沉香、白檀、醋石榴皮、诃子皮、青盐（研）、青黛（研）各7.5克，当归、川苦楝皮4片，焙细辛（去苗）、香附子各15克，母丁香4.5克，荷叶灰3克，南乳香（研）3克，龙脑（研）、麝香（研）各1.5克。

上为细末，每用1.5克，如常刷牙，温水漱（漱）之，早晚两次用。

本方荣养髭发，坚固牙齿。

【方十四】

青盐75克，坚诃子20个，芝麻粹150克，夏蚕沙21克，旱莲草45克，皂角不蛀者，去皮60克。

上同为末，醋浆水和丸如毬子大，晒干，用糖丸藏瓶内盛者，用盐泥固；候干，留一小眼子出烟，置一净砖上，用木炭烧，烟淡，药熟之后即出；旋研，如常刷之，如已白者，百日，黑未白者，半月见效，唯频刷尤妙。

本方乌髭须，牢牙齿，延年迟老。

【方十五】

诃子、没食子各125克，五倍子9克，细辛、甘松、零陵香、麝香3克（另研），绿矾30克（炒，另研），白茯苓6克，百药煎15克，橡沉儿5个，青盐少许，金红矾15克。

上药，除麝香、绿矾2味另研，其余极细，然后入诸药拌匀，稍热水漱，每日两次，用药1.5克刷牙。

本方治肾气不足，齿断不固。

【方十六】

瓜蒌根于砂锅内用，甘草水煮软，取出阴干，为末60克，白芷5克，鸡舌香7枚，白檀香30克，麝香研0.3克。

上药共捣罗为细末，每用1.5克，揩牙，日2次，淡咽无妨。

本方主治牙齿宣露，久用之牢牙。

【方十七】

白杨皮1握，地骨皮31克，防风15.5克，细辛31克，蔓荆实31克，杏仁去皮尖，生用，3枚，生广地黄焙62克。

上药锉如麻豆大，每用15克，以水2盏，煎至1盏，去滓，留人合，入滔1盏，更煎三五沸，热漱冷吐，即瘥。

本方适用于牙齿宣露，齿疏动摇。

【方十八】

熟地黄31克焙干，破故纸31克，青盐15.5克。

上药共炒为细末，刷牙后以此末擦牙，良久，咽之。

本方适用于肾气不足所致髭发斑白，牙色暗不牢，眼目昏花等。

【方十九】

旱莲草（又名鲤肠草）67.5克，芝麻草93克，诃子20枚（连核），不蛀皂角3枚，月蚕沙62克，青盐108.5克，川升麻108.5克。

上药共为末，醋调为丸如弹子大，捻作饼子，或焙或晒，以干为度；先用小口瓷瓶或罐子用黄泥加纸筋烧瓶塞1个，晒干，然后制药，炮制时，先把药饼入瓶中，遇炭火中煅烧，令烟出，当烟由浓变淡时停火，以泥塞塞瓶口，候冷，次日出药，用时取药饼数片研为末，每日早晚揩齿，少候片刻，以温汤盥漱。

本方主治牙齿疏落动摇，须发早白或生理性变白，皆可治之。

【方二十】

白鸭1只，约重1 500克，黑芝麻、桃仁、桑椹、水发莲子、芡实、红枣、薏米仁各20克，糯米适量（以填满鸭腹为度），盐、黄酒、味精各适量。

制作与服法：将莲子、芡实、红枣、薏米填入鸭腹腔，再填加糯米至满，用线缝合腹腔口，放置在汤盆中，加盐、黄酒、味精和水，上笼屉蒸熟，食前拆线，即可食用。

本方补肾健脾、固齿，适用于体质久虚、消瘦、牙龈萎缩者。

第十五节

『唇青紫』

此指口唇发青，或唇色青紫之症，主要病因病机如下：

一是脾阳不足：因唇为脾之外候，脾阳不足则清阳不升，唇失其养，故见口唇青紫。

二是肾阳衰微：寒犯少阴，命门火衰，阴寒内盛，六阳衰微，水津不运，故口唇青紫。

三是肝气郁结：情志所致，恼怒气郁，致使气机不畅，血脉郁结，或胸阳不振，气血失和，不能上荣，故见口唇青紫。

四是痰浊阻肺：脾失健运，湿聚成痰，痰能阻肺，气道不畅，肺失宣降，百脉失和，气血瘀阻，故见口唇青紫。

目前，临床上常见治疗青紫的偏方、验方主要如下：

【方一】

附子6克，人参9克，干姜6克，白术6克，甘草6克。

水煎服，日1剂。

本方温运脾阳，适用于脾阳不足所致的唇青紫。症见口唇青紫，四肢不温，食少纳差，腹胀便溏，乏力倦怠，舌质淡，舌体胖嫩，苔白，脉象虚弱。

【方二】

附子6克，干姜9克，甘草3克。

水煎服，日1剂。

本方温肾散寒，适用于肾阳衰微所致的唇青紫。症见口唇青紫，面色晦暗，甚则黧黑。畏寒肢冷，动则气喘，自汗出，腰膝酸软，无力，舌质淡，舌体胖，苔水滑，脉象沉。

【方三】

柴胡10克，白术9克，白芍6克，细辛3克，炙甘草9克，通草6克，大枣3枚。

水煎服，日1剂。

本方舒肝理气活血，适用于肝郁气结所致的唇青紫。症见口唇青紫，面色青灰，胸闷气短，两胁胀满，食少纳差，善太息。舌边暗，或有瘀斑，舌苔薄白，及脉象弱涩。

若胸阳不振，气血瘀阻则证见口唇青紫，面色发青，胸闷气短而有刺痛，四肢不温，舌质暗，脉象涩，适宜理气活血，振奋胸阳，方用瓜蒌薤白白酒汤，药用：瓜蒌、薤白、白酒。

【方四】

茯苓10克，桂枝6克，白术6克，甘草9克。

水煎服，日1剂。

本方健脾利湿，理气化痰，适用痰浊阻肺所致的唇青紫。症见口唇青紫，喘咳痰盛，气不得接续，胸胁支满，睡不得卧，面白无华，舌淡苔白腻，脉象滑。

第十六节

『唇燥裂』

此指口唇干燥、破裂，故亦称“唇裂”。

本病的病因病机如下：

一是脾胃实热：若恣食肥甘厚腻，或热邪入里，致使脾胃热盛，故见唇燥而裂。

二是阴虚火旺：热盛伤阴，致使阴虚火旺，虚火上蒸于口，故见唇燥唇裂。

目前，临床常用的治疗本证的偏方、验方如下：

【方一】

黄芩10克，黄连12克，薄荷9克，玄参9克，当归10克，赤芍9克，甘草6克，蜂蜜3克。

水煎服，日1剂。

本方清火滋阴，适用于脾胃实热所致唇燥裂。临床症见口唇燥裂，红肿，口干喜冷饮，多食而饥，大便秘结。舌质红，舌苔黄，脉象洪数有力。

【方二】

熟地10克，山药9克，山茱萸9克，五味子6克，麦冬6克，当归10克，菊花6克，枸杞子6克，肉苁蓉9克，巴戟天10克。

水煎服，日1剂。

本方滋阴降火，适用于阴虚火旺所致的唇燥裂。症见口唇干裂，口干渴，颧红盗汗，便秘，尿赤。舌红少苔，脉象细数。

【方三】

蛴螬不拘多少，猪脂适量。

蛴螬焙干为本，与猪脂调和成膏状，临卧涂唇上。

本方：主治沛唇。此病以口唇黏膜粗糙而厚为主要特征。蛴螬为金龟子的幼虫，功能破血行瘀，散结通乳，加猪脂者，一以赋形，一以润燥。

【方四】

生天门冬125克，生地黄汁200毫升，生麦门冬125克，玉竹125克，猪膏600克，细辛62克，甘草62克，川芎62克，白术62克，黄芪93克，升麻93克。

上药除生地黄汁、猪膏外，余药以醋浸一宿，然后以布包药，加水煎，临煎入生地黄汁及猪脂，待水气尽，猪脂沸即得，取膏细细含之。

本方清热、益阴、健脾、生津，适用于脾经蕴热，热伤津液，不能上荣唇口所致焦枯不润。

【方五】

川升麻45克，射干45克，黄蘖60克（剉），大青叶30克，甘草30

克，玄参60克，黄芩30克，犀角屑1克，黄连30克（去须）。

制作：上药捣粗罗为散，每服12克，入苦竹叶、三七片，煎至五分，去滓，入生地黄汁20毫升、蜜10毫升，搅和匀，食后温服。

本方清除心脾火热，治疗口舌生疮破裂，唇蹇赤色。

【方六】

甘松香150克，艾纳香30克，苜蓿香30克，茅香30克，藿香90克，零陵香120克，上色沉香1 500克，雀头香90克，苏合香90克，白胶香150克，白檀香150克，丁香30克，麝香30克，甲香30克。

先以碎麻屑捣泥令匀，泥两只好磁瓶（能容一斗以上者），各厚1.5厘米，曝干；然后将上药中前6味酒二水一之比作汤洗之，洗净后以酒水各200毫升浸一宿；明日纳于3 000毫升乌麻油中微火煎之，三上三下，去滓，纳上件磁瓶1只中，令少许不满。然后取后8味亦以酒水合作汤洗令净，分别捣碎，不用绝细，以蜜400毫升，酒200毫升合香纳另一只磁瓶中，令实满以绵裹瓶口，又以竹篾纵横束之，勿令香出。先掘地为坑埋上件油瓶，令瓶口与地平，以香瓶倒合复瓶上，两口对好，以麻泥泥之，厚1.5厘米，用糠壅瓶上，厚1.5厘米，烧之；火欲尽，即加糠，三日三夜勿令火绝。计糠2 400千克论，停3日，令冷，出之；别炼蜡4千克，煮数沸，纳紫草450克，煎之数十沸，取一茎紫草向爪甲研屑，紫草骨白出之；以绵滤过，与前煎相合，合调，乃内朱砂粉180克，搅令相得，少冷未凝之间，倾竹筒中，纸裹，筒上麻缠之，待凝冷解麻，任意涂唇，此可得五十挺。

本方主治内有积滞，积热所致的唇焦口燥。

【方七】

桃仁：不拘多少，猪脂适量。

捣桃仁如泥，与猪脂和合，敷之。

本方滋润口唇黏膜，治疗冬月唇干裂出血。

【方八】

橄榄若干。

上药炒研为末，以猪脂调和涂之。

本方对唇裂有效。

【方九】

猪脂若干。

上物熟煎，远行及野宿时，夜间涂唇及面上。

本方常涂之，行万里路，野宿睡卧，唇面不皴。

【方十】

蜂蜜10克。

开水送服，每日1剂，长期服用。

本方滋补润肤，用于唇面，干而无泽者。

第十七节

『唇淡白』

此指口唇无血色，淡而发白。主要病因病机如下：

一是血虚：营气不足，无以化血，或脾失统摄，或外伤等原因导致各种出血之证，致使血液亏虚，唇失荣养，故见唇色淡白。

二是脾虚：脾气亏虚，清阳不升，浊阴不降，致使口吐涎沫，气逆呕恶，脾失健运，唇失其养，故见唇色淡白。

目前，临床上治疗本病的偏方、验方主要如下：

【方一】

白术10克，茯苓10克，黄芪12克，人参10克，甘草6克，木香9克，当归10克，远志6克，龙眼肉9克，枣仁10日。

水煎服，日1剂。

本方养血和营，适用于血虚所致的唇淡白。临床症见唇舌色淡，爪甲不荣，心悸，心烦，失眠。舌质淡，舌苔白，脉象沉濡。

【方二】

人参9克，茯苓10克，白术9克，甘草6克，半夏10克，陈皮6克，木香9克，砂仁9克，生姜9克，大枣3枚。

水煎服，日1剂。

本方健脾益气和胃，适用于脾虚所致的唇淡白。症见唇淡无华，面色萎白，乏力倦怠，口吐涎沫，呕吐痞闷。舌质淡，舌苔白，脉沉弱。

【方三】

沉香、甲香、丁香、麝香、檀香、苏合香、熏陆香、零陵香、白胶香、藿香、甘松香、泽兰各180克，胡麻油2 500毫升。

上述前8味药，先用油煎令热，乃下白胶香、藿香、甘松、泽兰，少时下火，绵滤纳瓷瓶中，余8种香捣作末，以蜜和，勿过湿，内著一小瓷瓶中令满，以绵幕口，竹十字络之，以小瓶覆大瓶上，两口相和，蜜泥泥之，乃掘地埋油瓶，令口与地平，乃聚干牛粪烧之，七日七夜，不需急，满12日烧之弥佳，待冷出之即成，其瓶需熟泥匀厚一寸暴干，乃可用。

本方治唇白无血者，美化口唇。

【方四】

生地黄汁半升，生天门冬汁半升，葳蕤60克，细辛30克，甘草30克(生锉)，川芎30克，白术30克，生麦门冬60克去心，黄芪45克。

上药细锉，绵裹，酒浸一宿，以猪脂1 000克煎，令药色焦黄，绵滤去滓，纳锅中，后下生地黄汁、天门冬汁，熬令稠，瓷器中盛，每服不计时候，含咽半匙。

本方益气、养阴、清热、活血、行气，适用于因经络之血虚而致唇枯失润泽之症。

第十八节

『唇颤动』

此指口唇颤动不能自禁，故亦称“唇瞤动”、“唇风”。

本病的病因、病机主要如下：

一是胃火上攻：胃经蕴热，与风邪相合，风火上攻，循经传于唇，故见唇部颤动。

二是血虚风燥：久病血虚，筋脉失养，血虚生风，传于口唇，故见口唇瞤动不已。

三是脾虚失摄：平素脾虚，气不得收摄，唇为脾之外候，脾虚失摄，故见口唇颤动。

目前，临床上常用于唇颤动的偏方、验方主要如下：

【方一】

防风10克，连翘12克，麻黄6克，薄荷6克，荆芥9克，白术6克，山栀9克，川芎9克，当归9克，白芍10克，大黄9克，芒硝9克，石膏30克，黄芩15克，桔梗6克，甘草6克，滑石10克。

水煎服，日1剂。

本方疏风清热，适用于胃火上攻所致的唇颤动，症见初起口唇红肿发痒，破裂流水，灼热疼痛，日久则见口唇瞤动不止，口干渴，大便秘结。舌红苔黄，脉象滑数。

【方二】

生地10克，当归9克，川芎9克，赤芍9克，白鲜皮9克，荆芥6克，防风6克，柴胡9克，独活9克，薄荷6克，蝉衣9克，枣3枚。

水煎服，日1剂。

本方养血祛风，适用于血虚风燥所致的唇颤动。症见唇痒而干，皱裂脱屑，口唇颤动，大便不畅，心烦失眠。舌质淡、脉沉。

【方三】

人参10克，甘草9克，茯苓15克，白术10克。水煎服，日1剂。

本方补气健脾，适用于脾虚失摄所致的唇颤动，症见食少纳差，腹胀便溏，乏力倦怠，口唇及手指颤动。舌质淡，舌体胖嫩，舌苔白，脉象沉弱无力。

第十九节

『口唇紧缩』

此指口唇收缩，致使唇口窄小不能开合，又称唇紧。主要病因病机如下：

一是风痰阻络：正气不足，腠理不密，风邪外袭，与痰湿相合，阻滞络脉，故见口唇紧缩，若重病久病而见唇缩者，系血气枯竭之征，属重症危候。

二是小儿脐风：小儿初生之时，断脐不洁，致使外邪水湿感染，出现唇口收缩。

目前，临床上用治唇紧缩的偏方、验方主要如下：

【方一】

五倍子 10 克，密陀僧 20 克，甘草 5 克，黄柏 9 克。

外贴。

本方祛风化痰通络，适用于风痰阻络所致的唇口窄小，不能开合，饮食困难。

【方二】

蜈蚣 10 克，钩藤 10 克，麝香 3 克，僵蚕 9 克。

水煎服，日 1 剂。

或用脐风锁方（蜈蚣、蝎尾、僵蚕、瞿麦研末）吹鼻。

本方驱风止痉，适用于小儿脐风。

【方三】

黄连 6 克，黄柏 9 克，生地黄 9 克，浮萍草 9 克，白芷 9 克，防风 9 克，当归尾 9 克，白鲜皮 6 克，白及 6 克，僵蚕 6 克炒，梅花片 1 克（另研后兑）。

共研成粗渣，水熬，滤去渣，再熬浓汁，搽之。

本方健脾、清热、除湿、祛毒，适用于脾经湿热所致唇风、茧唇、唇肿等症，用膏搽之，其症自愈。

【方四】

鲜蟹（烧灰），乳香，没药。每次用鲜蟹灰 6 克，乳香、没药各 1 克，涂之，即生肉。如多处唇舌，用川乌、草乌为末，摊纸 1 条，以凉水调合贴之，即不觉疼，可用刀取，如流血，以陈石灰涂之即止，愈后血硬用鸡血点之即软。

本方可补唇紧。

【方五】

马齿苋若干。

水煎外洗局部。

本方治唇紧面疱。

【方六】

鳖甲若干。

烧灰作末以敷之。

本方适用于唇紧。

第二十节

『鼻　　痒』

此指鼻窍作痒。主要病因、病机如下：

一是风热犯肺：风热之邪侵袭肺卫，上壅肺窍。

二是肺经燥热：外感燥邪，或素体阴亏，燥热生风循经上犯鼻窍。

三是脾经湿热：脾失健运湿浊内停，湿郁化热，湿热相合，熏蒸鼻窍。

四是肺虚兼风：肺外合皮毛，开窍于鼻，肺气虚弱，则卫外不固，加之风邪侵入致生鼻痒。

目前，临床常用的治疗鼻痒的偏方主要如下：

【方一】

苍耳子 10 克，桑叶 12 克，菊花 10克，杏仁 9 克，连翘 10 克，薄荷 9 克，桔梗 6 克，甘草 6 克，芦根 15 克。

水煎服，日 1 剂。

本方疏散风热，适用于风热犯肺所致的鼻痒，症见鼻痒鼻塞，喷嚏时作，鼻流黄涕，伴有发热恶风，头痛咽痛，咳嗽，舌红，脉浮数等症。

【方二】

桑叶 10 克，石膏 30 克，甘草 9 克，人参 9 克，胡麻仁 12 克，阿胶 10 克，麦冬 10 克，杏仁 9 克，枇杷叶 15 克。

水煎服，日 1 剂。

本方清肺润燥，适用于肺经燥热所致的鼻痒。症见鼻痒目干，呼气发热，口燥咽干，干咳少痰，难以咳出，舌红苔薄，脉数。

【方三】

连翘 10 克，滑石 15 克，车前子 15 克，枳壳 10 克，黄芩 9 克，黄连 9 克，木通 6 克，陈皮 6 克，荆芥 9 克，茯苓 10 克，防风 9 克，甘草 10 克。

水煎服，日 1 剂。

本方清热除湿，适用于脾经湿热所致鼻痒。临床症见鼻孔作痒，鼻流黄水或红肿溃烂，兼见脘腹胀满，食少便溏，舌苔黄腻，脉象濡数。

【方四】

黄花 15 克，白术 10 克，防风 12 克。

水煎服，日 1 剂。

本方补肺疏风，适用于肺虚兼风所致鼻痒。症见鼻痒阵发，喷嚏频作，自汗乏力，面色苍白，舌淡苔薄，脉象浮弱。

第二十一节

『鼻　　痛』

一是外邪壅肺：风寒湿热等外邪侵袭肺部，经络壅滞，故鼻窍自觉疼痛。

二是肺胃热盛：多因平素嗜酒，或恣食辛热炙煿，化生内热，或外邪化热入里，以致火热上扰鼻窍，经络壅滞，而生疼痛。

目前，临床上常用的治疗鼻痛的偏方、验方如下：

【方一】

大腹皮 10 克，白芷 9 克，紫苏 6 克，茯苓 10 克，半夏曲 9 克，白术 6 克，陈皮 6 克，厚朴 9 克，桔梗 10 克，藿香 6 克，甘草 3 克。

水煎服，日 1 剂。

本方疏风化湿散寒，适用于风寒湿邪壅滞所致鼻痛。症见鼻窍微痛，自觉鼻塞，涕流清稀，发热恶寒，脘闷纳呆，腹胀便溏，舌苔薄白或白腻，脉象浮数或濡。

【方二】

白芷 10 克，葛根 9 克，荆芥 6 克，豆豉 9 克，薄荷 10 克，银花 9 克，连翘 10 克，桔梗 9 克，甘草 6 克，竹叶 10 克，牛蒡 10 克，芦根 10 克。

水煎服，日 1 剂。

本方祛风清热，适用于风热壅肺所致鼻痛。临床症见鼻窍灼热疼痛，红肿，涕流黄浊，发热恶风，头痛咳嗽，咯吐黄痰，口渴咽痛，舌红苔薄白或微黄，脉浮数。

【方三】

大黄 9 克，芒硝 9 克，甘草 6 克，黄连 10 克，当归 9 克，丹皮 10 克，升麻 9 克。

水煎服，日 1 剂。

本方清胃泄热，适用于肺胃热盛所致鼻痛。临床症见鼻部疼痛剧烈，多尤鼻窍前端及中隔部位，按之痛甚，或见少量出血，并可见口渴，咽干，便秘溲黄等症。

第二十二节

『鼻　酸』

此指鼻窍或鼻根有辛酸感觉的症状。主要病因病机如下：

一是风热壅肺：外感风热或风寒犯肺，郁久化热，肺气失宣，肃降失职，鼻窍不利而致鼻酸。

二是痰火阻肺：火邪犯肺，灼液为痰或痰火交阻于肺，导致肺气不得宣降，肺窍不利，故生鼻酸。

三是肺脾气虚：肺虚则中气不固，肃降无权，鼻窍不健，脾虚则湿浊停滞，升降失常，浊邪若上干不健之鼻窍，则感鼻酸。

目前，临床上治疗鼻酸证常用的偏方主要如下：

【方一】

荆芥10克，豆豉9克，薄荷10克，银花9克，连翘10克，桔梗6克，甘草6克，竹叶10克，牛蒡10克，芦根20克。

水煎服，日1剂。

本方疏风清热，适用于风热壅肺所致鼻酸。临床症见鼻根酸胀，遇风加重，按之疼痛，涕流黄稠，可伴见发热恶风，咽痛口渴，舌红苔薄黄，脉数。

【方二】

连翘15克，大黄9克，甘草6克，芒硝9克，山栀12克，黄芩9克，薄荷9克，竹叶10克，蜂蜜9克。

水煎服，日1剂。

本方清热化痰，适用于痰火阻肺所致鼻酸，临床症见鼻内酸痛，涕流枯稠，自觉鼻塞，嗅觉减退，咳嗽痰多，头重目痛，脉象滑数，苔黄黏腻。

【方三】

扁豆15克，人参9克，白术9克，茯苓10克，甘草6克，山药10克，莲肉9克，桔梗9克，薏苡仁10克，砂仁6克。

水煎服，日1剂。

本方益气健脾化湿，适用于脾肺气虚所致鼻酸。症见鼻根酸胀，气息不利，鼻涕白黏，头昏目痛，久咳不止，气短乏力，腹胀便溏，舌淡苔白，脉象细弱。

第二十三节

『鼻　　干』

此指鼻窍干燥，又称鼻燥，主要病因病机如下：

一是肺经热蕴：若风热犯肺，或肺经素有伏热，邪热循经上壅于鼻则致鼻干。

二是燥邪伤肺：秋冬燥气，当令之际，燥邪伤肺，劫伤津液则生鼻干。

三是胃热炽盛：胃热素盛，或过食辛辣助热生火，或外邪传里，化热伤胃，以致胃热上蒸，熏灼鼻窍而致鼻干。

四是阴虚肺燥：素体阴虚，或热病初愈，津液未复，不能上濡鼻窍而鼻干。

五是肺脾气虚：肺脾气虚，水含精微不能上输于鼻，鼻失濡润则干燥。

目前，临床上常用的治疗鼻干的偏方、验方主要如下：

【方一】

桑叶、石膏30克，甘草6克，人参9克，胡麻仁9克，阿胶9克，麦冬10克，杏仁10克，枇杷叶15克。

水煎服，日1剂。

本方清宣肺热，适用于肺经热盛所致的鼻干。症见鼻窍干燥，灼热疼痛或见鼻中出血，口干咽燥，咳吐黄痰。舌质红，苔薄黄，脉数。

【方二】

桑叶10克，杏仁9克，沙参9克，象贝9克，香豉10克，栀子皮10克，梨皮10克。

水煎服，日1剂。

本方清肺润燥，适用于燥邪伤肺所致鼻干。临床症见鼻孔干燥，干咳无痰，口干咽燥，伴有头痛发热，全身酸痛。舌红少津，脉浮细而数。

【方三】

大黄10克，黄连9克，当归9克，生地12克，丹皮6克，升麻6克。

水煎服，日1剂。

本方清泄胃热，适用于胃热炽盛所致的鼻干。症见鼻窍干燥，灼热疼痛，鼻孔出血，口干咽燥，渴喜冷饮，消谷善饥，泛酸嘈杂，大便秘结，小津溲短赤。舌红苔薄，脉象滑数。

【方四】

生地10克，熟地15克，麦冬9克，百合15克，白芍12克，当归9克，知母9克，甘草6克。

水煎服，日1剂。

本方养阴润燥，适用于阴虚肺燥所致鼻干。临床见鼻燥咽干，少涕痰黏，喉痒咳嗽，潮热盗汗，五心烦热，舌红少津，脉细数。

【方五】

黄花 15 克，人参 9 克，白术 10 克，当归 9 克，炙草 6 克，升麻 6 克，柴胡 10 克，生姜 9 克，大枣 3 枚。

水煎服，日 1 剂。

本方补中益气，培土生金，适用于肺脾气虚所致的鼻干。症见鼻孔干痒，面色㿠白，神疲乏力，短气自汗，腹胀纳呆，大便溏薄，舌淡苔薄，脉象细弱。

第二十四节

『干燥性鼻炎』

干燥性鼻炎主要症状是鼻内燥痒且痛，鼻黏膜充血，表面干燥，附有薄痂，除去痂皮时常易引起上皮剥脱和出血，鼻腔内可有干丝状分泌物，挖鼻时常涕中带血，并伴有头痛、咽喉干燥、咳嗽声嘶等。本病的致病原因有其特殊性，多见于经常与粉末接触的作业工人，由于受粉尘、高温或化学气体的慢性刺激而发病。中医认为此病多因风燥伤津，肺热阴虚，脾虚津亏而引起。治疗时注意局部与整体的辨证，内治与外治相结合，一般都能收到较好的疗效。

目前，临床上用治干燥性鼻炎的偏方、验方主要如下：

【方一】

生石膏 30 克，生地 15 克，知母 10 克，黄连 9 克，栀子 9 克，黄芩 6 克，丹皮 10 克，连翘 10 克，竹叶 10 克，玄参 10 克，甘草 6 克。

水煎服，日 1 剂。

外治法：用野菊花 10 克，黄连 10 克，蜂蜜 60 克。3 味共放碗内隔水蒸 1～2 小时，去野菊花、黄连，加入冰片 10 克与蜂蜜调匀装瓶备用，治疗时用棉签蘸药液涂。搽鼻腔内，每日 3～5 次。

本方疏风清热，滋阴润燥，适用于风燥伤津所致的干燥性鼻炎，临床见症如下：

症见鼻内干燥，刺痒而痛，有异物感，嗅觉多正常，伴有咽喉干燥，咳嗽痰少，舌质淡红，苔薄白，脉浮细数。用鼻镜检查可见鼻黏膜干燥，呈灰白色，并有小片糜烂等，多由于久处粉尘风沙、高温环境，因风热燥气劫夺津液，津亏则鼻窍失于濡润而发病。

【方二】

生地 10 克，麦冬 9 克，玄参 9 克，贝母 10 克，丹皮 9 克，白芍 10 克，薄荷 12 克，桑叶 9 克，菊花 10 克，杏仁 9 克，甘草 6 克。

水煎服，日 1 剂。

外治法：用当归 20 克，生地 20

克，黄连10克，黄柏10克，麻油300毫升，黄蜡适量。上药除黄蜡外，全部放入麻油中浸泡一夜，然后用文火煎熬至药枯黄，去渣后滤清，再入黄蜡以文火搅烂溶化后收膏，装瓶备用。治疗时用以涂搽鼻腔，每日3～5次。

本方养阴清热，润燥生津，适用于肺热阴虚所致的干燥性鼻炎，临床见症如下：

症见鼻腔干燥而痛，有灼热感，挖鼻时常涕中带血，伴有口渴咽干，干咳少痰，痰黄难以咳出，大便干燥，小便短赤，舌边尖红，苔少或薄黄，脉细数。用鼻镜检查可见鼻黏膜干燥，呈暗红色，附有薄痂，黏膜上的小静脉曲张等，多由于屡吸高温燥热之气，或久患热病，热郁于肺，耗伤阴津，津液不能上承，鼻腔失于濡养而引起。

【方三】

黄芪10克，党参10克，白术9克，当归10克，茯苓12克，升麻9克，柴胡10克，陈皮9克，炙甘草6克，大枣6枚，天花粉10克，石斛12克，百合15克。

水煎服，日1剂。

外治法：用苍耳子100克，辛荑花10克，白芷10克，麻油500毫升，甘油20毫升。先将上述3药打碎后入麻油中浸泡24小时，然后用文火煎熬至药渣枯黄，冷却过滤后加入甘油混匀，外用涂搽于鼻腔，每日3～5次。

本方健脾益气，生津润燥，适用于脾虚津亏所致的干燥性鼻炎，临床见症如下：

症见鼻内干燥，微痛而痒，有异物感，嗅觉一般正常，伴有头脑昏沉，咽喉干燥，不思饮食，神疲懒言，自汗便溏，舌淡，苔薄白，脉细弱。用鼻镜检查可见鼻黏膜干燥，呈灰白色，多由于久病体虚或劳倦过度，伤及脾胃，脾虚失于运化，津液不升，鼻窍失养而引起。

第二十五节

『鼻肿证』

此指鼻窍红肿而言，多发于鼻前孔部，主要病因病机如下：

一是热毒壅肺：多由恣食膏粱厚味，或辛热之物，导致肺胃积热，肺热壅滞，热毒循经上犯肺窍，聚而成毒，而成鼻肿。

二是热毒内陷营血：由热毒壅肺转化而成；上型肺热不解，邪热内陷营血；或鼻疔走黄，引发鼻肿。

三是疳热攻肺：多于营养不良之人，平素有疳积，病久累及肺脏，疳热攻肺，循经上干鼻窍而致鼻肿。

目前，临床上常用的治疗鼻肿证的偏方、验方主要如下：

【方一】

金银花 10 克，野菊花 9 克，蒲公英 12 克，紫花地丁 10 克，紫背天葵 9 克。

水煎服，日 1 剂。

亦可配合使用犀黄醒消丸（乳香、没药、麝香、雄黄、黄米饭）外搽患处。

本方清热解毒消肿，适用于热毒壅肺所致的鼻肿。症见鼻窍肿胀，疼痛，初起状如粟粒，色红，灼热，肿形有顶且根脚都坚硬，3～5 日后肿胀部位顶部出现黄色脓点，脓溃自消，舌红苔黄，脉数。

【方二】

犀角 3 克，玄参 9 克，丹皮 10 克，麦冬 9 克，连翘 12 克，生地 10 克，黄连 10 克，银花 9 克，竹叶卷心 15 克。

水煎服，日 1 剂。

本方清营凉血解毒，适用于热毒内陷营血所致鼻肿。症见初如上述症状，继则肿胀部位顶陷无脓，根脚散漫，疮头暗紫，甚者鼻肿如瓶，延及唇、腮、眼、脸等部位，疼痛剧烈，并伴见高热烦躁，呕吐恶心，口渴便秘，甚则神昏谵语，四肢抽搐，角弓反张。舌质红绛，苔黄而燥，脉数。

【方三】

山栀 10 克，黄芩 9 克，枇杷叶 15 克，生地 10 克，天花粉 12 克，连翘 10 克，麦冬 9 克，薄荷 10 克，玄参 10 克，甘草 6 克，桔梗 9 克。

水煎服，日 1 剂。

亦可用苦楝树叶煎水洗患处。

本方清热解毒，适用于疳热攻肺所致鼻肿。临床症见鼻窍肿脓，疼痛不甚，继而糜烂，结痂，皲裂，出血，反复不愈，且时伴发热，头痛，便秘，舌红，苔黄，脉数等症。

第二十六节

『鼻　赤』

此指鼻部肌肤色红，或呈紫红色，有时鼻周可见红色丘疹或脓疱而言，严重者鼻子肥大，顶端可形成结节的症状。主要病因病机如下：

一是脾肺积热：多因饮酒过度，或过食辛辣，而使脾胃积热，邪热熏蒸，留伏不散，上干肺窍则形成鼻赤。

二是毒血蕴结：脾肺素有积热，又复感毒邪，导致毒血蕴结，上干肺窍，形成本症。

三是血热入肺：肺经素有风热，冲任失调，血热郁滞，又进而入肺所致。

目前，临床上常用的治疗本病的偏方、验方主要如下：

【方一】

人参9克，枇杷叶10克，甘草9克，黄连10克，桑白皮9克，黄柏6克。

水煎服，日1剂。

本方清热凉血，适用于脾肺积热所致的鼻赤。临床症见鼻端潮红充血，压之退色，口干鼻燥，大便秘结，舌红苔黄，脉象弦滑。

【方二】

金银花15克，野菊花10克，蒲公英9克，紫花地丁10克，紫背天葵10克。

水煎服，日1剂。

本方清热凉血解毒，适用于毒热蕴结所致的鼻赤。症见鼻端潮红，局部肿胀，顶端见脓疱，疼痛，甚则鼻周亦见赤肿，疼痛；并伴见鼻热口渴，便干溲黄，舌红苔黄，脉象滑数等症。

【方三】

红花10克，鸡冠花9克，凌霄花10克，玫瑰花9克，野菊花9克。

水煎服，日1剂。

本方凉血清热，适用于血热入肺所致鼻赤。症见鼻端潮红，口鼻周围见散在红色丘疹，面颊部有毛细血管扩张，大便秘结，月经不调，舌红脉弦滑。

第二十七节

『鼻　煽』

此指鼻翼煽张，为呼吸困难的表现，可见于多种急、慢性肺脏疾病中，主要病因病机如下：

一是痰热痰肺：风寒之邪化热入里，或肺卫邪热入里，壅滞于肺，灼液化痰，痰热阻塞气道，肺气失于宣降，故使鼻煽。

二是忧思气郁：平素忧思气结，复因精神刺激而致肝气冲逆，上犯于肺，升多降少，故见鼻煽。

三是肾不纳气：病久则肺病及肾，肾气亏虚，肾为气之根，下元不固，气失摄纳，导致鼻煽。

四是肺气欲绝：久病或危证，肺之气阴两衰，以致肺气欲绝，呼吸困难，则引起鼻煽。

目前，临床上治疗鼻煽的常用偏方、验方主要如下：

【方一】

葶苈子10克，大黄9克，桑白皮12克，泽泻12克，玄参9克，甘草6克，麦冬10克，旋复花12克，菊花9克，地骨皮10克，桔梗9克，茯苓9克，黄芩9克。

水煎服，日1剂。

本方涤痰清火，适用于痰热壅肺所致的鼻煽。症见鼻煽，咳喘痰多，色黄而黏，咯吐不爽，胸中窒闷，恶

心纳呆，高热面红，口干便秘，舌苔黄腻，脉象滑数。

【方二】

乌药10克，沉香9克，槟榔9克，枳实9克，木香9克。

水煎服，日1剂。

本方开郁降气平喘，适用于忧思气郁所致的鼻煽。症见患者平素忧思气结，今因明显精神刺激后突然出现鼻煽，呼吸短促，咽中不适，甚则胸痛，苔薄脉弦，可见失眠心悸等症。

【方三】

熟地10克，山萸肉9克，山药9克，泽泻10克，丹皮10克，茯苓9克，肉桂10克，附子9克。

水煎服，日1剂。

本方补肾纳气，适用于肾不纳气所致的鼻煽。症见鼻翼煽动，呼多吸少，动则更甚，喘促日久，形瘦神疲，汗出肢冷，面色发青。舌质淡白，脉象沉细。

【方四】

人参30克，麦冬20克，五味子15克。

水煎服，日1剂。

本方益气固脱，适用于肺气欲绝所致的鼻煽。症见鼻煽，喘渴欲脱，汗多，形体消瘦。皮毛干枯，面色皖白，脉细微欲绝。

第二十八节

『青光眼』

具有病理性高眼压合并视功能障碍者称为青光眼，是一种较常见的致盲性眼病。青光眼有很多种类型，通常可分为原发性、继发性、混合性和先天性4大类。根据我国部分地区的调查结果，其发病率在0.39%～2.6%之间。

七情内伤，肝气郁结或肝火升腾；过思伤脾，气结生痰，痰郁化火，或脾胃虚寒，寒饮内生；劳瞻竭视，肝肾亏损，都可导致脏腑功能失调，目内气机失畅而发为本病。

本病病变在目，主病脏器却在于肝，同时涉及脾、肾与心。其病理因素以风、痰、火为主，三者相互转化兼夹，而形成错综复杂的病理变化。本病基本病理为痰饮，壅遏肝络，气血失和，以致目中玄府闭塞，而神水瘀积。肝开窍于目，肝郁气滞，疏泄失职，神水不行；或气郁化火，火盛动风，风火升扰，上灼于目。此皆与肝密切相关。至于痰火互结，流窜经络；上壅头目，阻塞目络；或寒饮上犯，壅滞肝经；气血凝滞，闭塞肝窍者，则涉及肝脾两脏。真阴暗耗，水不涵木，阴虚火炎，上扰于目者，又与肝肾亏虚有关；若气血不足，目失所养者，其病在于心脾。因风性善变，本病常发歇不定而日趋加重。病至后期，邪阻血滞，痰淤互结，或阴伤及阳，阴阳两亏，病情更为深重。甚则可见瞳神散大，而致目盲。

目前，临床上常用的治疗青光眼的偏方、验方主要如下：

【方一】

羚羊角3克，龙胆草10克，黄芩19克，知母12克，玄参9克，泽泻9克，车前子10克，茯苓10克，大黄6克，柴胡10克。

水煎服，日1剂。

火盛风动，风火攻目。加石决明、牛膝、钩藤、菊花；肝火挟痰上扰，呕恶严重者，加竹茹、姜半夏、夏枯草、川连；热甚耗伤阴血者，加生地、白芍。

本方平肝泻火，适用于肝火上炎所致的青光眼，临床主要见症如下：

发病急剧，眼珠胀痛欲脱，连及目眶，头痛如劈，白睛混赤，黑睛如雾罩，瞳神散大，隐带绿色，珠硬如石，面赤口苦，胸胁肋痛，急躁易怒，溲赤便结，或伴恶心呕吐。舌红苔黄，脉弦数。

【方二】

礞石30克，大黄10克，黄芩10克，半夏6克，陈皮9克，羚羊角3克，白僵蚕9克，天麻9克，车前子10克，木通10克。

水煎服，日1剂。

抱轮红赤显著、胀痛较剧者，加丹皮、赤芍、丹参；眩晕较著者，加泽泻、夏枯草、白蒺藜、珍珠母；呕恶明显者，加川连、竹茹、生姜。

本方降火逐痰，适用于痰火上扰所致的青光眼，临床主要见症如下：

起病骤急，头眼胀痛难忍，白睛混赤浮肿，黑睛呈雾状混浊，视力急降，身热面赤，头晕目眩，恶心呕吐，口干而黏。舌红，苔黄腻，脉弦滑数。

【方三】

吴茱萸10克，生姜9克，半夏10克，陈皮9克，人参12克，茯苓9克，甘草9克。

水煎服，日1剂。

冷汗多，脉迟细者，加附子、肉桂；呕吐甚者，重用人参、代赭石、干姜、半夏；头痛著者，加川芎、白芷；寒凝气滞血淤，加延胡索、当归、桃仁；兼有肝风者，加钩藤、菊花、白蒺藜。

本方温肝降逆，适用于寒饮上犯所致的青光眼，临床主要见症如下：

头痛上及巅顶，眼珠胀痛，抱轮红轻，瞳神略大，目珠稍硬，干呕吐涎，恶寒喜暖，食少神疲。舌淡苔白，脉沉弦。

【方四】

柴胡12克，当归9克，白芍10克，白术9克，茯苓10克，甘草6克，丹皮12克，山栀子10克。

水煎服，日1剂。

气郁化火生风者，加羚羊角、菊花、石决明；目中水肿或渗出者，加丹参、川芎、郁金、苡仁；腹胀便溏，倦怠乏力者，加党参、怀山药、白扁豆、煨木香；气血两伤，心脾亏虚者，加当归、熟地、黄芪、党参；视物昏朦者，加枸杞子、楮实子、菟丝子。

本方疏肝解郁，适用于肝气郁结所致的青光眼，临床主要见症如下：

头眼胀痛较轻，抱轮微红，视物微朦，瞳神稍大，情志抑郁，急躁易怒，头眩而痛，胸胁胀满，苔薄，脉弦。

【方五】

玉米须30～60克，葫芦茶30克。水煎服。每日1次。适用于眼压增高明显者。

【方六】

茯苓研细末，加白糖等份，加水适量，调成糊状，以微火在锅内摊烙成极薄煎饼，经常随量小吃。适用于脾胃虚弱证。

【方七】

猪腰子500克，切开去掉筋膜臊腺，洗净后放入锅内，再加入当归、党参、山药各10克，水适量清炖，至猪腰熟透捞出，待冷用刀切成薄片，放盘上，浇酱油、醋、姜丝、蒜末、香油等调料即成，经常食用。适用于气血亏虚证。

【方八】

五味枸杞饮：醋炙五味子、枸杞子（剪碎）各100克，放入洁净容器内，冲入沸水1 500毫升，盖严浸泡3日，代茶饮用，量不限。适用于肝肾不足证。

【方九】

菊花汤：甘菊花10克，洗净剪碎，糯米酒酿适量。放入铝锅内拌匀，煮沸顿食，每日2次。适用于肝阳上亢证。

【方十】

取车前子（包煎）、柴胡各200克，龙胆草、赤芍各150克，钩藤（后下）100克，甘草50克，水煎1小时，共3次，过滤，合并滤液，放置过夜。取上清液浓缩成浸膏。葛根200克粉碎，过100目筛，与浸膏混匀，60℃干燥，装0号胶囊，每粒0.26克。用上药治疗青光眼患者74例，3粒，每天分3次口服，停用其他降眼压药物，有效者63例，占85.1%。

【方十一】

枸杞子15克，菊花10克，地黄10克，天麻9克，羚羊角3克，知母10克。

水煮服，日1剂。

本方补益肝肾，适用于肝肾两虚所致的青光眼。主症为：病延日久，瞳神渐散，视力日减，眼珠胀硬，头晕目眩，耳鸣如蝉，舌红少苔，脉细弦。

【方十二】

黄连50克，熟地100克研末，羊肝1个切片，与之共捣成丸，如梧桐子大小，每服15克，饭后白开水送服，每日3次。

本方适用于阴虚火旺所致青光眼。

【方十三】

磁疗法：采用贴敷法或耳磁法，贴敷法取穴太阳、四白，用表面磁通密度20～40mT的磁片，太阳穴要异极对置，四白穴N极向皮肤，每贴敷3日，休息1日，并注意观察眼压的变化。耳磁法选穴眼、目1、目2、肝，用表面磁通密度20mT的磁珠，每次贴2穴，交替使用。

第二十九节

『红眼病』

流行性结膜角膜炎，俗称红眼病或暴发火眼。是由病毒及细菌引起的，传染性很强，一年四季都有发生，特别是气温高、湿度大的条件下，尤其容易造成流行，儿童最易感染。

红眼病发病较急，很多人感染病毒后10小时左右即可发病。眼结膜弥漫性潮红充血，以睑结膜和穹窿部结膜最严重。病眼红肿、刺痛、发痒，眼内有异物感，灼热、怕光、流泪，分泌物增多。

目前，临床上常用的治疗红眼病的偏方、验方主要如下：

【方一】

连翘15克，牛蒡子、薄荷、川芎各9克，大黄、防风各6克，当归、羌活各10克，甘草5克，赤芍、栀子各12克。水煎服。

【方二】

赤芍、当归、红花、桑叶、薄荷、黄芩各10克，银花12克，菊花、蝉衣各9克，水适量，煮10～15分钟，取汁，分多次洗眼（用过的药液不可再次使用），每日湿洗数次，每次10分钟左右，洗后，以盐水冲洗患眼。

【方三】

连翘10克，荆芥9克，防风12克，竹叶9克，蒲公英9克，菊花10克，大青叶15克，金银花10克，牛蒡子9克。

水煎服，日1剂。

本方疏风清热，适用于风热邪气所致的红眼病。

【方四】

金银花、板蓝根、蒲公英各20克，连翘、荆芥、防风、黄芩、柴胡各10克，薄荷、桔梗、甘草各6克。水煎，每日1剂，分2次服。

【方五】

朴硝20克，放入已消毒的瓷碗内，加200毫升白开水沏开（浓度为10%），药液凉后用消毒棉签蘸药液洗患眼，每日3次。

【方六】

连翘12克，牛蒡子12克，羌活10克，薄荷6克，酒大黄10克，赤芍12克，防风12克，当归尾10克，甘草6克，山栀仁10克，川芎6克。水煎服。

加减：湿偏重，眼睑缘湿烂者加苦参、白鲜皮；热偏重，结膜充血较剧烈，眵多泪少，口苦，舌红苔黄的可用：天花粉10克，野菊花10克，黄芩10克，山栀10克，连翘10克，黄连6克，川芎6克，黄柏10克，薄荷3克。水煎服。

【方七】

用鲜蒲公英全草120克（或干品60克）加水煎取两碗，一碗温服，另一碗趁热熏洗患眼（蒲公英中药店有售，也可自采）。

【方八】

猪肝500克洗净，玄参15克，同放在铝锅内，加水适量煮1小时，捞出猪肝，改刀切成小片备用。油锅中以素油煸炒葱、姜，再放入猪肝片，烹酱油、糖、黄酒少许，兑加原汤少许，收汁，勾入芡粉，汤汁明透即可。顿食或分顿佐餐食用。有养肝、益阴、泻火、解毒功效。适于急慢性结膜炎、虹膜炎病人食用。

老 年 病

LAO NIAN BING

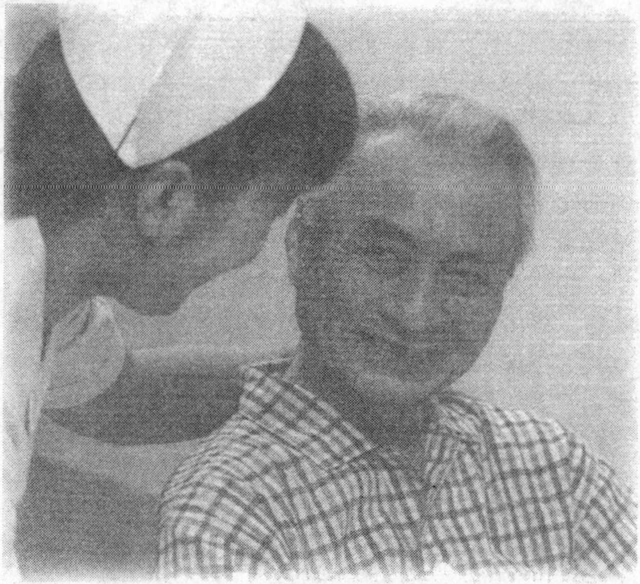

通常所说的老年病，大致可分为三类：一类是老年。人在衰老过程中，由于机体不断老化而发生的疾病，例如：动脉硬化、老年性白内障、前列腺肥大等等，这类疾病均发生于老年人，是老年特有的疾病。一类是老年期容易发生的疾病，但这类疾病不局限于老年人，其他年龄也可能发生，只是随着年龄不断增长，而发病率亦愈高，以老年人多发。例如：恶性肿瘤、冠心病、高血压等等。另一类则是一般人都有可能发生的疾病，任何年龄都有发病的可能，没有明显的年龄差别。例如：感冒、肺炎，一般外伤性疾患等等。这类疾病，老年人易得，青壮年也易得。其所不同者，只是青壮年发生这类疾病，一般康复较快；而老年人多由于体质衰弱，康复缓慢，甚至可因诱发其他疾病而致死亡。

第一节

『老年性白内障』

本病为老年人常见眼病，也是老年人致盲之主要原因，年龄越老其发生率也越高。如果不是先天性的白内障，又没有明确的发生原因而晶体逐渐发生进行性的混浊，才称为老年性白内障。

老年性白内障在临床上，按病程可分为四期：初发期、肿胀期、成熟期和过熟期。初期往往自己不能感觉，视力尚好；发展到一定程度，比如晶状体混浊增多，明显肿胀，就会影响视力。此时如果我们用手电筒照射瞳孔，就可见到灰白色的混浊物，即表明白内障已经形成。

目前，临床上较常采用的治疗老年性白内障的偏方、验方主要如下：

【方一】

熟地、山药、山萸肉、菟丝子、楮实子、杜仲、枸杞子、菊花、决明了、潼蒺藜。

水煎服，每日1剂。

方中熟地、山药、山萸肉、菟丝子、楮实子、杜仲补养肝肾，益精明目；枸杞子、菊花、决明子、潼蒺藜明目退翳障。

本方滋补肝肾，适用于肝肾两亏所致的老年性白内障，临床上主要表现如下：

视物昏花模糊，眼前黑影扰乱，头晕目眩，腰膝酸软，耳鸣耳聋，牙齿松动，烦躁失眠，舌红绛，苔少，脉弦细。

【方二】

羚羊角、细辛、知母、人参、车前子、防风、黄芩。

水煎服，每日1剂。

本方功能清肝泻热，适用于肝经风热上攻所致的老年性白内障，临床上主要表现如下：

主证为除眼部症状外，又兼头痛眼干，口苦咽干，眩晕耳鸣，失眠多梦，急躁易怒，舌红苔黄，脉弦数。

【方三】

黄芪、人参、升麻、葛根、蔓荆子、白芍、黄柏、炙甘草。

水煎服，每日1剂。

方中黄芪补中益气升阳；人参、炙草益气健脾；升麻、葛根、蔓荆子升举阳气，轻浮上行；白芍养血柔肝；黄柏滋阴降火。

本方功能健脾益胃，适用于脾胃虚衰所致的老年性白内障，主要临床表现如下：

视物日渐模糊，饮食乏味，胃呆纳少，精神萎靡，面黄肌瘦，大便溏泻，舌质淡黄白，脉沉细。

【方四】

生地、熟地、麦冬、石斛、黄芩、茵陈、地肤子、枳壳、枇杷叶、白蒺藜、谷精草、木贼草、密蒙花。

水煎服，每日1剂。

方中生熟地、麦冬、石斛养阴清热，补肾益精明目；黄芩、茵陈、地肤子清利湿热；枳壳、枇杷叶行气开宣，使湿热随气化而散；白蒺藜、谷精草、木贼草、密蒙花明目退翳。

本方功能滋阴清利，适用于阴虚湿热所致的老年性白内障，临床主要表现如下：

双目干涩，视物昏糊，烦热口臭，口干不欲饮，大便不畅，舌红、苔黄腻，脉滑细数。

【方五】

鲜百合、枇杷（去核）、鲜藕切片各30克，淀粉适量，白糖少许，将百合、枇杷果肉和藕片同煮，将熟时放入适量淀粉调匀成羹，食时加白糖少许，亦可放入少许桂花，不拘时食之。

【方六】

枸杞子60克，白酒500克。将枸杞洗净，泡入白酒内封固，浸7天以上，每次饮1小盅，以晚睡前饮之为佳。适用于肝肾不足证。

【方七】

鲜生山药100克，桂圆肉15克，鲜荔枝肉3～5个，五味子3克，白糖适量。先将生山药去皮切成薄片，与桂圆、荔枝肉、五味子同煮作粥，加入白糖，晨起或临睡前食之。适用于血虚气弱证。

【方八】

生山药片、莲子肉、葡萄干各500克，白糖少许。将3物同煮熬成粥，加糖食之，亦可将3物同量蒸烂成泥，加糖食之，适用于脾虚气弱证。

【方九】

甘菊花、干地黄、当归、枸杞子各等份，曲米适量。先将菊花等煮汁，加曲米酿酒饮之；或用菊花30克，地黄、当归各100克，枸杞子20克，浸入白酒500克内，封闭7天，即可饮用。每次饮1小盅，不拘时，适用于阴虚阳亢证。

【方十】

有人用昆布防治老年性白内障患者，效果较好。配制：①昆布眼药水：取昆布100克、氯化钠90克、尼泊金5克及水10 000毫升。将昆布用95%乙醇浸泡，24小时后（或24小时以上）蒸去乙醇，加入氯化钠、尼泊金后，用热水溶解至全量，过滤后高压灭菌。②三维眼药水：维生素B_1 0.2克、维生素B_2 0.02克、维生素C 1克，尼盐合液加至1 000毫升。治疗方法：①点眼次数：昆布眼药水、三维眼药水每天各2次。②脱敏法：少数病例点药后有过敏性结膜炎反应，可改为3天点1次。3天后改为2天点1次，以后每天1次，1天后恢复为每天2次。治疗结果：经4年临床观察，坚持随访100例，109只眼，视力改善者占62.3%。

第二节

『老年皮肤瘙痒症』

本病多发于老年人，故有“老年瘙痒病”之称，又多发生于冬季，所以有“冬季皮肤瘙痒病”之名。本病主要表现是瘙痒，常呈阵发性，并以夜间为甚，常影响睡眠，重者通常不能入睡，以致白天精神萎靡，食欲不振等。

本病中医认为属于“痒风”范畴。

目前，临床上常用的治疗老年皮肤瘙痒症的主要偏方、验方如下：

【方一】

羌活、防风、荆芥、白芷、麻黄、僵蚕、蝉衣、煅牡蛎、甘草、陈皮。

水煎服，每日1剂。

方中羌活、防风、荆芥、白芷、麻黄祛风散寒；僵蚕、蝉衣、煅牡蛎、甘草祛风止痒；陈皮理气和中。

本方功能祛风止痒，适用于风寒外袭所致的老年皮肤瘙痒症，临床主要见症如下：

皮肤瘙痒，痒无定处，皮肤干燥，上覆糠粕状鳞屑，多发于冬季或感受风寒之后，气候急剧变化后加重等。舌苔薄白，脉伏沉。

【方二】

生地、熟地、当归、黄芪、天冬、麦冬、花粉、何首乌、白蒺藜、防风、苦参、荆芥。

水煎服，每日1剂。

方中二冬、二地、花粉、何首乌养阴；当归、黄芪益气补血；白蒺藜、防风、荆芥、苦参散风止痒。

本方功能养血祛风，适用于血虚风燥所致的老年皮肤瘙痒，临床主要表现如下：

皮肤干燥、脱屑、抓痕、血痂，病程较久，情绪波动可加重瘙痒。舌淡苔薄，脉细数或弦数。

【方三】

龙胆草、山栀、黄柏、车前子、泽泻、木通、生地、白蒺藜、荆芥、白鲜皮、牡蛎。

水煎服，每日1剂。

方中龙胆草、山栀、黄柏、车前子、泽泻、木通清热利湿；生地凉血清热；白蒺藜、荆芥、白鲜皮、牡蛎祛风止痒。

本方功能清热利湿，适用于湿热下注所致的老年皮肤瘙痒症，临床主要见症如下：

瘙痒常突然发作，引起剧烈瘙痒，搔抓后可继发丘疹、脓疱、焮肿、疼痛；多发于肛门、女阴、阴囊等部位，常因摩擦、汗出潮湿等诱发或加重。舌红，苔黄腻，脉弦滑数。

第三节

『老年性痴呆』

老年性痴呆是指老年期发生的慢性进行性智能缺损（智力衰退），伴有脑组织特征性病理改变，以呆傻愚笨为主要临床表现的一种神经精神疾病。中医学中有关本病的论述，分别见于“痴呆”、“眩晕”、“心悸”、“健忘”、“失眠”等病证之中。

年老精衰，脑髓不足；或久病体弱，血气亏虚；或饮食不节，脾胃虚弱，痰湿内生；或情志不舒，肝气郁结，气滞血瘀，均可导致神明失养或清窍被蒙而发为本病。

本病主要病位在心、肾，并与肝、脾密切相关。其基本病理是心肾不足，精血亏虚，神明失慧。心血不足，日久必损心气而气血两虚；气虚不能行血，则致血瘀；肾精不足，精不生髓，可致髓海亏虚；肾虚火不暖土，则脾虚不运，痰湿内生；若被情志所伤，肝郁气滞，又可产生瘀血。如此种种，或心失所养，或心神被蒙，以致神明失慧而发为本病。以虚为主，虚多实少。其基本病理因素为痰、为湿、为瘀。三者常相互影响，兼夹为患。若痰浊上蒙，脑窍闭塞，可突发神昏不醒；痰郁化火，痰火扰心，神明内乱，则谵语狂乱。

目前，临床上常用的治疗老年性痴呆的偏方、验方主要如下：

【方一】

白术10克，半夏12克，陈皮10克，枳实9克，竹茹6克，茯苓12克，石菖蒲15克，远志10克，枣仁10克，龙齿10克。

水煎服，日1剂。

本方化痰开窍，健脾利湿，适用于痰浊阻窍所致的老年性痴呆。临床见症如下：

精神抑郁，神情呆滞，默默不语或喃喃独语，闭户独处，恶于见人，脘腹胀满，纳呆不食，口多痰涎。舌苔白腻，脉沉滑。

【方二】

川芎10克，赤芍12克，桃仁10克，红花9克，丹参9克，地龙12克，葱白9克，石菖蒲9克。

水煎服，日1剂。

本方活血化瘀，通络宣窍，适用于瘀阻脑络所致的老年性痴呆。临床主要见症如下：

久病痴呆，喜忘善怒，反应迟钝，胸闷急躁，沉默寡言或妄思离奇。舌质暗紫，或有瘀点瘀斑，脉弦细或涩。

【方三】

柴胡12克，香附9克，川芎9克，

佛手10克，合欢花10克，当归10克，白芍12克，柏子仁10克，炙甘草9克，淮小麦12克，大枣10克，白术12克，茯苓9克。

水煎服，日1剂。

本方疏肝解郁，养心补血，适用于肝郁血虚所致的老年性痴呆。临床主要见症如下：

神情呆滞，精神恍惚，频频叹息，悲伤欲哭，胸闷胁胀，急躁易怒，虚烦不眠。舌质淡，脉弦细。

【方四】

当归10克，龙眼肉15克，制首乌10克，黄芪10克，党参9克，白术9克，茯苓10克，甘草6克，枣仁6克，远志10克，石菖蒲12克，广木香10克。

水煎服，日1剂。

本方益气补血，养心健脾，适用于心脾两虚所致的老年性痴呆。临床主要见症如下：

久病体衰，精神恍惚，呆滞如愚，动作迟缓，心悸气短，头晕眼花，失眠多梦，纳呆食少，倦怠乏力。舌质淡，脉细或弱。

【方五】

熟地12克，枸杞10克，山萸肉10克，怀牛膝10克，楮实子9克，杜仲15克，肉苁蓉10克，巴戟天10克，益智仁9克，茴香9克，茯苓10克，山药15克，党参12克，石菖蒲10克，五味子9克。

水煎服，日1剂。

本方滋肾补肝，益髓健脑，适用于肝肾亏损所致的老年性痴呆。临床主要见症如下：

表情呆板，目光晦暗，行动迟钝，言语迟缓，甚则终日寡言不动，生活不能自理，时有傻笑傻哭，头晕目眩，耳鸣耳聋，腰膝酸软。舌质红或暗淡，脉弦细或细弱。

【方六】

党参、黄芪、生地、熟地、茯苓、远志、枣仁、龙骨、泽泻各9克，山萸肉4.5克，怀山药15克，龟板30克，五味子3克。每日1剂，服用2～3月。用于老年性痴呆心肾不足者。

【方七】

人参、白术、茯神、生枣仁、广木香、天南星、荆芥、甘草、良姜、附子、枳壳、菖蒲。水煎服，每日1剂。治呆病因木郁土衰，痰积于中不化。

【方八】

黑芝麻25克捣碎，大米随食量而定，淘净，加水适量煮成粥，经常佐餐食用。适用于老年性痴呆肝肾不足者。

【方九】

核桃仁50克捣碎，细大米随食量而定，淘净，加水适量煮成粥，经常佐餐食用。适用于老年性痴呆肾精不足者。

【方十】

茯苓配芝麻各等份，加适量蜂蜜制为丸，每丸重5克，每次服2丸，日服2次。适用于老年性痴呆脾肾亏虚者。

第四节

『绝经后阴道出血』

绝经后阴道出血是指绝经半年以上的老年妇女出现阴道出血的一种疾病。中医学中有关本病的论述，分别见于“老年经断复行”、“妇人经断复来”、“老年经水不断”、“老妇行经”等病证之中。同时与“崩漏”、“带下”、“阴痒”有一定联系。

素体阴虚，产乳过多，房室不节，而耗伤阴血；或脾气素弱，中气不足，失于统摄；或年老肾衰，门户不固，冲任气虚；或情志不畅，肝气郁滞，损伤脾胃；或湿毒之邪，侵袭胞宫，伤及冲任，均可导致脏腑、经脉、气血功能失调而发为本病。

本病病在肾、脾、肝三脏与冲、任二脉，并涉及于心，其基本病理为脏腑气血失调，冲任失固。主要病理变化或肾阴不足，虚火内动，热伤冲任，迫血妄行；或肾气不足，封藏不固，不能制约冲任，血溢下泄；或脾虚中气不足，血失统摄，血随气陷；或脾虚生湿，湿郁化火，湿火灼伤血络；或肝气郁滞，损伤脾胃，脾失统血而妄溢；或肝气郁久化热，血热妄行，心火偏亢，不能下交于肾；或心脾两虚，气血不足，失于统摄，血从下溢。因此，本病病理因素以火为主。为虚火者，多为肾阴不足，实火者，常见湿郁化火、湿毒浸淫。其病理性质以虚为主，但可兼有标实，而呈本虚标实。如气虚而血滞、气滞血瘀，或离经之血停于体内，皆可致瘀血之证。

目前，临床上常用的治疗绝经后阴道出血常用的偏方、验方主要如下：

【方一】

生地12克，龟板30克，知母12克，黄柏10克，黄芩9克，女贞子9克，旱莲草10克。

水煎服，日1剂。

本方滋阴清热，适用于阴虚血热所致的绝经后阴道出血。临床见症主要如下：

经断复行，量少色深红或鲜红，淋沥日久；或见阴道突然大量出血，伴见头晕耳鸣，五心烦热，潮热盗汗，腰膝酸软，咽干颧红，口渴欲饮。舌红苔少，脉细数。

【方二】

银花10克，鱼腥草15克，土茯苓10克，半枝莲10克，白花蛇舌草9克，蚤休9克，赤芍10克，丹皮9克，贯众炭10克，炒荆芥9克。

水煎服，日1剂。

本方清热利湿解毒，适用于湿毒

蕴结所致的绝经后阴道出血。临床主要见症如下：

经断复来，淋沥不止，或多或少，色红或紫，杂有臭腐黏稠物，伴腰酸乏力，腹痛，形体消瘦，食欲不振。舌红、苔黄腻，脉弦细。

【方三】

党参 10 克，黄芪 12 克，白术 9 克，甘草 9 克，熟地 10 克，山萸肉 12 克，当归 9 克，阿胶 9 克，香附 6 克，黑芥穗 10 克。

水煎服，日 1 剂。

本方补益心脾，适应于心脾两虚所致的绝经后阴道出血。主要临床见症如下：

经断复来，量少色淡质稀，或突然大量出血，疲倦乏力，心悸少寐，气短懒言，食少便溏，小腹空坠，面色萎黄。舌淡苔薄，脉虚细。

【方四】

柴胡 10 克，香附 9 克，当归 12 克，白芍 9 克，茯苓 12 克，白术 10 克，地榆 12 克，三七 9 克。

水煎服，日 1 剂。

本方疏肝理气，适用于肝郁气滞所致的绝经后阴道出血。主要临床见症如下：

经断复来，经量或多或少不定，色紫有块，伴见情志抑郁，叹息时作，胸闷不舒，神疲食少。苔薄，脉弦。

【方五】

当归 60 克，黑芥穗、党参、白术、熟地、黄芪、川芎、白芷、炒蒲黄、炒灵脂各 30 克，柴胡、升麻、陈皮各 15 克，乌梅 10 克，麻油煎熬，黄丹收膏，摊于桑皮纸，外贴心口、脐下，隔日换 1 次。

【方六】

乳香、没药各 5 克，蒲黄炭、炒五灵脂、血余炭各 15 克。共为细末，陈醋调丸，每丸 10 克，每次 1 丸，1 日 2 次，适用于瘀血伤络证。

【方七】

黄芪 500 克，好醋 500 克，加水 500 毫升，煎至 250 毫升去渣，每次服 100 克，温服，适用于脾虚气弱证。

【方八】

半边莲 50 克，墓头回、蜀羊泉各 15～30 克，蛇葡萄根 30～60 克，山豆根 10 克。其中任选 1 种，煎水代茶，每日 1 剂，适用于湿毒蕴结证。

【方九】

山药、熟地、覆盆子各 20 克，何首乌、龟板、茜草各 15 克。水煎服，每日 1 剂，适用于阴虚血热证。

【方十】

山慈姑 500 克，晒干炒黑，研细末，老酒冲服，每次 15 克，每日 2 次。

【方十一】

木耳、冰糖各 15 克，藕节 30 克，瘦猪肉 100 克。共放入砂锅中，加水炖熟后服食，每日 1 剂，分 2 次服用，连服 5～7 次，适用于血热妄行证。

【方十二】

荠菜花 30～45 克，生地 15 克。水煎服，每天 1 次，连服 3～5 天，或用荠菜全草煎服，适用于肝肾阴虚证。

【方十三】

肥大青梅 500 克，煮至极烂，去核过滤后再煮，浓缩成膏后，可捻成黄豆大小的药丸，每日 3 次，每次 10 丸，连服 5～10 天，适用于血热妄行证。

【方十四】

鲫鱼或鲤鱼鳞甲适量，米酒适量，将鱼鳞甲用文火熬成鱼鳞胶，每次 30

克，用温米酒兑入水冲服，每天1次，连服15～20天。

【方十五】

白茅根15克，老丝瓜、旱莲草各10克。煎水代茶饮，每天1剂，连服4～5天，适用于肝肾阴虚证。

【方十六】

薏米30克，菱角15克，大枣10枚，黄鱼膘5克。共煮粥食，每日1剂，常食。

第五节

『老年女性性功能减退』

女性性功能减退是以性冷淡和性高潮缺乏为主要临床表现的一种妇女疾病，老年妇女常见。中医学中有关本病的论述，主要见于“阴痿”、“阴痛”、“阴热”、“妇人交合出血”、“过早闭经”等病证之中，并与“阴痒”、“带下”、“郁证”、“虚劳”、“阴疮”等病证有关。

年老肾亏，命门火衰，真阴不足，精血亏少；或七情内伤，情志不舒，肝失条达；或素体虚弱，病久失调；或神思过度，劳倦太过，损伤心脾；或脾虚湿盛，肝经郁热，挟湿下注，均可引起脏腑功能失调而发为本病。

本病主在肾、肝、心、脾，涉及冲任二经。其基本病理变化为阴阳两虚，气血不足，脏腑失调，冲任失充。若肾中真阳不足，命门火衰，则性欲低下；真阴不足，肝肾精血亏少，冲任涸竭，则无性欲或缺乏性高潮；情志不遂，肝气郁结，则缺乏欲想；思虑过度，心脾两伤，生化无源，则心无欲想。因此，本病的病理性质以虚为主，并有肾、肝、心、脾之别，以及阴、阳、气、血之异。若兼脾湿、肝热者，亦可表现为本虚标实之证。

目前，临床上常用的治疗老年女性性功能减退的偏方、验方主要如下：

【方一】

熟地10克，山萸肉12克，枸杞子12克，仙灵脾10克，巴戟天9克，菟丝子10克，杜仲12克，山药10克。

水煎服，日1剂。

本方温肾填精，适用于肾阳亏虚所致的性功能低下。临床见症为：性欲冷漠，无性欲高潮，阴冷肢凉，气浊神疲，腰膝酸软，面色晄白，少腹拘急，苔薄白，脉沉细。

【方二】

熟地10克，山茱萸12克，枸杞子9克，龟板12克，鹿角胶15克，茯苓9克，甘草6克，山药9克。

水煎服，日1剂。

本方滋补肾阴，适用于肾阴不足所致的性功能减退。临床主要见症为：性欲冷淡，性欲高潮缺乏，腰酸，盗汗，口燥咽干，面色少华，头晕耳鸣，手足心热，口渴欲饮，舌红少苔，脉沉细而数。

【方三】

柴胡10克，当归9克，白芍12克，白术9克，茯苓10克，仙灵脾12克，甘草10克。

水煎服，日1剂。

本方疏肝解郁，适用于肝气郁结所致的性功能低下，临床主要见症为：性欲低下，性欲高潮缺乏，闷闷不乐，烦躁不宁，胸胁胀满。苔薄，脉弦。

【方四】

党参10克，黄芪9克，白术9克，茯苓10克，当归9克，龙眼肉10克，远志9克，酸枣仁9克。

水煎服，日1剂。

木方补益心脾，适用于心脾两虚所致的性功能低下，临床主要见症如下：心无欲想，厌恶房事，多忧善虑，心悸胆怯，失眠健忘，面色不华，头晕神疲，食欲不振，舌淡苔薄，脉细弱。

【方五】

麻雀5克，菟丝子30～40克，覆盆子10～15克，枸杞子20～30克，粳米60克，食盐少许，葱白2根，生姜3片。先将菟丝子、覆盆子、枸杞子一同放入砂锅内煎药汁，去渣，再将麻雀去毛及肠杂，洗净用酒炒，然后与粳米、药汁加适量水一并煎粥，将熟时，加入细盐、葱白、生姜，煮成稀粥服食，每日1剂，3～5日为1疗程。

【方六】

肥嫩母子鸡1只（2～3斤），当归身15克，党参30克。将母鸡去毛除内脏，当归身酒润切剖，党参水润切剖，置于鸡腹内，用线缚鸡腹剖口，加水及调料，慢火同炖1～2小时，去线取出药渣，再炖至烂熟，分次喝汤食肉，每周1次，能食者每周2次。

【方七】

猪排（连瘦肉）1～2斤，党参30克，调料适量。将猪排洗净碎为小段，党参洗净纱布包扎，加调料煮30～40分钟后，取出纱布包去药渣，再炖至烂熟，佐餐食肉饮汤。

【方八】

狗脊髓50～100克，糯米适量，调料适量，将狗脊髓洗净切细，糯米淘净，同煮熬粥，随习惯加调料食之，尤宜作晚餐食之。

第六节

『前列腺肥大』

前列腺肥大是老年男子比较常见的疾病，大多数发生在50～70岁之间。发病可能与内分泌因素及前列腺慢性炎症等有关。

前列腺腺体增大后，可阻塞尿道前列腺部及膀胱颈，使膀胱逐渐扩张，膀胱肌肉肥厚，以后输尿管也可发生扩张，引起肾盂积水和肾功能衰退，严重的可引起尿毒症。

前列腺肥大的主要症状是膀胱颈部阻塞而引起排尿费力，尿流变细，排尿次数增多，尤其是在晚间更为明显。前列腺肥大的早期尿液还能完全排空，以后阻塞情况逐步加重，尿液不能完全排空，因而在膀胱内可有残余尿。最后可发展成为完全性的尿潴留或充盈性尿失禁。

尿潴留可由寒冷、饮酒或受其他刺激后突然发生。病人有下腹部膨胀、疼痛、尿急的感觉，但尿液排不出。

前列腺肥大经直肠指诊检查、残余尿量测定、膀胱镜检查或将造影剂注入膀胱作X线摄片等检查后可以确诊。

目前，临床上治疗此病的偏方、验方主要如下：

【方一】

木通10克，车前子12克，瞿麦9克，萹蓄12克，滑石10克，山栀9克，大黄10克，生甘草6克。

水煎服，日1剂。

本方清利湿热，适用于湿热下注所致的前列腺肥大，主要临床见症如下：

小便频急，热赤不爽，或尿道灼痛，或尿闭不通，小腹胀痛，大便不畅，口苦口干，或见恶寒发热。舌苔黄腻、舌质红，脉滑数或濡数。

【方二】

大黄9克，当归10克，穿山甲12克，桃仁10克，乌药12克，虎杖9克，牛膝12克，滑石10克，通草9克。

水煎服，日1剂。

本方行气化瘀，通利水道，适用于气滞血瘀所致的前列腺肥大，主要临床见症如下：

起病缓慢，小腹坠胀，排尿费力，尿如细线，或点滴不畅，尿道滴白。舌质紫或有瘀斑，脉涩或细数。

【方三】

附子6克，肉桂9克，仙灵脾10克，红参10克，熟地12克，山萸肉9克，怀山药9克，茯苓12克，泽泻10克，牛膝10克，车前子9克。

水煎服，日1剂。

本方功能补肾通窍利水，适用于肾元虚损所致的前列腺肥大，临床主要见症如下：

小便点滴不爽，排出无力，腰膝酸软，反复发作，劳累后加重，或见形寒肢冷，小腹冷痛，面色㿠白；或小便滴沥灼热，颜面潮红，口干咽燥，五心烦热。舌质淡，脉沉细弱；或舌红少苔，脉象细数。

【方四】

党参12克，黄芪10克，白术9克，柴胡9克，升麻9克，茯苓12克，泽泻10克，通草9克，车前子9克，肉桂9克。

水煎服，日1剂。

本方补中益气，升清降逆，适用于中虚气陷所致的前列腺肥大，临床主要见症如下：

少腹坠胀，时欲小便而不得出，或量少不畅，时时肛坠，似欲大便，精神不振，气短无力，纳食减少。舌质淡，苔薄白，脉细弱。

【方五】

三七粉20克，西洋参15克。二药共研为极细末，每天1.5克，温开水冲服，14天为1个疗程，连续用药2～3个疗程，直至症状消失止。治疗结果：治疗前列腺肥大患者48例，其中痊愈者40例，占83.33%；有效者5例，占10.42%；无效者3例，占0.63%；总有效率为93.7%。治愈的40例，经随访1～2年，均未见复发。

第七节

『震颤麻痹』

震颤麻痹又称帕金森氏病，是50岁以后比较多见的中枢神经系统椎体外系变性疾病，主要是由于脑内黑质及其上行的黑质纹状体通路受损或由动脉硬化、一氧化碳中毒、脑肿瘤、结核、酚噻嗪类与利血平等药物引起，以震颤、肌强直、运动减少为临床三大主症，属祖国医学的“内风”范围。

目前，临床上常用的治疗震颤麻痹病的验方、偏方主要如下：

【方一】

生白芍10克，阿胶12克，生龟板30克，干地黄9克，麻仁12克，五味子9克，生牡蛎30克，麦冬10克，炙甘草10克，生鸡子黄9克，鳖甲30克。

水煎服，日1剂。

本方重用味厚滋补的药物滋阴养液，以填补真阴，潜摄浮阳，平息内动之虚风。方中鸡子黄、阿胶滋阴养液以熄内风；辅以地黄、麦冬、白芍滋阴柔肝；龟板、鳖甲、牡蛎育阴潜阳；炙甘草、五味子酸甘化阴；麻仁养阴润燥。诸药合用，具有滋液填阴、柔肝熄风的功效。若心中烦热，可加栀子、黄芩以清热除烦，头痛较重，加羚羊角、石决明、夏枯草以清熄风阳。

本方滋阴潜阳，平肝熄风，适用于肝肾阴虚所致的震颤麻痹，临床主要见症如下：

手足重滞，震颤不定，肌肉僵硬，可有下颌抖动，四肢疼痛或麻木，伴有头晕耳鸣，腰膝酸软。舌质红，苔薄白或腻，脉弦细。

【方二】

人参10克，白术9克，白茯苓12克，当归10克，川芎9克，白芍12克，熟地12克，甘草6克，生姜3片，大枣3枚。

水煎服，日1剂。

本方是以四君子汤与四物汤的合方，是气血双补的代表方剂。方中用人参（亦可以党参代）、熟地甘温益气养血；辅以茯苓、白术健脾；当归、白芍养血和营；川芎活血行气而起到活血通络的作用；更用炙甘草和中益气；生姜、大枣调和脾胃之气。诸药相合，使气血得补，经络得通，诸症可除。

本方功能益气活血通络，又能补血，适用于气血亏虚所致的震颤麻痹，临床主要见症如下：

手足麻木，动作迟缓，面色苍白，神疲乏力，自汗畏寒。舌体胖大，舌质淡，苔薄白，或有瘀点，脉沉细弱。

【方三】

桃仁10克，红花9克，当归12克，生地黄9克，川芎9克，赤芍10克，牛膝12克，桔梗10克，柴胡9克，枳壳10克，甘草6克。

水煎服，日1剂。

方中当归、桃仁、红花、川芎、赤芍活血祛瘀、通经络；牛膝祛瘀血，通血脉，并引瘀血下行，为方中主要组成部分；柴胡舒肝解郁；桔梗、枳壳行气解郁，以达气行则血行之效；生地清热兼以凉血，配当归又可养血润燥；甘草调和诸药。全方既能行气解郁，又有活血化瘀之效，若四肢关节酸痛明显可选加威灵仙、秦艽；头痛头晕可加葛根、菊花。

本方舒肝解郁，活血通络，适用于气滞血瘀所致的震颤麻痹，临床主要见症如下：

手足震颤，躯干肢体疼痛，伴有胁痛，烦躁易怒，胸闷。舌质紫暗，或有瘀斑，脉细涩。

【方四】

半夏10克，天麻12克，茯苓10克，橘红9克，白术10克，甘草6克，生姜3片，大枣3枚。

水煎服，日1剂。

方中半夏燥湿化痰，天麻熄风止痉；白术、茯苓健脾祛湿，以劫生痰之源；橘红理气化痰；甘草、生姜、大枣调和脾胃。若见气短乏力较甚者，可酌加党参、黄芪以增强补气之功，若眩晕转甚者可加僵蚕、胆南星等。

本方健脾祛湿，化痰熄风，适用于脾虚湿聚，痰饮内停所致的震颤麻痹，临床主要见症如下：

手足震颤，下颌、舌肌、头部也可震颤，口角流涎，伴有不定位的肌肉疼痛，食少便溏，畏寒肢冷，舌体胖大，苔白腻，脉滑。

【方五】

核桃仁50克捣碎，细大米随食量而定，淘净，加水适量煮成粥，经常佐餐食用。可健脑补肾。

【方六】

鹿角胶 15～20 克，粳米 100 克，生姜 3 片。先煮粳米作粥，待沸后加入鹿角胶，生姜同煮为稀粥服食。功能补肾阳，益精血。

【方七】

枸杞子 30 克，白米 50 克，红糖、蜜适量。如常法煮米成粥，至米将熟入枸杞子煮数沸即可，亦可先煮枸杞子，取汁去滓，用汁煮米做粥，食时加红糖、蜂蜜适量，晨起作早餐或晚间作夜宵均可。功能滋补肝、脾、肾三脏。

第八节

『麻　木』

麻木，是脂肌肤、肢体感觉失常，甚或全然不知痛痒的一类病证，老年人最多见，麻木多见于痹证、中风、痿证等病患中，也有单独出现的。

《内经》的不少篇章里都提到了“不仁”一症，如《灵枢·寿天刚柔》篇说：“寒痹……时痛时不仁，”《素问·逆调论》说：“荣气虚则不仁。”可知《内经》中的“不仁”，就是后世的“麻木”。《金匮要略》、《诸病源候论》在《内经》的基础上对于本病的临床表现有详尽的描述，在治法方药上也更为广博。金元以后的著作中，逐渐用“麻木”代替“不仁”，《兰室秘藏》、《医学入门》、《赤水玄珠》、《张氏医通》、《古今医鉴》等医学名著对麻木的发病从脏腑病机方面进行探讨，指出其本虚标实的特点。而老年麻木证、气虚、湿痰是主要致病原因，古代医家的论述和临床经验为我们治疗老年病麻木提供了宝贵资料。

目前，临床上治疗麻木证的有效偏方、验方主要如下：

【方一】

黄芪 12 克，人参 9 克，白术 9 克，陈皮 10 克，升麻 9 克，柴胡 10 克，当归 9 克，甘草 6 克。

水煎服，每日 1 剂。

补中益气汤温补中气而升清阳，气行则血行，麻木可解，方中黄芪、人参需重用才能有功，临床常加香附、木香、桂枝、姜黄以振奋阳气，理气活血通络。

本方功能补中益气，适用于气虚失运所致的麻木。

主证：手足或肢体麻木，如有虫行，面色萎黄，四肢不温，倦怠嗜卧，易于感冒，或有大便稀溏。舌淡而胖嫩，苔薄白，脉细弱。

【方二】

地黄12克，白芍15克，当归15克，川芎10克（本方为四物汤）。

水煎服，日1剂。

四物汤是补血的基本方，可以加丹参、秦艽、鸡血藤增强活血通络的功效。病在手，加桑枝、白蒺藜；病在足，加牛膝、木瓜。若血虚风寒袭之，手足麻木疼痛，可以用当归四逆汤。本方以桂枝汤为基础，加当归、细辛、木通养血活血通经，二方合用，再加丹参、阿胶、地龙等。

本方养血通络，适用于血虚不荣所致的麻木。

主证：肢体或手足麻木，不知痛痒，面色苍白，眩晕心悸，睡眠不安。舌淡，脉细。

【方三】

羌活10克，独活10克，桂枝9克，秦艽9克，海风藤6克，桑枝4克，当归9克，川芎6克，乳香6克，木香6克，甘草6克。

水煎服，日1剂。

方中羌活、独活、桂枝、秦艽、海风藤、桑枝祛风湿，通经络；当归、川芎活血；木香、乳香调气；甘草调和诸药；疼痛重者加川、草乌；肢体沉重明显者加苡仁、防己、苍术。对于风寒湿痹，麻痹均可配用大小活络丹（成药）。

本方祛风通络，散寒化湿，适用于寒湿凝结所致的麻木，主要症状如下：

肢体麻木，关节肌肉疼痛呈渐进性，遇雨湿天气则加重，喜暖恶寒，病久关节不利，麻木不仁。苔薄白或白腻，脉细迟。

【方四】

桃仁12克，红花10克，地黄9克，白芍9克，当归10克，川芎12克，半夏6克，茯苓10克，陈皮9克，甘草6克，白芥子9克，竹沥9克，姜汁6克。

水煎服，日1剂。

方中桃仁、红花加四物汤活血祛瘀；半夏、茯苓、陈皮、甘草合成二陈汤，与白芥子、竹沥、姜汁相配涤痰通络。若瘀血阻痹经络，关节疼痛，肌肤麻木者，用身痛逐瘀汤，方中桃仁、红花、当归、川芎活血祛瘀；没药、灵脂、香附行气活血；羌活、防风、牛膝、地龙祛风湿，通经络；若再加全蝎、䗪虫等虫类药搜剔通络，则效更好。若颜面麻木，多属风痰阻络，可用牵正散加白芷、防风、钩藤、蜈蚣。

本方功能化痰行瘀通络，适用于痰瘀阻滞所致的麻木，临床见症主要如下：

麻木日久，或全然不知痛痒。舌有瘀斑，舌苔或滑或腻脉沉弦。

第九节

『肠功能紊乱』

肠功能紊乱是以腹痛、腹胀、肠鸣、腹泻或便秘为主要临床表现的一种肠道运动功能紊乱性疾病，老年多见，中医学中有关本病的论述，主要见于“腹痛”、“泄泻”、“下利”等病之中，并与便秘密切相关。

饮食不节，过食生冷肥甘；或情志失调，肝气郁结；或劳倦太过，脾气受损；或老年体衰，久病脏虚，均可导致脾胃功能障碍而发为本病。

本病主要病在脾、胃、肠，同时与肝、肾密切相关，其基本病理是脾失健运、脏腑气机失调，轻者脾胃气虚；重者若损及阳气，可导致脾肾阳虚；阳虚失于温煦运化，则寒湿内生；若肝失条达，横逆侮脾，则出现肝脾同病。病程中气机失调，枢机不利，再碍脾胃功能，则致久病难愈。本病的基本病理因素为气（气滞）、寒、湿三者。三者相互影响兼夹，可表现为“湿阻气滞”、“寒湿互结”、“寒凝气滞”及“虚实夹杂”等一系列病理变化，若泻久脾虚，中气下陷，则见头晕气短，肛脱不收；久泻不愈，脾肾阳虚，肠虚滑脱，则出现利下无度，甚至大便失禁。

目前，临床上常用的治疗肠功能紊乱的偏方、验方主要如下：

【方一】

白术 10 克，茯苓 10 克，白芍 10 克，厚朴 9 克，陈皮 10 克，防风 12 克，甘草 6 克。

水煎服，日 1 剂。

本方泄肝健脾，理气止痛，适用于肝气积虚所致的肠功能紊乱，主要临床见症如下：

腹痛腹胀，痛即腹泻，泻出不多，泻后胀痛俱减，胸闷嗳气，肠鸣，纳呆食少，间或便秘，每因情绪郁怒而作。舌苔薄白，脉弦。

【方二】

苍白术各 15 克，藿香 10 克，厚朴 9 克，陈皮 10 克，大腹皮 9 克，茯苓 12 克，薏苡仁 15 克。

水煎服，日 1 剂。

本方祛湿健脾，理气和中，适用于湿浊困脾所致的肠功能紊乱，主要临床见症如下：

腹胀腹痛，肠鸣，泻下清稀，饮食不当则痛泻加重，食少不化，恶心呕吐，倦怠身重，小便不利。舌淡胖，苔白腻，脉缓或濡。

【方三】

党参 10 克，山药 15 克，白术 10 克，莲肉 15 克，扁豆 10 克，茯苓 9 克，薏苡仁 15 克，砂仁 10 克，苍术 9 克，陈皮 9 克，桔梗 9 克。

水煎服，日1剂。

本方功能健脾益气，和胃化湿，适用于脾胃虚弱所致的肠功能紊乱，临床见症主要如下：

大便时溏时泻，水谷不化，稍进浊腻之物则次数增多，纳呆食少，脘闷腹胀，面色萎黄，倦怠乏力。舌质淡，脉细弱。

【方四】

附子9克，补骨脂10克，吴茱萸9克，肉豆蔻12克，五味子9克，党参9克，白术10克，干姜6克。

水煎服，日1剂。

本方温肾健脾，涩肠止泻，适用于脾肾阴虚所致的肠功能紊乱，临床见症如下：

黎明腹泻，腹痛肠鸣，泻后则安，腹凉喜温，形寒肢冷，面色萎黄或苍白，食少，神疲体倦，腰膝酸软。舌质淡、苔薄白，脉沉细。

【方五】

老枣树皮60克，水煎服，或焙干研细，每服9克，每日2次。适用于老年久泻。

【方六】

干荔枝肉50克，山药与莲子各10克，捣碎，加水适量，共煮至莲子软烂时，再加淘净的大米适量，煮成粥，每晚食用，适用于老年五更泄泻症。

羊肉500克煮熟取出研泥，山药500克研泥，羊肉汤内下米250克，与羊肉泥、山药泥共煮粥食，适用于脾肾两虚泄泻。

【方七】

山药250克，莲子、芡实各120克。共研细粉，每次2～3调羹，加白糖适量，蒸熟作点心吃，每日1～2次，连续服用数月，适用于脾虚泄泻。

【方八】

胡椒、透骨草各9克，艾叶15克。共煎水，洗泡双足，每次30～60分钟，1日3次，连用数天，适用于虚寒泄泻。

11

美容

MEI RONG

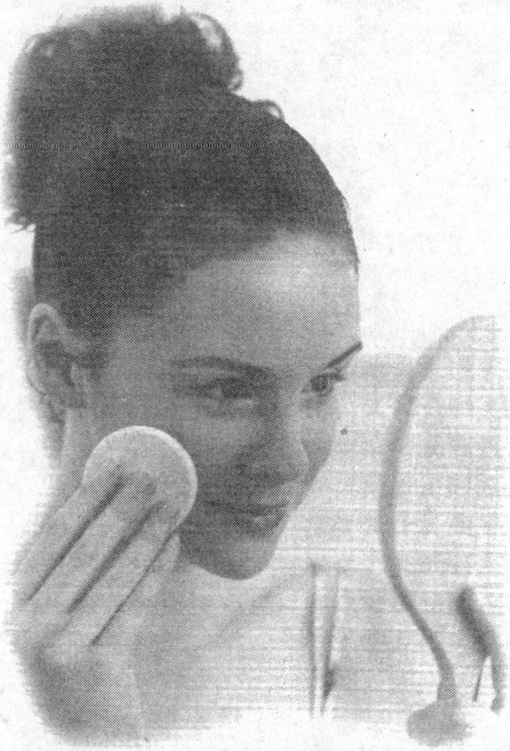

第一节

『润肤悦颜』

润肤悦颜是指能使面容红润光泽、美观悦目的一类方子。本法重在红颜嫩肤，使面部皮肤柔华细腻，色如桃花，并兼防治面皮干涩粗糙不泽。主要作用机理为温通活血，祛风散寒，膏泽濡润。

【方一】

牛髓、炼过白蜜各500克。将2味合而收贮入磁罐内，另取3匙熟麦面和2匙髓蜜拌匀，用滚水或酒送服。

本方润泽肌肤，活血荣筋，可使五脏功能得到调整，肌肤自然润泽，筋血自然荣活，故可延缓衰老，驻颜美容。

【方二】

防风、川芎、白芷、白僵蚕、蜀水花、白蔹、细辛、茯苓、藁本、玉竹、青木香、辛夷仁、当归、土瓜根、瓜蒌各10克，桃仁20克、猪脂、鹅脂、羊肾各100克。上药切细，用布包裹，加酒2 000毫升，浸1日1夜，再放入诸脂急水煎之，三上三下，然后慢火熬1夜，药成去渣，以水石粉10克，纳脂中，用柳木蓖熟搅，随意涂用之。

本方能令人面色悦泽，如桃花红光。

【方三】

破故纸、胡桃肉各120克，莲肉30克，葫芦巴120克。药研细末，酒糊为丸，如梧桐子大，每服30丸，空腹酒下。

本方补肾助阳，润泽红颜。

【方四】

杏仁、滑石、轻粉等份。研为细末，饭上蒸熟，入鸡子清匀调，洗面后敷之。

本方令面光润悦泽。

【方五】

淮赤铆500克（别捣），桑白皮24克，胡桐泪15克，波斯白石蜜30克（螺）。前4味，于铜铁铛器中注水1 600毫升。急火煮水令鱼眼沸，纳紫铆；又沸，纳白皮，搅令调，又沸，纳胡桐泪及石蜜，总经十余沸，紫铆并沉向下，即熟。以生绢滤之，渐渐浸叠絮上，每浸沉，以竹夹如干脯，炭火上炙至燥，复浸之，浸经6～7遍即成，10遍以上更佳，涂面。

本方祛痰生肌，散风解毒，润美面部。

【方六】

杏仁（汤浸、去皮尖）200克，白附子末90克，密陀僧（研细）、胡粉（细研）各60克，白羊髓250克，珍珠末1克，白鲜皮末30克，酒300毫升，鸡蛋白7枚。将药先以杏仁入少酒，研如膏，又下鸡子白研100遍，又下羊髓研200遍，后加入诸药末，渐渐加入酒，均研细，于瓷盒中盛，每夜以浆水洗面，拭干后涂之。

本方令人面色悦泽，如桃花红光。

【方七】

干姜6克，红枣2 000克（干用去核），白盐60克（炒黄），炙甘草30克，丁香、木香各1.5克，陈皮适量（去汤）。诸药共捣如泥，每次煎服或点服，不拘量。

本方久服可使脾胃健运，气血资生，保持颜面红白细嫩。

【方八】

猪胰、芜菁子、瓜蒌子、桃仁各等份。以酒和捣、敷面，避风吹日晒。

本膏活血润肤，泽面红颜，并能去皱防裂。

【方九】

莲花210克，莲藕240克，莲子270克。阴放半干，砂锅蒸熟晒干，研细末炼蜜为丸，如桐子大。

每服9克，开水送下。

本方健脾补肾，快志，悦色，延年不老。

【方十】

丹砂30克。研细，入白蜜少许，更研如膏，入盆中盛。每于临睡前涂面，次日用浆水洗去。

本方润肤红颜，即滋润营养皮肤，又具化妆美容作用。

【方十一】

干鸡头实（去壳）、忍冬茎叶（金银花）、干藕各500克。将3味为片段，于甑内炊熟曝干，捣罗为末。每日食后，浸水后服5克。

本方健脾延年，壮肤悦色。

【方十二】

桃花、鸡血。3月3日，采桃花，7月7日收鸡血，桃花阴干为末，调和鸡血，涂面，夜涂旦洗。

本方活血通络，悦泽面容，“三二日脱下，则颜色光华如仙”。

【方十三】

黄牛乳240克，生姜汁120克，椒红末0.3克，白茯苓末、人参末各15克。先将生姜汁和牛奶煮熟，再入后3味药末，熬成膏，为丸如梧桐子大，每服20丸，饭前温开水下。

本方补中养脏，润体悦色。

【方十四】

落葵子。取蒸，烈日曝干，揉搓去皮，取仁细研，和以白蜜，用时先以温水、香皂清洗面部，再涂此膏。

本方清热凉血，润肤红颜，兼美容化妆作用。

【方十五】

冬瓜仁1 400克。以绢袋盛之，投沸汤中，须臾取起晒干，如此反复3遍，又以清酒浸2宿，晒干为末。日服10～15克，分2次服。

本方利颜润肤，久用可使颜面肥泽如玉。

【方十六】

白芷、川芎、瓜蒌仁各150克，鸡骨香90克，皂荚300克，大豆、赤小豆各250克。诸药捣为粉末，日用洗面。

本方祛风活血，润肤香肌，悦泽面容。

【方十七】

丁香、沉香、青木香、钟乳粉、珍珠、玉屑、蜀水花、木瓜花、桃花各95克，棕花、梨花、李花、红莲花、樱桃花、旋复花、白蜀花各125

克，麝香1克，大豆粉1 400克。捣诸花，别捣诸香，珍珠、玉屑别研成粉，合和大豆粉，研成极细粉，密贮勿泄。常用洗手面作妆。

本方荣养荣颜，润泽布馨。

【方十八】

白菊花、茯苓各500克。农历九月初九采白菊花，再加入茯苓，2药共研细末，筛过为散，每服6克，温酒调下，日3次。

本方服后能使人面色艳美，红润娇嫩。

【方十九】

桃仁（汤浸、去皮）、蔓荆子各2 000克，白术180克，土瓜根210克，荜豆4 000克。诸药捣碎，研细末，以醋浆水和，用于洗手面。

本方活血润肤，令面悦泽，去黑减皱。

【方二十】

白菊花汁、莲花汁、茜草汁、椿树汁各少许，丹砂适量。4种汁和丹砂蒸熟服之。

能使人肤色红润娇美。

【方二十一】

冬桑叶适量。桑叶煎浓汁收贮，冬日早晨用适量掺入水内洗面。

本方既可冬日悦泽美容，又有预防面颊部冻伤、皲裂的作用。

【方二十二】

何首乌、赤白芍各500克，白茯苓150克，牛膝60克。将药共研细末，过筛、炼蜜为丸如梧桐子大。每服20克，日2次。

本方艳美面容，永保青春。

【方二十三】

顶上密陀僧30克。密陀僧研为极细末，用人乳或蜜调如薄锡，用时略蒸，睡前趁热敷面，次早洗去。

本方润肤清热，合面生光。

【方二十四】

补骨脂（炒香、捣为细末）150克，白蜜120克，胡桃肉（研如泥）60克。先将蜜与胡桃末同煮如稀糊状，再入补骨脂末，和为丸，如梧桐子大，盛瓷器中保存。每服20克，日2次，空腹时温开水送下。

本方久服令人容颜美泽，皮肤细腻。

【方二十五】

香附子10枚，茯苓、白芷各60克，零陵香、麝香各15克，蔓荆子60克，牛髓、羊髓、白蜡各240克。

将诸髓、白蜡入水煎五物令色变，去滓，纳麝香研千遍，凝贮用澡豆洗面，然后涂敷之。

本方令人面色悦泽，如桃花红光。

第二节

『抗皱驻颜』

抗皱驻颜方指具有防止或减少面部皱纹，延缓衰老，留驻容颜，保持青春作用的一类方剂。其机理为补益气血，益肾填精，调养脾胃，疏风活血，滋养肌肤。

【方一】

轻粉、淀粉各9克，密陀僧6克。将3味，研为细末，另用皂角子取白仁以热浆水浸成膏子，调药末，稀硬得所。调制好的药膏应密贮于瓷瓶或有色玻璃瓶中，避免日光照射。

本方展皱腻肌细肌。

【方二】

莲子、芡实各30克，薏米50克，龙眼肉8克，蜂蜜适量。各药加水煮1个小时后食用。

本方消除皱纹，白面美容。

【方三】

白芷、白蔹、白术各30克，白及15克，白附子、白茯苓（去皮）、细辛各9克。上药筛净，共为极细末，用鸡子清调和，为丸如弹子大或小指状，阴干，贮瓶备用。每晚洗脸后，用温浆水在瓷器内磨汁，涂面。

本方可防皱，祛一切斑点，令人面光润。

【方四】

鸡子3枚。酒浸鸡子，密封4～5日即成，用时，取其蛋清敷面。

本方润肤，白面，减皱。

【方五】

栗子上薄皮。共研为末，用蜜调和，涂面。

本方活血，润肤，展皱。

【方六】

桃花、荷花、芙蓉花。春取桃花，夏取荷花，秋取芙蓉花，冬取雪水煎3花为汤，频洗面部。

本方活血，润肤，去皱。

【方七】

细辛、玉竹、黄芪、白附子、薯蓣、辛夷、川芎、白芷各7.5克，瓜蒌、木兰皮各15克，猪脂4 000克。

本方滋养肌肤，除黑抗皱。

【方八】

桃仁（汤浸去皮尖，研如泥）不拘多少。用研烂之桃仁加蜜少许，用温水化开，涂摩面部，后用玉霄膏涂贴。

本方活血润肤，去皱益颜。

【方九】

蔓荆油6 000毫升，甘松香、零陵香各30克，辛夷仁37.5克，白术4 000克，细辛37.5克，竹茹1 500克，竹叶切1 000克，白茯苓22.5克，羊髓1 000克（以水浸去赤脉）。

本方活血散风，润面除皱，对于面赤多皱纹及褐色素沉着者尤宜。

【方十】

白术、茯苓、杜衡各45克，葳蕤、藁本、川芎、土瓜根、瓜蒌各37.5克，木兰皮、白僵蚕、蜀水花、辛夷仁、零陵香、藿香各125克，菟丝子60克，栀子花、麝香（酒浸并绵裹）、鹰屎白各225克，冬瓜仁37.5克，桃仁1 000克，白蜡90克，羊脂2 000克，猪脂6 000克（水浸7日，日别易水），猪胰1具，白附子30克。

将25味，并细切，酒4 000毫升，取猪胰、桃仁、冬瓜仁绵裹内酒中，揉令消，绞取汁，用渍药1宿。另煎猪脂令消，去渣，以鹅脂、羊脂、血蜡于铛中，用绵裹内铛，微火煎三上三下，药黄色，去渣。待澄候凝，纳鹰屎白末，搅令匀，以涂面。

本方是一个较为完备的面脂方，功能行血散结，润肤展皱，悦色增容，辟秽香身，对面粗黑有皱有很好疗效。

【方十一】

紫草根若干，菜油若干。取紫草根洗净，晾干研细末，将其5份掺入60份菜油中，于35℃下搅拌，过6个小时后过滤得其液，此液作为化妆油使用，日涂面部1次。

本方具有防皱润肤之功。

【方十二】

杜衡、牡蛎（熬）、防风、藁本、细辛、白附子、白芷、当归、木兰皮、白术、独活、玉竹、天雄、茯苓、玉屑各30克，菟丝子、防已、商陆、栀子花、橘皮、白蔹、人参各90克，甘松香、青木香、藿香、零陵香、丁香各60克，麝香15克，白木脂、白鹅脂（无鹅脂以羊髓代之）、牛髓各100克，羊胰3具。将32味，以水浸脂髓等5日，每日易水2次，又5日，每日一易水，又10日，2日一易水，凡20日止。以酒100毫升，羊胰去脉，切细于瓷器中浸之，密封1宿，第二日晨以诸脂等合煎，三上三下，以酒水气尽为候，即以棉布绞去渣，研之千遍，待凝上，使白如雪。每夜涂面，第二日洗去，再涂新者。

本方悦颜去皱，10日以后，色如桃花。

【方十三】

鹿角霜60克，牛乳75克，白蔹、川芎各30克，天门冬45克（去心，焙），酥90克，白芷、白附子（生用），白术、杏仁各30克（汤浸，去皮尖，双仁、别研如膏）。药捣罗为末，入杏仁研匀，用牛乳及酥，于银锅内，以慢火熬成膏。每夜涂面，旦以浆水洗。

本方祛风活血，润肤白面，御老去皱。

【方十四】

青木香、白附子、川芎、白蜡、零陵香、白芷、杏仁各60克，茯苓、甘粉各30克，羊髓（炼之）150克。将10味，酒水各250毫升，渍药经宿，煎三上三下，候酒水气尽，膏成去渣，收贮使用，涂面作妆。

本方祛风寒令面光润泽，耐老去皱，皯䵟皆落。

【方十五】

白蔹、白芷、玉竹、白及、细辛、当归、鹿角胶、土瓜根、白茯苓、商陆、鸬鹚屎、密陀僧、瓜蒌仁、桑根白皮、橘仁、川芎、白附子、冬瓜仁、桃仁、硇砂各30克。将药捣为散，先将鹿角胶并硇砂，以水煮令胶消，用和白面500克，薄作饼子曝干，捣筛为末，再入绿豆面200克，药相合令匀，常用洗手面。

本方可令面光润洁白，防皱。

【方十六】

枳实、土瓜根、商陆各等份。将3味药共研为细末，贮瓶备用。每日早晨用少许，如日常洗面。

本方清热解毒，洁肤去皱。

【方十七】

大猪蹄1具。

收拾干净，放入锅中，然后加水及清浆水（由粟米加工而成），不要太满，用小火炖煮，等到皮酥骨烂，滤去杂质即成。白天用此胶浆洗脸面，晚上用此胶浆调和澡豆，涂在面上，第二天早晨用浆水洗去，连续使用。

本方能使皱纹舒减，面色光润，并有防冻抗裂作用。

【方十八】

丝瓜。在丝瓜收获后，于10月份采水。采水前夕，往根部多浇些水，将丝瓜茎距地面60厘米处切断，使之弯曲，切口向下，把丝瓜茎插入容量为1.8升的玻璃瓶内。瓶口用薄铝片包起来，在铝片里塞上脱脂棉，然后把瓶子下半部埋在土中，经一夜间就能流满一瓶丝瓜水，用纱布过滤后加入少量甘油、硼酸和酒精即成，亦可用50毫升酒精兑2克安息香酸，待溶解后，把此溶液倒入1 000毫升丝瓜水里，再放进30克甘油。每天早晨用纱布蘸丝瓜水擦脸。

本方有美容抗皱功效。

【方十九】

干枸杞250克，白酒500毫升。枸杞放入小口瓶内，加入白酒，密封瓶口，每日振摇1次，7日后开始饮用，边饮边添白酒，每日晚餐或临卧前随时饮用，不会饮酒者，也可用葡萄酒。

本方补虚损，长肌肉，益面色，防皱纹。

【方二十】

鲜芦笋1枝，胡萝卜、苹果、芹菜各100克，柠檬汁20克。芦笋、胡萝卜、苹果、芹菜洗净，切碎，榨汁去渣与柠檬汁混合搅拌匀。

本方容颜养肤，抗皱增白。

第三节

『增白莹面方』

增白莹面方是指能使面容色白如玉，光净润泽的一类方子。本类方子多有明显的增白功效，其作用机理为祛风活血，宣肺补肾，膏泽濡润，祛斑莹肌，白晰皮肤。

【方一】

羊脂、狗脂各500毫升，白芷35克，半夏15克，甘草1只，乌梅15枚。上药合煎，以白器盛，涂面。

本方能令面白如玉色。

【方二】

白附子、白芷、杜衡、赤石脂、白石脂、杏仁（去皮尖）、桃花、冬瓜子、牛膝、鸡矢白、玉竹、远志（去心）各10克。将12味，捣筛为末，以人乳汁、白蜜各100毫升，空腹服7丸，日3次。本方能使面白媚好。

【方三】

黑牵牛（炒）60克，香白芷、零陵香、甘松、瓜蒌根各60克，茶子、皂角末各120克。将药为细末，如常用法（以之洗面）令面嫩细白净。

【方四】

白附子、鹿角胶、石盐、白术、细辛各30克，鸡蛋白11枚。将细切，先以水1 500毫升，煎白术，以布绞取汁600毫升，于银锅中，隔水蒸取200毫升，下诸药，更煮至150毫升，以绵布滤过，贮于瓷盒中，每夜临卧洗面后，拭干涂之。

本方令人面肤润腻，鲜白如玉。

【方五】

荜豆面、白芷、青木香、甘松香、零陵香、藿香各60克，冬瓜子、瓜蒌仁各120克。将药捣筛，用如常法（即以此药洗面）。本方可令面光润洁白。

【方六】

牵牛（生）120克，香白芷、甘松香（去土）各15克，零陵香30克，瓜蒌根21克，川芎15克，细辛、阿胶（炮）各7.5克，猪牙皂角30克，藿香15克，楮桃儿60克，藁本15克。将药共研极细末，每次用5克洗脸时置盆内，和匀后洗面，早晚各1次。

本方洗面后可使面色白净，无斑而香。

【方七】

生半夏不拘多少。将半夏焙干，研为细末，米醋调匀，贮瓶备用，涂敷面部，从早至晚频涂，3日后用皂角汤洗下。

本方散结行瘀，祛风白面，细面嫩容。

【方八】

白瓜子中仁（冬瓜仁）38克，白杨皮15克，桃花30克。捣碎，饭后服，每日3次，每次3克，欲白，加冬瓜子；欲赤，加桃花，30日面白，50日手足俱白。

本方和气血，润皮肤，治头面手足黑，令光泽洁白。

【方九】

橘皮、白瓜子各3份，桃花4份。共捣筛为末；饭后酒服1汤匙（约1克）。

本方祛瘀活血，全身面均白。

【方十】

乌贼骨、细辛、瓜蒌、干姜、椒各60克，牛髓1 000克。将药切碎，以苦酒（醋）浸3日，以成炼牛髓1 000克，煎之。待苦酒气尽，药成，涂面。

本方调气和血，增白去黯。

【方十一】

牡蛎90克，土瓜根30克。共为末，白蜜调匀，每晚饭前涂面，翌晨以温浆水洗去，慎风日。

本方清热消瘀，润肤白面。

【方十二】

冬瓜1个。

去青皮，肉、瓤、子均用。瓜肉切片，以酒1升半，水1升，同煮烂，用竹筛滤去渣，再以布滤过，熬成膏，入蜜500克再熬，稀稠得所，以新棉再滤过，用瓷器盛。用时取粟子大，以唾液调涂面上，用于擦面。

本方润肤白面，适用于颜面不洁，苍黑无华。

【方十三】

绿豆粉60克，白芷、白及、白蔹、白僵蚕、白附子、天花粉各30克，甘松、山奈、茅香各15克，零陵香、防风、藁本各6克，肥皂荚2锭。共研细末，每次洗面时用。

本方祛风润肤，通络香肌，令面白如玉。

【方十四】

云母粉、杏仁各30克。杏仁汤浸去皮尖，将药细研，入银器中，以黄牛乳拌，略蒸过，夜卧时涂面，第二日清晨以浆水洗去。

本方可使面部白净润泽。

【方十五】

鹿角1小只，牛乳1 500克，川芎、细辛、天门冬、白芷、白附子、白术、白蔹各90克，杏仁14枚，酥90克。将药共研细末，先以水浸泡鹿角100天，除去血腥气，取出寸断后与诸药放入牛乳中，慢火煎至乳汁接近膏状，以白丝绢盛贮藏，余药不要取出。至夜，取少量牛乳放在乳钵内；用鹿角在乳钵内磨，磨后取汁涂于面部，次晨以淘米水洗去。

本方久久用之，可使面白如少玉，光泽艳嫩。

【方十六】

冬瓜子仁50克，桃仁40克，白杨皮20克。3味捣末，饭后服，每次6～9克，每日3次。

本方令面光泽洁白，可治面与手俱黑。

【方十七】

瓜蒌瓤150克，甜杏仁50克，猪肚1具。杏仁用热水浸泡去皮、尖，猪肚洗净煮熟，将3种药共研如膏，每夜涂之。

本方令面黑转白，令人光润，冬日不皱。

【方十八】

猪胰5具，芜菁子60克，瓜蒌子150克，桃仁90克。将猪胰切成小块(注意勿用铁刀)，桃仁汤浸去皮，与芜菁子、瓜蒌子一同致入石臼中，加入适量的黄酒，捣烂如泥即成，外搽颜面。

本方令人面洁白悦泽，颜色红润，注意避风吹日晒。

【方十九】

益母草300克，煅石膏60克，滑石、蚌粉各30克，胭脂3克，同壳麝1枚。益母草烧灰，用稠米汤搜团如鹅卵大，熟灰火煅一伏时，火勿食焰，焰即黑，取火捣碎，再搜炼2次，加入余药，共研为粉，同壳麝1枚，入器收之，洗面。

本方驻姿容、白面、滑肌肤、消瘢去粉刺。

【方二十】

白僵蚕、白芷、细辛等份。研为细末，人乳和丸如芡实大，洗面化妆，次日洗去。

本方祛散风邪，润肤白面。

【方二十一】

鸡桑嫩枝。阴干为末，蜜和为丸，如梧桐子大，每日酒服60丸。

【方二十二】

白芷、白蔹、白附子、阿胶、白胶蜜、白蒺藜、白胶香各等份。不拘多少，如面有瘢痕，加乳香，用1料，加皂角末500克，水调涂。

本方可令面白净悦泽。

第四节

『生发茂发方』

生发茂发方指具有防治头发脱落而使其生长茂盛作用的一类方剂。主要用于发落不生或生发不易长者，有滋生美发之功，可令头发速长而黑润。其作用机理为填补肾精，养血活血，祛风润燥。用作膏剂、糊剂、酊剂、油剂、汤剂等，用以涂头、沐头、擦头或梳头，亦可以丸剂、汤剂等内服。

【方一】

何首乌240克，菟丝子、怀牛膝、枸杞子、茯苓各60克，补骨脂30克。本方为《七宝美髯丹》，每服1丸，日服2次，淡盐水或温开水送下，忌食辛辣，适用于毛发秃落，反复发作，此起彼伏，且伴筋骨无力，舌淡脉细者。

【方二】

羌活、木瓜、天麻、当归、白芍、菟丝子、熟地（酒蒸捣膏）、川芎各120克。共研细末，入地黄膏，炼蜜为丸，如梧桐子大；每次9克，每日2～3次，饭后温酒送服。

本方养血生发，祛风活络，适用于脂溢性脱发。

【方三】

细辛、防风（去芦头）、续断、川芎、皂荚各30克，柏叶60克，辛夷30克，白芷60克，桑寄生90克，泽兰、零陵香各75克，蔓荆子20克，竹叶、松叶各25克，乌麻油2 500毫升。将药细切，用桑白皮250克，以水2 000毫升煎煮至500毫升，又取韭根汁200毫升相合，浸药1宿，以绵裹入于油中，微火煎，三上三下，候白芷色黄，去渣，以瓷器盛之。用之涂摩头发，日夜三两度，可生发长发。

【方四】

莲花须（阴干）、零陵香各3克，卷柏叶、白芷、川芎、防风各15克。将药细切，以绵裹，入生椒70粒，生麻油250克，浸于新瓶中，埋地下7日，取出涂发，治发落不生。

【方五】

零陵香、蔓荆子、附子各7.5克，川芎、白芷、秦椒各15克。将药细切，用绵裹，以生麻油250克，于瓷器内浸3周，涂发稀少处。

本方治头风发落不生，切记不可滴在脸上。

【方六】

干柏枝、秦椒、半夏各90克。将药细切，用水两碗，煎至半碗，入蜜少许，再煎一二沸，每用时，入生姜汁少许调匀，擦无发处，每日1次。

本方祛风生发。

【方七】

零陵香、白芷、蔓荆子、生附子、藿香各30克，荆芥枝15克。将药为末，绵包扎于瓶内，用香油500克浸，然后用纸封口，埋地内半月，取刷之。

本方治妇人发不长。

【方八】

生地、熟地、鸡血藤、何首乌藤各15克，生黄芪30克，川芎9克，白芍15克，天麻、冬虫夏草各6克，旱莲草9克，桑椹15克，木瓜6克。水煎服，每日1剂。

本方滋补肝肾，养血生发。

【方九】

熟地、当归、川芎、何首乌、木瓜。每粒重0.5克，每次4粒，每日2次，温开水送服。

本方养血祛风，益肾生发，但脾虚湿盛、腹满便溏者慎用。

【方十】

附子、蔓荆子、柏子仁各15克，乌鸡膏适量。将药以乌鸡膏调和，捣三千杵，贮新磁器中，封百日出，以马髻膏和，敷头，随即包以头巾，勿令见风，日3敷即生。

本方治鬓发脱落，能令再生。

【方十一】

荠草、秦艽（去苗）、甘松、零陵香、沉香、羊踯蠋、木香、郁香、甘菊花、牛膝（去苗）各30克，天麻、独活、川椒（去目）、白芷、川芎、辛夷、杏仁（汤浸去皮）、川乌头、松皮各60克，松叶250克。将药细切，以醋3 000毫升渍一宿，滤出。以生乌麻油3 000克，于平底锅内微火煎令沸，待白芷色焦黄膏即成。以绵滤去滓，瓷器内盛，依涂油之污，任意涂之。

本方生发长发、令发香泽。

【方十二】

生姜汁、生地黄汁各100毫升。

将药相和令匀，夜卧涂之，10日发便生。

【方十三】

乌蛇肉（酒浸、炙黄）、白附子（炮裂）、白僵蚕（微炒）、防风（去芦头）、各15克，麝香0.3克（细研），虎胫骨（涂酥炙黄）、藿香各15克，腊月乌1只（烧为灰）。将药捣筛为末，炼蜜为丸，如梧桐子大，每日空腹以温酒送服20丸，夜临卧时再服1次。

本方有祛风毒、生毛发之功。

【方十四】

金星草根。以脂麻油浸渍，用来涂头。

本方治头发稀少，欲令其多。

【方十五】

当归（去尾）、生干地黄、肉苁蓉（酒洗炙）、芍药各30克，胡粉15克。将药为末，炼蜜做丸，如黍米大。每服10粒，煎黑豆汤送下，另磨化涂抹头上。

本方内服、外用双管齐下，养发生发，用于发不生者。

【方十六】

防风、黄连、干地黄各160克，蔓荆子200克，丹皮60克，玉竹100克，甘草80克（炙），茯神120克，大黄80克。将9味捣筛，蜜和丸如梧桐子大，每服20丸，可稍稍加大用量，以大肠畅为度。

本方用治头风发落。

【方十七】

何首乌30克，生地、熟地各15克，羌活、独活各10克，代赭石30

第九节

『生眉扶睫』

生眉扶睫方是指具有生长眉毛、扶立睫毛作用的一类方子。本法通过养血泽毛，益肾滋阴，活血祛风，补肺健脾等途径，促使眉毛睫毛生长旺盛，并可治疗眉毛脱落，防止睫毛倒伏。平时常用的有效的能够生眉扶睫的方子主要如下：

【方一】

莲子草（旱莲草）若干。捣烂取汁，磨生铁涂之，以手指揩摩，令药气透内，1日可涂2～3次。

本方可生眉毛。

【方二】

雄黄末30克。将药用食醋调成稀糊状后，均匀地涂于眉骨上，可使眉毛再生而黑亮，每日夜睡时涂，次晨洗去。

本方出自《中医美容大法》。

【方三】

生姜、半夏适量。用半夏为末，麻油调，先用生姜擦3次，然后用上药涂之。

本方治眉毛落不生。

【方四】

蔓荆子（微炒）12克。将药捣筛为末，以醋和，每夜涂之。

本方可生眉。

【方五】

松脂、附子（去皮、脐，生用）各60克，蔓荆子250克。上药为末，以乌鸡脂和，盛于瓷器中，密封，于屋北阴干，百日药成。细研，以马鬃音和，薄涂于眉发髭不生处，勿令近面，治眉发髭不生。

【方六】

松叶、莲子草、马鬃膏（炼成膏者）、韭根各250克，蔓荆子60克，防风（去芦头）、白芷各30克，辛夷仁、川升麻、盐、川芎、独活、桑寄生、藿香、沉香、零陵香各15克。药细切，先以桑根白皮500克，水8升，煮取5升，过滤去滓，盛于瓷器中。每日3～5次，外涂局部。

本方主治血虚风热所致眉发须不生。

【方七】

柏叶（切）500克，附子（去皮、脐、生用）60克。2药为末，以猪脂和做20丸，每日1丸，在米泔水中化开，洗眉部，连续10日可促新眉生长，余药绵裹，密藏之，无令泄气，以备自用。

【方八】

墙上青衣（即土砖所砌之旧墙，表面的黑光）、生铁衣（即铁锈）各等份。共研为极细粉末，以水调成稀糊状后，均匀地涂于眉骨上，数次即可生眉毛。

【方九】

乌麻花（即黑芝麻花），不拘多少。农历七月收乌麻花，阴干，研为细末，用生乌麻油浸泡2日后，涂于眉骨上，每日涂1次。

本方可使眉毛生出。

【方十】

垂柳叶若干。将其阴干，捣筛为末，每以生姜汁于生铁器中调，夜间涂之，渐以手摩令热。

本方治眉毛痒落。

【方十一】

蟹体内黄液。将倒睫拔去，以此液涂于被拔毛囊处。

本方治倒睫。

【方十二】

芝麻油适量。取新压制之芝麻油，每晚涂在眼睫毛上。

本方可助睫生长，使睫毛修长而自然弯曲。

【方十三】

黄芪、葛根、防风、甘草各300克，当归、白芍各225克，蔓荆子450克，黄芩150克，细辛60克。药共为细末，炼蜜为丸，每服6克，日3～5次，用白开水送下。

本方为扶睫丸，功能养血疏风，起立睫毛，可治疗卷毛倒睫，昏暗不明等多种目疾，但在服用时要注意忌食烟、酒、葱、蒜、萝卜、胡椒、羊肉汤等。

第十节

『荣唇艳口方』

荣唇艳口方是指具有使口唇润泽光华、红艳娇媚作用的一类方子。它们的作用机理为补益气血，润脾荣唇，行气活血，丹唇艳口，芳香辟秽，能够荣唇艳口的常用方子主要如下：

【方一】

生地黄汁、生天门冬汁各半升，玉竹60克，细辛、甘草30克（生剉），川芎、白术各30克，生麦门冬60克（去心），黄芪45克。将药物细剉，绵裹，酒浸一宿，以猪脂1 000克煎令药色焦黄，去渣，纳锅中，后下地黄、天冬汁熬至稠，瓷器中盛，每次含咽半匙，常服。

本方出自《太平圣惠方》，适用于脾热唇焦枯无润泽。

【方二】

桃仁不拘多少，猪脂适量。将桃仁捣烂如泥，与猪脂和合，涂于唇部。

本方出自《备急千金要方》，既可滋润口唇黏膜，又可活血行瘀，促进血液循环，故是冬季护唇的理想药物。

【方三】

升麻、白芷、防风各3克，甘草、白芍、苍术各1克，黄芪2.5克，人参、葛根各 4.5 克，生姜 3 片，枣 2 枚。将药物加水 400 毫升，同煎至 200 毫升，去渣温服。服药时间以早饭后午饭前，清阳之气上升时为佳。

本方出自《普济方》，适用于面黑，环唇色黑。

【方四】

生地黄汁 2 000 克，生麦门冬 125 克，生天门冬（切）2 000 克，玉竹 125 克，细辛、甘草、川芎、白术各 60 克，黄芪、升麻各 90 克，猪膏 6 000 克。将药用苦酒淹 1 宿，棉裹，药临煎下生地黄汁与猪膏共煎取膏，去水汽，尽去渣，取膏细细含咽之。

本方出自《备急千金要方》，可润脾荣唇。

【方五】

沉香、甲香、丁香、麝香、苏合香、熏陆香、零陵香、白胶香、藿香、甘松香、泽兰各 180 克，胡麻油 2 500 毫升。12 味，先煎油令熟，乃下白胶、藿香、甘松、泽兰，少时下火，绵滤纳瓷瓶中，余 8 种药捣作末，以蜜和，勿过湿，内着一小瓷瓶中令满，以绵幕口，竹十字络之，以小瓶覆大瓶上，两口相和，密泥之，乃掘地埋油瓶，令口与地平，乃聚干牛粪烧之，7 日 7 夜，不需急，满 12 日烧之弥佳，待冷出之即成，其瓶并须熟泥匀厚一寸暴干，乃可用。

本方适用于唇白无血色，可美化口唇。

【方六】

熟朱、丁香各 60 克，紫草末 150 克，麝香 30 克。4 味以煎和为膏，盛于匣内，即是甲脂、口脂。

本方能红润口唇。

【方七】

猪脂。熟煎，以盒器盛，远行及野宿时，夜间涂唇及面上。

本方常涂之，行万里路，野宿睡卧，唇面不皱。

【方八】

新鲜杉木细枝一条。以烈火烧其一端，则另一端有白色浆液流出，即取涂之。

本方为华佗治嘴角疮神方，对嘴角疮有奇效。

第十一节

『洁齿牢牙方』

洁齿牢牙方是指具有使牙齿洁白莹净，坚实稳固作用的一类方子。其作用机理是祛风清热，芳香辟秽，清污涤垢，补肾固精，养血活血。常用的洁齿牢牙偏方主要如下：

【方一】

盐120克（烧过），杏仁30克（汤浸去皮尖）。将药研成膏，每用揩齿。

本方出自《太平圣惠方》，它是古代牙膏的雏型，用以刷牙，不但使牙齿白净，还有防龋功效。

【方二】

零陵香、香白芷、青盐、升麻各15克，细辛6克，麝香（另研）1.5克，砂锅细末、石膏细末各30克。将前5味共研细末，再与后3味混合，一起精研，每晨以指沾药擦牙，后以温水漱口。

方本出自《御药院方》，功能治齿白牙，除口臭，主治牙齿黑黄。

【方三】

沉香、麝香各3克，细辛15克，升麻、藁本、藿香叶、甘松、白芷各8克，石膏125克，寒水石60克。上药共为细末，每日晨起揩齿。

本方出自《御药院方》，功能芳香辟秽，散寒燥湿，适用于齿垢及口臭。

【方四】

寒水石、白石英、石膏各30克，细辛、朱砂、沉香各15克，川升麻、钟乳各30克，麝香、丁香各0.3克。诸药捣细过筛为散，研令匀。每日早晨及夜间用以揩齿。

本方令齿光白。

【方五】

白矾适量。研细，用牙刷蘸此粉刷牙。

除烟黄，白牙。

【方六】

地骨皮、郁李仁、生干地黄、杏仁各30克，川升麻45克，藁本、麝香、露蜂房各15克。将药捣细过筛为散，每用3克，以纱布包裹，常含咽津。

本方可治齿黄黑枯燥无泽者。

【方七】

白芷、白蔹、莎草根、白石英、细辛、川芎各等份。捣研为散，常用揩牙。

本方可治齿黄黑。

【方八】

绿矾15克（一半生用，另一半放锅内炒至烟出后放冷用），五倍子、诃子皮各15克，香白芷9克，甘松香、栗蓬各6克，枣核灰9克，螺蟾6克，胆矾15克，香附子12克，麝香1.5克。共研为细末，后入麝香，再研细拌匀备用。每日早晨刷牙后，再以牙刷蘸此药末少许刷于牙缝，过片刻用温水吐出。

本方可使牙缝黑垢不净之物去掉，不患牙痛。

【方九】

海蛤、琥珀、白石英、珍珠、玛瑙、光明砂各30克，麝香0.3克。药捣为散，于乳钵内重研令细，每日取柳枝打碎一头，点药揩齿。

本方令齿白净。

【方十】

食醋。含半口食醋，在口里蠕动二三分钟，然后吐出，再用牙刷刷洗，最后用清水漱净。

反复用上法可除烟垢，洁牙齿。

【方十一】

升麻3克，骨灰6克，白芷2.5克，石膏4.5克，麝香少许。药为末，每用时先以温水漱口，再以本药擦之，能洁齿白牙。

【方十二】

生大黄、熟大黄、生石膏、熟石膏、骨碎补、银杜仲、青盐、食盐各

30克，明矾、枯矾、当归身各15克。药共研为细末，每晨起先将此药末涂擦牙根上，然后洗脸，用毕以冷水漱吐。

本方系黄功农献给慈禧太后之方，久用牙齿洁白，至老不松动。

【方十三】

青盐、生石膏各15克，制补骨脂12克，花椒（去目）、白芷、细辛各5克，防风、薄荷叶、旱莲草各8克。将药生晒，研为细末，每天清晨用牙刷蘸药末，轻轻刷遍全牙，并稍含3～5分钟，再用清水漱口。

本方能固齿止痛。

【方十四】

生地黄、独活各90克。2味切细，以水500毫升浸渍一宿含之。

本方治牙根松动且疼痛者。

【方十五】

荆芥（不欠火）、川芎、细辛、当归各等份。药为细末，过筛，用牙刷浸水沾取药粉揩齿，不可马上用水漱去，须口含药气入牙内良久，方漱为佳。

本方祛风行气。可使牙齿坚固。

【方十六】

当归（酒浸）、小川芎、荆芥穗、香附末、白芍药、甘枸杞、熟地黄各75克，川牛膝（去芦、酒浸）60克，细辛9克，补骨脂45克，升麻15克，青盐9克。药为末，用老米500克，煮饭后合成丸。阴干，入瓦砂罐封固，炭火，或桑柴火烧成灰存性，研为末，用铝盒盛之。清晨以药粉擦牙，然后温水漱咽服下。

本方补益精血祛风清热，固齿乌发。

第十二节

『健鼻护耳方』

健鼻护耳方是指具有使耳鼻部皮肤润泽，鼻耐风寒，耳耐冷冻，鼻腔通气正常，耳廓坚韧挺括作用的一类方子，并能防治耳部疾患。其作用机理为润肺健脾，御风利湿或温经散寒，养血通脉，滋肾泻热。常用的能够健鼻护耳的偏方主要如下：

【方一】

天冬9克，黑芝麻15克，南沙参、麦冬、黄精、玉竹、生地黄、川贝母各9克。水煎温服，每日1剂，分早晚2次服，同时可另用山药、薏苡仁各9克，研末炒至微黄，用红糖调服，与汤药各间1日服用，可避免大便稀溏。

本方滋润护鼻，对鼻部色泽异常有治疗作用。

【方二】

苍耳子27克，蝉衣6克，防风、蒺藜、肥玉竹各9克，炙甘草4.5克，薏苡仁12克，百合9克。水煎温服，每日1剂。

本方疏风健脾，能使鼻部肤色明润有光泽，防止鼻部疾患发生，维持其正常生理功能。

【方三】

人参15克，荆芥10克，细辛3克，桔梗10克，诃子6克，煅鱼脑石15克，甘草10克。水煎服，每2日1剂，亦可适当调整用量作丸、散服用。

本方通利鼻窍，可预防鼻伤风，鼻尖青紫、鼻流清涕及窒塞不通。

【方四】

玄参、麦冬各15克，生地、白芍各10克，薄荷3克，川贝12克，丹皮6克，枇杷叶10克，黑芝麻12克，霜桑叶10克，甘草6克。水煎服，每日1剂，早晚分服。

本方养阴润燥，清肺健鼻，能预防鼻部干燥失泽。

【方五】

大黄、芒硝、槟榔、白果仁各等分。前3味药共研为末，调敷患处，每日3～4次；洗净后，再用白果仁嚼烂敷之。

本方清内热，涤积邪，消肿凉血，适用于酒糟鼻日久不愈。

【方六】

小蓟1把。用水3碗，煮取1碗，分多次饮服之。本方可预防鼻疾而护鼻。

【方七】

麻黄10克，杏仁15克，生石膏30克，栀子、生甘草、辛夷各10克，苍耳子3克。水煎服，每日1剂，分2次服。

本方宣肺通窍，用于鼻伤风流清涕不止者。

【方八】

水发腐竹100克，切成段，苋菜200克，素油50克，葱丝、盐、糖、味精和葛根淀粉各适量。在炒锅中加入油，待热后放入葱丝、炒出香味后，下入腐竹煸炒至七成熟，再加入苋菜翻炒，加盐、糖、味精至熟透，勾葛根淀粉汁汤，汁明亮即可出锅。

本方祛痰，清肝，聪耳，经常佐餐食用本品能增强和改善听力。

【方九】

罗布麻叶10克，李子（实）1 000克，用沸水烫软，去皮，除核，蜂蜜适量。将罗布麻叶放入砂锅中加水适量，煎煮20分钟，用纱布过滤，收取滤液备用。将李子肉放在砂锅或不锈钢锅中，加入罗布麻叶的滤液，煮至汤汁将尽时，加入蜂蜜继续煎煮，随时搅拌翻动，收汁即可。

本方清肝补虚聪耳，常食可预防听力减退。

【方十】

肉桂、干姜、辣椒各15克；用植物油250克浸药3回，炸之去渣，入黄蜡60克熔化。

本方温肌肉，通血脉，常食防耳冻。

【方十一】

枣子去核，包青攀煅研。用香油调敷之。

本方解毒托疮，主治耳出烂疱。

【方十二】

葱白15克，牡蛎、白术、磁石、

麦冬、白芍、生地汁、大枣、甘草各30克。水煎，每日1剂，分3次服。

本方出自《千金方》，功能滋肾阴，泄肾热，润耳窍，防耳疾。

【方十三】

当归、黄柏各30克，麻油20毫升。将药和麻油混匀，放入铜器中，加热10分钟左右，然后下适量蜂蜡，待蜡熔化，即可将油收起，待冷后成软膏，再用时先以浓茶或甘草汤洗净耳部，拭干，然后再涂本膏，每日1～2次。

本方适用于冻耳而有溃烂者。

【方十四】

当归30克，桂枝15克，赤芍12克，细辛3克，通草15克，大枣、甘草各10克。桂枝去皮，通草炙，大枣去核，水煎服，每周2剂，连续服用1个月。

本方出自《金匮要略》，功能温经散寒，养血通脉，故能预防冻耳。

【方十五】

独头大蒜适量。杵烂加温，暑天深贴冻耳，一日后弃去。注意涂贴此药前预先在皮肤上抹一层清油，以免烧伤皮肤。

本方可预防入冬后冻耳再次发作。

第十三节

『丰形健身方』

丰形健身方是指具有使瘦人中满肥白强壮健美作用的一类方子。方内所用药物多为调补气血阴阳之品。常用的能够丰形健身的有效的单偏方主要如下：

【方一】

太子参15克，山药、白术各10克，生黄芪15克，麦冬、黄芩各10克，黄精、鸡血藤各15克。水煎服，每周服1剂。

本方适用于形体消瘦，肤色无泽，精神不振。

【方二】

羊肾2对（去脂膜，切破，焙干）、人参（去芦头）、白茯苓、白术各30克，桂心、熟干地黄各60～90克，肉苁蓉（酒浸一宿，刮去皱皮，炙干）、当归、蛇床子各9克，枳壳（麸炒微炭，去瓤）、薯蓣、黄芪、泽泻、山萸、白芍、吴萸（汤浸7遍、焙干、微炒）、菟丝子（酒浸3日、曝干，另捣为末）、麝茸（去毛，涂酥炙微黄）、远志（去心）、附子（炮裂去皮、脐）、牡丹、石斛（去根，切细）、牛膝（去苗）、诃子（煨用皮）各45克。药为末，炼蜜和捣三五百杵，丸如梧桐子大。每日空腹，以暖酒送下30丸。

本方补益骨髓肌肤，适用于虚劳羸瘦。

【方三】

白面120克，鸡子3个，白羊肉120克。先将羊肉剁细作羹，取3个鸡蛋清调和面粉，制成面条，在豆豉中煮熟，趁热加入五味调料和羊肉羹即成。

本方温补气血，适用于虚损羸瘦，令人肥白光泽。

【方四】

羊肉1 000克，当归、白芍、熟地、黄芪各15克，生姜（切）0.3克，粳米25克。羊肉取120克细切，余880克，将细切之羊肉与诸药加入500毫升水的器皿中共煎，去滓，取汁约300毫升，下米煮粥，欲熟，入生肉再煮，令熟。再用五味调和，即可食用。

本方可补益气血，对面色萎黄，肌肉消瘦有特效，健康人服用，也可使面色红润，容颜光泽。

【方五】

沙苑子20克，粳米100克，冰糖50克。将沙苑子洗净，用纱布包好，粳米淘洗净，砂锅置火上，注入清水1 000毫升，放入粳米在中火上烧开，改用小火慢煮至米烂汤稠，表面浮有粥油时，放入冰糖再煮5分钟即可。

本方补肝肾，益脾胃，特别适宜于形体消瘦、面色萎黄者食用，久服可使形体丰满而健美，容艳色美而不老。

【方六】

黑牛髓、地黄汁、白蜜等份。煎和，不拘时服，适用于瘦病。

【方七】

生山药适量。磨如泥，和酪作粥，长肌肉，补虚劳羸瘦，能肥人，常服甚佳。

【方八】

鹅肉750克，龙眼肉50克，生姜、葱各15克，土豆150克，料酒40克，精盐5克，糖、酱油各10克，胡椒粉、味精各2克，菜油750毫升（实耗75毫升），肉汤15 200克。将鹅肉洗净入沸水中氽去血水，切成4厘米长见方的块，生姜洗净拍破，葱洗净用整枝，土豆刮去皮洗净，切成滚刀，锅置火上，注入菜油待油温七成熟时下鹅肉，下锅炸成黄色捞起。再下土豆炸3分钟，锅内注入菜油50毫升，待油热时下大姜、葱，再下料酒、精盐、酱油、胡椒粉、糖，鹅块大火上烧开，改用小火，至鹅肉六成熟时，放入土豆块同熟，烧至肉熟、土豆酥时，拣出姜、葱不用，收汁装盘即成。

本方益气养阴，经常食用能使形体丰满，肌肤健美。

【方九】

紫石英、白石英（均碎如米，以醇酒4.5升，铜器中微火煎取1.5斤，以竹篱不停地搅拌，去滓澄清）、干地黄各500克，石斛150克，柏子仁、远志各30克，茯苓、人参、桂心、干姜、白术、五味子、苁蓉、甘草、天雄、白芷、细辛、川芎、黄芪、山茱萸、麦门冬、防风、薯蓣各60克，白参1 500克，酥500克，桃仁1 500克。24味药，共下筛，纳煎中，如不足加酒取足为限，煎之可令成丸为度，亦可单独煎剂。

本方能令人肥白壮实。

【方十】

大豆黄适量。炒，如作酱滓，取纯黄一大升，捣、筛、炼猪油和令熟为丸，酒服20丸，日2服，渐加至

30～40 丸。

服尽 5 升，不出 1 月即大能食，肥白。

【方十一】

杏仁 1 500 克，羊脂 2 000 克。将杏仁放入汤中，去皮尖及双仁，熟捣置容器中水研，取 4 公斤汁，以铁锅置火上，取羊脂入内，摩面溶之，再放入杏仁汁温 3～5 日，色如金状，每服 1 丸如弹子大，日 3 次。

本方可使人肥白。

【方十二】

柴胡、鳖甲（去烂、酥炙）、知母各 30 克，五味子 15 克，地骨皮 45 克。药为细末，每服 6～9 克，入乌梅 2 个，青蒿 5 叶，水煎去渣服。

本方适用于虚劳羸瘦，面黄无力，减食盗汗，久咳不止。

第十四节

『香身除臭方』

香身除臭方是指具有使身体、衣着芳香洁净，并祛除体臭的一类方子。其作用机理为芳香逐秽，散风除湿，止汗除臭，调和气血。常用的有效的偏方主要如下：

【方一】

紫石英粉、青木香、麻黄根、附子、甘松、藿香、零陵香各等份。7 味药，除石英粉外，同捣筛为细末，用夹绢袋盛，沐浴之后，取适量香粉均匀地涂于身上。

本方香肌美容，爽身止汗。

【方二】

沉香、麝香、白檀香、青木香、零陵香、白芷、甘松香、藿香、细辛、川芎、槟榔、豆蔻各 30 克，香附子 15 克，丁香 1 克。14 味药，捣筛为未，炼蜜为丸，如梧桐子大，日久含之，咽津味尽即止。忌五辛，阴虚火旺及动血之人慎用。本方不宜久服，以防温燥助阳伤阴。

本方服后令人身体百处皆香，且爽口。

【方三】

片脑 3 克，麝香 1.5 克，硼砂 9 克，薄荷 6 克。药为极细末，熬甘草膏为丸，如梧子大，朱砂为衣，每用 1 丸噙化。

本方可令全身香。

【方四】

白芷、薰草、杜若、杜蘅、藁本各等份。做蜜丸，日服 3 丸，暮服 4 丸。

本方令人香，20 日足下悉香。

【方五】

沉香 90 克，零陵香、丁香、麝香各 45 克，甲香 3 克，熏陵香、甘松香各6克，檀香3克，藿香、子丁香各15克。10味过筛，蜜和，用熏衣瓶装。

本方可令衣香。

【方六】

牡丹30克，甘松1克。将药捣为细末，每洗衣、最后泽水3克。

本方用于香衣。

【方七】

官粉300克，密陀僧、白檀香各30克，黄连15克，冰片、麝香各少许，蛤粉150克，轻粉、朱砂各6克，金泊5个，鹰条3克。诸药研为细末，和匀，晨起或淋浴后，将香粉均匀地涂于面部及全身皮肤上，过一段时间后洗去。

本方香肌腻肌，解毒疗疮。

【方八】

零陵香、甘松、白檀各15克，木香、麝香、冰片各0.3克。药共为细末，袋装，置衣箱内。

本方可以香衣。

保健滋补方

BAO JIAN ZI BU FANG

中医学认为："正气存内，邪不可干。"所谓正气，即指人体对外界邪气的抗病能力；邪，指邪气，使人生病之气。本句话的意思是说，如果人体的正气充沛于体内，那么，外来的致病邪气就不能侵犯人体，这样人体就不得病或少得病。那么，又怎样使人体的正气强大呢？方法尽管很多，但重要的一条就是要不断地补充人体正气，即要经常服用一些能够补气、补血、气血双补、补阴、补阳的药物，如下所述：

第一节

『补 气 方』

俗话说：人活着就是一口气。民间人们检查一个人是死是活，通常摸一摸这个人还有没有气，可见，气对于人体是多么重要。事实上也确实如此，祖国医学认为：人身三宝精、气、神。气是生命活动的根本和动力，它充满全身，运行不息，关系着人体的健康与寿夭。祖国医学经典著作《黄帝内经》中早就指出过："百病生于气。"意思是许多疾病的发生都与人体气的运行有关。因此，要养好生，必须注意补气。

补气法，适应于气虚之人，不是气虚，不能用这种方法。所谓气虚，即气不够用，动则即喘。经常感到疲倦乏力，少言懒语，面色㿠白，食欲不振，舌淡苔白，舌边有齿痕（即有牙印），脉虚弱无力。

【方一】

椰子 1 个。将椰子剥去外皮，去壳，取白色肉瓤，切成小块食之，每次数块。

椰子肉，异名椰子瓤，为棕榈科植物椰子的胚乳，色白，嚼之似肉质。味甘性平，"益气，去风，食之不饥，令人面泽"（《本草纲目》）。

椰子果肉含油量为 60%～65%，油内大部分脂肪酸为饱和脂肪酸，仅有很少的油酸与亚油酸。这与一般植物油有很大不同。饱和脂肪酸尽管有一些弊端，但也是人体所需要的营养成分，为了维持良好的健康水平，营养学家建议饱和脂肪酸、单不饱和脂肪酸和多不饱和脂肪酸最好各占 1/3，即保持 1:1:1 的比例较为适宜。此外椰子肉尚含有一些蛋白质、蔗糖、葡萄糖，对皮肤的健美也有益处。

老年人、高血脂症、肥胖者慎用。

【方二】

豆浆 200 克，粳米 59 克，白糖适量。豆浆加水与米同煮为粥，或粳米如常法煮粥，临熟时加入豆浆，继续煮至粥成，以白糖调味，每日 2 次。

本方补虚羸，肥健人，适合于体弱多病，形体消瘦者食用。

【方三】

大麦 100 克，草果 6 克，羊肉 50 克。将羊肉洗净，制成肉末，备用；大麦煮汤，临熟时，加入羊肉末、草果、黄酒及食盐，搅拌均匀，小火继续煮至熟烂，遂停火，佐餐食用。

本方温中、养胃、肥健，适用于脾胃虚弱、食少消渴、体弱消瘦者食用。

【方四】

生黄芪 30～60 克，粳米 2 两，红糖少量，陈皮末 1 克。每次取生黄芪浓煎取汁，选用粳米、红糖少量同煮，等粥将成时，调入陈皮末，稍沸即可。

本方补益元气，健脾养胃，利水消肿，适用于劳倦内伤、慢性腹泻、体虚自汗、老年性浮肿、慢性肝炎、慢性肾炎、疮疡久溃不收口等一切气血不足的病症。

【方五】

芡实、山药、茯苓、莲肉、薏米、白扁豆、党参、白术各6克，大米100克，糖适量。将前8味中药，加水共煮40分钟，捞出党参与白术之药渣，再入淘干净的大米，继续煮烂成粥，分顿调糖食用，连吃数日。

本方健脾益气，温阳利湿，适用于体虚无力，虚肿，泄泻等症。

【方六】

干山药、白术各30克，人参3克，面粉500克。山药、白术、人参研成细粉。加面粉，清水合面，擀薄切片煮食。

本品有补气健脾功效。适用于脾胃虚弱，不思饮食，大便泄泻，疲倦无力。

本方出自《圣济总录》，原方名“山芋丸”，用于“脾胃虚弱，不思进饮食”，为补气健脾常用方。脾胃虚弱，运化无权，生化无力，则见食少便溏，疲倦无力。法宜补气健脾，方中以山药为主，补气健脾；以白术、人参、面粉为辅佐，白术补气健脾，人参大补中气，面粉补养肠胃。诸料合用，更增强补气健脾功效。本方补气之力较强，对于元气虚弱也可应用。

本方对外感及实热病证者不宜食用。

【方七】

水发燕窝10克，水发竹荪40克，鸡腿肉150克，水发香菇100克，火腿丝10克，精盐、味精、白糖、胡椒粉、水淀粉、姜汁、猪油、料酒、高汤各适量。鸡肉、香菇、竹荪切成条。竹荪、香菇下锅氽透捞出。锅加入猪油、姜汁、料酒、水，先将燕窝下锅滚片刻捞出，放入竹荪、香菇、鸡肉滚煮，待鸡肉熟后倒出放入碗内，加入燕窝、火腿丝。后烧锅，加入高汤、猪油、味精、白糖、胡椒粉，待沸后用水淀粉勾稀芡，淋在面上即成。

本汤菜以竹荪燕窝合鸡肉、香菇、火腿而成。竹荪又名竹参、竹笙，为世界上著名的珍贵食用真菌，被誉为“山珍之王”、“菌中皇后”。竹荪菌体洁白细嫩，味道鲜美可口，营养价值很高。据测定其中含粗蛋白20.2%，粗脂肪2.6%，碳水化合物38.1%，并含有多种氨基酸，特别是谷氨酸含量特别丰富，竟高达1.76%。所以它不仅是一种营养丰富的食品，而且是一种上好的调味品。竹荪历来被作为高贵的馈赠礼品，也只有在帝王御膳中才能见到它。竹荪具有补气益肾，止痛止咳，防腐解毒之功效，且能减少腹壁脂肪的贮积，对高血压、高胆固醇患者也有一定疗效。竹荪配用大补元气、润肺益肾之燕窝，健脾滋肾之火腿，补血益气之鸡丝，开胃化痰之香菇，则具补元气、益肺肾、开胃健脾之功。对于体虚痨瘵之人食用效果更佳。此汤菜味鲜，素为人爱。

【方八】

黄羊肉250克，党参50克，精盐、味精、料酒、姜丝、猪油、肉汤各适量。将黄羊肉洗净，切片。党参润透洗净切片。先在锅内加油、姜丝、料酒、味精、盐及肉汤，烧开后加入黄羊肉、党参共煮，至肉熟烂，调味即成。

黄羊肉具补中益气功效，常用治劳伤、虚寒。党参益血补肺，补益中气，两者相合为用，则此汤菜补中益气之效更著。适用于脾胃虚弱所致的反胃，饮食减少，消瘦之人。健康人食之能健脾胃。

【方九】

水发鱼翅1 000克，熟火腿50克，香菜、豌豆苗各25克，料酒、精盐、味精、白糖、白胡椒粉、葱、姜、熟猪油、鸡汤各适量。先将熟火腿切成3厘米长的细丝，豌豆苗掐根留尖洗净，葱切段，姜切片，均拍松，备用。将水发鱼翅滗去碗内原汤，用沸汤烫一次，重新放在碗内，上放葱段、姜片，倒入鸡清汤，加料酒、精盐，放在笼中蒸20分钟，取出滗去汤，拣出姜葱。另坐锅于火上，倒入熟猪油，油热后，投入葱段、姜片，倒入鸡汤，放入蒸过的鱼翅，加精盐、白糖、料酒，烧开后，移至小火上将鱼翅炖至软烂。同时，另取锅于火上，倒入鸡汤，加料酒、精盐，烧开后，加味精调好口味，把炖烂的鱼翅拣去葱姜，捞在一个大罐子内，将烧开的鸡汤浇于罐中，撒上火腿丝、豌豆苗、香菜末、白胡椒粉即成。

鱼翅，为海味珍品。内含蛋白质、脂肪、碳水化合物、氨基酸等物质，为上乘名菜。中医认为此物性味甘、平，入于脾胃经。具有益气、养胃、补五脏、益肾、强筋骨的作用。可治疗病后、年老体弱，并有强壮健身作用。

【方十】

葱50克，猪蹄4只。食盐、味精各适量。将猪蹄拔净毛，洗净，用刀划口置锅中，葱切段加入锅内，加盐、水适量，先用武火煮沸，再改用文火炖熬至熟烂即成。吃肉喝汤。

本汤菜补气消肿，适用于血虚四肢疼痛，浮肿，疮疡肿痛等。

【方十一】

老鸭2只，猪蹄1对，葱1根，姜1块，花椒少许，料酒、食盐各适量。将老鸭宰杀后，热水煺毛，剖腹去内脏，切成小块，放入开水锅中汆2分钟捞出，控去血水，洗净备用。猪蹄刮尽毛垢，洗净，劈破为两块。生姜切片，葱切长段。砂锅内放水适量，将老鸭与猪蹄同入锅内，先用武火烧开，撇去汤面上浮沫，然后投入姜片、葱段、料酒、花椒，用文火炖约2小时，至猪蹄与鸭均脱骨为度，放食盐入锅再炖数分钟，即停火起锅，分次食之。补气肥体，健脾开胃。适用于身体羸弱，病后体虚，产后少乳。

【方十二】

鳖甲30克，鸽子1只，料酒、精盐、味精、胡椒粉各适量。将鸽子去毛和内脏，洗净。将鳖甲打碎放入白鸽腹内加清水适量，料酒、胡椒粉、盐，放瓦盅内炖熟，以味精调味，装汤碗即成。

鳖甲味咸性平，具有滋阴潜阳，软坚散结之功效。《医学入门》谓之“主劳疟、老疟、女儿经闭、小儿痫疾”。《本草衍义补遗》谓之“补阴补气”，是一味补阴软坚常用之品。鸽肉能滋肾益气。《本草逢原》谓之能对“久患虚羸者，食之有益”。《四川中药志》记载它能“治妇女干血劳，月经闭止”。二料共用，具有滋肾益气、散结通络之功效。适用于妇女因身体虚弱而致月经闭止之人。另对于肾虚、气虚、身体瘦弱者有益。

脾胃阳衰、食减便溏及孕妇忌食。

【方十三】

羊肉、牛奶各250克。生姜20克，山药100克。将羊肉洗净切小块，生姜洗净切片共入砂锅中，加水适量，微火炖7～8小时，用筷子搅烂匀。另取砂锅1只，倒入羊肉汤1碗，加入山药（洗净切片）煮烂，再倒入牛奶煮沸即成。

奶香浓郁，色泽明亮，温中补虚，益精补气。适用于病后、产后经常肢冷，疲倦，气短者。

牛奶中含大量的钙、镁、铁等金属元素，可与某些有机碱类如四环素类药物发生结合反应，减弱二者疗效。故服食本方时不宜吃其他食物。

【方十四】

牛肉250克，红枣10枚，盐、味精少许。将牛肉切成小块与红枣文火炖熟。

补中益气，助肌生长，促进伤口愈合。

【方十五】

醋炙五味子5克，枸杞子10克，白糖适量。五味子和剪碎的枸杞子放入瓷杯中，以沸水冲泡，温浸片刻，再调入白糖。

趁热频饮，随饮随兑入沸水适量至味淡。经常饮用本品有益气补肾功效。适用于素体或病后倦怠，乏力，虚汗，腰膝痛等肾气亏损诸症；也可作为养生补益之剂。

本方出自《摄生众妙方》，品名为后加，原用于治“疰夏虚病”，为脾胃虚弱或气阴不足者常用之品。五味子以酸为主，温而不燥，敛气滋阴；枸杞子甘平，既滋肾阴，又助肾阳。适用于常人或病者诸百损之症。

本方注解适合用治“夏虚”，说明对气阴耗散征象者尤为适宜。

第二节

『补血方』

血是人体最宝贵的物质之一，它内养脏腑，外濡皮毛筋骨，维持人体各脏腑组织器官的正常机能活动，使目能视、脚能步、掌能握、指能捏，神志清晰、精力充沛，这些都是血的功能。若血虚，不能营养人体，则面色无华、视力减弱、模糊、眼球干涩，关节活动不灵、四肢麻木、皮肤干燥、发痒、神志异常、头痛眩晕、惊悸、失眠多梦等。因此，必须重视补血。

补血法适用于血虚之人。不是血虚，不能用这种方法。所谓血虚，即血少不够用，常反映为全身性的血液亏损，或血液对人体某一部位的营养或滋润作用减弱。临床以面色苍白无华，口唇淡白，头晕眼花，舌质淡，脉细无力，妇女月经量少、衍期甚至经闭等为主要症状。

【方一】

牛乳250克，粳米100克，白糖适量。粳米淘洗干净，放入锅中，加清水，煮至半熟时，再加牛乳，煮至粥成，调以白糖进食。

本方有大补阴血功效。适用于虚弱劳损，形体羸瘦。

本方出自《调疾饮食辨》、《本草纲目》等，原方用于“大补阴血”、“老人甚宜”，为滋补虚损常用方。若日久失于调摄，或久病失于调治，脏腑亏损，阴血亏虚，则见虚损，法宜大补阴血。方中以牛乳血肉有情之品为主，大能补阴血，益虚损；以粳米为辅佐，补脾以助牛乳之力，合用而成大补阴血之方。本品滋补之力较强，尤宜于虚损重症。

本品滋润补益，对脾胃虚寒泄泻及痰湿水饮者不宜食用。

【方二】

鲜乌贼鱼肉250克，桃仁15克，黄酒、酱油、白糖各适量。乌贼鱼肉冲洗干净，切条备用。桃仁洗净，去皮备用。乌贼鱼肉放入锅中，加桃仁、清水，旺火烧沸后加黄酒、酱油、白糖，再用小火煮至熟烂即成。

本方有养血调经功效。适用于血虚经闭。

本方出自《陆川本草》，原方用于“妇人经闭”，为治疗血虚经闭的代表方，血虚冲任失养，血海空虚，则见经闭。方中以乌贼鱼肉为主，血肉有情之品，大能养血调经；以桃仁为辅佐，活血调经。两者合用，一养血以调经，一活血以调经，而以养血为主，故适用于血虚兼有血滞之经闭及血虚经闭。

《唐瑶经验方》以本方去乌贼鱼，加莲藕煮食，则活血调经之力增强，原方用于“产后血闭”。

本方孕妇忌食。

【方三】

鲜桑椹1000克，糯米500克。鲜桑椹洗净捣汁（或以干品300克煎汁去渣），再将药汁与糯米共同烧煮，做成糯米干饭，待冷，加酒曲适量，拌匀，发酵成为酒酿。

每日随量佐餐食用。适用于肝肾阴亏、消渴、便秘、耳鸣、目暗、瘰疬、关节不利等症。

桑椹滋阴补血力强，辅以糯米补中益气，提高疗效。

【方四】

羊乳250克；羊脂60克。羊乳、羊脂放入锅中，煮作羹食。

本方有补虚劳，益精血功效。适用于虚劳羸瘦。

本方出自《食疗本草》，原方用于“补肾虚，亦主中风”，为补虚劳、益精血方。久病体虚，脏腑耗损，精血亏虚，则见虚劳羸瘦，法宜补虚劳，益精血。方中以羊乳为主，补虚劳，益精血；以羊脂为辅佐，补虚润燥以助羊乳滋补，合用而成补虚劳，益精血之方。本品补虚滋润之力较强，对于虚劳羸瘦，肌肤枯憔者尤为适宜。

本品温润补虚，对于外感未清及痰火内盛者不宜食用。

【方五】

猪里脊、粳米各50克，花椒、食盐、茴香、香油皆适量。将里脊肉洗净，剁成肉末，入食盐、花椒、茴香、香油调拌，待用；粳米煮粥，粥将成时放入上述原料，再煮至肉熟米烂，每日2次。

猪里脊即猪脊背上的瘦肉，结缔组织较少，质地细嫩柔软，无腥臊异味，入馔效佳。含蛋白质20%左右，并富含B族维生素和铁等，脂肪约为8%。据中医古书记载，猪肉味甘咸，性平，具有滋阴、润燥的功效。《本草备要》谓："猪肉其味隽永，食之润肠胃，生津液，丰肌体，泽皮肤。"《随息居饮食谱》称："补肾液，充胃汁，滋肝肾，润肌肤。"配方中猪里脊滋阴血，润肌肤；粳米健脾益气；花椒、茴香既可调味，又可温中补虚。全方滋养阴血，补中益气，常服可收肌肤滑润光泽之效。

痰湿内蕴者不宜服用。

【方六】

鲜牡蛎250克。将其洗净，用黄酒、食盐、葱姜腌泡半小时后，取出，入火上烤熟，即可。佐餐食用。

牡蛎的保健作用古已载之。我国明代《本草纲目》一书就记载：牡蛎"气味甘温无毒。煮食，治虚损，调中……炙食甚美，令人细肌肤，美颜色"。日本古书也记载牡蛎"甘温，无毒，去脾胃内热，消汗，止渴，解酒，补阴养血，久食皮肤娇嫩"。牡蛎的美容作用源于它所含的蛋白质、糖类、不饱和脂肪酸、维生素和微量元素锌、铜、碘、硒等营养物质，它们既能滋补强壮身体，又对皮肤起保健作用。

尽管牡蛎营养丰富，但远离海边的人们是很难吃到牡蛎的。为了使更多的人受益，中国和日本科学家联合研制成"牡蛎精"。"牡蛎精"是通过先进的工艺处理，提取牡蛎中的有效成分制成的，它保留了牡蛎的营养，并使其更容易被人体吸收。

【方七】

猪皮500克，黄酒、大蒜、生姜、酱油、食盐皆适量。猪皮去毛，洗净，切成长条。放入锅内，加适量清水、葱、姜、黄酒，以小火煨炖肉皮将熟时加食盐、酱油，待肉皮熟烂，汁液黏稠时即可停火，倒入碗内，冷藏备用。佐餐用。

猪皮味甘，性寒，养阴清热，传统用于解除少阴肾经邪热所致的音哑症。近年来多用于润肤美容。

猪皮的胶原组织经过熬炼，水解成明胶，它是和构成人体皮肤的胶原结构相似的一种动物蛋白，其分子量较低，易被人体吸收，这种胶质蛋白有增加皮肤弹性，延缓皮肤衰老的作用。猪皮需要长期连续使用，才能产生较好的润肤作用。

有关单位从猪皮中提取出水解蛋白，研制成系列护肤品。皮肤试验表明，它们无任何刺激性和副作用，易被皮肤吸收，滋润皮肤，有明显的止痒作用；能修补和促进伤口愈合，减退色斑，使皮肤变得光滑、洁白、细腻而富有弹性，可使皱纹变浅。

【方八】

大猪蹄1个，松子仁、核桃仁各30克。猪蹄去净毛，入锅煮至半熟，去骨取皮，皮内装上核桃仁、松子仁及零星碎肉皮筋，卷好，外用线扎紧，再煮至烂熟时取出，待冷切片，装入盘中，佐餐食用。

据古书记载，本方中3味原料皆有滑润肌肤的作用。猪蹄养阴血，"滋胃液以滑皮肤"（《随息居饮食谱》）；核桃仁补肝肾，悦肌肤，"常服骨肉细腻光润"（《食疗本草》）；松子仁润肺养液，"润皮肤，肥五脏"（《日华子本草》），三物合用共奏滋养润肤之功。

本方的美容作用与原料的营养成分是分不开的。猪蹄中的胶原蛋白，是养颜保健之佳品；核桃仁、松子仁属于坚果类食物，含脂肪和蛋白质都比较丰富，脂肪含量高达40%以上，其中主要成分是必需脂肪酸，它在体内有多种生理功能，缺乏时可影响细胞膜的功能，在婴儿可能引起湿疹，在成人可能导致一系列皮肤病变。此外核桃仁、松子仁内的维生素E有延缓细胞衰老，减少皮肤色素沉着的作用。

凡高血脂、肥胖症、大便溏泄者不宜用本品。

【方九】

藕适量，粳米二两，砂糖少许。将藕洗净，切成薄片，同粳米、砂糖同入砂锅内煮成稀粥。本方健脾、开胃、益血、止泻，适用于食欲不佳，大便溏薄，热病后口干烦渴。

【方十】

干红枣50克，花生米100克，红糖50克。枣洗净泡发，花生略煮后取花生衣，将枣与花生衣同放入煮花生的水中，加冷水适量，文火煮半小时，捞出花生衣，入红糖，溶化后收汁，作点心服用。

本方益气养血，适用于血虚证。

【方十一】

净母鸡1只（约重1 250克），桂圆肉、荔枝肉、乌枣、莲子肉、枸杞子各15克，冰糖30克，调料各适量。鸡腹部朝上放在大碗中，桂圆肉、荔枝肉、乌枣、莲子肉、枸杞子置于四周，再加上冰糖及精盐、料酒、葱、姜、清水各适量，上笼蒸2小时取出，调味，撒上胡椒粉。

本方补血养阴，益精明目，适用于病后、产后气血虚弱、面色苍白、形体羸瘦等症。

【方十二】

藕粉、糯米粉、白糖各250克。藕粉、糯米粉、白糖放入盆中，加开水，揉成面团，放在笼内蒸熟即成。

本方有补虚益胃，养血止血功效。适用于虚弱食少，吐血，便血。

本方出自《本草纲目拾遗》，为治疗虚弱失血方。体虚胃弱，血不循经，则见食少和失血。法宜补虚益胃，养血止血。方中以藕粉为主，补虚开胃，养血止血；以糯米粉、白糖为辅佐，糯米粉补益脾胃，白糖补虚润燥，合用而成补虚益胃，养血止血之方。本品糯米取粉，则黏滞之性大减，尤宜老年虚弱者食用。

本品对痰热内蕴者不宜食用。

【方十三】

母猪蹄2只，通草6克，黄酒、食盐、葱白、生姜各适量。猪蹄刮毛洗净备用。通草放入纱袋中备用。猪蹄放入锅中，加清水、通草、黄酒、葱白、生姜，小火炖至八成熟，取出猪蹄，剔去其骨。原汤过滤去渣，加入猪蹄、食盐，小火炖至熟烂即成。

本方有养血通乳功效。适用于产后乳少。

本方出自《梅师集验方》、《随息居饮食谱》等，方名为后补。原方用于"痈疽发背或发乳房初起微赤"、"妇人无乳及乳痈，发背初起"，为治疗产后乳少代表方。产后血虚，乳汁生化不足，则见乳少，法宜养血通乳。方中以猪蹄为主，血肉有情之品，大能养血补血以充乳汁；以通草为辅佐，通络下乳以助乳汁排泄。两者合用，一补一通，补中有通，配伍精当，共成养血通乳之方。此外，本方并有托疮功效，故还可用于乳痈和发背。

【方十四】

猪蹄1个，葱白2根，黄酒、食盐各适量。猪蹄去毛，刮洗干净。从趾缝处切成两片，放入锅中，加清水，旺火烧开，撇去浮沫，再加入葱白、黄酒、食盐，小火炖至熟烂即成。

本品有养血托疮功效，适用于四肢疮疡肿痛，败疮不收。

本方出自《肘后方》。方名为后补，原方用于“毒攻手足，疼痛欲断”，为养血托疮方。血虚不能托毒外出，则见疮疡肿痛或败疮不收，法宜养血托疮。方中以猪蹄为主，补血脉，托疮毒，长肌肉；以葱白为辅佐，通阳解毒以助托疮。合用而成养血托疮之方。本方养血托疮，对血虚毒陷之疮疡尤为适宜。本品养血，还可用于产后乳少。

本方对热毒疮疡者不宜食用。

【方十五】

花生米200克，猪前蹄1个，黄酒、葱白、生姜、食盐各适量。猪蹄去毛，刮洗干净，切成两片，放入锅中，加花生米、清水、黄酒、葱白、生姜，旺火煮沸，改用小火炖至熟烂。再调以食盐略炖即成。

本方有养血通乳功效。适用于产后乳少，以及一般血虚病证。

本方出自《陆川本草》，方名为后补。原方用于“乳汁少”，为治疗血虚乳少常用方。血虚不足，乳汁生化无源，则见乳少，法宜养血通乳。方中以花生米为主，养血丰乳；以猪蹄为辅佐，血肉有情之品，大能补血脉，通乳汁。两者合用，以增强养血通乳之力。本方养血补血，故还可用于一般血虚病证。

此外，《千金方》单以猪蹄炖食，用于“乳无汁”。

本方可用于贫血、白细胞减少症。

本方补血滋腻，对痰湿重者不宜食用。

【方十六】

猪胰1具，淡菜150克，料酒、精盐、胡椒粉、姜片、肉汤适量。将猪胰洗净，放入沸水锅中汆一下，捞出切片，将淡菜（干品）浸泡，洗净，然后放锅内加适量水煮，开锅后捞出洗净，再放锅中加入猪胰、料酒、精盐、胡椒粉、姜片，肉汤烧煮至肉熟烂，盛入汤盆即成。

猪胰性平味甘，能益肺补脾、润燥。治肺损、咳嗽、咯血、肺胀喘急、脾虚下痢、乳汁不通、消渴等症。淡菜性味咸温，能补肝肾，益精血，消瘿瘤。《日华子本草》说：“煮熟食之，能补五脏、益阳事。”《得配本草》记载它可治：“产后瘠瘦，食之而肥。”用猪胰配淡菜可用于肝肾不足，肺脾两虚所致高血压、虚劳、阳痿、咳喘、糖尿病等病。

【方十七】

金华火腿2 000克，猪肋条肉3 000克，白酒1 000克，清酱200克，白糖100克，茴香10克，花椒20粒。将火腿有皮的一面在明火上烧至微焦为度，用温水浸泡后，刮去油垢和焦痕。再入锅煮熟，连皮切成小方块，猪肋条肉切方块煮一下后，同金华火腿一起入砂锅，再煮肉汤煨，加入白酒、清酱、茴香、花椒、白糖，文火煮至肉烂为佳。

肉味香美，俗名佛跳墙。火腿性温味咸，有补脾开胃，滋肾生津，益气血，充精髓的作用。

【方十八】

连皮五花猪肉500克，大米70克，白薯、苋菜各200克。红糖60克，食盐15克，姜末、醪糟汁、四川豆豉各10克，甜面酱20克，花椒（壳）适量。先将肉刮洗干净，切成6厘米长薄片，白薯去皮切滚刀块。大米、花椒入干锅，以微火炒香，炒至金黄色起锅，磨成粗粒粉面。苋菜洗净切3厘米长的节，备用。把切好猪肉，放入磁盆中，加盐7克，姜末、醪糟汁、豆瓣酱适量，甜面酱10克，红糖60克（化为水），以上各味与肉拌匀，腌片刻，再将其放入米粉内拌匀，备用。苋菜和白薯分别加米粉、甜面酱及盐拌匀。后将合好的苋菜和白薯，分别放入大磁器内，各放一边，上面放拌好的米粉肉，锅内加水适量，将盛米粉肉的容器放笼屉内蒸软，即可出锅。色泽金黄发亮，味道咸、甜、辣、香俱全。

益气生津，补中和血，健脾开胃，其中白薯还具有宽肠通便的作用。据《随息居饮食谱》载，薯尚能防止晕车晕船。

【方十九】

猪肘子1 000克，红枣50克，好酱油20克，醋10克，葱、姜、蒜、啤酒、淀粉适量。将猪肘以常法处理，红枣洗净。将酱油、醋、葱、姜、蒜盛入碗内再入淀粉，啤酒搅拌均匀，备用。取一砂锅底上垫几块猪骨，加入清水1 000克放入猪肘烧开，打去浮沫，再将红枣及搅好稠汁倒入，以微火慢慢煨，煨至软烂，原汁成黏稠样即成。

补脾益胃，滋阴养血，脾胃虚弱，阴虚血亏者尤宜。能辅治血小板减少，并能增强健康人之抵抗力。

【方二十】

猪血500克，姜5克，食油30克，料酒3克，味精少许，盐适量。将猪血切成大块，放入开锅水中汆一下，捞出滤干水分，切小块。姜洗净，切丝。锅内放油后，烧至七成热，下猪血及料酒、姜、盐翻炒，起锅放味精。

补气养血，适用于并辅治头眩晕，中满腹胀，嘈杂有虫，宫颈糜烂，淋沥等症。

【方二十一】

羊肉250克，生姜60克，当归15克，料酒1匙，清汤、葱白、精盐各适量。将羊肉切片，素油炒过，兑入清汤约1 000毫升，加入当归、生姜、料酒、精盐炖至羊肉熟烂即成。食用时，弃药，吃肉喝汤。取其微发汗，食后避风2～4小时。

温中补血止痛，适用于血虚气寒引起腹部冷痛，恶寒肢冷，大便稀溏，以及寒湿凝滞的痛经，行经腹痛，量少色暗者。

第三节

『气血双补方』

气血双补方是指既能补血，又能补气，适用于气血皆不足之证。也就是说，临床上既有气不够用而出现的短气、乏力、不耐疲劳、倦怠之气虚证，又有血不足而出现的头晕、心悸、面色苍白、失眠、健忘等血虚的表现。在这种情况下，就需要使用气血双补方，常用的这类验方、偏方主要如下：

【方一】

牛肉1 000克，食盐适量，黄酒250毫升。将牛肉洗净，切成小块，放入锅中，加水适量，大火煮开，去除血污和浮沫，继小火煎煮半小时调入黄酒和食盐，煮至肉烂汁稠时即可停火，待冷装盘食用。佐餐食用。

本方补脾胃，益气血，肥健人，适用于虚弱、消瘦、少食、乏力、精神倦怠者食用。

【方二】

童子鸡1只，黄酒、生姜、食盐、葱白各适量。将鸡宰杀，去除内脏和鸡毛，洗净切块，在汽锅内放入鸡块，并放葱、姜、黄酒、食盐等佐料，不加水，利用汽锅生成的蒸馏水，制得“鸡露”。佐餐，饮露食肉。

本方益气、补精、肥健，凡体弱、产后、病后、老年消瘦者均可酌情选用。

【方三】

松子仁50克，蜂蜜25克，胡桃肉50克。松子仁、胡桃肉捣成碎末，与蜂蜜拌匀，上火煮沸遂停火，待冷装并备用。

本方润肺益肾、补中肥健，适用于身体瘦弱者长期服用。

【方四】

太子参15克，山药、白术各10克，生黄芪15克，麦冬、黄芩各10克，黄精、鸡血藤各15克。水煎服，每周服1剂。

本方益气补血，主治形体消瘦，肤色无泽，精神不振。

【方五】

黑大豆1 000克，猪油适量。黑大豆如作酱法，取黄捣末，调入猪油熬炼成膏。每次1匙，开水冲服，每日2次。

本方长肌肤，益颜色，加增气力，肥健人，《图经本草》曰：“久服令人身重。”

【方六】

黑驴肉500克，豆豉、黄酒、食盐各适量。驴肉冲洗干净，切块，放入锅中，加豆豉、黄酒、食盐、清水，旺火烧沸后改用小火，煮至熟烂即成。

本方有补血益气功效。适用于虚弱劳损，风眩，心烦。

本方出自《饮膳正要》，原方用于“风狂，忧愁不乐，安心气”，为补血益气方。久病体虚，或劳伤过度，气血耗损，则见劳损；血气不足，不能上荣头目，则见虚风眩晕；气血亏虚，心神失养，则见心烦。法宜补血益气。方中重用驴肉为主，血肉有情之物，大能补血益气；以豆豉为辅佐，兼清心除烦，合用而为补血益气之方。本方补气血重在补血，用治气血亏虚而以血虚为主。

【方七】

人参10克，大枣5枚。人参切片备用。大枣洗净备用。人参放入砂锅中，加清水浸泡半天，加大枣，煮约1小时即成。

本方有大补气血功效。适用于气血亏虚，虚弱劳损。

本方出自《十药神书》，原方用于

"止血后此药补之"，为大补气血的代表方。日久调摄不当，久病失于调治，或失血过多，均可导致气血严重亏虚和虚弱劳损，法宜大补气血。方中以人参为主，大补元气；以大枣为辅佐，补气养血。人参与大枣配伍，并可益气生血，合用而成大补气血之方。

本方可用于贫血。

本方补益之力较强，故实证、热证者不宜食用。

【方八】

鲜葡萄汁500毫升，蜂蜜1 000毫升。葡萄汁以小火煎熬浓缩至黏稠如膏时，加入蜂蜜，加热至沸，停火待冷，装瓶备用。每次一汤匙，以沸水化开代茶饮用。适用于热病烦渴，或食欲不振等症。

葡萄性味甘酸平，能滋肝肾阴液，配合蜂蜜，具有补益气血，润燥作用。

【方九】

黄精50克，粳米100克。黄精清水浸泡后捞出，切碎备用。粳米淘洗干净备用。黄精与粳米放入锅内，加清水，旺火烧沸后用小火煮至粥成。

本方有补虚损，益气阴功效，适用于虚弱劳损。

本方出自《调疾饮食辨》，原方用于"一切诸虚百损，不拘阴阳气血衰惫，无不宜之"，为治疗虚弱劳损常用方。虚弱劳损，多由久病失于调治，耗损气阴而成，法宜补虚损，益气阴。方中以黄精为主，补虚损，填精髓，益气阴；以粳米为辅佐，补气养血以增强黄精补虚之力。两者合用而为补益虚损之方。本方滋补之力较强，虚弱劳损以阴虚精亏为主者尤为适宜。

本方加冰糖调食，可增强其滋补润肺功效。适宜于肺痨咳嗽，咯血。

本方可用于肺结核。

本方性质滋腻，易助湿生痰，故脾虚湿困、痰湿咳嗽以及中寒便溏者不宜食用。

【方十】

肥羊肉500克，当归、生地各20克，干姜15克，酱油、黄酒、白糖、食盐各适量。羊肉冲洗干净，切块，放入锅中，加清水、当归、生地、干姜、黄酒，煮至七成熟时，再加酱油、白糖、食盐，小火烧煮收汁即成。

本方有补气养血，温中暖下功效。适用于血虚宫冷崩漏，产后虚寒腹痛，虚劳羸弱。

本方出自《千金方》，原方用于"崩中去血，积时不止"，为温补气血方。气血虚寒，不能温煦和充养胞宫，则见崩漏诸症，法宜温补气血。方中以羊肉为主，血肉有情之品，大能益气血，暖胞宫，以当归、生地、干姜为辅佐，当归、生地助羊肉养血调经，干姜助羊肉温中暖下，合用而成温补气血之方。本品温补气血，故还可用于产后虚寒腹痛和虚弱羸弱。

本方重在温补，故血热崩漏者不宜食用。

【方十一】

羊肝1具，羊脊膂肉250克，地骨皮12克，神曲10克，鸡蛋清、葱白、豆豉、素油、黄酒、白糖、干淀粉、湿淀粉各适量。羊肝、羊肉冲洗干净，细切，放入碗中，加鸡蛋清、干淀粉抓拌均匀备用。地骨皮、神曲放入锅中，加清水，浓煮取汁备用。素油倒入炒锅，烧至七成熟时，放入羊肝、羊肉，过油后沥出备用。地骨神曲汁倒入炒锅，烧沸后加羊肝、羊肉，再加入葱白、豆豉、食盐、白糖、黄酒、素油，湿淀粉勾芡，翻炒收汁即成。

本方有益气血，补虚劳功效。适用于虚劳羸瘦。

本方出自《圣济总录》，原方名“羊肝方”，用于“虚劳”，为治疗虚劳方。久病失于调治，气血亏虚，脏腑耗损，则转为虚劳，法宜益气血，补虚劳。方中以羊肝、羊肉为主，血肉有情之品，大能补气血，益虚劳；以地骨皮、神曲为辅佐，地骨皮清虚劳内热，并制羊肉之热，神曲健脾助运以助气血生化，诸料合用，共成益气血，补虚劳之方。本品寒热并用，阴阳并调，尤宜于一般虚劳羸瘦者选用。

【方十二】

猪腰子1个，人参、当归各10克，山药30克，麻油、酱油、葱白、生姜各适量。猪腰子对切，去除筋膜，冲洗干净，在背面用刀划作斜纹，切片备用。人参、当归放入砂锅中，加清水，煮沸10分钟后，再加入猪腰子、山药，略煮至熟后即捞出猪腰子，待冷后加麻油、葱、姜，拌匀即成。

本方有益气补血功效。适用于气血两虚，心悸怔忡，气短懒言，自汗，腰痛。

本方出自《百一选方》，原方用于“心气虚损，怔忡而自汗者”，为益气补血常用方。气血两虚，气虚卫外不固，机能减退，则见自汗气短；血虚不能濡养，则见心悸怔忡，法宜益气补血。方中以人参、当归为主，人参大补元气，当归养血补血，两者合用，气血双补；以山药、猪腰子为辅佐，山药补脾益肾，平补不燥，猪腰子补肾止虚汗。诸料合用，共成益气补血之方。本品双补气血，以补气为主，对气血两虚而以气虚为主者尤为适宜。

【方十三】

樱桃500克，白糖250克。二者同熬成煎；或将樱桃捣碎绞取汁液，加热至沸，以白糖调味，佐餐用。

樱桃为蔷薇科植物樱桃的果实，异名荆桃。据现代营养分析，樱桃中含有多种糖分、B族维生素、维生素C、胡萝卜素、铁、钙、磷等营养物质。含铁量较高，贫血者食用，可促进血红蛋白再生。

樱桃既是一种为人喜爱的甘美水果，又是一种天然美容佳品，《图经本草》记载它“食之调中益气，美颜色”。明代兰茂所著的《滇南本草》进一步论述了其保健功效，“治一切虚证，能大补元气，滋润皮肤。”经常食用，有益于颜面美容。

【方十四】

葡萄250克，白糖适量。将葡萄洗净，剪碎，放入锅内加清水煎煮取汁，加白糖少许调味，代茶饮。

葡萄，古称蒲桃，味甘酸，性平。煎汤饮服，大补气血，除烦止渴，强心利尿以安胎，可用于胸满腹胀，烦闷喘急，坐卧不安属胎气上逆的孕妇。

葡萄营养丰富，其内含的碳水化合物，主要为葡萄糖，不需分解即可为人体吸收，供给热能；尚含一些有机酸，健胃消食。对孕妇颇有益处。

如无葡萄，用葡萄的根或藤叶煎汤亦可。

【方十五】

大枣10～15个，粳米2两。加水，二者一起煮粥。

本方补气血，健脾胃，对于胃虚食少，脾虚便溏，气血不足，以及血小板减少、贫血、慢性肝炎、营养不良有较好疗效。

【方十六】

粳米2两，新鲜牛奶半磅。先以粳米煮粥，待粥将熟时，加入牛奶再煮为粥。

本方补虚损，润五脏，益老人，适用于中老年人体虚衰弱，气血亏损，病后虚羸，口干作渴，以及反胃噎膈，大便燥结等症。

【方十七】

取3～4斤母鸡1只，粳米2两。将母鸡剖洗干净，浓煎取汁，以原汁鸡汤分次同粳米煮粥，先用旺火煮沸，再改用微火煮到粥稠即可。

本方滋养五脏、补益气血，适用于年老体弱，病后羸瘦，气血亏损所引起的一切衰弱病症。

【方十八】

水发海参50克，冬笋片15克，水发冬菇5克，熟火腿末2克，料酒、精盐、味精、胡椒粉、葱、姜 猪油、鸡汤各适量。海参切丁，冬笋、冬菇切碎。锅中放入猪油烧热后，放入葱、姜末爆焦，倒入鸡汤，再捞去葱姜，然后加入海参、冬菇、冬笋、盐、料酒、味精等，煮沸勾芡，倒入火腿末，撒上胡椒粉即成。

海参为一种海味珍品。因其滋补之功不亚于人参而得名。为高蛋白、低脂肪膳食的最佳食物。其性味甘温、微咸，具有补肾壮阳、益气、滋阴、通肠、润燥、止血、消炎的功效。《本草纲目》记"能补元气，益五脏六腑"。现代医学认为，海参中所含的海参素，为一种抗霉剂，能抑制多种霉菌和某些肿瘤、癌肿，对中风的痉挛性麻痹亦有效，并有降压作用，常用于气血不足、肾阳虚弱、肝肾不足、脏腑亏损而引起的多种疾病，以及高血压、血管硬化等症。

【方十九】

乌贼肉500克，料酒、精盐、白糖、葱段、姜片、酱油、生油、麻油各适量。将鲜乌贼肉放沸水锅氽一下，捞出洗净，沥净水。坐锅加生油，烧热时加葱、姜，煸出香味后，加入乌贼肉、白糖、酱油、盐、料酒、清水。烧开后炖至肉熟汤汁浓稠，捞出葱姜，淋上麻油拌匀出锅即成。

乌贼肉又称墨鱼肉，是一种营养丰富的食物。鲜品中含大量蛋白质和一定量的碳水化合物、无机盐、维生素等，尚含有多肽类物质。脂肪含量甚少，每100克干品中含蛋白质68.4克，钙、磷、铁及碘尚为丰富。中医认为其性味咸平，具滋阴养血之功效。《医林纂要》谓之"补心通脉、和血清肾、去热保精，作烩食尤能养血滋阴、明目去热"。此汤菜适用于妇人血虚、经闭、崩漏、带下。对于气血虚弱之人，此汤菜亦有补益气血之功。健康人食之能强身。

【方二十】

章鱼200克，猪蹄2只，料酒、精盐、胡椒粉、葱末、肉汤各适量。章鱼洗净泥沙后，用开水浸泡10分钟捞起，脱去黑皮，洗净切条。猪蹄镊尽猪毛，洗净放入沸水锅氽一段时间捞出。锅中放入章鱼、猪蹄、料酒、盐、胡椒粉、葱、肉汤，烧沸后，文火炖至肉熟烂，盛出即成。

章鱼味性甘咸寒，无毒，能养血益气，《泉州本草》载："章鱼益气养血、收敛、生肌。主治气血虚弱，痈疽肿毒，久疮溃烂。"章鱼与猪蹄同炖可加强益气养血功效。妇人产后气血亏虚用之为宜。因猪蹄中含有大量胶原蛋白质，是生长皮肤细胞的主要原料，久服还可滋润皮肤。

【方二十一】

鳝鱼500克，当归、党参各15克，料酒、葱、生姜、蒜、味精、食盐、

性平，滋阴润燥，养血安胎，亦能补益脾胃。

阿胶为马科动物驴的皮去毛后熬制成的胶块。山东出产的阿胶品质优良，最为著名。味甘性平，滋阴补血，主女子下血，崩漏，胎动不安，虚劳羸瘦等精血不足之症，是安胎要药。成分多由胶原物质及部分水解产物所组成，含氮16%，基本是蛋白质。动物实验表明，阿胶有生血作用。

鸡蛋与阿胶相配，滋阴养血而安胎，适用于有血虚胎动不安，胎漏倾向的孕妇食用。

【方五】

山药100克，猪里脊50克，食盐适量。把山药去皮洗净后，与猪里脊一同切丝，倒入事先烧好的荤汤中煮沸，用食盐调味，可饮用。

本方滋阴补肾，健胃止泻，适用于身体虚弱，烦热失眠者食用。

【方六】

鸡蛋5个，琼玉膏30克，熟猪油130克，湿淀粉15克，味精1克，白糖150克。鸡蛋去壳倒入碗内，加湿淀粉、白糖和清水10克和匀，用竹筷在碗内搅拌1分钟，加味精、琼玉膏继续搅匀，熟猪油用中火烧六成热，移至小火上，用汤瓢舀起热油25克，将搅好的蛋浆倒入锅中，并将舀起的油冲入鸡蛋浆中间，用木盖盖好，烘10分钟，用竹筷插入鸡蛋，如不粘竹筷，即烘好，将蛋翻面再烘2分钟，滗去锅内油，划条入盘。

本方清热养阴，润肺止咳，补血安神，适用于肺虚久咳，气短乏力，干咳无痰、口渴、声音嘶哑等症。

【方七】

北沙参、麦冬各1 130克，五味子50克，蜂蜜500克。前3味洗净，倒入砂锅内，加水3～4大碗，浸泡1小时，小火煎1小时，取汁大半碗，再加冷水一大碗半，煎取药液半碗，将药液与蜂蜜同倒入碗盆内，加盖，旺火蒸2小时，冷却后装瓶服用。每次1匙，饭后开水送服，日服2次。

本方养阴润肺，生津止咳，收敛肺气，适用于风热邪气伤肺脾所致的咳嗽。

【方八】

鹧鸪1只，发好燕窝、肥猪膘各50克，火腿茸10克，蛋清2个，去皮山药250克，味精、精盐、料酒、胡椒粉、高汤各适量。鹧鸪宰杀，去毛、内脏，洗净，同猪肥肉上笼蒸熟后取出，拆去骨头。将鹧鸪肉和肥肉剁烂，装入炖盅，加入高汤、料酒、盐、味精，上笼蒸10分钟后，取出待用。将发好的燕窝放入锅中，放入清水烧滚片刻捞出。用猪油起锅，烹入料酒，加入汤、盐、燕窝，以文火煨片刻捞出。山药洗净切片，用猪油起锅，烹入料酒，加入高汤、盐、味精、胡椒粉，再将燕窝、鹧鸪（连汤）、山药片下锅。烧沸后，放入蛋清推匀，加入猪油盛入大汤碗内，放上火腿茸，将鹧鸪头放在汤面上即成。

本汤以宫廷御用珍馐燕窝为主，滋阴润肺，大补元气。鹧鸪补五脏、益心气、开胃消痰，常用于补虚、强身。两料合用，则补虚，强身之功效相得益彰。适用于五脏虚损，痨瘵之人。对咳嗽，痰喘，咯血，吐血，久痢，噎膈反胃之病人亦有疗效。

肺胃虚寒，湿痰停滞之人慎用之。

【方九】

干鲍鱼50克，鲜萝卜100克，精盐、姜、味精、料酒、鸡油、猪油、高汤各适量。将干鲍鱼洗净，再用热水浸泡，发开后去泥沙杂物，放锅内，注入适量清水，上笼蒸 1 小时取出。萝卜洗净切条。烧热锅加猪油，将姜片煸香，烹入料酒注入高汤，加入盐、味精，将鲍鱼和汤一同倒入锅中，烧煮一段时间，再加萝卜条，烧煮上味，淋入鸡油即成。

此汤中用滋阴润燥的海味珍品鲍鱼配萝卜调制而成。萝卜性味辛、甘、凉，入肺胃经，内含多种糖类、维生素 C，具有润肺化热痰，宽中下气，消食的作用。二物相合，重在滋阴润肺、宽中下气，并有清热的作用。常可治疗肺痿、肺热咳嗽、痰中带血、肺阴虚咳嗽、食积胀满等症。

【方十】

净蛤仁 100 克，鸡蛋 3 个，油菜 25 克，火腿、料酒、精盐、味精、葱、姜、麻油、生油各适量。将火腿切片，油菜洗后用开水烫一下，再放到冷水里浸凉，切成 2 厘米的段，蛤仁加上鸡蛋、味精、精盐、葱、姜末，搅匀。坐锅，生油烧热后，将蛤仁、鸡蛋一起煎，煎至两面呈金黄色，锅内加清水、味精、料酒、盐、火腿、油菜，烧开后，撇开浮沫，淋上麻油即成。

蛤仁肉嫩味鲜，内含丰富的蛋白质、碳水化合物等物质，有润五脏、开胃的作用。现代医学认为其中还含有抗癌物质。本汤菜配以滋阴养血、安神的鸡蛋，重点在于滋补。对于阴血不足所引起的心烦不眠、五心烦热盗汗等症有疗效，亦可作为防止肝癌的保健食谱使用。

【方十一】

活甲鱼 1 只（500 克），料酒、酱油、白糖、淀粉、味精、猪油、热汤、葱、姜、蒜各适量。将甲鱼处死，剁下头及颈，沥干血液后用清水洗净，放在锅里倒上开水，盖上盖，在旺火上蒸，开锅后，立即撇火，焖半小时后取出。用刀剁去附在甲鱼肚上和四周软肉上的厚膜，揭开甲鱼的硬盖，去五脏，剁下指甲和尾巴，用清水洗净，切成小方块在开水锅中烫一下儿，冲洗以去腥味，最后把甲鱼块放入热汤锅中，在旺火上煮开后，撤火，放入葱片、姜片、蒜片以及料酒、酱油等佐料，再在微火上慢慢炖烂，放入白糖、味精、湿淀粉，用力搅几下浇上猪油即可。

益气补虚、滋阴养肺。主要辅治：佝偻病、软骨病、角膜炎、皮炎、胃肠炎、营养不良。

第六节

『阴阳两补方』

阴阳两补方类之验方、偏方，适用于既有阴虚，又有阳虚，即阴阳两虚者。临床常出现的症状是：畏寒、肢冷、五心烦热、腰膝酸软、周身乏力、倦怠、头晕、目眩、舌淡脉细弱、无力等，常用的有效的方药主要如下：

【方一】

水发海参90克，冬笋片15克，水发冬菇5克，熟火腿末2克，料酒、精盐、味精、胡椒粉、葱、姜、猪油、鸡汤各适量。海参切丁，冬笋、冬菇切碎。锅中放入猪油烧热后，放入葱、姜末爆焦，倒入鸡汤，再捞出葱姜，然后加入海参、冬菇、冬笋、盐、料酒、味精等，煮沸勾芡，倒入火腿末，撒上胡椒粉即成。

本方可滋阴、壮阳、通肠、消炎，适用于更年期气血不足、肾阳虚弱、肝肾不足、脏腑亏损而引起的多种疾病，以及高血压、血管硬化症等。

【方二】

竹鼠1只（约重1公斤），云腿、水发冬菇、水发玉兰片各50克，老蛋片、红胡萝卜各30克，白菜心100克，料酒、精盐、味精、胡椒粉、葱、高汤、麻油各适量。将竹鼠宰杀水烫后刮去毛，切开腹部取出内脏，斩去脚爪，用明火燎去绒毛，刮洗干净，白菜心洗干净，切为4厘米以上的段。云腿切为片，红胡萝卜在开水中汆熟后切片。把竹鼠放入开水锅中猛烫一遍捞起，摆入汤盆子内，放入盐、料酒、葱、姜，上笼蒸3小时取出，拣去葱姜。炒锅内注入高汤，在旺火上烧开，放入盐、味精、白菜心、水发玉兰片、水发冬菇、云腿片、胡萝卜片、蛋片，煮几分钟，撇去浮沫。淋上麻油，撒上胡椒粉，浇在竹鼠上即成。

竹鼠又名竹鼬。其肉性味甘平，具益气养阴、解毒之功效。《本草求真》谓之“益肺胃气，化痰解毒”。《医林纂要》谓之“养阴除热，杀疳积，治劳瘵，止消渴”。以竹鼠配用火腿开胃健脾；冬菇生精益血；蛋片补血安神。则此汤菜具补中益气，养阴益精，安神之功效。适于中气虚弱病人食用。神经衰弱病人食之能安神。

【方三】

水发海参100克，加工鲜鲍鱼50克，大虾2只，藏红花10克，料酒、精盐、味精、葱、姜、熟猪油各适量。将大虾剥去外层皮，去掉屎肠，洗净，与海参分别切成片。鲜鲍鱼择净杂质，用清水洗净，放在碗内，加料酒，倒入适量的清水，上笼蒸烂取出，片成薄片，葱切段，姜切片。将藏红花去杂物，放在小碗内，用开水沏好。坐锅，倒入熟猪油烧热，投入葱段、姜片，煸出香味，倒入蒸鲍鱼的原汤（汤少可加点水），烧开后，撇净浮沫，捞出葱姜，放入鲍鱼肉片、大虾片和海参片烫透，捞出，盛在汤碗内。将料酒、精盐、味精、沏好的藏红花倒在锅内，开后，盛在碗内即成。

此汤菜以水发海参、鲍鱼、大虾及藏红花为主料制成。海参具有补肾壮阳、养血润燥、除湿利尿之功效。《本草从新》谓之“补肾益精、壮阳疗痿”。现代研究表明，海参中含有大量蛋白质、钙、铁及维生素B_1、维生素B_2、尼克酸等人体之必需物质。药理研究发现海参中所含的海参素为一种抗霉剂，能抑制多种霉菌。粗制海参霉素溶液还能抑制某些肉瘤，具有一定抗癌之疗效。藏红花是一味名贵中药，具有活血化瘀、散郁开结、通经之功效。汤中以海参、大虾、鲍鱼共用，补肾、益精、壮阳、调经、补血等功效相得益彰，又配用了藏红花活血散郁，使补而不腻。

此汤菜适用于肾血亏损、虚弱痨怯、肾虚阳痿、梦遗、小便频数等症。对于高血压、白内障等病人亦可服之。此汤菜味鲜美、营养价值高，又具补肾壮阳之明显功效，实为汤中之冠。

【方四】

罐头鲍鱼半听，熟金华火腿、鲜蘑、豌豆苗各15克，料酒、精盐、味精、鸡清汤各适量。将罐头鲍鱼取出，斜刀切成薄片，熟火腿切成小片。鲜蘑斜刀切成片。豌豆苗掐根留嫩尖择洗干净。坐锅，倒入鸡清汤，汤开后分别将熟火腿片、鲜蘑片、鲍鱼片、豌豆苗下锅烫透，捞出，倒入汤碗中。炒勺上火，倒入鸡清汤，加入料酒、精盐、味精，调好味后，见开，撇出浮沫，盛入汤碗中即可。鲍鱼是海味珍品，其营养和药用价值都非同一般。内含较高的蛋白质、碳水化合物，具有滋阴补阳、调经润燥、利肠、通乳的多种功效，配以火腿，此汤是滋补强壮的食疗菜肴，并有滋阴润燥、平肝潜阳的功效。常食可治疗高血压、肝阳上亢、头目眩晕、肺结核、潮热盗汗、五心烦热等阴虚病证。

【方五】

水发海参1 000克，罐头鲍鱼250克，料酒、酱油、精盐、味精、葱段姜片、胡椒粉、熟猪油、鸡油、高汤各适量。抠去海参肚内薄膜，洗净，顺海参纵向切成3条，放沸水锅中烫透，捞入凉水中。鲍鱼切成薄片。锅内放猪油烧热，投入葱、姜煸至金黄，烹入料酒、酱油，倒入高汤烧开，撇尽浮沫，加入盐、味精、胡椒粉，放入海参烧一会儿，将海参捞出，盛入汤盆中。在烧海参时，另用锅放入熟猪油烧热，投入葱、姜，煸至金黄，加入料酒、高汤烧开，拣出葱姜，撇去浮沫，加入盐、味精、胡椒粉，放入鲍鱼片烧一会儿，淋入鸡油，浇在海参上即成。

鲍鱼与海参均为海味珍品，两物相配，不仅味美，营养高，而且具有补肾壮阳、益气滋阴、润肠通便等功效。对于脏腑气血津液虚损者，可作为食疗汤菜。尤其对肺结核、再生障碍性贫血、糖尿病、肾虚阳痿、产后、年老体弱均有良好的疗效。其中海参还含有抗癌和软化血管的物质，所以亦可用于癌症和血管硬化等疾患。

【方六】

黄精50克，粳米100克。黄精清水浸泡后捞出，切碎备用。粳米淘洗干净备用。黄精与粳米放入锅内，加清水，旺火烧沸后用小火煮至粥成。

本方有补虚损、益气阴功效。适用于虚弱劳损。本方出自《调疾饮食辨》、《粥谱》等，用于“一切诸虚百损，不拘阴阳气血衰，无不宜之”、“填精益脏”，为治疗虚弱劳损常用方。虚弱劳损，多由久病失于调治，耗损气阴而成，法宜补虚损，益气阴。方中以黄精为君，补虚损，填精髓，益气阴；以粳米为辅佐，补气养血以增强黄精补虚之力。两者合用而为补益虚损之方。本方滋补之力较强，虚弱劳损以阴虚精亏为主者尤为适宜。

本方加冰糖调食，可增强其滋补润肺功效，适宜于肺痨咳嗽、咯血。本方可用于肺结核。本方性质滋腻，易助湿生痰，故脾虚湿困，痰湿咳嗽以及中寒便溏者不宜食用。

【方七】

鸽肉140克，芹菜500克，荸荠90克，陈皮、泡红辣椒各15克，虾片60克，炒熟芝麻6克，葱、姜、蒜、

第九节

『补益肺气方』

由于肺主气，又司呼吸，故肺在人体具有重要的作用。正如《黄帝内经》里所说："肺者，相传之官，治节出焉。"如果肺气虚就会在临床上见到神疲乏力、少气、懒言、舌质淡白、脉象虚弱。临床上常见的单方、验方主要如下：

【方一】

猪肺1具，麻油、白酱油、黄酒、生姜各适量。猪肺反复灌洗干净，切片备用。麻油倒入炒锅，烧热，放入肺片，加白酱油、黄酒、生姜，炒熟，佐粥进食。

本方有补肺止咳功效。适用于肺虚久咳、咯血。本方出自《证治要诀》，原方用于"肺虚咳嗽"，为治疗肺虚咳嗽常用方。肺脏虚损，气失所主，则见咳嗽，法宜补肺止咳。方中以猪肺为主，补肺止咳；以麻油为辅佐，取其补虚润肺以止咳，佐粥进食，意在增强补益之力。诸料相合，共成补肺止咳之方。

此外，《证治要诀》还以猪肺配薏苡仁煮食，则补肺清热，排脓止咳，用于"嗽血肺损"。

【方二】

猪肺500克，薏苡仁50克。猪肺反复灌洗干净，放入水锅，煮至七成熟时捞出，切成丁块备用。薏苡仁淘洗干净，放入煮肺汤中，加猪肺，煮至粥成。

本方有补肺止咳止血功效。适用于肺虚咳嗽、咯血。本方出自《证治要诀》、《随息居饮食谱》，原方用于"嗽血肺损"、"肺痿，咳血，上消诸证"，为补肺止咳止血常用方。肺损失于肃降，则见咳嗽，法宜补肺止咳。方中以猪肺为主，补肺止咳止血，以肺治肺，以薏苡仁为辅佐，补肺并能清肺止血，两者合用，可增强补肺止咳止血功效。本品偏于寒凉，对于虚热咳嗽和咯血亦可选用。

【方三】

胡桃肉120克，白蜜100克，甜杏仁30克，酥油50毫升，红枣120克，白酒1 000毫升。先将胡桃肉、红枣捣碎，杏仁泡去皮尖，煮4～5沸，捞出晒干捣碎，备用。白蜜、酥油熔化后，与上3味食物倒入白酒中，密封，浸泡7天即可饮用。每次10毫升，每日2次。

据文献记载，胡桃肉"通经脉，润血脉，黑须发，常服骨肉细腻光润"（《食疗本草》）。大枣"滋脾土，润心肺，缓阴血，生津液，悦颜色"（《本草从新》）。

中医基础理论指出，"脾主肌肉"、

“肺主皮毛”、“肾为先天之本”……。故美容常从这些方面入手。胡桃肉补肾温肺，大枣、蜂蜜健脾和胃，杏仁、酥油润肺，白酒活血通络。本方融补肾、健脾、润肺食物于酒中，更能发挥其润滑肌肤、悦泽容颜的美容作用。

【方四】

干冬菜30克。将冬菜洗净，放入锅内，加水煮沸，至菜熟烂时，滴上少许香油，即可取下。可单独服或佐餐食用。

干冬菜为十字花科植物青菜或白菜的老叶，经盐腌蒸晒而成。在加工过程中，基本上保留了鲜菜的营养成分，含有较多的维生素C和纤维素。另外，发酵作用还使其含有多种氨基酸，味道十分鲜美清香。

据古书记载，干冬菜味咸苦，性平，功能滋阴润肺，化痰理气，适用于肺热咳嗽、喉痛失音者食用。

冬菜主要品种有川冬菜、津冬菜、京冬菜等，由于津冬菜在制作过程中，拌入蒜泥，而具蒜的香辣味，不利咽喉，所以在原料选择上，以川冬菜、京冬菜为宜。

【方五】

白木耳10克，冰糖30克。将白木耳用清水浸泡2小时左右，然后拣去杂质，放在盆内，倒入沸水，加盖焖泡30分钟，使之泡发膨胀，剪去蒂部木梢，用清水洗净，分成片状，与冰糖一同放入锅内，加清水100毫升，先用武火煮沸，再用文火煎熟60分钟，以白木耳熟烂为度。

本方滋阴润肺，养血和营，适用于阴虚肺燥，症见干咳有痰，大便燥结，咽喉痛等。

【方六】

猪肉皮500克，胡桃仁50克，果丹皮30克，盐4克，鲜辣粉2克，麻油、黄酒各10克，糖、青葱少许。猪皮拔去残毛，洗净，切粗丝，锅烧清水煮开后将肉皮放进烫一下捞出，肉皮入烧锅加水约2斤、加酒旺火烧开，文火煮半小时后放入洗净的胡桃仁，旺火烧开，5分钟后入盐、糖、青葱起锅，装盘后将切丝的果丹皮倒进，浇上麻油、撒上鲜辣粉拌匀即可。

本方有开胃、补肾、润肺、抗衰老等功效。

【方七】

团鱼600克，百部18克，地骨皮12克，生地20克，知母9克，姜8克，葱25克，绍酒20克，精盐10克，味精1克，鸡骨400克。将团鱼头切下，放尽血，放入80℃热水中，当裙边与甲壳分离时捞出。刮去粗皮，破除内脏，用清水洗净，切成块。中药用净灰渣，加工成薄片，放入双层纱布袋中封口。姜、葱洗净。

锅置旺火上，掺清水，放入鸡骨、药包，团鱼肉烧开后，撇净血泡，加葱、姜、绍酒，移至小火炖软，拣去葱、姜、鸡骨，加精盐、味精调味即成。

本方滋阴清热，润肺止咳。适用于肺虚咳血、阴虚内热等病症。

【方八】

干山药片45～60克，或鲜山药100～120克，粳米2～3两。将山药洗净切片，同粳米共煮粥。

本方补脾胃，滋肺肾。可用于脾虚腹泻，慢性久痢，虚劳咳嗽，食少体倦，以及老年性糖尿病等症。

【方九】

黑木耳30克，粳米100克，大枣3～5枚。先将木耳浸泡半天，用粳米、大枣煮粥，待煮沸后，加入木耳、冰糖适量，同煮为粥。

本方润肺生津，滋阴养胃，益气止血，补脑强心。适用于中老年人体质衰弱，虚劳咳嗽，痰中带血，以及慢性便血，痔疮出血等症。

【方十】

山药、粟米各500克，杏仁1 000克。山药煮熟、烘干；粟米炒熟，共为面；杏仁去皮尖，炒熟，为面。每晨空腹时用白汤调杏仁面10克，山药、粟米面适量，入酥油少许；或将三料拌匀，用时取适量，用开水调糊亦可。作早点用，连服7～10天。

本方补脾益气，温中调肺，适用于脾肺不足之倦怠乏力、食少便溏、寒饮咳嗽等症。

【方十一】

白果仁、甜杏仁各100克，胡桃仁、花生仁各200克，鸡蛋30个。四仁共捣碎，每次取20克，加水300毫升，煮数沸后打入鸡蛋1个，调入冰糖适量。晨起顿服，连服数日。

本方扶正固本，补肾润肺，纳气平喘，适用于肺肾气虚、咳嗽时作、面白少华、声低气促等症。

【方十二】

萝卜500克，苦杏仁15克，牛肺250克，调料适量。将萝卜洗净切块，杏仁去皮尖，牛肺开水烫，以姜汁、料酒旺火炒透，复入砂锅内，加水适量，放入牛肺、萝卜、杏仁煮熟，吃肉喝汤，每周2～3次。

本方补肺、清肺、降气除痰，适用于肺虚体弱所致感冒。

【方十三】

瓜蒌1枚，白糖、面粉各适量。瓜蒌去子，研成末，加面粉和面，作小饼烙熟，佐白糖进食。

本方有清肺化痰、润肠通便功效，适用于痰热咳嗽、便秘。

本方出自《宣明方论》，原方名"润肺散"。用于"小儿膈热咳嗽，痰喘，甚久不瘥"，为治疗痰热咳嗽方。痰热郁肺，肺失清肃，肠燥失润，则见咳嗽和便秘，法宜清肺化痰，润肠通便。本方重在瓜蒌一味，清肺化痰，润肠通便，佐白糖进食，以增强清肺润肺之力，故适用于痰热咳嗽，便秘。

凡脾胃虚寒，大便不实及寒痰者不宜食用本方。

【方十四】

鹧鸪2只，水獭1只（约1 000克），章鱼50克，火腿块400克，蘑菇100克，桂圆肉25克，杏仁肉50克，白果肉100克，荸荠肉25克，玉竹20克。姜、陈皮、料酒、精盐、生油、胡椒粉、鸡清汤各适量。鹧鸪、水獭宰杀后用热水烫透，煺净毛，鹧鸪开背，水獭开肚，分别取出内脏洗净。水獭皮用火燎去细毛，放入水中刮净油腻，洗净。都斩成块待用。

锅热后放入生油，将姜片、鹧鸪、水獭块同时下锅煸香后，烹入料酒，略炒几下盛入大砂锅。

章鱼泡软洗净后，同火腿、蘑菇、桂圆、杏仁、白果、荸荠、玉竹、陈皮、料酒、清汤一起放入砂锅内，用文火炖2～3小时，撇去浮沫，加入盐，装入盆中，撒上胡椒面即成。

水獭性味甘咸寒，具有退虚热、利水肿、止痨嗽、通便之功效。《本草图经》谓之"主骨蒸劳热，血脉不行，营卫虚少及女子经络不通，血热，大小肠秘涩"，《饮膳正要》谓之能治"咳嗽劳损"。鹧鸪能补五脏、益心力；蘑菇、火腿能健脾开胃；配用桂圆肉益心脾、补气血；杏仁止咳定喘、润肠通便；白果敛肺定喘、止带缩尿；玉竹养阴润燥，生津止渴，药食同用则具有补肺气、益心力、止嗽定喘之功。适于肺虚咳喘阴虚、骨蒸劳热病人食用，对于慢性支气管炎、肺气肿、肺心病、咳喘水肿有明显治疗作用。

【方十五】

鸭脯肉250克，发好海参250克，黄酒、食盐各适量。鸭肉冲洗干净，细切备用。海参冲洗干净，细切备用。鸭肉、海参放入锅中，加清水、黄酒、食盐、小火煮作羹食。

本方有滋阴润肺、止咳止血功效。适用于虚劳咳嗽、咯血。

本方出自《调疾饮食辨》、《随息居饮食谱》等。方名为后补，原方用于"虚劳咳嗽，吐血"、"补力尤胜"，为治疗虚劳咳嗽常用方。肺阴不足，失于滋润，则见咳嗽、咯血，法宜滋阴润肺，止咳止血。方中以鸭肉为主，滋阴润肺，止咳止血；以海参为辅佐，滋补润燥以助鸭肉之力。两者合用，共成滋阴润肺，止咳止血之方。

【方十六】

水豆腐300克，水发香菇片15克，水发干贝100克，蛋清6个，牛奶150克，青豆15克，熟火腿15克，精酒、精盐、味精、水淀粉、猪油、肉汤各适量。蛋清打入大碗内，放入水豆腐、牛奶、精盐、味精，打搅均匀，装入汤盘内，上笼用温火蒸20分钟左右取出，用小刀划成菱形方块。

干贝用温水洗净放入碗内，加入肉汤，料酒上笼蒸烂后，倒入炒锅内，加入精盐、味精、火腿片、香菇片、青豆，烧开后，用水淀粉勾芡，淋入少许猪油，浇在豆腐上即成。

豆腐含有较高的植物蛋白质以及人体所需的多种氨基酸，其性味甘凉，具有益气和中、生津润燥、清热解毒的作用。并配以养阴生津的海鲜珍品干贝和补虚损、益肺胃、生津润肠的牛奶，其作用增强。此汤重在补虚损、滋阴润燥，常治疗虚弱劳损、肺胃阴虚等症。

【方十七】

松子仁25克，粳米100克，食盐适量。松子仁、粳米分别淘洗干净，放入锅中，加清水、食盐，旺火烧沸后，再改用小火煮至粥成。

本方有润肺滑肠功效。适用于肺燥咳嗽、肠燥便秘。

本方出自《士材三书》、《粥谱》等。原名为"松子仁粥"，用于"润心肺，和大肠"、"润肺，滑大肠"。为润肺滑肠常用方。肺燥失于润降，则见咳嗽；肠燥失于濡润，则见便秘。法宜润肺滑肠。方中以松子仁为主，润肺止咳，滑肠通便；以粳米为辅佐，充养脾胃，合用而为润肺滑肠之方。本方偏于滋补。用于肠燥便秘，尤宜老年人或体虚者为宜。又本品滋补强壮，虚弱羸瘦者也可食用。

本方重在滋润，对痰湿咳嗽及大便溏泻者不宜食用。

【方十八】

山药200克，肥猪肉300克，鲜香菇30克，鸡子清1个，花生油500克（实耗50克），香油、葱花、味精、姜末少许，白胡椒5克，水淀粉20克，食盐适量。鲜山药煮熟去皮，剁细。猪肉去筋剁馅。香菇选择大者洗净，剁极细丝，加入姜、葱花、盐与肉馅合匀后再剁成泥状。此时加入香油、味精、蛋清、淀粉、山药、胡椒面，搅拌均匀（最好向同一方向），待用。油入锅烧至六七成熟，遂将肉馅攒成肉丸子，下锅，炸成金黄色起锅。可佐餐，亦可加骨头汤将其略煮，少加蔬菜亦鲜香无比。

补脾益肾，养胃益肺，有病者及虚弱者佐餐之，长服久病可愈，无病可养生健身。

【方十九】

鹅肉、猪瘦肉各 250 克，沙参、玉竹各 15 克，精盐、味精、料酒、胡椒粉、鸡清汤、鸡油各适量。将鹅肉洗净，放沸水锅中氽透，捞出切丝。将猪肉洗净，放沸水锅中氽一会，捞出切丝。将怀山药、北沙参、玉竹分别去杂洗净，装入纱布袋中扎口。锅中注入鸡汤，放入鹅肉丝、猪肉丝、药袋、盐、料酒、胡椒粉、葱、姜，共煮至肉熟烂，拣去葱、姜，淋上鸡油，以味精调味即成。

本汤菜以鹅肉、瘦猪肉、怀山药、北沙参、玉竹为主料制成。鹅肉味甘、性平，入脾、肺经。有益气补虚、和胃止渴之功效。猪肉具滋阴润燥之功。配用怀山药健脾除湿，益肺固肾，补精益气。沙参润肺止咳，益胃生津。玉竹生津止渴。五料共用，益气补虚，养阴润肺，生津止渴之功效更为显著，适用于肺阴虚损、胃阴不足而具有口干思饮、乏力、气短咳嗽之人，糖尿病人食之有良好治疗效果。

此汤菜皮肤病患者、虚寒咳嗽及素有湿痰之人忌食。

【方二十】

绿豆、山药各 60 克，黄柏、牛膝、元参、沙参、白芍、山栀、天门冬、天花粉、蜂蜜各 45 克，当归 36 克，甘草 9 克。将绿豆、山药、黄柏、牛膝、元参、沙参、白芍、山栀、天门冬、麦门冬、天花粉、甘草、当归粉碎，以绢袋装好，以适量酒浸泡数日后兑入蜂蜜。

本方适用于肺津不足，燥热而咳，干咳少痰，口干易烦等症。

绿豆清热生津，利水解毒；山药、元参、沙参、天冬、麦冬、天花粉滋阴养肺，润燥生津；山栀、黄柏清热泄火，山栀且可导热自小便而出；蜂蜜、甘草润肺调中解毒，同时有调味作用；当归、白芍养阴血；牛膝活血利尿，引热下行。全方用药以寒为主，滋阴润肺，降火解毒。

注意用药虽寒凉而酒性大热，如有动血，如咳血、衄血等现象则应慎用。

第十节

『养肝补肝方』

肝在人体中的重要作用，主要表现在肝脏有储存血液和调节人体情志这两方面。若肝血虚，可出现头晕、目眩、面色苍白或萎黄，唇舌淡白，脉细无力等；肝血虚甚，血不荣筋，虚风内动，可出现手足麻木、筋脉拘急，甚至肌肉瞤动的血虚生风证候。在情志方面，若肝气不舒，可出现胸闷，善太息，烦躁易怒等症状，尤其是肝脏有病，还可使人出现智力低下，不能决断，不能正确、冷静地思考。由上可知，肝对人体的保健作用是显而易见的，临床常用的偏方、验方主要如下：

【方一】

玫瑰花初开者30朵，冰糖适量。玫瑰花去心蒂，洗净，放入砂锅中，加清水浓煮，调以冰糖进食。

本方有理气解郁、和血散瘀功效。适用于肝郁吐血、月经不调。

本方出自《饲鹤亭集方》，原方用于“肝郁吐血，经汛不调”，为理气和血常用方。肝郁气滞，瘀血内阻，络脉损伤，则见出血，法宜理气和血。方中以玫瑰花为主，理气和血以止血；以冰糖为辅佐，补益滋润，兼能止血，合用而成理气和血止血方。本品若专用于调经，则可用红糖，以增强活血调经的效果。

【方二】

芹菜连根120克，粳米半斤。将芹菜洗净切碎，同粳米煮粥。

本方清肝热、降血压，适应用高血压病，肝火头痛，眩晕目赤。

【方三】

猪肝1具，鸡子3枚，葱白、豆豉、食盐各适量。猪肝冲洗干净，细切备用。葱白洗净，细切备用。豆放入锅中，加清水，煮取豉汁。猪肝、葱白、食盐放入豉汁中，煮至将熟时，打入鸡子，略煮即成。

本方有养肝明目功效。适用于肝血不足，视物模糊，夜盲。

本方出自《圣惠方》、《寿亲养老新书》等，亦名“补肝猪肝羹方”，原方用于“肝脏虚弱，远视无力”，为养肝明目常用方。肝血不足，不能上荣两目，则见视物模糊，夜盲等，法宜养血明目。方中以猪肝为主，养肝明目，以肝治肝；以鸡子为辅佐，滋阴养血以助养肝明目，合用而成养肝明目之方。

本方可用于营养性视弱。

【方四】

玄参10克，猪肝250克，米泔水、食盐、味精、麻油各适量。玄参研末备用，猪肝冲洗干净，切成薄片，放入锅中，加米泔水，煮至断生后捞出装盘，加玄参、食盐、味精、麻油，拌匀即成。

本方有滋阴降火、养肝明目功效。适用于虚火赤脉贯瞳，以及急、慢性结膜炎，虹膜炎。

本方出自《济急仙方》，方名为后补，原方用于“赤脉贯瞳”，为治疗赤脉贯瞳常用方。肾阴亏虚，相火上扰，肝不养目，则见赤脉贯瞳，法宜滋阴降火，养肝明目。方中以玄参为主。重在滋阴降火；以猪肝为辅佐，养肝明目，并引经入肝，两者合用，一泄一补，肝肾并调。方中以米泔水煮猪肝，意在加强本品清热凉血之力。诸料合用，共成滋阴降火、养肝明目之方。本品重在滋阴降火，为治疗赤脉贯瞳的常用方。

本品食用时，为改进口味，可适当调以白糖进食。

【方五】

羊肝1具，鸡蛋清、麻油、酱油、醋、黄酒、葱白、生姜、白糖、食盐各适量。羊肝热水洗净，切成薄片，放入碗中，加鸡蛋清、黄酒、酱油、醋、葱白、生姜、食盐、白糖，拌匀备用。麻油倒入炒锅，烧至七成熟时，放入调制好的羊肝，猛火急炒四五翻即成，味极鲜嫩滑脆。

本方有补肝明目功效。适用于肝虚视物不清、夜盲、青盲。

【方六】

湘莲200克，枸杞子15克，糖水橘子10片，糖水樱桃15粒，青梅干10克，冰糖200克。将湘莲放入沸水中泡一二分钟，即用竹筷用力搅拌，使搅去莲子外皮，要趁水热时去皮，才能见效。青梅干切成小方丁待用。把去皮后的莲子冲淋一遍，用细竹签捅去莲子心，除去莲子头，再用热水泡洗一下，放入大碗内，加入开水(水要浸没莲子)、枸杞子和冰糖，用一张干净纸将碗口封住（防水气进入），放在蒸锅里，用旺火蒸50分钟后取出。将糖水橘片、樱桃、青梅丁放在莲子汤内，即可食用。

枸杞子性味甘、平，功能润肺清肝，滋肾益气，生精助阳，补虚劳，强筋骨，是味滋补性强壮药。《本草纲目》指出它有“滋肾、润肺、明目”的功用。

【方七】

黑芝麻、大枣各500克。芝麻炒香，研成末，待用；大枣去杏仁同研如膏；蜀椒炒香，研为末；将糯米粉、杏仁、熟地、蜀椒、食盐放在盆中，加入清水和面，上屉蒸熟，切成10小块，盛装，每日2～3块，经常食用。

本方温脾胃，补阴阳，乌须发。

【方八】

枸杞菜100克，瘦羊肉200克。枸杞摘洗干净，细切备用；羊肉切碎，放入锅中加清水、黄酒、葱姜，旺火烧沸后加入枸杞菜，小火煨炖至熟烂，用湿淀粉勾芡，食盐调味，临出锅前，淋上少许香油。

本方养肝明目，适用于肝肾不足、虚火上炎所致头晕目眩。

【方九】

干菊花10克。取菊花放入瓷杯中，以沸水冲泡，温浸片刻，即可饮用。

本方利肝明目，适用于阴虚阳亢之头晕目眩症。

【方十】

银耳15克，鸡肝100克，枸杞5克，茉莉花24朵，绍酒10克，姜汁、盐、水豆粉、清汤各适量。将鸡肝用清水洗净，切成片，放入碗中，加适量水豆粉、绍酒、姜汁、盐调匀待用；银耳泡胀洗净，撕成小片，用清水浸泡待用；茉莉花剔去花蒂，洗净放入盘里；枸杞子洗净待用；把汤勺置火上，放入清汤，调入绍酒、姜汁、盐，随即下入银耳、鸡肝、枸杞，烧开，打去浮沫，待鸡肝、银耳刚好，盛入碗中，撒上茉莉花即成。

本方补肝、益肾、明目、益颜，常食可使眼睛明亮，炯炯有神。

【方十一】

桑椹5 000克，大米3 000克，酒曲适量。将桑椹捣汁煮过，大米煮半熟沥干，二者拌和，蒸煮后下酒曲适量搅拌和匀，装入瓦罐内，将瓦罐放在周围装有棉花或稻草的箱子里发酵，根据季节气温不同，直发到味甜可口时，取出食用。

本方补肝肾，明耳目，抗衰老，适用于肝肾亏损所致的视物昏花及耳鸣、耳聋症。

【方十二】

枸杞（净）1斤，素油一两半，糖、盐、酱油、味精、麻油、鲜油、鲜汤各适量。将枸杞洗净控干水，碗里放入糖、盐、酱油、味精、麻油拌匀成汁。锅烧油，油热后将枸杞下锅，煸炒片刻，将调味汁倒入，加鲜汤拌匀即可。

此方有滋补肝肾、润肺、明目等功效，可治肝肾亏损，腰膝酸软，头晕目眩，虚劳咳嗽，遗精等症。

【方十三】

水发鱼皮 400 克，菜苞 20 只，猪瘦肉 250 克，鸡骨 250 克，料酒、精盐、味精、白糖、胡椒粉、葱姜、酱油、水淀粉、猪油、鸡油、蚝油、高汤各适量。将水发鱼皮洗净后，切成 5 厘米长、2 厘米宽的块。将切好的鱼皮放入锅内，加入冷水滚烧 1 次后捞起，倒去锅内的腥水。再烧热锅，加入猪油、葱、姜、水，放入鱼皮待煨透后捞起，扣入碗内。另将鸡骨和猪瘦肉出水洗净后，放在鱼皮上面，加入汤、猪油、酱油等（均需适量），上笼蒸 1 小时取出，除去鱼皮上的鸡骨和猪肉，滗干汤汁。将菜苞放入油锅内拉一下油即捞起，倒出锅中热油，将拉过油的菜苞仍倒入原来的锅内，加入料酒、盐、味精和水，待烧透后捞起，沥干水分。再烧热锅，放入猪油、料酒、蚝油、酱油、白糖、胡椒粉、高汤，烧透后用水淀粉勾芡，加入鸡油搅匀，取三成芡汁浇入扣鱼皮的碗内，覆在菜盆中央，四周用菜苞围边，揭去扣碗，将剩下的芡汁浇在鱼皮上即成。

蚝油即为牡蛎肉中的油，具有滋补肝肾、软坚散结的作用。鱼皮系海味珍品，为上乘名肴，性味甘咸，补肾，益五脏，消肿祛疼，并能治食积不消之证。用猪瘦肉、鸡骨配制成补气养血、滋阴填精的原汁汤，使此汤菜的滋补五脏的作用加强，汤味更加鲜美，并有消肿祛瘀、软坚散结的作用。

【方十四】

枸杞子 15 克，母鸡 1 只（约 1 500 克），绍酒 15 克，调料适量。鸡洗净，用沸水焯透，放凉水冲洗干净，枸杞子洗净，从鸡裆部装入腹内，仰放于罐子内，摆上葱、姜，加入清汤、食盐、绍酒、胡椒粉，用湿纸封口，上屉武火蒸 2 小时，取出，揭去纸，挑去姜、葱，加入味精。

本方补肝肾、益精血，适用于肝肾虚损。

第十一节

『健脾益胃方』

在医学中，胃气是脾胃功能的总称，而脾胃是人体最重要的器官，是气血生化之源。人体的生长发育，维持生命的一切营养物质，都要靠脾胃供给。若脾胃功能减弱，则人体的生长发育、新陈代谢就会受到严重影响。所以，古代养生家特别强调“胃气”的重要性。我国古代最著名的医学家华佗曾说："胃者，人之根本；胃气壮，五脏六腑皆壮也……"《黄帝内经》说："人无胃气曰逆，逆者死。"总之，要养生，要延年益寿，必须要保养胃气。

【方一】

猪肚1枚，莲子40粒。将莲子用水浸泡4小时，猪肚洗净，内装水发莲子（去心），用线缝合开口，勿令泄气，放入锅内，加水，炖煮至熟，待冷，取出莲子，单盛；猪肚切成细丝，入香油、食盐、葱姜、大蒜等调料拌匀，装盘盛之，佐餐食用。

本方补益脾胃，适用于脾胃虚弱、食少乏力、身体消瘦、大便泄泻者食用。

【方二】

将新鲜粳米1 000克置于蒸馏瓶内，加水适量，依法蒸馏，收集蒸馏液1 000毫升为止，装瓶贮存备用。每次50毫升，每日3次。

本方健脾养胃，益肺生津，可作为脾肺虚弱者的保健饮料，经常饮用。

【方三】

牛肉2 500克，砂仁6克，胡椒15克，良姜6克，荜茇15克，陈皮6克，生姜50克，草果6克，大葱50克，食盐适量。牛肉剔去筋膜，切作大片；胡椒、荜茇、陈皮、草果、砂仁、良姜研为细末；生姜、大葱捣成汁，入诸料末加盐，调成糊状，把切好的牛肉片，放入调味糊内，拌匀，腌2个小时后取出，入烤炉中烤熟即可。或上火煨1小时，经常食用。

本方温中健脾、益气开胃、消食，适用于脾胃虚寒、不思饮食、脘腹冷痛、满闷不舒者食用。

【方四】

大枣、生姜各250克，甘草30克，食盐适量。大枣去核，生姜切片，二者焙干待用；甘草与食盐炒制后，与枣、姜研为细末，装瓶收贮备用。每次10克，开水冲服，每日2次。

本方补中益气、健脾开胃，适用于脾胃虚弱、不欲饮食或食之呕吐者服食。

【方五】

怀山药15～20克，鸡内金9克，小米或大米150克。山药、内金研为细末，与米共煮粥，熟后加白糖调味食。

本方补脾胃，助消化，适用于脾虚泄泻，食少体倦。

【方六】

大麦芽30克，红茶3克。大麦芽加水煮沸5分钟后，滤取汤液，倒入装有红茶的茶壶内，温浸10分钟即可饮用。代茶饮。

本方健脾养胃，行气消食，适用于食欲不佳者食用。

【方七】

炒山楂、炒麦芽、炒谷芽、鸡内金、神曲各30克，橘皮15克。诸药干燥，共为细末，每次服6～10克，米汤送下，日3次。

本方消食导滞，理气健胃，适用于食欲不振，脘腹胀满，呕恶嗳气等症。

【方八】

萝卜500克，蜂蜜适量。萝卜洗净，捣碎，加适量蜂蜜和清水煎煮，水沸后煮10分钟即可停火。代茶饮。

本方健脾消食，可用于食积所致

的“翻胃吐食”，脘腹胀满，嗳腐吞酸等症。

【方九】

大红枣10枚，鲜橘皮10克（或干橘皮3克）。将大红枣用锅炒焦，与橘皮一起放保温杯内，以沸水冲泡10分钟，饭前代茶频饮。

本方开胃、消食，适用于食欲不佳、消化不良等症。

【方十】

山楂960克，麦芽、神曲各140克，白糖840克，蜂蜜适量。将前三者共研为细末，加白糖，混合均匀，炼蜜为丸，每丸重9克，温开水送下。

本方消食化积，适用于消化不良、食积。

【方十一】

鲜茉莉花250克，水适量。茉莉花置蒸馏瓶中，加水适量，依法蒸馏，取得蒸馏液1000毫升为止。

冷饮或温饮，每次30～50毫升，每日2次。有健脾行气功效。适用于食欲不振、口臭、口粘、胸腹胀闷等症。

【方十二】

桂圆干14枚，生姜3片，食盐适量。桂圆干洗净，放入锅中，加清水浸泡后，再加入生姜、食盐，煮约半小时即成。

本方有补脾止泻功效。适用于脾虚泄泻。本方出自《泉州本草》，原方用于“脾虚泄泻”，为治疗脾虚泄泻方。脾胃虚弱，运化无权，则见泄泻，法宜补脾止泻。方中以桂圆为主，补脾胃以止泄泻；以生姜为辅佐，温中止泻，合用而为补脾止泻之方。本品偏于温补，对脾虚偏寒之泄泻尤为适宜。《泉州本草》以本品加大枣煮汤食，变补脾止泻方为补益气血方，原方用“妇人产后浮肿”。

本方重在温补，对湿热泄泻者不宜食用。

【方十三】

薯蓣240克，防风300克，山茱萸240克，人参180克，白术、五味子各240克，丹参、生姜各180克，黄酒15公斤。将薯蓣、防风、山茱萸、人参、白术、五味子、丹参、生姜切碎，以生绢袋盛好，用黄酒在瓷制容器内密闭浸泡7天后，过滤使用。每次饮用1～2盅，每日2次。适用于脾气虚弱、食少乏力、眩晕、易患外感等症。

人参、白术、山药健脾益气；山茱萸、五味子补肝肾、固精气；丹参活血祛瘀；防风疏风散邪；生姜和胃降逆。全方配用具有健脾益气，补肝肾，固敛精气，增强抵御外邪能力的作用。

【方十四】

香油100克，蜂蜜200克。香油和蜂蜜分别用小火煎煮至沸，停火，晾温。油混合调匀即可。每次直接食用1汤匙，每日2次，适用于治疗先兆流产漏血症。

香油为芝麻所含的脂肪油，油中主要成分是油酸、亚油酸及甘油脂。芝麻气味芳香，是传统的滋养强壮品，早在《神农本草经》中就将其列为上品，谓其“补五内，益气力，长肌肉，填髓脑。久服，轻身不老”。《名医别录》载：“补中益气，润养五脏，利大小便，产生羸困，催生落胞。”与蜂蜜配合，可以补中益中，安五脏，定神志。

【方十五】

乌骨母鸡1只，草豆蔻20克，草果2枚，葱白、生姜、食盐各适量。

乌骨母鸡去毛及内脏，冲洗干净备用。豆蔻、草果烧存性，装入鸡腹内，用棉线扎紧，放入砂锅中，加清水、黄酒、葱白、生姜，旺火烧沸，撇去污沫，小火炖至熟烂，再加食盐，略炖即成。

本方有补脾止泻功效。适用于脾虚久泻。本方出自《本草纲目》，原方用于脾虚滑泄，为治疗脾虚久泻方。泄泻日久，脾胃虚弱，运化无力，则成脾虚久泻，法宜补脾止泻。方中以乌骨鸡为主，补脾胃，止泄泻，而无鸡肉之腻；以草豆蔻、草果为辅佐，温燥以止泻，兼以增香调味，诸料合用，共成补脾止泻之方。本方偏于温燥，对脾胃虚寒或寒湿未净之泄泻尤为适宜。又本方补脾止泻，还可用于虚寒之痢。

此外，《普济方》以本方去草豆蔻、草果，加茴香、良姜、红豆、陈皮、白姜、花椒、盐炖食，名“乌鸡煎”，用于“噤口痢，因涩药太过伤胃，闻食口闭，四肢逆冷。亦可治久痢”。

本方宜空腹进食，对湿热泄泻者不宜食用。

【方十六】

干山药、白术各30克，人参3克，面粉500克。山药、白术、人参研成细粉，加面粉、清水和面，擀薄切片煮食。

本方有补气健脾功效。适用于脾胃虚弱，不思饮食，大便泄泻，疲倦无力。本方出自《圣济总录》，原方名“山芋丸”，用于“脾胃虚弱，不思饮食”，为补气健脾常用方。脾胃虚弱，运化无权，生化无力，则见食少便泻，疲倦无力，法宜补气健脾。方中以山药为主，补气健脾；以白术、人参、面粉为辅佐，白术补气健脾，人参大补中气，面粉补养肠胃。诸料合用，更增强补气健脾功效。本品补气之力较强，对于元气虚弱也可应用。

本方对外感及实热病证者不宜食用。

【方十七】

白术30克，干姜6克，鸡内金15克，熟枣肉250克，面粉适量。白术、干姜、鸡内金研粉，加枣肉，制成枣泥，再加面粉、清水，和面作薄饼，烙熟进食。

本方有补气健脾，消食止泻功效。适用于脾虚食滞，消化不良，大便泄泻，完谷不化。本方出自《医学衷中参西录》，原方用于“脾胃寒湿，饮食减少，长作泄泻，完谷不化”，为治疗脾虚食滞常用方。脾胃虚弱，运化无力，饮食停滞，则见食少便泻，完谷不化。法宜健脾助运，消食止泻。方中以白术为主，补气健脾，并能燥湿止泻；以干姜、鸡内金、枣肉为辅佐，干姜温中补脾，鸡内金运脾消食，枣肉补益脾胃。诸料合用，共成补气健脾、消食止泻之方。本方健脾消食，并能温中燥湿，故还可用于脾胃寒湿泄泻。

本方用于脾虚泄泻，可去鸡内金制饼食。

【方十八】

胡萝卜、粳米各50克。将胡萝卜洗净，切成碎丁，与米同煮为粥，每日2次。

胡萝卜为伞形科植物胡萝卜的根。别名红萝卜、黄萝卜、红芦菔。味甘性平，宽中下气，健脾化滞。据现代营养学研究，含有多种维生素和矿物质，其中胡萝卜素的含量突出，在蔬菜中名列前茅。它在小肠受酶的作用，能变为维生素A，维生素A有维护上皮组织细胞的正常功能，预防皮肤粗糙、毛囊角化、面生粉刺的作用。还含有维持皮肤健美的纤维素，可清理肠道，防止便秘。

本方胡萝卜与粳米为粥，宽中下气，健脾和胃。经常食用，可促进皮肤健美，细腻光润。

【方十九】

鸡肉200克，面粉250克，葱白适量。鸡肉剁成肉末，葱白、生姜切碎，入碗中，加入适量花生油、黄酒、食盐、清水调馅。面粉加水和面，做成薄皮，包作馄饨，下锅煮熟，佐餐用。

鸡肉为雉科动物鸡的肉，含蛋白质24.4%、脂肪2.8%，另外还含有钙、磷、维生素B_1、维生素B_2、维生素PP等矿物质。由于鸡肉结缔组织少，肌纤维又较柔细，故肉的硬度较低，易为人体消化吸收。

原方用于老人脾胃虚弱、肌肉消瘦、面色萎黄不泽症。鸡肉味甘性温，补中益气，填精补髓，再配以面粉益心脾；葱白通阳气，而成补益脾胃之方。经常食用，水谷充，脾胃健，肌肤得以濡养，颜色光润有泽。本方不局限于老人，凡脾胃虚弱、面色不泽者皆可食之。

【方二十】

赤小豆30克，粳米50克。将二者洗净，入锅，加清水煮粥成；每日2次。

赤小豆，又名红豆、赤豆，为豆科植物赤小豆的种子。味甘酸，性平偏凉，善下行，能通利水道，使水湿下泄而肿消身轻。所以古代有“赤小豆久食瘦人”之说。凡水湿停滞的肥胖，多与脾虚有关，补脾健胃的粳米与赤小豆合用而成滋养性利水消肿之品，经常食用，可减肥轻身。

每100克赤小豆含蛋白质21.7克、脂肪0.8克、碳水化合物60.7克、钙76毫克、磷386毫克、铁4.5毫克、维生素B_1 0.43毫克、维生素B_2 0.16毫克、维生素PP 2.1毫克。从中可以看出：其脂肪含量很低，碳水化合物和蛋白质较多。赤小豆蛋白质中的赖氨酸丰富，宜与谷物混合使用。本品中赤小豆与粳米同用。是一种比较科学的搭配方法。

豆科藤本植物相思子的种子，半红半黑，亦有“红豆”之称，有毒，切勿混淆误用。曾有报道，个别地区曾将相思子误作赤小豆使用，导致中毒事件的发生，应引起重视。

阴虚津亏者慎用本方。

【方二十一】

鲜柠檬500克，白糖250克。鲜柠檬洗净，去皮、核，切块，与白糖一块儿放入锅内，浸渍1日，待柠檬肉浸透糖后，再以小火爆熬至汁液耗干，停火待冷，再拌入少许白糖即可，装瓶备用，经常食用。

柠檬南方多见，北方少有。当熟时节，可多买些，便于贮存。有妊娠食少、恶心呕吐的妇女，可作小食品经常嚼服，既能生津开胃，又可安胎止呕。

【方二十二】

菱粉30克，粳米50克。将粳米淘洗干净，如常法煮粥，待米熟时，调入菱粉，用小火炖至粥成，每日2次。

菱为菱科植物菱的果肉，别名甚多，诸如菱实、菱角、水菱、水栗、菱肉等，盛产于我国南方。菱肉味道甘美，可供作水果、菜蔬、粮食及药用等多种用途。梁武帝曾赋诗道：“江

热腹痛加赤芍10克清热凉血；受寒饮冷者，加肉桂3克、生姜6克温中散寒；鼻衄加茅根15克、藕节15克凉血止血，去木香、砂仁、藿香；躁急加莲心3克，清热除烦；龂齿加赤芍凉血活络；头汗多加莲心3克、浮小麦10克清热养心止汗；滞去脾虚加白术10克、黄精10克补益脾胃。滞去脾运，后天之本得以恢复即愈。

【方二十八】

连翘12克，神曲、麦芽各16克，山楂20克，茯苓、陈皮、川朴各12克，砂仁5克，鸡内金10克。水煎服，每日1剂。

本方为河北著名老中医马新云验方，功能和胃消食，临床用来主治儿童厌食，脘腹痞满、胀痛、纳呆、嗳腐吞酸、恶心呕逆，睡眠不宁，大便干结，或便下酸臭，舌苔黄腻。

【方二十九】

洋山芋250克，素油、醋、盐、葱、味精各适量。洋山芋去皮洗净切薄片，用清水洗一下捞出，沥干水，油烧热，放进洋山芋片，急火煸炒片刻，加点水、盐、醋，盖上锅焖一会，出锅前放点葱、味精即可。本方有和胃、调中、健脾、益气作用，可强健身体。

【方三十】

云豆500克，红枣250克，白糖90克，糖桂花适量。云豆用水泡发，加适量水煮至熟烂，冷后用洁净纱布揉搓成豆沙；红枣洗净水泡发，去核煮熟烂，趁热加糖、糖桂花，拌压成枣泥；将云豆沙摊在案板上，用铲或菜刀手抹成约1厘米厚的长片，上面再摊抹一层枣泥，纵向卷起成一长条，用刀切成小块方糕装盘即可。

此糕清香爽口，有健脾利湿功效，适于脾胃不和，消化不良，食欲不振等患者食用。

【方三十一】

鲜蚕豆（水发蚕豆亦可）500克，山楂糕30克，白糖90克，糖桂花、素油各适量。蚕豆剥皮洗净，放入锅内煮烂捞出，放入凉水中冷却后，放菜墩上砸成泥；山楂糕切成小丁待用；油烧热，下入白糖、蚕豆泥、糖桂花，中火推炒，炒透后装入盘中，撒上山楂糕丁即可。

此菜富含优质植物蛋白、磷、钙、维生素C等营养物质，并可健胃消食、补脾利湿、活血化瘀，是中老年人理想的保健食品。

【方三十二】

嫩玉米粒180克，红绿柿子椒30克（喜食辣者可用红绿小辣椒代替），糖、盐、味精、素油各适量。玉米粒洗净，柿子椒切小丁；油烧热，放入玉米粒、盐煸炒3分钟，加少许水再炒3分钟，放入柿椒丁翻炒片刻，放糖、味精拌匀即可。

本方补中健胃、祛湿利尿，且富含粗纤维、维生素C等，是夏秋季中老年人理想的食疗佳品。

【方三十三】

粳米约50克，白糖适量。煮粳米做粥，加糖食用。

本方健脾益气，对保护胃黏膜，促进胃部溃疡面的愈合有一定效果；老年人，脾胃虚弱及溃疡病患者，可经常服用。

【方三十四】

紫皮大蒜30克，粳米60克。将大蒜去皮后放沸水中煮1分钟后捞出，然后取粳米放入煮蒜水中煮成稀粥，再将蒜重新放入粥内同煮为粥。

本方暖脾胃，行气滞，降血压，止痢，对饮食积滞，脘腹冷痛，泄泻痢疾有较好疗效。

【方三十五】

鲜生姜6～9克，粳米或糯米60～90克，大枣2枚。将生姜切为薄片，或切细烂，同米、大枣同煮为粥。

本方暖脾胃、散风寒，适用于脾胃虚寒、反胃羸弱、呕吐清水、腹痛呕泻、感受风寒、头痛鼻塞、以及慢性气管炎肺寒喘咳。

【方三十六】

白豆蔻2克，面粉500克，酵面50克。把白豆蔻除去杂质，粉碎成细末；再把面粉放入盘中，加水和酵面，揉匀成团，待其发酵后，再加入适量碱水，撒入白豆蔻粉后，开始揉面，将碱液药粉均匀后，试剂子合格时(不黄不酸)，再把面团揉成面径约4厘米粗的长条，按量切块，每块生坯约60克，最后把面坯放入笼内摆好，间隔距离合适，盖上笼盖，水沸时上笼武火蒸约15分钟。作早点，做粳米粥食用。

本方温胃健胃，适用于春寒伤人入里所致的胃脘胀满，不思饮食，甚至疼痛。

【方三十七】

栗子、杏仁各100克，核桃仁60克，红枣30克，鸡1只，调料适量。将栗子切成两半，放入开水锅中煮至壳与肉剥离，取栗肉备用；杏仁、核桃仁分别用沸水烫后，去皮，沥干水分，再分别放入四成热的菜油锅中，用漏勺上下翻动，炸至金黄色，捞出放盘中摊开，待冷脆后，用木棒滚压成细末备用；鸡洗净，剁成小方块，鸡腿斜刀斩成条块，翅膀斩成三段备用；炒锅烧热滑锅后，加入猪油，用大火烧至六成热时，摊入鸡块，煸至皮成黄色后加入料酒、姜丝、白糖、酱油，烧至上色，放入白汤，红枣、核桃仁，烧熟后移至小火上加盖焖烧1小时，推入栗子，又焖15分钟至鸡肉酥透；再端回大火上滤浓卤汁，用漏勺把鸡块捞出，皮朝下扣放在碗中，排齐；捞出栗子盖在鸡块上面，覆上盘子翻过来，使鸡块整齐地装在盘中；锅在大火上烧滚，放入芝麻酱拌匀，淋上少许湿淀粉作成薄芡，加入八成熟的猪油50克，用勺反复推拌，使芡膨胀起泡沫，再放入麻油略拌，出锅浇在鸡块上，撒上杏仁末，佐餐食用。

本方健脾养胃，补虚温中，敛肺定喘，适用于体虚食少，病后虚寒，妇女产后血虚、腰膝酸软、咳嗽哮喘、老年肠燥便秘等。

【方三十八】

胡萝卜250克，猪肉100克，食油25克，葱、姜、香菜、盐、酱油、醋、味精、香油各适量。将胡萝卜洗净切成丝，猪肉切丝；锅内加食油，烧热下葱姜丝炝锅，加肉丝翻炒，再加胡萝卜丝、醋、酱油、盐，炒熟加味精、香菜，淋入香油翻炒即成。

下气补中，利胸膈，助消化。

【方三十九】

白鱼1条（500克），肥肉50克，冬菇、火腿各15克，油菜心50克，冬笋片15克，大葱、姜片各6克。料酒、味精、精盐、高汤、花椒各少许。将白鱼去鳃、鳞、五脏，洗净，在鱼身上剞5分见方的花刀，用水一烫，洗净捞出盛入盘中，将肥肉刻上花刀，切成片，大葱切段，冬菇、冬笋、火腿、油菜心都切成片。

或将鱼上面撒上精盐、味精、料酒、花椒、高汤、肥肉、葱段、姜片、冬菇、冬笋、火腿，上屉蒸熟，取出将汤净入勺内，取出葱、姜、花椒，将鱼摆入盘中，冬菇、冬笋、火腿、肥肉摆在鱼身上，油菜心烫一下摆在四周作装饰。

或将勺内汤烧开，撇去浮沫，浇在鱼盘内撒上姜末、香油即成。开胃健脾，消食行水，通脉。可辅治脾胃虚弱，肝虚视物昏花。

【方四十】

鲜茉莉花 250 克，水适量。茉莉花置蒸馏瓶中，加水适量，依法蒸馏，取得蒸馏液 1 000 毫升为止。冷饮或温饮，每次 30～50 毫升，每日 2 次。有健脾行气功效。适用于食欲不振、口臭、口黏、胸腹胀闷等症。

本方出自《本草纲目拾遗》，原用于“宽胸理气”，为除气郁不畅所选用。茉莉花辛甘温，具有理气、开郁、辟秽、和中之功效。茉莉花露《纲目拾遗》记载，能“解胸中一切陈腐之气”。本品可单独使用，也可兑配其他同类性质饮料，少量亦可作调香剂使用。

第十二节

『补益心脏方』

众所周知，心在人体中占有重要的位置，正如《黄帝内经》中说：“心者，君主之官，神明出焉。”又说：“心者，五脏六腑之大主。”均说明了若要养生保健、益寿延年，一定要重视对心功能的保健。对此，古人早就明确指出：“以此养生则寿。”那么，又有哪些偏方、验方有益于心呢？

【方一】

牛乳 250 毫升。取牛乳加热至沸，即可停火；每日 1 次，温热饮服。

原方名为“益气牛乳方”。蛋白质是人体每一个细胞的组成成分，皮肤、毛发、肌肉组织均由蛋白质参与构成。如蛋白质长期供给不足，不仅人体生长发育迟缓，体重减轻，抗病能力低下，肌肉萎缩，而且皮肤功能减退，弹性降低，皮肤松弛，皱纹增多。

牛乳为牛科动物黄牛的乳汁，味甘性平，所含蛋白质为 3.5%，其中 3%左右是酪蛋白，少数为乳白蛋白与乳球蛋白，均含有各种必需氨基酸，其利用率和生物价值都很高，牛乳的脂肪主要是棕榈酸、硬脂酸、亚油酸及少量的胆固醇，乳脂的融点低于体温，比较容易消化吸收，所以对婴幼儿或老年人或其他人群来讲，牛乳都是一种非常适宜的营养品。常服久服可以“补血脉，益心，长肌肉；令人身体康强润泽，面目光悦，志不衰”。

【方二】

玉米粉适量，粳米适量。将玉米粉冷水溶和，待粳米粥煮沸后，调入玉米粉同煮为粥。

本方益肺宁心，调中开胃，适用于高血脂症、冠心病、心肌梗塞、动脉硬化等心血管系统疾病以及癌症的防治。

【方三】

鲜百合60克，粳米100克，冰糖适量。百合干后研粉，用粉30克，冰糖适量，同粳米煮粥。

本方润肺止咳、养心定神。适用于慢性气管炎、肺热或肺燥干咳、涕泪过多、热病恢复期余热未消、精神恍惚、坐卧不安、妇女更年期综合征。

【方四】

莲子适量，粳米60克。将莲子煮熟后，切开，去壳，晒干，磨粉备用，每次取莲子粉15～20克，同粳米煮粥。

本方养心、益肾、补脾、涩肠、抗衰老，适用于年老体弱、多梦失眠，慢性腹泻，夜间多尿。

【方五】

取新鲜豆腐浆适量，粳米90克，冰糖少许。用豆腐浆同粳米煮粥，粥成后，加入冰糖少许，再煮一二沸即可。

本方健脾、养胃、润肺、补虚，适用于年老体衰，营养不良，以及血管硬化症、高血压、冠心病的防治。

【方六】

菊花适量，粳米600克，秋季霜降前，菊花采摘去蒂，烘干或蒸后晒干，亦可置通风处阴干，然后磨粉备用。先用粳米煮粥，待粥将成时，调入菊花末10～15克，稍煮1～2沸即可。

本方散风热、清肝火、降血压，适应于高血压病、冠心病、肝火头痛、眩晕目暗、风热目赤等症。

【方七】

葛根粉30克，粳米60克。先将新葛根洗净切片，经水磨石澄取淀粉，晒干备用。每次以葛根粉30克，粳米60克煮粥。

本方清热、生津、止渴、降血压，适用于高血压、冠心病、心绞痛、老年性糖尿病、慢性脾虚泻痢等症。

【方八】

山药、莲实、葡萄干各50克，白糖少许。山药洗净，切薄片；莲实用温水浸泡后去皮心；葡萄干洗净，三者同置锅内，加水，用武火沸后转用文火煮至熟，调入白糖；早晚餐温热服食。

本方补益心脾，适用于面色㿠白，乏力倦怠，形体虚弱，腹胀便秘等症。

【方九】

湘莲子20克，百合15克，扁豆10克，核桃仁、鲜蘑菇各15克，蜜枣、蜜樱桃、瓜片各10克，玫瑰3克，肥儿粉50克，面粉80克，白糖100克，化猪油125克。将鲜蘑菇去杂后切成指甲片，湘莲子去皮心，扁豆去壳，加百合，装碗上笼蒸熟取出；核桃仁泡发后，去皮，炸酥，剁碎；蜜樱桃对剖，瓜片、蜜枣切成碎丁；将以上各料全部混合，共成配料；再将炒锅内下猪油50克，烧至五成热，先后撒入面粉和肥儿粉，注入适量开水，继续将水、面、油炒到合为一体，放白糖炒匀，再投以配料拌匀；起锅前，放入玫瑰和化猪油炒匀即可。

本方养心安神，健脾开胃，适用于脾胃虚弱，精神不振，亦可成为老幼病者的保健品。

【方十】

龙眼肉 50 克，枸杞子 40 克，桑椹子 30 克，鸡蛋 1 个。鸡蛋一熟去壳待用；龙眼肉、枸杞子、桑椹子加水 1 000毫升，文火煎至 300 毫升时，入鸡蛋，再煎 10 分钟，将鸡蛋及汤斟入盛有白糖的碗内，搅匀饮用。

本方补心益脾，补养气血，适用于心脾两虚，神情恍惚，健忘不眠，食少体倦，面色萎黄等症。

【方十一】

鹧鸪 1 只，枸杞 50 克，杜仲 7 克，水发木耳、水发蘑菇各 15 克，料酒、精盐、味精、胡椒粉、姜片、葱段、鸡清汤、鸡油适量。把鹧鸪宰杀，去毛和内脏，斩去脚爪，洗净后放入沸水锅中氽透，捞出洗净斩块。分别将枸杞子、杜仲洗净，刮去杜仲的老栓皮。锅中注入鸡汤，放入鹧鸪块、葱、姜、料酒、盐、胡椒粉、味精、枸杞子、杜仲，烧煮至肉熟烂，放入木耳、蘑菇，烧开后拣出葱姜、杜仲，淋上鸡油即成。

本汤莱以鹧鸪、枸杞子、杜仲为主料制成。枸杞子具滋阴补血、益精明目之功效。现代研究证明它含有大量胡萝卜素、维生素（C、B_1、B_2）等人体必需之物质，具有保肝、降血糖、降胆固醇等作用，是常用的一味滋补性中药。杜仲有补肝肾、强筋骨、安胎、降血压等作用。鹧鸪具补五脏、益心力之功，药食同用则具有补肝肾、益心力、强筋骨、助阳益精之功，并有安胎之效。常用于五脏虚损、腰膝酸软、头晕目花之症，妇人先兆流产、胎动不安。健康人食之能补虚强身。

阴虚火旺者慎用。

【方十二】

莲子 40 粒，大猪肚 1 具。黄酒、葱白、生姜、食盐各适量。莲子去皮，用黄酒浸泡一夜，装入大猪肚内，用针线缝合，猪肚放入大砂锅中，加清水、葱、姜、盐，久炖至熟透即成，蘸五味佐料进食。

本品有补虚损、益心肾、健脾胃功效。适用于虚损羸瘦、遗精、带下、久痢、虚泻。本方出自《医学发明》，原主作丸剂服，名“水芝丸”，用于“补益虚损”，为治疗虚损羸瘦常用方。久病失于调治，气血亏虚，脏腑耗损，则见虚弱羸瘦等。法宜补虚损、益心肾、健脾胃。方中以猪肚为主，补虚损，健脾胃；以莲子为辅佐，补益心肾，固精涩肠以助补虚之力，本方以黄酒浸泡莲子，意在助莲子补脾厚肠之力，兼以调味。诸料相合，共成补虚损，益脾肾之方。本品补益固涩，对虚损遗精、带下及泻痢尤为适宜。

此外，《随息居饮食谱》用带心连衣红莲子，不经黄酒浸泡，经与猪肚煮糜作丸剂。淡盐汤送食，专用于“虚弱遗精”。本品加糯米、火腿、虾米、蘑菇、芡实、薏苡仁、杏仁等，名八宝肚，为民间食谱。其补虚益损之力更强，主要用于气血不足、阴阳两虚的虚损病证。本品去莲子，加鸡子黄，名蛋黄肚，也为民间食谱，则补阴养血之力增强，主要用于虚劳羸弱。

本品对外感未清，胸腹痞胀，大便燥结者不宜食用。

【方十三】

猪心 1 具，淡豆豉 15 克，葱白、生姜、酱油、麻油各适量。猪心冲洗干净，切片备用。豆豉放入锅中，加清水，煮约 10 分钟。再加入猪心，煮至熟透后捞出。加葱、姜、酱油、麻油，拌匀即成。

本品有补心安神功效。适用于心血不足，惊悸，怔忡，忧烦，产后血虚惊悸。本品出自《食医心镜》，方名为后补。原方用于“产后中风，血气惊邪，忧悸气逆”，为补心安神常用方。心血不足，心神失养，则见惊悸诸症，法宜补心安神，方中以猪心为主，养血安神，以心治心；以淡豆豉为辅佐，除烦安神，两者合用，一者补心以安神，一者除烦以安神，共成补心安神之方。本方可用于神经衰弱。

【方十四】

羊心1个，藏红花6克，鲜玫瑰花50克，食盐适量。羊心切片备用，鲜玫瑰花捣烂取汁，放入小锅中，加清水、藏红花，略煮取汁，加入食盐备用，羊心串在不锈钢烤针上，蘸玫瑰花汁在火上翻烤。反复蘸汁烤炙，至羊心熟透即成。

本品有补心解郁功效，适用于心血不足，惊悸不宁，郁闷不乐。

本方出自《饮膳正要》，原方名“炙羊心”，用于“心气惊悸，郁结不乐”，为治疗心虚惊悸常用方。心血不足，情志抑郁，则见惊悸郁闷，法直补心解郁。方中以羊心为主，补心血，解郁结，以心治心；以藏红花、玫瑰花为辅佐，助羊心以舒郁开结，兼以调色增香。诸料合用，共成补心解郁之方。本品与一般的补心安神方不同，补心并能解郁，对心虚郁闷者尤为适宜。

本方对孕妇不宜食用。

【方十五】

猪心1 000克，葱、姜、豆豉、酱油、甜面酱、黄酒各适量。猪心洗净，放锅内，入葱等全部调料，加水小火煨炖，熟烂后，收汁，待凉，用刀将心切成片，摆在盘内佐餐食用。

补虚益血，镇静安神。适于心血亏损，心悸失眠，忧烦等症。

第十三节

『补肾气方』

中医养生学认为，人体生长发育、衰老与肾气关系密切。可以说衰老与否、衰老速度、寿命长短，在很大程度上决定于肾气强弱。肾气旺盛，人就不易衰老，衰老速度也缓慢，寿命也长；反之，肾气衰，衰老就提前，衰老的速度也快，寿命也短。正如我国清代著名医学家叶天士所说，“男子向老，下元先亏”，这里的下元，即指先天元气，而元气藏于肾，元气亏，即肾气虚，故人体变老。由此可见，能否延年益寿的关键在于是否能保养人体肾气，那么又有哪些偏方、验方能够保养肾气呢？

【方一】

鹿肾1具，肉苁蓉30克，粳米100克，葱白、胡椒粉、食盐各适量。鹿肾去除筋膜，冲洗干净切碎备用。肉苁蓉切碎备用。粳米淘洗干净，放入锅中，煮至半熟，加鹿肾、肉苁蓉、葱白、胡椒粉、食盐，再煮至粥成。

本方有补肾壮阳，益精填髓功效。适用于虚弱劳损，肾虚阳痿，耳聋耳鸣，宫冷不孕。

本方出自《圣惠方》，原方用于"五劳七伤，阳气衰弱，益气力"。为补肾常用方。若日久失于调摄，或久病慢性耗损，肾虚精亏，阳气衰弱，则见劳损、阳痿、宫冷不孕等，法宜补肾壮阳，益精填髓。方中以鹿肾为主，大能补肾益精，温肾壮阳；以肉苁蓉、粳米为辅佐，肉苁蓉补肾阳，益精血，粳米补虚益损。诸料合用，则补肾之力更强。本方即能壮阳，又能益精，补肾之力较强，阳痿或宫冷不孕者尤宜之。其他肾虚之证，也皆可食用。

《食膳正要》载鹿肾粥，方用鹿肾、粳米、豆豉，用于"肾虚耳聋"。《调疾饮食辨》载鹿肾粥，用于"一切肾虚之症"。本品与猪肾粥、羊肾粥虽都能补肾，但本品为最，羊肾粥次之，猪肾粥则又次之。

【方二】

粟米50克。粟米淘洗干净，放入锅中，加清水，旺火烧沸，改用小火熬至粥成。

本方有益肾补虚，清热利尿功效。适用于虚弱劳损，脾胃虚热，泄泻下痢，热淋。

本方出自《本草纲目》、《医通》、《调疾饮食辨》等，原方用于"益丹田，补虚损，开肠胃"，"热痢，热淋"，为补虚清热常用方。久病失治，耗损肾虚，则见虚损；脾胃虚热，运化失常，则见泻痢；下焦虚热，膀胱气化不利，则见病淋。法宜益肾补虚，清热利尿。本品单用粟米一味，益肾补虚，清热利尿，方简力专。本品以清补见长，诸虚热者皆可食用。

本方用于清补止痢，宜用陈粟米。

【方三】

麻雀1只，粟米50克，葱白、白酒各适量。将麻雀去毛取肉，切碎，炒熟，放适量白酒煮少时，再加水，下米煮粥，粥将成时入葱白再煮1～2沸即可，每日2次。

麻雀为文鸟科动物麻雀的全体或肉，别名家雀、老家贼。味甘性温，功善壮阳益精，暖腰膝，缩小便，是增强男子性机能、疗阳痿的常用保健食物。方中以麻雀为主，辅以粟米健脾养胃，濡润宗筋；葱白辛温，振奋阳气；又得酒助，助肾兴阳，以增强麻雀的作用效力，四物相合而成益肾壮阳之方。原方用于"脏腑虚损，羸瘦，阳气乏弱"之症。经常食用本品可增强体质，提高性功能。对男性阳痿、早泄、不育，女子阴冷、不孕皆有调养之用。《养老奉亲书》也载有此方。

本品性质温热，阴虚内热者忌食。

【方四】

狗肉1 000克，糯米1 000克，酒曲适量。把狗肉洗净，煮烂，捣如泥，糯米煮成干米饭，与狗肉泥拌匀，待冷，加酒曲适量，发酵成为酒酿。每日晨起空腹饮20～30毫升。

狗肉为犬科动物狗的肉，又称犬肉。它除有蛋白质等营养成分外，还含有嘌呤类和肌肽及钾、钠、氯等化合物。狗肉味咸性温，主补肾气，壮阳道，强腰膝，暖下元，健脾胃，下无虚弱者食之最宜。合糯米加酒曲酿酒，更助元阳之气，又培补中焦之气。全方大补元气，温肾助阳，健脾养胃。元阳虚弱的阳痿、早泄、滑精者可酌情选用。

阳盛、火旺、热病者不宜使用。

【方五】

栗子肉 100 克，干藕粉 25 克，糖桂花 2 克，蜜饯青梅半颗，玫瑰花 2 瓣，适量白糖。将栗子肉洗净后切成薄片，锅置旺火上，放入清水适量，烧沸，倒入栗子肉、白糖，再沸时，撇去浮沫；再把干藕粉用水调匀，均匀地倒入锅内，调成凌羹状时出锅，盛入碗内，把青梅切成薄片放于羹面，再撒上糖桂花和玫瑰花瓣即成。

本方补肾益气，健脾开胃，活血化瘀，适用于更年期脾胃虚弱之人食用。

【方六】

白色鸭子 1 只，去肠脏，并将其洗净，黑芝麻、桃仁、桑椹、水发莲子、芡实、红枣、薏苡米仁各 20 克，糯米适量（以填满鸭腹为度），盐、黄酒、味精各适量。将黑芝麻、桃仁、桑椹、莲子、芡实、红枣、薏苡米仁填入鸭腹腔，再填加糯米至满，用线缝合腹腔口，放置在汤盆中，加盐、黄酒、味精和水，上笼屉蒸熟，食前拆线，即可食用。

本方补肾，健脾，固齿，尤其对体质久虚、消瘦、牙龈萎缩者适宜。

【方七】

栗子、粳米、冰糖各 100 克，清水 1 000 克。将栗子用刀砍开，去壳取肉，切成碎米粒大小，将粳米淘洗干净。放入锅内加清水，栗子上火烧开，加入冰糖熬煮成粥即可。

本方补肾气、厚肠胃，对肾虚引起的牙齿不固有疗效。

【方八】

当归（酒浸）、小川芎、荆芥穗、香附末、白芍药、甘枸杞、熟地黄各 75 克，川牛膝（去芦，酒浸）60 克，细辛 9 克，补骨脂 45 克，升麻 15 克，青盐 9 克。将为末，用老米 500 克，煮饭合成丸，阴干，入瓦砂罐封固，炭火或桑柴火，烧成灰存性研为末，用铝盒盛之。清晨以药粉擦牙，然后温水漱咽服下。

本方为固齿补肾散，适用于肾虚牙齿不固之患者。

【方九】

鹌鹑 1 只，枸杞子 30 克，杜仲 15 克。将 3 味水煎取汁，饮汤食鹌鹑。

本方补肝肾，强腰膝，健筋骨，适用于肝肾虚所引腰膝酸软，牙齿不固者。

【方十】

荠草、生姜、柳树皮（刷去表面绿皮，取里面之白皮）、牛膝（去苗）、胡蒜子、生干地黄、菟丝子、没食子、桐子漆、猪牙皂角各 180 克。共研成细末，放入瓶内，瓶口用食盐调稀泥封固，放火内烧煅 1 日后，埋入土内半日许（选阴湿地，要挖深一点），取出放室外露 3 夜，白天收入阴凉处，不得见太阳，后研为细末，筛过备用；每用时以手指蘸药末少许揩于牙齿上，过一会儿即以清水洗去，日用 2 次。应坚持揩法，不可中途而废。

本方补肾气，常用可使牙齿坚固不脱，光洁白净。

【方十一】

上肉桂 2 克，熟附子 5 克，西党参、北黄芪、怀山药、淫羊霍、巴戟天、枸杞子、菟丝子、淡大云、蒸黄精、制锁阳各10克。水煎2次，早晚分服，每日1剂，连服5剂，一般需要服30～60剂，直至病愈为止。

本方为湖南著名老中医萧佐桃验方，功能扶命火，培脾土，养正气，益精血，可主治肾阳虚证（命门火衰），脾阳虚证，脾肾阳虚证，气血虚弱证。特别是慢性肾炎、甲状腺机能减退症、肾上腺皮质机能减退症、性生殖机能减退症、下丘脑垂体性闭经、原发性血小板减少性紫癜、慢性支气管炎和支气管哮喘的患者，有上述证候表现的疗效尤佳。

本方系萧氏在临床上治疗内科疑难杂症研制的有效方剂之一。他认为疑难杂症所表现的证候往往与“命门”系统自身功能的损害，即真阴真阳的亏损有关。真阴真阳亏损可以造成“五脏之阴气不生，五脏之阳气不发，五脏之正气失调”。因此在立法制方时要注意调阴阳、纠偏颇，意在相济，勿忘阴中求阳，阳中求阴。益精血、养正气，贵在调和，勿忘精血互生，气为血帅；补虚损，扶五脏，重在脾肾，勿忘脾肾双补，兼顾他脏。“扶命培土汤”就是根据这个原则制订的。

以肉桂，辛甘、大热，补火助阳，引火归源，散寒止痛，活血通经；附子，辛甘、大热，回阳救逆，补火助阳，逐风寒温邪；党参，甘、平，补中益气，健脾益肺；黄芪，甘、温，补气固表，利尿托毒，排脓，敛疮生肌；山药，甘、平，补脾养胃，生津益肺，补肾涩精；淫羊藿，辛、甘、温，补肾阳，强筋骨，祛风湿；菟丝子，甘、温，滋补肝肾，固精缩尿，安胎，明目，止泻；巴戟天，甘、辛、微温，补肾阳，强筋骨，祛风湿；枸杞子，甘、平，滋补肝肾，益精明目；黄精，甘、平，补气养阴，健脾，润肺，益肾；锁阳，甘、温，补肾阳，益精血，润肠通便；肉苁蓉，甘、咸、温，补肾阳，益精血，润肠通便，共奏调整命门真阴真阳亏损之效，从而使命门系统能正常行使上行于脑，主精神活动；下行于生殖系统，主性行为和生殖；内行十二脏腑，主各脏腑阴阳平衡；外行主卫外的生理功能，达到祛病延年的目的。

阴虚火旺者及孕妇慎用。口干喜饮者去肉桂、附子；腹胀便溏者去大云、黄精。

【方十二】

山药100克，鸭梨2个，苹果1个，金糕、瓜仁、葡萄干、瓜条、青梅各10克，白糖300克，桂花卤少许。山药去皮后入沸水氽一下，切成9厘米长、手指粗细的山药段，再入沸水中氽一遍；梨、苹果去核切小丁；砂锅内放白糖，加2小碗水，用武火烧开，入山药段，待沸，改用小火煨，加入梨、苹果丁，煮30分钟；然后把山药捞出放在盘内，将所有的果料撒在山药上，并将余汁过箩，除去果皮杂质，再熬浓，入桂花卤，浇入盘内的果料上即可。日2次服食。

本方健脾益肾，补肺润燥，固涩止遗，适用于病后脾胃虚弱，倦怠乏力，食欲不振，久泻久痢，痰喘咳嗽，皮肤干燥，腰痛酸软，下肢痿弱，消渴尿频，遗精早泄，带下白浊等症，乃病后体虚者理想的食补佳品。

【方十三】

山药粉、茯苓粉各100克，面粉、白糖、红绿丝、糖桂花、熟猪油各适量。山药粉、茯苓粉放入盆中，加清水，调成糊状，上笼蒸约半小时后取出，加白糖、猪油、红绿丝、糖桂花，调制成馅心，面粉和好，与馅心做包子蒸熟进食。

本品有补脾固肾功效，适用于脾肾气虚，食少便溏，尿频，遗尿。本品出自《儒门事亲》，方名为后补，原方用于“小便多，滑数不禁”，为补脾固肾方，脾虚运化失常，则见食少便溏；肾虚膀胱不约，则见遗尿。法宜补脾固肾，方中以山药为主，补脾固肾；以茯苓为辅佐，补气健脾以助山药之力，合用而成补脾固肾之方。本方可用于糖尿病。本方重在滋补，有实邪者不宜食用。

【方十四】

牛膝 10 克，鹿蹄筋 100 克，鸡肉 500 克，火腿 50 克，蘑菇 25 克，胡椒粉、味精、料酒、姜、葱、精盐、肉汤各适量。将牛膝洗净后切成斜片，鹿筋放在钵中，加水适量，上笼蒸约 4 小时后，待鹿筋酥软时取出。再用冷水浸泡 2 小时，剥去外层筋膜，洗净。火腿洗净后切成丝。蘑菇水发后切成丝。姜、葱洗净后切成姜片、葱段。发涨后鹿筋切成长段，鸡肉剁成 2 厘米的方块，取蒸碗将鹿蹄筋，鸡肉放入碗内，再把牛膝片摆放在鸡肉上，火腿丝、蘑菇丝混匀后撒在周围，姜片、葱段放入碗中，再用胡椒粉、味精、料酒、盐、肉汤，调好汤汁灌入碗中，上笼蒸约 3 小时，待蹄筋熟烂后即可出笼，拣去葱、姜即成。

熟牛膝有补肝肾、强筋骨的作用。尚有引药下行之力，加入壮筋骨、治劳损之鹿蹄筋，补虚羸、益气血之鸡肉，共具强筋健骨，补益肝肾之功效。适于五脏虚损，四肢拘挛，腰痹病人食用，对风湿性关节炎，寒湿痿痹以下肢为甚者有明显疗效。

【方十五】

鹿肾 1 对，猪瘦肉 250 克，精盐、胡椒粉、葱末、肉汤各适量。将鹿肾用温水发透，约 10～12 小时，水凉换几次温水，刮去粗皮、杂质，剖开再刮去里面的粗皮、杂质，洗净切成丁。猪肉洗净，放沸水锅中汆一下，捞出切丁。锅中放入鹿肾、猪肉、盐、胡椒粉、葱末、肉汤，共煮至鹿肾丁、肉丁熟烂，盛入碗中即成。

本汤菜以鹿肾、瘦猪肉为主料。鹿肾又名鹿鞭，其性温，味甘咸，具补肾壮阳、益精之功。《日华子本草》谓之“补中，安五脏，壮阳气”。《别录》中谓其“主补肾气”。猪肉滋养脏腑，补中益气。合用则具有补肾壮阳，益精暖宫之效用。适于阳痿早泄、遗精、肾虚、耳聋，女子宫寒不孕，慢性睾丸炎等病人食用，对于健康人有强身壮体之功效。

阴虚火旺者慎食之。

【方十六】

九节菖蒲不拘多少。将药生捣，绞汁 5 000 毫升，加糯米 625 克，蒸熟，再加细曲 250 克，相拌令匀，入瓷缸，密盖 3 周，即成，温服，1 日 3 次。

本方补肾气，能使白发变黑。

【方十七】

水发海参 50 克，水发鲍鱼 20 克（切丝），鲜蚌肉、鲜蚬肉各 50 克，水发干贝 20 克，熟海螺肉 50 克（切片），枸杞子 50 克，整鲍鱼贝壳 1 个，鸡汤、味精、黄酒和笋片各适量。将各原料放入砂锅中，兑入鸡汤以小火煨炖九成熟，再加调料和笋片，熟透即可。

本方平补肝肾，明目，增强视力，可预防弱视、近视、早花，对夜盲症、青光眼等症亦有辅助治疗功效。

【方十八】

炙何首乌 10 克，鲜猪肝 250 克，水发木耳30克，小白菜叶50克，料酒10毫升，精盐2克，味精1克，醋5毫升，酱油20毫升，生姜15克，葱10克，水豆粉25克，混合油500毫升(实耗70毫升)。何首乌洗净，用砂锅加水熬2次，收药液20毫升待用；猪肝剔去筋膜洗净后，切成4厘米长、2厘米宽、0.5厘米厚的片；葱、生姜洗净，葱切成短节，姜切片；白菜叶、木耳淘洗干净；猪肝用何首乌汁药液、精盐、水豆粉约一半浆好；另用碗把酱油、料酒、精盐、醋、味精、汤、水豆粉兑成汁。锅置武火上，注入混合油，烧至七八成熟，放入拌好的肝片浸透，用漏勺沥去油，锅内留底油约50毫升，下入姜片、葱节，炒出香味后下入猪肝片，同时将小白菜叶、木耳下入锅内翻炒几下倒入液汁炒匀，起锅即成。

本方滋补肝肾，明目，乌发，不但能乌发美颜，而且可消除因过度看书、看电影引起的眼疲劳，使两目炯炯有神。

【方十九】

黑牛髓、生地黄汁、白沙蜜各250克。将3味和匀煎熬成膏。晨起空腹食1匙，用温黄酒调之。适用于因肾虚弱而引起的腰膝无力，形体瘦弱，或创伤骨折等症。

本方出自《饮膳正要》，方名为后加。原方用于治疗瘦病。牛髓功专补肾填髓，合地黄、蜂蜜以滋阴血，故可用以辅助脊骨劳损或外伤的恢复。

本方对于脾虚泄泻，胸膈多痰者慎用。

【方二十】

对虾4对，素油一两半，黄酒、糖、姜、葱丝、味精适量。对虾洗净去须、脚，从脊背割开用签子剔去沙包，再自虾背剪到尾根处，挑去壳下的尿线。开油锅，油温4成锅离火，将对虾排好入锅，文火将虾的两面煎至深红色，将虾捡出。煎虾的余油烧热，下进葱、姜丝煸出香味，入黄酒、对虾，加进1两开水，撒入糖、盐、味精，烧开后盖好锅，文火焖烤10分钟即可。

此菜可补肾壮阳，通乳托毒，也是滋补身体的美味佳肴。

【方二十一】

小猪肉（或全小猪）3 000～3 500克。奶酥油、好酱油、黄酒适量。将小猪宰杀后，以开水烫洗，刮去毛除内脏，以竹签或铁条穿在炭火上烧烤，并不断摇动，直至四面烤至深黄色为度。然后以奶酥油慢慢涂抹，边烤边抹，并加抹少许酱油和黄酒，使其缓慢渗入肉内。至皮酥为佳。

本方可疗虚劳、补肾气，对体虚病损之人确是补虚开胃之佳品。

第十四节

『健脑益智方』

现代社会的飞速发展，不仅需要人们有强壮的体魄，还要有良好的智力。智力主要包括学习能力、记忆能力、适应能力、创造能力、思维能力等要素，而这些要素又相互影响，紧密联系。智力实际上是这些能力的综合反映。

在中医理论中，与智力有关的是神、志、思、意、智等精神意识思维方面的概念。它们皆为五脏所主，如《素问·宣明五气篇》：“五脏所藏：心藏神、肺藏魄、肝藏魂、脾藏意、肾藏志。”古人还有“心也者，智之舍也”；“脾主意与思，意者，记所往事，思则兼心之所为也”；“肾者，精神之舍，生命之根”。的论述。传统益智保健方非常注意各脏腑的功能调养，对心、脾、肾三脏着力尤著。

【方一】

将干荔枝 5 枚、粳米 50 克洗净，同煮为粥，每日 2 次。

本方益气养血益智，《食疗本草》说：“食之通神益智健气。”若脑力减退，常食可恢复脑力。

【方二】

羊心 1 具，玫瑰花 50 克，藏红花 6 克，食盐适量。羊心洗净切片备用；玫瑰花捣烂取汁，放入小锅内，加清水、红花略煮片刻，取其煎液，加入食盐备用；羊心串在不锈钢烤针上，蘸玫瑰花汁在火上翻烤，反复数次至羊心熟透，装盘盛之。

本方补心舒肝，解郁安神，有益于脑。

【方三】

天麻 15 克，川芎 10 克，熟鸡肉、熟火腿各 50 克，生姜、大葱各 5 克，鳙鱼头 1 个，调料适量。将天麻、川芎用纱布袋包好；熟鸡肉、熟火腿、生姜、大葱切片；再将鳙鱼头去腮，洗净以油煎好，倒入砂锅内，放入清水，药袋及诸调料（黄酒、食盐适量）、配料（玉兰片 50 克），用火烧炖约 1 小时，后取出药包，撒上胡椒粉即可。佐餐食用。

本方补脑填髓，平肝潜阳，常服可增强脑力。

【方四】

将猪心 1 具洗净，剖开，再把 10 克人参、10 克当归装入猪心中；锅内加水适量，煮猪心至熟烂时，取出，去人参、当归；汤以食盐调味；食猪心饮汤，每 2 日 1 次。

本方安神定惊，补虚养心，适用于平素心血不足，神经衰弱，多汗不眠者。

【方五】

柏子仁 10 克，猪心 1 具。将猪心清洗干净，去除血污，把柏子仁放入猪心内，隔水炖煮至熟烂时调入食盐。切片装盘。

本方养心、安神、益智、润肠，对改善脑力有效。

【方六】

取干莲子 250 克，凉水浸泡，去除内心，倒入锅内，小火炖煮至莲子熟软时，加入适量冰糖调味，即可取下。

本方健脾养心，益智安神，适用于用脑过度，健忘，失眠者服用，常服可增强脑力，聪明智慧。

【方七】

将鳙鱼头 1 个去腮，洗净；先用油煎鱼头，然后投入 250 克豆腐、葱姜、黄酒、食盐，小火烧煮至熟。佐餐食用。

本方健脾胃，益脑髓，经常食用，有益于健脑益智。

【方八】

东北人参、干地黄、甘枸杞各 25 克，淫羊藿、沙苑蒺藜、母丁香各 15 克，沉香、远志肉各 5 克，荔枝核 7 枚，60 度高梁白酒 1 000 毫升。将药去杂质，浸入酒中 45 天，日 1 次，每次 10 毫升，徐徐呷服。

本方补益虚损，焕发精神，协调阴阳，适用于肝肾不足，气血虚弱，精力衰弱，易于疲劳者，常服可使精力旺盛，工作效率大大提高。

【方九】

枸杞子、龙眼肉、制黄精各 10 克，鸽蛋 4 个，冰糖 50 克。枸杞子、龙眼肉、制黄精均洗净切碎，待用；冰糖敲碎装在碗内；锅置中火上注入清水约 750 毫升，加入待用 3 味药物同煮至沸后约 15 分钟，再把鸽蛋打破后逐个下入锅内，同时将冰糖屑下入锅中同煮至熟即成。每日服 1 次，连服 7 日。

本方补肝肾，益气血，适用于肺燥咳嗽，气血虚弱，智力衰退者。

【方十】

远志、熟地黄、菟丝子、五味子各 18 克，石菖蒲、川芎各 12 克，地骨皮 24 克，白酒 600 毫升。将药浸入酒中，7 天后过滤，去渣取汁，倒入玻璃瓶中，密盖，勿使气泄；每次 10 毫升，早晚各 1 次，20 天服完 1 剂。

本方健脑益智，聪明耳目，安神定志，适用于健忘，心悸失眠，腰膝酸软等症。

【方十一】

黑豆、浮小麦各 30 克，莲子 7 个，黑枣 7 个。同煮汁，滤渣，调入冰糖少许合溶，代茶饮。

本方益智安神，适用于记忆力减退，神疲力乏者。

【方十二】

黑芝麻 250 克，红砂糖 500 克，核桃仁 250 克。将黑芝麻，核桃仁炒熟，并把核桃仁切碎，待用；砂糖放在锅内，加适量清水，以小火煎熟至较稠厚，加入黑芝麻、核桃仁，搅拌均匀后停火，趁热将糖倒在表面涂过食用油的大搪瓷盘中，待稍冷，将糖压平，用刀划成小块，冷却后即成黑色板糖，收贮佐餐食用。

本方补肾，乌发，养发，健脑。

【方十三】

牛心 150 克，干金针菜 20 克，茯神 30 克。牛心洗去血污、切片，金针菜用水洗净，同茯神放锅里，煲汤，调味后饮汤吃肉。

牛心功用与猪心略同，但性较温补，能益心补血，治健忘；金针菜（即黄花菜）又叫健脑菜、忘忧菜等，能安定精神，为健脑佳品。茯神止惊悸、疗健忘、益智、养精神，综合各物有健脑功效。治健忘症。

【方十四】

桂圆肉、干银耳各15克，鹌鹑蛋6只，冰糖50克。银耳用水浸发去杂质，洗净；鹌鹑蛋煮熟去壳。置锅加适量清水，煮沸放入桂圆肉，银耳煮至熟时放入冰糖，待溶解后，把熟鹌鹑蛋放入煮片刻，吃蛋饮汤及各物。

桂圆肉健脑益智，为滋补品；银耳润肺补脑，强志养荣；鹌鹑蛋补益气血，强身健脑，含卵磷脂较高，是脑神经系统有益之品；冰糖润肺养颜。共奏补气养血、益智、养颜强身、健脑之功。

【方十五】

怀山药20克，枸杞子12克，猪脑2具。将猪脑剔去血筋，洗净，加药材2味同放入大碗里，加适量汤或沸水，盖严隔水炖熟，调味后，饮汤吃肉。

怀山药补肾健脾，对健忘有疗效；枸杞子补肾壮阳，明目；猪脑味甘，性寒，含钙、磷、铁丰富，还含维生素B_1、维生素B_2、烟酸、卵磷脂，有健脑作用，治神经衰弱、健忘有良效。

【方十六】

黄芪、党参、玉竹各15克，黄口小雀12克。先将黄雀宰杀去毛及内脏，洗净，放热水锅里汆飞水；把3味药材及黄雀一起放入大碗里加适量汤或沸水，炖到烂熟，调味后，饮汤吃肉。

黄雀性温味甘，功能壮阳益气、暖腰膝、缩小便、补脑、益精髓，为强壮滋补之品，对老人健忘有益；黄芪固表扶正益气；党参健脾胃益气补中；玉竹滋养润肺强心力。各物合用有补脑强心，固肾益气的功效。

【方十七】

核桃肉100克，红枣10枚（去核），羊脊骨（或胫骨）250克。先将羊骨捶裂，洗净，同核桃，红枣一起放锅里加适量清水熬煎浓汤；去骨后调味，饮汤及吃红枣、核桃，可分次吃完。

食物功效：核桃肉含亚油酸、蛋白质、碳水化合物、钙、磷、铁、核黄素、胡萝卜素、维生素E等，又含卵磷脂，有补脑健胃的功效；羊脊骨（或胫骨）味甘性温，含大量磷酸钙、钠、钾、铁、氟、骨胶原、骨类黏蛋白等，可益肝肾、强筋骨、健脑、补血；红枣健脾补血，对脑思维能力有帮助，使健忘症得以改善。

【方十八】

白鸽2只，燕窝30克，鸡骨头250克，枸杞子50克，笋片、火腿片、味精、细盐、高汤各适量。将白鸽用水闷死，去毛，剖腹去内脏，清水洗净，切去脚爪、翼梢，拆去大骨，勿损坏皮肤。燕窝用温水浸透，拣去毛杂，清水洗净。将燕窝与枸杞子加味精、细盐少许拌匀后，塞入鸽腹，用竹针封闭腹部切口。将鸡骨头用开水汆透，与白鸽同碗，兑入高汤，加味精、细盐，旺火蒸2小时，单去鸽肉装盘，上摆笋片、火腿片即可。味鲜，清口。

本方滋阴壮阳，益气并血。适用于气短，乏力，用脑过度，病后、产后身体虚弱。

【方十九】

甜杏仁100克，大枣150克，芋头300克，糯米200克，金糕50克，白糖250克，杏仁精少许。大枣去核，碗内少许清水旺火蒸约20分钟，取出后碾碎，过罗，制成枣泥。芋头蒸熟，剥去外皮，碾成芋泥。用枣泥搓成杏核形，芋泥成枣形包住，制成玉枣，码放碗内。糯米、杏仁（去皮）一起磨成糊状。无油净锅，入清水750毫升，入白糖，烧开后撇沫，徐徐下入米糊，轻搅，煮成羹状，撒点杏仁精，浇在枣碗中。上撒刻成梅花形金糕片即成。

本方补血、止咳、润肺、健脑。

【方二十】

枸杞子、桂圆肉、制黄精各10克，鸽蛋4个。冰糖各适量。枸杞子、桂圆肉、制黄精均洗净切碎，待用。锅中注入适量清水，加入前3味药物同煮至沸后约15分钟，把鸽蛋打破后逐个下入锅内，同时将冰糖入锅同煮至熟即成。

本汤菜以枸杞子、桂圆肉、制黄精、鸽蛋、冰糖组成。桂圆肉性温、味甘，有益心脾，补气血，安神之功效；枸杞子性平、味甘，能滋阴养血、益精明目；黄精补中益气，养阴润肺；鸽蛋补肾益气；佐以冰糖，补中益气、和胃、润肺生津、清热调味。数料共用，则具有补肝肾、益气血、润肺滋阴之功。对肺燥咳嗽、气血虚弱、智力衰退等症有较好疗效。可作为肾虚腰痛，年老体衰者之膳食。

此汤菜外感实邪、内有痰火、湿滞者忌用之。

【方二十一】

鱿鱼500克，青椒、红椒各50克。料酒、味精、精盐、胡椒粉、酱油、白糖、菜油、香油、淀粉、奶汤、葱、姜、蒜各适量。鱿鱼去头，用凉水泡软，撕去皮筋，再用碱水泡10小时，然后在其里部划成十字花刀，并切成长方块，用清水泡出碱质。青椒、红椒洗净去籽，切成柳叶花片。将酱油、料酒、白糖、精盐、奶汤、胡椒粉、味精、淀粉调成汁，将葱、姜、蒜切成小片。将鱿鱼块投入热油锅中，炸成麦穗花形状后捞出沥油，再倒入炒锅中。依次加葱、姜、青蒜、红椒，最后倒入调料汁，翻炒均匀，淋些香油即可出锅。

本方益气强志。

第十五节

『增力健体方』

吃什么能够使力气增加？这个问题不但广大体力劳动者关注，而且脑力劳动者也非常重视。

增力有广义与狭义之分。广义的增力，是指增强身体在一切环境中的适应能力，它包括肌力、耐力、灵敏性、柔韧性和弛缓性等内容；狭义的“增力”，是指增强四肢的气力。但二者密不可分，因为狭义的增力是广义增力的客观指标之一。

中医学早在几千年前的《神农本草经》中就记载了一些可以“倍力”、“益力”的食物中药，到明代我国庞大的本草专著《本草纲目》中便已收载了90味增力营养保健品。

事实证明，运用食物中药不仅可以对症治疗因过度疲劳而出现的各种不适症状，而且可以调动人体潜在能力，刺激人体激素的合成产生，分泌释放，以及调整神经、内分泌系统，增强心血管系统、消化系统、造血系统、骨骼系统等功能，但却无“兴奋剂”样毒副作用。那么，究竟有哪些食物，中药确实能够证明可增力呢？

一是能够补脾益气的食物，中药可增力。

由于体力主要是指四肢的活动能力，因此，能够补脾、健脾、养胃的食物皆可增力；中医学认为，“脾主肌肉”、“脾主四肢”，五脏六腑皆赖以养，人的脾胃有“后天之本”之称，它是人体体力产生的直接动力；若脾不运化水谷精微，清阳不布，营养缺乏，则肌肉痿软，四肢倦怠无力。常用的补脾、健脾的食物和中药有：山药、榛子、牛肉、狗肉、葡萄、大枣等。

二是能够大补元气的食物或中药能增力。

元气是人体的根本之气，又叫“原阳”、“真阳”，可见，元气是人体阳气的根本，它对五脏六腑起着温煦生化作用。因此，能够大补元气的食物均能增力，如黑芝麻、核桃、桑椹、豹肉、鳝鱼、莲子等。

总之，元气是人体根本之气，脾胃之气是人体后天之本，欲想增力，必须从脾胃、元气入手，凡是有强补脾，补元气作用的食物，都有一定的增力作用。

常用的健体增力药方主要如下：

【方一】

先将生晒参3克，切成薄片，放入保温杯内用开水闷泡半小时，早晨空腹或晚上临卧前温饮之；在初饮2～3天内，忌食萝卜、浓茶、螃蟹、绿豆等物，以免降低药效。

本方益气健脾，适用于各种男女气虚之症，为延年益寿之佳品，正常人常喝，能加强气力。

【方二】

松树蘑、春笋各50克，荸荠20克，调料适量。将松树蘑去根须，洗净，下油锅用武火炒动片刻；荸荠去皮切片，春笋切片，同倒入松树蘑的炒锅内，加水少许，煮片刻，调入精盐、味精，勾薄芡、淋油起锅。

本方强身壮力。

【方三】

活乌龟750克，火腿肉30克，清汤1 500克，猪油15克，香油、葱段各20克，姜块10克，味精、料酒、胡椒面各适量。将活龟剁头放血，剥开壳，去苦胆，取龟肉和内脏洗净，切成3厘米长、1.5厘米宽的肉块，火腿切片，猪油烧热，先下葱段、姜块略炒，再下龟肉、内脏；加料酒、胡椒面、精盐、香油一起爆炒后，盛入砂锅内，放清汤，烧沸后改用文火煨2

小时，加入火腿片，继续煨汤汁稠浓，香气四溢时，调入味精，晚餐服食。

本方补肾益精养血，祛风湿，强筋骨，适用于久病精血亏虚，羸弱乏力，久瘫痿弱，筋骨疼痛，酸软无力等症，常人服用可精力充沛，健身长寿。

【方四】

党参、黄芪各30克，白术15克，干姜3克，鲦鱼1条。先将4味药水煎取汁，用汁煮鱼，熟后加精盐调味，食鱼饮汤。本方益气温阳，适用于阳气虚弱、畏寒、疲倦、四肢乏力、便溏等症。

【方五】

野猪肉、豆腐、粉丝调料各适量。野猪肉洗净，切片，与豆腐先煮至肉半熟，下粉丝煮至肉熟，入盐、葱、姜、味精调味，温服。本方补益气血，增加气力，适用于气血不足所致的少气、懒言、乏力、神疲。

【方六】

沙苑子20克，粳米100克，冰糖50克。将沙苑子洗净，用纱布包好，米洗净；砂锅置火上，注入清水1 000毫升，放入粳米，药包煮粥，至米烂汤稠，表面浮有粥油时，加冰糖再煮5分钟。

本方补肝肾，益脾胃，适用于肾虚腰膝酸软，脾虚食少。形体消瘦之人食用可长肌肉，使形体丰满健美。

【方七】

鲜牛奶100克，红茶、食盐各适量。先将红茶熬成浓汁，去渣取汁，再把牛乳煮沸，盛在碗里掺加茶汁，同时加入适量食盐，和匀；每日1剂，空腹，代茶缓缓温饮之。

本方可令人体健美，增加力气，皮肤润泽，为滋补之佳品。

【方八】

怀山药120克，老母鸡1只（1 000克以上），生姜3片，黄酒1匙，食盐半匙。母鸡活杀，去毛，剖腹，洗净，滤干，切块，内脏、鸡血均要，鸡肉之一半放入瓷盆，再放怀山药，上面再放另一半鸡块，淋入黄酒，加入姜片、精盐（宜淡），用旺火隔水蒸3小时，至鸡肉酥烂；饭前空腹饮汤，每次1小碗，日2次。鸡肉可佐膳蘸酱油吃，山药亦可食，或嚼后弃渣。

本方补肺虚，益五脏，强筋骨，润肌肤，适用于肺虚气短、体弱无力、久咳、畏冷等症。

【方九】

豆腐、鸡血熟料（血豆腐）各100克，皆切成细条，黄精10克，以冷水发透，山药50克切条，鸡汤500克，盐、黄酒、味精、淀粉汁适量，笋片或黄瓜片少许。将豆腐、血豆腐、黄精、山药放入砂锅中，兑加鸡汤，加热煨炖至八成熟，加盐、黄酒、笋片，熟后稍淋稀淀粉汁，汤汁明透即可。

本方益气、养血、滋阴、增力、复元，可为常人和体育运动员运动或劳动时以及平时小吃或佐餐食用。

【方十】

牛肚1个，黄芪30克。牛肚洗净，入沸水中焯后，去内皮，切条或块；黄芪切碎装入纱布袋内，扎口，与牛肚加水共炖至肚烂熟，去药袋，食肉喝汤。

本方滋补强壮，健脑益智，常服本品可使身体健壮，促进人的思维记忆功能，提高工作效率，改善睡眠。

【方十一】

黄精、天冬各30克，松叶15克，

枸杞20克，苍术12克，白酒1 000克，将黄精、天冬、苍术均切成约0.8厘米的小方块，松叶切成小节，同枸杞一起装入酒瓶内；将白酒注入瓶内摇匀，静置浸泡约10～12天即可饮用。

本方滋肝肾、补脾肺，适用于须发早白，体虚无力，视力减退等。

【方十二】

肥猪肉1 000克。鸡子清、大小茴香、花椒、草果、官桂、大葱、蒜、盐各适量。将猪肉洗净，煮1滚，捞出，切为方块，水漂过刮净污垢，猪皮用刀切碎。将大小茴香、花椒、草果、官桂，用纱布包扎袋口，放汤锅内，上压肉块。然后将鸡子清过好汁调和滋味，浇肉上。后入大葱、蒜、盐于汤锅内，加盖蒸至熟烂为度，食时去葱、蒜、调料包。其色鲜嫩，味道醇厚。

本方能强身壮骨、增长气力、补益气血。

【方十三】

熟蛇丝200克，浸发香菇、鲜笋肉各50克，姜丝9克，韭黄30克，干米粉丝9克，柠檬叶少许，鸡蛋50克，蒜泥、精盐、芝麻油、胡椒粉、绍酒、湿淀粉各少许，芡汤20克，花生油500克。将香菇、鲜笋、柠檬叶切成细丝，韭黄切段，调鸡蛋液。将精盐、笋丝、菇丝、姜丝下沸水中焯30秒。用芡汤、麻油、胡椒粉、湿淀粉调成芡汁。用中火烧炒锅，下油烧至一成热，边下鸡蛋液边用筷子搅动（使蛋不致结成团）约炸1分钟至成丝状，浮起后，倒入笊篱沥去油。用筷子拨散，晾凉后用洁净毛巾包着，拧开油即成蛋丝。用中火烧热炒锅，下油500克，四成热时，下干米粉丝炸至松脆而洁白，倒入笊篱去油，放在碟中。锅中放油6克，加蒜、姜、菇丝、笋丝、蛇丝爆炒，再放韭黄，烹绍酒，用芡汁勾芡，淋油15克拌匀，取出放在炸丝上面，撒上柠檬丝，将鸡蛋丝放在四周即可。

【方十四】

虫草8克，鹌鹑8只，姜、葱白、胡椒粉、盐、鸡汤各适量。将虫草用温水洗净，鹌鹑宰杀后沥尽血，去毛，剥去头和爪，由背部剖开去内脏洗净，放入沸水锅内焯1分钟捞出，姜切片，葱切段。8克虫草分放在8只鹌鹑腹内，用线缠紧放在篮子内，放入盐、胡椒粉、鸡汤，用棉纸封口，上笼蒸约40分钟，取出后，揭去棉纸，拆去线即成。

本汤选用名贵中药材冬虫夏草与鹌鹑为主料，冬虫夏草性温味甘，入肺肾经，有补虚损、益精气、止咳化痰的功效。《本草从新》记载能“保肺益肾，止血化痰，止痨嗽”。据现代研究，冬虫夏草含有虫草酸、冬虫草菌素等。经药理研究，冬虫夏草有扩张支气管、镇静、催眠作用。《现代实用中药》谓其：适用于肺结核病人之慢性咳嗽、气喘、吐血、盗汗、自汗，又可用于贫血虚弱，阳痿、遗精，是一味不可多得的滋补药。鹌鹑能补益肺肾。两料相合，则补益肺肾、培中运脾之功效显著加强。对于肺虚或肺肾两虚的咳嗽气短、嗽痰血、腰膝酸软，以及病后虚弱、神疲食少等病人有辅助治疗作用。

【方十五】

童子鸡1只（约重500克），姜、葱、黄酒、盐、水各适量。将鸡去毛和内脏，洗净，放汽锅内。加入调料，不加水。利用汽锅所生成之蒸馏水，制得“鸡露”，约1 000毫升。鸡露甘平，具有益气增力，养血生津之功效，经常佐餐食用，增进营养。适用于体弱、产后、病后、老年食用。

本品出自《本草纲目拾遗》，原用于“补益虚损”，为气虚者常选用的品方。鸡肉是益气补精的佳品，为老少皆宜的补益食物。

第十六节

『健骨强腰方』

骨指骨骼，乃人体一身之支架。骨骼的健壮与否，直接关系到人体是否强壮，尤其是体力劳动者，更需要有一副好骨架；腰乃一身之轴，直接关系着全身的运动，从整体看，腰部的围径应小于胸围和臀围，略呈圆柱型，上与宽厚的胸廓相连，下与圆满而适度的臀部相连，下腰显得细而结实。由于中医学认为，“腰为肾之府”，因此，腰的好坏与肾的功能有关；同样，由于肾藏精，精出髓，髓养骨，同样，骨的功能亦影响于肾，故在某种意义上说，所谓健骨强腰方，即是补肾健骨方。

【方一】

羊骨1副，生姜30克，陈皮、良姜各6克，粳米100克，草果2个，食盐适量。将羊骨捣碎，以水熬煮，放入诸佐料，小火熬取汤汁，以此汁煮米做粥食之或不加米作羹汤亦可。佐餐用。

原方用于“虚劳，腰膝无力”症。中医基础理论认为，肾主骨，腰为肾之府，肾虚则见腰酸，骨软无力，行走艰难，法宜补肾强腰健骨。本方中以羊骨入肾补骨为主，辅以粳米、陈皮、良姜、草果、生姜，温中健脾，使气血生化充足，滋养脏腑、肢体百骸。全方具有补肾强腰之功，肾虚骨弱之人宜经常食用。

现代营养学认为，长期缺钙及维生素D，会引起一系列疾病。动物骨头中含有大量的钙质，在煎煮过程中浸入汤中，因而多喝骨头汤或骨头粥对人体大有裨益。与此同时多晒太阳或口服维生素D剂，有助于钙的吸收。

【方二】

猪肾1枚，粳米50克，葱白适量。猪肾对剖两半，除去筋膜臊腺，切成碎丁，用黄酒、生姜、酱油调制；粳米煮粥，临熟时，下猪肾、葱花，再以小火继续煮炖至熟烂即可停火。每日2次。

原方用于“老人脚气顽痹，缓弱不随，行履不能”。老人脚气，为湿热伤及肾经，经脉痹阻所致，法宜清湿热，调肾气。方中猪肾味咸性平，主人肾虚，和理肾气，通利膀胱；辅以粳米、葱白，健脾补中，扶正通阳。诸料配合，可使肾气充盛，膀胱气化功能增强，水道通调，则湿热可除，经脉通利，诸症自减。

【方三】

鸡头实30克，羊脊骨1副，生姜汁10毫升。将鸡头实磨成粉，待用；煮羊脊骨熬取汤汁，用汁调鸡头粉，再加入姜汁、食盐等佐料调味，煮熟食之。每日1次。

配方中的鸡头实即人们熟知的芡实，善补脾去湿，固肾益精气；羊脊骨补肾强腰，健壮筋骨；生姜辛温散寒。三者相合，既可祛除湿邪而止痛，又可滋补肝肾而壮筋骨。凡属肝肾不足，湿痹腰膝作痛者，可辅以本品食用。

【方四】

生栗子500克。将生栗蒸熟后风干，收贮备用；每日食10颗，细嚼。

原方用于老人脚气，肾虚气损，脚膝无力，困乏之症。栗子味甘性温，善补肾，壮腰，强筋。老年人尤宜食之。苏东坡之弟苏子由曾写诗说自己老来未添腰脚病，得益于山翁传他服栗之方法。栗子含有B族维生素，对脚气病也有防治之功。栗子也可合糯米为粥，既可补肾强腰膝，又可益气厚肠胃，肾虚脚弱，脾虚泄泻者均宜食用。《本草纲目》就载有栗子粥。不宜单食栗子，或消化力弱者可改用粥食。

一次多食栗子容易气滞难消，故以少量久服为宜。

【方五】

小鱼500克，发酵粉6克，面粉250克，胡椒粉、植物油、猪油各适量。取小鱼，品种不限，去头及肠脏，洗净，用食盐、黄酒、胡椒粉腌渍；将面粉、发酵粉、少量食盐及植物油与猪油，加水调成酥炸糊，备用；架油锅，将水鱼倒入酥炸糊内滚匀，放入热油中，炸至金黄色即可出锅，装盘盛之。佐餐用。

小鱼酥炸后，连肉带骨都可食之，既可提供蛋白，又可补充钙质，无论大人小孩，食之均有益处。

鱼类功效大多补益，或益气养血，或助阳滋阴；又得面粉健脾相助，气血充足，阴阳平和，筋骨得以濡养。经常食用本品，筋骨坚固，行走轻健有力。

鱼多属发物，已发痘疹、皮肤瘙痒、疥癣湿疹者不宜食用。

【方六】

猪肾1枚，椒盐适量，杜仲10克，葱姜适量。杜仲放入锅内，加水适量，煎煮半个小时，滤取汁液；猪肾对剖两半除去筋膜臊腺，切成腰花，加入杜仲汁、椒盐、黄酒、食盐和淀粉，拌匀，备用；葱姜切片以热素油爆炒葱姜、腰花，至嫩熟，汤汁紧裹即可出锅。佐餐食用。

本品原制法为“猪腰子一枚，切片，以椒盐腌去腥水，入杜仲末3钱在内，荷叶包煨食之”。但腥臊味太大，一般人难以接受，遂改之。

杜仲为杜仲科乔木植物杜仲的树皮，含杜仲胶、树脂、糖苷、有机酸等成分，功效补肝肾，强筋骨，降血压；猪肾理肾气，通膀胱；二者合用，共奏补肾强腰之功。适合于肾虚腰痛脚软、阳痿遗精、头痛眩晕者调养之用。久服可强健筋骨腰膝。

【方七】

木瓜4枚，蜂蜜1 000克。将木瓜蒸熟，去皮，研烂如泥，取熬炼好的蜂蜜，与木瓜拌匀，装入洁净的瓷器收贮备用，每次数匙，加水煮沸作汤服食，每日2次。

木瓜为蔷薇科落叶灌木贴梗海棠和木瓜的成熟果实，前者俗称“皱皮木瓜”，后者称为“光皮木瓜”。主要产于安徽、浙江、陕西、湖北、广西等地。安徽宣城产者为佳，故有“宣木瓜”之称。木瓜味道酸甜，带有香气。主要成分是皂苷、黄酮类、维生素C、苹果酸、枸橼酸等。木瓜酸温，是治风湿痹痛的常用品，有舒筋活络、除痹止痛、强健筋骨之功。据报道，木瓜煎剂对动物关节炎有明显的抗炎消肿作用。蜂蜜甘平，益气健脾，缓急止痛。二者合用，舒筋活络，除痹止痛，强健筋骨。适用于寒湿痹阻关节，筋脉拘挛，下肢冷痛，屈伸不利之症。

【方八】

怀山药50克，牛奶100克，甜杏仁20克。将杏仁用水浸泡，去皮尖，研细；山药洗净，去皮，切碎；与杏仁、牛奶混合，绞取汁液，加热煮沸，停火。每日2次。

现代研究表明，山药水提取液作用于实验性关节炎大鼠，有一定的抗关节炎作用。

牛奶是钙质的良好来源，每100克奶中含有120毫克钙，并容易为人体吸收。现代营养学认为钙是构成骨骼的重要成分；它还能降低毛细血管和细胞膜的通透性，防止渗出，控制炎症和水肿。

本配方中用山药“助五脏，强筋骨”（《日华子本草》）；牛奶滋补强壮，补充钙质；杏仁润肺宽胃。全方以补为用，强健筋骨，适用于虚性腰膝痛症，症见腰膝无力，疼痛缠绵不愈，关节不利。常人服之亦能“骨髓坚固，行及奔马”。

据原书介绍，本品还有美容功效，经常食用，“令人颜色悦泽”。

【方九】

鳝鱼500克，党参、当归各15克，葱姜适量。

鳝鱼去头、骨及内脏，洗净，切成丝；当归、党参用纱布包扎；锅内放入鱼丝、药包，添水适量，煮作羹。捞出药包，以盐和葱姜调味。佐餐食用。

鳝鱼为鳝科动物黄鳝的肉或全体。栖于河道、湖泊、沟渠及稻田中。分布很广，除西北、西南外，全国各地均有。其味道鲜美，营养丰富，是人们喜爱的水产品之一。据分析，鳝鱼每100克含蛋白质18.8克，脂肪0.9克，钙38毫克，磷150毫克，铁1.6毫克。

鳝鱼味甘性温，善“补五脏，逐十二风邪。治风湿”（《食疗本草》）。并“治痨伤，添精益髓，壮筋骨”（《滇南本草》）。配以人参、当归，气血双补，扶助正气。全方具有补虚损、除风湿、壮筋骨的作用，适用于气血虚弱、风湿痹阻、四肢疼痛、无力之症。

【方十】

黄精250克，天门冬50克，地黄150克，牛骨油适量。取黄精、地黄、天门冬，加水煎煮，每20分钟煎液1次，共取3次，合并煎液，再以小火熬煮浓缩至黏稠时，加入适量牛骨油，边熬边搅至膏状遂停火。待冷装瓶备用，每次2匙，温酒送服，每日2次。

本方中选用了3味古代常用的补益保健品。黄精，“宽中益气，补五脏，调肌肉，充实骨髓，坚强筋骨，延年不老”（《饮膳正要》）。地黄，补肝肾，养阴血，填骨髓。研究显示，地黄煎剂对风湿性和类风湿性关节炎有与肾上腺皮质激素反应相似的作用。天门冬，滋阴补虚，强壮身体。实验研究表明，天门冬提取液有抗风湿性关节炎的效用。又配以甘温之品牛骨油，补中，填骨髓，益气力，久服增年。四物相合，而具补精髓，壮筋骨，延年益寿之功。温酒送服。可通利血脉，并防诸料过于滋腻黏滞。牛骨油含饱和脂肪酸较多，容易在动脉内膜沉积形成粥样斑块，促进动脉粥样硬化发生。多数植物油中含有谷固醇，能抑制胆固醇的吸收，有利于防治高脂血症及动脉粥样硬化。从既要强筋健骨，又要预防心血管病的角度看，本品宜减少牛骨油的用量，适当地增加植物油，如豆油、玉米胚油、花生油等，其保健作用更为理想。

【方十一】

巨胜200克，干地黄250克，薏苡仁200克，无灰酒4 000毫升。将巨胜炒香，薏苡仁、干地黄用绢袋包扎，放入酒内浸泡，密封严实，勿令泄气，1周后可开取，每次10毫升，每日1～2次。

原方用“治老人风湿痹弱，四肢无力，腰膝疼痛”。老人气血不足，风邪袭人，而致风虚眩晕；肝肾阴虚，脾精不布则见四肢痹弱无力。法宜补益肝肾，祛风通络。

配方中，巨胜（即芝麻）补肝肾，养筋骨，除风痹；薏苡仁健脾利湿，舒展筋脉，药理研究有镇痛、解热作用；干地黄滋补肾阴，养血通经；无灰酒指在曲米中未加入石灰、灶灰等大辛热之品，直接酿制成的酒，这种酒以不增气味，不损精神，味道纯正清美为特点。酒性辛热，通血脉，行药势；全方具有补肝肾，健脾胃，祛风湿，利筋骨的功效。

【方十二】

鲜樱桃500克，米酒1 000毫升。将樱桃洗净，放入米酒中，密封，浸泡10天方可饮用。每次服20～30毫升，每日2次。

脾主肌肉，脾气虚弱，水谷精微不能濡养肌肉，则四肢痿弱无力；复感风湿之邪，痹阻于经络，而致腰腿疼痛。法宜健脾除痹。

本方中樱桃主调中，益脾气；配以辛温之米酒，疏风活络。服用樱桃酒，可使脾气充足，风湿得除，筋骨得健。风湿性关节炎和风湿性瘫痪、四肢麻木不仁者服之有益。

樱桃中含有糖类、B族维生素、维生素C、胡萝卜素、钙、铁、磷等营养成分，又能大补元气，滋润皮肤，故经常饮用本品还可滋养人体，润泽皮肤。

【方十三】

薏苡仁100克，酒曲适量，糯米500克。取薏苡仁碾成粉，与糯米煮成干米饭，待冷，加酒曲适量，发酵成为酒酿。或采用热浸法，将薏苡仁盛入绢袋加适量白酒隔水，加热半小时后取出，再浸泡数日而成。每次20～30毫升，每日2次。

薏苡仁，味甘淡，气微凉，性微降而渗，故能利水除湿而利关节，除脚气；味甘补脾，脾旺则能荣养四肢，通利血脉。制酒后，增加了宣通经络之力。原书谓本方具有健脾胃，祛风湿，强筋骨的作用，适用于风湿痹阻经络，筋骨、关节疼痛，沉重，四肢屈伸不利，或脾虚食少，便溏，小便不利等症。

现代药理实验表明，薏苡内脂对中枢神经系统有镇静、解热作用；薏苡仁油有抑制肌肉收缩的作用。这些与中医所说的薏苡仁能除痹、缓筋急的功效是相符的。

脾虚便难以及妊娠妇女慎服本方。

【方十四】

干鹿筋200克，雪莲花3克，蘑菇片50克，鸡脚200克，火腿25克，另外有味精、料酒、姜、葱白、精盐、高汤各适量。将鹿筋用冷水洗净，加入开水，浸泡，水凉再换，反复多次，待鹿筋发涨后才能使用；姜切片，葱切段；将发好的鹿筋修净筋膜，切成指条块下锅，加入葱姜、料酒、水，将鹿筋煨透取出，鹿筋放入盘子里；鸡脚用开水烫透，脱去黄衣，斩去瓜尖，拆去大骨，洗净后放入盘子内；将雪莲花洗净后用纱布袋松装放入盘子内，面上再放火腿片、蘑菇片，加入高汤、料酒、姜、葱上笼蒸至鹿筋熟软时取出（约2小时）滤出厚汁，汤中加入味精、盐，倒入盘子内，再蒸半小时取出即成。

本方补虚损，壮筋骨，适用于腰膝酸软、筋骨痿弱者服用。

【方十五】

蛇肉15克，鸡脯、冬笋各100克，火腿20克，姜、麻油、料酒、味精、盐、胡椒粉各适量。制作时，将蛇肉斩成6厘米长的蛇筒，加鸡汤、姜块，一起放在锅内煮，煮熟后将蛇肉切成细丝。将生鸡脯肉，冬笋也切成细丝。锅烧热，放入麻油、料酒，加鸡汤1 000克煮开，蛇肉丝、鸡肉丝、冬笋丝入锅，调入适量盐、味精，再将已经烧热的蛇鸡汤倒入锅内，搅匀，撒上火腿丝，滴几滴麻油，撒上少许胡椒粉即成。蛇似龙，鸡似凤，故名龙凤汤。

龙凤汤具有理气活血、祛风通络、强筋健骨功效。适用于风湿性关节炎、类风湿性关节炎以及老年筋骨虚弱所引起的关节酸痛、腰膝疼痛等症。

【方十六】

嫩藕300克，猪大排500克，黄精15克，生姜1块，精盐、味精、黄酒各适量。

将藕洗净，刮去外皮再冲淋一下，切成小手指般的藕条；猪大排洗净沥水后，斩成与藕条相同的排条；黄精用清水洗下一沥水后待用。把藕条、排条、黄精放入大汤碗内，加入鲜汤（鸡汤、肉汤、排骨汤等），拍碎生姜1小块，盖上汤碗盖，将碗放入大锅内，锅内放水至半碗高，用旺火煮15分钟，再改用小火炖2小时左右（每隔1小时应往锅内加些沸水），食用时加入精盐、味精调味即可。

方中黄精性味甘、平，补中益气，润肺强筋。可治诸虚劳损，病后体虚，肺痨咳血，筋骨软弱，风湿疼痛。

【方十七】

水发鱼翅600克，蟹肉80克，鲜蟹黄150克，火腿末5克，料酒、精盐、味精、姜、葱、白酱油、水淀粉、猪油、火腿汁、高汤各适量。将水发鱼翅下锅用冷水滚烧1～2次捞出，去腥水。用猪油起锅放入姜葱，煸透后加冷水，倒入鱼翅煨烧1次，仍倒去腥水。再烧热锅煸葱姜加入汤，倒入鱼翅煨烧1次，再倒去汤去腥味。将鲜蟹黄斩碎后放入碗内，加少许汤、胡椒粉、姜汁、料酒拌和。将锅烧热放入猪油、料酒、高汤、蟹肉、火腿汁、味精、盐、白酱油，再放入鱼翅，待烧透后，用水淀粉勾芡，然后加入蟹黄搅匀上碗，放入火腿末即成。

方中汤菜为补肾益精，强筋健骨的高级滋补性食疗菜谱。具有补肾益精、强壮身体的功效，对于肾精亏耗、体虚等各种证候患者均可食用。

【方十八】

猪腰1枚，杜仲10克，鲜荷叶1张，花椒3克，盐少许。猪腰子洗净切开，去白色筋膜，放入椒盐水中浸半小时，捞出。杜仲捣烂，放入猪腰内部，用鲜荷叶包紧。锅内加水适量，煨猪腰，文火煨熟。

本方和理肾气，通利膀胱，强壮筋骨。适用于肾虚腰痛，身面浮肿，遗精盗汗，老年尿频，多尿或淋沥不已，妇女流产等症。

【方十九】

净山鸡1只（约重500克），板栗200克，葱段3克，姜片2克，白糖50克，酱油15克，精盐5克，味精3克，绍酒30克，湿淀粉15克，清汤50克，花生油750克（约耗100克），花椒油10克。将山鸡煺毛洗净，去掉脚瓜、嘴尖，剁成长3厘米、宽2厘米的块，放入碗内，加酱油10克、绍酒90克、精盐2克拌匀使之入味。将板栗顶端用刀划成十字花纹，然后放入开水中煮至十字花纹涨裂，捞出逐个剥去硬壳、硬皮。炒勺中倒入花生油，中火烧至五成热，下板栗炸透捞出，再将油烧至七成热，放入山鸡块炸透捞出。炒勺内留油50克，加入白糖炒至血红色时，放入炸好的山鸡煸炒，加酱油5克、绍酒20克、精盐3克，清汤闷炖3分钟，再放入栗子闷炖半分钟。捞出山鸡、板栗整齐相间地摆入碗中，浇上原汤，放葱段、姜片入笼蒸30分钟取出，扣入盘内。将原汤放入砂锅内，用湿淀粉勾芡，放味精，淋花椒油，浇在板栗山鸡上即成。

鸡嫩栗香，甜咸适口。补肾益气，健脾和胃。可辅治消渴，小便频数，反胃，下痢，腰脚软弱。

第十七节

『安神助眠方』

人的一生，大约有三分之一的时间是在睡眠中度过的。睡眠是人体的生理需要，也是维持身体健康的重要手段。它的保健作用大致有四：促进生长发育；保护大脑；消除疲劳，恢复体力；增强免疫力。然而有一些人却经常夜不成寐，或难以入睡，或睡而易醒，往往伴有头昏、头晕、健忘、倦怠等症状，严重影响了工作与学习。

失眠之证，常由五脏功能失调所引起的，其中尤以心、肝、肾三脏为主。由于原因不同而有虚实之别。虚火内扰，心肾不交，则表现为惊悸、神疲、健忘、虚烦不眠等，多为虚证；若外受惊恐或肝郁化火、肺热扰心、心神不宁，则见烦热、惊恐或善怒、夜不得眠等，多为实证。前者当用滋养安神之品，后者则以清肺平肝品调之。

传统安神助眠保健方以补益为主。常用的食物有莲子、大枣、酸枣、百合、龙眼、山药、鹌鹑、牡蛎肉、黄花鱼，以及动物心脏等。睡眠改善后，可以使大脑疲劳恢复，有利于学习记忆。从这点来讲，安神之品也有一定的益智作用。

【方一】

大枣 5 枚，粟米 50 克，茯神 10 克。水煎煮茯神，滤取汁液，以茯神药与大枣、粟米同煮为粥，每日 2 次，早晚服食。

大枣甘温，功善补中益气，养血安神。据日本学者报道，从枣提取物中分离出一种物质，药理实验证明有镇静、催眠作用。这种镇静作用，与中医的“安神”功效的提法是相符合的。

茯神，为多孔菌植物茯苓菌核中间的松根的白色部分，性味与茯苓相同，味甘性平，擅长养心安神，专用于心神不宁、惊悸健忘之症。正如《名医别录》所述，茯神“止惊悸、多恚怒、善忘，开心益智，安魂魄，养精神”。其水煎剂有镇静作用。

粟米，即小米，营养成分与普通稻米相似，有健脾和胃作用。《随息居饮食谱》认为“粟米功用与籼米略同，而性较凉，病人食之为宜”。

本方若单用大枣恐力弱，故选用茯神、粟米为辅佐，配茯神加强安神之力，配粟米以助脾胃之气。全方具有健脾养心、安神益智的作用，凡心脾两虚、惊悸怔忡、失眠健忘、精神不集中者皆适用。

【方二】

鲜百合 30 克，糯米 50 克，冰糖适量。将百合剥成瓣，洗净，糯米如常法煮粥，米将熟时加入百合煮至粥成，入冰糖调味，如无鲜百合可以用干百合 10 克代之，直接与米同煮为粥。每日 2 次，早晚温热服食。

百合自古作补益之物，亦食亦药。《神农本草经》将其列为上品。诸家本草记载其保健作用有：“补土（即脾脏），安心”、“益志”、“滋养强壮”、“不老延年”等。其性味甘平，具有补中润肺、清心安神功效。

【方三】

鲜桑椹 100 克，鲜百合 50 克。将 2 味洗净，水煎服，每日 1 次。

桑椹，味甘酸，性偏寒，甘寒滋阴补血而易除热，为常用的补肝肾之品，经常食用，对改善“心肾衰弱不寐”效果显著。百合补益而兼清润。肝肾阴虚而虚热内生，上扰心神则夜不成寐，烦躁不宁，给予桑椹补阴除热，百合宁心安神，阴复热退，神清宁静而安然入睡。

本品还具有润肠通便之功，也可用于习惯性便秘。

脾胃虚寒泄泻者忌用本方。

【方四】

大枣 20 枚，葱白 10 克。把大枣洗净，劈开，与葱白一起入锅，加水煎煮，煮开 15～20 分钟后取下，滤取汤液；每晚 1 次，温热饮服。大枣甘润，善健脾益气，养血安神，凡惊悸怔忡、健忘失眠，属心脾两脏元神亏损之证，多用大枣调之。

葱白为百合科植物葱的近根部的鳞茎，又名葱白头。辛温发散，宣通上下阳气。本方用葱白还有一层含意，大枣质润，滋腻，加葱白辛散，既可使大枣发挥其补益作用，又不助湿生热，令人中满。

本品补中益气，养血安神，适用于心脾两虚，心慌乏力，食少倦怠，烦闷不得眠者食用。

【方五】

甘草 10 克，大枣 5 枚，小麦 10 克。将 3 药用冷水浸泡后，用小火煎煮，半小时为 1 煎，共煎煮 2 次，合并煎液。每日 2 次，早晚温服，喝汤食枣。

本品以甘凉小麦为主料，补心阴，养心气，以安神；辅以甘平之甘草补脾胃而养心气，使用甘温的大枣健脾益气，缓和柔肝，并润脏燥。3 味合用，温凉并备，清补兼施，甘润滋补，平燥缓急。

据《日本东洋医学会杂志》报道，本汤能使脑神经的异常兴奋得到抑制，让精神神经系统的过敏状态恢复正常，并可降低大脑的兴奋性，使人易于进入睡眠状态。

凡心气不足，阴虚血少，肝气郁滞所致的失眠盗汗，精神恍惚，烦躁不安，悲伤欲哭者皆可食用本品。

【方六】

梨 3 枚，砂糖 25 克。将梨洗净，去皮，切片，加水煎煮 20 分钟，以砂糖调味，分 2 次服用，饮汤食梨。

原方用于“风热攻心，烦闷恍惚，神思不安”之症。风热攻心，则心神不宁，烦闷恍惚，夜不成寐。法宜清热疏风，宁心安神。梨为蔷薇科植物白梨、沙梨、秋子梨等栽培的果实。味甘微酸，性凉，长于清热化痰，生津润燥。配以砂糖补脾润肺合而成为清热化痰，和中安神之方。适合于痰热扰心或热病津伤，心失所养的失眠、烦闷之证。若风邪明显，可辅以薄荷、菊花，疏散风邪。

【方七】

猪心 1 枚，枸杞芽 250 克，葱白、豆豉各适量。猪心洗净血污，切成细丁状；枸杞菜、葱白切碎；豆豉放入锅内，加清水，煮取豉汁；猪心、枸杞菜、葱白放入豉汁中，加黄酒、食盐小火煮作羹食。

中医基础理论认为，心主神志，主血脉。心失所养可见心悸恐惊，失眠健忘，烦闷不舒等证。以动物的心脏来调治人的神志病变，常可收到良好的效果，一般来讲，各种动物的心脏均有补心安神的作用，但以猪心最为常用。

本品中以猪心为主料，补心安神；辅以枸杞菜清热补虚，葱白宣通胸阳，豆豉清心除烦。全方具有补心安神，清热除烦之效。适用于心血不足兼有热象者食用。

【方八】

鲜藕 1 节，梨 1 个。将藕洗净，去藕节与外皮，梨去皮、核，切碎，分别用洁净纱布绞取汁液，二汁合并，代茶饮。

藕生用熟用作用有所不同，熟者甘温，最宜心脾，健脾开胃，益血补心；生者甘寒，能清热除烦，凉血散瘀。二者皆有安神作用。本方选用生品，意在清热安神，再配以清热化痰的梨汁，而成清热化痰，除烦安神之方。经常饮用本品，可改善热证失眠者的睡眠状况，对上焦痰热所致的心烦口渴，咳嗽咯痰、夜不成寐者效果尤为显著。

【方九】

瘦肉、慈姑各 60 克，胡萝卜 30 克，素油 45 克，肉汤、酱油、黄酒、干淀粉、味精、盐各适量。肉顺丝切成片，加盐、黄酒、干淀粉拌匀；油温七成，先将肉片炒好取出待用，再炒慈姑、胡萝卜片，然后把肉片、调料一齐下锅，加点肉汤稍焖，再加味精翻炒均匀即可。

本方可祛热除湿，明目安神。

【方十】

羊心1枚，玫瑰花50克，藏红花6克，食盐适量。羊心洗净切片备用；玫瑰花捣烂取汁，放入小锅内，加清水、红花略煮片刻，取其前液，加入食盐备用；羊心串在不锈钢烤针上，蘸玫瑰花汁在火上翻烤，反复数次至羊心熟透，装盘盛之，佐餐食用。

本方补心舒肝，解郁安神，可改善睡眠，令人精神愉快。

【方十一】

黄花鱼1条（1 000克），鸡蛋清100克，西红柿2个，冬菇、冬笋、胡萝卜、青豆各少许，料酒、精盐、味精、胡椒粉、鸡油、生菜油、淀粉、清汤、葱、姜、蒜各适量。黄花鱼去腮、鳞及内脏，洗净后去头尾和骨、皮，取其肉切成长方形的片，鸡蛋清制成蛋泡糊，放入少许淀粉拌匀。将鱼片用盐、料酒、胡椒粉、味精腌上味，并放入蛋泡糊内一一沾匀，在热油锅中炸熟，摆在盘内。将葱、姜、蒜切末放在炒锅中稍煸，再加入清汤、精盐、味精、料酒，用淀粉勾芡，淋些鸡油，浇在鱼片上，西红柿切成瓣，摆在盘边作装饰。

本方健脾开胃，益气安神。可用于脾胃虚弱，营养不良。

【方十二】

牛肉250克，莲子、山药、茯苓、大枣各20克，小茴香各30克，食盐少许。将牛肉洗净切块，同莲子共入锅中加水适量，上火炖至半熟时，加入茯苓（布包）、大枣、小茴香、山药（洗净切片）、食盐，慢火炖至牛肉酥烂离火。

本方清香酥烂、滋而不腻。健脾益气、益精宁神，适用于病后气虚，血虚患者。

第十八节

『增强性功能方』

鲁迅说：“生物，第一要紧的自然是生命，因为生物之所以为生物，全在有这些生命，否则失去了生物的意义；生物为保存生命起见，具有种种本能，最显著的是食欲……。但生物的个体总免不了衰老和死亡，为继续生命起见，又有一种本能，便是性欲，因性欲才有性交才发生后裔，继续了生命。”伟大的思想家鲁迅的阐述再清楚不过地说明了性行为是人类的一种本能，是人类生活的重要内容之一，世上的每一个人都是人的性行为的产物。“一日夫妻百日恩，百日夫妻似海深”，这里的恩和深，首先是建立在夫妻性生活和谐的基础之上。

影响夫妻性和谐的因素很多，但重要的一个方面是饮食，那么，又有哪些药方有利于增强人们的性机能呢？

【方一】

麻雀1只，粟米50克，葱白、白酒各适量。将麻雀去毛取肉，切碎，炒熟，放适量白酒煮少时，再加水，下米煮粥，粥将成时，入葱白再煮1～2沸即可。每日2次。

本方壮阳益精，补肾疗痿，经常食用本品可增强体质，提高性功能，对男性阳痿、早泄、不育，女子阴冷、不孕皆有调养之用。但阴虚内热者忌食。

【方二】

羊肾1枚，米粉50克。羊肾剖开，除去筋膜，冲洗干净，与葱姜、黄酒、酱油等调料，一起入锅煮熟，捞出，切成碎末；米粉放入炒锅内，炒面呈微黄色，下羊肾末，调入食盐、胡椒粉，翻炒至熟；经常食用。

本方温肾壮阳，健脾益气，适用于脾肾阳虚、阳事不行、腰膝酸软、小便频数等症。

【方三】

韭菜500克，花椒10克，猪肉150克，砂仁6克，面粉500克，黄酱、羊脂各适量。猪肉剁成肉末，加葱姜、花椒、砂仁、黄酒调料，油炒半熟；韭菜切碎，挤水，与羊脂、植物油、肉末拌匀，作馅；面粉加水合面，擀皮，包馅做饼，油煎熟；经常食用。

本方壮肾补阳，健脾养胃，可振奋脾肾之阳气，改善性功能。

【方四】

羊肉250克，大蒜、薤白各20克。将羊肉切成大薄片，大蒜、薤白切片，与羊肉一起放入碗内，加酱油、食盐、黄酒、淀粉、白糖拌匀；锅内入油，旺火烧热后，放入上述食料，煸炒至肉熟，调汁紧裹时淋上少许香油即出锅。佐餐食用。

本方益肾气，壮阳道，经常食用，可强壮身体，提高性欲，改善性功能。

【方五】

海虾500克，黄酒、大葱、生姜各适量。新鲜海虾带壳洗净，煎去虾腿及须，放入黄酒中浸渍10分钟，锅内油热后，先将葱姜丝煸出香味，再投入虾、盐、翻炒至熟。佐餐食用。

本方补肾壮阳，适用于男子肾虚阳痿、早泄之症。

【方六】

泥鳅200克，大葱、黄酒、生姜各适量。泥鳅放在盆中，滴入数滴菜油，让其去除泥垢，排尽肠内粪便，再用剪刀剪去头部，去除肠脏，温水洗净，沥干水分；锅内放少量油，先将泥鳅煎至金黄色，再加入葱姜、黄酒、清水，用旺火烧开后撇去浮沫，改用小火煮至肉熟汤浓，临出锅前撒上胡椒面，食盐调味。佐餐食之，食肉饮汤。

本方暖中益气，壮阳益精，经常食用本品，对于脾肾虚弱、内蕴有湿的阳痿、早泄等症颇有裨益。

【方七】

狗肉、糯米各1 000克，酒曲一定量。狗肉洗净，煮烂，捣如泥，糯米煮成干米饭，与狗肉泥拌匀，待冷，加酒曲适量，发酵成为酒酿。每日晨起空腹饮20～30毫升。

本方大补元气，温肾助阳，对于元阳虚弱的阳痿、早泄、滑精者可酌情选用；但阳盛火旺，热病者不宜使用。

【方八】

对虾1对，白酒500毫升。取新鲜对虾，洗净，置于瓶中，加白酒密封浸泡7天后即可开取。每日10～15毫升，上火煮沸，温热饮之，酒尽时，烹虾食之。

本方补肾壮阳，益气开胃，可用于肾虚阳痿、早泄。

【方九】

仙茅、淫羊藿、南五加皮各240克，酒1 500毫升。先以淫羊藿浸酒，贮存21日后，启封滤去渣，挤净，再以此药酒浸透仙茅和五加皮（仙茅要在前一日，先以米泔泡一宿，再浸酒，以除其毒气）21日，每饮1杯。

本方补肾固精，利行房事，尤适用于肾气不足而致性欲低下者饮用。

【方十】

牛鞭1具，枸杞子30克，鸡腿1只，黄酒、大葱、食盐、生姜各适量。将鲜牛鞭用热水煮至柔嫩，取出，顺尿道对剖成两片，除掉筋膜，刮洗干净，改刀成鱼鳃形；鸡腿、葱姜、黄酒与改刀后的牛鞭一同放在小火上煨制；枸杞子捡出杂质，洗净，用适量酒浸泡，锅置火上，加入鸡汤、枸杞、黄酒、葱姜、食盐、味精等调料，烧开撇去浮沫，再将煨制好的牛鞭放入，烧制15～20分钟，勾芡，淋少许香油出锅，盛装。佐餐食用。

本方补肾助阳，益精添髓，可提高性功能，对人体作用迅速而持久，服1～2次即显效；阴阳两虚，阳虚为主的阳痿、早泄者皆可服食。

【方十一】

带皮牛尾1条（约750克），枸杞子50克，调料适量。枸杞子之一半，用水煮提取片，提取浓缩汁25毫升，另一半洗净备用；牛尾刮洗干净，剁成段，开水氽一下，洗净，将牛尾、枸杞子置锅内，加清汤1 500毫升，及料酒、酱油、葱段、姜片、精盐各适量，武火烧沸后，加入枸杞子浓缩汁，转文火炖至牛尾酥烂取下，除去葱、姜，加味精。

本方补肝肾，适用于男子阳痿早泄，女子月经不调，性欲减退。

【方十二】

枸杞、豉汁各50毫升，粳米100克。先煮枸杞去渣取汁，再入粳米煮粥，待熟，下豉汁，搅抖，沸，随意食用。

本方补益肝肾，和养胃气，适用于体虚久病，房事衰弱。

【方十三】

茯苓、莲子各90克。2味共研粉，每服15克，日2次，在每2餐之间空腹时用温开水送服。

本方补益脾肾，固精安神，适用于性神经衰弱、遗精、阳痿等。

【方十四】

豆腐、羊肉、虾、调料各适量。羊肉洗净，切片，虾洗净，与羊肉加水同煮至熟烂，加葱花、盐调味，再入豆腐煮熟食用。

本方益气补虚，适用于气不足、脾肾阳虚之性机能减退，长期食用可延年益寿。

【方十五】

粳米60克，炸胡桃仁80克，生胡桃仁45克，牛奶200克，白糖12

克。先将粳米洗净，用水浸泡1小时捞起，滤干水分，和生胡桃仁、炸胡桃仁、牛奶、清水拌匀磨细，再用罗斗过滤取液待用；锅内注入清水烧沸，入白糖溶化后，将前滤液慢慢倒入，搅匀烧沸即成，随意饮用。

本方补肺益肾，滋养润燥，适用于性功能低下。

【方十六】

枸杞叶100克，粳米50克，豆豉、大葱、生姜各适量。将枸杞叶洗净，细切；粳米与豆鼓同煮为粥，以葱、姜、食盐调味，临熟时放入枸杞叶，煮至菜熟米烂。

方中枸杞叶味苦甘性凉，功能益精，滋养，清热，善补五劳七伤；粳米甘平，健脾养胃，培补中焦，脾气健则肾气充；葱姜辛温，助升发阳气；豆豉辛甘，微温，调中宣散。全方意在益肾健脾，阴中求阳。病久体虚，五劳七伤，房事衰弱者经常食用，可强健身体，兴举阳事。

本方性味平和，可长期调服。

【方十七】

蛤蚧1对，白酒1 000毫升。将蛤蚧去头（有小毒）、足和鳞片，放入酒中，密封，浸泡两个月方可开取，每日20毫升，每日1次。

蛤蚧是壁虎科动物蛤蚧除去内脏的全体，又称大壁虎，主要产于我国广东、广西、云南、贵州等省。味咸性平。补肺益肾，助阳益精，其补益作用可与人参、羊肉相媲美。《本草纲目》中谈到："蛤蚧补肺气，定喘止咳，功同人参；益阴血，助精扶羸，功同羊肉。近世治劳损痿弱……，俱取其滋补也。"《本草求真》亦云："大补命门相火，为房术要药。"

现代药理研究表明，蛤蚧的提取物，可延长正常雄性小鼠的动情期。以小鼠前列腺、精囊、提肛肌作为重要的指标，可使它们重量增加，小鼠交尾期延长，表现出雄性激素样作用。

蛤蚧酒补肺定喘，益肾壮阳。经常饮用可提高性功能水平，适用于肺虚咳喘、肾虚阳痿、性功能低下等症。

本方阴虚火动，风寒咳喘者不宜用。

【方十八】

菟丝子、覆盆子、枸杞子各25克，金樱子、韭菜子、白莲子各15克，蛇床子、五味子、破故纸各5克，大熟地、怀山药各50克，淫羊藿25克。水煎服，每日1剂，分3次服。

本方补肾固精，适用于性欲低下、阳痿、遗精诸症。

【方十九】

淫羊藿、覆盆子、枸杞、补骨脂各15克，炒杜仲、葳蕤各25克。水煎服，日2次。

本方补火助阳，适用于性欲低下，阳痿，兼见遗精、滑泄等症。

【方二十】

海马、鹿茸、红人参各10克，肉桂（去粗皮）3克。将药研成细末，每晚2克，以九子回春汤送服，15天为1疗程，每疗程间隔3日，服药需坚持1～3个疗程。

本方补肾固精，适用于骨虚精亏、命门火衰之性欲低下、阳痿、遗精。

【方二十一】

仙茅10克，破故纸12克，鹿角胶（烊化）15克，黄精20克，淡苁蓉12克。水煎服，分2次温服，日1剂，2个月为1疗程。

本方温肾补阳，适用于肾阳不足，命门火衰所致的性欲低下、阳痿、精冷不育。

第十九节

『润喉清音方』

嗓音是人们进行语言交往的基本条件，对于从事声乐、广播、电视、教育等职业的工作者来说尤为重要，需悉心养护，才能产生良好的嗓音效果。

人类的发音器官，一般由四个部分组成。

1. 呼吸器官：由肺和有关呼吸肌群组成，为发音的动力器官。

2. 振动器官：即喉。通过喉内的声带振动而发出声音，喉在发音运动中占有主导地位。

3. 共鸣器官：主要由喉腔、咽腔、口腔和鼻腔连成一个形似喇叭的声道，产生共鸣。此外，胸腔、鼻腔也参与共鸣。通过共鸣作用能够加强和放大声波，美化嗓音，使其富有色彩。

4. 吐字器官：由口腔、舌头、软腭、嘴唇、下腭等组成，其功能可使言语清晰。

中医常咽喉并称，它们内连脏腑，外通口鼻，凡脏腑失调，外邪侵袭，皆可引起嗓音的异常。肺为嗓音之门，肾为嗓音之根，故在脏腑中以调肺肾为主。外邪客滞咽喉，多见风、寒、燥、热，治宜驱风，散寒，润燥，清热。

【方一】

萝卜200克，饴糖适量。取红皮萝卜洗净，切成细丝，装盘调入饴糖拌匀，放置半个小时即可食用。

本方清热化痰，生津润燥而利咽喉，尤适用于因痰热或燥热而致咽喉不利，而致说话声音不清者。

【方二】

鲜橄榄3～5枚，鲜萝卜100克。把橄榄劈开，鲜萝卜切丝一起放入锅内，加水煎煮20～30分钟，去渣取汁，若无鲜品，可以干橄榄代替。代茶饮。

本方清肺化痰，解毒利咽，对于咽喉肿痛，声音嘶哑者颇为适宜。

【方三】

鲜橄榄50克，酸梅10克，白糖适量。将橄榄、酸梅劈开，加清水煎煮20分钟，去渣取汁，以白糖调味，无鲜橄榄可以干品10克代之。

本方清热解毒，生津润燥，利咽润喉，尤适用于热象明显的咽喉肿痛、咳嗽痰稠、声音不清者饮服。

【方四】

麦门冬、乌梅各100克。将麦门冬去心、焙干，乌梅劈开去核取肉，微炒，上2味研末过筛，装瓶收贮。临用时，每次取10克，水煎服，每日2次。

本方滋阴润肺，清热生津，凡阴虚不足，虚热上炎，喉干发紧，烦满不舒者皆可饮服；亦可作为慢性咽炎者保健之用。

【方五】

干冬菜30克。冬菜洗净，放入锅内，加水煮沸，至菜熟烂时，滴上少许香油，即可取下。

本方功能滋阴润肺，化痰理气，适用于肺热咳嗽、喉痛失音者食用。

【方六】

猪皮500克，面粉100克，蜂蜜适量。将猪皮洗净，切成条状，放入锅内，加水煎煮1小时，去渣，加蜂蜜、面粉调匀，继续熬煮，至面熟汁稠即可取下。每日2次，温热服食，分6次服完。

本品原用于少阴病下利，咽痛，心烦等症。猪皮，性味甘凉，清虚热而除烦满，利咽喉而消肿痛；蜂蜜润燥解毒，缓急止痛；面粉涩滑肠以收泄痢。观全方以清肺润燥见长，肺气清降，浮火归根，则咽痛、烦满自消也。后世医家以此方用于音哑，也获得较好的效果。

【方七】

甜石榴2枚。将鲜石榴剥去外皮，把其肉捣烂，以开水浸泡过滤取汁，饮汁或合漱；亦可佐餐用。

石榴为石榴科植物石榴的果实，品种有酸、甜之分。酸者味酸性温，收涩力甚强，多用于泻下、久痢、崩漏诸症。甜者味甘酸，微涩，性温，长于生津止渴，润燥利咽，“主咽燥渴”（《名医别录》）、“或咽喉疼痛肿胀，齿床出血”（《滇南本草》）。无论饮汁，还是含漱，对于扁桃体肿大，咽喉肿痛，口舌生疮者皆有较好的效果。有痰热咳喘者少食。

【方八】

甘蔗1 000克。将其去外皮，切碎，加少量冷开水，捣取汁液，或直接嚼碎咽汁；每次饮50毫升，1日2次。

甘蔗为禾本科植物甘蔗的茎杆，其茎如杆，故又名竿蔗。主产于温热带地区，主要有紫皮与青皮两大类品种。茎汁含多量糖分，可用来制糖。

据古代本草记载，甘蔗味甘性寒，能清热，生津，润燥，并“利咽喉”（《随息居饮食谱》）。比较适合于热病津伤、咽喉不利者饮用。

脾胃虚寒者慎服。

【方九】

荸荠500克。将荸荠洗净，去皮，切碎，用洁净纱布绞取汁液；每次饮50毫升，1日2次。

荸荠，别名马蹄，为莎草科植物荸荠的球茎，因形、色颇似栗子，又生长于水中的泥土里，故有“地栗”之称。其味苦甘，性微寒，可清热化痰消风毒，除胸中实热之气以清声，凡声音嘶哑不清、咽喉肿痛者皆可饮用。

研究发现，荸荠中含有一种不耐热的抗菌成分——荸荠英，对金黄色葡萄球菌、大肠杆菌及产气杆菌均有抑制作用。

本品性寒，素体脾肾虚寒或血虚者慎服。

【方十】

萝卜250克，生姜50克。萝卜、生姜洗净，去皮，切碎，分别绞取汁液，两汁相合，一并饮服，每次50毫升，每日2次。

萝卜，古称莱菔，系十字花科植物莱菔的根，其醇提取物有抗菌作用，尤其对革兰氏阳性细菌较敏感，亦能抗真菌。味辛甘，性凉，善宽胸膈，化痰热，宽中下气，主咳嗽失音，咽喉诸症。生姜为姜科植物姜的鲜根茎，以块大，丰满，质嫩者为佳。生姜气芳香，味辛辣，长于豁痰利窍，去邪和中，可蔬可药。

萝卜配生姜而成化痰利咽之品，适于失音不语者饮用。

【方十一】

薄荷50克，白糖500克。薄荷研成粉，待用；锅内放入白糖及少许清水，以小火煎熬至较稠厚时，加入薄荷粉，调匀，再继续熬至用铲挑起丝状，而不粘手时，停火。将糖倒在表面涂过食用油的大搪瓷盘中，待稍冷，把糖分割成小方块，收贮备用；经常取数块含化。

薄荷为唇形科植物薄荷的全草或叶。我国许多地方都有栽培，其中以苏州产的龙脑薄荷质量为佳。其味辛性凉，芳香气窜，气能外达肌表，内通经络，疏风散热而利咽喉诸窍。白糖辅助薄荷清热利咽，经常含化本品，可疏风热，利咽喉，尤适合于风热咽喉肿痛者选用。薄荷还有开郁散气之功，故用于肝郁气滞诸症也颇为适宜。

【方十二】

无花果15克，冰糖适量。无花果洗净，与冰糖一起放在锅中，加水煎煮15分钟即可。或无花果与冰糖放在瓷杯中，沸水冲泡，温浸15分钟即可饮用，代茶饮。

无花果为桑科植物无花果的花托，秋季采收，反复晒干而成，味道酸甜，以干燥、青黑色或暗棕色、无霉蛀者为优。

方中无花果味甘性平，功能润肺清咽，消肿解毒，并“治咽喉疾”（《便民图纂》）；冰糖性味平，补中益气，和胃润肺。二者相配可奏润肺清咽之效，尤适于肺热声嘶者饮用。

【方十三】

胖大海3枚，生甘草3克，冰糖适量。将三者放入瓷杯内，以沸水冲泡，温浸20分钟即可饮服；代茶饮。

胖大海系梧桐科植物胖大海的种子，又名大海子。主产于越南、印度等地，我国广东、海南等省也有出产。含有乳糖、戊糖、蔗糖、皂苷、鞣质等成分。动物实验有镇痛作用。胖大海味甘淡性凉，善于开宣肺气，又能通泄皮毛。风邪外闭，不论寒热皆可主之，并能开音，豁痰爽嗽，为利咽最常用的保健品。

本方中以胖大海为主料，配以生甘草、冰糖为辅佐，前者清热解毒，消肿利咽；后者清润肺脏，化痰止咳。三料相合而成清热润肺，解毒利咽之方。经常饮用有利于嗓音的保护。

【方十四】

罗汉果1枚。将罗汉果洗净，掰成碎片，水煎取汁液，代茶饮；或将罗汉果放在瓷杯中，以沸水浸泡，漫浸15～20分钟后即可代茶饮。

罗汉果为葫芦科植物罗汉果的果实，分布于广西、广东、海南等省。味道清甜，胜如甘草。以形圆、个大、坚实、摇之不响、色黄褐者为佳。果肉的主要成分是葡萄糖及其他甜味物质。

中医认为罗汉果味甘性寒，有清肺解热、润喉止咳之功，凡咽喉诸疾、失音证皆可用之。教师、播音员、演员等宜经常饮服，以润喉利咽，保护嗓音。

第二十节

『抗衰防老方』

自古以来，人们都希望健康，更渴望长寿，甚至采取神秘的法术，但结果却是徒劳无益的。从现代的科学水平和人类物质文化生活水平来看，要使人类寿命普遍延长，是有可能的，关键在于抗衰老。正如美国国立老年研究所所长格留利其所说："迄今为止，我们最大的努力，在于对衰老过程有更好的了解，这种努力将不可避免地产生一些新技术，它必能大大延长人的平均寿命。"

目前，在抗衰老的研究过程中，经过对传统医药学的研究、整理、提高，现代挖掘到不少能够抗衰防老的偏方、验方主要如下：

【方一】

黑芝麻 60 克，蜂蜜 90 克，玉米粉 120 克，白面 50 克，鸡蛋 2 个，发酵粉 15 克。先将黑芝麻炒香研粉，和入玉米粉。蜂蜜、面粉、蛋液、发酵粉，加水和成面团，以 35℃保温发酵 1.5～2 小时，上屉蒸 20 分钟即熟。

本方有健胃、保肝、促进红细胞生长的作用，坚持服用可抗衰老。据《神仙传》记载：古代有一姓鲁的妇女，虽已年逾八旬，但仍"甚少壮，日行三百里，走及獐鹿"，究其养生之术，主要原因是常年服食以芝麻为主做成的糕饼。芝麻中尤以黑芝麻为上品。《本草纲目》称："服黑芝麻百日能除一切痼疾。一年身面光泽不饥，二年白发返黑，三年齿落更出。"黑芝麻含的维生 E 占居植物性食品之首，而维生素 E 能促进细胞分裂，推迟细胞衰老，常用之，可抵消或中和细胞内衰老物质"游离基"的积累，起到抗衰老和延年益寿的作用。据科学家实验表明，维生素 E 可使实验动物的寿命延长 15%～75%。

【方二】

山药 15 克，黑芝麻 120 克，冰糖 125 克，粳米 60 克，牛奶适量。粳米淘净，浸泡 1 小时捞出滤干，山药切细，芝麻炒香；三料同置盘中，加清水，牛奶拌匀，磨碎后滤出细茸，倒入锅内，用文火煮沸，调入冰糖，不断搅拌成糊。每服 2 汤匙，日 2 次。

本方益脾补肾，润肠滋燥，适用于动脉硬化，体弱多病，须发早白，便秘，老年人常服，可滋补身体，抵御衰老。

【方三】

鸡脯肉 100 克，银耳 75 克，蜜清 100 克，牛奶、黄瓜、胡萝卜各 50 克，淀粉 25 克，味精 5 克，香油 25 克，花生油 50 克，白糖、料酒各 10 克，姜、葱各 5 克。将鸡脯肉剁成茸入碗，加入蛋清、牛奶、淀粉搅匀；银耳用温水泡发，去蒂洗净，用鸡煨烂入味后捞出；黄瓜、胡萝卜切片，将花生油烧至六成热时，加入调好的鸡茸液，待浮起后捞出，用开水焯洗去浮油，并倒出余油；将香油烧热，加入葱、姜末煸炒，再加入鸡茸、银耳、黄瓜片、胡萝卜片、鸡汤、调料煮沸后稍煨片刻，放汁芡，淋入明油，盛盘。

本方补益五脏，适用于脾胃虚弱，肺阴不足之症，尤宜老年人，有健身益寿、抗衰老之功。近年来科学家研究提出，银耳可提高人体的免疫机能，所含多糖BC，对癌细胞有一定的抑制作用。

【方四】

枸杞50克，白酒500克。将枸杞洗净，放入瓶中，注入白酒，加盖密封，置阴凉干燥处，每3日摇动1次，15日后饮用；每服10～30毫升，或根据个人酒量酌饮，不宜过量，日2次。

本方补肝肾，适用于肝肾精亏证和早衰早老。

【方五】

活甲鱼1只，虫草10克，红枣20克。将甲鱼切成4大块，放入锅中煮沸，捞出，割开四肢，剥去腿油，洗净，虫草洗净，红枣用开水浸泡。甲鱼放入汤碗中，上放虫草、红枣、加料、酒、盐、葱节、姜片、蒜瓣和鸡清汤，上蒸笼蒸2小时，取出，拣去葱、姜，佐餐食。日2次。

本方滋阴益气，补肾固精，老年人常食可增强体质，防止衰老，延年益寿。

【方六】

银耳、黑木耳、侧耳（均为干品）各10克，冰糖30克。将三耳泡发，洗净，去杂，放入碗中，加冰糖和适量水，上笼蒸1小时，熟透；可分次或1次食用，日2服。

本方滋阴，补肾，润肺，适用于肾阴虚之血管硬化、眼疾出血、高血压、肺阴虚的咳嗽，常食抗衰老。

【方七】

西洋参适量，切薄片；做菜汤时加入共煮菜，汤、药同食。

本方功能养阴、益气，强身补虚，适用于身体虚弱，气虚阴亏之人，常服有抗衰老作用。

【方八】

熟地黄1130克，万年青150克，黑桑椹120克，黑芝麻60克，怀山药200克，南烛子、花椒各30克，白果15克，巨胜子45克，好酒2 000克。将药共捣细，用夏白布包贮，置于净器中，酒浸7天后去渣取汁备用；每次空腹温饮1～2杯，早晚各1次。

本方养肝补肾，抗衰老，适用于肝肾亏损、须发早白、视听下降、未老先衰等症。

【方九】

乌龙茶4克，槐角、冬瓜皮各24克，首乌40克，山楂肉20克。乌龙茶置器内，用余药清水煮沸，取汁冲泡，代茶饮。

本方抗衰老，防病保健，常服可健身益年。

【方十】

燕麦片100克，玉竹15克，蜂蜜适量。玉竹用冷水泡发，煮沸20分钟后取汁，再用清水煮沸20分钟取汁；合并2次药汁，加入麦片，用文火熬煮成稠粥，加蜂蜜食用。

本方清热熄风，现多用于抗衰老，因本药膳能治疗动脉粥样硬化。

【方十一】

人参5克，黄芪20克，粳米80克，白糖5克，白术10克。人参、黄芪、白术去净灰渣加工成片，清水浸泡40分钟后，放砂锅中加水煎开，再用小火慢煎成浓汁，取出药汁后，再加水煎开后取汁；早晚分别煮粳粥，加白糖趁热食用。5天为1疗程。

本方补正气，疗虚损，抗衰老，适用于五脏虚衰，久病体弱，食欲不振，未老先衰。

【方十二】

王浆、蜂蜜各适量。将王浆与蜂蜜配成1%的王浆蜂蜜；每次服20克，1日2次，20天为1疗程，连服3疗程。

本方滋补强壮，益肝健脾，适用于病后虚弱，老年体衰，平时常食，可强身，抗衰老。

【方十三】

白术4.5克，麦冬（去心）3克。将药同煎作汤，代茶饮。本方益气补脾，适用于老年脾虚食少，久服延年耐衰。

【方十四】

干燕窝15克，鸡清汤1 000克，食用碱少许，盐适量。将燕窝放入温水中泡软（约泡15分钟），轻轻捞出，用镊子择净燕窝上的黑毛和根，用温水洗去灰尘；用1 000克水把少许食用碱泡开，放入洗过的燕窝，用筷子慢慢挑动一下，泡5分钟后捞出，接着再用1 000克开水泡5分钟，燕窝就胀发起来；取2 000克开水，晾到八成热，把泡过2次的燕窝放入再泡4分钟，以去净碱分，捞出，挤净水，把锅放在旺火上，放入鸡清汤，加盐适量，烧开后撇去浮沫，倒在大汤碗里，把燕窝放入。

本方补益脾胃，补气清热，适用于肺虚患者，常食能使人精力充沛，消除疲劳，防病强身。

【方十五】

五味子250克，银杏叶500克，红枣250克，蜂蜜1 000克，冰糖或糖50克。将五味子、银杏叶、红枣分别洗净，将银杏叶切碎，红枣皮肉撕开，然后一起浸泡在水中2小时，水量以浸没为度，如银杏叶浮起，可加重物压下；将五味子、银杏叶、红枣连同浸液一起倒入大瓦罐内，先用中火煮沸后，再改用小火约煎1小时，煎至约剩浓汁1大碗时，滤出头汁，再加冷水3大碗，约煎1小时，至剩下药液1大碗时，滤出2汁，弃渣；将头汁、二汁倒入砂锅内，用小火先煎半小时，使药汁进一步变浓；再加蜂蜜、冰糖，不要加盖约熬炼半小时，离火，冷却后装瓶，盖紧。日2次，每次2匙，饭后，开水送服，3个月为1疗程。

本方养五脏，助心血，缓肝气，通络脉，润燥软坚，舒张血管，调整血压，降低胆固醇，抗衰老，适用于动脉粥样硬化、冠心病等症。

【方十六】

西洋参、黄精、枸杞子、当归、佛手、白酒、合欢皮各适量。

将西洋参、枸杞子、黄精、当归、佛手等加工处理，以河南林河大曲为基础酒，遵照传统工艺酿制，自然陈化，精心勾兑而成，市场有售。每次5～10毫升，1日3次，连服1个月。

本方补益强壮，抗老驻颜；许多人服用后反映全身轻松，体力增强，食欲增进，睡眠增加，夜不做梦。

【方十七】

灵芝、香菇、白糖各适量。前2味分别进行热水浸提，取得有效成分的浓缩液；把浓缩液与糖共煮，制成晶体。开水冲服，日2～3次。

本方健脑、利血、提高机体免疫

力、防老抗衰，适用于神经衰弱、失眠、血小板减少、肝炎等。常服可防止衰老，延年益寿。

【方十八】

乌麻子（微炒，捣碎）4 775 克。以好酒 2 万毫升浸乌麻子经宿，随意饮。

本方功能延年不老。

【方十九】

冬瓜仁 500 克，白酒 1 000 毫升。将冬瓜仁用双层纱布袋装好，扎紧袋口，放入沸水中，浸泡 5～10 分钟，取出晒干，如此反复浸晒 3 次，再把浸晒过的冬瓜仁泡入白酒中，浸泡两天后，捞出晒干，研成细粉末，装瓶备用，每次 6 克，开水冲服，每日 2 次。

冬瓜仁，又称为冬瓜子，为冬瓜的种仁，内含较多的脂肪油，味甘，体润多脂，滋润性强，是历代推崇的美容食物。“令悦泽好颜色，益气不饥，久服轻身耐老”（《神农本草经》）。又可“去皮肤风剥黑黯润肌肤”（《日华子本草》）。据《集验良方》记载：久服此方“令人肥泽如玉，延年不老”。

【方二十】

茯苓粉 10 克，玉米面 100 克，大豆粉 40 克，面粉 500 克。先将面粉和玉米面掺在一起，逐渐加温水，慢慢揉和。面发好后，对好碱，掺入茯苓粉和大豆粉再揉，揉匀后，做成馒头，上屉蒸熟即可。

茯苓馒头是在清宫御膳房所制的小窝头的配料上加入茯苓粉和面粉研制而成的。其中茯苓能健脾和胃，所含茯苓多糖能增强人体免疫功能，有较强的抗癌作用；玉米中含有长寿因子——谷胱甘肽，有抗衰老和防止多种疾病的功效。

【方二十一】

丝瓜 250 克，香菇 30 克，猪蹄 1 只，豆腐 100 克，姜丝、食盐、味精各适量。香菇以水泡后洗净，丝瓜洗净切片，猪蹄洗净剁开。先将猪蹄入锅中，加水适量煮 10 分钟，再加入香菇、姜丝、食盐，慢炖 20 分钟后下入丝瓜，炖至熟烂离火，入味精即成。

本方通络下乳养血。香菇尚能抗癌，防衰老。可用于产后体质虚弱、乳汁不足者。亦可用于高血脂症及癌症患者，有辅助作用。

延年益寿方

YAN NIAN YI SHOU FANG

生命属于人们只有一次，因此，长期以来，人们都渴望着延年益寿。延年益寿是许多人梦寐以求的美好愿望，人们为此作出了孜孜不倦的努力。延年益寿的方法很多，除了摄生养性，保健运动和饮食调养外，服用一些能够延年益寿的药物，也是一个重要的方面，在这方面，古人积累了许多行之有效的验方、单方、偏方、秘方，现主要介绍如下：

【方一】

何首乌、小茴香、川椒（炒）、川楝子（取肉）、牡蛎（煨）、白姜（炮）各50克，苍术（泔浸一宿）、香附各100克。药为细末，酒煮面糊和丸，加梧桐子大，每服30丸，空心用盐汤送下。

本方出自明代方贤所著的《奇效良方》，原方曰："能调荣卫壮元阳，元阳壮后精神爽，久服令人寿命长。"

【方二】

何首乌300克，用竹刀切片、用瓦甑蒸，蒸时用黑豆5升，一层豆一层药，蒸1小时取出晒干，如此9次，豆烂换好者曝干所用；川牛膝300克，山茱萸肉、柏子仁、知母、黄柏、当归、龟板各200克，酥炙。

药同研极细末，炼蜜丸如梧桐子大，每服空心酒送下30丸，7日后添10丸，至70丸止；忌烧酒、萝卜辛辣之物。

本方为《八八添寿丹》，出自《摄生众妙方》，原文曰："此药能乌须发，壮筋骨，调荣卫，久服延年。"

【方三】

薯蓣、杏仁（汤浸，去皮尖，双仁）各1升，生牛乳3升。研杏仁，入牛乳绞取汁，以杏仁尽为度，后取薯蓣相合，都入新瓷瓶盛之，密封口，安于釜中，以汤煮一复时乃成；每日空心以温酒调1匙服之。

本方出自《奇效良方》，原文曰："治腰脚疼痛，腹内一切冷病，服之令人肥白，颜色悦泽，身体轻捷，骨髓坚牢，行及奔马，久服可通仙矣。"

【方四】

川巴戟25克，酒浸去心，用荔枝肉同炒赤色，去荔枝肉；高良姜50克，锉碎；用麦门冬75克，去心同炒赤色为度，去麦门冬；川楝子100克，去核；用降真香50克，锉碎同炒，油出为度，去降真香；吴茱萸75克，去梗同煮；盐50克，同炒后皆用；胡芦巴50克，用全蝎14个，同炒后去全蝎不用；山药75克，用熟地黄同炒焦色，去地黄不用；茯苓50克，用川椒50克同炒赤色，去椒不用；香附子75克，去毛，同牡丹皮同炒焦赤色，去牡丹皮不用。

前药一并研为细末，皆煮面糊为丸，如梧桐子大，每服40～50丸，空心食前盐汤下，温酒亦得。

本方出自清代《经验良方》原文曰："此方温平，补肝肾，清上实下，分清浊二气，补暖丹田……，热不流于上膈，冷不侵于脾胃，令人耳目聪明，治积年冷病，除累岁沉病，兼治遗精白浊，妇人赤白带下，其效如神。老人常服，延寿延年。"

【方五】

熟地黄、生地黄、天门冬（去心）、麦门冬（去心）各50克，人参25克。5味为细末，炼蜜为丸，如梧桐子大，每服50丸，空心温酒盐汤送下。

本方出自《瑞竹堂经验方》原文曰："服本方十日明目，二十日不渴，自此可致长生也。"

【方六】

五味子、菟丝子（煮烂，另研）、川牛膝、杜仲（姜汁拌炒丝断）、川当归（酒浸）、山药、天门冬（去心）、麦门冬（去心）、生地黄、熟地黄各50克，肉苁蓉100克，人参、白茯苓、大茴香、泽泻、地骨皮、鹿茸、菖蒲（九节者）、花椒（炒去汗）、巴戟（去心）、远志（去心）、覆盆子、枸杞子、柏子仁各25克。共磨为细末，勿犯铁器，蒸捣，炼蜜为丸，如梧桐子大，每服100丸，空心汤酒或姜盐汤下。如大便溏，小便不利加车前子100克；如精滑或梦遗加赤石脂、山茱萸肉各15克，忌萝卜菜。

本方出自《医学正传》，方名千金延寿丹，原文曰：“本方治诸虚百损，怯弱欲成痨瘵及大病后虚损不复，凡人中年后常服，可以却疾延年。”

【方七】

何首乌2 000克，白莲子、白术各500克，当归、龙眼肉、黄芪1 000克，石斛300克，牛乳5碗，覆盆子、枸杞子、补骨脂、五加皮、巴戟肉各300克，肉苁蓉250克，菟丝子150克，杜仲100克，山药250，地黄、人参、阿胶各500克，肉桂100克，紫河车300克，脐带10条，胎发250克，柏子仁100克，鹿茸200克，白莲花1朵，虎胫骨200克，白茯苓250克。共为细末，炼蜜为丸，如梧桐子大，每服50克，滚汤送下。

本方自出《集验良方》，原文曰：“久服延年益寿，返老还童。”

【方八】

菟丝子（洗净酒浸）、鹿茸（酥炙去毛制）、肉桂（去粗皮）、附子（炮去皮脐）、泽泻各50克，巴戟（去心）、防风（去苗）、肉苁蓉（酒浸切焙）、杜仲（去粗皮，炒）、茴香（炒）、沉香、白茯苓（去皮）、牛膝（酒浸一宿）、石斛（去根）、续断、山茱萸（去核）、补骨脂（炒）、熟干地黄（酒黄）、荜澄茄各9克，桑螵蛸（酒浸）、五味子、覆盆子（去枝萼）、川芎各25克。药为末，以酒煮面糊，丸如梧桐子大，每服20丸温酒或盐汤下，空心腹，如脚无力，木瓜汤下，晚食前再服。

本方出自《太平惠民和剂局方》，原文曰：“本方治肾气虚损，五劳七伤，少腹拘急，四肢痠痛，面色发黑，唇口干燥，目暗耳鸣，心怯气短，夜梦惊恐，精神困倦，喜怒无常，悲忧不乐，饮食无味，举动无力，心腹胀满，腰膝痿软，小便滑数，房事不举，股内湿痒，水道涩痛，小便血出，时有遗沥，并宜服之；久服填骨髓，续绝伤，补五脏，去万病，明视听，盖颜色，轻身延年，聪明耳目。”

【方九】

甘菊花、麦门冬（去心，焙）、枸杞子（焙）、白术、人参、白茯苓、远志、菖蒲（后上药）、桂（去皮）各300克。捣罗为粗末，取春采生地黄50斤绞取汁，同药末于银器内，遂旋入地黄汁，微炒，候入尽汁焙干，再捣为末，炼蜜和丸，更入酥少许，同捣三千下，丸如梧桐子大，每服空心食前，清酒下20丸，渐加至50丸，复渐减至20丸，同汤复始，治五脏虚损，兼实脏腑，变白反黑，满骨髓。

本方出自《普济方》原文曰：“本方令风邪不能侵，久服除百病，益精血延年却老。”

【方十】

天门冬，捣取汁1斗，入2升，糯米2斗，候麯发佳，按家酿法酿之。春夏凉服，秋冬温服，每服1盏，常令酒气相接，勿至醉吐，慎生冷醋滑鸡猪鱼蒜，特忌鲤鱼，亦忌油腻。

本方出自《外台秘要》，原文曰：“本方疗五脏六府大风，洞泄虚弱，五劳七伤，癥结滞气，冷热诸风痛恶疾，耳聋头风，四肢均挛猥退，历节风，万病皆主之，久服延年轻身，齿落更生。”

【方十一】

紫河车1具，用初生男子者良，以东流水洗断白脉，入麝香6克在内，以线缝定，明绢裹悬胎于砂锅内，入好酒5升，漫火熬成膏子，沉香、朱砂各50克，人参、苁蓉（酒浸）、乳香各100克，白茯苓（去皮）、安息香（去沙酒熬）各100克。药为末，入河车膏子和药末，杵千百下，丸如梧子大，每服70丸，空心温酒送下，沉香汤尤佳。烊此丹以紫河车为主，但佐使之药太轻。本方出自《世医得效方》，原文曰：“无病之人久服，可以轻身延年，补损扶虚。”

【方十二】

九香虫50克（半生半熟），车前子（微炒）、陈皮各12克，白术15克，杜仲24克（酥炙）。共为细末，炼蜜丸如梧桐子大，每服5克，盐白汤或盐酒送下，空心服，临卧仍服1次尤妙。

本方出自《摄生众妙方》，原文曰：“此方有大奇效，能理膈间之滞气，助肝肾之亏损，久服延年，妙在九香虫一物。”

【方十三】

生羊肾1具，沙苑蒺藜200克（筒纸微妙），桂圆肉200克，淫羊藿200克（用铜刀去边毛，羊油拌炒），仙茅200克（要真者，用糯米汁泡去赤汁），薏苡仁200克，用滴花烧酒10公斤浸之7日，随量时时饮之。

本方出自《经验良方》，原文曰：“本方种子延龄，兼乌须发，甚效甚速。”

【方十四】

远志（去心）、白茯苓、熟干地黄、地骨皮各500克，麦门冬750克（去心），焙巨胜子500克（蒸、曝干去皮）。诸药捣罗为末，以枣丸和，木杵回捣千余杵，丸如梧桐子大，每空腹，以温酒下40丸，晚食前再服，忌生葱、大蒜、萝卜等。

本方出自《太平圣惠方》，原文曰：“本方令发黑、延年，久服可貌如童子，齿落重生，行如奔马，夜视有光，久服为地仙。”

【方十五】

仙茅（酒浸洗）200克，山茱萸（酒蒸去核）100克，白何首乌、赤首乌刺各200克，川萆薢（酒洗）100克，大怀生地黄（酒洗净，掐断晒干）、大怀熟地黄（用生地黄酒浸洗，碗盛放砂锅内蒸1日，极黑，掐断晒干）、天门冬（水润去心）、白茯苓（去皮，人乳浸晒3次）、辽五味子、小茴香（盐酒炒）、补骨脂（酒炒）、栋参、覆盆子、嫩鹿角（酥炙）、川杜仲（去皮酒炒）、怀牛膝（去苗酒洗）、青盐、柏子仁、当归身（酒洗）、川巴戟（水泡去心）、远志（甘草水泡去心）、锁阳（酥炙）、怀山药、肉苁蓉（酒洗）各100克，川椒（去目微妙）50克，菟丝子（酒洗净炒，罐酒煮烂捣成饼晒干）、巨胜子各100克。阴虚火动素有热者，加川黄柏（酒炒）、知母（酒炒）各100克，紫河车1具（用壮盛妇人首生男胎，先以米泔水洗净，次入长流水中再洗，新瓦上慢火焙干）。忌铁器，精制后称和一处，石臼内捣或晒干磨为细末，用炼蜜为丸，如梧桐子大，每服15克，空心好酒送下，忌三白。

本方出自《寿世保元》，原文曰：“本方治诸病百损，五劳七伤，滋肾水，养心血，添精髓，壮筋骨，扶元阳，润肌肤，聪明耳目，宁心益智，乌须黑发，固齿牢牙，返老还童，延年益寿，壮阳种子，祛病健身，长生不老，真陵地神仙。”

【方十六】

巴戟50克，天门冬75克（去心），五味子1克，肉苁蓉50克（酒浸刮去皱皮炙干），柏子仁1克，牛膝1克（去苗），菟丝子50克（酒浸一宿焙干，别研为末），远志1克（去心），石斛1克（去根），山药1克，防风1克（去芦），白茯苓1克，人参1克（去芦），熟干地黄50克，覆盆子、百龙芮、萆薢、五加皮各1克，天雄50克（炮去皮脐），川断、石楠各1克，杜仲1克（去皮炙令微黄制），沉香50克，蛇床子1克。捣为末，炼蜜杵和为丸，如桐子大，空心及晚食前，以温酒下30丸；忌生冷油腻鲤鱼。

本方出自《济生方》，原文曰：“本方治虚劳，腰脚疼痛，肢节苦痛，目暗茫茫，心中恍惚，夜卧多梦，食不得味，恒多不乐，常有喜怒，心腹胀满，四肢痹痛，多吐酸水，小腹冷痛，尿有余沥，大便不利，悉皆主之，久服延年不老，万病除愈。”

【方十七】

黄精膏250克，地黄膏150克，天门冬膏50克，牛骨头内取油100克。将黄精膏、地黄膏、天门冬膏与牛骨油一同不住手用银匙搅，令冷定和匀成膏，每日空心温酒调1匙服。

本方出自《膳食正要》，功能“补精髓，壮筋骨，和血气，延年益寿”。

【方十八】

天门冬2克，干地黄9.5克，桂心（去粗皮）、茯苓（去皮）各50克，菖蒲、五味子、远志（去心）各150克。8味为细末，酒或汤任调服5克，服食后，30日精神倍，60日气力强，意志足。

本方出自《泰定养生主论》，凡“少壮素禀虚弱，或劳伤，早衰多忘服之妙”。

【方十九】

鹿霜、鹿胶、菟丝子（酒浸2日，蒸焙干为末）、柏子仁（去壳另研）、熟地黄（酒浸2日，焙干为末）各500克。共为细末，先将鹿胶用无灰酒于磁器内慢火化开，却将胶酒煮糊和丸，药杵2 000下，丸如梧桐子大，每服50丸，空腹盐汤送下或酒亦可。

本方出自《摄生众妙方》，原文曰：“此药理百病，养五脏，补精髓，壮筋骨，益心志，安魂魄，令人驻颜轻身，延年益寿。”

【方二十】

仙茅、茯苓、山药、菖蒲（九节者）各50克。仙茅1件不犯铁器，并锉，以法酒拌匀于饭上蒸，以饭熟为度，共为末，以枣肉和丸，如梧桐子大，每服50克，空心汤酒任下。

本方出自《类编朱氏集验方》原文曰：“本方大补益，壮元阳，久服延年益寿。”

【方二十一】

人参100克，五味子（去梗）50克，麦门冬、牛膝（酒浸）各100克，黄芪（蜜炙）50克，菟丝子（酒浸成饼用）、小茴香（盐炒）、当归（酒浸）、白茯苓（去皮）各100克，木香50克，川椒（去目及合口者微炒）150克，黄柏（酒浸炒）200克，天门冬（去心）250克，肉苁蓉（酒浸）、山茱萸（去核）、杜仲（炒断去丝）、巴戟（去皮酒浸）各100克。共为细末，秋冬酒糊为丸，春夏蜜为丸，如梧桐子大，每服50～70丸，空心盐汤或好酒任下。

本方出自《摄生众妙方》原文曰："夫心属火，肾属水，水火升降，五脏俱实，百病不生，世人或因酒色过度，劳心费力，精耗神衰，心血少而火不能下降，肾气衰而水不能上升，脾土无所滋养，渐至饮食少进，头目昏花，耳作蝉声，脚力痿软，肌肤黄瘦，遍身疼痛，吐痰咳嗽，胃脘停积，梦遗盗汗，泄泻，耳足厥冷。此方下滋肾水，上降心火，中补脾土，除风添精补髓，强阴壮阳，杀九虫，通九窍，补五脏，益精气，止梦遗，身轻体健，延年增寿，久服有效。"

【方二十二】

巨胜子、甘菊花、旋复花、白茯苓（去皮）、荜澄茄、覆盆子、熟地黄、肉桂、牛膝（去苗，酒浸）、远志（去心）、白芷各50克，旱莲子（去茎叶）35克。共为细末，酒煮面糊和丸，如梧桐子大，每服40丸，空心温酒送下，日进2服。忌羊血、生葱、萝卜等。

本方出自《奇效良方》，原文曰："本方治男子筋痿，少腹不利，小便频数，腰背闷痛，不能久立，久立则腿膝麻冷，难以屈伸，失眠多忘，耳作蝉鸣，久服滋血气，补元阳，乌髭发，添精补髓，益寿延年，妇人大宜服之。"

【方二十三】

牛蒡根、牛膝各500克，秦艽、鼠粘子各100克，枸杞子（炒）100克，苍术（蒸烂）1 000克，防风、蚕沙各100克，大麻子（炒别研去壳）1升，桔梗、羌活各100克。药为炙散，无灰酒二斗，净瓷器内浸密封，7日间，开时不得对瓶口，日进3服，每服1大盏，温服，常令面有酒色，甚者不过1斗。本方出自《三因极一病证方论》，原文曰："本方治大风及偏风一切风疾，延年益寿，忌鱼肉动风物。"

【方二十四】

石菖蒲（九节者佳）75克，柏子仁、杜仲（去粗皮，炙散）、百部、山萸、甘草（炙）、五味子（炒）、贝母（去心）、丹参各50克，人参（蒸）、防风（去叉）、白茯苓（去黑皮）、茯神（去水）各50克，远志（去心）25克，生干地黄（焙）、麦门冬（去心焙）各100克。各为末，炼蜜和丸，如弹子大，每服1丸，空心食前热水嚼下，日进3服。

本方出自《圣济总录》，原文曰："主平补诸虚，久服轻身延年，活血益气，润泽肌肤。"

【方二十五】

黄芪（制炒）、天南星（炮）、怀香子（炒）、地龙（去土）、骨碎补（炒）、防风（去叉）、赤小豆（拣）、狗脊（去毛）、白蒺藜（炒）、乌药（去木）、白附子（炮）、附子（炮去皮脐）、萆薢各50克，牛膝（酒浸切焙）9克，木鳖子（去壳）1克。为细末，酒煮面糊和丸，如梧桐子大，每服20丸空心盐汤或茶、酒任下。

本方出自《奇效良方》，原文曰："本方治风气，补元阳，活血脉，壮筋骨，润肌肤，聪耳目，延寿命，驻容颜，久服则身轻，男子久冷，元气虚惫，脚手疼痛等疾，皆可服之。"

【方二十六】

牛膝（去芦，酒浸一宿）、菟丝子（酒浸一宿）、远志（去心）、地骨皮、石菖蒲、干葡萄、熟干地黄各等份。皆为细末，用浸药酒熬面糊为丸，如梧桐子大，每服15～29丸，空心临卧，日进3服，百无所忌。

本方出自《伤寒直格》，原文曰："本方治五脏虚冷，筋骨痿弱，肝肾不足，精神困亡，久服清心益智，和血驻颜，延年益寿。"

【方二十七】

云母粉、炼石钟乳、白石英、肉苁蓉、石膏、天门冬（去心）、人参、续断、菖蒲、菌桂、泽泻、秦艽、五加皮、鹿茸、地肤子、薯蓣、石斛、炙杜仲、桑寄生、细辛、干地黄、荆花、柏叶、赤箭、酸枣仁、五味子、牛膝、菊花、远志（去心）、萆薢、蒿根、巴戟天、赤石脂、地黄花、枸杞子、桑螵蛸、苍耳子、茯苓、天雄（炮去皮）、山茱萸、白术、菟丝子、枳实、黄芪、麦门冬（去心）、柏子仁、荠子、冬瓜子、蛇床子、决明子、车前子共53味，皆用真新好者，并等份，随人多少，捣，不细筛，炼白蜜和为丸，如梧桐子，先食服10丸，可至20丸，日3，药无所忌，当勤相续，不得废缺，百日满愈疾。

本方出自《千金翼方）原文曰："久服延年益寿，身体轻强，耳目聪明，流通营卫，补养五脏，调和六府，颜色充壮，不知衰老。"

【方二十八】

生干地黄250克，川椒（去目及闭口者，微出汗）、附子（炮裂去皮脐）、牛膝（去苗）、鹿角胶（捣碎炒令黄燥）、菟丝子（酒浸3日曝干，别捣为末）各100克，杏仁（汤浸，去皮尖，双仁，童子小便浸3日，炒微黄）、肉苁蓉（酒浸一宿，刮去皱皮，炙干）各150克。为末，炼蜜和捣300～500杵，丸如桐子大，每日空心温酒下40丸。

本方出自《太平圣惠方》，原文曰："本方大补骨髓，益颜色，充肌肤，耐寒暑，久服强志力，延年却老。"

【方二十九】

白术4.5克，麦冬（去心）3克。将药同煎作汤，夏天代茶饮。

本方益气补脾，适用于老年脾虚，津少口渴，久服延年耐衰。

【方三十】

芝麻、茯苓等量。将芝麻炒熟，与茯苓混合，研成细粉，晨服2～30克，加适量白糖。

本方补益脾胃，延年益寿，抗衰老。

【方三十一】

大红枣500克。将枣去核，加水煮烂，熬成膏状，加红糖500克，拌匀使溶，每服15克，日2次，开水冲服。

本方健脾和胃，补益气血，抗衰老疗疾延年。

【方三十二】

生姜500克，面粉适量。生姜捣碎，绞取汁水，盛入瓷盆中，澄去上层黄清液，取下层白而浓者，阴干，刮去取粉，名为"姜乳"；每日用姜粉适量与面粉拌和，作成饼，蒸熟，空腹时吃1～2饼。

本方美容，驻颜，不老，适用于脾虚肾亏未老先衰者，壮年服用，可保持壮容红颜。

【方三十三】

南烛茎叶或柿叶，粳米适量。将南烛茎叶或柿叶捣碎，渍汁浸粳米，九浸九蒸九曝，装入袋中备用，用此来作饭食，日2～3次。

本方益颜色，坚筋骨，变白发却老，适用于未老先衰，面色衰败，行走无力，须发早白等症。

【方三十四】

当归 720 克，米酒或高粱酒 3 000 毫升。将切碎的当归和酒装入大口瓶中，密封 3 个月，每日晚饭前及睡前各饮 1～2 小杯。

本方强健补血，镇静，久服益寿，对女性尤佳。

【方三十五】

何首乌 100 克，鸡蛋 2 个，调料适量。将何首乌洗净，切成 10 厘米长、2 厘米宽的块。鸡蛋洗净，与何首乌同放入锅内，加葱、姜、食盐、料酒、熟猪油、清水，武火烧沸后，转用文火煮至蛋熟，取出剥去壳，再放回锅内，煮 2 分钟，调入味精，吃蛋喝汤，日 1 次。

本方补肝肾，益精血，抗衰老，适用于血虚体弱，头晕眼花，须发早白，未老先衰。

【方三十六】

粳米、黄粟米、黄豆、赤小豆、绿豆（五味炒香）各 75 克，小茴香（洗净）150 克，炮干生姜、炒白盐各 30 克。前药俱为细末，混合调匀，外加荞麦炒黄熟，与前味等份拌匀，胡桃仁、南枣、松子仁、白糖等随意加入瓷罐收贮，开水冲泡代茶饮，日 3 匙。

本方对 40～50 岁的中年人，有推迟衰老，延年益寿之功。

【方三十七】

生羊胃 1 枚，沙苑蒺藜、仙茅、桂圆肉、淫羊藿、薏苡仁各 120 克，酒 2 000 毫升。仙茅用米泔浸一宿，再与诸药和酒同装于大口瓶内，密封 40 天后饮用，每次 3 杯。

本方添精补髓，乌须黑发，壮腰健胃，补气养血，种子延龄。

【方三十八】

乌麻子（微炒，捣碎）775 克。以好酒 2 万毫升浸乌麻子经宿，随意饮。

本方延年不老。

【方三十九】

灵芝、香菇、白糖各适量。前 2 味分别进行热水浸提，取得有效成分的浓缩液，把浓缩液与糖共煮，制成晶体，开水冲服，日 2～3 次。

本方健脑，利血，提高机体免疫力，防老抗衰，适用于神经衰弱，失眠，血小板减少，肝炎等，常服可防止衰老，延年益寿。

【方四十】

东北人参、干地黄、干枸杞各 25 克，淫羊霍、沙苑蒺藜、母丁香各 15 克，沉香、远志肉各 5 克，荔枝核 7 枚，60 度高粱白酒 1 000 毫升。将药去杂质，浸入酒中 45 天，日 1 次，每次 10 毫升，徐徐呷服。

本方补益虚损，焕发精神，协调阴阳，延年益寿，适用于中老年人肝肾不足，气血虚弱，精力衰弱，易于疲劳。

【方四十一】

茯苓、柏子仁、松子仁、松脂、白蜜各适量。将前 4 味为末，用蜜制丸如枣子大小，每服 3～5 丸，日 3 次。

本方轻身明目，抗衰老。

【方四十二】

生地黄 5 000 克，细切，以凉酒 3 斗经 3 宿，出曝令干，又浸酒中，直令酒尽；又取甘草、巴戟天、厚朴、干漆、覆盆子各 500 克，各捣下筛，和之饭后酒服方寸匕，日 3 服，加至 5 匕。

本方出自《千金翼方》，原文曰："本方使人老者还少，强力壮病延年。"

【方四十三】

生地黄2 500克，捣绞取汁，入蜜250克，以慢火熬成膏，熟干地黄、杏仁汤（浸去皮尖，慢火炒微黄研膏）各250克，牛膝（去莆）、诃黎勒皮各250克。共为末，以地黄煎和诸药，更捣一二下杵丸，如梧桐子大，每日空心以温酒下50丸，晚食前再服。

本方出自《太平圣惠方》，原文曰："本方能补益驻颜，常服黑髭发，填骨髓，令人耐老。"

【方四十四】

交藤根500克（紫色者），河水浸7日，竹刀刮去皮晒干，茯苓250克，牛膝100克为末，炼蜜，搜成剂，杵一万下，丸如桐子大，纸袋盛之，酒下30丸，空心服。

本方出自华佗著的《中藏经》，原文曰："本方驻颜，祛百病，久服延寿，忌猪羊肉。"

【方四十五】

何首乌1 500克，钢刀切片，干者以米泔水浸软切之；牛膝（去莆）500克，切，以黑豆一汁淘净，用木甑铺豆一层，铺药一层，重重铺盖，瓦锅蒸至豆熟，取出，去豆爆干，换豆又蒸，如此3次，为末，蒸枣肉和丸，梧子大，每服30～50丸。

本方出自《太平惠民和剂局方》，原文曰："本方能壮筋骨，长精髓，补血气，久服黑须发，坚阳道，令人有子，轻身延年。"

【方四十六】

当归、人参、白茯苓、草乌、乌药、杏仁、何首乌、川椒（去目）、川乌（去皮脐）、五加皮、肉苁蓉、枸杞子、砂仁各15克（净），木香、牛膝、枳壳、干姜（炮）、虎骨（酥炙黄色）、川芎、香附子、香白芷、厚朴、陈皮、白术、独活、羌活、麻黄、官桂、白芍、半夏（姜汁浸）、生地、熟地、天麦门冬（各去心）、五味子、防风、细辛、沉香、苍术、小茴香（盐少炒黄）各9克，破故纸、核桃仁、甘草各50克（净），红杏肉、酥油各250克，白砂糖500克。将药用细绢袋盛之，用烧酒一大坛浸药3日，放在大锅内用汤浸坛煮4个小时，取起掘1坑埋3日出火毒；取出每用酒1小盅，病在上食后服，病在下空心服，饮酒毕后将药渣晒干，碾为细末，用好烧酒打糊为丸，如梧桐子大，每服35丸，空心好酒下。

本方出自《遵生八笺》，原文曰："本方专治男妇远年近日诸虚百损，五劳七伤，常服补脾养丹田，和气血，壮筋骨，益精髓，身体轻健，明目，安五脏，安魂魄，润肌肤，返老还童，延年益寿，其功不可追述。"

【方四十七】

何首乌（制）、大生地、旱莲草各150克，杜仲（炒）、覆盆子、槐角、茅姜、菟丝饼、菊花、枸杞子、补骨脂、五加皮、怀牛膝、川黄柏、泽泻、肉苁蓉、蛇床子、金樱子、石菖蒲各15克，茯苓（人乳拌）、当归身、青盐、山药（人乳拌）各50克。水煎浓汁，入野料豆3升7合，女贞子1升8合5勺。将前药对拌入，晒干，再拌再晒，汁尽为度，研细末，水没为丸，如梧桐子大，每服12～13克，淡盐汤或熟汤送下。

本方出自《中国医学大辞典》，原文曰："治男子下元虚损，阳痿精冷，腰膝疼痛，一切先天禀赋不足，少年所伤过度之证，久服培之固本，益髓添精，兴阳种子，益寿延年。"

【方四十八】

茯苓天之精150克，地黄花地之精、桑寄生木之精各100克，菊花目之精55克，枳实目之精、地肤子星之精、车前子雷之精各55克。将药捣罗为细散，每服三方寸匕，以井花水调下，日2服，满49日。

本方出自《遵生八笺》，原文曰："本方能固精延年，却除百病，聪明耳目。"

【方四十九】

远志（去心）50克，山萸肉、人参、白茯苓（去黑皮）各25克，金泊、银泊各10张，为末，炼蜜为丸，如梧桐子大，每服10丸，茶酒随意下。

本方出自《普济方》，原文曰："本方强力，益智、延年。"

【方五十】

山茱萸（酒浸，取肉）500克，破故纸（酒浸1日焙干）250克，当归200克，麝香3克。为细末，炼蜜为丸，梧桐子大，每服21丸，临卧酒盐汤下。

本方出自《扶寿精方》，原文曰："本方益元阳，补元气，固元精，壮元神，此延年续嗣之至药也。"

【方五十一】

桂圆肉250克，枸杞子120克，当归30克，白酒1 500毫升，菊花30克。将桂圆肉、枸杞子、当归、菊花装入纱布袋中，悬于坑中，加入白酒后密封，浸泡1个月后便可饮用，每次10～20毫升，每日1～2次。

本方补血益精，养生健体，久服可延年益寿。

【方五十二】

生羊肾1枚，沙苑蒺藜、仙茅、桂圆肉、淫羊霍、薏苡仁各120克，酒2 000毫升。仙茅用米泔浸一宿，再与诸药和酒同装于大口瓶内，密封40天后，饮用每次2杯。

本方添精补髓，乌须黑发，壮腰健肾，补气养血，种子延龄。

【方五十三】

黄精、天冬各30克，松叶15克，枸杞20克，苍术12克，白酒1 000克。将黄精、天冬、苍术均切成约0.8厘米的小方块，松叶切成小节，同枸杞一起装入酒瓶内；将白酒注入瓶内，捣匀，静置浸泡约10～12天即可饮用。

本方补虚，健身，益寿，可用于体虚食少，无力，脚软，眩晕等症，有较好疗效。无病少量常服，确有强身益寿之效。

【方五十四】

石花草15克，核桃仁250克，糖桂花少许，菠萝蜜适量，奶油100克。核桃仁加水磨成浆；锅洗净后放冷水250克，石花草15克，置火上烧熔化，加入白糖搅匀；将桃仁和石花草、白糖汁混合搅匀后，再放入奶油合匀，置火上加热至沸，出锅倒入铝盒中，待冷后再放入冰箱冻结，用刀划成菱块，放入盘中，撒上桂花，淋上菠萝蜜，再浇上冷甜汤或汤水即成。

本方补肾壮阳，补肺定喘，润肠通便，适用于肾虚阳痿，腰痛，肺虚久咳，气喘，口干及病后体虚无力，食少等症；亦可作为肺心病，肺气肿，老年便秘，产后便秘及老年体弱者之膳食。无病常食，可健身益寿。

【方五十五】

黑芝麻、桑椹各60克，大米30克，白糖10克。将大米、黑芝麻、桑椹分别洗净，同放入研钵中捣烂，砂锅内放清水3碗，煮沸后放入白糖，再将捣烂的米浆缓缓调入，煮成糊状即可。

本方补肝肾，润五脏，祛风湿，清虚火，常服可治病后虚羸，须发早白，虚风眩晕等症，亦可延年益寿。

【方五十六】

鲜菊花、蜂蜜适量。取鲜菊花瓣适量，用水熬透，去渣再熬浓汁，兑入蜂蜜，搅拌均匀，至沸停火，待冷装瓶备用，每次1汤匙，以沸水冲化饮用，每日2次。

本方清肝，明目，延年。

偏方与验方中常用中药的作用

PIAN FANG YU YAN FANG ZHONG CHANG YONG ZHONG YAO DE ZUO YONG

为了便于人们更好地掌握和理解上述千首偏方、验方、单方、秘方的功能和主治，因此非常有必要把在方子中经常出现的中药给大家作一个简单介绍，这样在使用药方时心中有数，信心十足，从而更好地发挥其疗效。

第一节

『补气药』

常用的有补气作用的中药很多，这里只介绍以下几种。

【人参】

这是最重要，最名贵的补气中药之一，味甘、微苦，性微温，功能大补元气，益智安神，为补益保健之佳品。

研究证实，人参有促进人体细胞发育，增加细胞分裂次数的作用，而美国学者海弗利克认为，人体细胞大约分裂50次就停止了，细胞每次分裂1次需要2.4年，如果能达到分裂50次，就可以活到120岁，由于人参大补元气。常用于呼吸微弱、四肢厥冷，脉微弱，血压低的休克等症；此外，由于人参有补益强壮作用，可抗衰老，适用于久病体虚，心悸怔忡，自汗肢冷，气短，虚脱，心衰，神经衰弱等症。

现代研究证实，人参含有多种皂苷和挥发油，多糖类，维生素 B_1、B_2、C等成分；对神经系统有良好的调节作用，有促性激素样作用，还有强心作用；能降低血糖、增强造血机能，增强肾上腺皮质功能，提高机体对外界环境的适应能力，提高免疫功能。此外，人参还可促进蛋白质的合成，抑制高胆固醇血症的发生，对慢性病的康复有促进作用。

若炖服，用量一般3～9克；炖时要用慢火煮沸1小时以上，以便把人参有效成分煎出，保证疗效。若吞服，将人参干燥后，研为细末，每次用量1～2克。若酒浸，将人参切碎，放入好米酒内浸泡，一般1个月后便可饮服，每次2汤匙，1日2次。

【黄芪】

黄芪为豆科植物黄芪的干燥根，以肉黄白，质坚而易折断，粉多，味甜，无黑心及空心者为佳。

黄芪性微温，味甘，功能补气升阳，益气固表，托毒生肌，利水退肿，适用于自汗，盗汗，血痹，浮肿，痈疽不溃，内伤劳倦，脾虚泄泻，脱肛及一切气衰血虚之证。

黄芪含有糖类、叶酸和多种氨基酸等成分，它能兴奋中枢神经系统，所以能提精神，抗疲劳，能提高免疫功能，增强抗病能力，对防止气虚，感冒和感染颇为有效。还有强心利尿和降压作用；含有微量元素硒，硒是癌症的天敌，所以黄芪有抗癌作用。

若水煎，每次用量9～30克；但有高热、大渴、便秘等实热证者忌用。

【西洋参】

西洋参又叫花旗参，主要产于美国和加拿大，移种于我国的叫种参，药用其根，为贵重药材，是清补保健之妙品，凡欲用人参而不耐人参之温者，皆可用之。

西洋参味甘，微苦，功能补气养阴，清火生津，适用于肺虚劳嗽、久嗽、喘咳、咯血、肺痿失音等症；以本品1～3克，水煎代茶饮，有润喉美声之效，戏曲、歌唱演员常饮，有益于嗓音保健；西洋参亦是体育保健之佳品，可供激烈活动后疲劳乏力，口干而渴，大汗出者服用。

在使用时，可研为细末，每次服1～1.5克，温开水送下；亦可单独水煎，每剂1.5～3克；存放时要防腐，防虫蛀，可干燥后密封保存，或放于阴凉干燥处保存。

本品忌与藜芦同用，虚寒者忌用。

【党参】

党参为桔梗科多年生草本植物党参的根，以山西的潞党参为优；含有菊糖，生物碱，皂苷，维生素 B_1、B_2 等成分，能兴奋中枢神经，使精神振奋，消除疲劳，亦可增加红细胞和血色素，并能增加免疫力；此外，对化学疗法及放射方法引起的血细胞降低也有升高作用。

本品性平、味甘，功能补中益气，生津养血，常用于气虚不足的倦怠乏力，气短心悸，食少便溏，气津两伤的口渴，气血两虚的萎黄、头晕等症，以及病后体弱，营养不良。

若酒浸，将党参切碎，浸于1斤米酒或白酒中，1个月后服用，每次2～3汤匙，1日3次；若水煎，每次9～15克，内服。

本品反藜芦，不宜同用。

【太子参】

太子参为石竹科多年生草本植物异叶假繁缕的块根，又称孩儿参，是一味很好的清补之品，内含果糖，淀粉，皂苷，多种氨基酸、维生素等，有强壮作用，能提高机体的免疫功能。

中医认为，其性平，味甘、微苦，功能补肺健脾，益气生津，可用于脾气虚弱的食少，倦怠，小儿清瘦，肺虚咳嗽，自汗心悸，津液不足的口渴，及病后气阴两亏等病症。

每次用量：9～30克，要防霉，宜放置干燥通风处或干燥后密封存放。

【白术】

白术为菊根多年生草本植物白术的根茎，以浙江出产的白术为最好，为健脾益气的主要药物；内含挥发油，油中主要成分为苍术醇和苍术酮，含有维生素A类物质，有保护肝脏，降低血糖，增强体力等作用；能促进胃肠液分泌，有增强消化功能的作用，有明显而持久的利尿作用及升高血细胞效应。

中医认为，其性温，味甘、苦，功能补气健脾，燥湿利水，止汗安胎，可用于脾气虚弱的食少便溏，倦怠少气、自汗。脾虚运化失司，水湿停留的痰饮，水肿。妊娠脾虚气弱，胎气不安，足肿等症。

用量：5～15克，凡阴虚内热，津液亏耗，舌苔光剥，唇燥口干者不宜使用。

【甘草】

甘草为豆科多年生草本植物甘草的根及根茎，以质坚实而重，皮细而紧，有柚沟，断面黄白色，粉多、味甜，嚼之纤维少者为佳；内含甘草甜素、甘草素、异甘草素、甘草苷、异甘草苷等。动物实验证明甘草素具有肾上腺皮质激素样作用和抗炎、抗变态反应作用；此外，尚具有镇咳，镇痛，抗惊厥作用。

中医认为，其性平，味甘，功能

补脾和中，缓急止痛，润肺止咳，解毒，调和诸药，适用于脾胃虚弱，脘腹疼痛，咳嗽，心悸，疮疡肿毒，中毒等症。

用量：1.5～9 克，不宜与大戟、芫花、甘遂、海藻同用。

第二节

『补血药』

又称养血药，主要用于血虚的病症。常用的补血药有以下几种。

【当归】

当归为伞形科多年生草本植物当归的根，含有叶酸，烟酸，维生素 B_{12}、E 等成分，有抗贫血，改善血循环，增加冠状动脉血流量等作用，对冠心病有防治作用，对肝脏有保护作用，可防止肝糖元减少，根据对长寿皇帝乾隆医方的分析，发现在他的保健方中当归用得最多。

中医认为，其性温，味甘、辛，功能补血调经，活血止痛，润肠通便，适用于血虚体弱，妇女月经不调，痛经，经闭，虚寒腹痛，跌打损伤，瘀血疼痛，风湿痹痛，痈疽疮疡，血滞疼痛，以及血虚肠燥便秘。

用量：5～15 克，若补血用当归身，祛瘀活血用当归尾；经酒制后可加强活血作用。

但湿盛中满，大便泄泻者忌服。

【熟地黄】

熟地黄为玄参科多年生草本植物地黄的根，含有地黄素，维生素 A 类物质，糖类和氨基酸等成分，有强心和降血糖的作用，以体大、质重、切断面油润乌黑、味甜者为佳。

中医认为，其性微温，味甘，功能滋阴补血，适用于血虚及肺肾阴虚，腰膝痿弱，劳嗽骨蒸，遗精，月经不调，耳聋，目昏等症。

若水煎，每剂用量 9～24 克，水煎内服。若酒浸，浸于米酒或白酒中，20 日后可服用，每次 2～3 汤匙，1 日 2 次。

平素消化不良，食欲不振，腹泻以及胸脘胀满，舌苔厚腻之痰湿盛者忌用，又忌与萝卜、葱白、薤白同食。

【阿胶】

阿胶为驴皮经过漂泡去毛后，加冰糖等配料熬制而成，为补血滋阴养生佳品，日常食之可养血滋阴，补肺润燥，强健筋骨，添精固肾，抗衰延年，内含胶质、钙、硫等，能促进红细胞和血红蛋白的形成，改善体内钙的平衡，促进钙的吸收，有助血清中钙的存留，有防治进行性肌营养障碍的作用，能用于抗创伤性休克。

中医认为，其性平，味甘，功能补血和血，滋阴润肺，可用于贫血、心悸、燥咳、咯血、崩漏、先兆流产、产后血虚、腰痿无力等症。

用量：6～15克，但不能直接入煎，须单独加水蒸化，再入汤液中服，或烊化服。但本品性质滋腻，凡脾胃虚弱，消化不良者忌用。

【何首乌】

何首乌为蓼科草本植物何首乌的块根，为常用的滋补强壮药，内含蒽醌类（主要为大黄酚、大黄素、大黄酸）、卵磷脂、淀粉、粗纤维等，功能降低血清胆固醇，缓解动脉粥样硬化形成，卵磷脂有强壮神经作用，有缓泻作用，有肾上腺皮质激素样作用。

中医认为，其性微温，味苦、甘、涩，功能补肝肾，益精血，强筋骨，乌须发，悦颜色，增气力，并能抗衰延年，令人有子。主要用于肝肾不足，精血亏虚，头晕耳鸣，须发早白，失眠多梦，腰膝软弱，肢体麻木，筋骨酸痛，梦遗滑精崩漏带下等。

用量：每剂9～15克，脾虚泄泻及痰湿患者忌用。

【白芍】

白芍为毛茛科植物芍药除去外皮的根，含挥发油、苯甲酸、鞣质、芍药苷、芍药醇、芍药碱等；能降低实验动物的肠、胃、子宫的平滑肌张力；芍药苷对中枢神经系统有抑制作用。

中医认为，其性微寒，味苦、酸，功能养血敛阴，柔肝止痛，平抑肝阳，适用于月经不调，崩漏，经行腹痛，自汗，盗汗，肝气不和的胁痛腹痛，手足痉挛疼痛，肝阳上亢的眩晕、头痛等。

用量：5～10克，反藜芦。

【枸杞子】

枸杞子为茄科灌木植物枸杞或宁夏枸杞的成熟果实，含有甜菜碱和多种不饱和脂肪酸、氨基酸、维生素等成分，甜菜碱能抑制脂肪在肝细胞内沉积，促使肝细胞新生，可防止肝硬化，还可解除四氯化碳对肝脏的毒害作用，能保护肝脏，此外，枸杞还有明显的降血压和降血糖的作用。

中医认为，其性平、味甘，功能滋阴补血，益精明目，适用于目昏，眩晕，耳鸣，腰膝酸软，糖尿病等。

用量6～15克，可蒸食，浸酒，熬膏或煮食，但本品质润而滑，脾虚便溏者不宜食用。

【鸡血藤】

鸡血藤为豆科攀援灌木密花豆和香花崖豆藤的藤茎，内含元羁萜及其醇类，此外含蒲公英噻酮、菜油固醇、豆固醇及谷固醇，有补血作用，能使血细胞增加，血红蛋白升高，还有降低血压，兴奋子宫的作用。

中医认为，其性温，味苦、微甘，功能补血行血，舒筋活络，适用于血虚经闭，月经不调、痛经，或用于血虚、血瘀、手足麻木、关节酸痛、风湿痹痛等。

用量：6～15克，大剂量可用至30克。

第三节

『补阴药』

所谓补阴药，是指能滋养人体阴液，有生津、滋液、润燥作用而治疗阴虚证的药物。阴虚证包括肾阴虚、肺阴虚、肝阴虚、胃阴虚等。

【麦门冬】

为百合科多年生草本植物沿阶草或大叶麦冬根须上的小块茎，含多种甾体皂苷、葡萄糖、黏液质、维生素A样物质、β-谷甾醇等，能升高血细胞，延长抗体存在时间，提高免疫功能和核酸合成率，促进抗体、补体、干扰素、溶菌酶等的产生，能增加机体耐缺氧能力，有强心作用，能使心脏收缩振幅增加，能降血糖，并能促使胰岛细胞的恢复。

中医认为，其性微寒，味甘，功能润肺养阴，清心除烦。养胃生津，适用于肺阴不足，内有燥热的咳嗽，咯痰黏稠不畅，或干咳，痰中带血，心烦失眠，津少口渴，肠燥便秘等症。

用量：10～15克，但脾胃虚寒，湿痰内盛者忌服，因本品滋腻。

【天门冬】

天门冬为百合科多年生攀援状草本植物天门冬的块根，含天门冬素、β-谷甾醇、甾体皂苷、糠醛衍生物、黏液质等，研究证实，天门冬有升高血细胞和延长抗体存在时间的作用，有祛痰、镇咳作用。

中医认为，其性大寒，味甘、苦，功能滋阴清热，润肺止咳，适用于肺阴不足，干咳少痰，劳嗽咯血，热病伤阴，或阴虚内热，口渴舌干，消渴，肠燥便秘等症。

用量：6～15克，若将天门冬用水洗净，浸泡后去皮心，捣烂取汁，用砂锅文火煎，十成煎至三成，加白蜜，熬至成膏，贮瓶内，7日后服用，每日早晚空腹时，用白开水调1汤匙膏服用，久服可润五脏，补益身体。

【玉竹】

玉竹为百合科多年生草本植物玉竹的根茎，含有铃兰苷、铃兰苦苷、糖类、黏液质、维生素A类物质，能改善心肌缺血的异常心电图，可使心搏加强，但大剂量则对心脏有抑制作用。

中医认为，其性平，味甘，功能养阴润肺，益胃生津，适用于肺阴不足，燥热咳嗽，干咳少痰；胃阴不足，舌干口渴；亦用于糖尿病的消谷善饥，冠心病心悸胸闷。

用量：10～15克，但胃部胀满，不善饮水，痰多，苔厚腻等湿痰盛者忌用。

【石斛】

石斛为兰科多年生常绿草本植物金钗石斛及同属多种植物的茎，含有多量的黏液质，石斛碱等成分，能促进胃液分泌，助消化，还能解热镇痛。

中医认为，其性微寒，味甘淡，功能益胃生津，养阴清热，适用于腰膝酸软，虚热不退，舌干口渴，男子精少等症。

用量：6～15克，不宜与凝水石、巴豆、雷丸、僵蚕同用。

【女贞子】

女贞子为木樨科常绿乔木植物女贞的成熟果实，内含葡萄糖、齐墩果酸、甘露醇、棕榈酸、脂肪酸、苹果酸等，实验证明，女贞子有促进健康人淋巴细胞转化，升白细胞和延长抗体存在时间而提高机体免疫的能力。

中医认为，其性平，味甘、苦，功能补肾滋阴，养肝明目，适用于肝肾阴虚的头晕，耳鸣，腰膝酸软，须发早白，两目昏糊，视力减退等。

用量：10～15克，若脾胃虚寒，泄泻便溏者不宜服用。

【旱莲草】

旱莲草为菊科一年生草本植物金陵草的全草，含皂苷，挥发油，鞣质，维生素A、旱莲草素。

中医认为，其性凉，味甘、酸，功能养阴，凉血止血，适用于肝肾阴虚之眩晕，须发早白，吐血，尿血，衄血，便血，血痢，带下，淋浊等症。

用量：10～15克，大便溏泻者不宜服用。

【山萸肉】

山萸肉为山茱萸科植物山茱萸的果实，含有维生素A、山茱萸苷、皂苷、鞣质，熊果酸、没食子酸、苹果酸、酒石酸，有利尿和降压作用，对化疗引起的细胞数目降低，有提高作用，若与枸杞子熟地等滋补肾阴药物一起同食物相配，可做成滋补肾阳药膳，对治疗高血压、神经衰弱、性功能减退有较好疗效。

中医认为，其性平，味甘、酸，功能养肝肾，敛阴止汗救脱，为滋补肾阴要药，主要用于肝肾阴虚证，适用于肝肾两虚所致的腰膝酸软，眩晕耳鸣，阳痿、遗精，小便频数，虚汗不止等症。

用量：3～9克，火旺者以及湿热，小便湿滞不畅或尿痛者忌用。

【冬虫夏草】

冬虫夏草为麦角菌科真菌冬虫夏草菌寄生在蝙蝠蛾科昆虫虫草蝙蝠幼虫上的子座与虫体，以黄亮肥大者为优。内含蛋白质、脂肪、碳水化合物，维生素B_{12}、虫草酸、虫草素等，能扩张支气管，有镇静，催眠作用，对结核杆菌、肺炎球菌、链球菌、葡萄球菌等有抑制作用。

中医认为，其性温，味甘，功能滋肺补肾，添精益气，止咳化痰，适用于痰饮喘嗽，咯血，自汗盗汗，阳痿遗精，腰膝酸痛，病后久虚不复诸症。本品有“补虚主药”之称，为补肺益肾之珍品。

若炖食，多和鸡、鸭、猪瘦肉等炖食用，可补虚人之体；若水煎服，每剂6～9克。

【沙参】

沙参有北沙参和南沙参之分，北沙参为伞形科多年生草本植物珊瑚菜的根；而南沙参为桔梗科沙参属多年生草本植物轮叶沙参，杏叶沙参及阔叶沙参的根，内含挥发油、三萜酸、豆甾醇、β－谷甾醇、生物碱和淀粉，有祛痰和镇惊作用，此外，有提高淋巴细胞转化率，升高白细胞，延长抗体存在时间等作用，故可提高和促进免疫功能。

中医认为，其性微寒，味甘，功能润肺止咳，养胃生津，适用于肺热阴虚的干咳少痰，久咳声哑，劳嗽咯血及胃阴耗伤，津少口渴等。一般说，北沙参养阴作用强，而南沙参清肺祛痰作用好。

用量：10～15 克，不与藜芦同用。

【黄精】

黄精为百合科多年生草本植物黄精或囊丝黄精、金氏黄精的根，含菸酸、醌类、糖分、黏液质、淀粉、生物碱、强心苷等。实验证明，黄精有提高人体 T 淋巴细胞的作用，黄精还有降血糖，降胆固醇，对防治老人常见病中的心血管病、糖尿病有一定的作用，因而有延年益寿的作用，如东汉著名医学家华佗传给弟子樊阿的“漆叶青黏散”中的青黏就是黄精，樊阿坚持服食此方，活了 100 多岁。晋代张华在《博物志》中写道：“太阳之草名曰黄精，饵而食之可以长生。”

中医认为，其性平，味甘，功能滋肺，滋肾养胃，适用于肺虚燥咳，肾虚腰酸，头晕，足软，脾气不足，倦怠纳差，脾胃阴虚，口干食少及糖尿病等。

若蒸食，黄精与鸡肉同蒸，鸡熟食用。若炖食，黄精与猪肉炖食，可加蜜或冰糖食用。若水蒸，每剂量为 9～15 克，鲜者 30～60 克。

【灵芝】

灵芝为多孔菌科真菌赤芝或紫芝的子实体，内含糖类、有机酸、甘露醇、麦角甾醇、树脂、蛋白质。医学研究认为，灵芝有保肝，降血糖，调节植物神经功能，降低胆固醇，升高血细胞，增强体力，提高机体抗病能力的作用，常用于肝炎、糖尿病、高胆固醇血症、血细胞减少、疲劳等病症的治疗。

中医认为，其性平，味甘，功能补脾肺，养肝肾，宁心神，强身体，适用于虚劳，咳嗽，心悸失眠，消化不良，腰膝酸软，耳鸣眩晕等症。

着酒浸，将灵芝切成块，浸于米酒中，20 日后饮用，每次 1 小杯，1 日 2 次。若水煎，剂用量为 3～15 克。若吞服，将灵芝干燥后，研为细末，每次 2～6 克。

【柏子仁】

柏子仁为柏科植物侧柏的种仁，内含脂肪油，皂苷挥发油等。

中医认为，其性平，味甘，功能养心安神，润肠通便，适用于惊悸，失眠，遗精，盗汗，便秘等症。

用量：3～9 克，若膈间多痰及大便泄泻者，不用。

第四节

『补阳药』

凡能补益人体阳气，祛寒壮阳，治疗阳虚证的药物，称为补阳药。

【鹿茸】

鹿茸为雄性的梅花鹿或马鹿头尚未骨化而带茸毛的幼角，含极少量的卵胞激素、雌酮及骨质、胶质、蛋白质、钙、磷、镁等，有强壮作用，表现为提高机体的工作能力，改善睡眠和食欲，降低肌肉的疲劳，中剂量有强心作用。

中医认为，其性温，味甘、咸，功能壮六阳补气血，益精髓，强筋骨，适用于肾阳虚之阳痿，滑精，腰膝酸冷，虚寒带下，精亏眩晕耳鸣等症。

若冲服，鹿茸研细末，每服1～9克。若炖服，鹿茸2～5克，放杯内加水，隔水炖，服用；或与鸡肉同炖食，炖的时间约2～3小时。

凡阴虚火旺及咳嗽痰黄黏，口渴，胸闷之肺热患者忌用。

【海狗肾】

海狗肾为雄性海狗的外生殖器，内含雄性激素、蛋白质、脂肪等，有兴奋性机能作用。

中医认为，其性热，味咸，有补肾壮阳，益精补髓的作用，适用于虚损劳伤、肾精衰损所致的阳痿、滑精、精冷、腰膝冷痛或酸软等症。

海狗肾使用时要烤炙，炙的方法是将海狗肾用酒浸1日，取出用纸裹好，微出炙香制捣；或将其置于酒中煮熟后，再炙脆食用。

【紫河车】

紫河车为健康人的干燥胎盘，以完整、色黄、洁净无残血者为佳；内含蛋白质、糖、钙、维生素、免疫因子、雌性激素、助孕酮、类固醇激素、促肾上腺皮质激素等，能促进乳腺和女性生殖器官发育，能增强抵抗力、免疫力和抗过敏作用。据《扶寿精方》载："一妇女年近六十，衰惫日渐，用此味加补血药作丸服，即效。自后自制常服，寿至90，强健如壮。"前苏联研究试验"可活到200岁的长寿法"所注射的人胎盘血清，与我国的紫河车抗老延寿有异曲同工之妙。

中医认为，其性微温，味甘、咸，功能补气，养血，益精，可用于体质虚弱，久病体虚，虚喘盗汗，遗精等症。

若炖食，用新鲜胎盘1个，挑去血络，漂洗干净后，炖熟食用。若研末，将胎盘漂洗干净，烘干，然后研为细末，每次3～9克，用温开水送服。若熬膏，将胎盘漂洗干净，切碎，加水煮成膏，贮存，每次2汤匙，开水调服。

【九香虫】

九香虫为蝽科昆虫九香虫的干燥全体，内含脂肪、蛋白质及甲壳质，体外试验对金色葡萄球菌、痢疾杆菌有抑制作用。

中医认为，其性温，味咸，功能补肾壮阳，疏肝理气，补脾益胃，适用于气滞脘痛，肾亏阳痿，腰膝酸痛等症。

九香虫宜炙熟嚼服。若水煎，每剂3～9克。

【补骨脂】

补骨脂为豆科草本植物补骨脂的种子，内含挥发油、树脂、香豆精衍生物，黄酮类化合物（补骨脂甲素、乙素等），其中乙素能扩张冠状动脉，兴奋心脏，提高心脏功能，挥发油有抗癌作用，对葡萄球菌有一定抑制作用，香豆精衍生物可使局部皮肤色素新生。

中医认为，其性温，味辛，功能

补肾助阳，温脾止泻，适用于肾虚腰膝冷痛，尿频，遗尿，泄泻，白癜风，鸡眼。

用量：3～9 克，但阴虚火旺及实热证者忌用。

【杜仲】

杜仲为杜仲乔本植物杜仲的树皮，含有树脂、杜仲胶、糖苷、有机酸等，现代发现有很好的降压、降胆固醇的作用，此外，尚能安胎，因为其具有抑制子宫收缩的作用。

中医认为，其性温、味甘，功能补肝肾，强筋骨，安胎，适用于肝肾虚之腰膝酸痛，下肢痿软，阳痿，小便频数等症，为治肾虚腰痛的要药。

着酒浸，用杜仲 30 克，白酒 500 毫升，泡 7 天后服，每次 10～20 毫升，每日 2～3 次，适用于高血压症，劳损腰痛。若水煎，每剂 9～15 克。若阴虚火旺及内热盛者忌用。

【续断】

续断为川续断科多年生草本植物续断或种续断的根，内含续断碱、挥发油、维生素及有色物质等；研究证明，其对疮疡有排脓、止血、促进组织再生的作用，对肺炎球菌有抑制作用。

中医认为，其性温味甘，辛、苦，功能补益肝肾，续筋接骨，止漏安胎，适用于肝肾不足，腰膝酸痛，腿软无力，妇女胎漏下血，胎动欲坠，崩漏，跌仆损伤，筋骨折伤，金疮，痈疽疮疡等症。

用量：10～25 克，但痢疾初起或火热证者忌用。

【肉苁蓉】

肉苁蓉为列当科一年生寄生草本植物肉苁蓉带鳞片的肉质茎，含微量生物碱及结晶性中性物质等；有降压、促进唾液分泌等作用。

中医认为，其性温，味甘、咸，功能补肾益精，强筋健骨，润肠通便，适用于腰膝酸软，阳痿，女子不孕，肠燥便秘等证。

若水煎，每次 6～15 克，内服。若作羹，肉苁蓉嫩者，刮去鳞，用酒洗，去黑汁，切薄片，合山芋、羊肉作羹，食用。若煮粥，肉苁蓉（煮熟后切片），加大米、羊肉煮粥，下调味食之。

【巴戟天】

巴戟天为茜草科藤本植物巴戟天的根，含维生素 C、糖类、树脂等，有皮质激素作用及降压作用。

中医认为，其性微温，味辛、甘，功能补肾阳，强筋骨，祛风湿，适用于腰膝无力，关节酸痛；小便不禁，阳痿，遗精，风寒湿痹等症。

若泡酒，巴戟、怀牛膝各 30 克，酒 1 斤，泡 7 天后服，每次 10～20 毫升，每日 2 次。若水煎，每剂 3～9 克。

【仙茅】

仙茅为石蒜科草本植物仙茅的根茎，内含树脂、鞣质、淀粉、脂肪酸及由甘露醇、葡萄糖、醛酸组成的粘液质，并含生物碱。

中医认为，其性热，味辛，有小毒，功能温肾壮阳，祛寒除湿，适用于肾阳不足、命门火衰所致的阳痿精冷，小便不禁，腰膝冷痛，肢体拘挛麻木等。

若酒浸，仙茅 30 克，白酒 1 斤，泡 7 天后服，每次 10～20 毫升，每日 2 次。若水煎内服，每剂 6～9 克。若单独服用时，用竹刀或铜刀刮切，用糯米泔水浸 3 宿，去赤汁，晒干后应用。

【淫羊藿】

淫羊藿为小蘖科多年生草本植物淫羊藿和箭叶淫羊藿或心叶淫羊藿的全草，又名仙灵脾。含有淫羊藿苷、维生素 E 等，有激素作用，能促进精液分泌，提高性欲和兴奋性机能，近来研究发现还能扩张血管，治疗冠心病，对治疗糖尿病也起一定作用。

中医认为，其性温，味辛、甘，功能补肾助阳，祛风除湿，适用于阳痿，腰膝痿弱，肢麻痹，健忘等症。

若水煎，每量为 3～9 克。若酒浸，淫羊藿 30 克、米酒 500 克，浸泡，20 日后可饮服，每次 2～3 汤匙，1 日 1 次。

【菟丝子】

菟丝子为旋花科寄生蔓草植物菟丝子的成熟种子，含树脂样配糖体、维生素 A、大量淀粉等，能加强离体蟾蜍心脏的收缩力，对犬的离体子宫有收缩作用。

中医认为，其性平，味甘、辛，功能补肾益精，养肝明目，安胎，适用于目昏、耳鸣、阳痿、遗精、腰膝酸软、尿频余沥、先兆流产、胎动不安诸症。

若泡茶，菟丝子 10 克，煎汁，冰糖调味代茶饮。若水煎，每量 9～15 克，内服。若泡酒，菟丝子 30 克，白酒 500 克，泡 7 天后服，每次 20～30 毫升，每日 2～3 次，能健身益寿。

【沙苑子】

沙苑子为豆科一年生草本植物扁茎黄芪的成熟种子，内含脂肪油、鞣质、维生素 A 类物质等，有收缩子宫和抗利尿作用。

中医认为，其性温，功能补肾固精，养肝明目，适用于遗精，早泄，白带，目昏，头晕，腰膝酸软，尿频余沥不尽等症。

若泡茶，每次 10 克，洗净捣碎泡开水代茶饮，每日 1～2 次，可健身益寿。若水煎，每剂 6～9 克，多者可用到 30 克。

【骨碎补】

为水龙骨科草本植物槲蕨和中华槲蕨的根茎，内含葡萄糖、淀粉、柚皮苷等，在试管内能抑制葡萄球菌，煎剂与硫酸链霉素同用，能明显减轻硫酸链霉素毒性反应。

中医认为，其性温，味苦，功能补肾，接骨，活血，生发，可用于跌打损伤及肾虚，牙齿松动，耳鸣，外治斑秃。

若酒浸，骨碎补 60 克，白酒 500 克，泡 7 天后服，每次 1 小杯，每日 2 次，外搽治斑秃症。若水煎，每剂 9～15 克。或研末，纳入猪肾中，煨热食之。

【狗脊】

狗脊为蚌壳蕨科多年生草本植物金毛狗脊的根茎，内含淀粉、绵马酚、鞣质，狗脊毛对外伤性出血有止血作用。

中医认为，其性温，味苦、甘，功能补肝肾，强筋骨，祛风湿，可用于腰脊酸痛，下肢无力，肌肉、关节疼痛等症。若水煎，每剂 6～12 克，但阴虚有热或内热证，小便不利或淋痛忌用。

【胡芦巴】

胡芦巴为豆科一年生草本植物胡芦巴的成熟种子，含胡芦巴碱、胆碱、皂苷、脂肪酸、蛋白质、粉黏液质、维生素 B 等。

中医认为，其性大温，味苦，功能温肾阳，逐寒湿，适用于命门火衰的寒疝、睾丸偏坠痛连小腹，寒湿脚

气，腿膝冷痛无力等症。

胡芦巴使用时，如生的，需洗净，用酒浸1宿，晒干，蒸熟，或炒过用，用量3～15克。

第五节

『消食健胃药』

消食健胃类中药能增强脾胃运化功能，促进食物消化，以及治疗饮食积滞证候。脾胃为后天之本，“有胃气则生，无胃气则死”，常服此类药可大大延长人体的寿命。

【丁香】

丁香为桃金娘科植物丁香的花蕾，含挥发油，油中主要为丁香油酚、乙酸丁香油酚、葎草烯、丁香酮、胡椒酚以及多种挥发性成分。因其含有多量挥发油，故有抗菌、驱虫和芳香健胃作用。

中医认为，其性温，味辛，功能温中降逆，温肾助阳，适用于胃寒呕吐，呃逆，少食，腹泄，及肾阳虚引起的阳痿等症。

用量：1～3克，但胃津不足，中焦燥热者不宜用。

【木香】

木香为菌科植物公丁香、川木香和越西木香的根，内含挥发油，油中含云木香烯、木香烃、木香内酯、木香醇和木香酸等。药理试验证明，木香有扩张支气管平滑肌的作用，对肠道有直接松弛作用和对多种致病菌及真菌有抑制作用。

中医认为，其性温，味辛、苦，功能行气止痛，温中和胃，适用于肠胃气滞、胸腹胀痛和肝胆湿热气滞所引起的脘胁疼痛以及呕吐，泄泻，下痢，里急后重，寒疝等。

用量：1～9克，但肺虚有热，血分燥热，虚火上冲者均忌用。

【肉豆蔻】

肉豆蔻为肉豆科植物肉豆蔻的种子，内含多种挥发油，油中主要成分萜烯类，还含脂肪油，油中存在大量肉豆蔻酸。其所含挥发油有抗菌作用，对胃肠道有局部的刺激作用，增加蠕动，促进胃液分泌，因而有增进食欲促进消化的功效，同时肉豆蔻有止泻作用。

中医认为，其性温、味辛，功能温脾胃，行气，消食，固肠，适用于脾胃虚寒引起的脘腹胀痛，宿食不消，食少呕吐，虚泄冷痢之症。

用量：一般为2～9克，但有实热火邪者忌用。

【苍术】

苍术为菊科植物南苍术和北苍术等几种同属植物的根茎，内含挥发油，油中主要成分为β-按叶醇、苍术醇、苍术酮等萜类化合物，此外还含胡萝卜

【三七】

三七为五加科植物三七的根，内含大量三七皂苷，约12种以上皂苷的混合物，有些与人参中的皂苷类似。实验证明，三七粉或浸液能缩短动物的血凝时间，对内脏如肝、脾等出血有良好的止血效果，各种出血性病症的咯血、血尿、眼出血，使用三七治疗均能获得明显疗效，此外，三七还能扩张冠状动脉，增加冠脉流量，降低血压，减少肌耗氧量，提高动物缺氧的耐受能力，因而具有抗心肌缺血的作用。

中医认为，其性温，味甘、微苦，功能散瘀止血，适用于跌仆瘀血，外伤出血，痈肿疼痛等，三七熟品尚有补血和血之功，用于失血和贫血。

用量：常作为粉末用温开水送服或随汤药冲服，每次0.5～3克（止血）或3～6克（治外伤、筋骨折伤等），1日2次。

【川芎】

川芎为伞形科植物川芎的根茎，含挥发油、生物碱、酚性物质、内酯类、有机酸等，有抗血小板凝集的作用，能降低血小板表面活性，抗血栓形成，并对已形成的凝聚块有解聚作用，有扩张冠状动脉，增加冠状动脉血流量和降低心肌耗氧量的作用，还有改善微循环的作用，有镇痛、镇静和降压作用，有抗维生素E缺乏的作用，对白血病细胞有抑制作用。

中医认为，其性温、味辛，功能活血行气祛风止痛，适用于外感风邪引起的头痛、风湿身痛、关节痛，瘀血所致的各种病症，如冠心病脉管炎、高血压。

用量：1.5～9克，但阴虚火旺证不宜用。

【丹参】

丹参为唇形科植物丹参的根，含非醌类成分，丹参酮、异丹参酮、隐丹参酮等，能改善微循环，提高机体耐缺氧能力，能扩张冠状动脉，增加冠状动脉血流量，并能减缓心率，能促进组织的修复与再生，有抗凝血作用，还有一定的抑菌作用，一切急慢性病，只要有瘀血或血流不畅征象者都可运用。

中医认为，其性微寒，味苦，功能活瘀血，生新血，凉血，安神，适用于心绞痛、月经不调、痛经、闭经、血崩带下、紫癜、积聚、瘀血腹痛、骨节疼痛、惊悸不眠、恶疮肿痛等症。

用量：一般9～30克，但月经过多及咳血、尿血者慎用。

【红花】

红花为菊科植物红花的花，含二氢黄酮类成分如红花苷、红花醌苷以及新红花苷。另外，还含红花油、木聚糖类等。红花制剂有增加冠状动脉及股动脉血流量的作用，有降低血压、抗凝血及抑制血栓形成的作用，有使心脏迅速恢复正常跳动且不易发生纤颤的优点，并有显著的抗缺氧作用，对子宫平滑肌有兴奋作用，使子宫收缩的节律性明显增加。

中医认为，其性温，味辛，功能活血通经，祛瘀止痛，适用于闭经、痛经、恶露不行、腹部肿块、跌打损伤等症。

用量：一般2～9克，但无瘀血者及孕妇忌用。

【益母草】

益母草为唇形科植物益母草的全草，含益母草碱植物甾醇以及多量氯化钾等。益母草有明显的兴奋肠管及子宫平滑肌的作用，有降低血压和增加冠状动脉血流量，改善微循环，减慢心率及抗血小板凝集的作用。临床上证明，益母草煎剂用于治疗月经不调，产后子宫出血，子宫复归不全，月经过多等均有显著疗效。

中医认为，其性凉，味辛、苦，功能调经活血，祛瘀生新，利尿消肿，适用于月经不调、痛经、闭经、恶露不尽、急性肾炎水肿。

用量一般为6~9克。

【香附】

香附为莎草科多年生草本植物莎草的根茎，内含挥发油、酚性物质、葡萄糖、果糖、淀粉等，能抑制子宫平滑肌收缩，并能缓和其肌张度。水煎剂有降低肠管紧张性和拮抗乙酰胆碱的作用，对某些真菌有抑制作用，有镇痛作用。

中医认为，其性平，味辛、甘，功能疏肝理气，调经止痛，适用于肝胃不和，气郁不舒，胸胁脘腹胀痛，痛经，月经不调，肝郁积食等症。

用量：6~12克。

第九节

『发散表邪药』

表邪是指自然界的六淫之气，即风寒暑湿燥火等邪气侵袭于体表。中医认为，“其在皮者，汗而发之”，意思是说，当风寒、风热、暑湿之邪侵袭于体表之时，可用发汗的方法进行治疗，这类药物统称发散表邪药。其主要作用是发散宣透，疏解表邪，调畅营卫。

【荆芥】

荆芥为唇形科植物荆芥的全草，含挥发油约1.8%，以穗中含量最高，荆芥有一定的解热作用，其煎剂对多种致病菌有抑制作用。

中医认为，其性温，味辛，功能解表、散风、透疹，适用于感冒头痛，咽喉肿痛，麻疹初期，麻疹不透，疮疥等症。

用量：3~9克。

【牛蒡子】

牛蒡子为菊科植物牛蒡的果实，内含牛蒡苷、异牛蒡酚、维生素 B_2 等，牛蒡根中含多种多元酚类物质、有机酸及一些多炔类物质。药理实验证明，牛蒡子和牛蒡所含有效成分，大多具有抗致病菌和皮肤真菌的作用，牛蒡根中有抗肿瘤的物质存在。

中医认为，其性凉，味辛、苦，功能疏散风热，宣肺透疹，利咽消肿，适用于外感风热的咳嗽，咽喉肿痛，吐痰不利等证，此外对风疹作痒、痈肿疮毒等也有疗效。

用量：3~9克，但脾胃虚寒，经常泄泻的人不可用。

【白芷】

白芷为伞形科植物兴安白芷或杭白芷和杭白芷的根。临床实验证明，用白芷 60 克、冰片 0.5 克共研成末，以少许置患者鼻前庭，嘱均匀呼吸，治疗牙痛、三叉神经痛、头痛，在 1～10 分钟内显效。

中医认为，其性温，味辛，功能祛风解表，燥湿，排脓，消肿止痛，适用于感冒风寒，风湿所致的头痛，偏头痛，眉棱骨痛，齿龈痛，鼻渊，寒湿腹痛，赤白带下，皮肤瘙痒等症。

用量：3～9 克，但血虚有热或阴虚火旺者忌用。

【防风】

防风为伞形科植物的防风的根，内含挥发油、苦味素、酚性成分、有机酸、甘露醇等，防风煎剂或浸剂均有解热作用，对多种致病菌，一些皮肤癣菌和病毒均有抑制作用。

中医认为，其性温，味辛、甘，功能祛风解表，胜湿止痛。适用于外感风寒、头痛、目眩、项强、风寒湿痹、骨节酸痛、四肢挛急、破伤风等。

用量：6～9 克。

【香薷】

香薷为唇形科植物海洲香薷或窄叶香薷全草，含挥发油、酚性物质、黄酮苷类和植物甾醇等，其挥发油有发汗解热作用，有刺激消化腺分泌及胃肠蠕动的作用，以及利尿作用。

中医认为，其性微温，味辛，功能发汗解暑，行水散湿，温胃调中，适用于夏季风寒所致的发热恶寒、头痛无汗；伤暑引起的胸痞腹痛、呕吐腹泻；以及水肿、小便不利、脚气等。

用量：3～6 克。

【桂枝】

桂枝为樟科植物肉桂的嫩枝，内含挥发油、鞣质、树脂等，能扩张血管，增进血液循环，有镇静作用，对胃肠有缓和刺激作用，能促进消化液分泌，增强消化机能、缓解胃肠痉挛，排出消化道积气。

中医认为，其性温，味辛、甘，功能发汗解肌，温经通脉，适用于风寒感冒，肌肉关节酸痛，经闭腹痛等症。

用量：3～9 克。

【桑叶】

桑叶为桑科植物桑树的叶，含脱皮固酮、植物酸等成分。药理实验证明，桑叶煎剂对多种致病菌有抑制作用，对钩端螺旋体的抑制作用，以及降血糖和抑制肠肌的作用等。

中医认为，其性寒，味苦、辛，功能祛风清热，清肝明目，适用于风热感冒、咳嗽、咽痛、头痛、头晕、口渴、目赤、风痹、瘾疹、下肢象皮肿等。

用量：5～9 克。

【薄荷】

薄荷为唇形科多年生草本植物薄荷或家薄荷的全草或叶，内含挥发油，其中有薄荷醇、薄荷酮、梓烯、柠檬烯等。其煎剂对人体结核杆菌、伤寒杆菌有抑制作用，挥发油少量内服有发汗解热及兴奋中枢的作用。

中医认为，其性凉，味辛，功能疏散风热，清利头目，透疹，适用于风热感冒、头痛、目赤、咽喉肿痛、口舌生疮、牙痛、荨麻疹、风疹、麻疹初起等症。

用量：1.5～6 克。

【菊花】

菊花为菊科植物菊花的头状花絮，内含挥发油、菊苷、黄酮、腺嘌呤、胆碱及微量维生素等。药理实验证明，菊花含有多种心脏活性成分，因而有扩张冠状动脉，增加冠脉流量的作用，从而减轻心肌缺血状态，同时，有镇静和降血压的作用，其水煎剂对多种致病菌、流感病毒和钩端螺旋体有一定抑制作用，对某些皮肤致病性真菌亦有抑制作用。

中医认为，其性微苦，味辛、甘、苦，功能疏风清热，平肝明目，适用于风热感冒、头痛眩晕、目赤肿痛、疮毒等症。

【麻黄】

麻黄为麻黄科植物草麻黄、木贼麻黄和中麻黄的草黄茎，内含生物碱、包括麻黄碱、伪麻黄碱、甲基麻黄碱等，其中以麻黄碱含量最高，此外，还含儿麻黄酮和挥发油等。麻黄碱有拟肾上腺素的作用，能松弛支气管平滑肌，收缩血管，升高血压和兴奋心脏的作用，伪麻黄碱有缓解支气管平滑肌痉挛的作用，这些都是麻黄具有止咳、平喘功效的依据。所含挥发油有解热和降低体温的作用，有刺激汗腺分泌产生发汗的功效。麻黄煎剂能抑制多种致病菌和多种流感病毒，因而麻黄及以麻黄为主的复方对治疗恶寒感冒、支气管哮喘和慢性支气管炎、小儿肺炎、百日咳、类风湿关节炎、以及皮肤湿疹、荨麻疹等均有显著功效。

中医认为，其性温，味辛、微苦，功能发汗、解表、宣肺、平喘、利水，适用于外感风寒，恶寒发热，头痛鼻塞，骨关节痛，无汗，咳嗽气喘，风水浮肿，小便不利，风疹瘙痒等症。

用量：6～9克，若肺虚作喘，外感风热、痈、疖等证，均不可用麻黄。

【紫苏】

紫苏为唇形科植物紫苏的叶、茎，内含挥发油、枯酸、矢东菊苷等，其煎剂有扩张皮肤血管，刺激汗腺分泌作用，因而能发汗解热，且对葡萄球菌、痢疾杆菌、大肠杆菌等均有抑制作用。

中医认为，其性温，味辛，功能发表散寒，行气宽中，适用于风寒感冒、气喘、胸腹胀满呕吐等症。

用量：6～9克。

【葛根】

葛根为豆科植物野葛的块根，内含黄酮类物质，有葛根素、葛根素木糖苷、大豆黄酮、大豆黄酮苷、β－谷甾醇、花生酸以及多量淀粉，其煎剂或葛根总黄酮有扩张血管，增加脑及冠状血管血流量的作用。其中葛根素有抑制血小板聚集的作用，可防治心绞痛和心肌梗塞，另外，葛根煎剂还有降血糖和解热的作用。

中医认为，其性凉，味甘、辛，功能发表解肌，透疹止泻，除烦止渴，适用于伤寒、温热头痛、烦热消渴、泄泻、痢疾、斑疹不透、高血压、心绞痛、耳聋等症。

用量：9～12克。

第十节

『利水除湿药』

利水除湿类药物以调节体内水液代谢，促进水量排出，以及治疗水湿证候为主要作用，所谓水湿证候，主要包括小便不利、水肿、淋证、腹水、痰饮、湿温、黄疸、湿疮、带下等病症。

【车前草】

车前草为车前草科植物车前和平车前的全草，内含车前苷、桃叶珊瑚苷及车前果胶等。药理实验证明，车前草煎剂有调节胃分泌的功能，有使气管内分泌增加而具有明显的祛痰作用，对致病性皮肤真菌及某些致病菌都有抑制作用。

中医认为，其性寒，味甘，功能清肝明目，利水通淋，止咳化痰，适用于小便不通、淋浊带下、尿血、咳嗽多痰、暑湿泻痢、湿痹等。

用量：一般3～9克。

【石韦】

石韦为水龙骨科植物石韦和庐山石韦或有柄石韦的叶片，内含黄酮类化合物。石韦全草，尚含皂苷、蒽醌类、鞣质等。石韦有明显的镇咳、祛痰及平喘作用，有利尿和消肿作用，临床上用于治疗慢性气管炎，支气管哮喘疗效明显。用石韦叶水煎服或用开水冲泡，代茶频饮，对治疗急、慢性肾炎及肾盂肾炎有显著疗效。

中医认为，其性凉，味苦、甘，功能利水通淋，清泄肺热，适用于淋痛、尿血、尿路结石、肾炎、肺热咳嗽、慢性气管炎、痢疾等。

用量：6～9克。

【金钱草】

金钱草为报春花科植物过路黄（四种大金钱草）的全草，内含酚性成分、甾醇、黄酮类、氨基酸、胆碱钾盐及挥发油等。药理实验证明，金钱草有利胆作用，同时使胆道括约肌松弛，易于胆管内泥沙状结石排出，胆管阻塞和疼痛减轻，黄疸消退。金钱草还有利尿和治疗尿道结石的功效。此外，金钱草有使冠状动脉、脑和股动脉以及肾血流量增加的作用，对急性心肌缺血有保护作用。加之金钱草能增加肝、胆汁的分泌，从而加速胆固醇的排泄，所以金钱草对治疗冠心病及脑血管硬化症应是颇具疗效。

中医认为，其性平、味微咸，功能清热利尿，清肿解毒，适用于湿热黄疸、水肿、胆结石、肾结石、膀胱结石、反胃噎膈、水肿膨胀等症。

用量：一般为30克左右。

【泽泻】

泽泻为泽泻科植物泽泻的块茎，含多种二萜类成分，包括两种泽泻醇，两种乙酸泽泻醉酯和表泽泻醇，还含挥发油、少量生物碱、胆碱、卵磷脂等。药理实验证明，泽泻有显著扩张冠状动脉的作用和轻度的降压作用，有明显降低血液胆固醇、甘油三酯和抗动脉粥样硬化的作用，有抗脂肪肝作用和明显的利尿作用。

中医认为，其性寒，味甘、淡，功能利水，渗湿，泄热，适用于小便不利、水肿胀满、呕吐、泻痢、痰饮、脚气、淋病尿血诸症。

用量：6～9 克，但阴虚无湿热者忌用。

【茯苓】

茯苓为多孔菌科植物茯苓的干燥菌核，含 β－茯苓多糖、三萜类化合物、茯苓酸、乙酰茯苓酰、麦角甾酸、胆碱、卵磷脂等，能改善神经、消化、循环、呼吸等功能，且能降血脂，抗肿瘤，在治疗神经衰弱、失眠以及消化不良、脾虚泄泻等方面确有疗效。

中医认为，其性平，味甘、淡，功能利水渗湿，健脾补中，宁心安神，适用于小便不利，水肿胀满，痰饮咳逆，食少便溏，心悸失眠等症。《神农本草经》载：“久服安魂养神，不饥延年。”唐代药王孙思邈也说：“茯苓久服百日百病除。”宋代苏东坡对茯苓的保健益寿价值甚为推崇，专门写了《茯苓赋》。

用量：一般为 9～12 克，但阴虚津液枯乏者不宜用。

【茵陈】

茵陈为菊科植物茵陈蒿的幼嫩茎叶，内含挥发油、绿原酸、咖啡酸，多种茵陈色原酮及多种黄酮类，尤其是具有利胆作用的 6，7－二甲氧基香豆素。药理实验证明，茵陈有明显的促进胆汁分泌和排胆作用，以及保护肝脏的作用，有增强心肌收缩的能力，增加冠脉血流量和显著降低血压及抗动脉粥样硬化的作用，还有明显的解热、平喘和利尿作用。

中医认为，其性凉，味苦、辛，功能清热利湿，利胆退黄，适用于湿热黄疸、肝炎、小便不利、风痒疮疥等症。

用量：一般为 9～15 克，病重者可用 24～30 克。

常用中成药的作用

CHANG YONG ZHONG CHENG YAO DE ZUO YONG

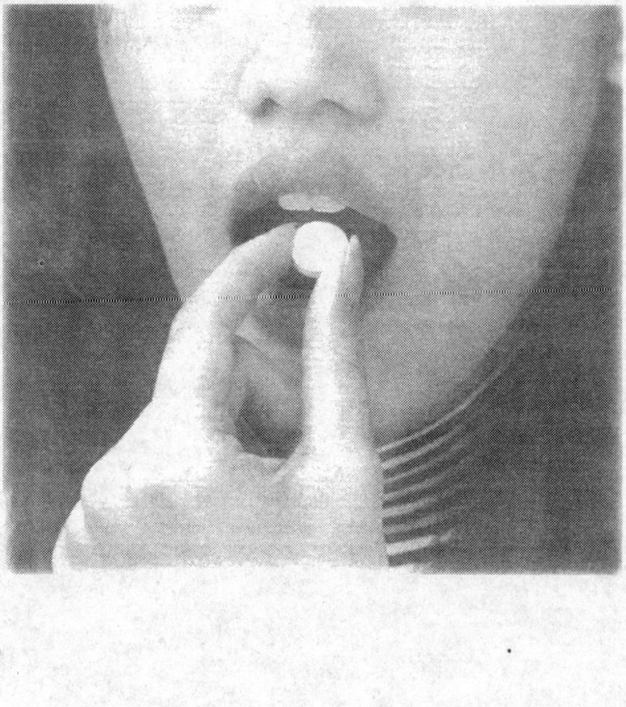

第一节

『内科中成药』

【川芎茶调散】

功能疏风止痛，适用于外感风寒头痛，恶寒发热，鼻塞。散剂，每次3～6克，每日2次，饭后清茶冲服。

【桑菊感冒片】

功能辛凉解表，疏散风热，适用于风热感冒发热，恶寒，流鼻涕，鼻塞，咽喉肿痛。片剂，每次4～8片，每日2～3次口服。

【银翘解毒丸】

功能辛凉解表，清热解毒，适用于风热感冒，发热头痛，咳嗽口干。蜜丸，每丸重3克，每次1丸，1日2～3次，用芦根汤或温开水送服。

【参苏丸】

功能扶正解表，宣肺化痰，适用于身体虚弱，又患感冒，症见疲乏无力，怕冷发热，胸闷不舒，咽喉不利，咳嗽痰多，脉弱无力等。水丸剂，每包9克，每次9克，每日2～3次，口服。

【玉屏风散】

功能益气固表，止汗，适用于表虚不固，自汗恶风，面色㿠白，或体虚易感风邪者。散剂，每服6～9克，日服2次，温开水或加黄酒送下。

【感冒清热冲剂】

功能发汗散寒解表，化痰止咳，适用于外感风寒，表现怕冷发热，全身酸重，头痛咳嗽，鼻塞或清涕不断，口苦咽干不利。冲剂，每袋12克，每日2次，每次1袋，开水冲化服。

【藿香正气丸】

功能散风寒，化湿浊，通气机，和脾胃，适用于暑天外感风寒，内伤寒湿引起的发热恶寒，头痛，胸膈满闷，脘腹疼痛，恶心呕吐，肠鸣泻泄，舌苔白腻等。蜜丸，每丸重9克，日服2次，每服1～2丸，温开水送服；市售成药也有藿香正气水，口服液，每瓶10毫升，日服2次。

【羚翘解毒丸】

功能辛凉透表，清热解毒，适用于感冒发热，咽喉肿痛，鼻塞咳嗽，痰稠。每次1丸，1日2次，口服。

【感冒退热冲剂】

功能清热解毒，适用于感冒发热而热毒较明显者，如咽喉肿痛较重，包括急性扁桃体炎，咽喉炎等。冲剂，每袋18克，每次18～36克，1日2次，开水冲服。

【解热感冒片】

功能清热解表，适用于内热外感引起的怕冷发烧，鼻流清涕，四肢酸懒，头痛咳嗽，病毒性感冒。片剂，每服6片。日服两次，温开水送下。

【板蓝根冲剂】

功能清热解毒，凉血利咽，适用于扁桃腺炎、腮腺炎、咽喉肿痛。冲剂，每袋5克或12克，每次5克，1日4次，开水冲服。

【消暑冲剂】

功能消暑、止渴、开胃，适用于伤暑而致身热心烦，口渴舌干，恶心呕吐，体倦纳呆。冲剂，每包10克，每次25克，1日3次，口服。

【柴胡饮冲剂】

功能解表散寒，理气解郁，适用于风寒感冒，发热恶寒，头痛身痛，心烦急躁，口苦而渴等症。冲剂，每包10克，每次10克，日2次，开水冲服。

【安宫牛黄丸】

功能清热解毒，豁痰开窍，适用于乙型脑炎、流行性脑髓膜炎、中毒性痢疾、尿毒症、脑血管意外、中毒性肝炎、肝昏迷等出现的高热烦躁，神昏谵语，或舌謇肢厥，中风昏倒者。蜜丸，每丸重3克，每日服1～3次，每服1丸，温开水送服。

【紫雪丹】

功能清热解毒，熄风止痉，开窍醒神，适用于温热病而见高热烦躁，神昏谵语，抽风惊厥，口渴唇焦，尿赤便秘等。散剂，1.5克或3克瓶装，日服2次，每次1.5～3克，温开水送服。

【至宝丹】

功能清热解毒，化痰开窍，适用于神昏不语，痰盛气粗，舌红苔黄腻，脉滑数，其中包括多种热性传染病如“乙脑”等，以及中风（脑血管意外）、肝昏迷、癫痫等而见上述主症者。蜜丸，每丸重3克，每次1丸，温开水送下。

【红灵散】

功能解暑，辟秽，开窍，适用于内热中暑，热邪入里引起的突然昏迷不语，牙关紧闭，或头胀胸闷，腹痛作泻，霍乱转筋，呕吐恶心，四肢厥冷等。散剂，约1克瓶装，每服0.5克，用温水送服。

【牛黄清心丸】

功能清热，熄风，镇惊，并能开窍醒神，适用于癫痫惊风，中风不语，半身不遂，口眼歪斜，手足拘挛或言语不清，神志昏乱，头目眩晕，胸中郁热，惊恐虚烦，痰涎壅盛等。蜜丸，每丸重3克，每服1丸，温开水送下。

【神犀丸】

功能清热凉血，泻火解毒，适用于高热炽盛，神志不清，谵语发狂，神昏痉厥，斑疹毒盛。蜜丸，每丸重9克，口服1～2次，每服1～2丸，温开水送服。

【六神丸】

功能消肿解毒，适用于咽喉肿痛，痈疽疮疖。水丸，每10 000粒重约30克，每瓶装30粒，日服1～2次，每服10粒。

【喉癥丸】

功能清热解毒，消肿镇痛，适用于咽喉红肿热痛，包括咽炎、喉炎、扁桃体炎等。水丸，瓶装，按该药说明书服用。

【清音丸】

功能养阴清热，生津止渴，适用于肺胃热盛引起的咽喉肿痛，音哑声嘶，口干舌燥。蜜丸，每丸重3克，日服2次，每服1丸，含在口中，缓缓咽下。

【牛黄解毒丸】

功能清热解毒，散风止痛，主治肝胃肺热引起的头晕目眩，风火牙疼等症。蜜丸，每丸重 3 克，口服 2 次，每服 2 丸，温开水送下。

【牛黄上清丸】

功能清火解毒，消肿止痛，主治由心胃火盛引起的口舌生疮等。蜜丸，每丸重 6 克，口服 2 次，每服 1～2 丸，温开水送下。

【牛黄清胃丸】

功能清热，通便，主治肺胃实热引起的口舌生疮，大便秘结等。蜜丸，每丸重 6 克，口服 2 次，每服 2 丸，温开水送下。

【芎菊上清丸】

功能疏风止痛，清肺胃热，适用于由肺胃热盛，感冒风邪引起的头痛目眩，鼻塞不通，耳鸣齿痛，咽喉不利。水丸，日服 2 次，每服 6 克，温开水送服。

【清眩丸】

功能散风热、清头目、止疼痛，适应于外感风热引起的头痛及肝经之热所致的头痛头晕，眼目昏花，也可用于高血压头痛属实火上攻者。蜜丸，每丸重 6 克，日服 2 次，每次 2 丸，化开吞服。

【香莲丸】

功能清湿热，理气机，止泻痢，适用于湿热泻痢，便下脓血，里急后重。水丸，每袋 20 克装，日服 2 次，每次 6 克，温开水送服。

【暑温正气丸】

功能温中散寒，行气止痛，祛暑止泻，适用于受寒引起的吐泻、腹痛、胸闷等症，主要用于暑季，但只要寒湿腹泻，不论季节，均可应用。水丸，3 克袋装，口服 2 次，每次 1 袋，温开水送服。

【泻痢固肠丸】

功能益气固本，理脾和胃，固肠止泻，适用于泻痢日久不止，正气所伤，见身体倦怠，不思饮食，脐腹疼痛，或时泻时止，即慢性痢疾或慢性肠炎患者。水丸，每袋 20 克装，日服 2 次，每服 9 克，温开水送服。

【麻子仁丸】

功能益气，润燥，滑肠，适用于年老体虚，津亏血燥，大便干结，解便十分困难者。大蜜丸，每丸重 6 克，日服 2 次，每服 1～2 丸，温开水送下。

【五仁丸】

功能润肠通便，适用于肠胃津液不足的便秘及习惯性便秘。小丸，每丸重 1.5 克，每服 1～2 丸，温开水送服。

【更衣丸】

功能清火通便，适用于心肝火旺引起的大便秘结，心烦失眠。小丸，每 200 粒重约 30 克，每服 1.5～3 克，温开水送服。

【半硫丸】

功能温肾散寒通便，适用于阴虚便秘。糊丸，每 400 粒重 30 克，日服 1～2 次，每服 1.5～3 克。

【舒肝丸】

功能舒肝理气，和胃止痛，适用于肝气郁滞，肝胃不和引起的胁肋疼痛，胃脘不舒，嗳气吞酸，饮食无味等症。蜜丸，每丸重 9 克，日服 2 次，每次 1 丸，温开水送服。

【良附丸】

功能温胃散寒，理气止痛，适用

于肝郁气滞，胃有寒凝的胃脘疼痛，胸闷胁痛，痛经等。水丸，每服6克，温开水送下。

【沉香化气丸】

功能化气行滞，消食和胃，适用于肝胃气滞引起的胸腹痞满，嗳气吞酸，不思饮食等。水丸，日服2次，每服6～9克，饭前温开水送服。

【木香槟榔丸】

功能行气导滞，消胀除满，泻热通便，适用于气滞食积，胀痛不舒并大便不通畅的患者。水丸，袋装20克，温开水送下。

【枳实导滞丸】

功能消导积滞，清利湿热，适用于脾胃湿热引起的胸满腹痛，消化不良，积滞泄泻或下痢脓血，里急后重。水丸，日服2次。每服9克，温开水送服。

【开胸顺气丸】

功能消积化滞，适用于停食停水，气郁不舒引起的胸痞腹胀，胃脘疼痛。水丸，日服1～2次，每服3～9克，温开水送下。

【中满分消丸】

功能健脾肾，清湿热，消胀满，适用于水温中阳，脾不运化引起的胸满脘闷，腹胀水肿，湿重痰多，小便不利等。水丸，每30克500粒，日服2次，每服6克，温开水送服。

【木香顺气丸】

功能顺气和胃，适用于气郁不舒，胸胁胀闷，倒饱嘈杂。水丸，日服2次，每服9克，温开水送服。

【越鞠丸】

功能行气解郁，适用于血郁气滞所致的脘腹胀痛，胸胁刺痛。水丸，每30克约500粒，日服1～2次，每服6克，温开水送服。

【平胃丸】

功能燥湿健脾，行气和胃，适用于湿阻脾胃所致的食少乏味，脘腹胀满，呕吐，恶心等症。水丸，每300粒重30克；日服3次，每服6～12克，空腹温开水送下。

【香砂养胃丸】

功能化湿理气，醒脾健胃，适用于湿阻气滞，饮食呆滞，胃脘胀闷，呕吐酸水，四肢倦怠等。小丸，日服2次，每服9克，温开水送服。

【山楂丸】

功能消食化滞，调和脾胃，适用于暴饮暴食所致的积食不化。大蜜丸，每丸重9克，日服2次，每服1丸，温开水送服。

【保和丸】

功能消食积，和脾胃，适用于饮食停滞引起的胸膈痞满，嗳气吞酸，不思饮食。水丸，日服1～2次，每服6克，温开水送下。

【茴香橘核丸】

功能行气止痛，消肿散寒，适用于疝气、睾丸肿胀，每500粒重30克，日服2次，每服6～9克。

【济生肾气丸】

功能温阳利水，适用于肾虚肿胀，四肢浮肿，小便不利等。小丸剂，日服2次，每服9克。

【五苓散】

功能利水渗湿，温阳化气，适用于外有表证，内有水饮停蓄不行引起的头痛发热，小便不利，水肿，水入即吐，泄泻等。散剂，每袋重30克，日服2次，每服6～9克，温开水冲服。

【十枣丸】

功能攻逐水饮，主治水停胸胁，水肿腹胀以及由此而产生的病症。小丸剂，日服1～2次，每服1.5～3克。

【舟车丸】

功能行气逐水，主治水湿壅滞于脘腹化热，胃肠气机受阻，二便不通而造成的水肿胀满。水丸，每500粒约30克，日服1～2次，每服1.5～3克，温开水送服，或遵医嘱服用。

【控涎丹】

功能攻泻痰饮，治疗由停痰伏饮引起的咳嗽胁痛，瘰疬痰核，痰迷癫痫等症。水丸，每400粒重约30克，日服1～2次，每服1.5～3克，温开水送服。

【大陷胸丸】

功能泻热逐水破结，主治水饮与邪热互结于胸腹，下部便秘硬结，腹部剧痛且不能按等急而邪盛的患者。小蜜丸，日服1～2次，每服30～45克。

【分清五淋丸】

功能清热利尿，适用于尿路感染所现诸症。水丸，每500粒重31克，日服2次，每服6克，温开水送服。

【萆薢分清丸】

功能温肾利湿，分清化浊，适用于肾阳虚而不固造成的小便频数，湿浊下注而出现的小便混浊不清。水丸，每500粒重约31克，日服2次，每服6～9克，空腹时淡盐水或温开水送服。

【通关滋肾丸】

功能清热利小便，适用于热结膀胱，小便不利等症。水蜜丸，日服2次，每服9克。

【排石冲剂】

功能利尿通淋排石，主治肾结石、输尿管结石、膀胱结石。冲服剂，按该药说明书应用。

【石淋通】

功能清热去湿，利尿排石，适应于泌尿系结石。用法按该药说明书。

【桑螵蛸散】

功能调补心肾，适用于心气不足，肾虚不摄所造成的心神恍惚，健忘，小便频数，遗尿滑精等。散剂，每服6克，白开水冲服。

【鳖甲煎丸】

功能消痞化积，适用于胁下痞块，也用于腹部肿块，肝脾肿大。蜜丸，每丸重3克，日服1～2次，每服1～2丸，温开水送下。

【柴参保肝冲剂】

功能活血化瘀，舒肝理气，散结消肿，专治肝脾肿大。冲剂，每袋装22克，日服3次，每次1袋，开水冲服。

【阿魏化痞膏】

功能消积化痞，主治腹部痞块，胸胁胀药。膏药，温热化开，贴于胸口或脐上。

【散结灵】

功能通络散结，消肿定痛，适用于经络不和，气血凝结引起瘰疬鼠疮，乳痈乳疮，疮疖红肿，一切肿痛初起。片剂，日服2次，每服4片。

【犀黄丸】

功能清热解毒，化痰散结，活血祛瘀，适用于乳癌、瘰疬、痰核、流注诸症。糊丸，每800～900粒重约30克，日服1～3次，每服1.5～3克，温黄酒、温开水送服。

【天麻丸】

功能散风活血，舒筋止痛，适用

于风湿痹痛，筋络不利，手脚麻木，行走艰难。大蜜丸，每丸9克，日服1～2次，每服1丸，温开水送服。

【固公酒】

功能祛风止痛，养血通络，主治风湿痹痛，四肢麻木，关节不利，手足不遂。药酒，日服1～2次，每服6～9克。

【虎骨木瓜丸】

功能舒筋活血，散风止痛，适用于风入经络引起的手足麻木，腰膝疼痛，筋骨无力，行走艰难。大蜜丸，每丸重9克，日服2次，每服1丸，温开水送服。

【木瓜丸】

功能祛风胜湿，活络止痛，适用于风寒湿痹，遍身疼痛，四肢麻木，筋骨无力，行走艰难。

【五加皮酒】

功能除湿祛风，舒筋活血，适用于风湿引起的手足拘挛，四肢麻木，腰膝酸重及阴囊潮湿，妇女阴冷等症。酒剂，日服3次，每次温服15～30克。

【风湿关节酒】

风湿关节酒，功能驱寒散风，利湿，活血止痛，适用于风湿关节炎，关节疼痛，肩背沉酸，四肢麻木，腰痛寒腿，筋脉拘挛。酒剂，日服2次，每服15～30克。

【豨莶丸】

功能散风祛湿，舒筋活络，主治风寒湿痹，肩背酸痛等症。蜜丸，每丸重9克，日服2次，每服1丸，温黄酒或温开水送下。

【疏风定痛丸】

功能祛风散寒，活血止痛，适用于四肢麻木，关节疼痛，足膝无力，跌打损伤。蜜丸，每丸重3克，日服2次，每服1丸，温开水送下。

【三蛇胆汁酒】

功能行气活血，祛风湿，舒筋活络，益神明目，滋补健身，强筋壮骨，适用于风湿痹痛，筋骨不利，腰膝疼痛，下肢痿弱等。药酒，日服1次，每服15～30克，睡前服用。

第二节 『外科中成药』

【紫花地丁软膏】

功能消肿止痛，适用于痈肿疔疮初期。软膏剂，每支12克，同时将软膏摊于纱布上敷患处，1日更换1次，外用。

【梅花点舌丹】

功能清热解毒，消肿止痛，适用于疔疮痈肿初起，咽喉牙龈肿痛，口舌生疮。每次3粒，1日1～2次，口服。外用时取药丸少许用醋化开敷患处。

【如意金黄散】

功能消肿止痛，适用于疮疡肿痛。散剂，每袋 15 克，红肿疼痛，用清茶调敷；漫肿无头，用醋或葱酒调敷，1 日数次。

【冲和散】

功能活血散瘀，消肿止痛，适用于痈肿初起，湿痰流注及一切无名肿毒。散剂，每包 50 克，取适量，以葱头煎汤或热酒调成糊状涂于患处，每日换 1～2 次。

【紫金锭】

功能清瘟解毒，消肿止痛，适用于泄泻，疔疮疖肿。锭剂，每锭 0.3 克，外用适量锭剂与醋磨调患处，内服每次 1 锭，每日 2 次，孕妇忌服。

【紫草膏】

功能化腐生肌，适用于已溃疮疡、痈疽。软膏，摊于纱布上贴患处，每隔 1～2 日换药 1 次。

【醒消丸】

功能活血消肿，解毒止痛，适用于痈肿疮毒，坚硬疼痛。水丸，每次 1.5～3 克，1 日 2 次，用黄酒或温开水送服，孕妇忌服。

【鹅掌风药水】

功能杀虫止痒，用于鹅掌风、脚癣、灰指甲等。液剂，每瓶 20 毫升，外用擦患处，1 日 3～4 次，切勿入口。

【养血生发胶囊】

功能养血祛风，补肾生发，适用于脱发、头皮痒、头屑多。胶囊剂，每粒 0.5 克，每次 4 粒，1 日 2 次，宜持续服用 2～3 个月。

【七厘散】

功能化瘀消肿，止痛止血，适用于跌仆损伤，血瘀疼痛，外伤出血。散剂，每瓶 3 克，每次 1～1.5 克，1 日 1～3 次，口服外用调敷患处。

【跌打丸】

功能活血化瘀，消肿止痛，适用于跌打损伤，瘀血肿痛。蜜丸，每丸重 3 克，每次 1 丸，1 日 2 次，温开水或黄酒送服。

【跌打活血散】

功能舒筋活血，散瘀止痛，适用于跌打损伤，瘀血疼痛。散剂，每次 3 克，1 日 2 次，温开水送服，外敷用醋或黄酒调（皮肤破损处不用）。

【接骨丸】

功能消肿止痛，接骨续筋，适用于治疗伤筋动骨，跌打损伤，闪腰岔气等病。散剂，100 粒重 12 克，每次 50 粒，1 日 2 次，口服。

【五虎散】

功能活血化瘀，消肿止痛，适用于跌打损伤，扭伤，瘀血肿痛。散剂，每瓶 6 克，每次 6 克，1 日 2 次，用温黄酒或温开水送服。

【止痛紫金丸】

功能舒筋活血，消瘀止痛，用于闪腰岔气，瘀血作痛，筋骨疼痛。蜜丸，每丸重 6 克，每次 1 丸，1 日 2 次，口服。

【玉真散】

功能祛风，解痉，止痛，适用于破伤风，外治跌仆损伤。每次 1～1.5 克，或遵医嘱，口服。

【回生第一丹】

功能活血散瘀，续筋接骨，疗伤止痛，适用于筋伤骨折，皮肤肌肉血肿，血瘀疼痛，闪腰岔气等。丹剂，每瓶装 0.6 克，每次 0.6 克，日 2 次，温黄酒或温开水送服。

【金不换膏】

功能祛风除湿，强筋壮骨，舒筋通络，活血止痛，适用于痹症，损伤等病。硬管剂，小张膏药重15克，大张膏药重24克，外用用生姜擦净患处，将膏药加热软化，贴患处或穴位，5～7日换药1次。

【骨刺丸】

功能疏风胜湿，散寒通痹，活血通络，消肿止痛，适用于骨刺疼痛，风湿性关节炎及风湿痛等属风寒湿痹者。蜜丸，每丸重9克，每次1丸，1日2次，口服。

【化痔膏】

功能止血止痛，清热，解毒，燥湿，适用于内痔、外痔、内外痔等多种肛肠疾患。软膏，外用，每日早晚用温开水洗净患处，将药膏涂敷患处。

【痔疮膏】

功能解毒消肿，破瘀止血，收敛止痛，适用于治疗肛门肿痛，出血等症。软膏剂，每支15克，外用，取适量药膏摊于纱布上贴患处，每日换药1～2次。

【脏连丸】

功能清肠止血，适用于肠热便血，肛门灼热，痔疮肿痛。蜜丸，每丸9克，每次1丸，1日2次，口服。

【小金丸】

功能消肿散结，化瘀止痛，适用于阴疽初起，肿硬作痛，瘿瘤乳岩，乳癖。丸剂，每丸重0.6克，每次2～5丸，日2次，打碎后口服。

【阳和丸】

功能温阳补血，散寒行滞，消痰通络，适用于一切阴疽，流痰、鹤膝风、脱骨疽、咬骨疽、流注等属虚寒之证。蜜丸，每丸重3克，每次2丸，1日2～3次，口服。

【阳和解凝膏】

功能温阳化湿，消肿散结，适用于阴疽，瘰疬未溃，寒湿痹痛。加温水软化后贴于患处。

【季德胜蛇药片】

功能解蛇毒，适用于毒蛇、毒虫咬伤。片剂，每瓶20片，首次服20片，以后每隔6小时10片，口服。

【蛇咬丸】

功能解毒祛风，消肿止痛，适用于治疗毒蛇、毒虫咬伤。蜜丸，丸重11.3克，每次1丸，1日3次，口服。

【五福化毒丸】

功能清热解毒，凉血消肿，适用于治疗疮疖痈肿，口舌生疮，痄腮等。蜜丸，每丸重3克，每次1丸，1日2～3次，口服。

【疮疡膏】

功能生肌拔毒，敛疮止血，适用于治疗疖、疔、痈，下肢溃疡等病。膏药，每贴重3克或5克，温化后贴患处，每日更换1次，外用。

【五妙水仙膏】

功能清热解毒，祛腐生新，适用于急、慢性炎症，各种疣、痣、血管瘤、神经性皮炎。膏剂，外用，患处洗净，将药敷于患处。

【万灵片】

功能温经通痹，解毒疗疮，适用于痈、疽初起，发背流注，风湿痹。片剂，每片2克，每次4片，1日3次，口服。

【冻疮灵】

功能消肿止痒，适用于冻疮。软膏剂，取少量涂患处，1日数次，外用。

【复方夏枯草膏】

功能理气化痰散结，适用于淋巴结核、单纯性甲状腺肿、慢性淋巴结炎等。蒸膏剂，每次9～15克，1日2次，开水冲服。

【化核膏】

功能软坚化痰散结，适用于淋巴结核、慢性淋巴结炎。膏药，每张硬膏重4.5克，外用，温热展开，贴患处，每隔3～5日换药1次。

【消痔锭】

功能收敛止血，消肿止痛，适用于内痔及混合痔内痔部分。栓剂，每次1粒，1日1～2次，直肠肛门给药。

【舒痔丸】

功能凉血活血，清热导滞，适用于各种内痔、外痔、肛裂、脱肛等。小蜜丸，每次1～2丸，1日2次，口服。

【筋骨宁膏】

功能活血化瘀，通络止痛，多用于闪腰岔气、跌仆闪挫，或关节痹痛等病。橡皮膏剂，每贴7厘米×10厘米，用时视伤处大小，贴于患处，每2～3天换1次。

【伤痛宁片】

功能温经通脉，活血化瘀，适用于治疗跌打损伤、胃脘痛、痛经等病。片剂，每片0.36克，成人每次6～8片。空腹温水或黄酒送服。

【红药片】

功能活血行瘀，适用于跌仆挫伤，风湿麻木，筋骨疼痛等处。片剂，每片0.25克，每次4～6片，空腹温开水或黄酒送下。

【骨质增生丸】

功能补肾活血，适用于骨质增生，风湿性关节炎、大骨节病、跟骨骨刺等。蜜丸，每丸重3.5克，每次1～2丸，日2次，温开水送下。

【云南白药酊】

功能活血散瘀，消肿止痛，适用于跌打损伤，扭扑闪挫，风湿麻木等病。酊剂，口服，每次3～5毫升，日2～3次，外用，视伤处大小，涂患处，1日3～5次。

【云南白药膏】

功能活血化瘀，适用于金创跌仆，风湿痹痛等。膏药，每张6.5厘米×10厘米，外用，涂患处。

【紫草油】

功能清热解毒，消肿止痛，适用于治疗烫火伤、丹毒、疔疮等病。油剂，外用，涂患处，1日2～3次。

【烧伤灵】

功能泻火解毒，消肿止痛，生肌长肉，适用于水火烫伤、烧伤。喷雾剂，每瓶50毫升、100毫升，将本药喷涂于清洁后的伤口上，每隔1～2小时1次，1日3～4次。

【湿疹散】

功能燥湿止痒，清热解毒，适用于急慢性渗出性皮肤病、湿疹、脓疱疮、接触性皮炎等。散剂，每袋200克，按部位大小，斟酌取量，茶水或麻油调敷。

【消风止痒冲剂】

功能疏风清热，除湿止痒，适用于治疗荨麻疹、皮肤瘙痒症等。冲剂，每包15克，每次1～2包，1日2次。

【抗腮灵糖浆】

功能清热解毒，消肿散结，适用于腮腺炎、扁桃体炎、咽喉炎、急性淋巴结炎等。糖浆剂，每次20～30毫升，1日2次，口服。

【牛黄醒消丸】

功能清热解毒，消肿止痛，适用于痈疽疔疮及无名肿毒等。丸剂，每瓶3克，每次3克，1日2次，用黄酒或温开水送服。

【生肌八宝散】

功能化腐生肌，主要用于痈疽恶疮，脓腐不尽；或出脓清稀，或肉色灰白，久不收敛；或腐肉不脱，面色不华。散剂，取适量撒于疮面上，或以油纱等蘸药纳疮内或制成药捻纳入窦道内，每日或隔日换药。

【拔脓净】

功能排脓引流，祛腐生新，适用于痈疽疮毒，外伤溃烂，脓出不畅，或腐肉不去，新肉难生，疮口不收，疼痛不止。散剂，取适量，散于患处，每日换药1次。

第三节

『滋补中成药』

【人参维生素滋补片】

功能抗疲劳，补元气，增强机体活力，适用于年老虚弱，病后失调，神衰健忘，贫血，维生素C缺乏症及心血管机能不全，造血功能缺陷。片剂，1日服3次，每服3～5片。

【黄芪精】

功能补气生津，安神，适用于身体虚弱，食欲不振，疲劳过度，失眠及一切气血津液不足。口服液，日服1支（10毫升），早饭前服用，需要时晚饭后补1次。

【参芪膏】

功能滋补元气，降压，祛疾健胃，适用于体弱气虚，四肢无力。膏剂，日服2次，每服9克，温开水冲服。

【北芪精】

功能益气养血润燥，适用于气虚血亏，表虚自汗，四肢乏力，精神萎靡，或久病衰弱，脾胃不壮等症。蜜膏剂，按说明应用。

【双宝素口服液】

功能补精益神，健胃增食，适用于心脏病、肝炎、贫血、未老先衰、风湿性关节炎、胃溃疡、神经衰弱、毛发脱落、病后体虚。口服液，每支10毫升，口服1～2次，每服1支，饭前服用。

【北京蜂王精】

功能健身强体，延年益寿，适用于食欲不振、神经衰弱、贫血、胃溃疡、未老先衰、肝炎、关节炎、脉管炎。口服安瓿剂，每次10毫升，清晨或临睡前服用。

【河车粉】

功能补气养血，益精，助阳，适用于气血虚损引起的骨蒸消瘦，遗精滑精，面色暗黑，面黄肌瘦，筋骨痿软。散剂，日服2次，每服6克，温黄酒或温开水冲服。

【灵芝强体片】

功能补益强壮，适用于神经衰弱，及其他慢性病患引起的头昏耳鸣，心烦失眠，食欲不振，少气乏力等。片剂，按该药说明应用。

【十全大补丸】

功能气血双补，适用于气血两虚引起的体弱，面色萎黄，虚劳喘促，精神倦怠，遗精失血，腰膝无力诸症。蜜丸，每丸重9克，日服2次，每服1丸，温开水送下。

【人参养荣丸】

功能益气健脾，温补气血，适用于心脾不足、气血两亏引起的形瘦神疲，食少便溏，惊悸健忘。蜜丸，每丸重9克，日服2次，每服1丸，温开水送下。

【当归补血膏】

功能气血双补，适用于身体虚弱，面色萎黄，肌肉消瘦，头痛眩晕，病后贫血及妇女产后血虚等。膏剂，按该药说明书应用。

【全鹿丸】

功能滋肾、益气、固精，适用于气血亏损，身体虚弱引起的目暗耳鸣，腰膝无力，健忘、失眠、遗精、盗汗等。大蜜丸，每丸重9克，日服2次，每服1丸，淡盐汤送下。

【滋补丸】

功能补益强壮，强腰膝，补精，适用于气血双亏，未老先衰，腰背酸痛，神经衰弱，贫血头晕，疲劳过度，失眠等症。丸剂，按该药说明书使用。

【四君子丸】

功能健脾养胃，适用于脾胃气虚造成的面色萎黄，四肢无力，不思饮食，大便溏软，脉虚软无力。小粒丸剂，日服2次，每服9克。

【香砂六君子丸】

功能补中益气，适用于脾胃虚弱，气虚乏力，不思饮食，脘腹胀闷，呕吐泄泻等。小丸，日服2次，每服6～9克。

【人参健脾丸】

功能开胃健脾，适用于脾胃虚弱引起的食欲不振，胸腹胀满，大便溏泄。蜜丸，每丸重9克，日服2次，每服1丸。

【补中益气丸】

功能补中益气，适用于脾胃气虚，中气下陷造成的饮食无味，虚汗自出，少气懒言，头痛怕冷，四肢乏力，久泻久痢，子宫下垂，脱肛，脉虚软无力。蜜丸，每丸重9克，日服2次，每服1丸。

【金匮肾气丸】

功能温补肾阳，适用于肾阳不足造成的腰痛脚软，下半身感觉寒冷，小腹抽痛，烦热不能安眠，舌质淡而胖，脉虚弱尺部见微。大蜜丸，每丸重9克，日服2次，每服1丸，温开水送下。

【龟龄集】

功能温肾补阳，适用于元血亏损，命门火衰引起的阳痿，遗精，肾寒精冷，阴寒腹痛，目暗耳鸣，盗汗失眠等。散剂，每服3克，温黄酒或温开水冲服。

【参茸片】

功能大补元气，健身增力，适用于老年人阳虚气衰造成的怕冷，四肢不温，疲乏无力，气喘，性机能衰退等。片剂，日服2次，每服3～5片。

【人参鹿茸丸】

功能益气补阳，养血，适用于久病体衰，老年体弱造成的腰背酸痛，失眠健忘，头晕目暗，白天出虚汗，睡后出盗汗及食欲不振等。大蜜丸，每丸重 12 克，日服 2 次，每服 1 丸，温开水送下。

【参茸鞭丸】

功能补肾强壮，强精增髓，适用于肾虚气弱，神经衰弱，阳痿、早泄、遗精及男女一切肾虚性疾患。水丸，按照该药说明书应用。

【阳春药】

功能健腰补虚，强壮性机能，适用于体质虚弱，肾亏遗精，四肢乏力，头晕耳鸣，惊悸健忘，自汗虚汗，腰腿酸痛，记忆减退，神衰失眠，食欲不振。胶囊剂，日服 2 次，每服 2 粒，日开水送服。

【至宝三鞭精】

功能壮腰补血，健脑强身，安眠益智，滋阴补虚，对于虚弱有强力滋补作用。适用于体质虚弱，未老先衰，肾亏遗精，神经衰弱，腰背酸痛，用脑过度，贫血头晕，心脏衰弱，惊悸健忘，自汗虚汗，胃寒失眠，面色苍白，气虚食减，四肢乏力，妇女血亏，年老气喘等。口服液，每瓶 10 毫升，口服 1～2 次，每服 1 瓶，早饭前或临睡前服用。

【肾胶囊】

功能温肾壮阳，益气健身，适用于肾阳虚衰，阳痿滑泄，腰腿酸痛，阴囊湿冷，精神萎靡，食欲不振等症。胶囊剂，按该药说明书应用。

【六味地黄丸】

功能滋阴补肾，适用于肾阴亏损，虚火上升所见腰膝酸软，头目眩晕，耳鸣耳聋，梦遗滑泄，消渴多饮，骨蒸潮热，手足心热，牙齿动摇，小便淋沥，舌红苔少，脉细数等。大蜜丸，每丸 9 克，日服 2 次，每次 1 丸。

【大补阴丸】

功能滋阴降火，适用于肝肾阴虚，虚火上炎所致骨蒸潮热、盗汗，咳嗽咯血、吐血，或烦热易饥，舌红苔少，脉细数者。小丸，日服 2 次，每服 6～9 克。

【三才封髓丸】

功能滋阴，养血，固精，适用于阴虚内热引起的身体瘦弱，咳嗽痰中带血，梦遗滑精，腰膝无力。小蜜丸，每 250 粒重 30 克；大蜜丸每丸重 9 克，日服 2 次，小丸每服 9～15 克，大丸每服 1～2 丸，温开水送服。

【河车大造丸】

功能补气益血，除蒸固精，适用于肝肾虚损引起的腰酸腿软，骨蒸潮热，梦遗滑精等症。蜜丸，每丸重 9 克，日服 2 次，每服 1 丸，温开水送服。

【二至丸】

功能补肾益阴，适用于肝肾阴虚，口苦咽干，而见头晕目眩，失眠多梦，遗精体倦。小蜜丸，日服 2 次，每次 9 克，淡盐汤或温开水送服。

第四节

『妇科中成药』

【八珍益母丸】

药物组成	益母草、党参、白术（炒）、茯苓、甘草、当归、白芍（酒炒）、川芎、熟地黄。
剂型规格	大蜜丸，每丸重9克；小蜜丸；水蜜丸。
功　　能	补气血，调月经。
主　　治	本品常用于治疗妇女月经不调，行经腹痛，白带过多，腰酸倦怠，产后发热，贫血等证属气血两虚者，还可用于早期自然流产或人工流产后子宫少量出血者。
用法用量	口服，大蜜丸1次1丸；小蜜丸1次9克；水蜜丸1次6克，均1日2次，温开水送服。
注意事项	1. 孕妇慎用。 2. 月经频至且经量多者忌服。 3. 个别人服后出现大小不一的红色皮疹者，停药后即可迅速消失。 4. 服药期间忌生冷，调情志。

【乌鸡白凤丸】

药物组成	乌骨鸡（去毛、爪、肠）、当归、白芍、鹿角胶、鳖甲（制）、牡蛎（煅）、桑螵蛸、人参、黄芪、香附（醋制）、天冬、甘草、生地、熟地、川芎、银柴胡、丹参、山药、芡实（炒）、鹿角霜。
剂型规格	大蜜丸，每丸重9克。
功　　能	补气养血，调经止带。
主　　治	本品临床常用于治疗妇女经期腹痛，月经过多，闭经，带下，功能性子宫出血，人流，上环，取环后出血，闭经性阴道炎，子宫肌瘤，更年期综合征，产后低热，恶露不尽，妇女盗汗，腰膝酸软等，凡属气血两虚所致的妇科疾患，均可应用。
用法用量	口服，1次1丸，1日2次，温开水或温黄酒送服。未成年女子可酌服1/2丸。
注意事项	1. 孕妇忌服。 2. 湿热内盛者慎服。 3. 服药期间，注意忌生冷，调情志，适劳逸。

【女金丸】

药物组成	当归、白芍、川芎、熟地黄、党参、白术（炒）、茯苓、甘草、肉桂、益母草、丹皮、没药（制）、延胡索（醋制）、藁本、白芷、黄芩、白薇、香附（醋制）、砂仁、陈皮、阿胶、赤石脂（煅）、鹿角霜。
剂型规格	蜜丸，每丸重9克。
功　　能	调经养血，理气止痛。
主　　治	本品临床常用于治疗妇女慢性虚弱，子宫功能性疾病、宫颈炎、阴道炎属气血不足，兼有瘀滞者。西医学之子宫发育不良、痛经、不孕、更年期综合征等，皆可应用。
用法用量	口服，1次1丸，1日2次，温开水送服。
注意事项	1. 孕妇慎用。 2. 偏于实者或湿热者忌用。 3. 服药期间忌生冷，调情志。

【女宝】

药物组成	人参、白术、甘草、当归、白芍、鹿茸、鹿胎、乳鹿、杜仲、肉桂、附子（炙）、小茴香、阿胶、龟板、鳖甲、熟地黄、牛膝、赤芍、川芎、莪术、桃仁、红花、延胡索、丹参、牛膝、泽泻、茯苓、蒲黄炭、棕炭、丹皮、银柴胡、沉香、木香、青皮、厚朴（姜制）、槟榔（焦）、陈皮、香附、荆芥穗、吴茱萸、紫豆蔻、砂仁、炮姜、海螵蛸。
剂型规格	胶囊剂，1粒0.3克。
功　　能	补气血，健脾益肾，温经散寒，活血化瘀，调经带，促进生育。
主　　治	本品临床常用于治疗脾肾阳虚，气滞血瘀，寒湿凝滞型的月经不调（包括月经过少、月经过多、经期延长、月经先期、月经后期、痛经、崩漏等），不孕证、盆腔炎、继发性闭经，以及月经前后，绝经前后引起的不适等症。
用法用量	口服，1次4粒，1日3次，温开水送服。
注意事项	1. 孕妇慎用。 2. 服药期间忌生冷，调情志。

【妇康宝口服液】

药物组成	熟地黄、川芎、白芍、艾叶、当归、甘草、阿胶。
剂型规格	口服液，每支10毫升。
功　　能	补血调经，止血安胎。
主　　治	临床多用于治疗失血过多，面色萎黄，月经不调、行经腹痛，胎漏、胎动等属血虚所致之病症。
用法用量	口服，1次10毫升，1日2次，胎动、胎漏者加倍或遵医嘱。
注意事项	1. 舌淡肢冷或舌红烦渴者忌用。 2. 服药期间忌辛辣、白酒等刺激性之品。

【肤阴活湿巾】

药物组成	大叶桉、蛇床子、满山香、千里光、黄柏等。
剂型规格	湿巾。
功　　能	清热解毒，祛风燥湿，杀虫止痒，收敛止带。
主　　治	本品临床常用于治疗妇女阴道炎、赤白带下、痛经、阴痒、溃疡性生殖器炎症、湿疹；妇女经期、产褥期及计划生育术后使用，洁净消毒，可预防性病、皮肤病传染。
用法用量	1. 将湿巾敷患处或轻擦，每日3次，每次1片，7天为1疗程，治痛经可随时更换。 2. 用于男女房事前后，取湿巾擦洗阴部。用于浴具等消毒，可用湿巾擦洗。
注意事项	宜阴凉处密封保存。

【当归养血丸】

药物组成	当归、白芍（炒）、地黄、阿胶、黄芪（蜜炙）、牡丹皮、香附（制）、茯苓、杜仲（炒）、白术（炒）。
剂型规格	水蜜丸，每10粒重1.5克；大蜜丸，每丸重9克。
功　　能	养血调经。
主　　治	本品临床多用于治疗月经不调、带下、不孕诸症。 1. 月经不调：表现为经行延后，色淡量少，质清稀，小腹隐痛而喜温喜按，腰酸无力，舌质淡苔白，脉沉迟无力等。 2. 带下：白带清冷，质稀薄，终日淋沥不断，小腹冷感，夜多小便，面色皖白，舌淡苔薄白，脉沉迟。 3. 不孕：表现为婚久不孕，月经后期，量少色淡，性欲淡漠，面色晦暗，腰膝酸软，小便清长，舌淡苔白，脉沉细等。
用法用量	口服，水蜜丸1次9克，大蜜丸1次1丸，1日3次，温开水送服。
注意事项	1. 孕妇慎服。 2. 凡属湿热所致之证者慎用。 3. 服药期间忌劳累，调情志。

【当归养血糖浆】

药物组成	当归、川芎、白芍、熟地黄、党参、黄芪、茯苓、甘草（蜜炙）、阿胶。
剂型规格	糖浆剂。
功　　能	补气养血，活血调经。
主　　治	本品临床多用于治疗气血两虚所致之月经不调、痛经、崩漏、带下、婚久不孕等病证。临床表现为头晕乏力，面色萎黄，腰膝酸软，肌肉消瘦，舌质淡苔白，脉沉细等。
用法用量	口服，1次15毫升，1日3次，温开水送服。
注意事项	1. 凡属实热或湿热所致者忌用。 2. 服药期间忌生冷，免劳累，调情志。

【当归浸膏片】

药物组成	当归。
剂型规格	片剂，每片重0.3克，相当原生药0.15、0.4、0.5克，每瓶100片。
功　　能	活血，补血，调经。
主　　治	本品临床多用于治疗月经不调、痛经及产后贫血等病证。
用法用量	口服，1次4～6片，1日3次，温开水送服。
注意事项	服药期间忌生冷、辛辣，注意适劳逸，调情志。

【当归膏】

药物组成	当归、生地黄、川芎、白芍。
剂型规格	煎膏剂，瓶装，每瓶250、400克。
功　　能	补血，活血，调经。
主　　治	本品临床主要用于治疗痛经、月经不调，其作用机理： 1. 抑制子宫肌收缩，弛缓子宫肌紧张，直接治疗痛经。 2. 由于子宫肌弛缓，血运通畅，因而改善局部营养，使子宫发育得以改善，可间接治疗痛经。 3. 当归有滑肠作用，大便既通，盆腔内组织的过分充血因而消失，亦可减轻痛经。
用法用量	口服，1次15克，1日2次，温开水送服。
注意事项	1. 凡属湿热或寒邪患者慎服。 2. 服药期间忌生冷，免劳累，调情志。

【当归丸】

药物组成	黄芪、当归。
剂型规格	丸剂，每丸重9克。
功　　能	活血补血，调经止痛。
主　　治	本品常用于治疗血虚所致之月经不调、经行腹痛等症。
用法用量	口服，1次1丸，1日2次，温开水送服。
注意事项	1. 凡属肝郁气滞，湿热内蕴所致者慎用。 2. 服药期间忌生冷，调情志。

【四物合剂】

药物组成	当归、川芎、白芍、熟地黄。
剂型规格	合剂，每瓶100毫升。
功　　能	养血调经。
主　　治	本品临床多用于治疗营血亏虚所致之月经不调、经行腹痛等症。
用法用量	口服，1次10～15毫升，1日3次，温开水送服。
注意事项	1. 凡属湿热所致者忌用。 2. 服药期间忌生冷，调情志。

【定坤丸】

药物组成	西洋参、白术、茯苓、熟地黄、当归、白芍、川芎、黄芪、阿胶、五味子（醋炙）、鹿茸（去毛）、肉桂、艾叶（炭炒）、杜仲（炭炒）、续断、佛手、陈皮、厚朴（姜炙）、柴胡、黄芩、香附（醋炙）、延胡索（醋炙）、牡丹皮、琥珀、龟板（砂烫醋淬）、地黄、麦冬。
剂型规格	大蜜丸，每丸重12克；小蜜丸，每100丸重30克。
功　　能	补气养血，舒郁调经。
主　　治	本品临床多用于治疗气血两虚并兼有郁滞的月经不调、不孕症等。 1. 月经不调：表现为经期不准，或经量不多，至期而不至，色淡质稀小腹坠痛，面色㿠白，气短懒言，身体消瘦，腰膝酸软；或月经量少，色淡质清稀如水；或经来夹有瘀块；或乳房、胸胁、小腹胀痛，烦躁易怒，舌质淡红，苔薄白或薄黄，脉虚细或沉滑。西医之功能性子宫出血，青春期或更年期子宫出血，见上述症状者，皆可选用。 2. 不孕症：结婚数年不孕，平时月经量少色淡，经期延后，面色萎黄，形体衰弱，神疲力倦，头晕目眩，带下多如清涕，小腹时冷痛，经来时尤甚，得热则缓，舌质淡，苔薄白，脉沉细。西医之不孕证，无其他器质性改变，又兼有上述症状者，可选用本品。
用法用量	口服，大蜜丸，1次1丸；小蜜丸，1次40粒，1日2次，温开水送服。
注意事项	1. 孕妇忌用。 2. 服药期间忌生冷、辛辣、油腻等刺激性食物。 3. 伤风感冒时停服。

【当归红枣冲剂】

药物组成	当归、红枣。
剂型规格	浅黄棕色颗粒，味甜。每袋重20克。
功　　能	活血调经，健脾益气。
主　　治	本品临床常用于治疗妇女月经不调、功能性子宫出血、不孕症等。
用法用量	口服，1次20克，1日2～3次，温开水送服。
注意事项	1. 凡属肝郁气滞，湿热内蕴所致者慎用。 2. 服药期间忌生冷，适劳逸，调情志。

【养血调经膏】

药物组成	益母草、当归、红花、小茴香、陈皮、大腹皮、艾叶、三棱、莪术、干姜、木香粉、植物油、红丹。
剂型规格	膏药，每帖净重15.20克。
功　　能	养血调经，助气散寒，温暖子宫。
主　　治	本品临床常用于治疗子宫虚寒引起的月经不调、行经腹痛、闭经、不孕等病症。
用法用量	外帖，微火化开，前帖脐部后帖腰部各一张。
注意事项	1. 孕妇忌用。 2. 若仅有腹痛，只贴腹部即可；若仅为腰痛，只贴腰部即可。

【定坤丹】

药物组成	人参、鹿茸、藏红花、三七、当归、川芎、鸡血藤膏、熟地黄、肉桂、白术、甘草、白芍、鹿角霜、阿胶、香附、枸杞子、砂仁、益母草、延胡索、干姜、川牛膝、细辛、杜仲、黄芩、乌药、茺蔚子、五灵脂、柴胡、茯苓。
剂型规格	蜜丸，每丸重9克；塑料壳装挂蜡，盒装。
功　　能	滋补气血，舒郁调经，暖宫止痛。
主　　治	本品临床常用于治疗妇女月经不调、功能性子宫出血、青春期或更年期子宫出血、不孕症属无器质性病变者。多表现为月经量多，色淡质稀，面色苍白，心悸气短，倦怠无力，舌淡苔少，脉细无力或沉迟等。
用法用量	口服，1次0.5～1丸，1日2次，温开水或温黄酒送下。
注意事项	1. 孕妇忌服。 2. 服药期间忌食生冷、辛辣、油腻等刺激性之食物。注意保持心情舒畅。 3. 伤风感冒时停服。

【固经丸】

药物组成	黄柏（盐炒）、黄芩（酒炒）、椿皮（炒）、香附（醋制）、白芍（炒）、龟板（制）。
剂型规格	水丸。
功　　能	滋阴清热，固经止带。
主　　治	本品为妇科常用药，多用于治疗阴虚火旺，兼肝郁有热，冲任为火热所乘，迫血妄行所致的青春期月经不调，生育期月经过多，暴然血崩，更年期子宫出血，慢性附件炎引起的经漏等病证，临床多表现为血色鲜红夹紫瘀块，心胸烦热，腹痛溲赤，舌红，脉弦数。
用法用量	口服，1次6克，1日2次，温开水送服。
注意事项	凡属虚寒所致者不宜用。

【调经止带丸】

药物组成	熟地、香附（酒，盐制）、牡蛎（煅）、赤石脂（煅）、远志（甘草制）、川芎（酒炒）、海螵蛸、当归、白芍（酒炒）、椿皮、黄柏（盐炒）。
剂型规格	大蜜丸。
功　　能	补血调经，清热利湿。
主　　治	本品多用于治疗营血亏虚、湿热下注所致的月经不调、赤白带下等证。
用法用量	口服，1次9～12克，1日2次，温开水送服。
注意事项	1. 服药期间忌生冷，辛辣食物。 2. 感冒发热者忌服。

【痛经丸】

药物组成	当归、白芍、川芎、熟地黄、香附（醋制）、木香、青皮、山楂（炭）、延胡索、炮姜、肉桂、丹参、茺蔚子、红花、益母草、五灵脂（醋炒）。
剂型规格	水丸。
功　　能	活血散寒，调经止痛。
主　　治	本品临床常用于治疗寒凝血滞所致之痛经、月经不调。
用法用量	口服，1次6～9克，1日2次，温开水送服，临经时服用。
注意事项	孕妇禁用。

【益母草膏】

药物组成	益母草。
剂型规格	煎膏剂，每瓶 100、125 克。
功　　能	活血调经。
主　　治	本品常用于治疗瘀血阻滞所致之月经不调、痛经、经闭及产后瘀血腹痛等病证。
用法用量	口服，1 次 10 克，1 日 1～2 次，温开水送服。
注意事项	1. 孕妇禁用。 2. 服药期间忌生冷，调情志。

【香附丸】

药物组成	香附（醋制）、当归、川芎、白芍（炒）、熟地黄、白术（炒）、砂仁、陈皮、黄芩。
剂型规格	水丸，每袋装 18 克；蜜丸，每丸重 9 克。
功　　能	理气养血。
主　　治	本品常用于治疗因血虚气滞所引起的痛经、月经不调、更年期综合征等。
用法用量	口服，水丸，每次 6～9 克；蜜丸，每次 1 丸，每日 2 次，黄酒或温开水送服。
注意事项	1. 阴虚气弱者慎用。 2. 服药期间忌饮茶，注意保持心情舒畅。

【妇科得生丸】

药物组成	益母草、白芍、当归、羌活、柴胡、木香。
剂型规格	大蜜丸，每丸重 9 克。
功　　能	解郁和肝，化瘀调经。
主　　治	本品临床常用于治疗肝郁不舒，气血郁滞所致之经期不准、行经腹痛、闭经、不孕等症。
用法用量	口服，1 次 1 丸，每日 2 次，温开水送服。
注意事项	1. 服药期间忌恼怒。 2. 凡属气血不足所致者慎用。

【坤宝丸】

药物组成	女贞子、生地黄、白芍、赤芍、旱莲草、珍珠母、酸枣仁、沙参、鸡血藤、桑叶、黄芩、菊花等。
剂型规格	小粒丸剂，每瓶装 50 粒。
功　　能	滋补肝肾，镇静安神，养血通络。
主　　治	本品具有调节内分泌，改善微循环，提高免疫机能，调整植物神经功能的作用。临床常用于治疗妇女更年期综合征、月经不调、闭经、不孕等，属肝肾阴虚，肝阳上亢者。
用法用量	口服，1 次 1 瓶，1 日 2 次，连服用两个月或遵医嘱。
注意事项	服药期间忌气恼，适劳逸。

【八宝坤顺丹】

药物组成	益母草、当归、地黄、橘红、香附（醋炙）、沉香、乌药（炒）、川乌、黄芩、熟地黄、牛膝、白芍（酒炒）、茯苓、人参、紫苏叶、白术（麸炒）、木香（煨）、阿胶（炒珠）、甘草、琥珀、砂仁。
剂型规格	大蜜丸，每丸重 9 克。
功　　能	补气养血，解郁调经。
主　　治	本品临床常用于治疗血虚气滞而引起的经、带、胎、产诸症。主要症见面色萎黄，头晕目眩，心悸气短，四肢倦怠，胸闷纳呆，腰酸腹痛，舌淡口干，脉弦缓。如月经不调、经闭、痛经、赤白带下、久不孕育、胎动不安、妊娠坠痛、腹痛并胎漏下血、胎衣不下或产后恶露未尽，以及慢性盆腔炎等。
用法用量	口服，1 次 1 丸，1 日 2～3 次，温开水送服。
注意事项	月经过多及孕妇禁用。

【艾附暖宫丸】

药物组成	艾叶（炭）、香附（醋制）、吴茱萸（制）、肉桂、当归、川芎、白芍（酒炒）、地黄、黄芪（蜜炙）、续断。
剂型规格	大蜜丸，每丸重 9 克；小蜜丸。
功　　能	理气补血，暖宫调经。
主　　治	本品临床常用于治疗血虚寒凝或肾阳虚衰，下元虚冷，阴寒内盛所致之不孕症、月经不调、经闭、痛经、带下等症。
用法用量	口服，大蜜丸 1 次 1 丸；小蜜丸 1 次 9 克，1 日 2～3 次，温开水送服。
注意事项	1. 服药期间忌食生冷。 2. 避免受寒。 3. 忌恼怒。

【白带丸】

药物组成	黄柏（酒炒）、椿皮、白芍、当归、香附（醋制）。
剂型规格	水丸。
功　　能	清湿热，止带下。
主　　治	本品临床常用于治疗因湿热下注所致之白带过多、宫颈糜烂、宫颈癌、霉菌性或滴虫性阴道炎及慢性盆腔炎等。
用法用量	口服，1 次 6~9 克，1 日 2 次，白开水送服。
注意事项	凡属虚寒者忌服。

【妇科千金片】

药物组成	千斤拔、金樱根、当归、党参、穿心莲等。
剂型规格	片剂。
功　　能	清热解毒，强腰通络，补血益气。
主　　治	本品临床常用于治疗妇女的带下症、腹痛、月经不调等。 1. 带下：症见带下量多，赤白相杂，或色黄如脓，有臭味，阴部瘙痒，腰酸，尿频，舌红，苔黄，脉滑数。西医诊断为宫颈炎以及妇女其他生殖器炎症，上述表现者，可用之。 2. 腹痛：表现为小腹部持续性隐痛，或阵发性疼痛加剧，拒按，或发热，精神倦怠，或腰酸如折、尿频、尿赤。西医诊断为慢性盆腔炎，见上述症状者，可辨证使用。 3. 月经不调：表现为经行量多，色红或痛经，有血块排出，头晕心烦，周身乏力，舌红，脉数。西医诊断为子宫内膜炎等，见上述症状者可用本药。
用法用量	口服，每次 6 片，1 日 3 次，温开水送服。轻症 2 盒，重症 6 盒。
注意事项	服药期间忌辛辣、油腻。

【宫血宁胶囊】

药物组成	滇重楼提取物。
剂型规格	胶囊剂，每粒相当于原生药 2 克。
功　　能	缩宫止血。
主　　治	本品临床常用于治疗功能性子宫出血、月经过多症，大、小产后宫缩不良，避孕针药、放取宫内节育环、盆腔炎及子宫内膜炎等所致出血。
用法用量	口服，流血期间，一般 1 次 1~2 粒，1 日 3 次，饭后服用。出血严重时，可 1 次 3~4 粒，1 日 4 次。
注意事项	1. 孕妇忌服。 2. 胃肠道疾病者慎用或减量服用。

【乳结五胶囊】

药物组成	芦笋粉、菠萝酶。
剂型规格	胶囊剂，每粒含芦笋粉 0.25 克，菠萝酶 15 000 单位。
功　　能	祛瘀散结，消炎镇痛。
主　　治	本品主要用于治疗乳腺小叶增生。
用法用量	口服，1 次 4～6 粒，1 日 3～4 次，或遵医嘱。
注意事项	本品可长期服用，未发现明显不良反应及副作用。

【保产无忧丸】

药物组成	当归（酒炒）、白芍、菟丝子（炒）、川芎、川贝母、黄芪、荆芥、厚朴（姜制）、艾叶（醋炒）、枳壳（麸炒）、羌活、甘草。
剂型规格	小蜜丸，每瓶内装 120 克。
功　　能	调养气血，和胃保胎。
主　　治	临床上主要用于气血两亏，习惯性流产引起的胎动不安，腰酸腿痛；又治恶心呕吐，不思饮食。多用于习惯性流产、先兆流产、难产、以及妊娠咳嗽、妊娠腹痛、妊娠小便不通等病症。
用法用量	口服，每次 9 克，每日 2 次，或遵医嘱，温开水送服。
注意事项	先兆流产、习惯性流产者应在医生指导下服用。

【安坤赞育丸】

药物组成	人参、紫河车、当归、阿胶、鹿茸、杜仲、琥珀、青蒿。
剂型规格	大蜜丸，每丸重 9 克。
功　　能	补气养血，调经止带。
主　　治	本品为妇科常用的补益调经止带之品，临床上多用于治疗气血亏虚，肝肾不足所致月经不调、崩漏带下、产后虚弱、瘀血腹痛。
用法用量	口服，每次 9 克，每日 2 次，温开水送服。
注意事项	1. 本品感冒期间不宜服用。 2. 忌食生冷，保持心情舒畅。

【金鸡冲剂】

药物组成	金樱根、功劳木、鸡血藤、两面针、千斤拨、穿心莲。
剂型规格	冲剂，每袋 8、10、16 克。
功　　能	清热解毒，健脾除湿，通络活血。
主　　治	本品常用于治疗急慢性附件炎、盆腔炎、子宫内膜炎，预防人工流产、放节育环感染、膀胱炎、尿道炎等感染性疾病。
用法用量	口服，1 次 1 袋，1 日 3 次，开水冲服。10 天为 1 疗程，必要时可连服 2～3 疗程。
注意事项	1. 孕妇慎服。 2. 服药期间忌辛辣、油腻。

【催乳丸】

药物组成	当归、通草、麦芽、川芎、穿山甲（醋制）、漏芦、地黄、黄芪、白芍、鹿角霜、木香、王不留行（炒）。
剂型规格	蜜丸，每丸重 9 克。
功　　能	助气补血，活络，下乳。
主　　治	本品主要用于产后气血亏虚，经络不通所致之乳汁不通，乳汁量少，且伴有头晕眼花，心悸气短，面色萎黄，唇甲苍白，身体乏力，食欲不振，乳房胀痛或无胀痛，舌质色淡，脉细弱或沉涩等。
用法用量	口服，1 次 1 丸，1 日 2 次，温开水送服。
注意事项	1. 忌气恼。 2. 忌食醋。

【乳块消片】

药物组成	丹参、橘叶、王不留行、川楝子、土鳖虫（或用广地龙）、皂角刺等。
剂型规格	片剂，每片重 0.3 克，含原生药 1.5 克。
功　　能	舒肝理气，活血化瘀。
主　　治	本品临床主要用于治疗乳腺增生及乳痈症。
用法用量	口服，每次 4～6 片，1 日 3 次。3 个月为 1 疗程，服 1 疗程后效果不显著时，每日剂量可增至 24 片。
注意事项	1. 必须坚持服药，经期不必停药。 2. 个别患者服药后经期提前几天外，无任何不良反应及副作用，服用 2 个疗程后，若效果不佳，可改其他药物，或进一步活检，以早期发现乳癌或癌变。 3. 孕妇慎服。 4. 因本病多与情绪因素有关，故服药期间宜注意调畅情志。

【乳核散结片】

药物组成	海藻、昆布、山慈姑、鹿衔草、柴胡、郁金、漏芦、淫羊藿、黄芪、当归等。
剂型规格	片剂，糖衣片，每瓶72片。
功　　能	舒肝解郁，软坚散结，调理冲任。
主　　治	本品临床常用于治疗乳痈症、乳腺囊性增生、乳腺纤维腺病。
用法用量	口服，1次4片，1日3次，连续服用30～45天为1疗程。
注意事项	服药期间宜调情志，保持心情舒畅。

【止血片】

药物组成	墨旱莲、地草、拳参、土大黄、珍珠母（煅）。
剂型规格	片剂。
功　　能	清热凉血，止血。
主　　治	本品常用于治疗因血热引起的月经过多。
用法用量	口服，1次4片，1日3次；中等或大量出血，1次8片，1日3～4次。温开水送服。
注意事项	1．服药期间忌食辛辣、油腻之食物。 2．凡属气血不足或阴寒凝滞所致出血者忌用。

【乳康片】

药物组成	生牡蛎、夏枯草、生黄芪、丹参、玄参、乳香、没药、天冬、瓜蒌、鸡内金、白术、海藻、浙贝母、三棱、莪术等。
剂型规格	浸膏片，每片0.3克，相当于生药1.5克，每瓶48、80、200片。
功　　能	舒肝解郁，软坚散结，消积化痰，活血破瘀，理气止痛，补气健脾。
主　　治	本品临床主要用于治疗乳腺增生症。本品不仅能促使卵巢功能和性激素比例趋向正常，增生乳腺萎缩，病理性分泌减少，也能兴奋中枢神经，改善微循环，增进新陈代谢，尚有较强的抗菌、消炎作用，同时还具有调节或改善细胞分化的因子，抑制组织增生和抗癌作用。
用法用量	口服，1次5～10片，1日2次，饭后服。20天为1疗程，间隔5～7天，继续第二疗程，亦可连续服药。
注意事项	1．本品宜于月经来潮前10～15天开始用药。 2．孕妇慎用。 3．对病程长，年龄大，囊性增生疑有恶变者，应争取手术。

【乳癖消】

药物组成	鹿角、蒲公英、昆布、鸡血藤、三七、海藻、玄参、红花等。
剂型规格	片剂。
功　　能	软坚散结，活血消痈，清热解毒。
主　　治	本品临床主要用于治疗乳腺囊性增生病及乳腺炎后期。
用法用量	口服，1次5~6片，1日3次，温开水送服。
注意事项	孕妇慎服。

【妇科分清丸】

药物组成	当归、白芍、川芎、地黄、栀子、黄连、石韦、海金沙、甘草、关木通、滑石。
剂型规格	丸剂，每3克约50粒，每袋重9克。
功　　能	清热利湿，活血止痛。
主　　治	本品常用于治疗湿热下注膀胱所致之小便频数，淋沥浑浊，尿道刺痛，小腹胀坠或疼痛等症，多用于以下几种疾病： 1. 妇女热淋：小便频数，短涩，滴沥热痛，不爽，小腹胀坠疼痛，口干舌红。 2. 子淋：妊娠期间，小便频数而急，色黄，淋沥涩痛，口干舌红，脉滑数。 3. 血淋：尿中带血或夹血丝，小腹疼痛胀急，小便热涩疼痛，脉数。 4. 石淋：尿中有时挟有沙石，小便难，色黄赤而混浊，或带血，多伴腰痛或小腹痛。西医诊断之膀胱炎、尿道炎、前列腺炎、泌尿系结石、急性肾炎、急性肾盂肾炎等属下焦湿热者，皆可选用。
用法用量	口服，1次9克，1日2次，白开水送服。
注意事项	1. 孕妇宜遵医嘱服用。 2. 服药期间忌辛辣、油腻等刺激性之食物，注意保持心情舒畅。

【肤阴活】

药物组成	岗松、满山香、大叶桉、蛇床子、黄柏等。
剂型规格	浸出液。
功　　能	清热解毒，祛风燥湿，杀虫止痒，收敛止痛。
主　　治	本品临床常用于治疗妇女霉菌、滴虫、真菌性阴道炎、宫颈炎、外阴瘙痒、赤白带下、痛经、溃疡性生殖器炎症、淋病、尖锐湿疣、湿疹等、产褥期、人工流产及妇科手术后使用有止痛，抗感染作用。
用法用量	阴部疾患用本品15毫升加温开水300毫升冲洗或坐浴，每天1～2次，1周为1疗程，或用本品直接涂患处。

【孕妇金花丸】

药物组成	栀子（姜制）、金银花、当归、白芍、川芎、地黄、黄芩、黄连、黄柏。
剂型规格	水丸，每100粒重6克，每袋18克；蜜丸，每丸重9克。
功　　能	清热，安胎。
主　　治	本品为清火安胎之剂，具有明显的镇静、降温作用。临床常用于治疗孕妇内热所引起的头痛头晕，口干咽燥，牙龈肿痛，便干溲黄等。
用法用量	口服，水丸1次6克，1日2次；蜜丸1次1丸，1日2次。
注意事项	1. 忌食辛辣之物。 2. 本品苦寒药味较多，服药病情缓解后即应停药，不宜久服，以免苦味化燥伤阴。 3. 脾虚便溏者忌用。

【妇炎平胶囊】

药物组成	蛇床子、苦参、苦木、冰片、薄荷脑等。
剂型规格	胶囊剂，每粒0.28克，每盒12粒。
功　　能	清热解毒，燥湿止带，抗菌消炎，杀虫止痒。
主　　治	本品临床常用于治疗滴虫性阴道炎、霉菌性阴道炎、细菌性阴道炎、宫颈炎、外阴炎等多种妇科炎症。
用法用量	外用，1次1～2粒，睡前洗净患部，置入阴道内，外阴炎可打开胶囊将药粉撒涂于患处。一般以10天为1疗程，必要时可连续使用，患者可自行使用。
注意事项	1. 孕妇慎用。 2. 月经期至经净3天内停用。 3. 使用时宜放于阴道深处，如放置过浅或阴道分泌物量少，影响疗效。在此情况下，可去掉胶囊一头再行放入。

【妇宝冲剂】

药物组成	川断、生地黄、忍冬藤、麦冬、延胡索、白芍。
剂型规格	冲剂，1袋30克。
功　　能	益肾和血，理气止痛。
主　　治	本品临床主要治疗妇女发盆腔炎、附件炎、子宫内膜炎引起的小腹胀痛，腰酸，白带增多，月经不调等证。
用法用量	口服，1次1袋，1日2次，温开水送服，半个月为1疗程。
注意事项	服药期间忌生冷，免劳累。

【益母草冲剂】

药物组成	益母草。
剂型规格	冲剂，每袋7.5克。
功　　能	活血调经。
主　　治	用于产后瘀血腹痛、痛经、闭经等病证。
用法用量	开水冲化后服用，每次两袋，每日2次。
注意事项	本品孕妇禁用。

【嗣育保胎丸】

药物组成	黄芪、当归、白芍、菟丝子、厚朴、鹿茸。
剂型规格	大蜜丸，每丸重6克。
功　　能	补充气血，安胎保产。
主　　治	本品临床主要用于治疗孕妇气血不足引起的恶心呕吐，腰酸腹痛，足膝浮肿，胎动不安，屡经流产。
用法用量	口服，每次2丸，1日2～3次，温开水送服。
注意事项	凡因外感所致者忌用。

第五节

『儿科中成药』

【小儿化食丸】

药物组成	焦六神曲、焦山楂、炒麦芽、焦槟榔、莪术、炒三棱、炒白丑、炒黑丑、大黄。
剂型规格	蜜丸，每丸重1.5克。
功　　能	消食导滞。
主　　治	本品具有较强的消滞通腑功能。临床上主要用于小儿伤食伤乳所引起的腹胀便秘，食欲不振，嗳腐吞酸，恶心呕吐，或腹痛泻下，发热口渴等症。
用法用量	口服，1周岁，每次1丸；1岁以上，每次2丸，每日2次；1岁以内儿童酌减。温开水送服。
注意事项	1. 服药期间忌生冷油腻食物。 2. 脾胃虚弱、消化不良者忌用。

【大山楂丸】

药物组成	山楂、焦六神曲、炒麦芽。
剂型规格	丸剂。
功　　能	消食开胃。
主　　治	本品为消食化滞、开胃健脾之剂。临床上主要用于食积停滞，消化不良所引起的脘腹胀满，食欲不振，小儿停食等症。近年来有人将本品开发应用于冠状动脉粥样硬化性心脏病、高血脂症、高血压病、维生素B缺乏症、频发房性早搏等症，也收到了一定的疗效。
用法用量	口服，每次1～2丸，每日1～3次，温开水送服。小儿用量减半。温开水送服。

【新雪丹】

药物组成	磁石、石膏、牛黄、穿心莲、珍珠层粉、寒水石、龙脑、沉香、滑石、竹叶、卷心、栀子、天麻、硝石、芒硝等。
剂型规格	散剂，瓶装，每瓶重1克。
功　　能	清热解毒，镇惊。
主　　治	本品对金黄色葡萄球菌、白色葡萄球菌、肺炎球菌等均有较好的抑菌作用。临床常用于治疗上呼吸道感染、急性咽炎、扁桃体炎、肺炎、气管炎、胸膜炎、急性肾炎、急性结膜炎等疾患。
用法用量	口服，6个月以内1次服1/4瓶，6个月至2周岁1次服1/3瓶，2～7岁1次服1/2瓶，7岁以上1次服2/至1瓶，开水送服；外敷适量。
注意事项	凡属寒证、虚证应慎用。服药期间忌烟酒、辛辣。

【克痢痧胶囊】

药物组成	雄黄、白芷、细辛、苍术、丁香。
剂型规格	胶囊剂，每粒0.3克。
功　　能	散热解毒，理气止泻，燥湿健脾，和胃止呕。
主　　治	本品具有明显的解热作用，并且对变形杆菌、痢疾杆菌、绿脓杆菌、伤寒杆菌、链球菌、金黄色葡萄球菌、肺炎球菌匀有抑制作用。临床常用于治疗急性细菌性痢疾、急性胃肠炎、病毒性腹泻等。
用法用量	口服，1次2粒，1日3～4次。儿童酌减。婴幼儿腹泻，可取药品适量纳脐，用胶布敷之，早晚各1次。
注意事项	1. 忌烟、酒、辛辣、油腻之物。 2. 本品具有挥发性，宜放置阴凉干燥处，密闭保存。

【驱蛔灵】

别名	作用与用途	不良反应及注意事项	规格与用法
枸橼酸哌嗪	麻痹蛔虫、蛲虫虫体，使其不能附着在肠壁上，从而随粪便排出体外。主要用于治疗蛔虫病及蛲虫病。	常见不良反应有恶心、呕吐、湿疹样皮肤反应、流泪、流涕、咳嗽、支气管痉挛、共济失调、肌震颤、舞蹈样动作、癫痫小发作等。凡是有慢性肝肾疾病、神经系统疾病及癫痫史者禁用。	片剂：0.5克；糖浆：16%；宝塔糖：0.2克。成人每次3克，每晚睡前1次，连服两晚。儿童每日每公斤体重0.15克，每晚睡前顿服，连服2日。两周后复查大便，如未驱净，可再服药1次。以上用法用量用于驱蛔虫。驱蛲虫：成人每次18克，1日2次，连服7～10天。儿童：每日每公斤体重60毫克，分2次，连服7～10天。1日总量不超过2克。

【双芩止泻口服液】

药物组成	黄芩、白术、茯苓、猪苓、贯仲等。
剂型规格	口服液，每支10毫升，每盒装6支。
功　能	清热化湿，健脾止泻。
主　治	本品具有较强的消化道黏膜保护及抗病毒、抑菌消炎作用。对轮状病毒、痢疾杆菌、沙门菌均有明显的抑制作用。主要用于湿热内蕴、脾失健运所致的小儿腹泻，表现为稀水样或蛋花样大便，可伴有发热、腹痛、口渴、尿少、舌红等症状。也可用于轮状病毒性肠炎见有上述表现者。
用法用量	口服，1岁以下，每次3～5毫升；1～3岁，每次5～7毫升；3岁以上，每次10毫升，每日3次，3天为1个疗程或遵医嘱。
注意事项	本品无明显毒副作用，偶见恶心呕吐等消化道反应。

【噻嘧啶】

别名	作用与用途	不良反应及注意事项	规格与用法
双羟萘酸噻嘧啶，驱虫灵	为新型广谱抗肠虫药，对蛔虫、钩虫、蛲虫感染效果好，对鞭虫也有效。用于多种肠虫混合感染。	不良反应及注意事项：副作用轻，偶见恶心、呕吐、厌食、胃内不适，头晕、胸闷等。动脉硬化、冠心病、严重胃肠溃疡者慎用。孕妇禁用。	150毫克、300毫克（含基质）。成人口服每次0.4～0.5克，睡前1次服，蛔虫服1日，蛲虫服2日，钩虫、鞭虫服3日。儿童：每次每公斤体重5～10毫克，睡前服，适用于蛔虫驱除。每次每公斤5～10毫克，睡前服用，连用7日，适用于驱蛲虫。每日每公斤体重5～10毫克，睡前服，连服3日，适用于驱钩虫、鞭虫。

【甲苯咪唑】

别名	作用与用途	不良反应及注意事项	规格与用法
甲苯达唑，安乐士	为广谱驱虫剂，对钩虫、蛔虫、蛲虫、鞭虫的感染有作用。偶可引起蛔虫骚动、游走，先用或合用噻啶可防止。用于多种肠虫混合感染。	除个别有轻度腹痛、腹泻外未见其他不良反应。对本品过敏者、孕妇、严重心脏病、肝病者慎用。	片剂：50 毫克、100 毫克、200 毫克。成人口服：钩虫、鞭虫每次 100 毫克，一日 2 次，连服 3～4 日。蛔虫、蛲虫 200 毫克，1 次顿服。儿童用法，用量同成人。

【丙疏咪唑】

别名	作用与用途	不良反应及注意事项	规格与用法
阿苯达唑，肠虫清	本品口服后 95% 不吸收，在肠内直接与成虫和虫卵作用，24 小时由粪便排出，吸收的 5% 在肝内代谢为砜和亚砜，可杀灭组织内的幼虫及肠道内的成虫和虫卵。本品为广谱驱虫药，用于蛔虫、蛲虫、鞭虫、美洲钩虫，十二指肠钩虫，粪类园线虫引起的单独或混合感染以及绦虫感染。另外具有杀灭虫卵和幼虫的功效。	极少数人有胃肠不适，发热，皮疹，头痛等，停药后可自行消失。孕妇和喂奶期妇女禁服，2 岁以下儿童不用。有药物过敏史者慎用。	每片含阿苯达唑 200 毫克。成人及 2 岁以上儿童只服 2 片，适用于蛔虫、蛲虫、鞭虫、钩虫等单独或混合感染。粪类园线虫或绦虫患者每日 2 片，连服 3 天。1 次治疗未达到目的者，3 周之后再用上法进行一次治疗。蛲虫患儿 1 次服药后，间隔 1 周再服半片，以防复发。本品可嚼服、吞服，与食物共服，不需空腹服用。

【扑蛲灵】

别名	作用与用途	不良反应及注意事项	规格与用法
吡维氯铵	本品具有杀灭蛲虫的作用，为蛲虫的首选药物，对粪类园线虫也有作用。	偶有腹痛、腹泻、恶心、呕吐、荨麻疹、肌痉挛等。肠道炎症不用本品，以免增加吸收，增强毒性反应。本品可将粪便染成红色，事先告诉患者属正常现象。	片剂：50 毫克。口服：儿童每次每公斤体重 5 毫克，总量不超过 250 毫克，睡前顿服，1 次服用。如果复发，间隔 2～3 周可反复使用 2～3 次。成人每次 250～300 毫克。

【乌梅丸】

药物组成	乌梅肉、青椒（去目）、细辛、黄连、黄柏、干姜、附子（炙）、桂枝、人参、当归。
剂型规格	大蜜丸，每丸重3克。
功　　能	温脏安蛔。
主　　治	本品有麻醉蛔虫的性能，可使蛔虫活动迟缓，静止，呈濒死状态。临床多用于治疗胆道蛔虫症，也可治疗血吸虫病、阴道滴虫症等。
用法用量	口服1次2丸，1日2～3次，温开水送下。3岁以下小儿酌减。

【胆蛔冲剂】

药物组成	乌梅、川椒、黄芩、木香、陈皮、使君子、蒲黄、槟榔、甘草。
剂型规格	冲剂，每袋20克。
功　　能	驱蛔，解痉止痛，清热解毒。
主　　治	本品具有良好的麻痹蛔虫的作用，且也有不同程度的抑菌作用。临床常用于治疗胆道蛔虫症。
用法用量	口服，成人1次2袋，1日3次。连续服2天或遵医嘱。儿童酌减。
注意事项	本品不可久服。

【肥儿丸】

药物组成	肉豆蔻（煨）、木香、六神曲（炒）、麦芽（炒）、胡黄连、槟榔、使君子仁。
剂型规格	蜜丸，每丸重3克。
功　　能	驱虫，健胃消积。
主　　治	本品具有麻痹及抑制蛔虫之作用，临床常用于治疗蛔虫症。
用法用量	口服，1次1～2丸，1日1～2次。3岁以下小儿酌减。
注意事项	本品为驱虫消积药，不可作为补品长期服用，非因虫积所致消化不良者不用。

【小儿太极丸】

药物组成	胆南星、天竺黄、僵蚕（炒）、大黄、冰片、麝香、朱砂。
剂型规格	蜜丸，每丸重1.5克。
功　　能	镇惊清热，涤痰消积。
主　　治	本品专用于治疗小儿内热积滞，化热生风所致诸症。临床症见小儿高热惊厥，手足抽搐，食积痞满，咳嗽气粗，痰黄质黏，便秘溲黄。舌红，苔黄，脉滑数。
用法用量	口服，1次1～2丸，1日2次，温开水送服。1岁以下小儿酌减。
注意事项	1. 脾虚便溏无积热者不宜用。 2. 忌辛辣，油腻。

【小儿牛黄散】

药物组成	钩藤、僵蚕（麸炒）、天麻、全蝎、黄连、大黄、胆南星（酒炙）、浙贝母、天竺黄、半夏（制）、橘红、滑石、人工牛黄、朱砂、麝香、冰片。
剂型规格	散剂，每瓶内装 0.9 克。
功　　能	清热化痰，镇惊熄风。
主　　治	本品具有较强的清热镇惊，化痰开窍作用，临床常用于治疗小儿食滞内热引起的高热抽搐，神志昏迷等症。西医诊断之上呼吸道感染、急性扁桃腺炎、肺炎、急性传染病发热等见上述表现者，皆可应用。
用法用量	口服。2～3 岁 1 次 1 瓶，周岁以下 1 次 1/2 瓶，1 日 2 次，乳汁或温开水送服。
注意事项	脾胃虚寒者忌服。

【小儿百寿丸】

药物组成	钩藤、僵蚕（麸炒）、胆南星、天竺黄、桔梗、木香、砂仁、陈皮、苍术（制）、茯苓、山楂（炒）、六神曲（麸炒）、麦芽（炒）、薄荷、滑石、甘草、朱砂、人工牛黄。
剂型规格	蜜丸，每丸重 3 克。
功　　能	疏风化痰，清热镇惊。
主　　治	本品临床主要用于治疗内有积滞，复感风热外邪所致的发热头痛，消化不良，停食伤乳，厌食嗳气，咳嗽气粗，痰多色黄，惊厥抽搐等病症。西医诊断之支气管炎、肺炎、消化不良、高热惊厥等见上述表现者，均可应用。
用法用量	口服，1 次 1 丸，1 日 2 次，温开水送服。周岁以内小儿酌减。
注意事项	1. 忌食辛辣油腻之物。 2. 素体虚弱者慎服。

【小儿化毒散】

药物组成	牛黄、珍珠、雄黄、大黄、黄连、甘草、天花粉、川贝母、赤芍、乳香（制）、没药（制）、冰片。
剂型规格	药剂，每瓶 1.2 克。
功　　能	清热解毒，活血消肿。
主　　治	本品具有较强的抗炎，镇静，解热，抗惊厥作用，内服可以清解热毒而泻下，外敷可以解毒收敛而止痛。临床常用于治疗小儿热毒蕴积所致的急性扁桃腺炎、流行性腮腺炎，以及皮肤化脓性感染性疾病。也可以用于小儿疹后余毒未尽的发烧，烦躁，便秘等症。
用法用量	口服，1 次 0.6 克，1 日 1～2 次。3 岁以内小儿酌减。外用，取本品适量敷患处。
注意事项	1. 小儿体质虚弱者不可服。 2. 忌食辛辣、生冷、油腻腥膻之物。

【小儿至宝丸】

药物组成	紫苏叶、广藿香、薄荷、羌活、陈皮、白附子（制）、胆南星、白芥子（炒）、槟榔、川贝母、山楂（炒）、茯苓、六神曲（炒）、麦芽（炒）、琥珀、冰片、天麻、钩藤、僵蚕（炒）、蝉蜕、全蝎、牛黄、雄黄、滑石、朱砂。
剂型规格	蜜丸，每丸重1.5克。
功　　能	疏风清热，消食导滞，化痰熄风。
主　　治	本品表里同治，是治疗小儿感冒挟滞的常用之剂，既能疏风解表，用于小儿外感风寒所致之发热恶寒、鼻塞、咳嗽；又能消食导滞，用于停乳停食，呕吐，泄泻，并有镇静熄风之功，用于小儿发热惊厥抽搐。
用法用量	口服，1次1丸，1日2次，温开水送服。6个月以内小儿酌减。
注意事项	忌油腻及不易消化之食物。
注	本品原名为小儿至宝锭。

【小儿止泻散】

药物组成	白扁豆、薏苡仁、党参、泽泻、制厚朴、炒白术、芡实、滑石粉、砂仁、藿香、莲子肉、车前子。
剂型规格	散剂，每袋重2.5克。
功　　能	健脾和胃，渗湿止泻。
主　　治	本品药性平和，为健脾止泻、淡渗利湿之剂。临床上主要用于小儿脾虚，运化失职，泥沙俱下的大便泄泻，腹痛胀满，恶心呕吐，不思饮食，精神倦怠等症。可用于小儿消化不良性腹泻，急、慢性胃肠炎的治疗。
用法用量	口服，1岁以上小儿每次2.5克，每日2～4次。1岁以内小儿酌减。温开水送服。
注意事项	服药期间忌生冷、油腻食品。

【小儿回春丸】

药物组成	全蝎、朱砂、蛇含石（醋煅）、天竺黄、川贝母、胆南星、人工牛黄、白附子（制）、天麻、僵蚕（麸炒）、雄黄、防风、羌活、麝香、冰片、甘草、钩藤。
剂型规格	水丸，每5粒重3克。
功　　能	熄风镇惊，化痰开窍。
主　　治	本品临床多用于治疗外感时疫所引起的急惊抽搐，高热神昏之证。西医诊断之流行性腮腺炎、流行性感冒、流行性脑脊髓膜炎等病症皆可选用本品治疗。
用法用量	口服，1～2岁1次2粒；3～4岁1次3粒；10岁以上1次5粒，1日2～3次，饭前温开水化服。
注意事项	1. 服药期间宜避风。 2. 忌食醋及辛辣食物。 3. 体弱患儿宜减量服用。

【小儿感冒冲剂】

药物组成	薄荷、菊花、藿香、连翘、板蓝根、大青叶、生地黄、白薇、生石膏、地骨皮。
剂型规格	冲剂，每袋重12克。
功　　能	清热解表。
主　　治	本品具有抗多种细菌及病毒的作用，临床常用于治疗外感风热所致之发热，鼻塞，咳嗽，咽喉肿痛，烦躁口渴。西医诊断之上呼吸道感染、急性扁桃腺炎见上述表现者，皆可应用。
用法用量	口服，1周岁以下6克；1～3岁8克；4～7岁12克；8岁以上酌增，1日3次，温开水送服。
注意事项	体虚且外感风寒者忌用。

【小儿热速清口服液】

药物组成	柴胡、黄芩、板蓝根、葛根、金银花、水牛角、连翘、大黄等。
剂型规格	口服液，每支10毫升。
功　　能	清热解毒，泻火利咽。
主　　治	本品临床主要用于治疗小儿外感风热所致之高热，头痛，咽喉肿痛，鼻塞，流涕咳嗽等症。西医诊断之上呼吸道感染、急性咽喉炎、扁桃腺炎、支气管炎见上述表现者，均可选用本方治疗。
用法用量	口服，1岁以内1次2.5～5毫升；1～3岁1次服5～10毫升；3～7岁1次服10～15毫升；7～12岁1次服15～20毫升，1日3～4次，温开水送服。
注意事项	若病情较重或服药24小时后，疗效不明显者，可酌情增加剂量。

【小儿咳喘灵冲剂】

药物组成	板蓝根、麻黄、苦杏仁、石膏、金银花、甘草等。
剂型规格	冲剂，每包2克。
功　　能	清热宣肺，祛痰，止咳，平喘。
主　　治	本品具有较强的抗菌、止咳、化痰平喘作用，多用于治疗上呼吸道感染、气管炎、肺炎所引起的发热、鼻塞、咳嗽气粗、痰黄质黏、口干舌燥、便秘溲黄等症。
用法用量	口服，2岁以内1次1克；3～4岁1次1.5克；5～7岁1次2克，1日3次，温开水送服。

【小儿肺热咳喘冲剂】

药物组成	麻黄、杏仁、生石膏、甘草、金银花、连翘、知母、黄芩、板蓝根、麦冬、鱼腥草。
剂型规格	冲剂，每袋重12克。
功　　能	清热解毒，宣肺止咳，化痰平喘。
主　　治	本品具有明显的抗菌，解热，镇咳，祛痰作用，临床常用于治疗小儿上呼吸道感染、支气管炎、喘息性支气管炎以及支气管肺炎等。临证见发热汗出，口渴欲饮，呼吸气促，喘憋鼻煽，咳声不断，烦躁不安，夜寐不宁，便干溲黄，舌红，苔黄，脉数。
用法用量	口服，3岁以下1次1袋，1日3次；3～7岁1次1袋，1日4次；7岁以上1次2袋，1日3次，温开水送服。

【小儿金丹片】

药物组成	朱砂、橘红、川贝母、胆星、前胡、玄参、清半夏、大青叶、关木通、桔梗、荆芥穗、羌活、西河柳、生地黄、枳壳（炒）、赤芍、钩藤、葛根、牛蒡子、天麻、甘草、防风、冰片、水牛角浓缩粉、羚羊角粉、薄荷脑。
剂型规格	片剂，每片重0.3克。
功　　能	疏风解表，清热镇惊，化痰止咳。
主　　治	本品临床常用于治疗小儿外感风热，或素有痰热，内蕴于肺所致之上呼吸道感染、气管炎、肺炎、麻疹、猩红热、腮腺炎等。本品对使用抗菌素，解热剂疗效不明的急性气管炎、肺炎有较好的疗效。
用法用量	口服，周岁小儿1次2片，周岁以内酌减，周岁以酌增，1日3次，温开水送服。
注意事项	凡属体质虚寒者忌服。

【小儿香橘丸】

药物组成	木香、陈皮、苍术（米泔炒）、白术（麸炒）、茯苓、甘草、白扁豆（去皮）、山药（麸炒）、薏苡仁（麸炒）、山楂（炒）、麦芽（炒）、六神曲（麸炒）、厚朴（姜炙）、枳实（麸炒）、香附（醋炙）、砂仁、半夏（制）、泽泻、莲子。
剂型规格	蜜丸，每丸重3克。
功　　能	健脾和胃，消食导滞，止呕止泻。
主　　治	本品温而不燥，既可消食导滞，止呕止泻，又能健脾和胃，增进食欲，为治疗小儿脾胃虚弱，饮食不节所致呕吐、泄泻、厌食疳积等病症的常用成药。 1. 呕吐：症见呕吐乳食，嗳腐吞酸，脘腹胀满，夜卧不宁，大便酸臭，舌苔白厚等属于伤食所致者。 2. 泄泻：症见粪便稀薄，夹有残渣和乳块，气味酸臭如败卵，嗳气纳呆，腹痛胀满，舌苔白厚或垢腻等属于饮食不节所致者。 3. 厌食：症见饮食不多，不思饮食，恶心口苦，倦怠乏力，面色萎黄，体重减轻等属脾虚积滞者。 4. 疳积：症见小儿面黄肌瘦，毛发稀疏，精神不振，困倦喜卧，面色萎黄，或食则呕吐，夜寐不宁，便溏或干结，小便黄浊如米泔等属脾虚所致者。西医诊断小儿缺锌症有上述症状者可选用。
用法用量	口服，1次1丸，1日3次，温开水送服。周岁以下小儿酌减。
注意事项	1. 脾气虚弱无积滞者慎服。 2. 忌食瓜果冷饮。

【小儿喜食糖浆】

药物组成	六神曲（炒）、枳壳（炒）、白术（炒）、山楂、稻芽（炒）、麦芽（炒）。
剂型规格	片剂。
功　　能	健脾，消食，化积。
主　　治	本品临床多用于治疗小儿单纯性消化不良，食欲不振，呕吐，泄泻等症。
用法用量	口服，1～5岁1次3～5毫升；5岁以上1次10～15毫升；周岁以内酌减，1日3次，温开水送服。
注意事项	忌食生冷、油腻。

【小儿健胃糖浆】

药物组成	沙参、稻芽、白芍、玉竹、麦芽（炒）、山楂、麦冬、陈皮、荷叶、牡丹皮、山药。
剂型规格	糖浆剂。
功　　能	健脾消食，清热养阴。
主　　治	本品临床多用于治疗脾气不足，胃阴亏虚所致之食欲减退，消化不良。
用法用量	口服，儿童1次10毫升，1日3次，温开水送服。婴儿酌减。

【小儿消食片】

药物组成	鸡内金（炒）、山楂、六神曲（炒）、麦芽（炒）、槟榔、陈皮。
剂型规格	片剂，每片重0.3克。
功　　能	消食化滞，健脾和胃。
主　　治	本品主要用于治疗脾胃不和，消化不良所致之食欲不振，恶心欲呕，大便秘结，小儿疳积等症。
用法用量	口服，1～3岁1次2～4片；3～7岁1次4～6片，1日3次，温开水送服。
注意事项	忌食生冷、油腻及不易消化之食物。

【小儿健脾丸】

药物组成	人参、白术（麸炒）、甘草、山药、莲子、白扁豆、木香、草豆蔻、陈皮、青皮（醋炙）、六神曲（麸炒）、谷芽（炒）、山楂（炒）、芡实（麸炒）、薏苡仁（麸炒）、当归、枳壳（麸炒）。
剂型规格	蜜丸，每丸重3克。
功　　能	健脾益气，和胃化滞。
主　　治	本方为参苓白术散加减组成，其功能以健脾扶正为主，消积祛邪为辅，属标本兼治之剂。临床多用于治疗脾胃虚弱，内伤食滞所致之饮食不化，脘腹胀满，不思乳食，呕吐，泄泻，面黄消瘦，倦怠神疲等病症。
用法用量	口服，1次1丸，1日2次，温开水送服。
注意事项	1. 凡属乳食内积，腹部胀满，吐泻酸臭，属实证者不宜用。 2. 服药期间忌生冷、油腻。

【健儿清解液】

药物组成	金银花、菊花、连翘、山楂、苦杏仁、陈皮。
剂型规格	合剂。
功　　能	清热解毒，祛痰止咳，消滞和中。
主　　治	本品临床常用于治疗小儿肺热食滞所引起的口腔炎，咳嗽有痰，咽喉肿痛，食欲不振，脘腹胀满等病症。
用法用量	口服，1次10～15毫升，婴儿1次4毫升，5岁以内8毫升，6岁以上酌加，一日3次。

【儿童咳液】

药物组成	紫菀、百部、枇杷叶、柴胡、大青叶、苦杏仁、桔梗、甘草、麻黄。
剂型规格	口服液，每瓶装100毫升。
功　　能	润肺，祛痰，止咳。
主　　治	本品为治疗小儿咳嗽的常用成药，主要用于急性气管炎及慢性气管炎。
用法用量	口服，1～3岁1次5毫升；4岁以上1次10毫升，1日2～3次，温开水送服。

【儿康宁】

药物组成	党参、黄芪、白术、麦冬等。
剂型规格	口服液，每瓶150毫升。
功　　能	益气健脾，和中开胃。
主　　治	本品具有增加消化酶和消化液的分泌，促进小肠吸收，双向调节肠道之功能，并能促进骨骼的生长和神经机能的发育。临床多用于治疗小儿厌食、拒食，身体瘦弱，消化不良，大便失常，小儿夜啼，多汗，睡眠不佳，抵抗力差，易患感冒等症。
用法用量	口服，1次10毫升，1日3次，温开水送服。4～6瓶为1疗程，一般服1～2个疗程。

【儿童清肺口服液】

药物组成	麻黄、苦杏仁（去皮炒）、石膏、甘草、桑白皮（蜜炙）、瓜蒌皮、黄芩、板蓝根、法半夏、浙贝母。
剂型规格	口服液，每支10毫升。
功　　能	清肺，化痰，止咳。
主　　治	本品临床常用于治疗小儿内有痰热，复感风寒所致之面赤身热，咳嗽气粗，痰多色黄质黏，咽喉肿痛，声高嘶哑等病症。
用法用量	口服，1次20毫升；6岁以下每次10毫升，1日3次，温开水送服。

【婴儿素】

药物组成	白扁豆（炒）、山药、鸡内金（炒）、白术（炒）、川贝母、木香（炒）、牛黄、碳酸氢钠等。
剂型规格	散剂，每瓶（袋）装0.5克。
功　能	健脾，消食，止泻。
主　治	本品临床多用于治疗小儿消化不良，乳食不进，腹痛腹泻等病症。
用法用量	口服，1～3岁1次0.5～1克，周岁以内1次0.25克，1日2克，温开水送服。

【启脾丸】

药物组成	人参、白术（炒）、茯苓、甘草、陈皮、山药、莲子（炒）、山楂（炒）、六神曲（炒）、麦芽（炒）、泽泻。
剂型规格	蜜丸，每丸重3克。
功　能	健脾和胃。
主　治	本品临床主要用于治疗小儿脾胃虚弱所致之消化不良，脘腹胀满，食欲不振，大便溏薄等病症。
用法用量	口服，1次1丸，1日2～3次，3岁以下小儿酌减，温开水送服。

【健儿乐】

药物组成	甜菊、竹叶卷心、钩藤、山楂、白芍、鸡内金等。
剂型规格	颗粒剂，每瓶3克，冲服剂，每袋10克（两种规格含药量相同）。
功　能	清热平肝，清心除烦，健脾消食。
主　治	本品临床常用于治疗小儿心肝热盛，脾失健运所致烦躁不安，夜惊夜啼，夜眠不宁，消化不良等症。经临床验证，本品具有以下几方面的调节作用。 1. 能够调节儿童因心肝热盛所致的中枢神经系统的异常反应，可使患儿烦躁不安，夜惊夜啼，睡眠不安的症状消失或改善。 2. 有明显调节儿童因脾失健运而出现的消化功能紊乱作用，促进儿童的消化能力。 3. 对热灼伤阴所引起的多汗及夜尿均有明显的调节作用。 4. 通过血象观察，本品可提高血红细胞和血红蛋白的作用，其异常者服药均上升至正常值。 5. 通过免疫指标观察，本品对提高机体免疫功能有促进作用，能增强病儿体质，使经常感冒或生病患儿提高抗病能力。
用法用量	口服，3岁以下，颗粒剂，1次半瓶，1日2次；冲剂，1次半袋，1日2次。3岁至学龄前儿童，颗粒剂，1次1瓶，1日2次；冲剂，1次1袋，1日2次。学龄前至12岁，颗粒剂，1次1瓶，1日3次；冲剂，1次1袋，1日3次。用温开水送服，疗程为1～2周，或遵医嘱。

【健胃消食片】

药物组成	山楂、麦芽（炒）、太子参、陈皮、山药。
剂型规格	片剂，每片重约 .5 克。
功　　能	开胃消食。
主　　治	本品临床多用于治疗小儿消化不良，食欲不振，脘腹胀满等病症。
用法用量	嚼服，1 次 4～6 片，1 日 1～3 次。

【琥珀抱龙丸】

药物组成	琥珀、天竺黄、檀香、党参、茯苓、甘草、山药、枳壳（麸炒）、枳实（麸炒）、胆南星（蒸）、朱砂（水飞）、牛黄。
剂型规格	大蜜丸，每丸重 3 克；小蜜丸，每丸重 1.5 克；片剂。
功　　能	清热化痰，镇惊安神。
主　　治	本品常用于治疗感冒挟惊，发热恶寒，无汗，头痛，鼻塞，流涕，咳嗽有痰，咽喉肿痛，口渴烦躁，面青惊惕，肉瞤动等，可在治感冒方中加用本品以助清热镇惊，熄风化痰之效；也可用于暴受惊吓，出现双目直视，心烦急躁，睡中惊抖，手足抽搐及入夜则啼，哭声尖锐，时高时低，时急时缓，紧偎母怀，面色乍青乍白，脉弦急而数的惊恐夜啼症；也可用于热病之后，气阴两伤，瘈疭抽搐，神疲气弱，夜寐不安症的配合治疗。对于西医诊断之流感、急性气管炎、小儿肺炎、急性扁桃腺炎等感染性发热及高热惊厥属于内热痰盛者，均可使用本品治疗。
用法用量	口服，大蜜丸 1 次 1 丸；小蜜丸 1 次 1 丸；片剂 1 次 2 片，1 日 2 次，温开水送服。婴儿酌减。
注意事项	1. 忌食辛辣、油腻等食物。 2. 非痰热为患，便溏者慎服。 3. 慢惊风及久病气虚者忌服。

【安神镇惊丸】

药物组成	天竺黄、人参、茯神、麦冬、天南星（姜制）、酸枣仁（炒）、当归（酒洗）、薄荷、生地黄（酒洗）、赤芍（炒）、木通、栀子（炒）、黄连（姜汁炒）、朱砂、牛黄、龙骨（煅制）、青黛。
剂型规格	蜜丸，每丸重 1 克；水丸，每 10 粒重 1 克。
功　　能	养心安神，清热化痰。
主　　治	本品常用于治疗小儿急惊风，症见神志不清，昏迷不醒，谵语惊厥，惊叫嚎叫，发作时面色乍青乍赤，额角青筋暴露，印堂色青。本品尚有滋补强壮作用，故也可作为惊退后的调理剂服用。
用法用量	口服，蜜丸 1 次 1 丸；水丸 1 次 1 克，1 日 2 次，淡姜水或温开水送服。
注意事项	忌食辛辣、油腻食物。

【疳积散】

药物组成	石燕（煅）、石决明（煅）、茯苓、使君子仁、鸡内金（炒）、谷精草、威灵仙。
剂型规格	散剂。
功　　能	消积治疳。
主　　治	本品临床多用于治疗小儿疳积，面黄肌瘦，腹部膨胀，消化不良等证，西医称之为营养不良。
用法用量	口服，1次9克，1日2次。3岁以内小儿酌减。用热米汤或温开水调服。

【参苓健儿膏】

药物组成	党参、茯苓、白术、白芍、葫芦茶等。
剂型规格	膏剂，每毫升含原药材0.44克。
功　　能	健脾消滞，增强体质。
主　　治	本品临床可用于治疗小儿脾胃虚弱或脾肺两虚而致的胃纳欠佳，大便稀薄，自汗，盗汗，消瘦，容易感冒等病症。
用法用量	口服，1～2岁1次8毫升；3～6岁1次15毫升；7～12岁1次20毫升，1日2～3次，饭前开水送服。

【五福化毒丸】

药物组成	水牛角浓缩粉、连翘、青黛、黄连、牛蒡子（炒）、玄参、生地黄、桔梗、芒硝、赤芍、甘草。
剂型规格	水蜜丸；大蜜丸，每丸重3克。
功　　能	清热解毒，凉血消肿。
主　　治	本品临床多用于小儿蕴积热毒，唇口肿破生疮，牙缝出血，口臭颊热，咽喉疼痛，烦躁不宁及痘疹余毒未解或头面身体多生疮疖者。常用于治疗各种病毒、细菌感染的疾病，如急性扁桃腺炎、咽喉炎、口腔炎及流行性腮腺炎等属于热毒蕴积所致者。
用法用量	口服，水蜜丸，1次2克；大蜜丸1次1丸，1日2～3次，开水送服。
注意事项	1. 忌食辛辣发物及肥甘厚味。 2. 素体虚弱者慎服。

【解肌宁嗽丸】

药物组成	紫苏叶、前胡、葛根、苦杏仁、桔便、半夏（制）、陈皮、浙贝母、天花粉、枳壳、茯苓、木香、玄参、甘草。
剂型规格	蜜丸，每丸重3克。
功　　能	解表宣肺，止咳化痰。
主　　治	本品临床多用于治疗小儿感冒发热，咳嗽痰多之症。
用法用量	口服，小儿周岁1次半丸，2～3岁1次1丸，1日2次，温开水送服。

【琥珀镇惊丸】

药物组成	琥珀（水飞）、胆南星、钩藤、天麻（制）、甘草、白术、桔梗、柴胡、地龙（炮）、僵蚕（制）、天竺黄、檀香、猪牙皂、白附子、冰片、广藿香、薄荷、朱砂（水飞）、山药、茯苓。
剂型规格	蜜丸，每丸重 2.6 克；水丸，每丸重 0.21 克。
功　　能	镇惊除痰，祛风清热。
主　　治	本品具有较强的镇静，解热，抗惊厥作用，临床常用于治疗小儿急风，小儿急痫，小儿目触异物，身闻异声及跌仆惊怕而发的惊悸抽搐；或小儿感冒发热，咳嗽痰多，高热神昏，牙关紧闭，两目上吊，角弓反张，四肢抽搐等症，均可运用。
用法用量	口服，蜜丸，婴儿 1 次服 1/2 丸，百日内婴儿 1 次服 1/3 丸，1 日 2 次；水丸，婴儿 1 次 3 丸，百日内婴儿 1 次服 2 丸，1 日 2 次，早晚服。
注意事项	元气衰弱慢惊风者禁用。

【五粒回春丹】

药物组成	橘红、胆南星、防风、竹叶、茯苓、僵蚕、甘草、金银花、桑叶、连翘、麻黄、薄荷、蝉衣、山川柳、赤芍、川贝母、杏仁、羌活、牛蒡子、牛黄、冰片、犀角、羚羊角粉、麝香、珍珠、琥珀。
剂型规格	糊丸剂，每粒重 0.12 克，每瓶装 5 粒，重 0.60 克。
功　　能	清热解毒，宣肺透表，祛风化痰。
主　　治	本品常用于治疗麻疹疹出不畅、上呼吸道感染、扁桃腺炎高热不退，里热炽盛引起的急热惊风等病症。 1. 疹出不畅：麻疹出诊期，壮热咳嗽，口渴烦躁，为里热炽盛，营卫不和，阳气郁闭，毒邪不能从肌表发泄，致皮疹透发不利，隐伏难出，或疹出而早没，若不及早解毒透疹，则会发生麻疹毒邪内闭于肺等逆证。 2. 感冒高热，急热惊风，表现为汗出热不解，面红目赤，鼻流黄涕，咽喉红肿，呼吸急促，口喝饮冷，烦躁不宁，甚至突然惊厥抽搐，牙关紧闭，舌红，苔黄，脉弦数。
用法用量	口服，3 岁以上 1 次 5 粒，3 岁以下酌减，1 日 2 次，芦根水或温开水送服。
注意事项	避风寒，忌生冷油腻食物。

【乐儿康糖浆】

药物组成	党参、黄芪、太子参、麦冬、何首乌（制）、陈皮、山楂、麦芽、桑枝、茯苓、山药、薏苡仁、大枣。
剂型规格	糖浆剂，每瓶200毫升。
功　　能	益气健脾，和中开胃。
主　　治	本品为小儿滋补性药品，临床可用于治疗食欲不振，营养不良，体重增加缓慢，多汗，烦躁不安，睡眠不佳等病症。
用法用量	口服，1~2岁1次5毫升；2岁以上1次10毫升，1日2~3次，饭前服用。
注意事项	感冒期间停服。

【保儿宁糖浆】

药物组成	黄芪、白术、防风、芦根、茯苓、鸡内金、山药。
剂型规格	糖浆剂，每毫升含生药1克。每瓶100毫升。
功　　能	益气固表，健中醒脾。
主　　治	本品可用于治疗小儿肺脾气虚所致之神倦纳呆，面黄肌瘦，烦躁不宁，表虚自汗，易感风邪等病症。临床观察结果表明，本品可使病儿睡眠改善，精神活泼，纳食增加，外感减少。
用法用量	口服，3岁以下1次5毫升，3岁以上1次5~10毫升，1日2次，温开水送服。

【婴儿保肺散】

药物组成	川贝母、橘红、半夏（制）、紫苏子（炒）、紫苏梗、桔梗、百部、冰片、硼砂、石膏、滑石、赭石。
剂型规格	散剂，每袋0.6克。
功　　能	清肺化痰，止咳降逆。
主　　治	本品临床主要用于治疗小儿外感风寒，外邪化热入里，热郁肺脏所致之身热，痰盛，喘促气急，咳嗽，呕吐，甚则惊风等症，尤其对肺热痰多呕吐的患儿，甚为适宜。西医诊断之急慢性支气管炎属于肺热证候者，可服用本品治疗。
用法用量	口服，1~2岁小儿1次0.6克，1日1次。周岁以内小儿酌减。
注意事项	1. 虚寒性咳嗽不宜用。 2. 本品含有皂苷，对胃有刺激作用，不宜于空腹时服用，以免引起恶心呕吐。

【肺炎四号】

药物组成	紫菀、款冬花、制半夏、麻黄、细辛、葶苈子、金银花等。
剂型规格	口服液，每支 10 毫升，每盒内装 10 支。
功　　能	清热解毒，化痰止咳。
主　　治	临床要上主要用于治疗儿童肺炎、毛细支气管炎，见有呼吸气促、喘憋、咳嗽痰多等表现者。
用法用量	口服。2 岁以下每次 10 毫升，2 岁以上每次 10～20 毫升，每日 2～3 次。
注意事项	本品久置后有微量沉淀，不影响疗效，服用前摇匀即可。

【柴胡注射液】

药物组成	柴胡提取物。
剂型规格	注射液，每支 2 毫升。
功　　能	退热，解表。
主　　治	主要用于普通感冒、流行性感冒见有发热恶寒，身痛无汗者。
用法用量	肌肉注射，成人每次 2～4 毫升，每日 1～2 次，小儿用量酌减。
注意事项	近来有人将本品用作口服。成人每次 4～6 毫升，小儿每次 2～4 毫升，其退热作用也比较可靠。

【羊痫风丸】

药物组成	郁金、白矾、黄连、磁石、大黄、橘红、栀子、六神曲、黄柏、黄芩、礞石、沉香、白芥子。
剂型规格	水丸，瓶装。
功　　能	清热化痰，镇惊安神。
主　　治	主要用于癫痫病的治疗。
用法用量	口服，每次 10 克。1～4 岁每服 1.5～2 克；5～7 岁每次 3 克，每日 1 次，温开水送服。
注意事项	1. 本品适应于素体壮实，痰热内伏的癫痫，久病体虚者忌用。 2. 孕妇忌用。

中药的科学服用

ZHONG YAO DE KE XUE FU YONG